浙江省统计局 国家统计局浙江调查总队·编
ZHEJIANG STATISTICS BUREAU NBS SURVEY OFFICE IN ZHEJIANG



# 浙江统计年鉴
## ZHEJIANG STATISTICAL YEARBOOK
## 2009

中国统计出版社
China Statistics Press

2009年

# 浙江统计年鉴 协办单位

（排名不分先后）

浙江省发展和改革委员会

浙江省国土资源厅

浙江省国家税务局

嘉兴市人民政府

舟山市人民政府

桐乡市人民政府

绍兴县人民政府

舟山市普陀区人民政府

浙江省交通投资集团有限公司

兴业银行股份有限公司杭州分行

# 《浙江统计年鉴—2009》编辑委员会和编辑部

# Editorial Board and Editorial Department of Zhejiang Statistical Yearbook – 2009

# 浙江省人口和计划生育委员会

2008年，全省人口计生工作以科学发展观为统领，紧紧围绕“创业富民、创新强省”总战略，坚持“科学发展、和谐计生”总体思路，关注民生、狠抓落实，整体水平稳中有升。全省年底总人口5120万人，人口自然增长率5.25‰，计划生育率91.80%，出生人口性别比109.38，低生育水平持续保持稳定。在全国率先出台了实施免费婚前医学检查和免费孕前优生检测意见，修订完善了再婚家庭特殊情况生育审批政策，研究解决了“农转非”人员的生育政策问题，人口战略研究辅助科学决策取得新成果。开展关怀群众生殖健康活动，全面实施独生子女伤残死亡家庭特别扶助制度，惠民服务机制进一步健全落实。出生人口性别比偏高势头继续得到有效遏制，基本建立省内流动人口“一盘棋”服务管理机制，依法加大社会抚养费征收力度，重难点问题综合治理取得新成效。

2009年主要工作目标是：低生育水平继续保持稳定，常住人口出生数控制在61万人以内，人口自然增长率控制在6‰以内，计划生育率保持在90%以上；统筹解决人口问题取得新进展，人口发展战略研究重大现实课题出成果，出生缺陷率攀高和重点地区出生性别比偏高势头得到有效遏制，流动人口省内“一盘棋”服务管理机制进一步健全完善；人民群众满意程度进一步提高。

▲ 国家人口计生委检查组来浙江开展“十一五”规划中期评估督查

▲ 省委省政府召开全省农村人口计生工作会议

▲ 章文彪主任蹲点调研出生缺陷干预工作

详细地址：杭州市省府大楼2号楼
法定代表人：章文彪
邮政编码：310025
联系电话：0571-87052414

# 浙江省发展和改革委员会

▲ 省发改委厉志海主任陪同省委赵洪祝书记观察青川援建工作宣传图片展

▲ 2008年11月20日，吕祖善省长、陈敏尔常务副省长与铁道部刘志军部长等领导会谈浙江铁路建设

2008年，面对国内外严峻的经济发展环境，省发改委在省委、省政府的正确领导下，团结一心，迎难而上，以机遇应对挑战，以智慧迎对困难，通过大量富有成效的工作，圆满完成了省委省政府部署的各项工作任务，为促进全省经济和社会又好又快发展做出了新的贡献。回顾过去的一年，我委工作呈现十大亮点：

**1.贯彻落实中央扩大内需各项部署行动迅速**

为积极贯彻中央应对危机“扩内需、保增长”的各项政策举措，我委迅速组织编制了《浙江省2009年上报国家审批、核准的重大项目前期工作计划》和《浙江省2009－2010年政府主导性重大建设项目计划》，确定今明两年全省政府主导性项目预计投资4200亿元；省级财政再新增投入100亿元，用于以铁路现代化为重点的重大项目建设。同时，千方百计争取中央资金，共争取国家支持项目147个，第一批新增中央资金16.39亿元。

**2.杭州湾跨海大桥等一批重大项目建成投用**

突出抓好一批关系长远发展的重大基础建设项目。杭州湾跨海大桥、曹娥江大闸水利枢纽、华能玉环电厂、嘉绍过江通道、杭嘉天然气管道工程等67项重点建设项目建成投用。全年完成“三个千亿”工程投资1410亿元，重点建设投资978亿元，超计划15%。杭州湾跨海大桥的顺利贯通，不仅改变了杭州湾两岸的交通格局，更将对推动浙江与长三角区域经济一体化发展产生深远影响。

**3.铁路“二线一枢纽”同时开工建设**

以铁的决心、铁的作风，扎实推进铁路建设各项工作。经过半年左右时间的艰苦努力，12月27日，宁杭、杭甬客专和杭州东站扩建工程同时开工建设，铁道部部长刘志军、省委书记赵洪祝、省长吕祖善亲临开工仪式。同时，完成我省2020年国家铁路网规划的调整工作，我省列入国家《中长期铁路网规划》的铁路项目有25个，里程2000多公里，我省铁路建设进入了历史高峰期。

**4.服务业发展工作取得重大突破**

我省服务业发展工作在规划、政策、机制、项目四个方面取得了突破性的进展。编制了全省第一个服务业规划，制订出台了一个具有突破性的扶持政策，明确了五方面的工作协调机制，安排了今后五年服务业加快发展的一批重大项目。2008年服务业比上年增长11.8%，增速比GDP增速提高了1.7个百分点，占GDP的比重提升。

**5.基本公共服务均等化行动计划扎实启动**

会同省财政厅牵头制定了基本公共服务均等化行动计划（2008-2012），提出了5年内建立健全三大体系，努力实现14项基本目标的任务，并确定十大工程81个项目作为实施载体。同时制定了2008年的实施计划并抓好协调推进。年度31项主要工作全部完成预定目标，81个项目全年实现投资685.9亿元，完成计划任务的139.6%；其中省财政投入68.8亿元，完成计划任务的114%。

**6.对口支援青川得到国家充分肯定**

按省委省政府的要求，认真做好省支援青川县灾后恢复重建领导小组办公室的工作。牵头制订了我省支援青川县灾后恢复重建方案，编制完成了《浙江省支援青川县灾后恢复重建三年（项目）规划》和2008年度第

# 浙江省发展和改革委员会

一、二批项目实施计划，合计援建项目149个，总投资25.3亿元，目前已启动实施项目共47个。在国家发改委两次援建工作会议上，我省都做了典型发言。

**7.推动产业转型升级力度大、成效明显**

对接央企工作取得重大突破。制订了省领导与央企对接重点推进合作计划，赵洪祝书记、吕祖善省长、陈敏尔常务副省长、金德水副省长等先后三次赴北京走访了中远集团、中咨公司、国家电网公司、中国民航信息集团公司、中国兵器集团公司等14家大型央企，分别签订了有关战略合作框架协议和会谈纪要，共达成协议合作项目总投资4000亿元，有力促进了经济结构调整。制定出台了《浙江省国家高技术产业基地建设实施意见》，向上争取新批“杭州市生物产业基地”、“杭州市信息产业基地”、“宁波新材料产业基地”三家国家高技术产业基地。积极做好石化、船舶、钢铁、汽车等国家九大产业振兴规划的衔接与争取工作。循环经济试点省工作顺利推进。

**8.三大综合配套改革试点取得实质性进展**

实施三大省级综合配套改革试点总体方案，一些改革取得了实质性突破。杭州设立创业投资引导基金，建立投资项目审批代办服务制度，在全国首推“先租后售、租售并举”的住房保障制度；嘉兴、义乌启动了承包地换保障、宅基地换住房的“两置换”改革，农村生产生活用房“两分离”改革，城乡统一户籍登记管理制度改革，工业用地出让年限分阶段实施、出让金分批缴付改革试点；温州、台州启动了民营企业准入“五放宽”改革、村镇银行和小额贷款公司改革等试点。同时，制定扩权强县改革方案，全面启动了扩权强县改革工作。

**9.经济运行监测分析见事早、判断准**

面对国际金融危机的严重冲击和省内经济社会发展面临的新情况和新问题，加强了对经济社会发展状况的监测分析，认真做好季度经济形势分析、月度经济监测，及时提出了“防止经济过快下滑”、保持平稳较快增长的对策措施，得到省委、省政府的高度重视，许多意见和建议被采纳，充分发挥了参谋助手作用。

**10.学习实践活动特色鲜明**

以“勇破转型升级难题、争做科学发展表率”为实践载体，扎实开展项目服务月和保稳促调六大行动，我委学习实践活动取得了良好成效。委总体活动方案受到省委主要领导和省委学习实践活动办的充分肯定。我委学习实践活动组织周密，特色鲜明，在11月25日全省第一批单位学习实践活动情况交流会上，我委作了典型发言。中央电视台焦点访谈、新华社以及浙江日报、浙江卫视等中央和省市级媒体10余次宣传我委学习实践活动开展情况，省委《学习实践活动简报》先后5次介绍了我委的有关经验做法。

▲ 省发改委厉志海主任带队赴湖州调研

▲ 省发改委积极开展深入学习实践科学发展观活动

详细地址：杭州市省府大楼1号楼
法定代表人：厉志海
邮政编码：310025
联系电话：0571－87055073

# 浙江省国土资源厅

▲ 省委常委、常务副省长陈敏尔出席全省土地管理工作会议并作重要讲话

▲ 省委常委、常务副省长陈敏尔在全省县（市、区）委书记、县（市、区）长国土资源法律知识培训班上作重要讲话

2008年，在省委、省政府的正确领导下，全省国土资源系统坚持以科学发展观为指导，紧紧围绕两创总战略，认真学习贯彻党的十七届三中全会精神，规范推进农村土地管理制度改革，积极服务扩大内需促进经济平稳较快发展，切实履行保护资源、保障发展、维护权益、服务社会的工作职能，较好地完成了各项工作任务，为我省经济社会平稳较快发展作出了积极贡献。一是积极主动做好资源要素保障工作，加快推进土地利用总体规划修编，加强土地利用计划编制和管理，认真做好建设用地报批服务工作，着力保障重点建设项目合理用地需求。二是严格规范做好耕地保护工作，严格落实耕地保护责任制，全面完成全省标准农田上图入库工作，全力推进土地开发整理复垦，实现耕地占补平衡，切实加强土地执法监察，严肃查处土地违法案件。三是扎实有效做好节约集约用地工作，推进“365”节约集约用地行动计划，加大闲置土地清理处置力度，盘活存量建设用地，继续深化土地使用制度改革。四是全面加强矿产资源管理，完成整顿和规范矿产资源开发秩序工作，进一步推进矿产资源开发整合工作，全面完成新一轮矿产资源规划编制，深入推进矿山自然生态环境保护与治理工作。五是主动认真做好维权维稳工作，高度重视加强涉土信访处理工作，强化土地征收管理，严把土地征收审批关，从源头遏制非法征地、强制征地、低价征地行为，依法做好行政复议、行政诉讼、行政裁决案件。六是着力夯实国土资源管理基础工作，加快第二次土地调查工作进度，全面推进依法行政，进一步加强制度建设，加强信息化建设和统计工作。七是进一步加强地质灾害防治工作，加强地质勘查和测绘管理工作。八是深入开展学习实践科学发展观活动，加强党风廉政建设和干部队伍建设，加大教育培训力度，切实抓好干部队伍建设。

▲ 中央信访工作督导组到省国土资源厅检查指导工作

# 浙江省国土资源厅

▲楼小东厅长赴仙居县上张乡进行扶贫调研

▲楼小东厅长在全省县（市、区）委书记、县（市、区）长国土资源法律知识培训班上讲课

▲省国土资源厅积极开展深入学习实践科学发展观活动

▲省国土资源厅举行廉洁国土文艺汇演

详细地址：杭州市西溪路118号
法定代表人：楼小东
邮政编码：310007
联系电话：0571-88877786

# 浙江省交通运输厅

▲ 省委书记赵洪祝、省长吕祖善参加嘉绍通道开工仪式

▲ 省交通运输厅党组书记、厅长：郭剑彪

2008年，浙江交通深入贯彻落实科学发展观，认真执行中央宏观调控政策，全面实施“创业富民、创新强省”总战略和“全面小康六大行动计划”，坚决落实“标本兼治、保稳促调”的总体思路，全面推进现代交通三大建设，积极应对经济形势的急剧变化和宏观调控政策的重大转折，努力克服冰雪灾害、抗震救灾、奥运安保的严峻考验，交通各项工作取得了显著成效，为促进全省经济平稳较快增长，促进社会安定和谐作出了积极贡献。

基础设施建设快速推进。全省完成公路水运建设投资517.0亿元，其中：公路建设投资412.1亿元，水运建设投资104.9亿元。建成杭州湾跨海大桥、杭浦高速公路、黄衢南高速公路衢南段、台金高速公路西段、诸永高速公路北段等项目，新增高速公路里程422公里，增加出省通道2个（杭浦高速公路至上海、黄衢南高速公路至福建南平）。建成舟山六横煤炭中转码头等13个万吨级以上泊位。至2008年底，全省公路总里程达到103652公里，其中高速公路3073公里，国道4068公里，省道5856公里；全省公路密度101.82公里/百平方公里；乡镇公路通畅率为100%，行政村公路通达率为98.03%。全省沿海港口泊位1042个，其中万吨级泊位128个；内河港口泊位4175个。内河航道通航里程9695公里，其中四级以上航道里程1275公里。

运输生产总体平稳发展。全省全社会完成旅客运输量19.5亿人、1071亿人公里；完成货物运输量15.9亿吨、4883亿吨公里。全省高速公路网全年运送机动车超过2.09亿辆次，日交通量达到570027辆次/日。全省港口完成旅客吞吐量2865万人；完成货物吞吐量9.6亿吨，其中：外贸货物吞吐量2.4亿吨，集装箱吞吐量1148万标箱。

运力结构持续优化。全省营运客车数量达到7.65万辆、124.7万客位，营运货车达到44.6万辆、147.5万吨位。全省水路船舶运力规模达到23697艘、1291.5万净载重吨。

行业管理成效显著。坚持“建管并重”的工作方针，针对行业管理的难点热点问题，依法加强行政监管，行业管理工作得到切实加强和改进。

2009年4月15日，浙江省交通运输厅正式挂牌。新成立的浙江省交通运输厅将按照省政府统一部署，建立健全综合运输规划体系，统筹各种运输方式在规划上的衔接，加快综合运输管理和公共信息服务平台建设，促进运输信息资源共享，提高管理效能和服务水平。

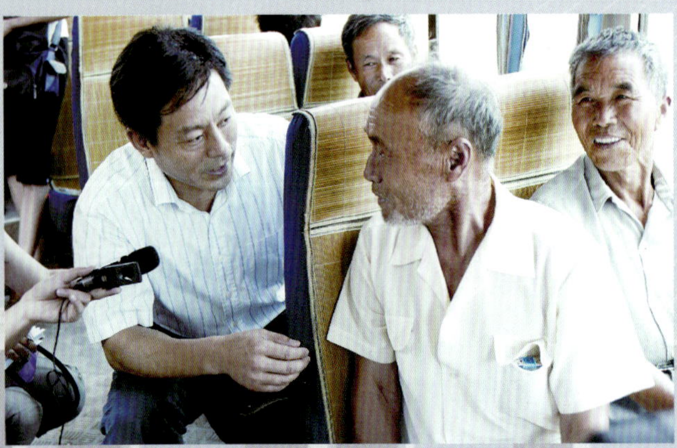

▲ 省交通运输厅党组书记、厅长郭剑彪调研建德幸福村农村客运班线，与老百姓亲切交谈

# 浙江省交通运输厅

▲雪中送“炭”，保障物资运送

▲2009年4月15日，省交通运输厅正式挂牌

▲时间就是生命，早一分架通，救灾物质和设备就能早一天通过。图为突击队在青川沙洲桥作业场面

▲大路网

▲飞速发展的浙江物流

▲宁波—舟山港

详细地址：杭州市梅花碑4号
法定代表人：郭剑彪
邮政编码：310009
联系电话：0571－87813863

# 浙江省审计厅

▲浙江省审计厅党组书记、厅长：谢力群

近年来，全省审计机关在省委、省政府的正确领导下，牢固树立科学审计理念，确立“在服务中实现有效监督、在服务中推进审计转型、在服务中体现审计价值”发展目标，坚持围绕中心，服务大局，积极构建具有浙江特色的审计创新体系，各项工作取得了较好成效，得到了各级党委、政府和审计署领导的充分肯定。国家审计署刘家义审计长认为，浙江审计工作最大的特点是“求实创新、勇于探索”，并要求我省审计工作继续走在前列，为全国审计工作提供更多更好的经验。

2008年，全省各级审计机关紧紧围绕“创业富民、创新强省”发展大局，围绕党委政府中心工作，依法审计，突出重点，更加注重对关系经济社会发展和人民群众利益重要问题的审计，更加注重从体制、机制、制度层面发现和分析问题，提出改进的意见和建议，发挥建设性作用，审计执行力、公信力和影响力进一步增强，审计转型创新取得了新的成效。我厅多次应邀到审计署和中国审计学会介绍浙江审计转型、全部政府性资金审计、经济责任审计的情况。据统计，2008年全省共审计4495个单位，提交综合报告、审计信息、专报7599篇，上级领导批示、采用5165篇；向社会公告审计结果388篇。

▲全国政协副主席李金华（右二）在浙江调研民营企业内审工作

▲国家审计署刘家义审计长听取浙江审计工作汇报

▲浙江省委、省政府领导、审计署领导接见浙江审计干部

▲谢力群厅长到基层调研

# 浙江省审计厅

当前，浙江审计工作已经进入了向现代审计转型的关键时期，全省审计干部将坚持以科学发展观为统领，全面履行职责，自觉承担“免疫系统”责任，不断提高审计工作水平，在服务中更好地发挥建设性作用；继续求实创新，勇于探索，努力做到“以审计精神立身、以创新规范立业、以自身建设立信”，加快推进审计创新转型；全面提升素质，着力固本强基，进一步增强审计工作的执行力、公信力和影响力，努力推进浙江审计事业新的发展。2009年全省审计机关的工作重点是：认真学习贯彻中央和全省经济工作会议精神，紧紧围绕“保增长、抓转型、重民生、促稳定”的经济工作主线，充分发挥审计保障国家经济社会健康运行的“免疫系统”功能，为促进浙江经济社会平稳较快发展作出新的贡献。一是围绕促进经济社会健康安全运行，把关注各类风险放在突出位置，及时向党委、政府提出建设性的意见和建议，努力发挥审计的建设性作用；二是围绕发挥“免疫系统”功能，进一步加快推进审计转型，继续深化全部政府性资金审计、宏观服务型绩效审计、计算机审计，丰富和完善浙江审计创新体系；三是围绕促进审计事业的可持续发展，着力构建适应现代审计的新机制，强化审计管理，提高管理质量，提升管理水平，进一步打造政治过硬、业务精通、作风优良、廉洁自律、文明和谐的审计干部队伍。

▲ 深入学习实践科学发展观活动动员大会

▲ 全省审计机关“迎奥运”职工羽毛球比赛

▲ 中青年审计论坛代表发言

▲ 承办亚洲审计组织环境审计研讨班

详细地址：杭州市体育场路555号
法定代表人：谢力群
邮政编码：310007
联系电话：0571—87051610

# 浙江省体育局

▲省委书记赵洪祝、省长吕祖善等领导与参加北京奥运会运动员合影

▲浙江省体育局局长李云林汇报我省体育健儿参加第29届奥运会及北京奥运会浙江省火炬接力工作的有关情况

2008年以来，浙江省体育局在省委、省政府的正确领导下，坚持以邓小平理论和“三个代表”重要思想为指导，深入学习贯彻党的十七大、省十二次党代会精神，以科学发展观为统领。坚持以增强人民体质、提高全民族身体素质和生活质量为目标，以努力完成好北京奥运会火炬接力及北京奥运会参赛为核心，加强统筹协调，坚持创业创新，进一步完善全民健身服务体系，着力提升综合竞技实力，加快推进体育产业健康发展，努力促进惠及全省人民的体育事业又好又快发展。

**[火炬传递方面]**在各级党委、政府的正确领导下，在省火炬接力组委会的直接指挥下，5月17、18、22日三天，北京奥运火炬在我省的温州、绍兴、杭州、宁波、嘉兴及台州等市传递，通过624名火炬手71.37公里的传递，整个过程圆满、安全、顺利。同时，在传递过程中，把圣火传递与支援四川抗震救灾相结合，很好地体现了团结、友谊、爱心、进步、和谐的奥林匹克精神的独特内涵，得到了北京奥组委和社会舆论的高度赞扬和肯定。

**[群众体育方面]**一是加大财政投入，加强农村体育工作，进一步推进“基本公共服务均等化行动计划”，全年省体育投入3814.5万元，按照小康体育村的标准，继续在全省建设3000个小康体育村，投入300万元在全省新建200个村级体育俱乐部和100个青少年体育俱乐部，投入300万元新建江山、象山、南湖三个省级全民健身活动中心（体育主题公园）。二是体育创强工作稳定推进，全年全省共有7个县（市、区）、160个镇（乡）达到标准，通过体育创强进一步加强基层特别是农村体育工作。三是全省全民健身片区活动内涵得到进一步拓展。积极开展了全国第三次群众体育现状调查，成功举办了浙江省第六届农民运动会和浙江省首届上市公司运动会以及第二届黄龙全民健身节、“喜迎奥运 · 关爱健康钱江环保行”等活动。

▲省委、省政府在省人民大会堂隆重举行欢迎浙江奥运健儿凯旋暨庆功表彰大会

# 浙江省体育局

▲国家体育总局副局长段世杰、浙江省副省长郑继伟等亲临2008杭州国际马拉松现场，为运动员助威

▲万人竞速美丽马拉松

**[竞技体育方面]**在北京奥运会上，我省共有26名运动员参加了10个大项、30个小项的比赛，有15名运动员为我省取得了2枚金牌、4枚银牌、1枚铜牌和2个第四名、5个第五名、1个第六名、2个第八名、破一项世界纪录的好成绩，延续了浙江自1984年我国恢复参加奥运会以来届届有金牌的殊荣。2008年，我省运动员积极参加国际、国内各种比赛，在国内外赛场上共获得世界杯站赛10金5银4铜、首届世界智力运动会2金1银、亚锦赛7金2银2铜、全国各类比赛82金90银100铜的好成绩。同时，省体育局积极承办世界女排大奖赛（北仑站）、斯坦科维奇洲际篮球冠军赛等国内外重大赛事66个，进一步积累了办赛经验。

**[体育产业方面]**省体育局借“奥运旅游年”的东风，进一步加强体育与旅游的合作，与省旅游局在富阳共同启动浙江“中国奥运旅游年”活动，并在安吉县成功举办首届长三角运动休闲节。联合省发改委等单位，成功评选出12家省体育用品业示范企业和省体育服务业示范企业，积极发挥示范企业的龙头作用。面对彩票市场激烈的竞争，我省体彩狠抓市场营销与宣传推广，对全省体育彩票资源适当进行整合与调整，扩大体彩销售点，推出新玩法，全年共销售40.24亿元，与去年同期相比增加4.04亿元，同比增长11.18%，在全国列江苏之后，排第二位。

**[体育场馆方面]**2008年以来，省本级萧山体育训练基地综合馆结顶，竞技体育馆基本结顶，三个训练馆完工并投入使用，长兴训练基地进入建设阶段，嘉兴进一步加快省运会场馆建设步伐，杭州奥体中心基础工程已于2008年6月18日正式开工，温州、绍兴等市也是进一步加大了场馆建设的力度。

▲08火炬传递——温州站

▲08火炬传递——绍兴站

# 浙江省体育局

▲奥运会冠军孟关良、江钰源荣获“浙江省功勋运动员”称号

▲2008年全国体育宣传工作会议

▲省体育局系统开展深入学习实践科学发展观活动

▲在2008年全省体育工作会议上，郑继伟、童芍素、马林云、李云林等领导为受到表彰的2007年先进单位和个人颁奖

# 浙江省体育局

▲ 夏宝龙、郑继伟等领导到训练房看望少年运动员

▲ 夏宝龙等领导到餐厅关心少年运动员的饮食

▲ “中萃可口可乐杯”浙江省2007年度十佳运动员暨“广厦杯”我最喜爱的男女运动员评选揭晓

▲ 浙江省体操50年庆典活动

▲ 表彰创造奇迹、突破历史的优秀教练员和运动员

详细地址：杭州市体育场路212号
法定代表人：李云林
邮政编码：310004
联系电话：0571-85177228

# 浙江省质量技术监督局

2008年，全省质监系统在省委、省政府和国家质检总局的正确领导下，以科学发展观为统领，坚持“优服务、严监管、强素质、上水平、争一流”，全面履行监管职能，主动服务经济发展，为促进我省经济社会又好又快发展作出了积极贡献。质量工作和品牌建设持续推进，全省有8个市、23个县（市、区）政府设立了“市、县（市、区）长质量奖”；浙江名牌产品和区域名牌培育取得了新进展。实施标准化战略的工作机制进一步建立，有52个市县出台或修订了标准化政策措施，三级财政共安排标准化专项资金超过1.5亿元；我省企业参与制定标准和采用国际国外先进标准取得新突破，标准话语权有效提升，全省已设立52个国家级专业标委会和27个省级专业标委会。块状产业质量提升工程稳步推进。品牌和标准化工作在经济“保稳促调”、促进节能减排中的作用有效显现。全省产品监督抽查合格率达到89.8%，持续保持在较高水平；“两豆”整治、“十小”整规工作阶段性任务如期完成；汽车配件、装饰材料等10类产品专项整治取得明显成效。特种设备事故率和死亡率持续保持下降趋势。民生计量、能源计量工作进展顺利。打假治劣取得了新成绩，全年共查处案件8778起，移送公安案件34起。检验检测创新平台建设实现了新突破，系统内已有14家技术机构参与并融入省级创新平台建设，国家中心、省本级检验检测实验室取得了新进展。

2009年全省质监工作的总体要求是：全面贯彻党的十七大、十七届三中全会、中央经济工作会议和省委十届二次、三次全会、全省经济工作会议以及全国质检工作会议精神，以科学发展观为统领，紧紧围绕中央部署的整顿和规范市场秩序以及“质量和安全年”活动，紧紧围绕落实省委关于“保增长、抓转型、重民生、促稳定”的要求，坚持贯彻落实质监系统的“十五字方针”，优化服务、科学监管、注重创新、狠抓落实，努力开创质监事业科学发展新局面，为我省经济社会又好又快发展作出新贡献。

# 浙江省体育局

▲ 夏宝龙、郑继伟等领导到训练房看望少年运动员

▲ 夏宝龙等领导到餐厅关心少年运动员的饮食

▲ “中萃可口可乐杯”浙江省2007年度十佳运动员暨“广厦杯”我最喜爱的男女运动员评选揭晓

▲ 浙江省体操50年庆典活动

▲ 表彰创造奇迹、突破历史的优秀教练员和运动员

详细地址：杭州市体育场路212号
法定代表人：李云林
邮政编码：310004
联系电话：0571-85177228

# 浙江省质量技术监督局

2008年，全省质监系统在省委、省政府和国家质检总局的正确领导下，以科学发展观为统领，坚持“优服务、严监管、强素质、上水平、争一流”，全面履行监管职能，主动服务经济发展，为促进我省经济社会又好又快发展作出了积极贡献。质量工作和品牌建设持续推进，全省有8个市、23个县（市、区）政府设立了“市、县（市、区）长质量奖”；浙江名牌产品和区域名牌培育取得了新进展。实施标准化战略的工作机制进一步建立，有52个市县出台或修订了标准化政策措施，三级财政共安排标准化专项资金超过1.5亿元；我省企业参与制定标准和采用国际国外先进标准取得新突破，标准话语权有效提升，全省已设立52个国家级专业标委会和27个省级专业标委会。块状产业质量提升工程稳步推进。品牌和标准化工作在经济“保稳促调”、促进节能减排中的作用有效显现。全省产品监督抽查合格率达到89.8%，持续保持在较高水平；“两豆”整治、“十小”整规工作阶段性任务如期完成；汽车配件、装饰材料等10类产品专项整治取得明显成效。特种设备事故率和死亡率持续保持下降趋势。民生计量、能源计量工作进展顺利。打假治劣取得了新成绩，全年共查处案件8778起，移送公安案件34起。检验检测创新平台建设实现了新突破，系统内已有14家技术机构参与并融入省级创新平台建设，国家中心、省本级检验检测实验室取得了新进展。

2009年全省质监工作的总体要求是：全面贯彻党的十七大、十七届三中全会、中央经济工作会议和省委十届二次、三次全会、全省经济工作会议以及全国质检工作会议精神，以科学发展观为统领，紧紧围绕中央部署的整顿和规范市场秩序以及“质量和安全年”活动，紧紧围绕落实省委关于“保增长、抓转型、重民生、促稳定”的要求，坚持贯彻落实质监系统的“十五字方针”，优化服务、科学监管、注重创新、狠抓落实，努力开创质监事业科学发展新局面，为我省经济社会又好又快发展作出新贡献。

# 浙江省质量技术监督局

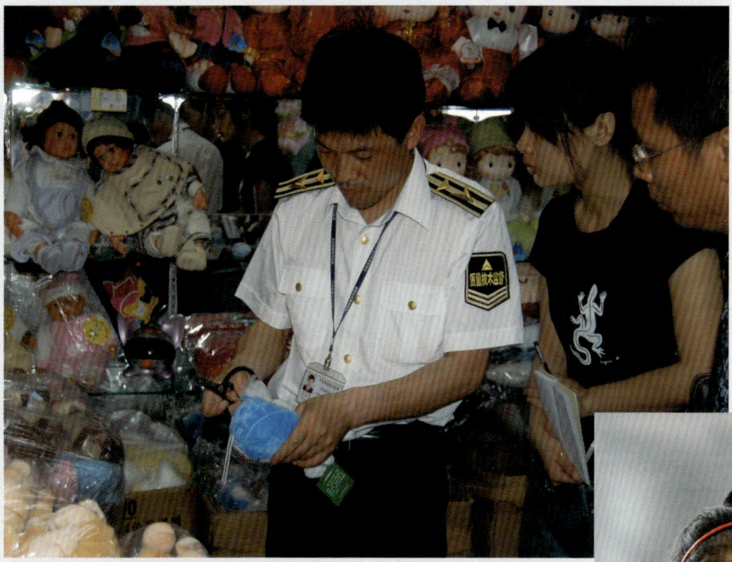

详细地址：杭州市天目山路222号
法定代表人：瞿素芬
邮政编码：310013
联系电话：0571－85122625

# 浙江旅游

## Zhejiang Tourism >

2008年，是大事多、难事多，冲击大、压力大，不平凡、不寻常的一年。面对国际金融危机、国内严重自然灾害和各种突发事件的叠加影响，全省旅游行业深入学习实践科学发展观，坚定信心，迎难而上，积极应对宏观环境带来的新影响、新挑战，大胆探索推动旅游发展的新途径、新办法，使我省旅游业在经济寒流中经受住了严峻考验。

主要经济指标稳中有升。全年接待入境旅游者540万人次，增长5.6%；实现旅游外汇收入30.2亿美元，增长11.7%;接待国内旅游者2.1亿人次，增长10%；实现国内旅游收入2040亿元，增长12%；实现旅游总收入2250亿元，增长11.1%。旅游经济大省地位得到进一步巩固，旅游综合实力有了新的提高。各项重点工作有序推进。紧抓改革开放30周年、北京奥运、开放赴台旅游和节假日调整等历史机遇，以深化完善重大旅游规划、引导推进重大旅

●温州永嘉/楠溪江

●杭州/西湖风景区

●舟山/朱家尖

游项目、组织实施重大旅游活动为抓手，以点带面，推动旅游工作全面发展。全省35个单体投资超亿元的重点旅游项目累计完成投资420亿元，杭州萧山、宁波鄞州等8个县（市、区）被省政府命名为浙江省首批旅游经济强县（市、区）。安全应急机制更加健全。面对年初百年不遇的冰雪灾害，及时发出旅游预警，及时疏导转移受困游客，认真组织全行业积极开展生产自救，降低雪灾损失，使我省成为灾后旅游市场较早恢复的省份之一。四川汶川地震发生后，全省旅游行业迅速反应，积极行动，第一时间启动应急预案，派出了全国旅游系统

●嘉兴/古镇西塘

●金华武义/俞源村

●杭州/清河坊历史街区

第一支赴川应急工作组，尽最大努力解救受困游客，减少损失，受到省委、省政府和社会各界的充分肯定。

2009年是新中国成立60周年。做好今年工作，使命光荣、意义重大。全省旅游工作的指导思想是：高举中国特色社会主义伟大旗帜，以邓小平理论和“三个代表”重要思想为指导，深入贯彻落实科学发展观，大力实施“创业富民、创新强省”总战略，围绕加快建设旅游经济强省目标，以“保增长、抓转型、重民生、促稳定”为主线，以稳定市场扩消费、抓好项目促投资、改革创新调结构为工作重点，扎实推进全省旅游业持续、健康、快速发展，为全省经济社会又好又快发展作出积极贡献。

主要预期目标是：全年接待入境旅游者567万人次，增长5%；实现旅游外汇收入33亿美元，增长9%;接待国内旅游者2.3亿人次，增长10%；实现国内旅游收入2285亿元，增长12%；实现旅游总收入2510亿元人民币，增长11.6%。

重点抓好五方面的工作：一是以扩大国内旅游消费为重点，确保旅游经济平稳增长；二是以推进旅游投资为着力点，进一步增强旅游发展后劲；三是以提升旅游产业发展水平为关键，进一步增强旅游核心竞争力；四是以创新体制机制为动力，进一步激发旅游发展活力；五是以优化服务为落脚点，进一步健全旅游服务体系。

推进旅游业转型升级，加快建设旅游经济强省是摆在我们面前的一项光荣而艰巨的任务。我相信，有省委、省政府的坚强领导，有社会各界的大力支持，全省旅游行业一定能够坚定信心，迎难而上，积极有为，圆满完成各项目标任务，实现全省旅游业平稳较快发展，开创旅游经济强省建设的新局面。

浙江省旅游局局长：赵金勇

●温州/南雁荡山

# 浙江省国家税务局

▲浙江省委常委、常务副省长陈敏尔出席全省国税工作会议，充分肯定浙江国税工作

▲浙江省国税局局长钱宝荣在基层调研指导

2008年，全省完成国税总收入2933.34亿元，同比增长16.16%，增收407.99亿元。其中，全省国税部门直接组织收入2053.62亿元，同比增长12.50%，提前两年完成"十一五"时期组织收入目标，国税总收入占全省生产总值的比重在14%以上。

**【国税收入特点】**一是收入总体增长，增幅前高后低。一季度完成国税收入429.70亿元，同比增长26.91%；二季度完成458.75亿元，同比增长24.64%；三季度仅完成372.60亿元，同比也仅增长10.15%；四季度完成332.36亿元，同比下降1.73%，累计收入增幅逐月下滑。二是各税种收入增长速度明显放缓。全省国内增值税完成1096.66亿元，增长15.85%，较上年增幅回落4.78个百分点。企业所得税完成338.41亿元，增长23.33%，其中内资增长24.07%，较上年增幅回落24.08个百分点；外资增长21.77%，较上年增幅回落2.62个百分点。车购税完成71.19亿元，增长1.44%，较上年增幅回落24.03个百分点。利息税完成15.22亿元，下降42.71%。国内消费税完成71.93亿元，增长10.14%。在税种构成上，所得税比重继续上升至22.19%，比上年提高0.43个百分点。三是中央与地方级收入均衡增长。中央级收入1531.58亿元，比上年增长21.21%；省级收入完成67.20亿元，比上年增长6.59%；市县级收入完成345.01亿元，比上年增长19.50%。四是地区间国税收入规模扩大，增速普遍下滑。杭州、宁波、温州、嘉兴、绍兴、台州和金华市国税收入规模均在100亿元以上，其中杭州市达549.26亿元，宁波市达460.21亿元。收入规模超10亿元的县（市、区）达34个，收入规模超20亿元的单位达18个；萧山区国税收入突破70亿元，鄞州区超50亿元，慈溪市、绍兴县、余姚市超40亿元，余杭区、义乌市、乐清市超30亿元。各市地分月累计收入均呈逐月下滑态势。

**【落实税收政策】**落实税制改革和税收宏观调控措施，贯彻新企业所得税法，制定实施《关于贯彻省委推进创业富民创新强省决定的实施意见》和《关于认真落实税收政策积极促进现代服务业发展的实施意见》，深入研究、宣传、实施推进"两创"总战略、经济转型升级、扶持现代服务业发展的税收政策，严格执行节能减排、促进就业再就业、支农惠农及改善社会民生等各项税收优惠政策。全年认定并落实高新技术企业优惠政策650户，办理各类税收减免及先征后退210亿元。及时落实出口退税政策调整，加快出口退税进度，全年办理出口货物退免税934.60亿元，比上年增长4.88%。

**【推进依法治税】**贯彻落实依法行政实施纲要，全面应用税收执法管理信息系统，规范税收执法行为，全年税收执法正确率达99.99%，继续保持全国领先水平。严格执行行政许可法，深化税收行政审批制度改革，完善

# 浙江省国家税务局

▲总结表彰管理创新先进集体和个人

重大税务案件审理制度，规范行政复议程序，加强税务行政救济。开展打击制售假发票和非法代开发票专项整治行动，破获一批制售假发票、非法代开发票的窝点和团伙，查处案件150多件，缴获各类发票99万份，查补税款7339万元。深入实施举报案件下查一级制度，全省查处100万元以上大要案212件。对房地产、烟草行业、证券业、品牌营销总代理商以及各地自行确定的行业开展税收专项检查，对部分重点地区和行业集中专项整治，对部分汇总纳税的重点税源企业实施统一检查。全省查补税款20.56亿元，比上年增长39.11%。

▲ 在办税服务厅推广“一窗统办”和“智能排队叫号系统”

▲ 深入推进廉政文化建设

详细地址：杭州市华浙广场5号
法定代表人：钱宝荣
邮政编码：310006
联系电话：0571-85273736

# 浙江省人民政府侨务办公室

▲ 省侨办主任王晓峰（左二）在富阳新建村考察“百家侨企助百村”活动情况

2008年，全省各级侨办充分发挥侨务优势，围绕“创业富民、创新强省”总战略，努力服务浙江经济社会发展，各项工作取得新成绩。全省各级侨办牵线搭桥促成招商引资项目237个，协议利用外资21.38亿美元，实际利用外资10.48亿美元。接受华侨、港澳同胞捐赠折合人民币22908.28万元（不含抗雪救灾、抗震救灾捐款）。全年接待海外侨胞、港澳同胞3万余人次。省侨办接待处理各类来信来访305件次，办结286件，办结率达到93.8%。

省侨办制定《关于开展“发挥侨务优势服务新农村建设”活动的通知》，推动全省各级侨办开展发挥侨务优势助推社会主义新农村建设活动，全年联络海外人士317人次，在农村投资项目80个，合同外资4677.65万美元，实到外资4296.55万美元，捐赠项目28项，捐赠额700多万元人民币。出台《浙江省侨办系统实施“海外人才为浙江服务计划”(2009-2013)》，加强侨务引智工作。应对金融危机，加强为侨资企业服务，联合金融机构、省律师顾问团、省侨商会等单位，上门为86家侨资企业“送服务、送温暖”。举办第五届海外中青年侨领研习班、“海外中青年侨领创业创新合作交流周”，组织省内名中医赴港澳为浙江乡贤开展健康咨询服务活动，拓展海外联谊工作。组织“浙江省海外中文学校校长考察团”来浙江考察访问，举办第三期海外华文学校教师培训班、“中国寻根之旅·快乐浙江行”夏令营，组织华文教育示范教学团赴瑞典、挪威、意大利中文学校开展示范教学，深化海外华文教育工作。自《浙江省华文教育“151”工程实施意见（2006-2010年）》实施以来，我省侨务部门共为海外华社培训教师512名，邀请2653名华裔青少年参加了各类夏令营活动。在南方雨雪冰冻灾害、汶川特大地震发生时，全省各级侨办积极引导和发动我省籍广大海外侨胞、侨商、侨资企业以及归侨侨眷通过各种渠道参与抗雪救灾、抗震救灾活动，省侨办被评为全国侨办系统“抗雪救灾”先进集体。制定《浙江省侨务信访工作规定》，规范我省涉侨信访工作。制定《浙江省归侨侨眷“关爱工程”实施意见》，指导全省侨办系统开展归侨侨眷关爱工作。

▲ 省侨办领导带队，联合金融机构上门为侨资企业服务

▲ 省侨办举办“中国寻根之旅·快乐浙江行”夏令营

详细地址：杭州市保俶路24号
法定代表人：王晓峰
邮政编码：310007
联系电话：0571-85119064

# 浙江省人民防空办公室（省民防局）

▲李杭局长向社区干部赠送防空防灾手册

2008年，全省人防系统深入贯彻科学发展观，全面落实《国务院中央军委关于进一步推进人民防空事业发展的若干意见》（国发〔2008〕4号），坚持解放思想，勇于开拓创新，扎实推进军事斗争人防应急准备，积极融入浙江快速发展的经济社会和城市化建设，多项工作继续走在战区和全国前列。积极服务全省经济转型升级，减免“人防工程定额测定费”，延迟缴纳“人防工程易地建设费”，为企业减轻负担近5亿元。围绕提高应急应战能力，省、市、县三级成立人民防空指挥部，构建了上下衔接、关系顺畅、灵敏高效的应急应战指挥体制，形成了覆盖全省所有市的地面与地下、固定与移动相结合的指挥平台，人防组织指挥体系更加健全。狠抓依法建设和管理，防护工程面积持续增长。全省“结建”防空地下室竣工建筑面积168万平方米，同比增长12.4%，连续三年突破百万大关。大力推进防空防灾一体化建设，全省建成人防疏散基地84个、疏散点2622个，改造防空警报服务防灾救灾工作。深化防空防灾宣传教育，制作人防知识教育动画系列片，探索人防教育基地化建设模式，提高了人防宣传教育的实效性和普及率。

▲2008年2月22日，国家人防办检查我省人防应急行动能力

▲2008年3月20日，浙江省人民防空指挥部成立，指挥部成员熟悉指挥位置

▲学生们参观人防教育基地

▲我省民防应急指挥车在演练中

▲2008年12月3日，浙江省人民防空展览馆开馆暨省民防教育训练基地授牌仪式

详细地址：杭州市保俶路宝石一路4号
法定代表人：李 杭
邮政编码：310007
联系电话：0571-89820114

# 浙江省地质勘查局

▲ 局长华宣奎研究平硐内矿体特征

2008年浙江省地质勘查局围绕“创业富民、创新强省”总战略，坚持地质立局、地质立队的总体思路，着力转变经济发展方式、优化产业结构，不断强化地质勘查主导产业，巩固提升工勘施工测绘等支柱产业，稳步发展其他产业，地勘经济保持持续平稳发展。实现总收入438533万元，同比增长10.8%；实现生产增加值86056万元，同比增长10.3%；实现利润总额20490万元，同比增长24.7%；实现国有资产增值11.9%；职工实际收入比上年明显增长。

自2006年《国务院关于加强地质工作的决定》下发以来，我省地勘系统积极进行产业结构调整，切实强化地质勘查工作，在地质找矿方面取得了显著成果，至2008年底，全省新探明可供进一步勘查或开发的矿产地40多处，其中大中型规模矿产地近20处，铀矿勘查继续取得新进展，新探明的主要矿产资源储量为铜金属量4万吨、铅锌金属量25万吨、钼金属量5万吨、铁矿石量1000万吨、萤石矿石量2500万吨、叶蜡石矿石量1700万吨等，潜在经济价值达数百亿元，为我省经济社会的可持续发展进一步增强了矿产资源保障能力。

2008年全局承担地质环境类项目2420项。积极参与地质灾害防治和矿山生态环境治理工作；开展了多个县市小流域泥石流调查与评价工作；参与全省泥石流预警预报方法研究，初步掌握了我省泥石流的分布发育规律；开展全省恐龙化石地质遗迹调查与评价，对我省含恐龙化石盆地进行了同位素资料收集和采样分析；地热资源详查领域取得新进展；积极参加了汶川地震抢险救灾和青川灾后重建工作，承担了浙江省对青川灾后重建几乎全部工程的勘察任务，为浙江省对口援建工作提供了强有力的地质技术支撑。

2008年全局地勘支柱产业经济总量和经济效益同比实现较大幅度增长，再创历史新高。全局继续深化改革创新，不断增强发展后劲。体制改革稳步推进，制度创新成果显著，科技创新迈出新步伐，构建“和谐地勘”有了新成效，解决民生问题取得新进展，全局已兑现一次性住房补贴近3亿元，离退休人员全部发放完毕，20年工龄以上职工完成审批。深入学习实践科学发展观，干部队伍形象有了新提升。

2009年，地勘工作要坚持以中国特色社会主义理论体系为指导，认真贯彻党的十七大、十七届三中全会、全省经济工作会议精神和国务院《关于加强地质工作的决定》，深入贯彻落实科学发展观，围绕“创业富民、创新强省”总战略，按照“保增长、抓转型、重民生、促稳定”的工作主线，加快转变经济发展方式，继续深化体制改革、机制创新，积极构建“和谐地勘”，促进我省地勘经济平稳较快发展。

▲ 2009年全省地勘工作会议

详细地址：杭州市体育场路498号
法定代表人：华宣奎
邮政编码：310007
联系电话：0571 87039207

# 浙江省测绘局

▲ 2008年8月20日上午，国土资源部副部长、国家测绘局局长鹿心社、浙江省委常委、常务副省长陈敏尔分别代表国家测绘局和浙江省人民政府签署了《关于推进测绘科技自主创新、合作开展重大基础测绘项目建设协议书》

浙江省测绘局是省国土资源厅管理的副厅级事业单位，经省人民政府授权，承担全省测绘行业管理职能。主要职责有：宣传贯彻执行测绘法律、法规，依法查处测绘违法行为；管理测绘基准、标准并监督执行；管理和组织实施基础测绘；组织管理地籍测绘，监督管理行政区域界线测绘、房产测绘及其他测绘；管理和监督测绘资质资格和测绘市场；管理地图编制、地图审核、地图产品和地图市场；管理测绘成果，向社会提供基础测绘成果和测绘公共服务；管理和维护测量标志；法律、法规和本级人民政府规定的其他职责；承担省政府及省国土资源厅交办的其他工作。省测绘局设6个职能处室，参照公务员法管理。局下属6个社会公益类纯公益性事业单位：省第一测绘院、省第二测绘院、省地理信息中心、省测绘资料档案馆、省测绘质量监督检验站、中国测绘科学研究院浙江分院(浙江省测绘科学技术研究院)。

省测绘局在省委、省政府、国家测绘局和省国土资源厅的领导下，以科学发展观统领测绘工作，完善体制机制，加强测绘法制建设，积极推进依法行政，认真履行测绘工作统一监管职能；积极推进基础测绘工作和“数字浙江”地理空间框架建设；不断完善地理信息资源的共建共享机制，促进测绘成果的广泛应用，为我省经济社会发展提供了有效的测绘保障。

▲ 国务院法制办副主任张穹等在国家测绘局副局长宋超智的陪同下到浙江调研测绘立法工作

▲ 浙江省常务副省长陈敏尔到省测绘局视察

详细地址：杭州市保俶北路83号
法定代表人：陈建国
邮政编码：310012
联系电话：0571-88051573

# 嘉兴市

▲ 市委书记：陈德荣

▲ 市长：李卫宁

嘉兴地处浙江省东北部，东接上海，北邻苏州，西连杭州，南濒杭州湾，陆域面积3915平方公里，现有户籍人口338.07万人，常住人口423.2万人，下辖南湖、秀洲2个区，平湖、海宁、桐乡3个县级市和嘉善、海盐2个县。

**嘉兴是中国共产党的诞生地**。1921年7月，中国共产党第一次代表大会在上海召开，后因遭受法租界巡捕房的袭扰而被迫中断，转移到嘉兴南湖的一艘画舫上举行。在这艘画舫上，“一大”审议通过党的第一个纲领和第一个决议，选举产生党的领导机构——中央局，庄严宣告中国共产党的诞生，中国革命的航船从此扬帆启航。红船见证了中国历史上开天辟地的大事变，成为中国革命源头的象征。八十多年来特别是改革开放以来，南湖儿女在党的正确领导下，在“红船精神”的激励下，大力弘扬开天辟地、敢为人先的首创精神，坚定理想、百折不挠的奋斗精神，立党为公、忠诚为民的奉献精神，同心同德，艰苦创业，奋发有为，取得了令人瞩目的成就，嘉禾大地处处呈现出生机勃勃、繁荣安定、政通人和的良好局面。

**嘉兴是马家浜文化的发祥地**。境内马家浜文化遗址距今已有7000多年，是长江下游、太湖流域新石器时代早期文化的代表。春秋战国时期嘉兴为吴越争战之地，有吴根越角之称，秦时置县称由拳，三国吴时更名嘉兴。“地美多俊木、水秀育英才”。在《中国大百科全书》记载的1800名全国名人中，嘉兴占了80余人；清代浙江共出进士2800多人，嘉兴就有695人；近现代涌现出王国维、徐志摩、茅盾、丰子恺、陈省身、金庸等一大批名人；现有嘉兴籍“两院”院士39名。悠久的历史传承和改革发展的伟大实践，既凝炼了“崇文厚德、求实创新”的人文精神，又彰显了“越韵吴风”、“水乡绿城”的文化底蕴和生态特征，历史文明与现代文明在这里相互融合、交相辉映。

**嘉兴是浙江省接轨上海扩大开放的前沿阵地**。作为浙江省接轨上海的最前沿，改革开放以来特别是近年来，嘉兴主动顺应长三角一体化进程加快、区域合作日益加强的趋势，牢固树立“与沪杭同城”理念，深化接轨上海首位战略，坚持以构筑大交通网络、高层次接轨平台为抓手，加强规划对接，完善政策措施，创新体制机制，加快推进与上海等长三角城市在综合交通、能源供应、环境保护、产业发展、人力资源等方面的对接与融合，不断将区位功能优势转化为现实经济优势，以接轨上海推进创业创新，推进嘉兴科学发展、创新发展，着力打造上海的“金南翼”。目前，已有近100个国家和地区的5000多家企业落户，有26家世界500强在嘉兴投资。

**嘉兴是浙江省推进城乡一体化、构建和谐社会的先行之地**。发展均衡。所辖五县（市）全部进入全国百强县前32位，三分之二的镇进入全国千强镇。城乡发展协调。在全省率先制定实施城乡一体化发展规划纲要，出台打造城乡一体化先行地行动纲领的十个推进体系文件，部署实施以中心城区为中心、各县（市）城区和滨海

# 嘉兴市

▲和谐家园

▲浙江嘉兴出口加工区

新区为副中心、40个左右市镇为骨干的“1640”工程，城镇发展和现代新农村建设统筹推进，现代化网络型大城市框架基本形成，农村全面小康社会实现程度达78.2%、居全省第2位。2008年城乡居民收入分别达到22481元和11538元，农村居民收入增幅连续五年高于城镇居民，城乡居民收入比为1.95：1。经济社会发展协调。2008年全市实现生产总值1815.3亿元，增长10.7%，全市按户籍人口计算的人均GDP为53796元（7746美元）。财政总收入252.1亿元，其中地方财政收入126.9亿元，分别增长20.4%和20.6%。社会发展水平连续五年居全省第3位，是中国优秀旅游城市、国家卫生城市、国家园林城市、全国绿化模范城市、全国双拥模范城和全国创建文明城市工作先进城市，市及所辖五县（市）均进入全国科技进步先进行列，全部荣获省级文明城市（县城）、省级教育强县（市）称号。社会保障体系日益完善，在全国率先制定实施城乡居民社会养老保险办法，推行“全民社保”。新型城乡居民合作医疗保险实现镇村全覆盖，农民参保率达96.51%。社会保持和谐稳定，实现创建省级平安市、平安县（市、区）“三连冠”。

当前，全市上下正高举中国特色社会主义伟大旗帜，认真学习贯彻党的十七大和十七届三中全会精神，深入贯彻科学发展观，全面落实省委“两创”总战略，进一步解放思想，坚定信心，抢抓机遇，把保增长摆在首位，着力推进经济转型升级，统筹区域城乡发展，加快文化生态建设，深化改革扩大开放，以人为本改善民生，全面加强民主政治与党的建设，促进经济社会又好又快发展，加快把嘉兴建设成为长三角创新型经济强市、江南水乡生态型文化大市、杭州湾宜居型滨海新市。

▲渔

▲古镇文化渊远流长，乌镇胜景美不胜收

详细地址：嘉兴市广场路1号嘉兴市行政中心
法定代表人：李卫宁
邮政编码：314050
联系电话：0573-82521545

# 舟山市

▲ 未来的城市中心

舟山市是我国唯一以群岛建立的地级市，区域总面积11.14万平方公里，其中海域面积11万平方公里，陆域面积1440平方公里。全市共有大小岛屿1390个，据第五次全国人口普查，共有住人岛屿103个，其中万人以上岛屿11个。辖两县两区（岱山县、嵊泗县、定海区、普陀区），全市户籍人口97万人。

作为海岛城市，舟山最大的特点是海洋资源丰富、区位优势明显、产业特色鲜明。全市深水岸线众多，航道港湾条件优越，是我国综合建港条件最好的地区之一；舟山海洋文化旅游资源丰富，是中国优秀旅游城市，拥有“海天佛国”普陀山和“南方北戴河”嵊泗列岛两个国家级风景名胜区；舟山素有“东海鱼仓”和“祖国渔都”之美称，是全国最大的渔场，先后荣获了“中国渔都”、“中国海鲜之都”荣誉称号。

近年来，舟山深入贯彻落实科学发展观，按照省委“创业富民、创新强省”总战略和市委“两创一促”总要求，围绕把舟山建设成为中国重要的国际性海上开放门户、国内一流的现代化海洋产业基地、全国独特的群岛型港口宜居城市和“海洋经济强市，海洋文化名城，海上花园城市和海岛和谐社会”的目标，坚持“以港兴市、工业强市、服务富市”，推进全市经济社会又好又快发展，加快建设国际性、现代化、群岛型港口宜居城市。2008年，全市生产总值达490.25亿元，比上年增长14.5%，增幅连续五年居全省首位，按户籍人口计算人均GDP 达7298美元。财政总收入、社会固定资产投资、城镇居民人均可支配收入和渔农村居民人均纯收入等增幅均位居全省前列。在经济发展上，认真做好“海”字文章，不断调整和优化产业结构，全市初步形成了以临港工业、港口物流、海洋旅游、现代海洋渔业等为支柱的开放型海洋经济体系。2008年全市海洋经济总产出1048亿元，海洋经济增加值占GDP比重达66.4%，是全国海洋经济比重最高的城市，三次产业比例为10.0：46.2：43.8，经济结构实现了由单一的传统渔业经济向综合的现代海洋经济转变。在加快经济发展的同时，加大社会事业投入，促进社会全面进步，全市社会发展水平列浙江省第四位。

▲ 即将建成通车的舟山大陆连岛大桥

今后几年，舟山将借大桥时代的东风，坚持科学发展、创新发展、率先发展，推进经济转型升级，努力实现又好又快发展，把舟山打造成为“海上浙江”的一颗璀璨明珠！

# 舟山市

▲ 定海港全景

▲ 建设中的六横浙能煤电一体化项目

▲ 优美的海岛风光

▲ 蓬勃发展的船舶工业

▲ 美国里士满市代表团参观马岙博物馆考察舟山文化

▲ 船博会

详细地址：舟山新城海天大道681号
法定代表人：周国辉
邮政编码：316021
联系电话：0580-2280220

# 义乌市

▲ 义乌市绣湖广场全景

义乌历史悠久，建县于公元前222年，1988年撤县建市。义乌名人辈出，先后涌现"初唐四杰"之一骆宾王、宋代名将宗泽、金元四大名医之一朱丹溪及现代教育家陈望道、文艺理论家冯雪峰、历史学家吴晗等历史名人。

义乌是一个有着诸多出众特质的城市——全国18个改革开放典型地区之一，综合竞争力名列浙江省县级市首位，中国县级城市十大活力城市，中国最具潜力的会展城市，国家卫生城市，国家园林城市，中国优秀旅游城市，国家环保模范城市，和谐的移民城市。

2008年全市预计实现地区生产总值490亿元，比上一年增长12%。完成财政一般预算收入69.2亿元，其中地方预算收入37.8亿元，分别同比增长17.5%和17.1%。此外，农村居民人均纯收入和城镇居民可支配收入也稳步增长，分别达11885元和28708元，同比增长15.9%和14.8%。金融机构存款余额1047.6亿元，比年初新增192亿元。

▲ 新农村建设

# 义乌市

义乌国际商贸城

2009年义乌市经济增长的预期目标：地区生产总值增长10%，财政一般预算收入增长8%，全社会固定资产投资增长10%，消费品零售总额增长15%，城镇居民人均可支配收入、农村居民人均纯收入分别增长8%。万元生产总值综合能耗下降3.5%，化学需氧量和二氧化硫排放量分别下降3.5 %和3.2%。总体要求是保增长、促转型、争项目、抓改革、惠民生、谋稳定，在应对挑战上出实招，在狠抓落实上下功夫，扎实推进国际商贸名城建设。

让我们在中共义乌市委的正确领导下，振奋精神，齐心协力，扎实推进全民大创业，全面大创新，为又好又快建设国际性商贸城市而努力奋斗！

共建和谐社会——老有所乐

工业生产车间

详细地址：金华市义乌市县前街21号
法定代表人：何美华
邮政编码：322000
联系电话：0579-85522174

# 鄞州区

▲ 鄞州新城区实景

鄞州区位于浙江东部沿海，是2002年2月撤销鄞县设立的宁波市下辖区。区域面积1346平方公里，下辖18个镇乡、6个街道，人口79.6万人。鄞州区前身鄞县是中国最早的建制县之一，有着2200多年历史，是我国最早对外开放的通商口岸之一，是我国佛教文化的重要传播地，也是著名“宁波帮”的发源地、浙江省重点侨乡，鄞州籍港澳台同胞和海外侨胞超过7万名，鄞州籍“两院”院士有29位。

改革开放特别是撤县设区以来，鄞州区上下发扬“敢为、求实、争先”的鄞州精神，紧紧围绕“共建和谐鄞州、共享全面小康”的目标，全面实施竞争力提升、新农村建设、和谐区创建“三大行动纲领”，经济发展活力持续增强。2008年地区生产总值650.8亿元，增长14%，GDP总量居全省县（市、区）第二位。财政一般预算收入133.7亿元，增长23.8%，总量首次跃居全省各县（市、区）首位。经济发展后劲不断增强，全年实施千万元以上技改项目427项、国家科技计划项目51项；获得国家专利1505件，其中发明专利74件；新增中国驰名商标18件。对外经济取得新突破，全年外贸自营出口66亿美元，增长17.4%，其中高新技术产品出口8.3亿元，同比增长21.7%；全年新签外资项目125个，实际利用外资4.7亿美元，增长14.0%，其中千万美元以上项

▲ 中国进士第一村——走马塘

▲ 投资创业中心

# 鄞州区

▲雅戈尔集团

目、服务业项目占全部合同外资的比重达到95%和23%。城乡居民收入稳步增长，农村居民人均纯收入达到12508元，扣除价格因素，增长9.8%；城镇居民人均可支配收入25749元，扣除价格因素，增长9.9%。

高度关注民生，全区公共服务体系日趋完善。在继续实施免费义务教育和职业高中免收学费政策基础上，2008年又实施普通高中免收学费政策，实现了中小学十二年免费教育。整体提升全区卫生事业发展水平，2008年新建改建社区卫生服务中心4家，创建省市级规范化社区卫生服务中心6家，完成社区卫生服务站标准化改造167家，充实基层卫技人员316名。落实"两免两减半"、药品限价、门诊补偿等政策，减免、优惠群众医疗费用2200万元。就业和社会保障体系日益完善，2008年落实就业扶助资金8500万元，开发就业岗位2万余个，城镇职工登记失业率控制到3.46%；企业劳动合同签订率达到97%；实施城镇居民医疗保险制度和外来务工人员社会保险制度，农民住院、门诊医疗费补偿率分别提高到50%和30%。

在新的历史进程中，鄞州将借助新城区的全面打造、快速崛起，由千年古邑加速向都市新区转型；依托"三大行动纲领"战略的深入实施、现代服务业强势突破，由县域经济加速向城市经济转型；强化公共服务体系全面建立、发展成果共建共享，加速向现代化和谐鄞州迈进！

▲兴建中的南部商务区

▲万达商业广场夜视鸟瞰

**详细地址：**宁波市鄞州新城区惠风东路568号
**邮政编码：**315100
**联系电话：**0574-87525938

# 桐乡市

▲ 市委书记：费建文

▲ 市长：朱海平

桐乡地处长江三角洲杭嘉湖平原腹地，位于上海、杭州、苏州的金三角之中，全市总面积727平方公里，人口 66.86万人，辖3个街道、9个镇。境内地势平坦、河网密布，四季分明，环境优美，是典型的江南水乡。1985年被列入全国首批开放县(市)，1993年撤县设市，是浙江省17个扩权县（市）和首批小康县（市）之一，荣获了“浙江省级文明城市”、“中国优秀旅游城市”、“国家级生态示范区”、“国家园林城市”、“国家卫生城市”等一系列荣誉称号。连续九届跻身“中国综合实力百强县（市）”，2005年居29位。2008年，实现生产总值（GDP）316.23亿元，按可比价计算，比上年增长12.0%；财政总收入41.8亿元，增长18.9%，其中地方财政收入20.4亿元，增长19.6%；城镇居民人均可支配收入22711元，农村居民人均纯收入11560元。

**工业经济在发展中实力增强。**毛纺针织、化学纤维、丝绸服装、建筑材料是桐乡四大特色支柱产业，精密机电、新特材料、生物医药、电子通信等高新技术产业发展迅速。全市形成了化纤、毛衫、皮毛、家纺布艺、制鞋等10多个块状特色经济区域，拥有“中国羊毛衫名镇·濮院”、“中国化纤名镇·洲泉”、“中国皮草名镇·崇福”、“中国家纺布艺名镇·大麻”、“中国植绒纺织名镇·屠甸”和“中国绢纺名镇·河山”。2008年，全市规模以上工业总产值703.43亿元，规模企业1305家，实现利税43.55亿元，其中利润25.51亿元，全市涌现出销售收入超亿元企业98家，利税超千万元企业56家，利润超千万元企业39家。全市已有中国名牌产品8个、中国驰名商标17件、国家免检产品13个。

**农业经济地方特色鲜明**。桐乡是“中国杭白菊之乡”，农业资源丰富，特产众多，蚕茧、杭白菊、湖羊、晒红烟、榨菜等都是桐乡著名特产，享誉国内外，其中杭白菊和蚕茧产量均居全国之首，湖羊饲养量占全国的三分之一。近年来，桐乡农业产业化程度不断提高，一大批农业龙头企业崛起并形成产业化经营；产加销、贸工农各环节有机结合，拥有销售超500万元的农副产品加工企业20家，销售额3.15亿元。2008年，全市实现农业总产值30.0亿元。

**商贸流通市场日趋繁荣**。现有各类贸易市场74个，年成交额超亿元的有12个。濮院羊毛衫市场是全国百强

▲ 濮院国际贸易中心

▲ 城市新貌——北港河

# 桐乡市

▲中国十大历史文化名镇——乌镇

市场、中国大型品牌市场、“中国毛衫第一市”，是国内最大的羊毛衫集散中心和全国毛针织服装产销研基地，年成交各类毛针织服装7亿余件。崇福皮毛市场声名渐起，跻身全国性皮草集散中心和国内主要皮草生产基地。

**投资环境区位优势明显**。市区建成区面积31.5平方公里。交通便利，沪杭高速公路、申嘉湖高速公路、320国道、京杭大运河等水陆交通要道横贯全境，东距上海131公里，北离苏州74公里，西邻杭州65公里。拥有浙江省桐乡经济开发区和浙江桐乡濮院针织产业园区两个省级开发区。2008年，合同利用外资1.19亿美元，实际到位外资1.49亿美元。

**社会事业统筹协调发展**。桐乡是全国科技进步先进县（市）。2008年实施省级以上高新技术项目121家，拥有省级以上高新技术企业35家；拥有省级高新技术研发中心12家。教育事业基础扎实，是浙江省教育强市。文化日益繁荣，名人辈出，茅盾、丰子恺等文化名人在这里诞生。实现了东海文化明珠工程、村级文化阵地全覆盖。卫生事业发展，第一人民医院迁建工程等一批社会民生项目建设进展顺利。

**旅游事业突出水乡风情**。凭借深厚的文化底蕴和原汁原味的水乡风情，“中国最后的枕水人家”——乌镇先后荣获“中国十大历史文化名镇”、“中国十大魅力名镇”、“中国十大最美的村镇”、“中国十佳古镇”等殊荣。“乌镇热”带动了桐乡旅游的整体效应，运河风情游、农业观光游，濮院毛衫和崇福皮草购物游等内容丰富，特色鲜明，海内外游客纷至沓来。2008年，共接待游客498.6万人次，其中境外游客34.27万人次，旅游经济收入38.13亿元。

步入新的历史时期，站在更高的起点上，勤劳、开拓的桐乡儿女将把握加快发展、科学发展、和谐发展的主题，深入实施工业立市、开放带动、城市化及城乡一体化、科教兴市和可持续发展“五大战略”，努力把桐乡建设成为“长三角的经济强市、江南水乡的文化名市、和谐发展的文明新市”。

▲招商引资，签约明天

▲华庄生态农业观光园

详细地址：嘉兴市桐乡市梧桐街道振兴东路行政综合楼三号楼五楼
法定代表人：朱海平
邮政编码：314500
联系电话：0573-88115180

# 绍兴县

柯桥全景

绍兴县地处杭州湾南岸，会稽山北麓，总面积1177平方公里。辖4个街道、15个镇，户籍总人口71.46万人。绍兴气候温和，资源丰富，历史悠久。是全国首批24个历史文化名城之一，在原始部落定居时代，属于河姆渡文化圈的绍兴就是中华文明的起源区域。从秦汉（公元前221年）到明清（公元1911年），绍兴一直是中国南方区域性的政治、经济、文化中心之一，历代名人荟萃，代有人杰。素有“江南明珠”、“丝绸之府”、“文化之邦”、“名士之乡”之美誉。绍兴县交通发达，沪杭甬铁路和高速公路、104国道和329国道、杭甬运河等陆水交通干线通过县域中部，距杭州萧山国际机场仅30公里。拥有1个国家AAAA旅游区、2个国家重点文物保护单位、1个省级风景名胜区、8个县级名胜风景区，有柯岩风景区、羊山风景区、安昌古镇、印山越国王陵、鲁镇等著名景点和名胜古迹，自古为受人称颂的旅游胜地。系浙江省“旅游经济强县”和“中国十佳休闲旅游名县”。改革开放以来，绍兴经济和社会事业取得了巨大的发展，综合实力日益增强。2008年，全县实现生产总值608.27亿元，人均生产总值85368元，分别增长8.8%和8.4%；财政总收入75.73亿元，其中地方财政收入38.52亿元，分别增长13.0%和17.5%；城镇居民人均可支配收入26155元，农村居民人均纯收入13372

瓜渚湖夜景

鉴湖风光

# 绍兴县

▲工业区一角

元，分别增长12.5%和13.7%。曾荣获“全国十大财神（县）市”、“全国村镇建设先进县”、“全国基础教育先进县”、“全国体育工作先进县”、“全国村民自治模范县”、“全国农村卫生保健工作先进县”、“国家级生态示范县”和“国家卫生县城”等称号，县域综合经济实力连续位居全国十强县。绍兴县，有着亚洲规模最大、品种最全的纺织品交易中心。中国轻纺城已基本形成了“南部面料交易区、中部国际贸易区、北部市场创新区、西部原料龙头区”合理互补、错位发展、各具特色的纺织品贸易平台。“纺博会”经国务院批准升格为国家级展会，中国纺织信息中心(国家纺织产品开发中心)柯桥分中心挂牌成立。

▲轻纺市场国际贸易区

▲印染车间

详细地址：绍兴市绍兴县柯桥群贤路1661号
法定代表人：冯建荣
邮政编码：312030
联系电话：0575-84130707

# 浙江省就业管理服务局

▲孔祥文局长（左一）与务工人员交流

2008年全省城镇新增就业人数77.63万，帮助35.1万名城镇下岗失业人员实现再就业，其中就业困难人员实现再就业12万人。年末，城镇登记失业率3.49%，全省就业局势保持稳定。

**制定并落实好就业扶持新政策**。省人民政府出台《浙江省人民政府关于做好就业工作促进社会和谐的实施意见》（浙政发〔2008〕59号），在保证国发〔2008〕5号文件不缩水的前提下，延续并拓展了我省前一轮促进就业的优惠政策。2008年，全省使用再就业专项资金11.34亿元。全省累计发放再就业优惠证8.53万本，其中就业困难人员5.09万本。有82.07万名失业人员享受免费职业介绍，66.58万人享受免费职业培训；36007人因从事个体经营享受税收减免政策；4735人享受小额担保贷款政策；26499人从事公益性岗位；18993人享受新办和现有服务型企业税收扶持；404454人被服务型企业吸纳和因从事公益性岗位享受社保补贴。

**鼓励和引导创业带动就业**。积极鼓励和支持高校毕业生、返乡创业农民工等有创业愿望的城乡创业者自主创业，完善创业扶持政策，将鼓励创业促就业的政策扩大到所有创业人员。开展以创业培训、项目开发、开业指导、融资服务、税费减免、跟踪扶持等项措施紧密结合的“一条龙”服务，使更多劳动者成为创业者。

**加强公共就业服务**。依托基层劳动保障平台，加强了就业服务的制度化、专业化、社会化建设。通过组织再就业援助活动、春风行动、民营企业招聘周活动、技能岗位对接专项服务活动、大中专技校毕业生就业服务月等专项活动，为就业困难人员提供了实实在在的帮助。2008年各级就业管理服务机构为3126名港澳台人员和7792名外国人在浙江就业办理各项审批和延期手续。

**全面推进城乡统筹就业**。各级劳动就业部门围绕开发就业、平等就业、素质就业、稳定就业，着力抓好制定城乡就业规划、改善农村就业服务、提高技能培训实效、强化权益保障机制等方面的工作。加快建立健全有效调控城乡就业，保证城乡劳动者平等享受公共就业服务的政策机制和各项制度，为进城农民工创造更加良好的就业环境。

**稳步推进失业保险工作**。到年末，全省参保人数达731.1万人，基金收入35.06亿元。各地以股份、私营等非公有制企业为扩面重点，切实提高农民合同制职工的参保率。基金保生活、促就业的功能进一步发挥。完善失业保险基金监督管理制度，加强基金预决算、征缴、使用和营运的全程监管，确保失业保险基金使用安全。

▲表彰优秀农民工和农民工工作先进集体

▲创业项目展示

▲招聘会现场

详细地址：杭州市下城区狮虎桥路42号
法定代表人：孔祥文
邮政编码：310006
联系电话：0571-85108839

# ·编者说明·

一、《浙江统计年鉴－2009》是一部全面反映浙江国民经济和社会发展情况的资料性年刊，本年鉴收录了浙江及各市、县2008年经济和社会各方面大量的统计数据，以及改革开放以来浙江主要统计数据。

二、全书内容分为18部分，即：1. 综合；2. 人口和从业人员；3. 固定资产投资；4. 价格；5. 人民生活；6. 农业；7. 工业和能源；8. 建筑业；9. 交通运输和邮电通信业；10. 批发、零售贸易和餐饮业；11. 对外经济贸易和旅游；12. 财政、金融和保险；13. 城市建设和生态环境；14. 教育、科技、专利、测绘和标准计量；15. 文化、体育和卫生；16. 档案、司法、社会福利和工会组织；17. 各市、县国民经济主要指标；18. 附录（企业统计情况、开发区（园区）统计情况、投入产出表及部分企业简介）。为便于读者使用，部分统计表下作了简要注释，每篇章后附有《主要统计指标解释》。

三、本年鉴对过去发表的统计资料重新予以核实，凡与本年鉴数据有出入的，以本年鉴为准。

四、本年鉴凡带续表的资料，如有注解均注在最后一张续表的下方。

五、本年鉴中符号使用说明："…"表示数据不足本表最小单位数；"#"表示其中主要项；"空格"表示该项统计指标数据不详或无该项数据。

《浙江统计年鉴》自公开出版以来，受到了社会各界的关心和支持，对年鉴编辑工作提出了许多宝贵意见，对此我们深表谢意。为进一步提高统计年鉴的编辑水平，欢迎读者继续对年鉴的不足之处给予批评和指正。

# · Preface ·

Zhejiang Statistical Yearbook 2009 is an annual statistics publication, which contains very comprehensive statistics of Zhejiang's social and economic development in 2008 and selected data since China adopted the policy of reforming and opening to the outside world.

The yearbook is composed of 18 parts. 1. General Survey 2. Population and Employment 3. Investment in Fixed Assets 4. Prices 5. People's Livelihood 6. Agriculture 7. Industry and Energy 8. Construction 9. Transportation, Posts and Telecommunications 10. Wholesale and Retail Sale Trade and Catering Trade 11. Foreign Economy and Trade, Tourism 12. Public Finance, Banking and Insurance 13. City Construction and Environment 14. Education, Science, Patent, Surveying and Mapping and Standard Calculating 15. Culture, Sports and Public Health 16. Archives, Judicature, Social Welfare and Labour Union 17. Major Indicators of National Economy by City and County 18. Appendix. In addition, brief notes are placed at lower part of some tables and explanatory notes on main indicators are provided at end of each part.

The statistics in former statistical yearbook have been already checked. The data in Zhejiang statistical yearbook 2009 shall be regarded as authentic ones. The footnotes are placed at the last page, if the table is a continued one.

Notations used in this yearbook:

"…" indicates that the figure is not large enough to be measured with the smallest unit in the table. "#" indicates the major items of the total. "blank" indicates that the data not available.

Since issued openly, Previous Editions of Zhejiang Statistics Yearbook have enjoyed wide concern and support, all circles have made many valuable suggestions, we express heartfelt thanks. In order to enhance yearbook editorial level, we welcome all candid comments and criticism from our readers.

# 目录
# CONTENTS

## 一、综　合
## Chapter 1 GENERAL SURVEY



## 二、人口和从业人员
## Chapter 2 POPULATION AND EMPLOYMENT

## 三、固定资产投资

## Chapter 3 INVESTMENT IN FIXED ASSETS

## 四、价 格
## Chapter 4 PRICES

# 五、人民生活
# Chapter 5 PEOPLE'S LIVELIHOOD

## 六、农 业
## Chapter 6 AGRICULTURE

# 七、工业和能源
# Chapter 7 INDUSTRY AND ENERGY

# 八、建筑业

# Chapter 8 CONSTRUCTION

# 九、交通运输和邮电通信业
# Chapter 9 TRANSPORT, POSTS AND TELECOMMUNICATIONS

# 十、批发、零售贸易和餐饮业
# Chapter 10 WHOLESALE AND RETAIL SALE TRADE AND CATERING TRADE

## 十一、对外经济贸易和旅游
## Chapter 11 FOREIGN ECONOMY AND TRADE, TOURISM

# 十二、财政、金融和保险
# Chapter 12 PUBLIC FINANCE, BANKING AND INSURANCE

## 十三、城市建设和生态环境
## Chapter 13 CITY CONSTRUCTION AND ENVIRONMENT



## 十四、教育、科技、专利、测绘和标准计量
## Chapter 14 EDUCATION, SCIENCE, PATENT, SURVEYING AND MAPPING AND STANDARD CALCULATING

# 十五、文化、体育和卫生
# Chapter 15 CULTURE, SPORTS AND PUBLIC HEALTH

## 十六、档案、司法、社会福利和工会组织
## Chapter 16 ARCHIVES,JUDICATURE,SOCIAL WELFARE AND LABOUR UNION

# 十七、各市、县国民经济主要指标
# Chapter 17 MAJOR INDICATORS OF NATIONAL ECONOMY BY CITY AND COUNTY

浙江统计年鉴 2009

ZHEJIANG STATISTICAL YEARBOOK

# CHAPTER 1

# 综 合

General Survey

## 1-1 国民经济和社会发展总量与速度
Main Aggregate Indicators on National Economic and Social Development and Their Related Indices

| 指 标 | Item | 1978 | 1990 | 1995 | 2000 | 2003 |
|---|---|---|---|---|---|---|
| **人口** | **Population** | | | | | |
| 年末总人口 (万人) | Year - end Population (10000 persons) | 3750.96 | 4234.91 | 4369.63 | 4501.22 | 4551.58 |
| **年末从业人员数 (万人)** | **Year - end Employment (10000 persons)** | **1794.96** | **2554.46** | **2621.47** | **2726.09** | **2918.74** |
| **全省生产总值 (亿元)** | **Gross Domestic Product (100 million yuan)** | **123.72** | **904.69** | **3557.55** | **6141.03** | **9705.02** |
| 第一产业 | Primary Industry | 47.09 | 225.04 | 549.96 | 630.98 | 717.85 |
| 第二产业 | Secondary Industry | 53.52 | 408.18 | 1854.52 | 3273.93 | 5096.38 |
| 第三产业 | Tertiary Industry | 23.11 | 271.47 | 1153.07 | 2236.12 | 3890.79 |
| **人均生产总值 (元)** | **Per Capital GDP (yuan)** | **331** | **2138** | **8149** | **13416** | **20444** |
| **交通运输** | **Transportation** | | | | | |
| 旅客周转量 (亿人公里) | Turnover Volume of Passenger Traffic (100 million passenger-km) | 66.68 | 257.29 | 483.06 | 606.73 | 718.39 |
| 货物周转量 (亿吨公里) | Turnover Volume of Freight Traffic (100 million ton-km) | 164.19 | 400.65 | 874.29 | 1199.74 | 2047.48 |
| **全社会固定资产投资总额 (亿元)** | **Total Investment in Fixed Assets (100 million yuan)** | **23.23** | **186.96** | **1357.9** | **2267.22** | **4993.57** |
| **财政收支** | **Finance** | | | | | |
| 财政总收入 (亿元) | Financial Revenue (100 million yuan) | 27.45 | 101.59 | 248.5 | 658.42 | 1468.89 |
| #地方财政收入 (亿元) | Local Financial Revenue (100 million yuan) | 27.45 | 101.59 | 116.82 | 342.77 | 706.56 |
| 财政支出 (亿元) | Financial Expenditure (100 million yuan) | 17.43 | 80.23 | 180.29 | 431.3 | 896.77 |

| 2004 | 2005 | 2006 | 2007 | 2008 | 指数 Indices(2008 年为以下各年%)(2008 as Percentage of the Following Years) 1978 | 2003 | 2007 | 1979－2008 年平均增长(%)Average Annual Growth Rate (%) | 2004－2008 年平均增长(%)Average Annual Growth Rate (%) |
|---|---|---|---|---|---|---|---|---|---|
| 4577.22 | 4602.11 | 4629.4 | 4659.34 | 4687.85 | 125.0 | 103.0 | 100.6 | 0.7 | 0.6 |
| **2991.95** | **3100.76** | **3172.38** | **3405.01** | **3486.53** | **194.2** | **119.5** | **102.4** | **2.2** | **3.6** |
| **11648.7** | **13437.85** | **15742.51** | **18780.44** | **21486.92** | **4058.4** | **212.9** | **110.1** | **13.1** | **13.2** |
| 814.1 | 892.83 | 925.1 | 986.02 | 1095.43 | 327.3 | 119.6 | 103.9 | 4.0 | 2.9 |
| 6250.38 | 7166.15 | 8509.57 | 10148.45 | 11580.33 | 8631.8 | 221.2 | 109.4 | 16.0 | 13.6 |
| 4584.22 | 5378.87 | 6307.84 | 7645.97 | 8811.16 | 4872.4 | 223.1 | 111.8 | 13.8 | 14.3 |
| **24352** | **27703** | **31874** | **37411** | **42214** | **2982.6** | **197.4** | **108.6** | **12.0** | **11.6** |
| 795.32 | 848.49 | 929.15 | 1010.6 | 1071.33 | 1606.7 | 149.1 | 106.0 | 9.7 | 8.3 |
| 2701.48 | 3416.9 | 4363.71 | 4701.3 | 4883.46 | 2974.3 | 238.5 | 103.9 | 12.0 | 19.0 |
| **6059.78** | **6696.25** | **7593.66** | **8420.43** | **9323** | **40133.4** | **186.7** | **110.7** | **22.1** | **13.3** |
| 1805.16 | 2115.36 | 2567.7 | 3239.89 | 3730.06 | 13588.6 | 253.9 | 115.1 | 17.8 | 20.5 |
| 900.99 | 1066.6 | 1298.2 | 1649.5 | 1933.39 | 7043.3 | 273.6 | 117.2 | 15.2 | 22.3 |
| 1062.94 | 1265.53 | 1471.86 | 1806.79 | 2208.58 | 12671.1 | 246.3 | 122.2 | 17.5 | 19.8 |

1-1 续表 continued

| 指 标 | Item | 1978 | 1990 | 1995 | 2000 | 2003 |
|---|---|---|---|---|---|---|
| **贸易** | **Trade** | | | | | |
| 社会消费品零售总额 （亿元） | Total Retail Sales of Consumer Goods (100 million yuan) | 46.86 | 353.75 | 1472.66 | 2553.59 | 3511.26 |
| 进出口总额 （亿美元） | Total Imports and Exports Value (USD100 million) | 0.7 | 27.73 | 115.12 | 278.34 | 614.11 |
| #出口总额 （亿美元） | Total Exports Value (USD100 million) | 0.52 | 21.89 | 76.98 | 194.44 | 415.95 |
| **价格指数** | **Price Indices** | | | | | |
| 居民消费价格指数（上年=100） | General Consumer Price Index(Preceding year=100) | | 102.1 | 116.6 | 101.1 | 101.9 |
| **城乡居民收入** | **Living Standard** | | | | | |
| 城镇居民人均可支配收入 （元） | Per Capital Disposable Income of Urban Households (yuan) | 332 | 1932 | 6221 | 9279 | 13180 |
| 农村居民人均纯收入 （元） | Per Capital Annual Net Income of Rural Households (yuan) | 165 | 1099 | 2966 | 4254 | 5431 |
| **教育和文化** | **Education and Culture** | | | | | |
| 高等学校在校学生数 （万人） | Students Enrollment in Institutions of Higher Education (10000 persons) | 2.4 | 6 | 9.3 | 22.2 | 50.4 |
| 普通中学在校学生数 （万人） | Student Enrollment in Regular Secondary Schools (10000 persons) | 214.7 | 169.6 | 210.5 | 249.6 | 270.1 |
| 小学在校学生数 （万人） | Students Enrollment in Primary Schools (10000 persons) | 501.4 | 372.4 | 353.8 | 353.8 | 340.3 |
| 报纸出版数量 （万份） | Number of Newspapers Published (10000 copies) | 24080 | 66865 | 113514 | 173526 | 241645 |
| 杂志出版数量 （万份） | Number of Magazines Published (10000 copies) | 393 | 4716 | 8417 | 8736 | 9104 |
| 图书出版数量 （万份） | Number of Books Published (10000 copies) | 12033 | 19596 | 22608 | 27014 | 30263 |

注:1. 本表价值量指标按当年价格计算,发展速度按可比价格计算。

2. 城镇居民人均可支配收入、农村居民人均纯收入发展速度均已扣除价格变动因素。

| 2004 | 2005 | 2006 | 2007 | 2008 | 指数 Indices(2008 年为以下各年%)(2008 as Percentage of the Following Years) 1978 | 2003 | 2007 | 1979－2008 年平均增长(%)Average Annual Growth Rate (%) | 2004－2008 年平均增长(%)Average Annual Growth Rate (%) |
|---|---|---|---|---|---|---|---|---|---|
| 4055.5 | 4631.69 | 5325.35 | 6214.04 | 7441.75 | 15880.8 | 211.9 | 119.8 | 18.4 | 16.2 |
| 852.13 | 1073.91 | 1391.47 | 1768.56 | 2111.09 | 301584.7 | 343.8 | 119.4 | 30.6 | 28.0 |
| 581.46 | 768.04 | 1008.94 | 1282.73 | 1542.67 | 296667.3 | 370.9 | 120.3 | 30.5 | 30.0 |
| 103.9 | 101.3 | 101.1 | 104.2 | 105.0 | | | | | |
| 14546 | 16294 | 18265 | 20574 | 22727 | 1033.8 | 150.2 | 105.4 | 8.1 | 8.5 |
| 6096 | 6660 | 7335 | 8265 | 9258 | 1141.2 | 143.5 | 106.2 | 8.5 | 7.5 |
| 59.5 | 67.7 | 74.7 | 80.9 | 86.8 | 3616.7 | 172.2 | 107.3 | 12.7 | 11.5 |
| 266.1 | 261.1 | 262.3 | 266.6 | 269.8 | 125.7 | 99.9 | 101.2 | 0.8 | |
| 344.3 | 342.4 | 339.4 | 335.5 | 332.3 | 66.3 | 97.6 | 99.0 | -1.4 | -0.5 |
| 255639 | 264913 | 280261 | 291048 | 298677 | 1240.4 | 123.6 | 102.6 | 8.8 | 4.3 |
| 8925 | 9016 | 8009 | 8082 | 7407 | 1884.7 | 81.4 | 91.6 | 10.3 | -4.0 |
| 26919 | 27443 | 27026 | 25656 | 29564 | 245.7 | 97.7 | 115.2 | 3.0 | -0.5 |

注:1. Figures in value terms are calculated at current price, while the indices and growth rates are calculated at comparable price.
2. The indices of per-capital Annual Disposable income of urban households and per-capital Annual net income of rural households are deducted the factor of changes in price.

## 1-2 国民经济社会发展结构指标
Structural Indicators on National Economic and Social Development

单位:%(%)

| 指 标 | Item | 1978 | 1990 | 1995 | 2000 | 2004 | 2005 | 2006 | 2007 | 2008 |
|---|---|---|---|---|---|---|---|---|---|---|
| 人口 | **Population** | | | | | | | | | |
| 城乡结构 | Urban and Rural Structure | | | | | | | | | |
| 城镇 | Urban | 14.5 | 31.2 | 32.6 | 48.7 | 54 | 56 | 56.5 | 57.2 | 57.6 |
| 乡村 | Rural | 85.5 | 68.8 | 67.4 | 53.3 | 46 | 44 | 43.5 | 42.8 | 42.4 |
| 性别结构 | Sexual | | | | | | | | | |
| 男 | Male | 51.9 | 51.8 | 51.7 | 51.5 | 51.2 | 51.2 | 51.1 | 51 | 51 |
| 女 | Female | 48.1 | 48.2 | 48.3 | 48.5 | 48.8 | 48.8 | 48.9 | 49 | 49 |
| 就业 | **Employment** | | | | | | | | | |
| 产业结构 | Industrial Structure | | | | | | | | | |
| 第一产业 | Primary Industry | | 53.2 | 44 | 35.6 | 26.1 | 24.5 | 22.6 | 20.1 | 19.2 |
| 第二产业 | Secondary Industry | | 29.8 | 33.7 | 35.5 | 43.6 | 45.1 | 45.8 | 46.8 | 47.6 |
| 第三产业 | Tertiary Industry | | 17 | 22.3 | 29 | 30.3 | 30.4 | 31.6 | 33.1 | 33.2 |
| 国民核算 | **National Accounting** | | | | | | | | | |
| 生产总值产业结构 | Industrial Structure of GDP | | | | | | | | | |
| 第一产业 | Primary Industry | 38.1 | 24.9 | 15.5 | 10.3 | 7 | 6.6 | 5.9 | 5.3 | 5.1 |
| 第二产业 | Secondary Industry | 43.3 | 45.1 | 52.1 | 53.3 | 53.6 | 53.4 | 54 | 54 | 53.9 |
| 第三产业 | Tertiary Industry | 18.7 | 30 | 32.4 | 36.4 | 39.4 | 40 | 40.1 | 40.7 | 41 |
| 居民消费结构 | Structure of Resident Consumption | | | | | | | | | |
| 农村居民 | Rural Consumption | 75.3 | 58.6 | 45.6 | 39.6 | 31.6 | 28.8 | 27.8 | 26.6 | |
| 城镇居民 | Urban Consumption | 24.7 | 41.4 | 54.4 | 60.4 | 68.4 | 71.2 | 72.2 | 73.4 | |
| 固定资产投资结构 | Structure of Total Investment in Fixed Assets | | | | | | | | | |
| 城镇 | Urban Areas | | 51 | 55.9 | 68.3 | 66.9 | 71.8 | 71.5 | 71.2 | |
| 乡村 | Rural Areas | | 49 | 44.1 | 31.7 | 33.1 | 28.2 | 28.5 | 28.8 | |
| 财政 | **Government Finance** | | | | | | | | | |
| 财政收入结构 | Strucure of Government Revenue | | | | | | | | | |
| 中央 | Central Government | | | 53 | 47.9 | 43.4 | 49.6 | 49.4 | 49.1 | 48.2 |
| 地方 | Local Governments | | | 47 | 52.1 | 56.6 | 50.4 | 50.6 | 50.9 | 51.8 |
| 利用外资 | **Utilization of Foreign Capital** | | | | | | | | | |
| 实际利用外资结构 | Structure of Foreign Capital Actually Utilized | | | | | | | | | |
| 对外借款 | Loans From Abroad | | 69.6 | 18 | 35 | 30.6 | 41.8 | 33.5 | 8.3 | 15.5 |
| 外商直接投资 | Direct Investment By Foreign Entrepreneurs | | 29.8 | 81.7 | 64.8 | 68.6 | 55.4 | 61.3 | 72.4 | 81.0 |
| 外商其他投资 | Other Investment By Foreign Entrepreneurs | | 0.5 | 0.3 | 0.2 | 0.8 | 2.8 | 5.2 | 19.3 | 3.5 |

1-2　续表1　continued　　　　单位:%(%)

| 指　标 | Item | 1978 | 1990 | 1995 | 2000 | 2004 | 2005 | 2006 | 2007 | 2008 |
|---|---|---|---|---|---|---|---|---|---|---|
| **产业** | **Industrial** | | | | | | | | | |
| **农业** | **Agriculture** | | | | | | | | | |
| 农林牧渔业产值结构 | Structure of Gross Output Value of Agriculture | | | | | | | | | |
| 农业 | Farming | 77.4 | 59.4 | 55.5 | 49.3 | 44.5 | 45.8 | 47 | 46.1 | 45.7 |
| 林业 | Forestry | 3 | 4.7 | 5.8 | 5.2 | 5.9 | 5.8 | 5.7 | 6.0 | 6.0 |
| 牧业 | Animal Husbandry | 14.3 | 23.7 | 16.3 | 17.4 | 20.9 | 20 | 19 | 23.0 | 23.5 |
| 渔业 | Fishery | 5.3 | 12.2 | 22.4 | 28.1 | 27.2 | 26.7 | 26.6 | 23.2 | 22.9 |
| **工业** | **Industry** | | | | | | | | | |
| 规模以上工业总产值结构 | Structure of Gross Output Value of Industry Above Designated Size | | | | | | | | | |
| 轻工业 | Light Industry | 60.2 | 65.2 | 62.7 | 54.1 | 46 | 46 | 43.8 | 43 | 41.5 |
| 重工业 | Heavy Industry | 39.8 | 34.8 | 37.3 | 45.9 | 54 | 54 | 56.2 | 57 | 58.5 |
| **建筑业** | **Construction** | | | | | | | | | |
| 建筑业总产值结构 | Structure of Gross Output Value of Construction | | | | | | | | | |
| 国有企业 | State Owned Enterprise | | 25.4 | 16 | 10.6 | 3.8 | 3.2 | 2.4 | 2.3 | 1.9 |
| 集体企业 | Collective - owned Enterprise | | 74.6 | 79 | 28.6 | 3.6 | 3.0 | 2.1 | 1.4 | 1.3 |
| 其他 | Other Enterprise | | | 5 | 60.8 | 92.6 | 93.8 | 95.5 | 96.3 | 96.8 |
| **交通运输业** | **Transportation** | | | | | | | | | |
| 货运量结构 | Structure of Freight Traffic | | | | | | | | | |
| 按运输方式分 | By Means of Transportation | | | | | | | | | |
| 铁路 | Railways | 16.7 | 5.1 | 3.1 | 2.6 | 2.5 | 2.3 | 2.3 | 2.3 | 2.1 |
| 公路 | Highways | 31.8 | 68.3 | 72.3 | 73.5 | 67 | 64.6 | 63.8 | 64.4 | 65.4 |
| 水运 | Waterways | 51.5 | 26.6 | 24.6 | 23.9 | 30.5 | 33.1 | 33.9 | 33.3 | 32.5 |

1-2 续表2 continued 单位:%(%)

| 指标 | Item | 1978 | 1990 | 1995 | 2000 | 2004 | 2005 | 2006 | 2007 | 2008 |
|---|---|---|---|---|---|---|---|---|---|---|
| **国内商业** | **Domestic Trade** | | | | | | | | | |
| 社会消费品零售总额构成 | Composition of Retail Sales of Consumer Goods | | | | | | | | | |
| 市 | Cities | 20.8 | 43.3 | 53.7 | 54.6 | 63.5 | 65.8 | 66.1 | 66.3 | 66.6 |
| 县 | Counties | 30.9 | 13.7 | 9.7 | 9.8 | 11.1 | 9.9 | 9.7 | 9.7 | 9.8 |
| 县以下 | Below Counties | 48.3 | 43 | 36.6 | 35.6 | 25.4 | 24.3 | 24.2 | 24 | 23.6 |
| **对外经济贸易** | **Foreign Trade** | | | | | | | | | |
| 出口商品结构 | Structure of Exports | | | | | | | | | |
| 初级产品 | Primary Goods | | 26.2 | 18.3 | 10.1 | 5.5 | 5 | 4.4 | 3.8 | 3.6 |
| 工业制成品 | Manufactured Goods | | 73.8 | 81.7 | 89.9 | 94.5 | 95 | 95.6 | 96.2 | 96.4 |
| 进口商品结构 | Structure of Imports | | | | | | | | | |
| 初级产品 | Primary Goods | | 17.8 | 27.2 | 24.2 | 19.1 | 19.7 | 20.9 | 21.1 | 25.7 |
| 工业制成品 | Manufactured Goods | | 82.2 | 72.8 | 75.8 | 80.9 | 80.3 | 79.1 | 78.9 | 74.3 |
| **国际旅游** | **International Tourism** | | | | | | | | | |
| 来华旅游人数结构 | Structure of Tourists | | | | | | | | | |
| 外国人 | Foreigners | | 23.5 | 54.5 | 57.2 | 64.2 | 66.9 | 65.9 | 67.2 | 67.8 |
| 港澳台同胞 | Hong Kong and Macao Compatriots, Taiwan Compatriots | | 69 | 42.1 | 42.8 | 35.8 | 33.1 | 34.1 | 32.8 | 32.2 |
| **教育、科技、文化** | **Education, Science and Culture** | | | | | | | | | |
| 在校学生结构 | Structure of Student Enrollment | | | | | | | | | |
| 大学生 | College and University Students | | 1.1 | 1.5 | 3.2 | 7.7 | 9.1 | 9.6 | 10.7 | 11.5 |
| 中学生 | Secondary School Students | | 32.9 | 39.5 | 43.9 | 46 | 44.6 | 45.4 | 44.9 | 44.7 |
| 小学生 | Primary School Students | | 66 | 59 | 52.9 | 46.3 | 46.3 | 45 | 44.4 | 43.8 |

注:工业总产值1978-1995为乡及乡以上独立核算工业企业,2000-2008年为规模以上工业企业。
The gross industrial output value from 1978 to 1995 is calculated by industrial enterprises at township level and above, and the figures from 2000 to 2008 refers to industrial enterprise above designated size.

1-2　续表3　continued　单位:%(%)

| 指　标 | Item | 1978 | 1990 | 1995 | 2000 | 2004 | 2005 | 2006 | 2007 | 2008 |
|---|---|---|---|---|---|---|---|---|---|---|
| 专任教师结构 | Full-time Teachers By Type | | | | | | | | | |
| 大学生 | College and University Students | 1.9 | 4.6 | 4.1 | 5.8 | 9.9 | 10.3 | 10.3 | 11.1 | 11.3 |
| 中学生 | Secondary School Students | 36.3 | 41.5 | 44.8 | 45.2 | 46 | 46 | 49.6 | 48.7 | 49.1 |
| 小学生 | Primary School Students | 61.8 | 53.9 | 51.1 | 49 | 44.1 | 43.7 | 40.1 | 40.2 | 39.6 |
| **生活** | **People's Livelihood** | | | | | | | | | |
| 城镇居民消费结构 | Consumption Structure of Urban Residents | | | | | | | | | |
| 食品 | Food | | | 47.05 | 39.21 | 36.21 | 33.8 | 32.9 | 34.7 | 36.4 |
| 衣着 | Clothing | | | 11.51 | 8.12 | 8.85 | 10.3 | 10.4 | 10 | 10.2 |
| 家庭设备用品及服务 | Household Facilities, Articles and Services | | | 12.12 | 9.43 | 5.61 | 5 | 4.6 | 4.7 | 4.7 |
| 医疗保健 | Medical Services | | | 3.72 | 7.71 | 7.79 | 6.8 | 6.4 | 6.1 | 6.2 |
| 交通和通讯 | Transportation and Communications | | | 5.81 | 8.88 | 13.34 | 17.1 | 18.7 | 17.6 | 15.8 |
| 娱乐教育、文化 | Recreation, Education and Culture | | | 8.04 | 13.07 | 15.81 | 15.1 | 14.6 | 15.3 | 14.5 |
| 居住 | Residence | | | 7.13 | 8.55 | 9.13 | 8.6 | 9.2 | 8.3 | 8.8 |
| 其他商品和服务 | Others | | | 4.64 | 5.05 | 3.26 | 3.3 | 3.2 | 3.3 | 3.4 |
| 农村居民消费结构 | Consumption Structure of Rural Residents | | | | | | | | | |
| 食品 | Food | | | 50.38 | 43.52 | 39.46 | 38.6 | 37.2 | 36.4 | 38.0 |
| 衣着 | Clothing | | | 6.6 | 5.17 | 5.55 | 5.9 | 6.3 | 6.2 | 6.2 |
| 家庭设备用品及服务 | Household Facilities, Articles and Services | | | 6.23 | 4.52 | 17.15 | 5 | 4.8 | 5.3 | 5.0 |
| 医疗保健 | Medical Services | | | 4.33 | 6.19 | 5.2 | 7.7 | 7.9 | 7.2 | 7.2 |
| 交通和通讯 | Transportation and Communications | | | 3.24 | 8.51 | 7 | 11.3 | 11 | 11.8 | 11.0 |
| 娱乐教育、文化 | Recreation, Education and Culture | | | 5.34 | 10.15 | 10.66 | 13 | 12.5 | 11.4 | 10.4 |
| 居住 | Residence | | | 18.59 | 17.98 | 12.83 | 16.2 | 18.2 | 19.6 | 20.2 |
| 其他商品和服务 | Others | | | 3.74 | 3.93 | 2.15 | 2.3 | 2.1 | 2.1 | 2.0 |

## 1－3 人均主要工农业产品产量(1978－2008年)
Per Capita Output of Major Industrial and Agricultural Products(1978－2008)

| 年份<br>Year | 粮食<br>(公斤)<br>Grain<br>(kg) | 棉花<br>(公斤)<br>Cotton<br>(kg) | 油料<br>(公斤)<br>Oil－bearing Crops<br>(kg) | 糖料<br>(公斤)<br>Sugar Crops<br>(kg) | 茶叶<br>(公斤)<br>Tea<br>(kg) | 水果<br>(公斤)<br>Fruit<br>(kg) | 猪牛羊肉<br>(公斤)<br>Pork, Beef and Mutton<br>(kg) | 水产品<br>(公斤)<br>Aquatic Products<br>(kg) |
|---|---|---|---|---|---|---|---|---|
| 1978 | 393.44 | 1.95 | 5.92 | 17.20 | 1.57 | 3.92 | 11.33 | 23.47 |
| 1980 | 376.81 | 2.18 | 7.58 | 15.43 | 1.98 | 5.91 | 18.52 | 21.46 |
| 1985 | 404.18 | 2.03 | 11.02 | 27.43 | 2.32 | 11.12 | 19.10 | 26.13 |
| 1986 | 396.34 | 1.87 | 10.60 | 32.63 | 2.58 | 12.85 | 20.03 | 28.94 |
| 1987 | 387.97 | 1.60 | 9.68 | 26.56 | 2.83 | 17.32 | 18.60 | 30.52 |
| 1988 | 374.78 | 1.05 | 10.39 | 20.01 | 3.09 | 12.45 | 19.56 | 30.92 |
| 1989 | 371.01 | 1.00 | 9.14 | 16.74 | 2.81 | 23.57 | 19.67 | 30.84 |
| 1990 | 375.68 | 1.52 | 11.45 | 14.87 | 2.77 | 25.35 | 20.28 | 32.92 |
| 1991 | 386.05 | 1.77 | 10.72 | 16.19 | 2.69 | 31.66 | 20.13 | 35.57 |
| 1992 | 363.51 | 1.39 | 11.72 | 17.55 | 2.79 | 23.95 | 22.73 | 39.72 |
| 1993 | 334.03 | 1.35 | 8.97 | 18.43 | 2.84 | 34.63 | 22.74 | 44.02 |
| 1994 | 324.46 | 1.28 | 7.99 | 16.21 | 2.47 | 40.64 | 22.68 | 59.62 |
| 1995 | 328.53 | 1.43 | 11.48 | 15.11 | 2.34 | 49.28 | 23.61 | 73.03 |
| 1996 | 345.91 | 1.56 | 11.88 | 14.57 | 2.26 | 51.91 | 16.85 | 78.03 |
| 1997 | 338.58 | 1.08 | 11.08 | 13.61 | 2.31 | 61.07 | 18.44 | 90.61 |
| 1998 | 323.64 | 1.46 | 8.02 | 13.97 | 2.55 | 46.55 | 19.05 | 95.33 |
| 1999 | 312.52 | 0.91 | 12.14 | 15.94 | 2.64 | 62.64 | 19.27 | 99.33 |
| 2000 | 266.91 | 0.65 | 12.91 | 21.97 | 2.60 | 84.89 | 22.65 | 104.70 |
| 2001 | 238.47 | 0.70 | 12.91 | 23.49 | 2.67 | 114.54 | 24.67 | 104.83 |
| 2002 | 211.89 | 0.49 | 10.37 | 25.05 | 3.06 | 110.62 | 26.37 | 106.16 |
| 2003 | 178.10 | 0.46 | 9.63 | 27.27 | 2.92 | 125.09 | 26.90 | 106.26 |
| 2004 | 185.74 | 0.50 | 10.65 | 23.22 | 3.03 | 138.09 | 28.78 | 107.82 |
| 2005 | 180.45 | 0.47 | 10.90 | 19.55 | 3.14 | 125.59 | 28.34 | 105.12 |
| 2006 | 181.34 | 0.51 | 7.69 | 19.04 | 3.29 | 141.83 | 23.53 | 106.14 |
| 2007 | 172.06 | 0.55 | 7.07 | 18.75 | 3.44 | 150.55 | 24.57 | 91.86 |
| 2008 | 165.44 | 0.60 | 8.80 | 18.23 | 3.46 | 159.54 | 27.67 | 107.54 |

1－3　续表　continued

| 年份 Year | 布（米）Cloth（m） | 纱（公斤）Yarn（kg） | 原煤（公斤）Coal（kg） | 发电量（千瓦小时）Electricity（kw.h） | 成品钢材（公斤）Steel（kg） | 水泥（公斤）Cement（kg） |
|---|---|---|---|---|---|---|
| 1978 | 9.28 | 1.95 | 42.71 | 135.66 | 8.58 | 48.54 |
| 1980 | 12.81 | 2.47 | 37.56 | 213.83 | 15.14 | 59.85 |
| 1985 | 21.79 | 3.93 | 37.55 | 329.14 | 15.80 | 199.44 |
| 1986 | 27.73 | 4.31 | 36.46 | 365.89 | 17.01 | 246.43 |
| 1987 | 27.64 | 4.89 | 35.23 | 422.43 | 18.70 | 296.90 |
| 1988 | 30.85 | 5.46 | 34.51 | 458.95 | 17.41 | 316.97 |
| 1989 | 29.91 | 5.15 | 34.30 | 478.23 | 18.36 | 307.44 |
| 1990 | 37.09 | 4.77 | 32.45 | 494.23 | 19.27 | 317.39 |
| 1991 | 31.85 | 4.78 | 32.76 | 570.41 | 21.80 | 381.81 |
| 1992 | 30.96 | 5.77 | 33.67 | 674.23 | 27.94 | 460.03 |
| 1993 | 41.03 | 5.53 | 32.24 | 717.55 | 32.15 | 517.72 |
| 1994 | 41.92 | 5.44 | 29.88 | 767.05 | 38.53 | 623.49 |
| 1995 | 74.55 | 6.51 | 28.76 | 921.77 | 61.13 | 749.64 |
| 1996 | 36.38 | 6.42 | 27.97 | 1022.52 | 53.47 | 808.92 |
| 1997 | 84.67 | 7.47 | 26.07 | 1101.22 | 61.53 | 777.57 |
| 1998 | 23.66 | 6.73 | 20.63 | 1109.71 | 57.33 | 771.21 |
| 1999 | 27.87 | 7.10 | 18.57 | 1185.80 | 59.92 | 851.53 |
| 2000 | 36.10 | 7.62 | 16.27 | 1393.36 | 65.15 | 944.64 |
| 2001 | 51.88 | 8.73 | 15.96 | 1581.83 | 68.20 | 1061.36 |
| 2002 | 70.54 | 10.64 | 16.23 | 1718.67 | 89.41 | 1268.31 |
| 2003 | 89.79 | 12.04 | 14.57 | 2083.88 | 110.64 | 1496.20 |
| 2004 | 182.10 | 19.10 | 11.72 | 2506.37 | 173.52 | 1820.77 |
| 2005 | 170.76 | 19.68 | 8.43 | 2762.27 | 146.38 | 1802.65 |
| 2006 | 195.72 | 23.26 | 2.70 | 3336.57 | 229.64 | 1997.41 |
| 2007 | 227.04 | 28.94 | 2.44 | 3727.57 | 313.97 | 2084.09 |
| 2008 | 266.56 | 32.84 | 2.56 | 3635.61 | 380.11 | 1984.92 |

注：2003 年起按常住人口计算。　Data in this table are calculated at permanent residence since 2003.

## 1-4 平均每天主要社会经济活动
Indicators on Average Daily Social and Economic Activities

| 指　　标 | | Item | | 1978 | 1990 | 2000 | 2003 | 2004 | 2005 | 2006 | 2007 | 2008 |
|---|---|---|---|---|---|---|---|---|---|---|---|---|
| **平均每天创造财富** | | **Daily Production** | | | | | | | | | | |
| 生产总值 | （亿元） | Gross Domestic Product | (100 million yuan) | 0.34 | 2.48 | 16.82 | 26.59 | 31.91 | 36.82 | 43.13 | 51.45 | 58.87 |
| 第一产业 | | Primary Industry | | 0.13 | 0.62 | 1.73 | 1.97 | 2.23 | 2.45 | 2.53 | 2.7 | 3.00 |
| 第二产业 | | Secondary Industry | | 0.15 | 1.12 | 8.97 | 13.96 | 17.12 | 19.63 | 23.31 | 27.8 | 31.73 |
| #工业 | | Industry | | 0.13 | 1 | 8.07 | 12.23 | 15.04 | 17.4 | 20.8 | 24.92 | 28.38 |
| 建筑业 | | Construction | | 0.02 | 0.12 | 0.9 | 1.74 | 2.08 | 2.24 | 2.52 | 2.88 | 3.34 |
| 第三产业 | | Tertiary Industry | | 0.06 | 0.74 | 6.13 | 10.66 | 12.56 | 14.74 | 17.28 | 20.95 | 24.14 |
| 财政收入 | （亿元） | Financial Revenue | (100 million yuan) | 0.08 | 0.28 | 1.8 | 4.02 | 4.95 | 5.8 | 7.03 | 8.88 | 10.22 |
| 粮食 | （万吨） | Grain | (10000 tons) | 4.02 | 4.35 | 3.28 | 2.17 | 2.29 | 2.23 | 2.42 | 2.2 | 2.12 |
| 棉花 | （万吨） | Cotton | (10000 tons) | 0.02 | 0.02 | 0.01 | 0.01 | 0.01 | 0.01 | 0.01 | 0.01 | 0.01 |
| 油料 | （万吨） | Oil - bearing Crops | (10000 tons) | 0.06 | 0.13 | 0.16 | 0.12 | 0.13 | 0.14 | 0.13 | 0.12 | 0.11 |
| 猪牛羊肉产量 | （万吨） | Meat | (10000 tons) | 0.12 | 0.21 | 0.28 | 0.33 | 0.36 | 0.36 | 0.30 | 0.31 | 0.36 |
| 水产品 | （万吨） | Aquatic Products | (10000 tons) | 0.24 | 0.38 | 1.29 | 1.32 | 1.35 | 1.33 | 1.35 | 1.37 | 1.38 |
| 原煤 | （万吨） | Coal | (10000 tons) | 0.44 | 0.38 | 0.2 | 0.19 | 0.15 | 0.11 | 0.04 | 0.03 | 0.04 |
| 发电量 | （亿千瓦小时） | Electricity | (100 million kw. h) | 0.14 | 0.57 | 1.71 | 2.72 | 3.3 | 3.71 | 4.55 | 5.17 | 5.10 |
| 成品钢材 | （万吨） | Steel Products | (10000 tons) | 0.09 | 0.22 | 0.8 | 1.44 | 2.28 | 1.96 | 3.13 | 4.35 | 5.33 |
| 水泥 | （万吨） | Cement | (10000 tons) | 0.5 | 3.67 | 11.61 | 19.53 | 23.96 | 24.19 | 27.25 | 28.89 | 27.84 |
| 每天消费量 | | Daily National Consumption | | | | | | | | | | |
| 最终消费 | （亿元） | Final Consumption Expenditure | (100 million yuan) | 0.21 | 1.63 | 8.63 | 12.67 | 14.84 | 17.46 | 20.37 | 23.71 | |
| 居民消费 | | Resident Consumption | | 0.2 | 1.42 | 6.39 | 9.15 | 10.71 | 12.89 | 15.1 | 17.29 | |
| #农村居民 | | Rural Resident | | 0.15 | 0.83 | 2.53 | 3.12 | 3.38 | 3.71 | 4.2 | 4.6 | |

1-4 **续表** continued

| 指 标 | Item | 1978 | 1990 | 2000 | 2003 | 2004 | 2005 | 2006 | 2007 | 2008 |
|---|---|---|---|---|---|---|---|---|---|---|
| 城镇居民 | Urban Resident | 0.05 | 0.59 | 3.86 | 6.03 | 7.33 | 9.18 | 10.9 | 12.69 | |
| 政府消费 | Government Consumption Expenditure | 0.02 | 0.2 | 2.24 | 3.52 | 4.13 | 4.57 | 5.27 | 6.42 | |
| 社会消费品零售总额 (亿元) | Total Retail Sales of Consumer Goods (100 million yuan) | 0.13 | 0.97 | 6.3 | 9.64 | 10.01 | 12.69 | 14.59 | 17.02 | 20.39 |
| **每天其他经济活动** | **Other Daily Economic Activities** | | | | | | | | | |
| 资本形成总额(亿元) | Gross Capital Formation (100 million yuan) | 0.09 | 0.69 | 7.27 | 12.78 | 15.75 | 17.67 | 19.99 | 23.32 | |
| 固定资产形成 | Fixed Capital Formation | 0.06 | 0.51 | 6.21 | 12.27 | 15.24 | 17.18 | 19.36 | 22.47 | |
| 存货增加 | Changes in Stock | 0.03 | 0.18 | 1.06 | 0.5 | 0.51 | 0.49 | 0.63 | 0.85 | |
| 竣工住宅面积 (万平方米) | Residential Buildings Completed (10000 sq. m) | | 12.34 | 17.61 | 18.61 | 18.15 | 19.96 | 19.72 | 21.26 | 23.26 |
| 客运量 (万人) | Passenger Traffic (10000 persons) | 56 | 165 | 340 | 385 | 412 | 440 | 478 | 520 | 534 |
| 货运量 (万吨) | Freight Traffic (10000 tons) | 23 | 92 | 205 | 283 | 321 | 346 | 384 | 420 | 435 |
| 沿海主要港口货物吞吐量 (万吨) | Cargo Handled at Principal Seaports (10000 tons) | 2.38 | 11.84 | 53.8 | 88.26 | 111.81 | 131.23 | 151.34 | 170.17 | 189.14 |
| 邮电业务量 (万元) | Business Volume of Postal and Telecommunications Services (10000 yuan) | 19 | 241 | 8879 | 13828 | 18552 | 22750 | 26632 | 36358 | 42349 |
| 进出口总额(万美元) | Total Imports and Exports (USD 10000) | | 760 | 7625 | 16828 | 23346 | 29422 | 38122 | 48448 | 57838 |
| 出口总额 | Exports | | 600 | 5327 | 11398 | 15930 | 21042 | 27642 | 35150 | 42265 |
| 进口总额 | Imports | | 160 | 2298 | 5430 | 7416 | 8380 | 10480 | 13299 | 15573 |
| 实际利用外资额 (万美元) | Foreign Capital Actually Used (USD 10000) | | 44.48 | 681.97 | 2076.23 | 2670.22 | 3818.7 | 3974.2 | 3923.4 | 3407.1 |
| **每天人口变动和婚姻** | **Daily Population Changes and Marriages** | | | | | | | | | |
| 出生 (人) | Births (person) | 1856 | 1774 | 1318 | 1232 | 1373 | 1490 | 1391 | 1428 | 1422 |
| 死亡 (人) | Deaths (person) | 596 | 730 | 784 | 814 | 757 | 816 | 733 | 766 | 784 |
| 结婚 (对) | Marriages (couple) | | 1013 | 1052 | 978 | 1094 | 967 | 1132 | 1043 | 1134 |
| 离婚 (对) | Divorces (couple) | | 21 | 56 | 88 | 127 | 143 | 165 | 184 | 202 |

注:本表价值量指标按当年价格计算。

The data in Value terms in the table are calculated at current price.

## 1－5 全省生产总值(1978－2008 年)
Gross Domestic Product(1978－2008)

| 年份<br>Year | 全省生产总值(亿元)<br>Gross Domestic Product(100 million yuan) | 第一产业<br>Primary Industry | 第二产业<br>Secondary Industry | #工业<br>Industry | #建筑业<br>Construction | 第三产业<br>Tertiary Industry | 人均生产总值(元)<br>Percapita GDP(yuan) |
|---|---|---|---|---|---|---|---|
| 1978 | 123.72 | 47.09 | 53.52 | 46.97 | 6.55 | 23.11 | 331 |
| 1979 | 157.75 | 67.56 | 64.07 | 55.59 | 8.48 | 26.12 | 417 |
| 1980 | 179.92 | 64.61 | 84.07 | 73.71 | 10.36 | 31.24 | 471 |
| 1981 | 204.86 | 69.06 | 94.68 | 84.08 | 10.60 | 41.12 | 531 |
| 1982 | 234.01 | 84.88 | 98.44 | 87.21 | 11.23 | 50.69 | 599 |
| 1983 | 257.09 | 82.89 | 113.12 | 102.55 | 10.57 | 61.08 | 650 |
| 1984 | 323.25 | 104.40 | 141.48 | 127.91 | 13.57 | 77.37 | 810 |
| 1985 | 429.16 | 123.88 | 198.91 | 178.68 | 20.23 | 106.37 | 1067 |
| 1986 | 502.47 | 136.29 | 230.89 | 206.63 | 24.26 | 135.29 | 1237 |
| 1987 | 606.99 | 159.41 | 281.47 | 249.69 | 31.78 | 166.11 | 1478 |
| 1988 | 770.25 | 195.68 | 354.39 | 315.36 | 39.03 | 220.18 | 1853 |
| 1989 | 849.44 | 210.95 | 386.25 | 346.50 | 39.75 | 252.24 | 2023 |
| 1990 | 904.69 | 225.04 | 408.18 | 363.74 | 44.44 | 271.47 | 2138 |
| 1991 | 1089.33 | 245.22 | 494.11 | 438.36 | 55.75 | 350.00 | 2558 |
| 1992 | 1375.70 | 262.67 | 653.43 | 581.73 | 71.70 | 459.60 | 3212 |
| 1993 | 1925.91 | 315.97 | 983.96 | 876.26 | 107.70 | 625.98 | 4469 |
| 1994 | 2689.28 | 438.65 | 1398.12 | 1243.37 | 154.75 | 852.51 | 6201 |
| 1995 | 3557.55 | 549.96 | 1854.52 | 1645.51 | 209.01 | 1153.07 | 8149 |
| 1996 | 4188.53 | 594.94 | 2232.17 | 1983.90 | 248.27 | 1361.42 | 9552 |
| 1997 | 4686.11 | 618.90 | 2554.57 | 2285.24 | 269.33 | 1512.64 | 10624 |
| 1998 | 5052.62 | 609.30 | 2766.95 | 2484.97 | 281.97 | 1676.37 | 11394 |
| 1999 | 5443.92 | 606.31 | 2974.74 | 2679.68 | 295.06 | 1862.87 | 12214 |
| 2000 | 6141.03 | 630.98 | 3273.93 | 2945.70 | 328.23 | 2236.12 | 13416 |
| 2001 | 6898.34 | 659.78 | 3572.88 | 3181.93 | 390.94 | 2665.68 | 14713 |
| 2002 | 8003.67 | 685.20 | 4090.48 | 3640.84 | 449.64 | 3227.99 | 16978 |
| 2003 | 9705.02 | 717.85 | 5096.38 | 4462.97 | 633.42 | 3890.79 | 20444 |
| 2004 | 11648.70 | 814.10 | 6250.38 | 5491.33 | 759.05 | 4584.22 | 24352 |
| 2005 | 13437.85 | 892.83 | 7166.15 | 6349.34 | 816.81 | 5378.87 | 27703 |
| 2006 | 15742.51 | 925.10 | 8509.57 | 7590.57 | 919.00 | 6307.84 | 31874 |
| 2007 | 18780.44 | 986.02 | 10148.45 | 9095.65 | 1052.80 | 7645.97 | 37411 |
| 2008 | 21486.92 | 1095.43 | 11580.33 | 10359.77 | 1220.56 | 8811.16 | 42214 |

注：1. 本表按当年价格计算。2000 年以后人均生产总值均按常住人口计算。
The figures in this table are calculated at current price. The per capita GDP have calculated at permanent residence since 2000.
2. 从 2004 年起第一产业包括农林牧渔服务业。 The Value Added of Primary Industry includes Services for Agriculture since 2004.
3. 2008 年为初步核算数。 Data in 2008 are preliminary accouting numbers.

## 1-6　按新行业和构成分的全省生产总值
Gross Domestic Product by New Sector and Structure

单位:亿元(100 million yuan)

| 指　　标 | Item | 2004 | 2005 | 2006 | 2007 |
|---|---|---|---|---|---|
| **全省生产总值** | **Gross Domestic Product** | **11648.70** | **13437.85** | **15742.51** | **18780.44** |
| **按行业分** | **by Sector** | | | | |
| 第一产业(农业) | Primary Industry(Agriculture) | 814.10 | 892.83 | 925.10 | 986.02 |
| 第二产业 | Secondary Industry | 6250.38 | 7166.15 | 8509.57 | 10148.45 |
| 工业 | Industry | 5491.33 | 6349.34 | 7590.57 | 9095.65 |
| 建筑业 | Construction | 759.05 | 816.81 | 919.00 | 1052.80 |
| 第三产业 | Tertiary Industry | 4584.22 | 5378.87 | 6307.85 | 7645.97 |
| 交通运输、仓储和邮政业 | Transport,Storage and Post Services | 444.65 | 512.94 | 630.94 | 739.44 |
| 信息传输、计算机服务和软件业 | Information Transmission, Computer Services and Software | 273.92 | 316.19 | 376.17 | 463.37 |
| 批发和零售业 | Wholesale and Retail Trade | 1126.07 | 1258.21 | 1435.97 | 1711.2 |
| 住宿和餐饮业 | Hoteling and Catering Services | 202.55 | 221.27 | 253.89 | 305.96 |
| 金融业 | Finance | 523.49 | 674.77 | 846.63 | 1122.86 |
| 房地产业 | Real Estate | 587.83 | 695.82 | 807.52 | 1004.62 |
| 租赁和商务服务业 | Leasing and Commercial Services | 197.44 | 227.58 | 272.92 | 320.64 |
| 科学研究、技术服务和地质勘查业 | Scientific Research, Technic Services and Geological Prospecting | 95.01 | 120.49 | 144.72 | 174.2 |
| 水利、环境和公共设施管理业 | Water Conservancy, Environment and Public Facilities Management | 52.98 | 62.86 | 67.60 | 78.49 |
| 居民服务和其他服务业 | Resident Services and Other Services | 110.06 | 129.53 | 145.45 | 168.74 |
| 教育 | Education | 338.47 | 402.81 | 462.53 | 531.87 |
| 卫生、社会保障和社会福利业 | Health Care,Social Security and Social Welfare | 179.30 | 213.36 | 237.66 | 275.4 |
| 文化、体育和娱乐业 | Culture,Sports and Recreation | 55.33 | 65.78 | 77.93 | 92.08 |
| 公共管理和社会组织 | Public Administration and Social Organization | 397.11 | 477.24 | 547.92 | 657.1 |
| **按构成分** | **by Structure** | | | | |
| 劳动者报酬 | Remuneration of Laborers | 4691.65 | 5337.16 | 6345.74 | 7433.99 |
| 生产税净额 | Net-taxes on Production | 1728.94 | 1909.16 | 2284.55 | 2833.04 |
| 固定资产折旧 | Depreciation of Fixed Assets | 1561.26 | 1905.37 | 2191.19 | 2593.49 |
| 营业盈余 | Operating Surplus | 3666.85 | 4286.16 | 4921.03 | 5919.92 |

## 1-7 全省生产总值指数(1978-2008 年)
Indices of Gross Domestic Product (1978-2008)

(上年=100)(preceding year=100)

| 年份 Year | 全省生产总值 Gross Domestic Product | 第一产业 Primary Industry | 第二产业 Secondary Industry | #工业 Industry | #建筑业 Construction | 第三产业 Tertiary Industry | 人均生产总值 Percapita GDP |
|---|---|---|---|---|---|---|---|
| 1978 | 121.9 | 118.7 | 128.6 | 126.5 | 146.4 | 113.5 | 120.2 |
| 1979 | 113.6 | 110.8 | 118.0 | 117.1 | 124.3 | 108.1 | 112.3 |
| 1980 | 116.4 | 97.3 | 132.0 | 133.3 | 123.5 | 112.9 | 115.1 |
| 1981 | 111.5 | 104.7 | 111.3 | 113.1 | 98.8 | 126.1 | 110.5 |
| 1982 | 111.4 | 116.5 | 104.9 | 104.9 | 105.7 | 118.1 | 109.9 |
| 1983 | 108.0 | 93.9 | 115.5 | 118.5 | 92.1 | 116.0 | 106.8 |
| 1984 | 121.7 | 119.3 | 124.0 | 124.4 | 120.7 | 120.3 | 120.6 |
| 1985 | 121.7 | 101.9 | 135.3 | 135.0 | 138.9 | 119.2 | 120.8 |
| 1986 | 112.1 | 104.0 | 114.0 | 114.2 | 111.2 | 116.8 | 110.9 |
| 1987 | 111.8 | 101.0 | 116.8 | 116.4 | 121.4 | 110.9 | 110.6 |
| 1988 | 111.2 | 99.0 | 116.3 | 117.5 | 104.2 | 109.8 | 109.9 |
| 1989 | 99.4 | 100.2 | 100.8 | 101.7 | 90.5 | 94.9 | 98.4 |
| 1990 | 103.9 | 102.7 | 105.2 | 105.4 | 102.3 | 101.4 | 103.1 |
| 1991 | 117.8 | 107.9 | 118.2 | 118.4 | 117.1 | 125.6 | 117.1 |
| 1992 | 119.0 | 100.6 | 125.2 | 126.6 | 113.9 | 123.4 | 118.3 |
| 1993 | 122.0 | 104.8 | 133.2 | 135.3 | 113.7 | 116.0 | 121.3 |
| 1994 | 120.0 | 104.4 | 127.5 | 128.0 | 121.4 | 115.8 | 119.2 |
| 1995 | 116.8 | 107.5 | 118.4 | 117.8 | 124.6 | 118.3 | 116.0 |
| 1996 | 112.7 | 104.4 | 115.5 | 115.8 | 112.2 | 111.1 | 112.2 |
| 1997 | 111.1 | 104.5 | 112.8 | 113.3 | 107.5 | 110.5 | 110.4 |
| 1998 | 110.2 | 103.2 | 110.8 | 111.1 | 106.2 | 111.7 | 109.6 |
| 1999 | 110.0 | 103.3 | 111.4 | 111.8 | 106.1 | 109.9 | 109.5 |
| 2000 | 111.0 | 104.5 | 111.7 | 112.0 | 108.9 | 111.8 | 108.1 |
| 2001 | 110.6 | 104.8 | 111.0 | 111.0 | 111.9 | 111.7 | 108.0 |
| 2002 | 112.6 | 104.5 | 113.4 | 113.6 | 111.5 | 113.7 | 112.0 |
| 2003 | 114.7 | 103.6 | 116.8 | 115.7 | 126.6 | 114.4 | 113.9 |
| 2004 | 114.5 | 103.7 | 116.4 | 117.0 | 111.7 | 114.0 | 113.6 |
| 2005 | 112.8 | 101.5 | 112.7 | 113.2 | 108.4 | 115.2 | 111.2 |
| 2006 | 113.9 | 103.2 | 114.3 | 114.6 | 111.6 | 115.2 | 111.9 |
| 2007 | 114.7 | 102.3 | 115.5 | 116.4 | 108.5 | 115.4 | 112.9 |
| 2008 | 110.1 | 103.9 | 109.4 | 110.1 | 103.0 | 111.8 | 108.6 |

注:1. 本表按可比价格计算。 The figures in this table are calculated at comparable price.
2. 2008 年为初步核算数。 Data in 2008 are preliminary accouting numbers.

## 1-8 全省生产总值指数(1978-2008年)
## Indices of Gross Domestic Product (1978-2008)

(1978年=100)(1978=100)

| 年份 Year | 全省生产总值 Gross Domestic Product | 第一产业 Primary Industry | 第二产业 Secondary Industry | #工业 Industry | #建筑业 Construction | 第三产业 Tertiary Industry | 人均生产总值 Percapita GDP |
|---|---|---|---|---|---|---|---|
| 1978 | 100.0 | 100.0 | 100.0 | 100.0 | 100.0 | 100.0 | 100.0 |
| 1979 | 113.6 | 110.8 | 118.0 | 117.1 | 124.3 | 108.1 | 112.3 |
| 1980 | 132.2 | 107.9 | 155.7 | 156.0 | 153.6 | 122.1 | 129.2 |
| 1981 | 147.4 | 113.0 | 173.4 | 176.5 | 151.8 | 154.0 | 142.8 |
| 1982 | 164.2 | 131.6 | 182.0 | 185.1 | 160.4 | 181.9 | 157.0 |
| 1983 | 177.4 | 123.6 | 210.3 | 219.2 | 147.7 | 211.0 | 167.7 |
| 1984 | 215.9 | 147.5 | 260.8 | 272.6 | 178.2 | 253.8 | 202.2 |
| 1985 | 262.8 | 150.3 | 352.9 | 367.9 | 247.6 | 302.6 | 244.3 |
| 1986 | 294.5 | 156.2 | 402.1 | 420.2 | 275.3 | 353.4 | 271.0 |
| 1987 | 329.3 | 157.8 | 469.9 | 489.2 | 334.2 | 392.1 | 299.7 |
| 1988 | 366.3 | 156.3 | 546.6 | 574.9 | 348.1 | 430.6 | 329.4 |
| 1989 | 364.1 | 156.7 | 551.2 | 584.8 | 315.2 | 408.5 | 324.1 |
| 1990 | 378.5 | 160.9 | 579.9 | 616.7 | 322.3 | 414.1 | 334.3 |
| 1991 | 446.0 | 173.6 | 685.8 | 730.1 | 377.5 | 520.3 | 391.4 |
| 1992 | 530.8 | 174.7 | 858.8 | 924.3 | 429.8 | 642.1 | 463.2 |
| 1993 | 647.7 | 183.1 | 1143.9 | 1250.7 | 488.8 | 744.6 | 561.8 |
| 1994 | 777.0 | 191.1 | 1458.0 | 1601.1 | 593.2 | 862.0 | 669.7 |
| 1995 | 907.4 | 205.6 | 1725.8 | 1886.5 | 739.2 | 1019.5 | 776.9 |
| 1996 | 1022.5 | 214.7 | 1993.3 | 2184.7 | 829.4 | 1132.7 | 871.6 |
| 1997 | 1136.1 | 224.3 | 2249.0 | 2475.3 | 891.5 | 1251.9 | 962.7 |
| 1998 | 1251.6 | 231.5 | 2491.0 | 2751.1 | 946.7 | 1398.5 | 1055.0 |
| 1999 | 1377.2 | 239.1 | 2773.8 | 3075.1 | 1004.4 | 1537.0 | 1155.0 |
| 2000 | 1529.2 | 249.9 | 3099.2 | 3442.6 | 1093.7 | 1719.0 | 1248.7 |
| 2001 | 1692.0 | 261.9 | 3441.6 | 3819.5 | 1224.1 | 1920.4 | 1348.9 |
| 2002 | 1905.9 | 273.6 | 3902.3 | 4338.9 | 1364.9 | 2183.6 | 1511.2 |
| 2003 | 2186.0 | 283.5 | 4557.4 | 5020.2 | 1728.5 | 2497.3 | 1721.2 |
| 2004 | 2502.5 | 294.1 | 5305.3 | 5872.5 | 1930.8 | 2846.4 | 1955.4 |
| 2005 | 2822.4 | 298.4 | 5979.2 | 6647.7 | 2092.8 | 3279.4 | 2174.8 |
| 2006 | 3214.9 | 308.0 | 6833.1 | 7619.8 | 2336.0 | 3777.1 | 2433.6 |
| 2007 | 3687.4 | 315.0 | 7892.3 | 8869.5 | 2534.5 | 4358.8 | 2746.8 |
| 2008 | 4058.4 | 327.3 | 8631.8 | 9766.6 | 2610.4 | 4872.4 | 2982.6 |

注:1. 本表按可比价格计算。　The figures in this table are calculated at comparable price.
2. 2008年为初步核算数。　Data in 2008 are preliminary accouting numbers.

## 1-9 全省生产总值构成(1978-2008年)
## Structure of Gross Domestic Product (1978-2008)

单位:%(%)

| 年份 Year | 生产总值 Gross Domestic Product | 第一产业 Primary Industry | 第二产业 Secondary Industry | #工业 Industry | #建筑业 Construction | 第三产业 Tertiary Industry |
|---|---|---|---|---|---|---|
| 1978 | 100 | 38.1 | 43.3 | 38.0 | 5.3 | 18.7 |
| 1979 | 100 | 42.8 | 40.6 | 35.2 | 5.4 | 16.6 |
| 1980 | 100 | 35.9 | 46.7 | 41.0 | 5.8 | 17.4 |
| 1981 | 100 | 33.7 | 46.2 | 41.0 | 5.2 | 20.1 |
| 1982 | 100 | 36.3 | 42.1 | 37.3 | 4.8 | 21.7 |
| 1983 | 100 | 32.2 | 44.0 | 39.9 | 4.1 | 23.8 |
| 1984 | 100 | 32.3 | 43.8 | 39.6 | 4.2 | 23.9 |
| 1985 | 100 | 28.9 | 46.3 | 41.6 | 4.7 | 24.8 |
| 1986 | 100 | 27.1 | 46.0 | 41.1 | 4.8 | 26.9 |
| 1987 | 100 | 26.3 | 46.4 | 41.1 | 5.2 | 27.4 |
| 1988 | 100 | 25.4 | 46.0 | 40.9 | 5.1 | 28.6 |
| 1989 | 100 | 24.8 | 45.5 | 40.8 | 4.7 | 29.7 |
| 1990 | 100 | 24.9 | 45.1 | 40.2 | 4.9 | 30.0 |
| 1991 | 100 | 22.5 | 45.4 | 40.2 | 5.1 | 32.1 |
| 1992 | 100 | 19.1 | 47.5 | 42.3 | 5.2 | 33.4 |
| 1993 | 100 | 16.4 | 51.1 | 45.5 | 5.6 | 32.5 |
| 1994 | 100 | 16.3 | 52.0 | 46.2 | 5.8 | 31.7 |
| 1995 | 100 | 15.5 | 52.1 | 46.3 | 5.9 | 32.4 |
| 1996 | 100 | 14.2 | 53.3 | 47.4 | 5.9 | 32.5 |
| 1997 | 100 | 13.2 | 54.5 | 48.8 | 5.7 | 32.3 |
| 1998 | 100 | 12.1 | 54.8 | 49.2 | 5.6 | 33.2 |
| 1999 | 100 | 11.1 | 54.6 | 49.2 | 5.4 | 34.2 |
| 2000 | 100 | 10.3 | 53.3 | 48.0 | 5.3 | 36.4 |
| 2001 | 100 | 9.6 | 51.8 | 46.1 | 5.7 | 38.6 |
| 2002 | 100 | 8.6 | 51.1 | 45.5 | 5.6 | 40.3 |
| 2003 | 100 | 7.4 | 52.5 | 46.0 | 6.5 | 40.1 |
| 2004 | 100 | 7.0 | 53.6 | 47.1 | 6.5 | 39.4 |
| 2005 | 100 | 6.6 | 53.4 | 47.2 | 6.1 | 40.0 |
| 2006 | 100 | 5.9 | 54.0 | 48.2 | 5.8 | 40.1 |
| 2007 | 100 | 5.3 | 54.0 | 48.4 | 5.6 | 40.7 |
| 2008 | 100 | 5.1 | 53.9 | 48.2 | 5.7 | 41.0 |

注:1. 本表按当年价格计算。 The figures in this table are calculated at current price.

2. 从2004年起第一产业包括农林牧渔服务业。 The Value Added of Primary Industry includes Services for Agriculture since 2004.

3. 2008年为初步核算数。 Data in 2008 are preliminary accouting numbers.

## 1-10 按新行业分的第三产业增加值指数
Indices of Value - added of the Tertiary Industry by New Sector

(2004年=100)(2004=100)

| 行　业 | Sector | 2004 | 2005 | 2006 | 2007 |
|---|---|---|---|---|---|
| **总计** | **Total** | **100.0** | **115.2** | **132.7** | **153.2** |
| 交通运输、仓储和邮政业 | Transport, Storage and Post Services | 100.0 | 113.1 | 131.8 | 149.6 |
| 信息传输、计算机服务和软件业 | Information Transmission, Computer Services and Software | 100.0 | 114.2 | 134.8 | 164.5 |
| 批发和零售业 | Wholesale and Retail Trade | 100.0 | 110.7 | 125.2 | 142.6 |
| 住宿和餐饮业 | Hoteling and Catering Services | 100.0 | 107.8 | 122.4 | 137.9 |
| 金融业 | Finance | 100.0 | 126.4 | 155.8 | 185.8 |
| 房地产业 | Real Estate | 100.0 | 116.4 | 132.6 | 151.1 |
| 租赁和商务服务业 | Leasing and Commercial Services | 100.0 | 112.6 | 132.3 | 153.2 |
| 科学研究、技术服务和地质勘查业 | Scientific Research, Technic Services and Geological Prospecting | 100.0 | 123.5 | 145.4 | 170.9 |
| 水利、环境和公共设施管理业 | Water Conservancy, Environment and Public Facilities Management | 100.0 | 117.1 | 124.6 | 138.8 |
| 居民服务和其他服务业 | Resident Services and Other Services | 100.0 | 114.9 | 127.0 | 143.9 |
| 教育 | Education | 100.0 | 117.5 | 133.6 | 155.5 |
| 卫生、社会保障和社会福利业 | Health Care, Social Security and Social Welfare | 100.0 | 118.0 | 129.2 | 146.7 |
| 文化、体育和娱乐业 | Culture, Sports and Recreation | 100.0 | 118.7 | 140.6 | 161.1 |
| 公共管理和社会组织 | Public Administration and Social Organization | 100.0 | 118.6 | 133.4 | 153.5 |

## 1-11 按支出法计算的全省生产总值(2001-2007年)
## Gross Domestic Product Calculated by Expenditure Approach(2001-2007)

单位:亿元(100 million yuan)

| 指标 | Item | 2001 | 2002 | 2003 | 2004 | 2005 | 2006 | 2007 |
|---|---|---|---|---|---|---|---|---|
| **全省生产总值** | **Gross Domestic Product Calculated with Expenditure Approach** | **6898.34** | **8003.67** | **9705.02** | **11648.70** | **13437.85** | **15742.51** | **18780.44** |
| **最终消费** | **Final Consumption** | **3579.14** | **4062.46** | **4623.26** | **5416.73** | **6373.24** | **7435.94** | **8652.34** |
| 居民消费 | Resident Consumption | 2602.81 | 2874.66 | 3338.66 | 3909.82 | 4705.79 | 5512.66 | 6309.51 |
| 农村居民 | Rural Resident | 1012.83 | 1073.94 | 1137.44 | 1235.12 | 1354.46 | 1532.47 | 1678.23 |
| 城镇居民 | Urban Resident | 1589.97 | 1800.72 | 2201.22 | 2674.70 | 3351.33 | 3980.19 | 4631.28 |
| 政府消费 | Government Consumption | 976.33 | 1187.80 | 1284.60 | 1506.91 | 1667.45 | 1923.28 | 2342.83 |
| **资本形成总额** | **Total Capital Formation** | **2891.02** | **3467.46** | **4663.83** | **5748.87** | **6448.72** | **7291.05** | **8512** |
| 固定资本形成总额 | Fixed Capital Formation | 2645.40 | 3255.13 | 4479.98 | 5563.87 | 6269.16 | 7065.65 | 8201.28 |
| 存货增加 | Changes in Inventories | 245.62 | 212.33 | 183.85 | 185.00 | 179.56 | 231.4 | 310.72 |
| **货物和服务净出口** | **Net Export** | **428.18** | **473.75** | **417.93** | **483.10** | **615.89** | **1009.52** | **1616.1** |

注:本表按当年价格计算。 The figures in this table are calculated at current price.

## 1-12 总 产 出(2001-2007年)
## Total Output(2001-2007)

单位:亿元(100 million yuan)

| 指标 | Item | 2001 | 2002 | 2003 | 2004 | 2005 | 2006 | 2007 |
|---|---|---|---|---|---|---|---|---|
| **总产出** | **Total Output** | **23011.28** | **26536.51** | **32552.25** | **39465.06** | **45898.47** | **54624.36** | **65647.68** |
| 第一产业 | Primary Industry | 1056.55 | 1105.32 | 1169.26 | 1332.27 | 1428.28 | 1514.56 | 1597.15 |
| 第二产业 | Secondary Industry | 17155.40 | 19640.70 | 24451.53 | 30009.01 | 34948.21 | 41947.49 | 50576.93 |
| 工业 | Industry | 15336.18 | 17541.50 | 21484.66 | 26442.03 | 31211.66 | 37654.07 | 45792.04 |
| 建筑业 | Construction | 1819.22 | 2099.20 | 2966.87 | 3566.98 | 3736.55 | 4293.43 | 4784.88 |
| 第三产业 | Tertiary Industry | 4799.33 | 5790.48 | 6931.46 | 8123.78 | 9521.98 | 11162.31 | 13473.61 |

注:1. 本表按当年价格计算。 The figures in this table are calculated at current price.

2. 从2004年起第一产业包括农林牧渔服务业。 The Output of Primary Industry includes Services for Agriculture since 2004.

## 1-13　居民消费水平和指数(1978-2007年)
## Resident Consumption Level and Its Indices(1978-2007)

单位:%(%)

| 年份 Year | 居民总消费水平(元/人) Resident Consumption level (yuan/person) | 农村居民总消费水平 Rural Resident | 城镇居民总消费水平 Urban Resident | 居民总消费水平指数 Indices of Resident Consumption Level (1978=100) | 农村居民消费水平指数 Rural Resident | 城镇居民消费水平指数 Urban Resident |
|---|---|---|---|---|---|---|
| 1978 | 193 | 164 | 410 | 100.0 | 100.0 | 100.0 |
| 1979 | 218 | 183 | 466 | 112.1 | 111.1 | 110.6 |
| 1980 | 240 | 198 | 511 | 120.1 | 119.6 | 111.0 |
| 1981 | 317 | 271 | 595 | 156.2 | 161.6 | 127.0 |
| 1982 | 354 | 305 | 630 | 173.4 | 181.4 | 132.0 |
| 1983 | 383 | 328 | 672 | 184.3 | 192.8 | 137.0 |
| 1984 | 439 | 369 | 788 | 206.7 | 213.5 | 154.9 |
| 1985 | 580 | 472 | 1063 | 237.6 | 238.7 | 181.4 |
| 1986 | 702 | 558 | 1283 | 270.5 | 266.1 | 206.1 |
| 1987 | 828 | 655 | 1492 | 295.2 | 293.4 | 216.1 |
| 1988 | 1070 | 829 | 1959 | 314.6 | 309.8 | 229.9 |
| 1989 | 1186 | 914 | 2145 | 293.7 | 285.6 | 215.5 |
| 1990 | 1227 | 930 | 2235 | 297.5 | 285.2 | 220.0 |
| 1991 | 1353 | 1005 | 2493 | 317.7 | 303.4 | 232.5 |
| 1992 | 1528 | 1091 | 2882 | 335.6 | 314.5 | 245.9 |
| 1993 | 1850 | 1244 | 3608 | 351.2 | 325.1 | 253.6 |
| 1994 | 2536 | 1654 | 4920 | 389.0 | 348.7 | 282.4 |
| 1995 | 3217 | 2053 | 6141 | 423.2 | 374.0 | 301.9 |
| 1996 | 3906 | 2486 | 7268 | 473.5 | 423.7 | 325.4 |
| 1997 | 4233 | 2665 | 7649 | 496.8 | 444.8 | 330.0 |
| 1998 | 4397 | 2774 | 7607 | 515.1 | 466.5 | 326.6 |
| 1999 | 4539 | 2845 | 7566 | 534.7 | 485.6 | 326.6 |
| 2000 | 5099 | 3278 | 8020 | 587.5 | 547.9 | 339.1 |
| 2001 | 5551 | 3621 | 8404 | 641.2 | 605.3 | 356.8 |
| 2002 | 6098 | 4012 | 8839 | 711.6 | 675.3 | 379.8 |
| 2003 | 7033 | 4504 | 9907 | 810.6 | 737.4 | 423.5 |
| 2004 | 8174 | 4918 | 11771 | 912.3 | 769.7 | 489.6 |
| 2005 | 9701 | 5476 | 14097 | 1058.1 | 848.9 | 568.9 |
| 2006 | 11161 | 6301 | 15877 | 1199.9 | 962.7 | 631.5 |
| 2007 | 12569 | 7077 | 17486 | 1323.5 | 1057.0 | 682.0 |

注:本表绝对数按当年价格计算,指数按可比价格计算。
The absolute figures in this table are calculated at current price, while the indices are calculated at comparable price.

浙/江/统/计/年/鉴

# 主要统计指标解释

## ■ 生产总值

是按市场价格计算的国内生产总值的简称。它是一个国家(地区)所有常住单位在一定时期内生产活动的最终成果。生产总值有三种表现形态,即价值形态、收入形态和产品形态。从价值形态看,它是所有常住单位在一定时期内所生产的全部货物和服务价值超过同期投入的全部非固定资产货物和服务价值的差额,即所有常住单位增加值之和;从收入形态看,它是所有常住单位在一定时期内所创造并分配给常住单位和非常住单位的初次分配收入之和;从产品形态看,它是最终使用的货物和服务减去进口货物和服务。在实际核算中,国内生产总值的三种表现形态表现为三种计算方法,即生产法、收入法和支出法。三种方法分别从不同的方面反映国内生产总值及其构成。

## ■ 三次产业

根据社会生产活动历史发展的顺序对产业结构的划分,产品直接取自自然界的部门称为第一产业,对初级产品进行再加工的部门称为第二产业,为生产和消费提供各种服务的部门称为第三产业。它是世界上通用的产业结构分类,但各国的划分不尽一致。我国的三次产业划分是:

第一产业:农林牧渔业(包括农业、林业、畜牧业、渔业和农林牧渔服务业)。

第二产业:包括采矿业、制造业、电力、燃气、及水的生产和供应业、建筑业。

第三产业:除第一、第二产业以外的其他各业。

## ■ 支出法国内生产总值

指一个国家(或地区)所有常住单位在一定时期内用于最终消费、资本形成总额,以及货物和服务的净出口总额,它反映本期生产的国内生产总值的使用构成。

## ■ 最终消费

指常住单位在一定时期内对于货物和服务的全部消费支出,也就是常住单位为满足物质文化和精神生活的需要,从本国经济领土和国外购买的货物和服务的支出;不包括非常住单位在本国经济领土内的消费支出。最终消费分为居民消费和政府消费。

## ■ 居民消费

指常住住户对货物和服务的全部最终消费指出。居民消费按市场价格计算,既按居民支付的购买者价格计算。购买者价格是购买者取得货物所支付的价格包括购买者支付的运输和商业费用。居民消费除了直接以货币形式购买货物和服务的消费之外,还包括以其他方式获得的货物和服务的消费支出既所谓的虚拟消费支出。居民虚拟消费支出包括以下几种类型:单位以实物报酬及实物转移的形式提供给劳动者的货物和服务;住户生产并由本住户消费了的货物和服务,其中的服务仅指住户的自有住房服务;金融机构提供的金融媒介服务;保险公司提供的保险服务。

## ■ 政府消费

指政府部门为全社会提供公共服务的消费支出和免费或以较低价格向住户提供的货物和服务的净支出前者等于政府服务的产出价值减去政府单位所获得的经营收入的价值,政府服务的产出价值等于它的经常性业务支出加上固定资产折旧;后者等于政府部门免费或以较低价格向住户提供的货物和服务的市场减去向住户收取的价值。

## ■ 资本形成总额

指常住单位在一定时期内获得的减去处置的固定资产加存货的变动,包括固定资本形成总额和存货增加。

## ■ 固定资本形成总额

指常住单位购置、转入和自产自用的固定资产,扣除固定资产的销售和转让,分有形固定资产形成总额和无形固定资产形成总额。有形固定资产形成总额包括一定时期内完成的建筑工程、安装工程和设备工器具(减处置)价值,以及土地改良、新增役种奶毛娱乐用牲畜和新增林木价值。无形固定资产总额包括矿藏的勘探、计算机软件、娱乐和文学艺术品原件等获得减处置。

# 主要统计指标解释

## ■ 存货增加

指常住单位存货实物量变动的市场价值，即期末价值减期初价值的差额。存货量增加可以是正值，也可以是负值；正值表示存货上升，负值表示存货下降。它包括生产单位购进的原材料燃料和储备物资等存货，以及生产单位生产的产成品在制品等存货等。

## ■ 货物和服务净出口

指货物和服务出口减货物和服务进口的差额。出口包括常住单位从非常住单位出售或无偿转让的各种货物和服务的价值；进口包括常住单位从非常住单位购买或无偿得到的各种货物和服务的价值。由于服务活动的提供与使用同时发生，因此服务的进出口业务并不发生出入境现象，一般把常住单位从国外得到的服务作为进口，非常住单位从本国得到的服务作为出口。货物的进口和出口都按离岸价格计算。

## ■ 劳动者报酬

指劳动者因从事生产活动所获得的全部报酬。包括劳动者获得的各种形式的工资，奖金和津贴，既包括货币形式的，也包括实物形式的；还包括劳动者所享受的公费医疗和医药卫生费上下班交通补贴和单位支付的社会保险费等。对于个体经济来说其所有者所获得的劳动报酬和经营利润不易区分，这两部分统一作为劳动者报酬处理。

## ■ 生产税净额

指生产税减生产补贴后的余额。生产税指政府对生产单位生产销售和从事经营活动以及因从事生产活动使用某些生产要素（如固定资产土地劳动力）所征收的各种税、附加费和规费。生产补贴和生产税相反，指政府对生产单位的单方面收入转移，因此视为负生产税，包括政策亏损补贴、粮食系统价格补贴、外贸企业出口退税收入等。

## ■ 固定资产折旧

在一定时期内为弥补固定资产损耗按照核定的固定资产损耗率提取的固定资产折旧，或按国民经济核算统一规定的折旧率虚拟计算的固定资产折旧。它反映了固定资产在当期生产中的转移价值。各类企业和企业化管理的事业单位的固定资产折旧是指实际计提并计入成本费中的折旧费；不计提折旧的政府机关非企业化管理的事业单位和居民住房的固定资产折旧是按照统一规定的折旧率和固定资产原值计算的虚拟折旧。原则上，固定资产折旧应按固定资产的重置价值计算，但是目前我国尚不具备对全社会固定资产进行重估价的基础，所以暂时只能采用上述方法。

## ■ 营业盈余

指常住单位创造的增加值扣除劳动者报酬生产税净额和固定资产折旧后的余额。它相当于企业的营业利润加上生产补贴，但要扣除从利润中开支的工资和福利等。

ZHEJIANG STATISTICAL YEARBOOK

# Explanatory Notes on Main Statistical Indicators

## □ Gross Domestic Product(GDP)

refers to gross domestic product calculated at market prices, which is the final products of all resident units in a country (or region) during a certain period of time. Gross domestic product is expressed in three different forms, i. e. value added, income, and products respectively. The form of value added refers to the total value of all products and services produced by all resident units during a certain period of time minus total value of input of materials and services of the nature of non-fixed assets or the summation of the value added of all resident units; the form of income includes all the income created by all resident units and distributed primarily to all resident and non-resident units; the form of products refers to all final goods and services minus imports of goods and services. In the practice of national accounting, gross domestic product is calculated with three approaches, i. e. product approach, income approach, and expenditure approach respectively to reflect gross domestic product and its composition from different aspects.

## □ Three Industries

Industry structure has been classified according to the historical sequence of development. Primary industry refers to extraction of natural resources; secondary industry involves processing of primary products ; and tertiary industry provides services of various kinds for production and consumption. The above classification is universal although it varies to some extent from country to country. Industry in China comprises:

Primary industry: agriculture, forestry, animal husbandry and fishery, including farming animal husbandry, fishery industry and service industry for farming, animal husbandry and fishery.

Secondary industry: mining, manufacturing, power、steam and water production and supply, construction.

Tertiary industry: all other industries not included in primary or secondary industry.

## □ GDP Calculated by Expenditure Approach

refers to total expenditure on final consumption, total capital formation and net export of goods and services by resident units of a country in a certain period of time. It reflects the composition of GDP by its use.

## □ Final Consumption

refers to the total expenditure of resident units on final consumption of goods and services in a certain period, namely the expenditure of the resident units for perchases of good and services from domestic economic territory and abroad to meet the requirements of meterial, cultural and spritual life. It excludes the expenditure of non-resident units on consumption in the economic territory of the country. The final consumption is classified into household consumption and government consumption.

## □ Households Consumption

refers to the total expenditure of resident households on the final consumption of goods and services. The households consumption is calculated at market prices, namely the purchaser's prices which the households pay; the purchaser's prices of goods are the prices the households pay when they obtain the goods including the transport and commercial expenses paid by the households. In addition to the consumption of goods and services bought by the households directly with money, the expenditure on goods and services obtained by the households in other ways, i. e. the so-called imputed expenditure on consumption, is also included in the households consumption. The imputation expenditure of the households on consumption includes the following types: (a) the goods and services privided to the households by the units in the form of payment in kind and transfer in kind; (b) the goods and services produced

EXPLANATORY NOTES ON MAIN STATISTICAL INDICATORS

and consumed by the households themselves, in which the services refer only to the services provided by the residential buildings owned by the households; (c) the services of financial intermediary provided by the financial institution; (d) the insurance services provided by the insurance companies.

## □ Government Consumption

refers to the expenditure on the consumption of the public services provided by the government to the whole society and the net expenditure on the goods and services provided by the government to the households at free charge or lower prices. The former equals to the output value of the government services minus the value of operating income obtained by the government departments. (The output value of the government services equals to its current operating expenditure plus depreciation of fixed assets). The latter equals to the market value of the goods and services provided by the government free of charge or at low prices to the households minus the value received by the government from the households.

## □ Total Capital Formation

refers to the fixed assets acquired minus those disposed and the change in inventory including the total fixed assets formation and the increase in inventory.

### □ Total Fixed Capital Formation

refers to the value of fixed assets purchased, transferred in by the resident units and those produced and used by themselves deducting the value of fixed assets sold and transferred out. It can be classfied into total tangible assets formation and total intangible asset formation. The total tangible assets formation and total intangible assets formation. The total tangible assets formation include the value of construction projects, installation projects completed and the equipment apparatus and instruments purchasedas well as the value of land improved, the value of draught animals, breeding stock, milk, wool and recreational animals and the newly increased economic forest in a certain period. The total ingangible assets formation includes the prospecting of minerals, the acquisition of computer software, the orginals of recreational works and works of literature and arts minus the disposal of them.

## □ Increase in Inventory

refers to the market value of the change in inventory, i. e. the difference of value between the beginning and the end of the period. The increase in inventory can be positive or negative. A positive value indicates the increase in inventory while a negative value indicates the decrease in stock. The inventory includes the raw materials, fuels, and reserve materials purchased by the production units as well as the inventory of finished products, semifinished products work-in-progress, ect.

## □ Net Export of Goods and Services

refers to the difference of the exports of goods and services minus the imports of goods and services. The imports include the value of various goods and services sold or gratuitously transferred by the resident units to the non-resident units. The imports include the value of various goods and services purchased or gratuitously acquired by the resident units from the non-resident units. Because the provision of services and the use of them happen simultaneously, the import and export of services do not appear to have the phenomena of crossing the border of the country. The acquisition of services by the resident units from abroad is uaually treated as import while the acquisition of services by non-resident units in this country is uaually treated as export. The export and import of goods are calculated at FOB.

## □ Labourer's Remuneration

refers to the whole payment of various forms earned by the labourers from the productive activities they are engaged in. It includes wages, bonuses and allowances the labourers earned in monetary form and in kind. It also includes the free medical services provided to the labourers and the medicine expenses, traffic subsidies and social insurance free paid by the labourers' working units for them. As the individual economy is concerned, since the labourers' remuneration is not easily distingushed from the operating profit, both are treated as labourers remuneration.

EXPLANATORY NOTES ON
MAIN STATISTICAL INDICATORS

## □ Net Taxes on Production

refers to the residual of the taxes on production minus the subsidies on production. The taxes on production refer to the various taxes, extra charges and fees levied on the production units on their production, sail and business activities as well as on some factors of production, such as fixed assets, land and labour force, used in the production activities they are engaged in. In contrast to the taxes on production, the subsidies on production refer to the unilateral transfer of part of the government's revenue to the production units and is therefore regarded as negative taxes on production. They include sunsidies on the loss due to implementation of government policies, price subsidies to the grain institutions, foreign trade corporations' receipts from drawback, ect.

## □ Depreciation of Fixed Assets

refers to the depreciation of fixed assets of a given period, drawn in accordance with the stipulated depreciation rate for purpose of compensating the wear loss of the fixed assets of the depreciation of fixed assets calculated in a fictitious way in accordance with the stipulated unified depreciation rate in the national economic accounting system. It reflects the value of transfer of the fixed assets in the production of the current period. The depreciation of fixed assets in various enterprises and institutions managed as enterprises refers to the depreciation expenses actually drawn- and calculated as part of the cost. In government agencies and institutions not managed as enterprises which do not draw the depreciation expenses, as well as for the house of residents, the depreciation of fixed assets is the imputed depreciation, which is calculated in accordance with the stipulated unified depreciation rate. In principle, the depreciation of fixed assets should bs calculated on the basis of the repurchased value of the fixed assets. However, there is no actual condition to reevaluated all the fixed assets in China. Therefore, the abovementioned methods are temporarily adopted at present.

## □ Operating Surplus

refers to the balance of the value added created by the resident units deducting the laboures' remuneration, net taxes on production and the depreciation of fixed assets. It is equivalent to the business profit of the enterprises plus subsidies on production, but the wages and welfare expenses paid from the profits should be deducted.

浙江统计年鉴

ZHEJIANG STATISTICAL YEARBOOK

2009

CHAPTER 2

# 人口和从业人员

Population and Employment

## 2-1 历年总户数和总人口数(年底数)
Total Population and Households(year-end)

| 年份 Year | 总户数(万户) Total Households (10000 households) | 总人口数(万人) Total Population (10000 persons) | 按性别分 By Sex | | 按农业和非农业分 By Agriculture and Non-agriculture | |
|---|---|---|---|---|---|---|
| | | | 男性 Male | 女性 Female | 农业人口 Agriculture | 非农业人员 Non-agriculture |
| 1978 | 897.62 | 3750.96 | 1948.29 | 1802.67 | 3321.96 | 429.00 |
| 1979 | 905.32 | 3792.33 | 1967.40 | 1824.93 | 3332.57 | 459.76 |
| 1980 | 923.58 | 3826.58 | 1985.59 | 1840.99 | 3346.40 | 480.18 |
| 1981 | 965.92 | 3871.51 | 2007.55 | 1863.96 | 3362.04 | 509.47 |
| 1982 | 990.66 | 3924.32 | 2034.98 | 1889.34 | 3387.79 | 536.53 |
| 1983 | 1014.03 | 3963.10 | 2056.06 | 1907.04 | 3413.05 | 550.05 |
| 1984 | 1038.85 | 3993.09 | 2071.46 | 1921.63 | 3425.47 | 567.62 |
| 1985 | 1081.20 | 4029.56 | 2090.69 | 1938.87 | 3395.35 | 634.21 |
| 1986 | 1122.09 | 4070.07 | 2112.05 | 1958.02 | 3417.19 | 652.88 |
| 1987 | 1167.30 | 4121.19 | 2137.38 | 1983.81 | 3455.14 | 666.05 |
| 1988 | 1211.08 | 4169.85 | 2161.26 | 2008.59 | 3487.61 | 682.24 |
| 1989 | 1240.41 | 4208.88 | 2180.83 | 2028.05 | 3515.46 | 693.42 |
| 1990 | 1259.49 | 4234.91 | 2193.71 | 2041.20 | 3538.13 | 696.78 |
| 1991 | 1276.80 | 4261.37 | 2206.65 | 2054.72 | 3555.37 | 706.00 |
| 1992 | 1297.81 | 4285.91 | 2218.72 | 2067.19 | 3560.13 | 725.78 |
| 1993 | 1311.07 | 4313.30 | 2232.72 | 2080.58 | 3563.24 | 750.06 |
| 1994 | 1321.54 | 4341.20 | 2246.57 | 2094.63 | 3565.19 | 776.01 |
| 1995 | 1339.82 | 4369.63 | 2259.54 | 2110.09 | 3567.14 | 802.49 |
| 1996 | 1353.99 | 4400.09 | 2273.54 | 2126.55 | 3570.17 | 829.92 |
| 1997 | 1369.79 | 4422.28 | 2282.85 | 2139.43 | 3557.19 | 865.09 |
| 1998 | 1389.44 | 4446.86 | 2293.29 | 2153.57 | 3539.78 | 907.08 |
| 1999 | 1410.25 | 4467.46 | 2302.64 | 2164.82 | 3519.79 | 947.67 |
| 2000 | 1440.40 | 4501.22 | 2316.54 | 2184.68 | 3506.20 | 995.02 |
| 2001 | 1447.67 | 4519.84 | 2323.87 | 2195.97 | 3473.63 | 1046.21 |
| 2002 | 1466.19 | 4535.98 | 2330.30 | 2205.68 | 3438.76 | 1097.22 |
| 2003 | 1485.72 | 4551.58 | 2335.61 | 2215.97 | 3394.08 | 1157.50 |
| 2004 | 1509.29 | 4577.22 | 2345.26 | 2231.96 | 3353.16 | 1224.06 |
| 2005 | 1534.16 | 4602.11 | 2354.19 | 2247.91 | 3335.30 | 1266.81 |
| 2006 | 1556.53 | 4629.43 | 2364.97 | 2264.46 | 3317.26 | 1312.17 |
| 2007 | 1578.85 | 4659.34 | 2377.12 | 2282.22 | 3308.21 | 1351.13 |
| 2008 | 1595.70 | 4687.85 | 2388.98 | 2298.87 | 3292.37 | 1395.48 |

注:本表资料为公安年报数。
Data in this table were taken from the annual reports of the Bureau of Public Security.

## 2-2 各市、县总户数和总人口数(2008年底)
Total Households and Population by City and County (End of 2008)

| 地区 Region | | 总户数 (万户) Total Households (10000 households) | 总人口数 (万人) Total Population (10000 persons) | 按性别分 By Sex | | 按农业和非农业分 By Agriculture and Non-agriculture | |
|---|---|---|---|---|---|---|---|
| | | | | 男性 Male | 女性 Female | 农业人口 Agriculture | 非农业人员 Non-agriculture |
| **合计** | **Total** | **1595.70** | **4687.85** | **2388.98** | **2298.87** | **3292.37** | **1395.48** |
| **杭州市** | **Hangzhou** | **213.74** | **677.64** | **342.45** | **335.19** | **336.89** | **340.76** |
| 市辖区 | District | 125.56 | 424.30 | 213.54 | 210.76 | 139.19 | 285.11 |
| 上城区 | Shangcheng | 11.49 | 32.38 | 16.35 | 16.03 | 0.00 | 32.38 |
| 下城区 | Xiacheng | 12.30 | 38.95 | 19.91 | 19.04 | 0.00 | 38.94 |
| 江干区 | Jianggan | 10.94 | 44.00 | 22.45 | 21.56 | 3.32 | 40.68 |
| 拱墅区 | Gongshu | 10.18 | 30.87 | 15.85 | 15.02 | 0.98 | 29.88 |
| 西湖区 | Xihu | 15.79 | 60.11 | 31.06 | 29.06 | 7.53 | 52.58 |
| 滨江区 | Binjiang | 3.47 | 14.03 | 7.09 | 6.94 | 1.65 | 12.38 |
| 萧山区 | Xiaoshan | 37.70 | 120.22 | 59.35 | 60.87 | 80.13 | 40.09 |
| 余杭区 | Yuhang | 23.69 | 83.74 | 41.49 | 42.25 | 45.57 | 38.17 |
| 桐庐县 | Tonglu | 15.03 | 39.91 | 20.20 | 19.71 | 28.36 | 11.55 |
| 淳安县 | Chunan | 14.99 | 45.13 | 23.18 | 21.95 | 37.66 | 7.47 |
| 建德市 | Jiande | 17.54 | 51.32 | 26.38 | 24.94 | 38.59 | 12.73 |
| 富阳市 | Fuyang | 21.81 | 64.34 | 32.67 | 31.67 | 51.53 | 12.81 |
| 临安市 | Linan | 18.81 | 52.65 | 26.47 | 26.17 | 41.56 | 11.09 |
| **宁波市** | **Ningbo** | **221.48** | **568.09** | **284.84** | **283.25** | **369.60** | **198.49** |
| 市辖区 | District | 88.25 | 220.12 | 109.28 | 110.85 | 88.05 | 132.07 |
| 海曙区 | Haishu | 11.35 | 30.66 | 15.16 | 15.49 | 0.01 | 30.65 |
| 江东区 | Jiangdong | 10.33 | 27.25 | 13.54 | 13.71 | 0.00 | 27.25 |
| 江北区 | Jiangbei | 9.67 | 23.35 | 11.60 | 11.75 | 8.73 | 14.62 |
| 北仑区 | Beilun | 15.23 | 36.81 | 18.34 | 18.46 | 18.36 | 18.45 |
| 镇海区 | Zhenhai | 9.25 | 22.43 | 11.34 | 11.09 | 6.48 | 15.95 |
| 鄞州区 | Yinzhou | 32.42 | 79.63 | 39.29 | 40.34 | 54.47 | 25.15 |
| 象山县 | Xiangshan | 18.95 | 53.51 | 27.37 | 26.13 | 42.48 | 11.02 |
| 宁海县 | Ninghai | 22.26 | 60.07 | 31.22 | 28.85 | 50.90 | 9.16 |
| 余姚市 | Yuyao | 31.07 | 83.11 | 41.44 | 41.66 | 65.20 | 17.91 |
| 慈溪市 | Cixi | 42.74 | 103.12 | 51.07 | 52.06 | 85.33 | 17.79 |
| 奉化市 | Fenghua | 18.21 | 48.16 | 24.46 | 23.71 | 37.63 | 10.53 |
| **温州市** | **Wenzhou** | **228.04** | **771.99** | **402.11** | **369.88** | **607.54** | **164.44** |
| 市辖区 | District | 42.98 | 143.82 | 72.84 | 70.99 | 77.07 | 66.75 |
| 鹿城区 | Lucheng | 22.42 | 69.98 | 34.96 | 35.02 | 16.65 | 53.34 |
| 龙湾区 | Longwan | 8.59 | 33.10 | 17.14 | 15.96 | 27.07 | 6.03 |
| 瓯海区 | Ouhai | 11.96 | 40.74 | 20.74 | 20.01 | 33.36 | 7.39 |
| 洞头县 | Dongtou | 3.81 | 12.63 | 6.54 | 6.09 | 11.04 | 1.59 |
| 永嘉县 | Yongjia | 28.02 | 92.24 | 49.04 | 43.21 | 81.23 | 11.02 |
| 平阳县 | Pingyang | 24.88 | 85.65 | 44.86 | 40.79 | 69.48 | 16.17 |
| 苍南县 | Cangnan | 34.39 | 126.53 | 66.74 | 59.79 | 97.77 | 28.76 |

2－2　续表1　continued

| 地区 Region | | 总户数（万户）Total Households (10000 households) | 总人口数（万人）Total Population (10000 persons) | 按性别分 By Sex | | 按农业和非农业分 By Agriculture and Non-agriculture | |
|---|---|---|---|---|---|---|---|
| | | | | 男性 Male | 女性 Female | 农业人口 Agriculture | 非农业人员 Non-agriculture |
| 文成县 | Wencheng | 12.45 | 37.20 | 19.88 | 17.31 | 33.90 | 3.30 |
| 泰顺县 | Taishun | 11.43 | 35.49 | 18.80 | 16.69 | 32.14 | 3.35 |
| 瑞安市 | Ruian | 31.89 | 117.52 | 60.39 | 57.13 | 96.50 | 21.01 |
| 乐清市 | Yueqing | 38.20 | 120.91 | 63.02 | 57.88 | 108.42 | 12.49 |
| **嘉兴市** | **Jiaxing** | **102.40** | **338.07** | **167.81** | **170.25** | **207.93** | **130.14** |
| 市辖区 | District | 26.89 | 82.55 | 41.05 | 41.50 | 40.52 | 42.03 |
| 南湖区 | Nanhu | 16.14 | 46.99 | 23.43 | 23.56 | 14.68 | 32.30 |
| 秀洲区 | Xiuzhou | 10.76 | 35.56 | 17.63 | 17.94 | 25.84 | 9.72 |
| 嘉善县 | Jiashan | 12.45 | 38.20 | 18.96 | 19.24 | 29.12 | 9.09 |
| 海盐县 | Haiyan | 12.04 | 36.92 | 18.33 | 18.59 | 29.67 | 7.25 |
| 海宁市 | Haining | 18.21 | 65.09 | 32.18 | 32.91 | 42.53 | 22.56 |
| 平湖市 | Pinghu | 14.62 | 48.44 | 23.87 | 24.57 | 25.35 | 23.09 |
| 桐乡市 | Tongxiang | 18.20 | 66.86 | 33.42 | 33.45 | 40.73 | 26.13 |
| **湖州市** | **Huzhou** | **84.59** | **258.50** | **129.67** | **128.83** | **177.75** | **80.75** |
| 市辖区 | District | 34.21 | 108.52 | 54.10 | 54.42 | 65.63 | 42.88 |
| 吴兴区 | Wuxing | 19.60 | 59.39 | 29.65 | 29.75 | 28.35 | 31.04 |
| 南浔区 | Nanxun | 14.61 | 49.13 | 24.45 | 24.68 | 37.28 | 11.85 |
| 德清县 | Deqing | 13.46 | 42.68 | 21.30 | 21.38 | 30.51 | 12.17 |
| 长兴县 | Changxing | 21.31 | 61.79 | 31.40 | 30.39 | 45.69 | 16.10 |
| 安吉县 | Anji | 15.61 | 45.51 | 22.87 | 22.64 | 35.91 | 9.60 |
| **绍兴市** | **Shaoxing** | **162.23** | **437.06** | **220.11** | **216.96** | **297.09** | **139.97** |
| 市辖区 | District | 23.55 | 64.90 | 32.05 | 32.85 | 17.90 | 47.00 |
| 越城区 | Yuecheng | 23.55 | 64.90 | 32.05 | 32.85 | 17.90 | 47.00 |
| 绍兴县 | Shaoxing | 25.79 | 71.46 | 35.30 | 36.15 | 42.74 | 28.71 |
| 新昌县 | Xinchang | 16.49 | 43.56 | 22.63 | 20.93 | 34.85 | 8.72 |
| 诸暨市 | Zhuji | 40.14 | 106.42 | 53.63 | 52.79 | 90.67 | 15.75 |
| 上虞市 | Shangyu | 29.20 | 77.31 | 38.47 | 38.84 | 53.13 | 24.18 |
| 嵊州市 | Shengzhou | 27.06 | 73.42 | 38.02 | 35.39 | 57.81 | 15.61 |
| **金华市** | **Jinhua** | **181.10** | **461.41** | **236.59** | **224.82** | **356.10** | **105.31** |
| 市辖区 | District | 37.13 | 92.38 | 46.95 | 45.44 | 60.90 | 31.48 |
| 婺城区 | Wucheng | 24.03 | 61.68 | 31.39 | 30.29 | 33.25 | 28.43 |
| 金东区 | Jindong | 13.10 | 30.70 | 15.56 | 15.15 | 27.65 | 3.06 |
| 武义县 | Wuyi | 13.30 | 33.47 | 17.27 | 16.21 | 28.21 | 5.27 |
| 浦江县 | Pujiang | 14.84 | 38.81 | 20.20 | 18.61 | 31.95 | 6.85 |
| 磐安县 | Panan | 8.04 | 20.93 | 10.91 | 10.02 | 18.04 | 2.89 |
| 兰溪市 | Lanxi | 23.11 | 65.70 | 34.28 | 31.42 | 53.09 | 12.61 |
| 义乌市 | Yiwu | 30.88 | 72.39 | 36.93 | 35.46 | 50.16 | 22.23 |
| 东阳市 | Dongyang | 32.06 | 81.26 | 41.24 | 40.02 | 66.93 | 14.33 |

2－2　续表2　continued

| 地区 Region | | 总户数（万户）Total Households（10000 households） | 总人口数（万人）Total Population（10000 persons） | 按性别分 By Sex | | 按农业和非农业分 By Agriculture and Non-agriculture | |
|---|---|---|---|---|---|---|---|
| | | | | 男性 Male | 女性 Female | 农业人口 Agriculture | 非农业人员 Non-agriculture |
| 永康市 | Yongkang | 21.74 | 56.46 | 28.81 | 27.65 | 46.81 | 9.65 |
| **衢州市** | **Quzhou** | **84.04** | **248.85** | **128.90** | **119.95** | **196.89** | **51.95** |
| 市辖区 | District | 28.83 | 81.83 | 42.28 | 39.55 | 54.83 | 27.00 |
| 柯城区 | Kecheng | 15.60 | 41.66 | 21.26 | 20.40 | 18.73 | 22.93 |
| 衢江区 | Qujiang | 13.23 | 40.17 | 21.02 | 19.15 | 36.10 | 4.07 |
| 常山县 | Changshan | 10.18 | 32.77 | 17.16 | 15.61 | 28.51 | 4.26 |
| 开化县 | Kaihua | 10.88 | 34.99 | 18.13 | 16.86 | 30.62 | 4.37 |
| 龙游县 | Longyou | 14.69 | 40.31 | 20.67 | 19.64 | 33.85 | 6.46 |
| 江山市 | Jiangshan | 19.46 | 58.94 | 30.65 | 28.29 | 49.08 | 9.87 |
| **舟山市** | **Zhoushan** | **36.67** | **96.77** | **48.39** | **48.37** | **60.97** | **35.79** |
| 市辖区 | District | 25.48 | 69.58 | 34.94 | 34.64 | 42.09 | 27.49 |
| 定海区 | Dinghai | 14.26 | 37.51 | 18.89 | 18.62 | 21.81 | 15.70 |
| 普陀区 | Putuo | 11.22 | 32.07 | 16.05 | 16.02 | 20.28 | 11.79 |
| 岱山县 | Daishan | 8.12 | 19.20 | 9.52 | 9.67 | 14.36 | 4.84 |
| 嵊泗县 | Shengsi | 3.07 | 7.99 | 3.93 | 4.06 | 4.53 | 3.46 |
| **台州市** | **Taizhou** | **193.69** | **574.06** | **295.38** | **278.68** | **470.71** | **103.35** |
| 市辖区 | District | 50.14 | 152.75 | 77.40 | 75.35 | 122.23 | 30.53 |
| 椒江区 | Jiaojiang | 17.26 | 49.98 | 25.35 | 24.63 | 36.48 | 13.49 |
| 黄岩区 | Huangyan | 19.23 | 59.14 | 30.01 | 29.13 | 48.27 | 10.86 |
| 路桥区 | Luqiao | 13.66 | 43.64 | 22.04 | 21.59 | 37.47 | 6.17 |
| 玉环县 | Yuhuan | 14.11 | 41.10 | 20.92 | 20.18 | 22.10 | 19.01 |
| 三门县 | Sanmen | 13.20 | 42.27 | 22.18 | 20.10 | 37.92 | 4.36 |
| 天台县 | Tiantai | 19.59 | 56.89 | 29.78 | 27.11 | 46.74 | 10.15 |
| 仙居县 | Xianju | 14.97 | 48.80 | 25.45 | 23.35 | 43.90 | 4.90 |
| 温岭市 | Wenling | 43.12 | 117.58 | 59.90 | 57.68 | 98.23 | 19.34 |
| 临海市 | Linhai | 38.55 | 114.66 | 59.75 | 54.90 | 99.60 | 15.06 |
| **丽水市** | **Lishui** | **87.72** | **255.43** | **132.74** | **122.69** | **210.89** | **44.54** |
| 市辖区 | District | 15.09 | 38.27 | 19.53 | 18.74 | 25.63 | 12.65 |
| 莲都区 | Liandu | 15.09 | 38.27 | 19.53 | 18.74 | 25.63 | 12.65 |
| 青田县 | Qingtian | 15.25 | 49.15 | 25.60 | 23.55 | 41.10 | 8.05 |
| 缙云县 | Jinyun | 16.82 | 44.77 | 23.18 | 21.59 | 40.34 | 4.43 |
| 遂昌县 | Suichang | 7.60 | 23.04 | 12.08 | 10.97 | 19.25 | 3.79 |
| 松阳县 | Songyang | 8.23 | 23.57 | 12.34 | 11.23 | 20.66 | 2.92 |
| 云和县 | Yunhe | 3.54 | 11.20 | 5.85 | 5.36 | 9.15 | 2.06 |
| 庆元县 | Qingyuan | 6.98 | 20.12 | 10.44 | 9.68 | 16.79 | 3.33 |
| 景宁自治县 | Jingning | 5.32 | 16.85 | 8.97 | 7.88 | 13.86 | 2.99 |
| 龙泉市 | Longquan | 8.88 | 28.45 | 14.76 | 13.69 | 24.13 | 4.33 |

注：本表资料为公安年报数。
Data in this table were taken from the annual reports of the Bureau of Public Security.

## 2-3 人口自然变动情况(1978-2008年)
Population Natural Changes(1978-2008)

| 年份 Year | 年末常住人口(万人) Total Population with Permanent Residence (10000 persons) | 出生 Birth 人数(万人) Population (10000 persons) | 出生 Birth 出生率(‰) Birth Rate (‰) | 死亡 Death 人数(万人) Population (10000 persons) | 死亡 Death 死亡率(‰) Death Rate (‰) | 自然增长 Natural Growth 人数(万人) Population (10000 persons) | 自然增长 Natural Growth 自然增长率(‰) Natural Growth Rate(‰) |
|---|---|---|---|---|---|---|---|
| 1978 | | 67.75 | 18.17 | 21.75 | 5.83 | 46.00 | 12.34 |
| 1979 | | 67.82 | 17.98 | 22.23 | 5.89 | 45.59 | 12.09 |
| 1980 | | 59.40 | 15.59 | 23.97 | 6.29 | 35.43 | 9.30 |
| 1981 | | 69.00 | 17.93 | 24.12 | 6.27 | 44.89 | 11.66 |
| 1982 | | 71.38 | 18.31 | 23.17 | 5.94 | 48.21 | 12.37 |
| 1983 | | 62.66 | 15.89 | 25.13 | 6.37 | 37.53 | 9.52 |
| 1984 | | 49.80 | 12.52 | 23.82 | 5.99 | 25.97 | 6.53 |
| 1985 | | 50.59 | 12.61 | 24.25 | 6.05 | 26.34 | 6.56 |
| 1986 | | 64.64 | 15.96 | 24.06 | 5.94 | 40.58 | 10.02 |
| 1987 | | 69.67 | 17.01 | 28.34 | 6.92 | 41.33 | 10.09 |
| 1988 | | 64.42 | 15.54 | 26.32 | 6.35 | 38.10 | 9.19 |
| 1989 | | 63.68 | 15.20 | 26.85 | 6.41 | 36.83 | 8.79 |
| 1990 | 4238.00 | 64.75 | 15.33 | 26.65 | 6.31 | 38.10 | 9.02 |
| 1991 | 4269.50 | 61.59 | 14.48 | 27.18 | 6.39 | 34.41 | 8.09 |
| 1992 | 4304.40 | 63.10 | 14.72 | 28.17 | 6.57 | 34.93 | 8.15 |
| 1993 | 4334.80 | 58.79 | 13.61 | 28.42 | 6.58 | 30.37 | 7.03 |
| 1994 | 4363.70 | 56.67 | 13.24 | 28.25 | 6.64 | 28.42 | 6.60 |
| 1995 | 4389.00 | 54.52 | 12.66 | 29.07 | 6.75 | 25.45 | 5.91 |
| 1996 | 4413.00 | 53.21 | 12.09 | 28.96 | 6.58 | 24.25 | 5.51 |
| 1997 | 4434.80 | 50.47 | 11.41 | 28.66 | 6.48 | 21.81 | 4.93 |
| 1998 | 4456.20 | 49.57 | 11.15 | 28.14 | 6.33 | 21.43 | 4.82 |
| 1999 | 4475.40 | 47.51 | 10.64 | 28.36 | 6.35 | 19.15 | 4.29 |
| 2000 | 4679.91 | 48.09 | 10.30 | 28.63 | 6.13 | 19.46 | 4.17 |
| 2001 | 4697.27 | 46.14 | 10.02 | 28.78 | 6.25 | 17.39 | 3.77 |
| 2002 | 4730.76 | 46.19 | 9.98 | 28.65 | 6.19 | 17.54 | 3.79 |
| 2003 | 4763.46 | 44.96 | 9.66 | 29.70 | 6.38 | 15.26 | 3.28 |
| 2004 | 4803.48 | 50.12 | 10.71 | 26.95 | 5.76 | 23.16 | 4.95 |
| 2005 | 4898.00 | 54.37 | 11.10 | 29.78 | 6.08 | 24.59 | 5.02 |
| 2006 | 4980.00 | 50.78 | 10.29 | 26.75 | 5.42 | 24.03 | 4.87 |
| 2007 | 5060.00 | 52.11 | 10.38 | 27.96 | 5.57 | 24.15 | 4.81 |
| 2008 | 5120.00 | 51.92 | 10.20 | 28.61 | 5.62 | 23.31 | 4.58 |

注:本表为人口抽样调查数据。
Data in this table are obtained from the sample survey on population changes.

## 2-4 各市人口自然变动情况
Population Natural Changes by City

单位:‰(‰)

| 地区 Region | 年末常住人口(万人) Total Population with Permanent Residence(10000 persons) | | | 自然增长率 Natural Growth Rate | | | 出生率 Birth Rate | | | 死亡率 Death Rate | | | 城镇人口比重(%) Percentage of the urban population | | |
|---|---|---|---|---|---|---|---|---|---|---|---|---|---|---|---|
| | 2006 | 2007 | 2008 | 2006 | 2007 | 2008 | 2006 | 2007 | 2008 | 2006 | 2007 | 2008 | 2006 | 2007 | 2008 |
| **全 省 Total** | **4980.0** | **5060.0** | **5120.0** | **4.87** | **4.81** | **4.58** | **10.29** | **10.38** | **10.20** | **5.42** | **5.57** | **5.62** | **56.50** | **57.20** | **57.60** |
| 杭州市 Hangzhou | 773.1 | 786.2 | 796.6 | 2.64 | 2.68 | 2.82 | 7.92 | 7.99 | 8.23 | 5.28 | 5.31 | 5.41 | 68.88 | 69.01 | 69.34 |
| 宁波市 Ningbo | 671.6 | 689.5 | 707.0 | 2.49 | 2.94 | 3.33 | 7.86 | 8.48 | 8.71 | 5.37 | 5.54 | 5.38 | 63.11 | 63.22 | 63.59 |
| 温州市 Wenzhou | 780.2 | 790.1 | 799.8 | 7.34 | 7.73 | 8.16 | 12.99 | 13.55 | 13.81 | 5.65 | 5.82 | 5.65 | 60.22 | 60.26 | 60.52 |
| 嘉兴市 Jiaxing | 408.0 | 418.6 | 423.2 | 2.16 | 2.14 | 2.38 | 7.71 | 7.95 | 8.20 | 5.55 | 5.81 | 5.82 | 48.09 | 49.36 | 50.02 |
| 湖州市 Huzhou | 276.7 | 280.0 | 282.0 | 2.43 | 2.53 | 2.52 | 7.93 | 8.09 | 8.17 | 5.50 | 5.56 | 5.65 | 48.00 | 49.29 | 50.01 |
| 绍兴市 Shaoxing | 449.8 | 458.1 | 463.6 | 1.18 | 1.37 | 1.26 | 7.86 | 8.10 | 8.08 | 6.68 | 6.73 | 6.82 | 56.00 | 56.90 | 57.46 |
| 金华市 Jinhua | 498.6 | 510.0 | 515.1 | 5.24 | 5.03 | 5.25 | 10.75 | 10.88 | 11.09 | 5.51 | 5.85 | 5.84 | 56.68 | 57.81 | 58.25 |
| 衢州市 Quzhou | 221.1 | 222.0 | 222.9 | 4.28 | 4.42 | 4.29 | 10.14 | 10.15 | 10.12 | 5.86 | 5.73 | 5.83 | 38.81 | 40.31 | 40.99 |
| 舟山市 Zhoushan | 102.8 | 103.5 | 105.4 | -0.04 | 0.18 | 0.37 | 5.84 | 6.08 | 6.11 | 5.88 | 5.90 | 5.74 | 61.10 | 61.46 | 61.91 |
| 台州市 Taizhou | 570.5 | 573.4 | 574.4 | 6.52 | 6.65 | 6.81 | 11.80 | 11.88 | 11.96 | 5.28 | 5.23 | 5.15 | 50.98 | 51.14 | 51.48 |
| 丽水市 Lishui | 227.6 | 228.6 | 230.0 | 5.90 | 6.11 | 6.07 | 11.76 | 11.82 | 11.88 | 5.86 | 5.71 | 5.81 | 39.00 | 40.81 | 41.49 |

注:全省及各市均为人口抽样调查数。

Data in this table are obtained from the sample survey on population changes.

## 2－5 各市、县户籍人口年龄构成(2008 年底)
## Population by Age, City and County (End of 2008)

单位:人(person)

| 地区 Region | | 18 岁以下 Age 0－18 | | 18－35 岁 Age 18－35 | | 35－60 岁 Age 35－60 | | 60 岁以上 Age 60 and over | |
|---|---|---|---|---|---|---|---|---|---|
| | | 人数 Population | 占总人口% Percentage to Total | 人数 Population | 占总人口% Percentage to Total | 人数 Population | 占总人口% Percentage to Total | 人数 Population | 占总人口% Percentage to Total |
| **全　省** | **Total** | **8312422** | **17.73** | **11487920** | **24.51** | **19750501** | **42.13** | **7327639** | **15.63** |
| **杭州市** | **Hangzhou** | **1048497** | **15.47** | **1796013** | **26.50** | **2841699** | **41.93** | **1090235** | **16.09** |
| 市辖区 | District | 617855 | 14.56 | 1194396 | 28.15 | 1730781 | 40.79 | 699989 | 16.50 |
| 上城区 | Shangcheng | 32620 | 10.07 | 83200 | 25.69 | 136382 | 42.12 | 71619 | 22.12 |
| 下城区 | Xiacheng | 43038 | 11.05 | 123912 | 31.82 | 149480 | 38.38 | 73031 | 18.75 |
| 江干区 | Jianggan | 52921 | 12.03 | 172855 | 39.28 | 152311 | 34.61 | 61953 | 14.08 |
| 拱墅区 | Gongshu | 35086 | 11.37 | 89938 | 29.14 | 125175 | 40.56 | 58451 | 18.94 |
| 西湖区 | Xihu | 81834 | 13.61 | 229060 | 38.10 | 209085 | 34.78 | 81153 | 13.50 |
| 滨江区 | Binjiang | 24143 | 17.21 | 48916 | 34.86 | 50023 | 35.65 | 17229 | 12.28 |
| 萧山区 | Xiaoshan | 217022 | 18.05 | 259886 | 21.62 | 527172 | 43.85 | 198169 | 16.48 |
| 余杭区 | Yuhang | 131191 | 15.67 | 186629 | 22.29 | 381153 | 45.52 | 138384 | 16.53 |
| 桐庐县 | Tonglu | 65543 | 16.42 | 94296 | 23.63 | 176169 | 44.14 | 63101 | 15.81 |
| 淳安县 | Chunan | 77600 | 17.19 | 107387 | 23.79 | 199143 | 44.13 | 67173 | 14.88 |
| 建德市 | Jiande | 89011 | 17.35 | 116359 | 22.68 | 223280 | 43.51 | 84504 | 16.47 |
| 富阳市 | Fuyang | 118282 | 18.38 | 155186 | 24.12 | 275177 | 42.77 | 94740 | 14.73 |
| 临安市 | Linan | 80206 | 15.23 | 128389 | 24.39 | 237149 | 45.04 | 80728 | 15.33 |
| **宁波市** | **Ningbo** | **882397** | **15.53** | **1331852** | **23.44** | **2538730** | **44.69** | **927894** | **16.33** |
| 市辖区 | District | 317729 | 14.43 | 561122 | 25.49 | 966284 | 43.90 | 356113 | 16.18 |
| 海曙区 | Haishu | 41329 | 13.48 | 85328 | 27.83 | 127584 | 41.62 | 52315 | 17.07 |
| 江东区 | Jiangdong | 42072 | 15.44 | 71253 | 26.15 | 119143 | 43.72 | 40053 | 14.70 |
| 江北区 | Jiangbei | 30075 | 12.88 | 66572 | 28.51 | 98939 | 42.37 | 37933 | 16.24 |
| 北仑区 | Beilun | 52424 | 14.24 | 94302 | 25.62 | 160709 | 43.66 | 60617 | 16.47 |
| 镇海区 | Zhenhai | 31416 | 14.00 | 49114 | 21.89 | 104220 | 46.45 | 39598 | 17.65 |
| 鄞州区 | Yinzhou | 120413 | 15.12 | 194553 | 24.43 | 355689 | 44.67 | 125597 | 15.77 |
| 象山县 | Xiangshan | 83131 | 15.54 | 134377 | 25.11 | 235485 | 44.01 | 82058 | 15.34 |
| 宁海县 | Ninghai | 106626 | 17.75 | 153770 | 25.60 | 254618 | 42.39 | 85657 | 14.26 |
| 余姚市 | Yuyao | 129734 | 15.61 | 169635 | 20.41 | 384095 | 46.22 | 147598 | 17.76 |
| 慈溪市 | Cixi | 169697 | 16.46 | 212779 | 20.63 | 470486 | 45.62 | 178258 | 17.29 |
| 奉化市 | Fenghua | 75480 | 15.67 | 100169 | 20.80 | 227762 | 47.29 | 78210 | 16.24 |
| **温州市** | **Wenzhou** | **1550938** | **20.09** | **2242999** | **29.05** | **2881125** | **37.32** | **1044798** | **13.53** |
| 市辖区 | District | 256425 | 17.83 | 418016 | 29.06 | 560071 | 38.94 | 203731 | 14.17 |
| 鹿城区 | Lucheng | 117828 | 16.84 | 188990 | 27.00 | 283799 | 40.55 | 109231 | 15.61 |
| 龙湾区 | Longwan | 69956 | 21.14 | 98312 | 29.70 | 123365 | 37.27 | 39337 | 11.89 |
| 瓯海区 | Ouhai | 68641 | 16.85 | 130714 | 32.08 | 152907 | 37.53 | 55163 | 13.54 |
| 洞头县 | Dongtou | 23800 | 18.84 | 35515 | 28.11 | 50454 | 39.94 | 16565 | 13.11 |
| 永嘉县 | Yongjia | 209006 | 22.66 | 268671 | 29.13 | 324625 | 35.19 | 120147 | 13.02 |
| 平阳县 | Pingyang | 165798 | 19.36 | 243698 | 28.45 | 325100 | 37.96 | 121863 | 14.23 |
| 苍南县 | Cangnan | 257764 | 20.37 | 377362 | 29.82 | 466863 | 36.90 | 163336 | 12.91 |

注:本表资料为公安年报数。 Data in this table were taken from the annual reports of the Bureau of Public Security.

2－5 续表1 continued 单位：人(person)

| 地区 Region | | 18岁以下 Age 0－18 | | 18－35岁 Age 18－35 | | 35－60岁 Age 35－60 | | 60岁以上 Age 60 and over | |
|---|---|---|---|---|---|---|---|---|---|
| | | 人数 Population | 占总人口% Percentage to Total | 人数 Population | 占总人口% Percentage to Total | 人数 Population | 占总人口% Percentage to Total | 人数 Population | 占总人口% Percentage to Total |
| 文成县 | Wencheng | 75100 | 20.19 | 109826 | 29.53 | 131120 | 35.25 | 55909 | 15.03 |
| 泰顺县 | Taishun | 69859 | 19.69 | 104825 | 29.54 | 127081 | 35.81 | 53110 | 14.97 |
| 瑞安市 | Ruian | 230746 | 19.64 | 331631 | 28.22 | 452417 | 38.50 | 160373 | 13.65 |
| 乐清市 | Yueqing | 262440 | 21.71 | 353455 | 29.23 | 443394 | 36.67 | 149764 | 12.39 |
| **嘉兴市** | **Jiaxing** | **550887** | **16.30** | **673333** | **19.92** | **1532594** | **45.33** | **623861** | **18.45** |
| 市辖区 | District | 130538 | 15.81 | 176817 | 21.42 | 367519 | 44.52 | 150640 | 18.25 |
| 南湖区 | Nanhu | 69601 | 14.81 | 105413 | 22.43 | 208359 | 44.34 | 86500 | 18.41 |
| 秀洲区 | Xiuzhou | 60937 | 17.13 | 71404 | 20.08 | 159160 | 44.75 | 64140 | 18.04 |
| 嘉善县 | Jiashan | 60384 | 15.81 | 69030 | 18.07 | 176556 | 46.21 | 76073 | 19.91 |
| 海盐县 | Haiyan | 59895 | 16.22 | 72630 | 19.67 | 170897 | 46.29 | 65784 | 17.82 |
| 海宁市 | Haining | 102735 | 15.78 | 135877 | 20.88 | 292716 | 44.97 | 119546 | 18.37 |
| 平湖市 | Pinghu | 78775 | 16.26 | 89486 | 18.47 | 225508 | 46.55 | 90626 | 18.71 |
| 桐乡市 | Tongxiang | 118560 | 17.73 | 129493 | 19.37 | 299398 | 44.78 | 121192 | 18.13 |
| **湖州市** | **Huzhou** | **416071** | **16.10** | **549154** | **21.24** | **1161033** | **44.91** | **458740** | **17.75** |
| 市辖区 | District | 163820 | 15.10 | 226536 | 20.88 | 486082 | 44.79 | 208735 | 19.24 |
| 吴兴区 | Wuxing | 94434 | 15.90 | 136383 | 22.96 | 257398 | 43.34 | 105692 | 17.80 |
| 南浔区 | Nanxun | 69386 | 14.12 | 90153 | 18.35 | 228684 | 46.55 | 103043 | 20.97 |
| 德清县 | Deqing | 67551 | 15.83 | 86371 | 20.24 | 195706 | 45.85 | 77168 | 18.08 |
| 长兴县 | Changxing | 110409 | 17.87 | 133565 | 21.61 | 273072 | 44.19 | 100894 | 16.33 |
| 安吉县 | Anji | 74291 | 16.32 | 102682 | 22.56 | 206173 | 45.30 | 71943 | 15.81 |
| **绍兴市** | **Shaoxing** | **769084** | **17.60** | **918163** | **21.01** | **1963170** | **44.92** | **720220** | **16.48** |
| 市辖区 | District | 112009 | 17.26 | 145734 | 22.45 | 283527 | 43.69 | 107752 | 16.60 |
| 越城区 | Yuecheng | 112009 | 17.26 | 145734 | 22.45 | 283527 | 43.69 | 107752 | 16.60 |
| 绍兴县 | Shaoxing | 135082 | 18.90 | 140892 | 19.72 | 319554 | 44.72 | 119036 | 16.66 |
| 新昌县 | Xinchang | 72684 | 16.68 | 103848 | 23.84 | 190547 | 43.74 | 68566 | 15.74 |
| 诸暨市 | Zhuji | 191797 | 18.02 | 215561 | 20.26 | 483529 | 45.44 | 173294 | 16.28 |
| 上虞市 | Shangyu | 133267 | 17.24 | 155349 | 20.10 | 352924 | 45.65 | 131510 | 17.01 |
| 嵊州市 | Shengzhou | 124245 | 16.92 | 156779 | 21.35 | 333089 | 45.37 | 120062 | 16.35 |
| **金华市** | **Jinhua** | **856250** | **18.56** | **1115088** | **24.17** | **1919682** | **41.61** | **723042** | **15.67** |
| 市辖区 | District | 155047 | 16.78 | 237992 | 25.76 | 390074 | 42.22 | 140718 | 15.23 |
| 婺城区 | Wucheng | 103376 | 16.76 | 160949 | 26.09 | 259641 | 42.10 | 92819 | 15.05 |
| 金东区 | Jindong | 51671 | 16.83 | 77043 | 25.09 | 130433 | 42.48 | 47899 | 15.60 |
| 武义县 | Wuyi | 54890 | 16.40 | 77581 | 23.18 | 146451 | 43.75 | 55794 | 16.67 |
| 浦江县 | Pujiang | 77166 | 19.88 | 88524 | 22.81 | 161776 | 41.68 | 60629 | 15.62 |
| 磐安县 | Panan | 40444 | 19.32 | 47298 | 22.60 | 88525 | 42.30 | 33018 | 15.78 |
| 兰溪市 | Lanxi | 115454 | 17.57 | 146984 | 22.37 | 284991 | 43.38 | 109579 | 16.68 |
| 义乌市 | Yiwu | 149558 | 20.66 | 178287 | 24.63 | 287888 | 39.77 | 108156 | 14.94 |
| 东阳市 | Dongyang | 156883 | 19.31 | 187068 | 23.02 | 338118 | 41.61 | 130540 | 16.06 |

2 - 5　续表 2　continued　　单位:人(person)

| 地区 Region | | 18 岁以下 Age 0 - 18 | | 18 - 35 岁 Age 18 - 35 | | 35 - 60 岁 Age 35 - 60 | | 60 岁以上 Age 60 and over | |
|---|---|---|---|---|---|---|---|---|---|
| | | 人数 Population | 占总人口% Percentage to Total | 人数 Population | 占总人口% Percentage to Total | 人数 Population | 占总人口% Percentage to Total | 人数 Population | 占总人口% Percentage to Total |
| 永康市 | Yongkang | 106808 | 18.92 | 151354 | 26.81 | 221859 | 39.29 | 84608 | 14.98 |
| **衢州市** | **Quzhou** | **468321** | **18.82** | **597611** | **24.02** | **1045115** | **42.00** | **377418** | **15.17** |
| 市辖区 | District | 147904 | 18.07 | 187945 | 22.97 | 349100 | 42.66 | 133381 | 16.30 |
| 柯城区 | Kecheng | 74824 | 17.96 | 96367 | 23.13 | 177122 | 42.52 | 68290 | 16.39 |
| 衢江区 | Qujiang | 73080 | 18.19 | 91578 | 22.80 | 171978 | 42.81 | 65091 | 16.20 |
| 常山县 | Changshan | 66253 | 20.22 | 90383 | 27.58 | 126853 | 38.71 | 44221 | 13.49 |
| 开化县 | Kaihua | 66728 | 19.07 | 94444 | 26.99 | 142637 | 40.77 | 46067 | 13.17 |
| 龙游县 | Longyou | 72062 | 17.88 | 88662 | 21.99 | 176978 | 43.90 | 65400 | 16.22 |
| 江山市 | Jiangshan | 115374 | 19.57 | 136177 | 23.10 | 249547 | 42.34 | 88349 | 14.99 |
| **舟山市** | **Zhoushan** | **124791** | **12.90** | **214108** | **22.13** | **461200** | **47.66** | **167560** | **17.32** |
| 市辖区 | District | 90444 | 13.00 | 160061 | 23.00 | 326530 | 46.93 | 118758 | 17.07 |
| 定海区 | Dinghai | 50598 | 13.49 | 89136 | 23.76 | 171302 | 45.67 | 64051 | 17.08 |
| 普陀区 | Putuo | 39846 | 12.42 | 70925 | 22.12 | 155228 | 48.40 | 54707 | 17.06 |
| 岱山县 | Daishan | 23482 | 12.23 | 38407 | 20.01 | 94333 | 49.14 | 35748 | 18.62 |
| 嵊泗县 | Shengsi | 10865 | 13.60 | 15640 | 19.58 | 40337 | 50.49 | 13054 | 16.34 |
| **台州市** | **Taizhou** | **1143858** | **19.93** | **1387250** | **24.17** | **2383319** | **41.52** | **826126** | **14.39** |
| 市辖区 | District | 289691 | 18.96 | 366925 | 24.02 | 638298 | 41.79 | 232596 | 15.23 |
| 椒江区 | Jiaojiang | 95030 | 19.01 | 128439 | 25.70 | 204555 | 40.93 | 71765 | 14.36 |
| 黄岩区 | Huangyan | 108432 | 18.34 | 135161 | 22.86 | 250733 | 42.40 | 97027 | 16.41 |
| 路桥区 | Luqiao | 86229 | 19.76 | 103325 | 23.68 | 183010 | 41.94 | 63804 | 14.62 |
| 玉环县 | Yuhuan | 73440 | 17.87 | 109819 | 26.72 | 169297 | 41.19 | 58469 | 14.23 |
| 三门县 | Sanmen | 84837 | 20.07 | 111086 | 26.28 | 173344 | 41.00 | 53477 | 12.65 |
| 天台县 | Tiantai | 125957 | 22.14 | 145666 | 25.61 | 221289 | 38.90 | 75951 | 13.35 |
| 仙居县 | Xianju | 119604 | 24.51 | 100780 | 20.65 | 202502 | 41.49 | 65155 | 13.35 |
| 温岭市 | Wenling | 209060 | 17.78 | 285223 | 24.26 | 501066 | 42.62 | 180434 | 15.35 |
| 临海市 | Linhai | 241269 | 21.04 | 267751 | 23.35 | 477523 | 41.65 | 160044 | 13.96 |
| **丽水市** | **Lishui** | **501328** | **19.63** | **662349** | **25.93** | **1022834** | **40.04** | **367745** | **14.40** |
| 市辖区 | District | 69426 | 18.14 | 98306 | 25.68 | 159052 | 41.56 | 55955 | 14.62 |
| 莲都区 | Liandu | 69426 | 18.14 | 98306 | 25.68 | 159052 | 41.56 | 55955 | 14.62 |
| 青田县 | Qingtian | 109093 | 22.20 | 138841 | 28.25 | 174314 | 35.47 | 69216 | 14.08 |
| 缙云县 | Jinyun | 85807 | 19.17 | 115171 | 25.73 | 180611 | 40.34 | 66078 | 14.76 |
| 遂昌县 | Suichang | 40703 | 17.66 | 53712 | 23.31 | 100323 | 43.54 | 35692 | 15.49 |
| 松阳县 | Songyang | 45313 | 19.22 | 58717 | 24.91 | 98644 | 41.84 | 33072 | 14.03 |
| 云和县 | Yunhe | 20115 | 17.95 | 27790 | 24.80 | 47279 | 42.20 | 16864 | 15.05 |
| 庆元县 | Qingyuan | 42290 | 21.02 | 55696 | 27.69 | 78754 | 39.15 | 24428 | 12.14 |
| 景宁自治县 | Jingning | 33230 | 19.72 | 45950 | 27.27 | 65931 | 39.13 | 23370 | 13.87 |
| 龙泉市 | Longquan | 55351 | 19.45 | 68166 | 23.96 | 117926 | 41.45 | 43070 | 15.14 |

## 2-6 非农业人口变动情况
Changes of Non-agriculture Population

单位:万人(10000 persons)

| 项 目 | Item | 2003 | 2004 | 2005 | 2006 | 2007 | 2008 |
|---|---|---|---|---|---|---|---|
| **增加人口数合计** | **Increased Population** | **125.72** | **129.45** | **110.46** | **110.58** | **101.90** | **133.00** |
| 出生人口 | Birth Population | 8.63 | 10.22 | 10.16 | 10.51 | 12.21 | 12.34 |
| 非农业人口迁入 | Non-agriculture Population Transfered into | 51.73 | 56.59 | 55.02 | 55.87 | 55.82 | 52.90 |
| 农业人口转非农业人口 | Population Changed into Non-agriculture | 46.72 | 57.21 | 34.09 | 36.52 | 27.44 | 26.66 |
| #招生 | Students Recruited | 8.53 | 7.91 | 7.59 | 4.97 | 3.77 | 1.92 |
| 招工 | Workers Recruited | 1.99 | 0.91 | 0.61 | 0.22 | 0.08 | 0.10 |
| 复员转业 ] | Demobilized Soldiers | 0.76 | 0.84 | 0.65 | 0.64 | 0.52 | 0.57 |
| 其他人口 | Others | 17.48 | 4.68 | 9.76 | 6.56 | 5.91 | 40.53 |
| **减少人口数合计** | **Decreased Population** | **65.44** | **63.38** | **67.72** | **65.22** | **62.93** | **88.65** |
| 死亡人口 | Death Population | 4.93 | 5.72 | 5.75 | 5.92 | 6.21 | 6.53 |
| 非农业人口迁出 | Non-agriculture Population Transfered out | 46.78 | 51.5 | 49.64 | 50.39 | 48.97 | 45.64 |
| 服兵役 | Enlisting in the Army | 0.46 | 0.42 | 0.44 | 0.44 | 0.44 | 0.51 |
| 其他人口 | Others | 12.93 | 5.56 | 11.44 | 8.10 | 7.30 | 35.97 |

注:本表资料为公安年报数。 Data in this table were taken from the annual reports of Bureau of Public Security.

## 2-7 计划生育情况
Family Planning

单位:%(%)

| 地 区 | Region | 计划生育率 Birth Rate Control | | | | | 已婚育龄妇女独生子女领证率 Proportion of Only Child Certificate | | | | |
|---|---|---|---|---|---|---|---|---|---|---|---|
| | | 2004 | 2005 | 2006 | 2007 | 2008 | 2004 | 2005 | 2006 | 2007 | 2008 |
| **合 计** | **Total** | **95.44** | **94.82** | **94.04** | **91.37** | **91.80** | **22.02** | **25.01** | **26.8** | **27.99** | **29.11** |
| 杭州市 | Hangzhou | 97.98 | 98.06 | 98.01 | 98.03 | 97.99 | 36.96 | 38.9 | 39.24 | 39.5 | 40.63 |
| 宁波市 | Ningbo | 98.17 | 98.12 | 97.78 | 97.85 | 97.65 | 27.59 | 36.33 | 40.27 | 40.71 | 41.08 |
| 温州市 | Wenzhou | 87.03 | 86.79 | 86.82 | 76.38 | 84.32 | 12.67 | 12.8 | 13.26 | 13.45 | 13.80 |
| 嘉兴市 | Jiaxing | 98.76 | 98.49 | 98.21 | 98.55 | 98.63 | 43.68 | 51.82 | 54.88 | 56.32 | 57.82 |
| 湖州市 | Huzhou | 98.38 | 97.88 | 97.76 | 97.64 | 98.17 | 31.42 | 36.14 | 39.19 | 40.17 | 42.72 |
| 绍兴市 | Shaoxing | 98.5 | 98.31 | 98.02 | 97.54 | 97.43 | 23.73 | 25.02 | 27.12 | 28.07 | 30.90 |
| 金华市 | Jinhua | 97.77 | 97.32 | 93.3 | 93.95 | 93.02 | 11.19 | 12.99 | 14.98 | 16.65 | 18.04 |
| 衢州市 | Quzhou | 97.22 | 96.39 | 95.98 | 95.06 | 93.51 | 11.19 | 15.74 | 18.69 | 19.9 | 21.17 |
| 舟山市 | Zhoushan | 99.13 | 99.21 | 98.7 | 98.05 | 98.79 | 22.91 | 30.99 | 34.22 | 36.02 | 37.80 |
| 台州市 | Taizhou | 96 | 94.48 | 94.48 | 92.59 | 86.95 | 12.36 | 12.19 | 13.7 | 17.36 | 18.45 |
| 丽水市 | Lishui | 93.31 | 92.17 | 91.52 | 91.09 | 86.35 | 8.02 | 9.75 | 10.88 | 13.68 | 14.72 |

注:本表资料为人口和计划生育部门年报数。

Data in this table were taken from the annual reports of the Population and Family Planning commission.

## 2-8 从业、失业人员情况(1978-2008年,年底数)
Employed and Unemployed Persons(1978-2008,Year-end)

单位:万人(10000 persons)

| 年份 Year | 从业人员总数 Employed Persons | 在岗职工合计 Fully employed Staff and Workers | 国有单位 State-owned Units | 城镇集体单位 Urban Collective Owned Units | 其他单位 Others | 城镇私营和个体从业人员 Urban Private Enterprises and Individuals Employed Persons | 乡村从业人员 Rural Employed Persons | 其它从业人员 Other Employed Persons | 年末城镇登记失业人员 Unemployed Persons in Urban Areas (10000 Persons) | 城镇登记失业率(%) Unemployment Rate in Urban Areas |
|---|---|---|---|---|---|---|---|---|---|---|
| 1978 | 1794.96 | 312.89 | 183.14 | 129.75 | | 1.51 | 1480.56 | | 24.4 | 7.2 |
| 1979 | 1829.90 | 339.91 | 196.78 | 143.13 | | 2.00 | 1487.99 | | 13.22 | 3.7 |
| 1980 | 1856.42 | 359.73 | 208.50 | 151.23 | | 3.51 | 1493.18 | | 10.23 | 2.7 |
| 1981 | 1954.53 | 397.35 | 223.62 | 155.73 | | 4.11 | 1571.07 | | 5.24 | 1.3 |
| 1982 | 2021.74 | 374.33 | 232.29 | 142.04 | | 5.25 | 1642.16 | | 9.27 | 2.4 |
| 1983 | 2141.16 | 382.75 | 237.68 | 145.07 | | 7.61 | 1750.80 | | 7.15 | 1.8 |
| 1984 | 2248.91 | 402.51 | 228.26 | 172.72 | 1.53 | 9.55 | 1836.85 | | 4.69 | 1.1 |
| 1985 | 2318.56 | 426.57 | 240.71 | 183.81 | 2.05 | 12.09 | 1879.90 | | 3.45 | 0.8 |
| 1986 | 2386.42 | 443.04 | 251.92 | 188.73 | 2.39 | 12.87 | 1930.51 | | 5.5 | 1.2 |
| 1987 | 2444.73 | 459.65 | 263.46 | 192.97 | 3.22 | 15.69 | 1969.39 | | 7.51 | 1.6 |
| 1988 | 2502.73 | 475.74 | 274.30 | 196.97 | 4.47 | 22.54 | 2004.45 | | 7.73 | 1.5 |
| 1989 | 2522.86 | 470.12 | 274.95 | 189.34 | 5.83 | 27.03 | 2025.71 | | 10.53 | 2.1 |
| 1990 | 2554.46 | 476.02 | 280.87 | 189.12 | 6.03 | 29.84 | 2048.60 | | 11.24 | 2.2 |
| 1991 | 2579.36 | 492.81 | 293.41 | 191.09 | 8.31 | 30.98 | 2049.22 | 6.35 | 10.87 | 2 |
| 1992 | 2600.38 | 491.37 | 297.96 | 181.62 | 11.79 | 38.29 | 2065.04 | 5.68 | 12.97 | 2.4 |
| 1993 | 2615.89 | 502.36 | 300.59 | 176.12 | 25.65 | 52.54 | 2052.66 | 8.33 | 14.68 | 2.6 |
| 1994 | 2640.51 | 500.88 | 294.13 | 170.42 | 36.33 | 82.39 | 2024.39 | 32.85 | 16.09 | 2.6 |
| 1995 | 2621.47 | 498.61 | 294.59 | 161.89 | 42.13 | 96.44 | 2015.45 | 10.97 | 17.72 | 2.8 |
| 1996 | 2625.06 | 495.35 | 290.22 | 156.25 | 48.88 | 108.99 | 2010.21 | 10.51 | 16.22 | 2.6 |
| 1997 | 2619.66 | 482.26 | 285.05 | 144.53 | 52.68 | 110.27 | 2016.20 | 10.93 | 18.75 | 3 |
| 1998 | 2612.54 | 455.80 | 256.61 | 102.94 | 96.25 | 122.86 | 2021.56 | 12.32 | 19.96 | 3.3 |
| 1999 | 2625.17 | 427.45 | 233.15 | 80.21 | 114.09 | 163.34 | 2021.24 | 13.14 | 21.17 | 3.4 |
| 2000 | 2726.09 | 398.53 | 208.19 | 58.93 | 131.41 | 208.56 | 2106.14 | 12.86 | 21.82 | 3.4 |
| 2001 | 2796.65 | 372.39 | 185.36 | 41.28 | 145.75 | 236.00 | 2173.63 | 14.63 | 23.99 | 3.7 |
| 2002 | 2858.56 | 367.14 | 179.67 | 35.49 | 151.98 | 280.97 | 2185.87 | 24.58 | 27.73 | 4 |
| 2003 | 2918.74 | 373.21 | 170.40 | 30.53 | 172.28 | 349.19 | 2168.74 | 27.60 | 28.27 | 3.7 |
| 2004 | 2991.95 | 447.47 | 176.44 | 36.05 | 234.98 | 383.11 | 2144.28 | 17.09 | 30.14 | 4.1 |
| 2005 | 3100.76 | 522.93 | 177.93 | 31.17 | 313.83 | 373.22 | 2196.42 | 8.19 | 28.97 | 3.7 |
| 2006 | 3172.38 | 590.47 | 182.27 | 28.51 | 379.70 | 467.05 | 2094.49 | 20.37 | 29.1 | 3.51 |
| 2007 | 3405.01 | 641.17 | 185.94 | 27.68 | 427.56 | 630.48 | 2107.84 | 25.52 | 28.6 | 3.27 |
| 2008 | 3486.53 | 689.35 | 186.98 | 25.3 | 477.07 | 685.34 | 2009.99 | 101.85 | 31.08 | 3.49 |

注:1978-2000年按户籍统计,2001-2008年按所在地统计。在岗职工合计2008年前为职工数,以后各表同。

Date in this table from 1978 to 2000 were calculated at registered residence, data were calculated at location from 2001 to 2008. Data on fully employed staff and workers refer to staff and workers before 2008, the same for other tables.

## 2-9 分行业从业人员总数(年末数)
Number of Employed Persons by Sector(Year - end)

单位:万人(10000 persons)

| 行业 | Sector | 城乡合计 Total | | | 城镇 Urban | | | 乡村 Rural | | |
|---|---|---|---|---|---|---|---|---|---|---|
| | | 2006 | 2007 | 2008 | 2006 | 2007 | 2008 | 2006 | 2007 | 2008 |
| **总计** | **Total** | **3172.38** | **3405.01** | **3486.53** | **1077.89** | **1297.17** | **1476.54** | **2094.49** | **2107.84** | **2009.99** |
| 农、林、牧、渔业 | Farming, Forestry, Animal Husbandry and Fishery | 717.81 | 683.32 | 670.16 | 4.89 | 5.28 | 3.81 | 712.92 | 678.04 | 666.35 |
| 采掘业 | Mining and Quarrying | 7.82 | 4.52 | 5.33 | 2.18 | 2.11 | 2.61 | 5.64 | 2.41 | 2.72 |
| 制造业 | Manufacturing | 1166.02 | 1290.51 | 1324.56 | 419.84 | 505.61 | 646.43 | 746.18 | 784.9 | 678.13 |
| 电力、煤气及水的生产和供应业 | Electricity, Gas and Water Production and Supply | 13.4 | 14 | 13.79 | 11.61 | 12.04 | 12.81 | 1.79 | 1.96 | 0.98 |
| 建筑业 | Construction | 265.05 | 283.82 | 316.36 | 114.7 | 130.33 | 158.37 | 150.35 | 153.49 | 158 |
| 交通运输、仓储及邮政业 | Transport, Storage and Post | 129.31 | 133.98 | 139.83 | 30.31 | 34.26 | 35.66 | 99 | 99.72 | 104.17 |
| 信息传输、计算机服务和软件业 | Information Transmission, Computer Services and Software | 25.4 | 65.09 | 57.61 | 15.92 | 51.85 | 42.83 | 9.48 | 13.24 | 14.79 |
| 批发和零售业 | Wholesale and Retail Sale Trade | 387.05 | 434.36 | 434.47 | 183.24 | 226.62 | 202.76 | 203.81 | 207.74 | 231.71 |
| 住宿餐饮业 | Hotels and Catering Services | 100.61 | 112.41 | 127.53 | 34.52 | 44.31 | 57.01 | 66.09 | 68.1 | 70.52 |
| 金融业 | Finance | 20.25 | 22.4 | 27.4 | 20.25 | 22.4 | 27.02 | | | 0.38 |
| 房地产业 | Real Estate | 15.86 | 19.37 | 20.75 | 12.91 | 16.4 | 18.79 | 2.95 | 2.97 | 1.96 |
| 租赁与商务服务业 | Leasing and Commercial Services | 42.03 | 47.68 | 35.63 | 36.47 | 42.05 | 31.86 | 5.56 | 5.63 | 3.78 |
| 科学研究、技术服务与地质勘查业 | Scientific Research and Technic Services and Geological Prospecting | 13.89 | 15.46 | 14.99 | 11.56 | 12.68 | 14.25 | 2.33 | 2.78 | 0.74 |
| 水利、环境和公共设施管理业 | Water Conservancy, Environment and Public Facilities Management | 12.71 | 13.49 | 15.6 | 9.13 | 9.89 | 9.74 | 3.58 | 3.6 | 5.86 |
| 居民服务及其他服务业 | Resident Services and Other Services | 85.43 | 90.75 | 111.99 | 30.1 | 34.75 | 59.5 | 55.33 | 56 | 52.49 |
| 教育 | Education | 66.09 | 67.76 | 65.53 | 57.91 | 59.56 | 59.26 | 8.18 | 8.2 | 6.28 |
| 卫生、社会保障和社会福利业 | Health Care, Social Security and Social Welfare | 42.04 | 41.02 | 36.14 | 25.98 | 27.47 | 31.42 | 16.06 | 13.55 | 4.72 |
| 文化、体育与娱乐业 | Culture, Sports and Recreation | 13.36 | 14.52 | 16.43 | 8.12 | 9.01 | 10.01 | 5.24 | 5.51 | 6.42 |
| 公共管理和社会组织 | Public Management and Social Organization | 48.25 | 50.56 | 52.4 | 48.25 | 50.56 | 52.4 | | | |

## 2-10 分所有制城镇单位从业人员总数(年末数)
Number of Urban Employed Persons by Ownership (Year-end)

单位:万人(10000 persons)

| 行　业 | Sector | 合计 Total | | | 国有单位 State-owned Units | | |
|---|---|---|---|---|---|---|---|
| | | 2006 | 2007 | 2008 | 2006 | 2007 | 2008 |
| **总　计** | **Total** | **610.84** | **666.69** | **741.2** | **186.18** | **191.45** | **201.23** |
| 农、林、牧、渔业 | Farming, Forestry, Animal Husbandry and Fishery | 1.68 | 1.58 | 1.58 | 1.51 | 1.42 | 1.37 |
| 采掘业 | Mining and Quarrying | 1.68 | 1.5 | 1.59 | 0.23 | 0.22 | 0.22 |
| 制造业 | Manufacturing | 245.5 | 284.73 | 319.23 | 5.17 | 4.77 | 6.28 |
| 电力、煤气及水的生产和供应业 | Electricity, Gas and Water Production and Supply | 10.98 | 11.03 | 12.17 | 6.77 | 6.86 | 7.76 |
| 建筑业 | Construction | 101.27 | 105.77 | 121.73 | 3.77 | 4.01 | 5.07 |
| 交通运输、仓储及邮电业 | Transport, Storage and Post | 19.84 | 20.51 | 22.08 | 11.6 | 11.51 | 12.27 |
| 信息传输、计算机服务和软件业 | Information Transmission, Computer Services and Software | 6.33 | 7.24 | 8.87 | 1.56 | 1.53 | 1.74 |
| 批发和零售业 | Wholesale and Retail Sale Trade | 20.29 | 21 | 24.68 | 3.16 | 3.01 | 3 |
| 住宿餐饮业 | Hotels and Catering Services | 10.78 | 11.41 | 14.31 | 2.31 | 2.22 | 2.34 |
| 金融业 | Finance | 20.25 | 22.4 | 25.48 | 7.35 | 8.06 | 8.22 |
| 房地产业 | Real Estate | 7 | 8.32 | 9.31 | 1.81 | 1.72 | 1.83 |
| 租赁与商务服务业 | Leasing and Commercial Services | 17.7 | 17.04 | 20.42 | 6.37 | 6.67 | 7.71 |
| 科学研究、技术服务与地质勘查业 | Scientific Research and Technic Services and Geological Prospecting | 8.38 | 8.91 | 9.57 | 5.85 | 5.91 | 6.24 |
| 水利、环境和公共设施管理业 | Water Conservancy, Environment and Public Facilities Management | 6.31 | 6.81 | 7.35 | 4.23 | 4.37 | 4.66 |
| 居民服务及其他服务业 | Resident Services and Other Services | 1.04 | 1.02 | 1.25 | 0.47 | 0.54 | 0.56 |
| 教育 | Education | 53.48 | 54.99 | 55.95 | 51.18 | 51.92 | 52.57 |
| 卫生、社会保障和社会福利业 | Health Care, Social Security and Social Welfare | 25.24 | 26.59 | 28.06 | 21.18 | 22.12 | 23.48 |
| 文化、体育与娱乐业 | Culture, Sports and Recreation | 4.83 | 5.3 | 5.17 | 4.46 | 4.83 | 4.63 |
| 公共管理和社会组织 | Public Management and Social Organization | 48.25 | 50.56 | 52.4 | 47.22 | 49.75 | 51.28 |

2-10 续表 continued 单位:万人(10000 persons)

| 行业 | Sector | 城镇集体单位 Urban Collective Owned Units | | | 其它单位 Others | | |
|---|---|---|---|---|---|---|---|
| | | 2006 | 2007 | 2008 | 2006 | 2007 | 2008 |
| **总计** | **Total** | **28.97** | **28.06** | **26.56** | **395.69** | **447.19** | **513.41** |
| 农、林、牧、渔业 | Farming, Forestry, Animal Husbandry and Fishery | 0.07 | 0.05 | 0.07 | 0.1 | 0.11 | 0.14 |
| 采掘业 | Mining and Quarrying | 0.39 | 0.29 | 0.36 | 1.07 | 0.98 | 1.01 |
| 制造业 | Manufacturing | 5.98 | 4.83 | 4.31 | 234.35 | 275.13 | 308.64 |
| 电力、煤气及水的生产和供应业 | Electricity, Gas and Water Production and Supply | 0.35 | 0.31 | 0.31 | 3.86 | 3.85 | 4.1 |
| 建筑业 | Construction | 8.44 | 7.86 | 6.28 | 89.06 | 93.91 | 110.38 |
| 交通运输、仓储及邮电业 | Transport, Storage and Post | 0.94 | 1.07 | 1.05 | 7.3 | 7.94 | 8.76 |
| 信息传输、计算机服务和软件业 | Information Transmission, Computer Services and Software | 0.07 | 0.07 | 0.06 | 4.7 | 5.64 | 7.07 |
| 批发和零售业 | Wholesale and Retail Sale Trade | 1.11 | 1.02 | 0.99 | 16.02 | 16.97 | 20.69 |
| 住宿餐饮业 | Hotels and Catering Services | 0.86 | 0.79 | 0.78 | 7.61 | 8.4 | 11.19 |
| 金融业 | Finance | 2.14 | 2.13 | 2.1 | 10.76 | 12.21 | 15.16 |
| 房地产业 | Real Estate | 0.22 | 0.22 | 0.24 | 4.97 | 6.38 | 7.24 |
| 租赁与商务服务业 | Leasing and Commercial Services | 1.93 | 2.45 | 2.71 | 9.39 | 7.92 | 10 |
| 科学研究、技术服务与地质勘查业 | Scientific Research and Technic Services and Geological Prospecting | 0.27 | 0.31 | 0.33 | 2.26 | 2.69 | 3 |
| 水利、环境和公共设施管理业 | Water Conservancy, Environment and Public Facilities Management | 1.26 | 1.34 | 1.41 | 0.83 | 1.1 | 1.28 |
| 居民服务及其他服务业 | Resident Services and Other Services | 0.23 | 0.19 | 0.26 | 0.34 | 0.29 | 0.43 |
| 教育 | Education | 0.99 | 1.05 | 1.1 | 1.32 | 2.02 | 2.28 |
| 卫生、社会保障和社会福利业 | Health Care, Social Security and Social Welfare | 3.54 | 3.9 | 4.01 | 0.51 | 0.57 | 0.57 |
| 文化、体育与娱乐业 | Culture, Sports and Recreation | 0.09 | 0.09 | 0.1 | 0.29 | 0.38 | 0.44 |
| 公共管理和社会组织 | Public Management and Social Organization | 0.09 | 0.07 | 0.09 | 0.94 | 0.73 | 1.03 |

## 2-11 分行业城镇单位从业人员总数(2008年底)
Number of Urban Employed Persons by Sector(End of 2008)

单位:万人(10000 persons)

| 行业 | Sector | 单位从业人员 Employed Persons | #女性 Female | #在岗职工合计 Fully employed Staff and Workers | 其他从业人员 Others |
|---|---|---|---|---|---|
| **总计** | **Total** | **741.2** | **284.86** | **689.35** | **51.85** |
| 农、林、牧、渔业 | Farming, Forestry, Animal Husbandry and Fishery | 1.58 | 0.44 | 1.51 | 0.07 |
| 采掘业 | Mining and Quarrying | 1.59 | 0.27 | 1.44 | 0.15 |
| 制造业 | Manufacturing | 319.23 | 149.66 | 310.45 | 8.78 |
| 电力、煤气及水的生产和供应业 | Electricity, Gas and Water Production and Supply | 12.17 | 2.86 | 10.93 | 1.24 |
| 建筑业 | Construction | 121.73 | 8.86 | 104.91 | 16.82 |
| 交通运输、仓储及邮政业 | Transport, Storage and Post | 22.08 | 5.88 | 19.82 | 2.26 |
| 信息传输、计算机服务和软件业 | Information Transmission, Computer Services and Software | 8.87 | 3.7 | 7.31 | 1.56 |
| 批发和零售业 | Wholesale and Retail Sale Trade | 24.68 | 12.14 | 23.15 | 1.53 |
| 住宿餐饮业 | Hotels and Catering Services | 14.31 | 7.95 | 13.23 | 1.08 |
| 金融业 | Finance | 25.48 | 13.29 | 18.83 | 6.65 |
| 房地产业 | Real Estate | 9.31 | 3.31 | 8.46 | 0.85 |
| 租赁与商务服务业 | Leasing and Commercial Services | 20.42 | 6.51 | 19.12 | 1.3 |
| 科学研究、技术服务与地质勘查业 | Scientific Research and Technic Services and Geological Prospecting | 9.57 | 2.6 | 8.58 | 0.99 |
| 水利、环境和公共设施管理业 | Water Conservancy, Environment and Public Facilities Management | 7.35 | 2.85 | 6.54 | 0.81 |
| 居民服务及其他服务业 | Resident Services and Other Services | 1.25 | 0.57 | 1.12 | 0.13 |
| 教育 | Education | 55.95 | 30.89 | 53.24 | 2.71 |
| 卫生、社会保障和社会福利业 | Health Care, Social Security and Social Welfare | 28.06 | 17.59 | 26.47 | 1.59 |
| 文化、体育与娱乐业 | Culture, Sports and Recreation | 5.17 | 2.29 | 4.46 | 0.71 |
| 公共管理和社会组织 | Public Management and Social Organization | 52.4 | 13.2 | 49.78 | 2.62 |

## 2-12 分行业国有单位从业人员总数(2008年底)
Number of Urban Employed Persons in State-owned Units by Sector(End of 2008)

单位:万人(10000 persons)

| 行业 | Sector | 单位从业人员 Employed Persons | #女性 Female | #在岗职工合计 Fully employed Staff and Workers | 其他从业人员 Others |
|---|---|---|---|---|---|
| **总计** | **Total** | **201.23** | **80.09** | **186.98** | **14.25** |
| 农、林、牧、渔业 | Farming, Forestry, Animal Husbandry and Fishery | 1.37 | 0.37 | 1.32 | 0.05 |
| 采掘业 | Mining and Quarrying | 0.22 | 0.04 | 0.15 | 0.07 |
| 制造业 | Manufacturing | 6.28 | 1.87 | 6.04 | 0.24 |
| 电力、煤气及水的生产和供应业 | Electricity, Gas and Water Production and Supply | 7.76 | 1.7 | 6.74 | 1.02 |
| 建筑业 | Construction | 5.07 | 0.57 | 4.17 | 0.9 |
| 交通运输、仓储及邮政业 | Transport, Storage and Post | 12.27 | 3.34 | 10.58 | 1.69 |
| 信息传输、计算机服务和软件业 | Information Transmission, Computer Services and Software | 1.74 | 0.6 | 1.62 | 0.12 |
| 批发和零售业 | Wholesale and Retail Sale Trade | 3 | 0.99 | 2.71 | 0.29 |
| 住宿餐饮业 | Hotels and Catering Services | 2.34 | 1.34 | 2.25 | 0.09 |
| 金融业 | Finance | 8.22 | 4.39 | 7.16 | 1.06 |
| 房地产业 | Real Estate | 1.83 | 0.66 | 1.63 | 0.2 |
| 租赁与商务服务业 | Leasing and Commercial Services | 7.71 | 2.1 | 7.1 | 0.61 |
| 科学研究、技术服务与地质勘查业 | Scientific Research and Technic Services and Geological Prospecting | 6.24 | 1.75 | 5.65 | 0.59 |
| 水利、环境和公共设施管理业 | Water Conservancy, Environment and Public Facilities Management | 4.66 | 1.75 | 4.22 | 0.44 |
| 居民服务及其他服务业 | Resident Services and Other Services | 0.56 | 0.21 | 0.54 | 0.02 |
| 教育 | Education | 52.57 | 28.79 | 50.21 | 2.36 |
| 卫生、社会保障和社会福利业 | Health Care, Social Security and Social Welfare | 23.48 | 14.86 | 22.17 | 1.31 |
| 文化、体育与娱乐业 | Culture, Sports and Recreation | 4.63 | 2.04 | 3.96 | 0.67 |
| 公共管理和社会组织 | Public Management and Social Organization | 51.28 | 12.72 | 48.76 | 2.52 |

## 2-13 分行业城镇集体单位从业人员总数(2008 年底)
Number of Urban Employed Persons in Collective Owned Units by Sector(End of 2008)

单位:万人(10000 persons)

| 行 业 | Sector | 单位从业人员 Employed Persons | #女性 Female | #在岗职工合计 Fully employed Staff and Workers | 其他从业人员 Others |
|---|---|---|---|---|---|
| **总 计** | **Total** | **26.56** | **9.25** | **25.3** | **1.26** |
| 农、林、牧、渔业 | Farming, Forestry, Animal Husbandry and Fishery | 0.07 | 0.01 | 0.06 | 0.01 |
| 采掘业 | Mining and Quarrying | 0.36 | 0.05 | 0.36 | |
| 制造业 | Manufacturing | 4.31 | 1.82 | 4.23 | 0.08 |
| 电力、煤气及水的生产和供应业 | Electricity, Gas and Water Production and Supply | 0.31 | 0.07 | 0.3 | 0.01 |
| 建筑业 | Construction | 6.28 | 0.49 | 6.07 | 0.21 |
| 交通运输、仓储及邮政业 | Transport, Storage and Post | 1.05 | 0.24 | 1.02 | 0.03 |
| 信息传输、计算机服务和软件业 | Information Transmission, Computer Services and Software | 0.06 | 0.03 | 0.06 | |
| 批发和零售业 | Wholesale and Retail Sale Trade | 0.99 | 0.43 | 0.91 | 0.08 |
| 住宿餐饮业 | Hotels and Catering Services | 0.78 | 0.46 | 0.76 | 0.02 |
| 金融业 | Finance | 2.1 | 0.99 | 2.01 | 0.09 |
| 房地产业 | Real Estate | 0.24 | 0.07 | 0.21 | 0.03 |
| 租赁与商务服务业 | Leasing and Commercial Services | 2.71 | 0.55 | 2.6 | 0.11 |
| 科学研究、技术服务与地质勘查业 | Scientific Research and Technic Services and Geological Prospecting | 0.33 | 0.07 | 0.31 | 0.02 |
| 水利、环境和公共设施管理业 | Water Conservancy, Environment and Public Facilities Management | 1.41 | 0.62 | 1.24 | 0.17 |
| 居民服务及其他服务业 | Resident Services and Other Services | 0.26 | 0.14 | 0.21 | 0.05 |
| 教育 | Education | 1.1 | 0.74 | 0.99 | 0.11 |
| 卫生、社会保障和社会福利业 | Health Care, Social Security and Social Welfare | 4.01 | 2.38 | 3.78 | 0.23 |
| 文化、体育与娱乐业 | Culture, Sports and Recreation | 0.1 | 0.06 | 0.1 | |
| 公共管理和社会组织 | Public Management and Social Organization | 0.09 | 0.03 | 0.08 | 0.01 |

## 2-14 分行业其他单位从业人员总数(2008 年底)
Number of Urban Employed Persons in Other Ownership Units by Sector(End of 2008)

单位:万人(10000 persons)

| 行　业 | Sector | 单位从业人员 Employed Persons | #女性 Female | #在岗职工合计 Fully employed Staff and Workers | 其他从业人员 Others |
|---|---|---|---|---|---|
| **总　计** | **Total** | **513.41** | **195.52** | **477.07** | **36.34** |
| 农、林、牧、渔业 | Farming, Forestry, Animal Husbandry and Fishery | 0.14 | 0.06 | 0.13 | 0.01 |
| 采掘业 | Mining and Quarrying | 1.01 | 0.18 | 0.93 | 0.08 |
| 制造业 | Manufacturing | 308.64 | 145.97 | 300.18 | 8.46 |
| 电力、煤气及水的生产和供应业 | Electricity, Gas and Water Production and Supply | 4.1 | 1.09 | 3.89 | 0.21 |
| 建筑业 | Construction | 110.38 | 7.8 | 94.67 | 15.71 |
| 交通运输、仓储及邮政业 | Transport, Storage and Post | 8.76 | 2.3 | 8.22 | 0.54 |
| 信息传输、计算机服务和软件业 | Information Transmission, Computer Services and Software | 7.07 | 3.07 | 5.63 | 1.44 |
| 批发和零售业 | Wholesale and Retail Sale Trade | 20.69 | 10.72 | 19.53 | 1.16 |
| 住宿餐饮业 | Hotels and Catering Services | 11.19 | 6.15 | 10.22 | 0.97 |
| 金融业 | Finance | 15.16 | 7.91 | 9.66 | 5.5 |
| 房地产业 | Real Estate | 7.24 | 2.58 | 6.62 | 0.62 |
| 租赁与商务服务业 | Leasing and Commercial Services | 10 | 3.86 | 9.42 | 0.58 |
| 科学研究、技术服务与地质勘查业 | Scientific Research and Technic Services and Geological Prospecting | 3 | 0.78 | 2.62 | 0.38 |
| 水利、环境和公共设施管理业 | Water Conservancy, Environment and Public Facilities Management | 1.28 | 0.48 | 1.08 | 0.2 |
| 居民服务及其他服务业 | Resident Services and Other Services | 0.43 | 0.22 | 0.37 | 0.06 |
| 教育 | Education | 2.28 | 1.36 | 2.04 | 0.24 |
| 卫生、社会保障和社会福利业 | Health Care, Social Security and Social Welfare | 0.57 | 0.35 | 0.52 | 0.05 |
| 文化、体育与娱乐业 | Culture, Sports and Recreation | 0.44 | 0.19 | 0.4 | 0.04 |
| 公共管理和社会组织 | Public Management and Social Organization | 1.03 | 0.45 | 0.94 | 0.09 |

## 2-15 按三次产业分的从业人员总数(年底数)
Number of Employed Persons by Type of Industry (Year-end)

| 年份 year | 从业人员总数(万人) Total (10000 persons) | | | 构成(以合计为100) Composition (Total = 100) | | |
|---|---|---|---|---|---|---|
| | 第一产业 Primary Industry | 第二产业 Secondary Industry | 第三产业 Tertiary Industry | 第一产业 Primary Industry | 第二产业 Secondary Industry | 第三产业 Tertiary Industry |
| 1985 | 1273.25 | 735.22 | 310.09 | 54.90 | 31.70 | 13.40 |
| 1986 | 1275.22 | 765.13 | 346.07 | 53.40 | 32.10 | 14.50 |
| 1987 | 1272.01 | 802.04 | 370.68 | 52.00 | 32.80 | 15.20 |
| 1988 | 1282.16 | 803.67 | 416.90 | 51.20 | 32.10 | 16.70 |
| 1989 | 1330.74 | 770.12 | 422.00 | 52.70 | 30.50 | 16.70 |
| 1990 | 1358.28 | 762.48 | 433.70 | 53.20 | 29.80 | 17.00 |
| 1991 | 1366.99 | 770.86 | 441.51 | 53.00 | 29.90 | 17.10 |
| 1992 | 1359.49 | 770.81 | 470.08 | 52.30 | 29.60 | 18.10 |
| 1993 | 1248.22 | 886.90 | 480.77 | 47.70 | 33.90 | 18.40 |
| 1994 | 1193.56 | 917.87 | 529.08 | 45.20 | 34.80 | 20.00 |
| 1995 | 1152.15 | 882.82 | 586.50 | 44.00 | 33.70 | 22.30 |
| 1996 | 1129.34 | 886.02 | 609.70 | 43.00 | 33.80 | 23.20 |
| 1997 | 1113.27 | 881.42 | 624.97 | 42.50 | 33.60 | 23.90 |
| 1998 | 1108.81 | 854.14 | 649.59 | 42.40 | 32.70 | 24.90 |
| 1999 | 1078.16 | 784.29 | 762.73 | 41.00 | 29.90 | 29.10 |
| 2000 | 969.97 | 966.30 | 789.82 | 35.58 | 35.45 | 28.97 |
| 2001 | 935.24 | 1009.55 | 851.86 | 33.44 | 36.10 | 30.46 |
| 2002 | 885.29 | 1070.13 | 903.14 | 30.97 | 37.44 | 31.59 |
| 2003 | 826.03 | 1201.30 | 891.41 | 28.30 | 41.20 | 30.50 |
| 2004 | 779.65 | 1304.94 | 907.36 | 26.06 | 43.61 | 30.33 |
| 2005 | 759.53 | 1397.69 | 943.54 | 24.50 | 45.07 | 30.43 |
| 2006 | 717.81 | 1452.29 | 1002.28 | 22.63 | 45.78 | 31.59 |
| 2007 | 683.32 | 1592.84 | 1128.85 | 20.07 | 46.78 | 33.15 |
| 2008 | 670.16 | 1660.04 | 1156.3 | 19.22 | 47.61 | 33.17 |

注:按三次产业划分口径从2000年开始作调整。
The data by sector were adjusted since 2000.

## 2-16 按三次产业分的城镇从业人员人数(年底数) Number of Urban Employed Persons by Type of Industry(Year-end)

| 年份 year | 绝对数(万人) Absolute Value(10000 persons) | | | 构成(以合计为100) Composition(Total=100) | | |
|---|---|---|---|---|---|---|
| | 第一产业 Primary Industry | 第二产业 Secondary Industry | 第三产业 Tertiary Industry | 第一产业 Primary Industry | 第二产业 Secondary Industry | 第三产业 Tertiary Industry |
| 1985 | 11.23 | 245.45 | 181.98 | 2.60 | 56.00 | 41.50 |
| 1986 | 11.55 | 254.98 | 189.38 | 2.50 | 55.90 | 41.50 |
| 1987 | 11.60 | 256.34 | 198.40 | 2.40 | 55.80 | 41.70 |
| 1988 | 11.26 | 273.97 | 213.05 | 2.30 | 55.00 | 42.80 |
| 1989 | 10.76 | 267.93 | 218.46 | 2.20 | 53.90 | 43.90 |
| 1990 | 10.44 | 270.95 | 224.47 | 2.10 | 53.60 | 44.40 |
| 1991 | 10.39 | 284.91 | 234.84 | 2.00 | 53.70 | 44.30 |
| 1992 | 10.31 | 280.89 | 244.14 | 1.90 | 52.50 | 45.60 |
| 1993 | 9.06 | 297.13 | 257.04 | 1.60 | 52.80 | 45.60 |
| 1994 | 5.17 | 247.36 | 267.83 | 1.00 | 47.50 | 51.50 |
| 1995 | 5.08 | 243.01 | 281.42 | 1.00 | 45.90 | 53.10 |
| 1996 | 4.77 | 244.64 | 294.06 | 0.90 | 45.00 | 54.10 |
| 1997 | 4.72 | 242.85 | 298.45 | 0.80 | 44.50 | 54.70 |
| 1998 | 4.69 | 237.67 | 308.43 | 0.90 | 43.10 | 56.00 |
| 1999 | 4.87 | 231.31 | 328.84 | 0.90 | 40.90 | 58.20 |
| 2000 | 4.61 | 237.18 | 342.04 | 0.80 | 40.60 | 58.60 |
| 2001 | 4.03 | 255.90 | 363.09 | 0.60 | 41.10 | 58.30 |
| 2002 | 3.21 | 270.12 | 399.36 | 0.48 | 40.15 | 59.37 |
| 2003 | 3.07 | 314.18 | 432.75 | 0.40 | 41.90 | 57.70 |
| 2004 | 3.26 | 389.98 | 454.43 | 0.38 | 46.01 | 53.61 |
| 2005 | 2.95 | 439.68 | 461.71 | 0.33 | 48.62 | 51.05 |
| 2006 | 4.89 | 548.33 | 524.67 | 0.45 | 50.87 | 48.68 |
| 2007 | 5.28 | 650.08 | 641.81 | 0.41 | 50.12 | 49.48 |
| 2008 | 3.81 | 820.22 | 652.51 | 0.26 | 55.55 | 44.19 |

## 2-17 分行业城镇单位在岗职工人数(年底数)
Number of Urban Fully Employed Persons by Sector(Year-end)

单位:万人(10000 persons)

| 行 业 | Sector | 合计 Total | | | 国有单位 State-owned Units | | |
|---|---|---|---|---|---|---|---|
| | | 2006 | 2007 | 2008 | 2006 | 2007 | 2008 |
| **总 计** | **Total** | **590.47** | **641.17** | **689.35** | **182.27** | **185.94** | **186.98** |
| 农、林、牧、渔业 | Farming, Forestry, Animal Husbandry and Fishery | 1.77 | 1.68 | 1.51 | 1.6 | 1.52 | 1.32 |
| 采掘业 | Mining and Quarrying | 2.04 | 1.66 | 1.44 | 0.33 | 0.26 | 0.15 |
| 制造业 | Manufacturing | 242.41 | 280.06 | 310.45 | 5.82 | 5.59 | 6.04 |
| 电力、煤气及水的生产和供应业 | Electricity, Gas and Water Production and Supply | 10.76 | 10.81 | 10.93 | 6.59 | 6.68 | 6.74 |
| 建筑业 | Construction | 93.4 | 97.27 | 104.91 | 3.27 | 3.24 | 4.17 |
| 交通运输、仓储及邮政业 | Transport, Storage and Post | 19.55 | 19.84 | 19.82 | 11.1 | 10.69 | 10.58 |
| 信息传输、计算机服务和软件业 | Information Transmission, Computer Services and Software | 5.31 | 6.2 | 7.31 | 1.47 | 1.47 | 1.62 |
| 批发和零售业 | Wholesale and Retail Sale Trade | 20.07 | 20.72 | 23.15 | 3.15 | 2.99 | 2.71 |
| 住宿餐饮业 | Hotels and Catering Services | 10.65 | 11.12 | 13.23 | 2.37 | 2.22 | 2.25 |
| 金融业 | Banking | 17.41 | 18.63 | 18.83 | 7.14 | 7.69 | 7.16 |
| 房地产业 | Real Estate | 6.58 | 7.73 | 8.46 | 1.72 | 1.62 | 1.63 |
| 租赁与商务服务业 | Leasing and Commercial Services | 17.56 | 16.86 | 19.12 | 6.64 | 6.79 | 7.1 |
| 科学研究、技术服务与地质勘查业 | Scientific Research and Technic Services and Geological Prospecting | 7.81 | 8.29 | 8.58 | 5.62 | 5.66 | 5.65 |
| 水利、环境和公共设施管理业 | Water Conservancy, Environment and Public Facilities Management | 5.76 | 6.37 | 6.54 | 3.85 | 4.11 | 4.22 |
| 居民服务及其他服务业 | Resident Services and Other Services | 1.01 | 0.94 | 1.12 | 0.46 | 0.53 | 0.54 |
| 教育 | Education | 52.12 | 53.52 | 53.24 | 50.02 | 50.78 | 50.21 |
| 卫生、社会保障和社会福利业 | Health Care, Social Security and Social Welfare | 24.37 | 25.59 | 26.47 | 20.51 | 21.36 | 22.17 |
| 文化、体育与娱乐业 | Culture, Sports and Recreation | 4.53 | 4.64 | 4.46 | 4.17 | 4.19 | 3.96 |
| 公共管理和社会组织 | Public Management and Social Organization | 47.38 | 49.25 | 49.78 | 46.45 | 48.54 | 48.76 |

注:本表2008年前为职工人数。 Data in this table refer to staff and workers before 2008.

2－17 续表 continued

单位:万人(10000 persons)

| 行　业 | Sector | 城镇集体单位 Urban Collective Owned Units | | | 其它单位 Others | | |
|---|---|---|---|---|---|---|---|
| | | 2006 | 2007 | 2008 | 2006 | 2007 | 2008 |
| **总　计** | **Total** | **28.51** | **27.68** | **25.3** | **379.7** | **427.56** | **477.07** |
| 农、林、牧、渔业 | Farming, Forestry, Animal Husbandry and Fishery | 0.07 | 0.05 | 0.06 | 0.1 | 0.1 | 0.13 |
| 采掘业 | Mining and Quarrying | 0.38 | 0.29 | 0.36 | 1.33 | 1.11 | 0.93 |
| 制造业 | Manufacturing | 6.11 | 4.86 | 4.23 | 230.47 | 269.61 | 300.18 |
| 电力、煤气及水的生产和供应业 | Electricity, Gas and Water Production and Supply | 0.33 | 0.31 | 0.3 | 3.84 | 3.81 | 3.89 |
| 建筑业 | Construction | 8.08 | 7.56 | 6.07 | 82.04 | 86.46 | 94.67 |
| 交通运输、仓储及邮政业 | Transport, Storage and Post | 0.99 | 1.09 | 1.02 | 7.46 | 8.06 | 8.22 |
| 信息传输、计算机服务和软件业 | Information Transmission, Computer Services and Software | 0.08 | 0.07 | 0.06 | 3.77 | 4.66 | 5.63 |
| 批发和零售业 | Wholesale and Retail Sale Trade | 1.27 | 1.2 | 0.91 | 15.65 | 16.53 | 19.53 |
| 住宿餐饮业 | Hotels and Catering Services | 0.85 | 0.79 | 0.76 | 7.43 | 8.11 | 10.22 |
| 金融业 | Finance | 2.29 | 2.28 | 2.01 | 7.97 | 8.66 | 9.66 |
| 房地产业 | Real Estate | 0.28 | 0.24 | 0.21 | 4.58 | 5.87 | 6.62 |
| 租赁与商务服务业 | Leasing and Commercial Services | 1.65 | 2.39 | 2.6 | 9.27 | 7.68 | 9.42 |
| 科学研究、技术服务与地质勘查业 | Scientific Research and Technic Services and Geological Prospecting | 0.26 | 0.3 | 0.31 | 1.94 | 2.33 | 2.62 |
| 水利、环境和公共设施管理业 | Water Conservancy, Environment and Public Facilities Management | 1.18 | 1.25 | 1.24 | 0.73 | 1.01 | 1.08 |
| 居民服务及其他服务业 | Resident Services and Other Services | 0.23 | 0.18 | 0.21 | 0.33 | 0.23 | 0.37 |
| 教育 | Education | 0.91 | 0.94 | 0.99 | 1.19 | 1.8 | 2.04 |
| 卫生、社会保障和社会福利业 | Health Care, Social Security and Social Welfare | 3.38 | 3.72 | 3.78 | 0.48 | 0.51 | 0.52 |
| 文化、体育与娱乐业 | Culture, Sports and Recreation | 0.09 | 0.09 | 0.1 | 0.27 | 0.36 | 0.4 |
| 公共管理和社会组织 | Public Management and Social Organization | 0.07 | 0.06 | 0.08 | 0.85 | 0.65 | 0.94 |

## 2-18　分行业城镇单位女性从业人员(年末数)
Number of Urban Female Employed Persons by Sector(Year-end)

单位:万人(10000 persons)

| 行　业 | Sector | 合计 Total | | | 国有单位 State-owned Units | | |
|---|---|---|---|---|---|---|---|
| | | 2006 | 2007 | 2008 | 2006 | 2007 | 2008 |
| **总　计** | **Total** | **236.19** | **259.72** | **284.86** | **74.46** | **77.07** | **80.09** |
| 农、林、牧、渔业 | Farming, Forestry, Animal Husbandry and Fishery | 0.45 | 0.44 | 0.44 | 0.41 | 0.39 | 0.37 |
| 采掘业 | Mining and Quarrying | 0.3 | 0.27 | 0.27 | 0.04 | 0.04 | 0.04 |
| 制造业 | Manufacturing | 118.03 | 135.34 | 149.66 | 1.67 | 1.52 | 1.87 |
| 电力、煤气及水的生产和供应业 | Electricity, Gas and Water Production and Supply | 2.77 | 2.74 | 2.86 | 1.67 | 1.66 | 1.7 |
| 建筑业 | Construction | 7.62 | 8.16 | 8.86 | 0.51 | 0.47 | 0.57 |
| 交通运输、仓储及邮政业 | Transport,Storage and Post | 5.52 | 5.63 | 5.88 | 3.24 | 3.23 | 3.34 |
| 信息传输、计算机服务和软件业 | Information Transmission, Computer Services and Software | 2.56 | 2.99 | 3.7 | 0.54 | 0.52 | 0.6 |
| 批发和零售业 | Wholesale and Retail Sale Trade | 9.76 | 10.24 | 12.14 | 1.07 | 1 | 0.99 |
| 住宿餐饮业 | Hotels and Catering Services | 5.98 | 6.32 | 7.95 | 1.31 | 1.26 | 1.34 |
| 金融业 | Finance | 10.9 | 11.97 | 13.29 | 3.81 | 4.37 | 4.39 |
| 房地产业 | Real Estate | 2.47 | 2.94 | 3.31 | 0.63 | 0.57 | 0.66 |
| 租赁与商务服务业 | Leasing and Commercial Services | 6.03 | 5.48 | 6.51 | 1.85 | 1.95 | 2.1 |
| 科学研究、技术服务与地质勘查业 | Scientific Research and Technic Services and Geological Prospecting | 2.26 | 2.45 | 2.6 | 1.6 | 1.66 | 1.75 |
| 水利、环境和公共设施管理业 | Water Conservancy, Environment and Public Facilities Management | 2.38 | 2.63 | 2.85 | 1.52 | 1.62 | 1.75 |
| 居民服务及其他服务业 | Resident Services and Other Services | 0.46 | 0.41 | 0.57 | 0.18 | 0.2 | 0.21 |
| 教育 | Education | 29.02 | 29.98 | 30.89 | 27.62 | 28.11 | 28.79 |
| 卫生、社会保障和社会福利业 | Health Care, Social Security and Social Welfare | 15.6 | 16.66 | 17.59 | 13.25 | 14.01 | 14.86 |
| 文化、体育与娱乐业 | Culture,Sports and Recreation | 2.05 | 2.36 | 2.29 | 1.87 | 2.15 | 2.04 |
| 公共管理和社会组织 | Public Management and Social Organization | 12.03 | 12.71 | 13.2 | 11.66 | 12.35 | 12.72 |

2-18 续表 continued 单位:万人(10000 persons)

| 行业 | Sector | 城镇集体单位 Urban Collective Owned Units | | | 其它单位 Others | | |
|---|---|---|---|---|---|---|---|
| | | 2006 | 2007 | 2008 | 2006 | 2007 | 2008 |
| **总计** | **Total** | **9.87** | **9.56** | **9.25** | **151.86** | **173.08** | **195.52** |
| 农、林、牧、渔业 | Farming, Forestry, Animal Husbandry and Fishery | 0.01 | 0.01 | 0.01 | 0.04 | 0.04 | 0.06 |
| 采掘业 | Mining and Quarrying | 0.07 | 0.05 | 0.05 | 0.2 | 0.18 | 0.18 |
| 制造业 | Manufacturing | 2.77 | 2.12 | 1.82 | 113.59 | 131.7 | 145.97 |
| 电力、煤气及水的生产和供应业 | Electricity, Gas and Water Production and Supply | 0.08 | 0.07 | 0.07 | 1.03 | 1.01 | 1.09 |
| 建筑业 | Construction | 0.57 | 0.6 | 0.49 | 6.53 | 7.09 | 7.8 |
| 交通运输、仓储及邮政业 | Transport, Storage and Post | 0.26 | 0.25 | 0.24 | 2.02 | 2.16 | 2.3 |
| 信息传输、计算机服务和软件业 | Information Transmission, Computer Services and Software | 0.04 | 0.03 | 0.03 | 1.98 | 2.44 | 3.07 |
| 批发和零售业 | Wholesale and Retail Sale Trade | 0.52 | 0.46 | 0.43 | 8.17 | 8.78 | 10.72 |
| 住宿餐饮业 | Hotels and Catering Services | 0.52 | 0.48 | 0.46 | 4.15 | 4.59 | 6.15 |
| 金融业 | Finance | 1.08 | 1.11 | 0.99 | 6.01 | 6.49 | 7.91 |
| 房地产业 | Real Estate | 0.09 | 0.09 | 0.07 | 1.76 | 2.27 | 2.58 |
| 租赁与商务服务业 | Leasing and Commercial Services | 0.39 | 0.47 | 0.55 | 3.79 | 3.07 | 3.86 |
| 科学研究、技术服务与地质勘查业 | Scientific Research and Technic Services and Geological Prospecting | 0.07 | 0.07 | 0.07 | 0.58 | 0.71 | 0.78 |
| 水利、环境和公共设施管理业 | Water Conservancy, Environment and Public Facilities Management | 0.55 | 0.61 | 0.62 | 0.31 | 0.4 | 0.48 |
| 居民服务及其他服务业 | Resident Services and Other Services | 0.11 | 0.09 | 0.14 | 0.16 | 0.12 | 0.22 |
| 教育 | Education | 0.64 | 0.68 | 0.74 | 0.77 | 1.18 | 1.36 |
| 卫生、社会保障和社会福利业 | Health Care, Social Security and Social Welfare | 2.05 | 2.3 | 2.38 | 0.3 | 0.34 | 0.35 |
| 文化、体育与娱乐业 | Culture, Sports and Recreation | 0.04 | 0.05 | 0.06 | 0.13 | 0.17 | 0.19 |
| 公共管理和社会组织 | Public Management and Social Organization | 0.03 | 0.03 | 0.03 | 0.33 | 0.34 | 0.45 |

## 2-19 按行业和经济类型分的工业、建筑业企业在岗职工人数(年底数)
Number of Fully Employed Staff and Workers in Industry and Construction Enterprises by Sector and Ownership(Year-end)

单位:万人(10000 persons)

| 分类 | Category | 2003 | 2004 | 2005 | 2006 | 2007 | 2008 |
|---|---|---|---|---|---|---|---|
| **总计** | **Total** | **174.86** | **232.64** | **297.81** | **348.6** | **389.8** | **454.72** |
| **采掘业** | **Mining and Quarrying** | **2** | **1.96** | **2.03** | **2.04** | **1.66** | **1.59** |
| **按经济类型分组** | **By Ownership** | | | | | | |
| 国有经济单位 | State-owned Units | 0.62 | 0.59 | 0.33 | 0.33 | 0.26 | 0.22 |
| 城镇集体经济单位 | Urban Collective Owned Units | 0.03 | 0.04 | 0.23 | 0.38 | 0.29 | 0.36 |
| 其他各种经济类型 | Units of Other Types of Ownership | 1.35 | 1.33 | 1.46 | 1.33 | 1.11 | 1.01 |
| **按行业分组** | **By Sector** | | | | | | |
| 煤炭采选业 | Coal Mining and Dressing | 0.85 | 0.8 | 0.74 | 0.56 | 0.37 | 0.21 |
| 石油和天然气开采业 | Petroleum and Natural Gas Extraction | | | | | | |
| 黑色金属矿采选业 | Ferrous Metals Mining and Dressing | 0.16 | 0.17 | 0.17 | 0.15 | 0.14 | 0.14 |
| 有色金属矿采选业 | Nonferrous Metals Mining and Dressing | 0.34 | 0.25 | 0.22 | 0.27 | 0.28 | 0.28 |
| 非金属矿采选业 | Nonmetals Mining and Dressing | 0.6 | 0.72 | 0.9 | 1.06 | 0.88 | 0.96 |
| 其他矿采选业 | Other Minerals Mining and Dressing | 0.02 | 0.02 | | | | |
| 木材及竹材采运业 | Logging and Transport of Wood and Bamboo | 0.01 | | | | | |
| **制造业** | **Manufacturing** | **114.61** | **156.11** | **204.16** | **242.41** | **280.06** | **319.23** |
| **按经济类型分组** | **By Ownership** | | | | | | |
| 国有经济单位 | State-owned Units | 9.7 | 8.5 | 8.87 | 5.82 | 5.59 | 6.28 |
| 城镇集体经济单位 | Urban Collective Owned Units | 7.29 | 9.18 | 6.25 | 6.11 | 4.86 | 4.31 |
| 其他各种经济类型单位 | Units of Other Types of Ownership | 97.63 | 138.43 | 189.05 | 230.47 | 269.61 | 308.64 |
| **按行业分组** | **By Sector** | | | | | | |
| 食品加工业 | Food Processing | 2.82 | 3.46 | 3.46 | 3.21 | 3.52 | 3.55 |
| 食品制造业 | Food Manufacturing | 3.72 | 3.5 | 3.97 | 3.75 | 3.68 | 3.92 |
| 饮料制造业 | Beverage Manufacturing | 2.43 | 2.64 | 2.74 | 3.26 | 3.81 | 4.54 |
| 烟草制造业 | Tobacco Processing | 0.4 | 0.39 | 0.35 | 0.34 | 0.39 | 0.33 |
| 纺织业 | Textile Industry | 12.37 | 14.95 | 23.34 | 27.06 | 31.91 | 40.30 |
| 服装及其他纤维制品制造业 | Garments and Other Fiber Products | 9.62 | 16.11 | 19.99 | 25.84 | 30.76 | 37.23 |
| 皮革、毛皮、羽绒及其制品业 | Leather, Furs, Down and Related Products | 7.08 | 9.08 | 13.53 | 17.16 | 19.78 | 17.90 |
| 木材加工及竹、藤、棕、草制品业 | Timber Processing, Bamboo, Cane, Palm Fiber and Straw Products | 0.83 | 1.6 | 2.07 | 2.82 | 2.88 | 3.01 |
| 家具制造业 | Furniture Manufacturing | 0.58 | 1.73 | 4.15 | 6.34 | 7.22 | 7.07 |
| 造纸及纸制品业 | Papermaking and Paper Products | 2.08 | 2.42 | 4.14 | 4.53 | 5.66 | 6.12 |
| 印刷业记录媒介的复制 | Printing and Record Medium Reproducts | 1.72 | 1.89 | 2.03 | 2.39 | 2.40 | 2.69 |
| 文教体育用品制造业 | Cultural, Educational and Sport Goods | 1.48 | 2.2 | 2.84 | 3.66 | 4.33 | 4.35 |

注:本表2008年前为职工人数。 Data in this table refer to sfaff and workers before 2008.

2-19 续表 continued 单位:万人(10000 persons)

| 分类 | Category | 2003 | 2004 | 2005 | 2006 | 2007 | 2008 |
|---|---|---|---|---|---|---|---|
| 石油加工及炼焦业 | Petroleum Processing and Coking | 0.8 | 0.82 | 0.84 | 0.79 | 0.85 | 0.92 |
| 化学原料及化学制品制造业 | Raw Chemical Materials and Chemical Products | 8.41 | 8.25 | 10.04 | 11.15 | 12.54 | 14.19 |
| 医药制造业 | Medical and Pharmaceutical Products | 3.96 | 4.35 | 5.38 | 5.82 | 6.6 | 7.44 |
| 化学纤维制造业 | Chemical Fiber | 1.14 | 1.72 | 3.54 | 4 | 4.65 | 6.2 |
| 橡胶制品业 | Rubber Products | 2.51 | 2.69 | 2.99 | 3.66 | 4.22 | 4.6 |
| 塑料制品业 | Plastic Products | 3.98 | 5.5 | 6.88 | 7.85 | 9.31 | 10.25 |
| 非金属矿物制品业 | Nonmetal Mineral Products | 3.41 | 5.5 | 7.32 | 7.83 | 7.92 | 8.74 |
| 黑色金属冶炼及压延加工业 | Smelting and Pressing of Ferrous Metals | 1.87 | 2.75 | 3.41 | 2.12 | 2.38 | 4.66 |
| 有色金属冶炼及压延加工业 | Smelting and Pressing of Nonferrous Metals | 0.85 | 1.6 | 2.61 | 3.16 | 3.39 | 3.64 |
| 金属制品业 | Metal Products | 4.71 | 5.93 | 8.73 | 9.74 | 11.42 | 12.34 |
| 普通机械制造业 | Ordinary Machinery | 8.69 | 13.41 | 14.05 | 18 | 20.43 | 22.73 |
| 专用设备制造业 | Equipment for Special Purposes | 4.42 | 4.63 | 4.43 | 6 | 7.79 | 10.5 |
| 交通运输设备制造业 | Transport Equipment | 5.36 | 6.63 | 10.55 | 12.44 | 14.78 | 17.8 |
| 电气机械及器材制造业 | Electric Equipment and Machinery | 7.85 | 15.48 | 20.4 | 24.74 | 27.3 | 31.78 |
| 通信设备、计算机及其他电子设备制造业 | Tele Communications Equipment, Computer and Other Electronic Equipment | 5.84 | 10.06 | 13.83 | 15.65 | 19.37 | 19.48 |
| 仪器仪表及文化、办公用机械制造业 | Instruments, Meter, Cultural and Office Machinery | 2.21 | 3.34 | 3.44 | 4.79 | 4.98 | 6.13 |
| 工艺品及其他制造业 | Handicraft Article and Other Manufacturing Industy | 3.46 | 3.48 | 3.02 | 4.08 | 5.47 | 6.33 |
| 废弃资源和废旧材料回收加工业 | Recovery of Resource Discarded and Useless Material | | | 0.08 | 0.22 | 0.29 | 0.49 |
| **电力、煤气及水的生产和供应业** | **Electricity, Gas and Water Production and Supply** | **8.85** | **9.5** | **10.08** | **10.76** | **10.81** | **12.17** |
| **按经济类型分组** | **By Ownership** | | | | | | |
| 国有经济单位 | State-owned Units | 6.24 | 6.42 | 6.72 | 6.59 | 6.68 | 7.77 |
| 城镇集体经济单位 | Urban Collective Owned Units | 0.39 | 0.47 | 0.37 | 0.33 | 0.31 | 0.31 |
| 其他各种经济类型单位 | Units of Other Types of Ownership | 2.21 | 2.61 | 2.99 | 3.84 | 3.81 | 4.09 |
| **按行业分组** | **By Sector** | | | | | | |
| 电力、蒸汽、热水的生产和供应业 | Electricity, Steam and Hot Water Production and Supply | 6.91 | 7.28 | 7.77 | 8.22 | 8.27 | 9.41 |
| 煤气生产和供应业 | Gas Production and Supply | 0.36 | 0.39 | 0.38 | 0.36 | 0.37 | 0.38 |
| 自来水的生产和供应业 | Water Prodution and Supply | 1.58 | 1.83 | 1.93 | 2.18 | 2.16 | 2.38 |
| **建筑业** | **Construction** | **49.4** | **65.07** | **79.5** | **93.4** | **97.27** | **121.73** |
| **按经济类型分组** | **By Ownership** | | | | | | |
| 国有经济单位 | State-owned Units | 3.96 | 3.99 | 3.48 | 3.27 | 3.24 | 5.07 |
| 城镇集体经济单位 | Urban Collective Owned Units | 8.91 | 11.12 | 9.47 | 8.08 | 7.56 | 6.28 |
| 其他各种经济类型单位 | Units of Other Types of Ownership | 36.53 | 49.96 | 66.55 | 82.04 | 86.46 | 110.38 |

## 2-20 分行业城镇私营从业人员和个体从业人员人数(年底数)
Employed Persons in Urban Private Enterprises and Self-employed Individuals by Sector(Year-end)

单位:万人(10000 persons)

| 行业 | Sector | 合计 Total | | | 城镇私营 Private Enterprises | | | 城镇个体 Individuals | | |
|---|---|---|---|---|---|---|---|---|---|---|
| | | 2006 | 2007 | 2008 | 2006 | 2007 | 2008 | 2006 | 2007 | 2008 |
| **总　计** | **Total** | **467.05** | **630.48** | **685.34** | **273.17** | **387.05** | **443.93** | **193.88** | **243.43** | **241.41** |
| 农、林、牧、渔业 | Farming, Forestry, Animal Husbandry and Fishery | 3.21 | 3.7 | 2.23 | 1.77 | 2.39 | 0.87 | 1.44 | 1.31 | 1.36 |
| 采掘业 | Mining and Quarrying | 0.5 | 0.61 | 1.02 | 0.32 | 0.45 | 0.85 | 0.17 | 0.16 | 0.17 |
| 制造业 | Manufacturing | 174.34 | 220.88 | 327.20 | 130.79 | 170.99 | 277.90 | 43.54 | 49.88 | 49.29 |
| 电力、煤气及水的生产和供应业 | Electricity, Gas and Water Production and Supply | 0.63 | 1.01 | 0.64 | 0.58 | 0.93 | 0.57 | 0.05 | 0.08 | 0.07 |
| 建筑业 | Construction | 13.43 | 24.56 | 36.64 | 13.04 | 22.79 | 35.95 | 0.39 | 1.77 | 0.69 |
| 交通运输、仓储及邮政业 | Transport, Storage and Post | 10.47 | 13.75 | 13.59 | 4.79 | 6.93 | 6.84 | 5.68 | 6.83 | 6.75 |
| 信息传输、计算机服务和软件业 | Information Transmission, Computer Services and Software | 9.59 | 44.61 | 33.95 | 8.91 | 43.95 | 33.26 | 0.67 | 0.66 | 0.70 |
| 批发和零售业 | Wholesale and Retail Sale Trade | 162.95 | 205.62 | 158.08 | 67.79 | 80.04 | 34.24 | 95.16 | 125.58 | 123.83 |
| 住宿餐饮业 | Hotels and Catering Services | 23.74 | 32.9 | 42.70 | 5.36 | 6.68 | 17.96 | 18.37 | 26.22 | 24.74 |
| 金融业 | Finance | | | 1.55 | | | 1.54 | | | 0.01 |
| 房地产业 | Real Estate | 5.91 | 8.08 | 9.49 | 5.57 | 7.53 | 8.97 | 0.34 | 0.55 | 0.52 |
| 租赁与商务服务业 | Leasing and Commercial Services | 18.78 | 25.01 | 11.44 | 16.36 | 22.45 | 8.55 | 2.42 | 2.56 | 2.89 |
| 科学研究、技术服务与地质勘查业 | Scientific Research and Technic Services and Geological Prospecting | 3.18 | 3.77 | 4.68 | 2.16 | 3.34 | 4.52 | 1.02 | 0.43 | 0.15 |
| 水利、环境和公共设施管理业 | Water Conservancy, Environment and Public Facilities Management | 2.82 | 3.09 | 2.39 | 1.9 | 2.73 | 2.25 | 0.92 | 0.36 | 0.14 |
| 居民服务及其他服务业 | Resident Services and Other Services | 29.06 | 33.72 | 28.24 | 8.96 | 9.74 | 2.45 | 20.1 | 23.98 | 25.79 |
| 教育 | Education | 4.43 | 4.57 | 3.31 | 2.97 | 4.05 | 3.24 | 1.46 | 0.53 | 0.07 |
| 卫生、社会保障和社会福利业 | Health Care, Social Security and Social Welfare | 0.74 | 0.88 | 3.35 | 0.5 | 0.57 | 1.52 | 0.24 | 0.31 | 1.83 |
| 文化、体育与娱乐业 | Culture, Sports and Recreation | 3.29 | 3.71 | 4.84 | 1.39 | 1.51 | 2.44 | 1.9 | 2.21 | 2.40 |
| 公共管理和社会组织 | Public Management and Social Organization | | | | | | | | | |

## 2-21 单位从业人员变动情况(2001-2008年) Changes of Employed Persons(2001-2008)

单位:万人(10000 persons)

| 分类 | Category | 2001 | 2002 | 2003 | 2004 | 2005 | 2006 | 2007 | 2008 |
|---|---|---|---|---|---|---|---|---|---|
| **本年增加人数** | **Total Increment** | **37.65** | **44.68** | **58.58** | **62.76** | **91.25** | **110.88** | **125.15** | **166.43** |
| #从农村招收 | Recruited from Rural Area | 13.44 | 17.15 | 27.05 | 28.57 | 53.54 | 59.65 | 67.85 | 94.76 |
| 从城镇招收 | Recruited from Urban Area | 5.67 | 7.14 | 8.95 | 9.63 | 12.11 | 15.76 | 19.39 | 24.01 |
| 录用的退伍军人 | Demobilized Soldiers | 0.66 | 0.64 | 0.66 | 0.88 | 0.98 | 0.99 | 0.95 | 1.16 |
| 录用的大、中专、技工学校毕业生 | Graduates from Universities, Secondary Technical Schools and Worker Training Schools | 6.24 | 6.59 | 8.57 | 9.84 | 11.6 | 15.43 | 16.49 | 21.88 |
| 调入 | Transfered Into | 6.39 | 5.88 | 6.12 | 5.67 | 5.54 | 6.32 | 5.62 | 6.04 |
| 其它 | Others | 5.25 | 7.28 | 7.23 | 8.16 | 7.49 | 12.73 | 14.85 | 18.58 |
| **本年减少人数** | **Total Decrement** | **43.38** | **41.34** | **42.54** | **43.89** | **93.07** | **101.15** | **96.55** | **153.28** |
| #离休退休退职 | Retired and Resigned Persons | 5.49 | 5.02 | 4.69 | 5.28 | 39.76 | 24.75 | 8.67 | 10.89 |
| 开除除名辞退 | Discharged Persons | 3.59 | 3.12 | 4 | 3.19 | 3.87 | 10.41 | 7.69 | 9.92 |
| 终止解除合同 | Terminated Contracts | 19.69 | 19.12 | 20.92 | 22.37 | 33.95 | 47.62 | 59.27 | 103.48 |
| 离开本单位仍保留劳动关系的职工 | Staff and Workers Leaving Their Working Units While Keeping Their Labour Contract | 3.76 | 2.58 | 1.86 | 1.38 | 1.08 | 1.84 | 1.41 | 1.79 |
| 死亡 | Death | | | | 0.24 | 0.24 | 0.25 | 0.22 | 0.24 |
| 调出 | Transfered Out | 5.75 | 5.42 | 5.19 | 4.9 | 5.39 | 5.46 | 6.07 | 6.97 |
| 其它 | Others | 5.11 | 6.08 | 5.89 | 6.54 | 8.79 | 10.83 | 13.22 | 19.99 |

## 2－22 按经济类型分的单位从业人员变动情况
Changes of Employed Persons by Ownership

单位:万人(10000 persons)

| 分类 | Category | 合计 Total | | | 国有单位 State-owned Units | | | 城镇集体单位 Urban Collective Owned Units | | | 其它单位 Others | | |
|---|---|---|---|---|---|---|---|---|---|---|---|---|---|
| | | 2006 | 2007 | 2008 | 2006 | 2007 | 2008 | 2006 | 2007 | 2008 | 2006 | 2007 | 2008 |
| **本年增加人数** | **Total Increment** | **110.88** | **125.15** | **166.43** | **16.4** | **16.56** | **18.99** | **3.63** | **3.64** | **3.88** | **90.86** | **104.95** | **143.56** |
| #从农村招收 | Recruited from Rural Area | 59.65 | 67.85 | 94.76 | 2.05 | 2.43 | 3.17 | 2.02 | 2.16 | 2.01 | 55.58 | 63.26 | 89.58 |
| 从城镇招收 | Recruited from Urban Area | 15.76 | 19.39 | 24.01 | 2.27 | 2.31 | 2.61 | 0.43 | 0.44 | 0.67 | 13.05 | 16.64 | 20.73 |
| 录用的退伍军人 | Demobilized Soldiers | 0.99 | 0.95 | 1.16 | 0.38 | 0.25 | 0.35 | 0.04 | 0.09 | 0.05 | 0.57 | 0.61 | 0.76 |
| 录用的大、中专、技工学校毕业生 | Graduates from Universities, Secondary Technical Schools and Worker Training Schools | 15.43 | 16.49 | 21.88 | 4.1 | 4.32 | 4.88 | 0.42 | 0.37 | 0.47 | 10.91 | 11.8 | 16.53 |
| 调入 | Transfered Into | 6.32 | 5.62 | 6.04 | 4.04 | 3.51 | 3.51 | 0.16 | 0.15 | 0.2 | 2.13 | 1.96 | 2.33 |
| 其它 | Others | 12.73 | 14.85 | 18.58 | 3.56 | 3.74 | 4.47 | 0.56 | 0.43 | 0.48 | 8.61 | 10.68 | 13.63 |
| **本年减少人数** | **Total Decrement** | **101.15** | **96.55** | **153.28** | **33.44** | **12.44** | **14.49** | **2.74** | **2.57** | **3.37** | **64.98** | **81.54** | **135.42** |
| #离休退休退职 | Retired and Resigned Persons | 24.75 | 8.67 | 10.89 | 20.45 | 2.67 | 2.55 | 0.3 | 0.28 | 0.33 | 3.99 | 5.73 | 8.01 |
| 开除除名辞退 | Discharged Persons | 10.41 | 7.69 | 9.92 | 4.17 | 0.38 | 0.41 | 0.15 | 0.1 | 0.2 | 6.09 | 7.2 | 9.31 |
| 终止解除合同 | Terminated Contracts | 47.62 | 59.27 | 103.48 | 2.95 | 3.44 | 5.07 | 1.47 | 1.44 | 1.98 | 43.19 | 54.39 | 96.43 |
| 离开本单位仍保留劳动关系的职工 | Staff and Workers Leaving Their Working Units While Keeping Their Labour Contract | 1.84 | 1.41 | 1.79 | 0.63 | 0.36 | 0.24 | 0.15 | 0.13 | 0.09 | 1.05 | 0.92 | 1.46 |
| 死亡 | Death | 0.25 | 0.22 | 0.24 | 0.14 | 0.13 | 0.13 | 0.01 | 0.01 | 0.01 | 0.1 | 0.07 | 0.1 |
| 调出 | Transfered Out | 5.46 | 6.07 | 6.97 | 3.45 | 3.15 | 3.09 | 0.19 | 0.18 | 0.23 | 1.81 | 2.74 | 3.65 |
| 其它 | Others | 10.83 | 13.22 | 19.99 | 1.63 | 2.31 | 3 | 0.45 | 0.44 | 0.53 | 8.74 | 10.48 | 16.46 |

## 2-23 各市企业年末单位从业人员
Employed Persons in Enterprises by City(Year-end)

单位:万人(10000 persons)

| 城市 | City | 年末单位从业人员 Number of Employed Persons at the Year-end | | | #在岗职工 Fully Employed Staff and Workers | | | 离岗职工 Laid-off Staff and Workers | | |
|---|---|---|---|---|---|---|---|---|---|---|
| | | 2006 | 2007 | 2008 | 2006 | 2007 | 2008 | 2006 | 2007 | 2008 |
| **全省** | **Total** | **465.69** | **516.03** | **585.15** | **440.92** | **488** | **541.95** | **10.72** | **9.69** | **8.33** |
| 杭州市 | Hangzhou | 99.19 | 121.02 | 148.55 | 89.72 | 108.84 | 128.36 | 2.46 | 2.27 | 1.73 |
| 宁波市 | Ningbo | 76.09 | 84.64 | 93.95 | 72.52 | 80.66 | 89.64 | 0.52 | 0.48 | 0.51 |
| 温州市 | Wenzhou | 75.36 | 81.54 | 82.67 | 73.26 | 79.5 | 80.39 | 2.47 | 2.28 | 2.05 |
| 嘉兴市 | Jiaxing | 57.92 | 60.89 | 62.67 | 56.38 | 59.05 | 60.64 | 0.73 | 0.65 | 0.41 |
| 湖州市 | Huzhou | 19.55 | 21.83 | 25.04 | 18.55 | 20.9 | 23.93 | 0.64 | 0.58 | 0.41 |
| 绍兴市 | Shaoxing | 51.58 | 58.71 | 73.63 | 49.09 | 55.92 | 66.63 | 0.83 | 0.75 | 0.68 |
| 金华市 | Jinhua | 33.32 | 26.24 | 25.93 | 32.12 | 25.4 | 25.04 | 0.58 | 0.53 | 0.53 |
| 衢州市 | Quzhou | 7.47 | 8.18 | 9.18 | 6.53 | 7.07 | 7.71 | 0.53 | 0.48 | 0.4 |
| 舟山市 | Zhoushan | 6.72 | 7.5 | 8.82 | 6.54 | 7.32 | 7.95 | 0.51 | 0.52 | 0.49 |
| 台州市 | Taizhou | 28.58 | 34.92 | 42.62 | 26.58 | 33.07 | 40.51 | 1.1 | 0.89 | 0.78 |
| 丽水市 | Lishui | 6.45 | 6.9 | 7.76 | 6.2 | 6.62 | 6.96 | 0.34 | 0.25 | 0.26 |

## 2-24 各市国有控股企业年末单位从业人员
Employed Persons in State-owned and State Holding Majority Shares Enterprises by City(Year-end)

单位:万人(10000 persons)

| 城市 | City | 年末单位从业人员 Number of Employed Persons at the Year-end | | | #在岗职工 Fully Employed Staff and Workers | | | 离岗职工 Laid-off Staff and Workers | | |
|---|---|---|---|---|---|---|---|---|---|---|
| | | 2006 | 2007 | 2008 | 2006 | 2007 | 2008 | 2006 | 2007 | 2008 |
| **全省** | **Total** | **165.57** | **131.24** | **138.62** | **154.63** | **119.8** | **121.31** | **8.38** | **6.67** | **5.41** |
| 杭州市 | Hangzhou | 49.6 | 47.46 | 52.39 | 44.89 | 42.27 | 43.8 | 2.19 | 1.94 | 1.44 |
| 宁波市 | Ningbo | 14.15 | 16.51 | 17.63 | 13.28 | 15.31 | 15.5 | 0.3 | 0.31 | 0.21 |
| 温州市 | Wenzhou | 15.49 | 17.85 | 16.4 | 14.53 | 16.74 | 15.2 | 1.83 | 1.47 | 1.3 |
| 嘉兴市 | Jiaxing | 12.31 | 6.41 | 7.07 | 11.6 | 5.55 | 5.98 | 0.51 | 0.38 | 0.24 |
| 湖州市 | Huzhou | 8.21 | 6.46 | 6.51 | 7.7 | 5.87 | 5.93 | 0.6 | 0.45 | 0.31 |
| 绍兴市 | Shaoxing | 21.19 | 7.86 | 8 | 20.74 | 7.34 | 7.08 | 0.54 | 0.34 | 0.29 |
| 金华市 | Jinhua | 16.65 | 5.28 | 5.1 | 16.25 | 5 | 4.83 | 0.44 | 0.26 | 0.21 |
| 衢州市 | Quzhou | 3.9 | 3.67 | 3.9 | 3.52 | 3.15 | 3.18 | 0.48 | 0.41 | 0.34 |
| 舟山市 | Zhoushan | 4.17 | 3.82 | 4 | 4.04 | 3.71 | 3.72 | 0.41 | 0.37 | 0.34 |
| 台州市 | Taizhou | 13.97 | 8.64 | 9.46 | 12.35 | 7.77 | 8.4 | 0.85 | 0.55 | 0.49 |
| 丽水市 | Lishui | 2.69 | 3.63 | 3.84 | 2.51 | 3.45 | 3.49 | 0.22 | 0.17 | 0.16 |

## 2-25　各市事业年末单位从业人员
Employed Persons in Institations by City (Year-end)

单位：万人(10000 persons)

| 城市 | City | 年末单位从业人员 Number of Employed Persons at the Year-end | | | #在岗职工 Fully Employed Staff and Workers | | | 离岗职工 Laid-off Staff and Workers | | |
|---|---|---|---|---|---|---|---|---|---|---|
| | | 2006 | 2007 | 2008 | 2006 | 2007 | 2008 | 2006 | 2007 | 2008 |
| **全　省** | **Total** | **104.18** | **107.85** | **111.13** | **99.9** | **103.11** | **104.6** | **2.07** | **1.85** | **1.32** |
| 杭州市 | Hangzhou | 22.29 | 23.58 | 25.15 | 21.22 | 22.02 | 23.17 | 0.43 | 0.36 | 0.26 |
| 宁波市 | Ningbo | 13.9 | 14.26 | 14.6 | 13.45 | 13.76 | 13.84 | 0.16 | 0.13 | 0.11 |
| 温州市 | Wenzhou | 13.72 | 14.08 | 14.18 | 13.33 | 13.7 | 13.59 | 0.39 | 0.38 | 0.29 |
| 嘉兴市 | Jiaxing | 8.24 | 8.65 | 9.08 | 7.94 | 8.3 | 8.67 | 0.08 | 0.07 | 0.04 |
| 湖州市 | Huzhou | 5.13 | 5.35 | 5.58 | 4.59 | 4.86 | 4.95 | 0.07 | 0.06 | 0.02 |
| 绍兴市 | Shaoxing | 8.66 | 8.96 | 9.33 | 8.23 | 8.57 | 8.77 | 0.15 | 0.14 | 0.11 |
| 金华市 | Jinhua | 9.51 | 9.61 | 9.96 | 9.33 | 9.47 | 9.78 | 0.19 | 0.18 | 0.14 |
| 衢州市 | Quzhou | 3.75 | 3.76 | 3.9 | 3.53 | 3.57 | 3.63 | 0.05 | 0.05 | 0.04 |
| 舟山市 | Zhoushan | 2.62 | 2.66 | 2.63 | 2.53 | 2.55 | 2.53 | 0.07 | 0.06 | 0.04 |
| 台州市 | Taizhou | 10.59 | 11.12 | 11.46 | 10.08 | 10.6 | 10.57 | 0.2 | 0.18 | 0.15 |
| 丽水市 | Lishui | 5.26 | 5.31 | 5.26 | 5.15 | 5.2 | 5.1 | 0.19 | 0.16 | 0.12 |

## 2-26　各市机关年末单位从业人员
Employed Persons in Government Agencies by City (Year-end)

单位：万人(10000 persons)

| 城市 | City | 年末单位从业人员 Number of Employed Persons at the Year-end | | | #在岗职工 Fully Employed Staff and Workers | | | 离岗职工 Laid-off Staff and Workers | | |
|---|---|---|---|---|---|---|---|---|---|---|
| | | 2006 | 2007 | 2008 | 2006 | 2007 | 2008 | 2006 | 2007 | 2008 |
| **全　省** | **Total** | **40.98** | **42.8** | **44.92** | **39.89** | **41.57** | **42.8** | **0.52** | **0.38** | **0.33** |
| 杭州市 | Hangzhou | 7.84 | 8.23 | 8.72 | 7.68 | 8.05 | 8.35 | 0.16 | 0.14 | 0.11 |
| 宁波市 | Ningbo | 5.43 | 5.83 | 6.07 | 5.32 | 5.6 | 5.8 | 0.05 | 0.02 | 0.01 |
| 温州市 | Wenzhou | 5.93 | 6.11 | 6.38 | 5.79 | 5.99 | 6.11 | 0.08 | 0.06 | 0.07 |
| 嘉兴市 | Jiaxing | 2.56 | 2.67 | 2.85 | 2.49 | 2.59 | 2.72 | 0.03 | 0.01 | |
| 湖州市 | Huzhou | 2.08 | 2.03 | 2.09 | 1.91 | 1.82 | 1.9 | 0.02 | 0.02 | 0.02 |
| 绍兴市 | Shaoxing | 2.97 | 3.13 | 3.17 | 2.9 | 3.02 | 2.93 | 0.03 | 0.02 | 0.02 |
| 金华市 | Jinhua | 4.22 | 4.43 | 4.55 | 4.18 | 4.39 | 4.48 | 0.04 | 0.02 | 0.02 |
| 衢州市 | Quzhou | 2.5 | 2.55 | 2.58 | 2.39 | 2.45 | 2.43 | 0.05 | 0.05 | 0.04 |
| 舟山市 | Zhoushan | 1.28 | 1.33 | 1.61 | 1.26 | 1.32 | 1.53 | 0.02 | 0.01 | 0.02 |
| 台州市 | Taizhou | 3.7 | 3.97 | 4.1 | 3.56 | 3.87 | 3.84 | 0.04 | 0.02 | 0.01 |
| 丽水市 | Lishui | 2.47 | 2.52 | 2.8 | 2.41 | 2.47 | 2.71 | 0.02 | 0.01 | 0.01 |

## 2-27 各市单位年末人才资源
Trained Personnel Resources by City(Year-end)

单位:万人(10000 persons)

| 城 市 | City | 人才资源年末人数 Number of Trained Personnel Resources | | | | 专业技术人员 Specialized Technical Personnel | | | |
|---|---|---|---|---|---|---|---|---|---|
| | | 2005 | 2006 | 2007 | 2008 | 2005 | 2006 | 2007 | 2008 |
| **全 省** | **Total** | **232.64** | **259.25** | **301.51** | **399.47** | **135.69** | **141.37** | **146.23** | **171.58** |
| 杭州市 | Hangzhou | 59.42 | 63.48 | 73.96 | 99.42 | 29.34 | 33.64 | 34.1 | 43.03 |
| 宁波市 | Ningbo | 31.9 | 38.62 | 40.39 | 65.33 | 24.31 | 19.55 | 21.11 | 26.69 |
| 温州市 | Wenzhou | 32.81 | 35.31 | 39.96 | 50.29 | 18.08 | 20.55 | 20.63 | 21.49 |
| 嘉兴市 | Jiaxing | 18.44 | 22.61 | 27.06 | 34.96 | 10.18 | 10.96 | 11.6 | 13 |
| 湖州市 | Huzhou | 9.74 | 10.29 | 13.69 | 17.17 | 5.76 | 6.33 | 6.44 | 7.58 |
| 绍兴市 | Shaoxing | 19.86 | 24.01 | 31.76 | 42.07 | 12.39 | 12.68 | 13.97 | 16.64 |
| 金华市 | Jinhua | 17.97 | 18.58 | 20.48 | 24.90 | 10.74 | 11.48 | 11.16 | 12.27 |
| 衢州市 | Quzhou | 8.62 | 9.26 | 9.75 | 11.09 | 4.24 | 4.4 | 4.56 | 4.98 |
| 舟山市 | Zhoushan | 5.64 | 6.45 | 7.18 | 8.35 | 3.15 | 3.2 | 3.48 | 3.57 |
| 台州市 | Taizhou | 18.72 | 19.4 | 25.29 | 33.20 | 11.6 | 11.94 | 12.96 | 15.66 |
| 丽水市 | Lishui | 9.52 | 9.84 | 10.65 | 11.32 | 5.77 | 5.93 | 5.65 | 6 |

## 2-28 各市按经济类型分的年末全部单位专业技术人员
Specialized Technical Personnel by City and Ownership(Year-end)

单位:万人(10000 persons)

| 城 市 | City | 合计 Total | | | 国 有 State-owned Units | | | 城镇 Collective Owned Units | | | 其他 Other Types of Ownership | | |
|---|---|---|---|---|---|---|---|---|---|---|---|---|---|
| | | 2006 | 2007 | 2008 | 2006 | 2007 | 2008 | 2006 | 2007 | 2008 | 2006 | 2007 | 2008 |
| **全 省** | **Total** | **141.37** | **146.23** | **171.58** | **80.3** | **82.05** | **87.91** | **7.25** | **7.31** | **8.08** | **53.83** | **56.86** | **75.59** |
| 杭州市 | Hangzhou | 33.64 | 34.1 | 43.03 | 18 | 18.01 | 20.46 | 1.26 | 1.22 | 1.45 | 14.39 | 14.87 | 21.12 |
| 宁波市 | Ningbo | 19.55 | 21.11 | 26.69 | 10.49 | 11.37 | 11.82 | 0.91 | 0.98 | 1.12 | 8.15 | 8.77 | 13.75 |
| 温州市 | Wenzhou | 20.55 | 20.63 | 21.49 | 11.16 | 11.44 | 12.19 | 0.99 | 1.1 | 1.11 | 8.4 | 8.09 | 8.19 |
| 嘉兴市 | Jiaxing | 10.96 | 11.6 | 13 | 5.97 | 6.18 | 6.7 | 0.43 | 0.4 | 0.49 | 4.56 | 5.02 | 5.81 |
| 湖州市 | Huzhou | 6.33 | 6.44 | 7.58 | 3.72 | 3.55 | 3.9 | 0.34 | 0.37 | 0.46 | 2.27 | 2.52 | 3.22 |
| 绍兴市 | Shaoxing | 12.68 | 13.97 | 16.64 | 6.52 | 6.6 | 6.76 | 0.77 | 0.63 | 0.7 | 5.39 | 6.74 | 9.18 |
| 金华市 | Jinhua | 11.48 | 11.16 | 12.27 | 6.76 | 6.95 | 7.28 | 0.94 | 0.94 | 0.96 | 3.78 | 3.27 | 4.03 |
| 衢州市 | Quzhou | 4.4 | 4.56 | 4.98 | 3.15 | 3.24 | 3.49 | 0.39 | 0.39 | 0.38 | 0.86 | 0.93 | 1.11 |
| 舟山市 | Zhoushan | 3.2 | 3.48 | 3.57 | 2.1 | 2.13 | 2.06 | 0.2 | 0.22 | 0.28 | 0.9 | 1.12 | 1.23 |
| 台州市 | Taizhou | 11.94 | 12.96 | 15.66 | 7.73 | 8.09 | 8.55 | 0.66 | 0.71 | 0.76 | 3.55 | 4.16 | 6.35 |
| 丽水市 | Lishui | 5.93 | 5.65 | 6 | 4.44 | 4.3 | 4.45 | 0.35 | 0.35 | 0.39 | 1.13 | 1 | 1.16 |

## 2-29 分行业年末单位专业技术人员
Specialized Technical Personnel by Sector (Year-end)

单位:万人(10000 persons)

| 行业 | Sector | 合计 Total | | | #国有单位 State-owned Units | | | #城镇集体单位 Urban Collective owned Units | | |
|---|---|---|---|---|---|---|---|---|---|---|
| | | 2006 | 2007 | 2008 | 2006 | 2007 | 2008 | 2006 | 2007 | 2008 |
| **总计** | **Total** | **141.37** | **146.23** | **171.58** | **80.3** | **82.05** | **87.9** | **7.25** | **7.31** | **8.08** |
| 农、林、牧、渔业 | Farming, Forestry, Animal Husbandry and Fishery | 0.74 | 0.69 | 0.65 | 0.68 | 0.64 | 0.6 | 0.04 | 0.03 | 0.02 |
| 采掘业 | Mining and Quarrying | 0.24 | 0.2 | 0.24 | 0.03 | 0.03 | 0.03 | 0.02 | 0.02 | 0.03 |
| 制造业 | Manufacturing | 26.16 | 27.36 | 35.63 | 0.81 | 0.84 | 1.08 | 0.5 | 0.39 | 0.42 |
| 电力、煤气及水的生产和供应业 | Electricity, Gas and Water Production and Supply | 3.29 | 3.28 | 3.31 | 2.25 | 2.23 | 2.22 | 0.06 | 0.06 | 0.06 |
| 建筑业 | Construction | 12.25 | 12.79 | 18.08 | 0.94 | 0.92 | 1.28 | 1.05 | 1.01 | 1.07 |
| 交通运输、仓储及邮政业 | Transport, Storage and Post | 2.95 | 2.98 | 3.16 | 1.66 | 1.72 | 1.68 | 0.09 | 0.08 | 0.09 |
| 信息传输、计算机服务和软件业 | Information Transmission, Computer Services and Software | 2.51 | 2.84 | 4.57 | 0.57 | 0.59 | 0.82 | 0.01 | 0.01 | 0.01 |
| 批发和零售业 | Wholesale and Retail Sale Trade | 4.47 | 4.31 | 4.63 | 0.75 | 0.74 | 0.72 | 0.21 | 0.21 | 0.2 |
| 住宿餐饮业 | Hotels and Catering Services | 1.31 | 1.34 | 1.29 | 0.23 | 0.2 | 0.18 | 0.14 | 0.11 | 0.13 |
| 金融业 | Finance | 9.37 | 9.99 | 12.44 | 4.08 | 4.27 | 4.68 | 1.31 | 1.26 | 1.34 |
| 房地产业 | Real Estate | 2.2 | 2.26 | 2.72 | 0.54 | 0.51 | 0.56 | 0.07 | 0.04 | 0.06 |
| 租赁与商务服务业 | Leasing and Commercial Services | 3.36 | 3.23 | 3.66 | 1.28 | 1.46 | 1.51 | 0.24 | 0.24 | 0.25 |
| 科学研究、技术服务与地质勘查业 | Scientific Research and Technic Services and Geological Prospecting | 4.97 | 5.29 | 6.3 | 3.64 | 3.66 | 4.15 | 0.14 | 0.17 | 0.2 |
| 水利、环境和公共设施管理业 | Water Conservancy, Environment and Public Facilities Management | 0.92 | 0.94 | 1.02 | 0.72 | 0.7 | 0.73 | 0.08 | 0.07 | 0.08 |
| 居民服务及其他服务业 | Resident Services and Other Services | 0.18 | 0.13 | 0.14 | 0.09 | 0.08 | 0.07 | 0.02 | 0.01 | 0.02 |
| 教育 | Education | 43.51 | 44.23 | 45.98 | 42.2 | 42.48 | 43.86 | 0.62 | 0.66 | 0.77 |
| 卫生、社会保障和社会福利业 | Health Care, Social Security and Social Welfare | 18.56 | 19.65 | 22.12 | 15.68 | 16.45 | 18.46 | 2.59 | 2.87 | 3.25 |
| 文化、体育与娱乐业 | Culture, Sports and Recreation | 2.3 | 2.36 | 2.78 | 2.21 | 2.25 | 2.64 | 0.05 | 0.06 | 0.05 |
| 公共管理和社会组织 | Public Management and Social Organization | 2.08 | 2.35 | 2.86 | 1.95 | 2.28 | 2.63 | 0.02 | 0.01 | 0.03 |

## 2-30 城镇新就业人数
Number of Newly Employed Persons in Urban Areas

单位:万人(10000 persons)

| 分　类 | Category | 1995 | 2000 | 2004 | 2005 | 2006 | 2007 | 2008 |
|---|---|---|---|---|---|---|---|---|
| **总　计** | **Total** | **38.73** | **67.97** | **78.33** | **109.21** | **134.46** | **162.98** | **179.73** |
| **按就业人员主要来源分** | **By Source of Major Employment** | | | | | | | |
| 城镇失业人员 | Urban Unemployment | 12.67 | 35.73 | 25.91 | 28.75 | 35.47 | 33.01 | 33.48 |
| 农村劳动力 | Rural Labor Force | 10.44 | 8.66 | 28.57 | 53.54 | 59.65 | 81.47 | 104.24 |
| 大学、中专、技工学校毕业生 | Graduates from Universities, Secondary Technical Schools and Worker Training Schools | 5.94 | 5.82 | 9.85 | 11.6 | 15.43 | 30.11 | 21.89 |
| 部队转业干部和退伍军人 | Demobilized Soldiers and Armymen Transferred to Civilian Work | 0.69 | 0.85 | 0.88 | 0.98 | 0.99 | 0.95 | 1.16 |
| 其他 | Others | 8.99 | 16.91 | 13.12 | 14.34 | 22.92 | 17.44 | 18.96 |
| **按就业人员安置去向分** | **By Direction of Employment Assignment** | | | | | | | |
| 国有经济单位 | State-owned Units | 12.99 | 6.9 | 10.29 | 19.88 | 10.01 | 10.54 | 11.01 |
| 城镇集体经济单位 | Urban Collective Owned Units | 7.06 | 2.38 | 3.95 | 4.26 | 3.14 | 3.23 | 3.21 |
| 其他经济单位 | Others | 4.63 | 13.37 | 39.67 | 56.98 | 81.87 | 94.73 | 127.59 |
| 城镇私营和个体劳动 | Urban Private Enterprises and Individual Laborers | 14.05 | 45.32 | 24.42 | 28.09 | 39.44 | 54.48 | 37.92 |

## 2-31 社会保险参保人员基本情况(2001-2008年)
Basic Statistics of Persons Participating in Social Insurance(2001-2008)

单位:万人(10000 persons)

| 项　目 | Item | 2001 | 2002 | 2003 | 2004 | 2005 | 2006 | 2007 | 2008 |
|---|---|---|---|---|---|---|---|---|---|
| 参保总人数 | Total Persons Participating in Insurance | 1776.89 | 1934.17 | 2211.06 | 2485.96 | 2784.51 | 3274.22 | 4114.68 | 5123.75 |
| #养老保险 | Endowment Insurance | 610.37 | 701.06 | 801.18 | 887.99 | 962.26 | 1052.59 | 1167.1 | 1386.91 |
| 失业保险 | Unemployment Insurance | 391.06 | 390.02 | 396.84 | 428.44 | 444.68 | 504.38 | 584.75 | 731.1 |
| 医疗保险 | Insurance for Medical Care | 368.15 | 423.4 | 510.3 | 569.24 | 639.56 | 730.59 | 854.97 | 1053.92 |
| 工伤保险 | Work-related Injury Insurance | 219.67 | 226 | 287.7 | 360.44 | 453.07 | 603.94 | 1002.9 | 1261.84 |
| 生育保险 | Childbirth Insurance | 187.64 | 193.69 | 215.04 | 239.85 | 284.94 | 382.72 | 504.96 | 689.98 |

## 2-32 五次人口普查基本情况
Basic Statistics on National Population Census

| 项　目 | Item | 第一次 The First Time 1953.7.1 | 第二次 The Second Time 1964.7.1 | 第三次 The Third Time 1982.7.1 | 第四次 The Fourth Time 1990.7.1 | 第五次 The Fifth Time 2000.11.1 |
|---|---|---|---|---|---|---|
| **总户数(万户)** | **Total Family Households(10000 Households)** | **579.16** | **656.63** | **960.36** | **1176.77** | **1478.97** |
| 平均每户人数(人) | Average Sizeof Family Households(person) | 3.87 | 4.31 | 3.96 | 3.46 | 3.00 |
| **总人口(万人)** | **Total Population(10000 persons)** | **2241.57** | **2831.86** | **3888.46** | **4144.59** | **4593.06** |
| **按性别分** | **By Sex** | | | | | |
| 男 | Male | 1178.00 | 1479.06 | 2016.70 | 2136.48 | 2358.15 |
| 女 | Female | 1063.00 | 1352.80 | 1871.76 | 2008.11 | 2234.91 |
| **按城乡分** | **By Residence** | | | | | |
| 市镇人口 | Urban | 289.27 | 306.86 | 999.69 | 1516.57 | 2235.66 |
| 乡村人口 | Rural | 1925.30 | 2525.00 | 2888.77 | 2628.02 | 2357.4 |
| **按民族分** | **By Nationality** | | | | | |
| 汉　族 | The Han Nationality | 2233.22 | 2821.19 | 3872.30 | 4123.45 | 4553.52 |
| 少数民族 | Minority Nationality | 8.35 | 10.67 | 16.16 | 21.14 | 39.54 |
| #畲族 | The She Nationality | 5.27 | 10.06 | 14.83 | 17.27 | 17.10 |
| 苗族 | The Miao Nationality | 2.84 | 0.04 | 0.05 | 0.32 | 5.34 |
| 回族 | The Hui Nationality | 0.19 | 0.38 | 0.94 | 1.72 | 1.96 |
| 满族 | The Man Nationality | 0.04 | 0.09 | 0.12 | 0.27 | 0.51 |
| 蒙古族 | The Meng Gu Nationality | ... | 0.02 | 0.02 | 0.06 | 0.36 |
| 壮族 | The Zhuang Nationality | ... | 0.03 | 0.11 | 0.77 | 1.90 |
| **按文化程度分** | **By Educational Level** | | | | | |
| 大学 | University | | 8.05 | 18.21 | 48.50 | 146.79 |
| 高中 | Senior Secondary School | | 31.86 | 202.19 | 290.37 | 495.36 |
| 初中 | Junior Secondary School | | 120.27 | 691.55 | 983.98 | 1531.94 |
| 小学 | Primary School | | 809.63 | 1531.44 | 1643.92 | 1683.34 |
| 文盲、半文盲(15岁及15岁以上) | Illiterate and Semiliterate(15 years old and over) | | 930.67 | 723.64 | 321.85 | |

浙/江/统/计/年/鉴

# 主要统计指标解释

## ■ 人口数

指一定时点、一定地区范围内的有生命的个人的总和。

年度统计的年末人口数是指每年12月31日24时的人口数。

## ■ 出生率(又称粗出生率)

指一定时期内(通常为一年)平均每千人所出生的人数的比率,一般用千分率表示。计算公式:

$$出生率=\frac{年出生人数}{年平均人数}\times 1000‰$$

出生人数是指活产婴儿,即胎儿脱离母体时(不管怀孕月数),有过呼吸或其他生命现象。

年平均人数是年初、年底人口数的平均数,也可用年中人口数代替。

## ■ 死亡率(又称粗死亡率)

指一定时期内(通常为一年)一定地区的死亡人数与同期平均人数(或期中人数)之比,一般用千分率表示。计算公式:

$$死亡率=\frac{年死亡人数}{年平均人数}\times 1000‰$$

**■ 人口自然增长率** 指一定时期内(通常为一年)人口自然增加数(出生人数减死亡人数)与该时期内平均人数(或期中人数)之比,一般用千分率表示。计算公式:

$$人口自然增长率=\frac{本年出生人数-本年死亡人数}{年平均人数}\times 1000‰$$

$$人口自然增长率=人口出生率-人口死亡率$$

## ■ 从业人员

指从事一定社会劳动并取得劳动报酬或经营收入的人员。包括:

(1)在岗职工

(2)再就业的离退休人员

(3)私营业主

(4)个体户主

(5)私营和个体从业人员

(6)乡镇企业从业人员

(7)农村从业人员

(8)其他从业人员(包括民办教师、宗教职业者等)。

这一指标反映了一定时期内全部劳动力资源的实际利用情况,是研究我省基本省情省力的重要指标。

## ■ 各单位从业人员

指在各级国家机关、政党机关、社会团体及企业、事业单位中工作,并取得工资或其他劳动报酬的全部人员。包括:在岗职工、再就业的离退休人员、民办教师以及在各单位中工作的外方人员和港澳台方人员、兼职人员、借用的外单位人员和第二职业者。不包括离开本单位仍保留劳动关系的职工。各单位的从业人员反映了各单位实际参加生产或工作的全部劳动力。

## ■ 城镇私营和个体从业人员

城镇私营从业人员指在工商行政管理部门注册登记,其经营地址设在县城关镇(含城关镇)以上的私营企业从业人员;包括私营企业投资者和雇工。城镇个体从业的人员指在工商管理部门注册登记,并持有城镇户口或在城镇长期居住,经批准从事个体工商经营的从业人员;包括个体经营者和在个体工商户劳动的家庭帮工和雇工。

## ■ 城镇登记失业人员

指有非农业户口,在一定的劳动年龄内,有劳动能力,无业而要求就业,并在当地就业服务机构进行求职登记的人员。

## ■ 城镇登记失业率

指城镇登记失业人数同城镇单位从业人数、城镇私营企业及个体从业人数和城镇登记失业人数之和的比。计算公式为:

## 主要统计指标解释

城镇登记失业率 =

$$\frac{\text{城镇登记失业人数}}{\text{城镇单位从业人数}+\text{城镇私营企业及个体从业人员}+\text{城镇登记失业人数}}\times 100\%$$

### ■ 职　工

指在国有经济、城镇集体经济、联营经济、股份制经济、外商和港、澳、台投资经济、其他经济单位及其附属机构工作,并由其支付工资的各类人员,不包括返聘的离退休人员、民办教师、在国有经济单位工作的外方人员和港、澳、台人员(1998 年以后的数据均为在岗职工数据,其他相关指标如职工工资总额,职工平均工资等指标也从 1998 年按此口径进行了相应的调整)。

### ■ 国有单位职工

指在国有经济单位及其附属机构工作,并由其支付工资的各类人员。

### ■ 城镇集体单位职工

指在城镇集体经济单位及其管理部门工作,并由其支付工资的各类人员。

### ■ 其他单位职工

指在联营经济、股份制经济、外商投资经济、港、澳、台投资经济单位工作,并由其支付工资的各类人员。

### ■ 在岗职工

指在本单位工作并由单位支付工资的人员,以及有工作岗位,但由于学习、病伤、产假等原因暂未工作,仍由单位支付工资的人员。

ZHEJIANG STATISTICAL YEARBOOK

# Explanatory Notes on Main Statistical Indicators

## □ Total Population

refers to the total number of people alive at a certain point of time within a given area.

The annual statistics on total population is taken at midnight , the 31st of December.

## □ Birth Rate (or Crude Birth Rate)

refers to the ratio of the number of births to the average population during a certain period of time (usually a year), which is often expressed in ‰. The following formula is used:

$$\text{Birth Rate} = \frac{\text{Number of Births}}{\text{Average Number of Population}} \times 1000‰$$

Number of Births refers to live births ,i. e. the births when babies had showed any vital phenomena regardless of the length of pregnancy.

Annual Average Number of Population is the average of the number of population at the beginning of the year and that at the end of the year. Sometimes it is substituted for with the mid – year population.

## □ Death Rate (or Crude Death Rate)

refers to the ratio of the number of deaths to the average population (or mid – year population) during a certain period of time (usually a year), which is often expressed in‰. The following formula is uesd:

$$\text{Death Rate} = \frac{\text{Number of Deaths}}{\text{Annual Average Number of Population}} \times 1000‰$$

## □ Natural Growth Rate of Population

refers to the ratio of natural increase in population (number of births minus number of deaths) in a certain period of time (usually a year) to the average population (or mid – year population) of the same period, which is often expressed in ‰. The following formulas are applied:

$$\text{Natural Growth of Population} = \frac{\text{Number of Births} - \text{Number of Deaths}}{\text{Average Number of Population}} \times 1000‰$$

$$\text{Natural Growth of Population} = \text{Birth Rate} - \text{Death Rate}$$

## □ Employed Persons

refers to the persons who are engaged in social labour and receive remuneration payment or earn business income, including:

(1) total staff and workers,

(2) re-employed retirees,

(3) employers of private enterprises,

(4) self-employed workers,

(5) employees in private enterprises and individual economy,

(6) employees in town enterprises,

(7) employed persons in the rural areas,

(8) other employed persons (including teachers in the schools run by the local people, people engaged in religious profession, etc.).

This indicator reflacts the actual utilization of total labour force during a certain period of time and is often used for the research on provincial economic situation and power.

## □ Persons Employed in Various Units

refer to all the persons working in government agencies of various levels, political and party organizations, social organizations, enteprises and institutions, and receiving wages or other forms of payment. they include fully – employed staff and workers, reemployed retirees, teachers in schools run by local people, foreigners and Chinese compatriots from Hong Kong, Macao, Taiwan working in various units, parttime employees, employees of other units working temporarily at current posts, and employees holding the second job, but exclude staff and workers who have left their working units while keeping their labour contract (employment relation) unchanged. This indicator reflacts the total number of laborers actually engaged in production or other operations in various units.

# EXPLANATORY NOTES ON MAIN STATISTICAL INDICATORS

## □ Persons Employed in private Enterprrises and Selfemployed Individuals in Urban Areas

Persons employed in private enterprises refer to the persons employed in the private enterprises which have been registered at the departments of industrial and commercial administration and are situated at a country town(i. e. a town where the country government is located)for business operationor at urban areas with the level higher than a country town. The selfemployed individuals in urban areas refer to persons who hold the certificates of resience in urban areas or have resided in the urban areas for a long time and have been registered at the department of industrial and commercial administration and approved to be engaged in individual industrial or commercial business including selfemployed persons as well as helpers and hire labourers who work in the indvidual households engaged in industrial or commercial business.

## □ Registered Urban Unemployed Persons

The registered unemployed persons in urban areas refer to persons who are registered as permanent residents in urban areas engaged in nonagricultural activities, aged within the range of working age, capable to labour, unemployed but desirous to be employed and have been registered at the local government service agencies to apply for a job.

## □ Registered Urban Unemployment Rate

Registered unemployment rate in urban areas refers to the ratio of the number of the registered unemployed persons to the sum of the number of the person employed in various units and in private enterprises in urban areas, urban selfemployed individuals and the registered urban unemployed persons. The formula is as follows:

Registered urban unemployment rate = 100% × (number of registered urban unemployed persons)/(number of persons employed in urban units + number of persons employed in urban private enterprises + and selfemployed individual in urban Areas + number of registered urban unemployed persons)

## □ Staff and Workers

refer to the persons who work in (and receive payment therefrom) enterprises and institutions of state ownership, collective ownership , joint ownership , share holding , foreign ownership, and ownership by entrepreneurs from Hong Kong, Macao, and Taiwan , and other types of ownership and their affiliated units, excluding the retired persons invited to work in the units again, teachers in the schools run by the local people and foreigners and persons coming from Hong Kong, Macao and Taiwan and working in the state – owned economic units. (Number of staff and workers in this yearbook include only fully employed staff and worker, excluding those who have left their working units while keeping their labour contract employment relation unchanged).

## □ Staff and Workers in State – owned Economic Units

refer to the person who work in the state – owned economic units or their attached units and are listed in their payrolls.

## □ Staff and Workers in Collective Owned Units

refer to the persons who work in collective owned units in urban areas and their administration departments and recieve payment therefrom.

## □ Staff and Workers in Units of Other types of Ownership

refer to those who work in(and receive payment therefrom) enterprises and institutions of joint ownership, share holding, foreign ownership, and ownership by enterpreneurs from Hong Kong, Macao and Taiwan.

## □ Fully Employed Staff and Workers

refers to persons who work in, and receive wages from their working units, as well.

浙江统计年鉴 2009

ZHEJIANG STATISTICAL YEARBOOK

CHAPTER 3

# 固定资产投资

Investment in Fixed Assets

## 3-1 全社会固定资产投资(1978-2008年)
## Total Investment in Fixed Assets(1978-2008)

单位:亿元(100 million yuan)

| 年 份<br>Year | 全社会投资<br>Total Investment | 总计中:<br>限额以上投资<br>Investment Above Designated Size | 投资项目投资<br>Investment In Projects | 房地产开发投资<br>Real Estate Development |
|---|---|---|---|---|
| 1978 | 23.23 | | | |
| 1979 | 26.11 | | | |
| 1980 | 33.25 | | | |
| 1981 | 34.16 | | | |
| 1982 | 41.72 | | | |
| 1983 | 44.04 | | | |
| 1984 | 64.89 | | | |
| 1985 | 102.20 | | | |
| 1986 | 127.39 | | | |
| 1987 | 156.20 | | | |
| 1988 | 188.95 | | | |
| 1989 | 179.49 | | | |
| 1990 | 186.96 | | | 9.54 |
| 1991 | 239.75 | | | 11.73 |
| 1992 | 361.18 | | | 24.23 |
| 1993 | 683.83 | | | 93.15 |
| 1994 | 1006.39 | | | 155.82 |
| 1995 | 1357.90 | | | 246.38 |
| 1996 | 1617.53 | | | 243.54 |
| 1997 | 1694.57 | | | 215.44 |
| 1998 | 1847.93 | | | 226.69 |
| 1999 | 1886.04 | | | 271.99 |
| 2000 | 2267.22 | | | 362.18 |
| 2001 | 2776.69 | | | 544.91 |
| 2002 | 3596.31 | | | 728.80 |
| 2003 | 4993.57 | 4180.38 | 3200.33 | 980.05 |
| 2004 | 6059.78 | 5384.38 | 4031.31 | 1353.07 |
| 2005 | 6696.25 | 6138.39 | 4681.90 | 1456.49 |
| 2006 | 7593.66 | 6964.28 | 5390.01 | 1574.28 |
| 2007 | 8420.43 | 7704.90 | 5883.23 | 1821.67 |
| 2008 | 9323.00 | 8550.71 | 6527.59 | 2023.12 |

## 3-2 全社会固定资产投资和房屋建筑面积(2001-2008年)
Total Investment in Fixed Assets and Floor Space of Buildings(2001-2008)

| 指 标 | Item | 2001 | 2002 | 2003 | 2004 | 2005 | 2006 | 2007 | 2008 |
|---|---|---|---|---|---|---|---|---|---|
| **投资总额(亿元)** | **Total Investment (100 million yuan)** | **2776.69** | **3596.31** | **4993.57** | **6059.78** | **6696.25** | **7593.66** | **8420.43** | **9323.00** |
| **城镇以上投资** | **Investment at Town Level and Above** | **1957.75** | **2364.95** | **3182.09** | **4056.6** | **4809.5** | **5432.71** | **5996.93** | **6551.10** |
| **农村投资** | **Rural Investment** | **818.94** | **1231.36** | **1811.48** | **2003.18** | **1886.76** | **2160.95** | **2423.5** | **2771.90** |
| 农户投资 | Peasant Household | 191.57 | 201.49 | 211.39 | 232 | 254.2 | 312.67 | 328.3 | 396.35 |
| 非农户投资 | Non-peasant Household | 627.37 | 1029.87 | 1600.09 | 1771.18 | 1632.56 | 1848.28 | 2095.2 | 2375.55 |
| **按构成分** | **by Structure** | | | | | | | | |
| 建筑安装工程 | Construction and Installation | 1582.03 | 1968.09 | 2665.83 | 3320.65 | 3867.51 | 4338.96 | 4644.26 | 5332.22 |
| 设备工器具购置 | Purchase of Equipment and Instruments | 675.17 | 878.99 | 1197.03 | 1569.47 | 1598.66 | 1785.46 | 1982.14 | 2122.52 |
| 其他费用 | Others | 519.8 | 749.23 | 1130.71 | 1169.67 | 1230.08 | 1469.24 | 1794.03 | 1868.26 |
| **总投资中:住宅投资** | **Residential Buildings** | **582.58** | **777.25** | **968.54** | **1270.73** | **1376.15** | **1458.63** | **1685.07** | **1883.63** |
| **房屋建筑面积(万平方米)** | **Floor Space of Buildings(10000 sq. m)** | | | | | | | | |
| 施工面积 | Floor Space under Construction | 17817.67 | 22287.56 | 31213.37 | 34458.66 | 36678.31 | 40963.31 | 46774.8 | 50976.89 |
| #住宅 | Residential Buildings | 9516.92 | 11061.61 | 13584.14 | 16474.85 | 17378.98 | 18263.7 | 19719.69 | 20850.82 |
| 竣工面积 | Floor Space Completed | 9583.27 | 12365.31 | 16019.71 | 16541.4 | 14987.52 | 14924.94 | 16373.21 | 18233.63 |
| #住宅 | Residential Buildings | 5450.94 | 5991.46 | 6793.84 | 6625.78 | 7286.72 | 7197.72 | 7760.96 | 8490.18 |

## 3-3 限额以上固定资产投资完成情况(2004-2008 年)
Investment In Fixed Assets Above Designated Size(2004-2008)

单位:万元(10000 yuan)

| 指　标 | Item | 2004 | 2005 | 2006 | 2007 | 2008 |
|---|---|---|---|---|---|---|
| **投资额** | **Total Investment** | **53843784** | **61383891** | **69642812** | **77049017** | **85507062** |
| 投资项目 | Projects | 40313069 | 46819006 | 53900056 | 58832327 | 65275885 |
| 房地产开发 | Real Estate Development | 13530715 | 14564885 | 15742756 | 18216690 | 20231177 |
| **按登记注册类型分** | **by Registered Type** | | | | | |
| 内资 | Domestic Funds | 47474336 | 53440502 | 60039996 | 66363733 | 73756466 |
| 国有 | State-owned | 14064393 | 16323618 | 17916646 | 18206864 | 19815623 |
| 集体 | Collective Owned | 970090 | 1024168 | 1368049 | 1350079 | 1567198 |
| 股份合作 | Share-cooperations | 572499 | 464459 | 433555 | 311303 | 265500 |
| 国有联营 | State Joint | 60205 | 187463 | 292758 | 375164 | 233780 |
| 集体联营 | Collective Joint | 8440 | 20044 | 6931 | 6216 | 8201 |
| 国有与集体联营 | State-collective Joint | 22399 | 38415 | 29892 | 27801 | 39142 |
| 其他联营 | Other Joint | 22376 | 10816 | 23528 | 19517 | 5055 |
| 国有独资公司 | State Sole Funds | 995298 | 1081250 | 1563397 | 1648740 | 1954491 |
| 其他有限责任公司 | Other Limited Liability Corporations | 16964343 | 19102752 | 20242350 | 22160915 | 25255256 |
| 股份有限公司 | Share-holding Corporations Ltd. | 2654395 | 2622824 | 2507488 | 2794641 | 3581851 |
| 私营 | Private | 10692337 | 11698328 | 14774633 | 18373320 | 19604954 |
| 其他 | Others | 447561 | 866365 | 880769 | 1089173 | 1425415 |
| 港澳台商投资 | Investment from HongKong, Macao and Taiwan | 2598041 | 3421947 | 3947373 | 5040047 | 5748215 |
| 外商投资 | Investment from Foreign | 3732231 | 4449566 | 5509868 | 5553520 | 5835723 |
| 个体经营 | Individual | 39176 | 71876 | 145575 | 91717 | 166658 |
| **按国有及非国有情况分** | **by State and Non-state Owned** | | | | | |
| 国有及国有控股企业投资 | State-owned and State-holding | 19565572 | 22703019 | 25354985 | 26598096 | 28987458 |
| 非国有投资 | Non-state-owned | 34278212 | 38680872 | 44287827 | 50450921 | 56519604 |
| #民间投资 | Nongovernmental | 28590497 | 31681691 | 36944948 | 41383799 | 46604929 |

3-3 续表 continued 单位:万元(10000 yuan)

| 指 标 | Item | 2004 | 2005 | 2006 | 2007 | 2008 |
|---|---|---|---|---|---|---|
| **按构成分** | **by Structure** | | | | | |
| 建筑工程 | Construction | 27815350 | 32095690 | 35991747 | 38322194 | 43603631 |
| 安装工程 | Installation | 2540370 | 3345179 | 3824122 | 4039508 | 4782241 |
| 设备工器具购置 | Purchase of Equipment and Instruments | 11988201 | 14148381 | 15686952 | 17197507 | 18777560 |
| #购置旧设备 | Purchase of Old Equipment | 158163 | 71781 | 39708 | 30500 | 50783 |
| 用于更新的设备 | Renewal of Equipment | 1359020 | 1553495 | 1605074 | 2202597 | 2571391 |
| 其他费用 | Others | 11499863 | 11794641 | 14139991 | 17489808 | 18343630 |
| #旧建筑物购置费 | Purchase of Old Buildings | 198361 | 131343 | 234821 | 67315 | 87820 |
| 土地购置费 | Purchase of Land | 7145954 | 7204360 | 8766877 | 11038000 | 10627604 |
| 施工项目个数(个) | Projects under Construction(unit) | 18407 | 20715 | 23392 | 24409 | 26323 |
| 全投项目个数(个) | Projects Completed and Put into Use(unit) | 8026 | 10246 | 10348 | 9243 | 10729 |
| 施工房屋面积(平方米) | Floor Space under Construction (sq. m) | 285168258 | 317719915 | 356371436 | 410303555 | 446562673 |
| 竣工房屋面积(平方米) | Floor Space Completed(sq. m) | 93612099 | 106439028 | 102471650 | 111633593 | 125675171 |
| 新增固定资产 | Newly Increased Fixed Assets | 30299424 | 37840183 | 40040021 | 42935406 | 48249716 |
| **资金来源合计** | **Source of Funds** | **66021411** | **72277026** | **84713949** | **98343669** | **106749552** |
| 上年末结余资金 | Funds Surplus Last Year | 4714823 | 5938024 | 6509562 | 7395803 | 10079929 |
| 本年资金来源小计 | Funds This Year | 61306588 | 66339002 | 78204387 | 90947866 | 96669623 |
| #国家预算内资金 | State Budgetary Appropriations | 798054 | | | 1807171 | 3287429 |
| 国内贷款 | Domestic Loans | 14513410 | 14339951 | 15551648 | 16869548 | 18064324 |
| 债券 | Debenture | 68158 | | | 26712 | 7416 |
| 利用外资 | Foreign Investment | 2218142 | 3315031 | 3862122 | 3159294 | 2995644 |
| 自筹资金 | Fundraising | 29579056 | 34767612 | 41964250 | 48795967 | 54641587 |
| 其他资金 | Others | 14129768 | 12622441 | 15508225 | 20289174 | 17673223 |

## 3-4 限额以上分行业施工和投产项目个数
Number of Projects Under Construction and Put Into Use Above Designated Size by Sector

| 指标 | Item | 施工项目个数（个）Projects Under Construction (unit) | | 投产项目个数（个）Projects Completed and Put Into Use (unit) | | 项目建成投产率（%）Rate of Projects Completed and Put Into Use (%) | |
|---|---|---|---|---|---|---|---|
| | | 2007 | 2008 | 2007 | 2008 | 2007 | 2008 |
| **总计** | **Total** | **24409** | **26323** | **9243** | **10729** | **37.9** | **40.8** |
| 第一产业 | Primary Industry | 176 | 215 | 83 | 99 | 47.2 | 46.0 |
| 第二产业 | Secondary Industry | 18607 | 19180 | 7320 | 8080 | 39.3 | 42.1 |
| 第三产业 | Tertiary Industry | 5626 | 6928 | 1840 | 2550 | 32.7 | 36.8 |
| **按国民经济行业分组** | **by Sector** | | | | | | |
| **农林牧渔业** | **Farming, Forestry, Animal Husbandry and Fishery** | **176** | **215** | **83** | **99** | **47.2** | **46.0** |
| 农业 | Farming | 43 | 40 | 24 | 17 | 55.8 | 42.5 |
| 林业 | Forestry | 14 | 14 | 5 | 2 | 35.7 | 14.3 |
| 畜牧业 | Animal Husbandry | 22 | 38 | 7 | 18 | 31.8 | 47.4 |
| 渔业 | Fishery | 18 | 12 | 16 | 6 | 88.9 | 50.0 |
| 农、林、牧、渔服务业 | Services | 79 | 111 | 31 | 56 | 39.2 | 50.5 |
| **采矿业** | **Mining and Quarrying** | **63** | **56** | **36** | **35** | **57.1** | **62.5** |
| 煤炭采选业 | Coal Mining and Dressing | 2 | 2 | 1 | 2 | 50 | 100.0 |
| 黑色金属矿采选业 | Ferrous Metals Mining and Dressing | 1 | 2 | | 1 | | 50.0 |
| 有色金属矿采选业 | Nonferrous Metals Mining and Dressing | 7 | 6 | 5 | 1 | 71.4 | 16.7 |
| 非金属矿采选业 | Nonmetal Minerals and Dressing | 52 | 45 | 30 | 31 | 57.7 | 68.9 |
| 其他矿采选业 | Others | 1 | 1 | | | | |
| **制造业** | **Manufacturing** | **17467** | **17798** | **6843** | **7413** | **39.2** | **41.7** |
| 农副食品加工业 | Non-staple Food Processing | 239 | 245 | 127 | 98 | 53.1 | 40.0 |
| 食品制造业 | Food Manufacturing | 179 | 184 | 64 | 67 | 35.8 | 36.4 |
| 饮料制造业 | Beverage Manufacturing | 116 | 131 | 34 | 61 | 29.3 | 46.6 |
| 烟草加工业 | Tobacco Processing | 1 | | 1 | | 100 | |
| 纺织业 | Textile Industry | 2173 | 2108 | 884 | 1002 | 40.7 | 47.5 |
| 纺织服装、鞋、帽制造业 | Garments, Shoes and Hats Manufacturing | 1060 | 868 | 416 | 338 | 39.2 | 38.9 |
| 皮革、毛皮、羽毛(绒)及其制造业 | Leather, Furs, Feather and Related Products | 541 | 502 | 189 | 197 | 34.9 | 39.2 |
| 木材加工及竹、藤、棕、草制品业 | Timber Processing, Bamboo, Cane, Palm Fiber and Straw Products | 280 | 305 | 122 | 190 | 43.6 | 62.3 |
| 家具制造业 | Furniture Manufacturing | 363 | 363 | 134 | 171 | 36.9 | 47.1 |
| 造纸及纸制品业 | Papermaking and Paper Products | 357 | 370 | 176 | 165 | 49.3 | 44.6 |

3－4 续表1 continued

| 指 标 | Item | 施工项目个数（个）Projects Under Construction (unit) | | 投产项目个数（个）Projects Completed and Put Into Use (unit) | | 项目建成投产率(%) Rate of Projects Completed and Put Into Use (%) | |
|---|---|---|---|---|---|---|---|
| | | 2007 | 2008 | 2007 | 2008 | 2007 | 2008 |
| 印刷业、记录媒介的复制 | Printing and Record Medium Reproduction | 243 | 268 | 102 | 102 | 42 | 38.1 |
| 文教体育用品制造业 | Cultural, Educational and Sports Goods | 367 | 352 | 137 | 117 | 37.3 | 33.2 |
| 石油加工、炼焦及核燃料加工业 | Petroleum Processing, Cooking and Nuclear Fuel Processing | 44 | 46 | 10 | 20 | 22.7 | 43.5 |
| 化学原料及化学制品制造业 | Raw Chemical Materials and Chemical Products | 711 | 767 | 258 | 311 | 36.3 | 40.5 |
| 医药制造业 | Medical and Pharmaceutical Products | 268 | 267 | 88 | 84 | 32.8 | 31.5 |
| 化学纤维制造业 | Chemical Fiber | 164 | 165 | 76 | 77 | 46.3 | 46.7 |
| 橡胶制品业 | Rubber Products | 183 | 205 | 56 | 62 | 30.6 | 30.2 |
| 塑料制品业 | Plastic Products | 841 | 861 | 350 | 353 | 41.6 | 41.0 |
| 非金属矿物制品业 | Nonmetal Mineral Products | 587 | 614 | 254 | 281 | 43.3 | 45.8 |
| 黑色金属冶炼及压延加工业 | Smelting and Pressing of Ferrous Metals | 190 | 204 | 76 | 83 | 40 | 40.7 |
| 有色金属冶炼及压延加工业 | Smelting and Pressing of Nonferrous Metals | 166 | 196 | 65 | 82 | 39.2 | 41.8 |
| 金属制品业 | Metal Products | 1265 | 1397 | 437 | 539 | 34.5 | 38.6 |
| 通用设备制造业 | Equipment in Common Use | 2037 | 2126 | 830 | 864 | 40.7 | 40.6 |
| 专用设备制造业 | Equipment for Special Purpose | 855 | 910 | 312 | 372 | 36.5 | 40.9 |
| 交通运输设备制造业 | Transportation Equipment | 1280 | 1430 | 435 | 533 | 34 | 37.3 |
| 电气机械及器材制造业 | Electric Equipment and Machinery | 1511 | 1516 | 668 | 696 | 44.2 | 45.9 |
| 通信设备、计算机及其他电子设备制造业 | Telecommunications Equipment, Computer and Other Electronic Equipment | 477 | 481 | 190 | 201 | 39.8 | 41.8 |
| 仪器仪表及文化、办公用机械制造业 | Instruments, Meters, Cultural and Office Machinery | 269 | 277 | 82 | 129 | 30.5 | 46.6 |
| 工艺品及其他制造业 | Handicraft Article and Other Manufacturing Industry | 660 | 591 | 251 | 189 | 38 | 32.0 |
| 废弃资源和废旧材料回收加工业 | Recovery of Resource Discarded and Useless Material | 40 | 49 | 19 | 29 | 47.5 | 59.2 |
| **电力、燃气及水的生产和供应业** | **Production and Supply of Electricity, Gas and Water** | **989** | **1200** | **421** | **584** | **42.6** | **48.7** |
| 电力、热力的生产和供应 | Production and Supply of Electricity and Heating Power | 625 | 782 | 310 | 444 | 49.6 | 56.8 |
| 燃气生产和供应业 | Production and Supply of Gas | 31 | 42 | 8 | 10 | 25.8 | 23.8 |
| 水的生产和供应业 | Production and Supply of Water | 333 | 376 | 103 | 130 | 30.9 | 34.6 |
| **建筑业** | **Construction** | 88 | 126 | 20 | 48 | 22.7 | 38.1 |
| 房屋和土木工程建筑业 | Civil Engineering | 78 | 108 | 18 | 38 | 23.1 | 35.2 |

3－4　续表2　continued

| 指　标 | Item | 施工项目个数（个） Projects Under Construction (unit) | | 投产项目个数（个） Projects Completed and Put Into Use (unit) | | 项目建成投产率(%) Rate of Projects Completed and Put Into Use (%) | |
|---|---|---|---|---|---|---|---|
| | | 2007 | 2008 | 2007 | 2008 | 2007 | 2008 |
| 建筑安装业 | Installation | 3 | 5 | | 4 | | 80.0 |
| 建筑装饰业 | Decoration | 2 | 4 | 1 | 2 | 50 | 50.0 |
| 其他建筑业 | Other Construction | 5 | 9 | 1 | 4 | 20 | 44.4 |
| **交通运输、仓储和邮政业** | **Transport, Storage and Postal Services** | **931** | **1105** | **366** | **537** | **39.3** | **48.6** |
| 铁路运输业 | Railway Transport | 18 | 22 | | 2 | | 9.1 |
| 道路运输业 | Highway Transport | 689 | 645 | 302 | 289 | 43.8 | 44.8 |
| 城市公共交通业 | City Public Transport | 21 | 24 | 6 | 6 | 28.6 | 25.0 |
| 水上运输业 | Waterway Transport | 94 | 297 | 22 | 212 | 23.4 | 71.4 |
| 航空运输业 | Air Transport | 14 | 12 | 2 | 2 | 14.3 | 16.7 |
| 管道运输业 | Pipeline Transport | 2 | 4 | 1 | 1 | 50 | 25.0 |
| 装卸搬运和其他运输服务业 | Carrying and Other Transport Services | 10 | 8 | 4 | 2 | 40 | 25.0 |
| 仓储业 | Storage | 74 | 84 | 25 | 22 | 33.8 | 26.2 |
| 邮政业 | Postal Services | 9 | 9 | 4 | 1 | 44.4 | 11.1 |
| **信息传输、计算机服务和软件业** | **Information Transmission, Computer Services and Software** | **101** | **364** | **39** | **185** | **38.6** | **50.8** |
| 电信和其他信息传输服务业 | Telecommunication and Other Information Transmission Services | 79 | 337 | 37 | 184 | 46.8 | 54.6 |
| 计算机服务业 | Computer Services | | 1 | | | | |
| 软件业 | Software | 22 | 26 | 2 | 1 | 9.1 | 3.8 |
| **批发和零售业** | **Wholesale and Retail Trade** | **316** | **422** | **131** | **174** | **41.5** | **41.2** |
| 批发业 | Wholesale Trade | 145 | 175 | 47 | 52 | 32.4 | 29.7 |
| 零售业 | Retail Trade | 171 | 247 | 84 | 122 | 49.1 | 49.4 |
| **住宿和餐饮业** | **Hotels and Catering Services** | **227** | **235** | **96** | **99** | **42.3** | **42.1** |
| 住宿业 | Hotels | 156 | 143 | 55 | 44 | 35.3 | 30.8 |
| 餐饮业 | Catering Services | 71 | 92 | 41 | 55 | 57.7 | 59.8 |
| **金融业** | **Finance** | **29** | **39** | **11** | **11** | **37.9** | **28.2** |
| 银行业 | Bank | 29 | 36 | 11 | 9 | 37.9 | 25.0 |
| 保险业 | Insurance | | 1 | | | | |
| 其他金融活动 | Other Financial Activities | | 2 | | 2 | | 100.0 |
| **房地产业** | **Real Estate** | **399** | **517** | **110** | **163** | **27.6** | **31.5** |
| 房地产业 | Real Estate | 399 | 517 | 110 | 163 | 27.6 | 31.5 |
| **租赁和商务服务业** | **Leasing and Commercial Services** | **157** | **180** | **25** | **59** | **15.9** | **32.8** |
| 租赁业 | Leasing | 2 | 3 | | 1 | | 33.3 |

3-4 续表3 continued

| 指 标 | Item | 施工项目个数(个) Projects Under Construction (unit) | | 投产项目个数(个) Projects Completed and Put Into Use (unit) | | 项目建成投产率(%) Rate of Projects Completed and Put Into Use (%) | |
|---|---|---|---|---|---|---|---|
| | | 2007 | 2008 | 2007 | 2008 | 2007 | 2008 |
| 商务服务业 | Commercial Services | 155 | 177 | 25 | 58 | 16.1 | 32.8 |
| **科学研究、技术服务和地质勘查业** | **Scientific Research, Technic Services and Geological Prospecting** | **70** | **87** | **15** | **29** | **21.4** | **33.3** |
| 研究与试验发展 | Research and Experiment Development | 14 | 15 | 5 | 3 | 35.7 | 20.0 |
| 专业技术服务业 | Technical Services | 43 | 56 | 7 | 21 | 16.3 | 37.5 |
| 科技交流和推广服务业 | Scientific and Technical Interchange and Popularization | 11 | 15 | 2 | 5 | 18.2 | 33.3 |
| 地质勘查业 | Geological Prospecting | 2 | 1 | 1 | | 50 | |
| **水利、环境和公共设施管理业** | **Water Conservancy, Environment and Public Facilities Management** | **2085** | **2539** | **618** | **806** | **29.6** | **31.7** |
| 水利管理业 | Water Conservancy | 336 | 410 | 103 | 125 | 30.7 | 30.5 |
| 环境管理业 | Environment | 158 | 190 | 62 | 78 | 39.2 | 41.1 |
| 公共设施管理业 | Public Facilities | 1591 | 1939 | 453 | 603 | 28.5 | 31.1 |
| **居民服务和其他服务业** | **Resident Services and Other Services** | **44** | **35** | **21** | **16** | **47.7** | **45.7** |
| 居民服务业 | Resident Services | 33 | 27 | 17 | 11 | 51.5 | 40.7 |
| 其他服务业 | Other Services | 11 | 8 | 4 | 5 | 36.4 | 62.5 |
| **教育** | **Education** | **477** | **524** | **155** | **190** | **32.5** | **36.3** |
| 教育 | Education | 477 | 524 | 155 | 190 | 32.5 | 36.3 |
| **卫生、社会保障和社会福利业** | **Health Care, Social Security and Social Welfare** | **234** | **238** | **69** | **76** | **29.5** | **31.9** |
| 卫生 | Health Care | 167 | 174 | 46 | 47 | 27.5 | 27.0 |
| 社会福利业 | Social Welfare | 64 | 63 | 22 | 29 | 34.4 | 46.0 |
| **文化、体育和娱乐业** | **Culture, Sports and Recreation** | **190** | **201** | **67** | **64** | **35.3** | **31.8** |
| 新闻出版业 | Press Publishing | 3 | 3 | 1 | 1 | 33.3 | 33.3 |
| 广播、电视、电影和音像业 | Radio, Film, Television and Audio-video | 13 | 12 | 6 | 3 | 46.2 | 25.0 |
| 文化艺术业 | Culture and Arts | 89 | 109 | 30 | 31 | 33.7 | 28.4 |
| 体育 | Sports | 39 | 37 | 10 | 9 | 25.6 | 24.3 |
| 娱乐业 | Recreation | 46 | 40 | 20 | 20 | 43.5 | 50.0 |
| **公共管理和社会组织** | **Public Management and Social Organization** | **366** | **442** | **117** | **141** | **32** | **31.9** |
| 中国共产党机关 | Communist Party Agencies | 3 | 3 | 1 | | 33.3 | |
| 国家机构 | Government Agencies | 289 | 340 | 90 | 93 | 31.1 | 27.4 |
| 人民政协和民主党派 | The Chinese People's Political Consultative Conference and Democratic Parties | 2 | 1 | 1 | | 50 | |
| 群众团体、社会团体和宗教组织 | Mass Organizations, Social Organizations and Religion Organizations | 20 | 28 | 8 | 12 | 40 | 42.9 |
| 基层群众自治组织 | Mass Grassroot Organizations | 52 | 70 | 17 | 36 | 32.7 | 51.4 |

# 3-5 限额以上分行业投资和新增固定资产
Investment and Newly Increased Fixed Assets Above Designated Size by Sector

| 指 标 | Item | 投资额（万元）Investment (10000 yuan) | | 新增固定资产（万元）Newly Increased Fixed Assets (10000 yuan) | | 固定资产交付使用率（%）Rate of Fixed Put Into Use (%) | |
|---|---|---|---|---|---|---|---|
| | | 2007 | 2008 | 2007 | 2008 | 2007 | 2008 |
| **总计** | **Total** | **77049017** | **85507062** | **42935406** | **48249716** | **55.7** | **56.4** |
| 第一产业 | Primary Industry | 330179 | 360715 | 177947 | 197256 | 53.9 | 54.7 |
| 第二产业 | Secondary Industry | 36185904 | 39389553 | 22325647 | 23849072 | 61.7 | 60.5 |
| 第三产业 | Tertiary Industry | 40532934 | 45756794 | 20431812 | 24203388 | 50.4 | 52.9 |
| **按国民经济行业分组** | **by Sector** | | | | | | |
| **农林牧渔业** | **Farming, Forestry, Animal Husbandry and Fishery** | **330179** | **360715** | **177947** | **197256** | **53.9** | **54.7** |
| 农业 | Farming | 80586 | 72612 | 33426 | 27800 | 41.5 | 38.3 |
| 林业 | Forestry | 11692 | 9617 | 5185 | 4780 | 44.3 | 49.7 |
| 畜牧业 | Animal Husbandry | 20565 | 49222 | 10496 | 39709 | 51 | 80.7 |
| 渔业 | Fishery | 19383 | 21517 | 19649 | 14196 | 101.4 | 66.0 |
| 农、林、牧、渔服务业 | Services | 197953 | 207747 | 109191 | 110771 | 55.2 | 53.3 |
| **采矿业** | **Mining and Quarrying** | **101210** | **91715** | **85595** | **53686** | **84.6** | **58.5** |
| 煤炭采选业 | Coal Mining and Dressing | 1100 | 1380 | 1100 | 1980 | 100 | 143.5 |
| 黑色金属矿采选业 | Ferrous Metals Mining and Dressing | 340 | 2360 | 340 | 1500 | 100 | 63.6 |
| 有色金属矿采选业 | Nonferrous Metals Mining and Dressing | 9008 | 6176 | 8164 | 1455 | 90.6 | 23.6 |
| 非金属矿采选业 | Nonmetal Minerals and Dressing | 89562 | 81599 | 75991 | 48751 | 84.8 | 59.7 |
| 其他矿采选业 | Others | 1200 | 200 | | | | |
| **制造业** | **Manufacturing** | **30259162** | **34027081** | **18628972** | **21209779** | **61.6** | **62.3** |
| 农副食品加工业 | Non-staple Food Processing | 277346 | 360216 | 218446 | 184945 | 78.8 | 51.3 |
| 食品制造业 | Food Manufacturing | 301085 | 373006 | 165144 | 162232 | 54.8 | 43.5 |
| 饮料制造业 | Beverage Manufacturing | 318618 | 393227 | 154310 | 241795 | 48.4 | 61.5 |
| 烟草加工业 | Tobacco Processing | 6919 | 4291 | 11921 | 4291 | 172.3 | 100.0 |
| 纺织业 | Textile Industry | 3610760 | 3369519 | 2431997 | 2641202 | 67.4 | 78.4 |
| 纺织服装、鞋、帽制造业 | Garments, Shoes and Hats Manufacturing | 1535076 | 1360195 | 896446 | 870925 | 58.4 | 64.0 |
| 皮革、毛皮、羽毛(绒)及其制造业 | Leather, Furs, Feather and Related Products | 590412 | 525407 | 355291 | 399369 | 60.2 | 76.0 |
| 木材加工及竹、藤、棕、草制品业 | Timber Processing, Bamboo, Cane, Palm Fiber and Straw Products | 391645 | 400336 | 249201 | 280212 | 63.6 | 70.0 |
| 家具制造业 | Furniture Manufacturing | 576833 | 553658 | 444335 | 407635 | 77 | 73.6 |
| 造纸及纸制品业 | Papermaking and Paper Products | 740436 | 890416 | 661480 | 552527 | 89.3 | 62.1 |

3-5 续表1 continued

| 指 标 | Item | 投资额（万元）Investment (10000 yuan) 2007 | 2008 | 新增固定资产（万元）Newly Increased Fixed Assets (10000 yuan) 2007 | 2008 | 固定资产交付使用率（%）Rate of Fixed Put Into Use (%) 2007 | 2008 |
|---|---|---|---|---|---|---|---|
| 印刷业、记录媒介的复制 | Printing and Record Medium Reproduction | 366212 | 377188 | 203296 | 244390 | 55.5 | 64.8 |
| 文教体育用品制造业 | Cultural, Educational and Sports Goods | 399206 | 452578 | 279081 | 232250 | 69.9 | 51.3 |
| 石油加工、炼焦及核燃料加工业 | Petroleum Processing, Cooking and Nuclear Fuel Processing | 150469 | 126504 | 21801 | 120621 | 14.5 | 95.3 |
| 化学原料及化学制品制造业 | Raw Chemical Materials and Chemical Products | 1853806 | 2683657 | 1519798 | 1450216 | 82 | 54.0 |
| 医药制造业 | Medical and Pharmaceutical Products | 520682 | 527555 | 279422 | 285245 | 53.7 | 54.1 |
| 化学纤维制造业 | Chemical Fiber | 755132 | 818231 | 416317 | 635821 | 55.1 | 77.7 |
| 橡胶制品业 | Rubber Products | 311655 | 286268 | 118209 | 125758 | 37.9 | 43.9 |
| 塑料制品业 | Plastic Products | 1044888 | 1236734 | 655779 | 764388 | 62.8 | 61.8 |
| 非金属矿物制品业 | Nonmetal Mineral Products | 1133593 | 1338383 | 643249 | 819505 | 56.7 | 61.2 |
| 黑色金属冶炼及压延加工业 | Smelting and Pressing of Ferrous Metals | 794877 | 820338 | 289247 | 319233 | 36.4 | 38.9 |
| 有色金属冶炼及压延加工业 | Smelting and Pressing of Nonferrous Metals | 384775 | 486829 | 203272 | 345131 | 52.8 | 70.9 |
| 金属制品业 | Metal Products | 1861671 | 2117768 | 1185705 | 1235522 | 63.7 | 58.3 |
| 通用设备制造业 | Equipment in Common Use | 3090578 | 3370253 | 2014650 | 2224706 | 65.2 | 66.0 |
| 专用设备制造业 | Equipment for Special Purpose | 1347653 | 1566029 | 744097 | 929837 | 55.2 | 59.4 |
| 交通运输设备制造业 | Transportation Equipment | 2971854 | 4014884 | 1524099 | 1803444 | 51.3 | 44.9 |
| 电气机械及器材制造业 | Electric Equipment and Machinery | 2550072 | 2881388 | 1613131 | 1805138 | 63.3 | 62.6 |
| 通信设备、计算机及其他电子设备制造业 | Telecommunications Equipment, Computer and Other Electronic Equipment | 1141550 | 1416844 | 611601 | 1272547 | 53.6 | 89.8 |
| 仪器仪表及文化、办公用机械制造业 | Instruments, Meters, Cultural and Office Machinery | 393745 | 394140 | 205577 | 334007 | 52.2 | 84.7 |
| 工艺品及其他制造业 | Handicraft Article and Other Manufacturing Industry | 741069 | 776507 | 480927 | 459538 | 64.9 | 59.2 |
| 废弃资源和废旧材料回收加工业 | Recovery of Resource Discarded and Useless Material | 96545 | 104732 | 31143 | 57349 | 32.3 | 54.8 |
| **电力、燃气及水的生产和供应业** | **Production and Supply of Electricity, Gas and Water** | **5682920** | **5017376** | **3538411** | **2400113** | **62.3** | **47.8** |
| 电力、热力的生产和供应 | Production and Supply of Electricity and Heating Power | 4553617 | 3766192 | 3003929 | 1579422 | 66 | 41.9 |
| 燃气生产和供应业 | Production and Supply of Gas | 97125 | 118471 | 45517 | 53597 | 46.9 | 45.2 |
| 水的生产和供应业 | Production and Supply of Water | 1032178 | 1132713 | 488965 | 767094 | 47.4 | 67.7 |
| **建筑业** | **Construction** | **142612** | **253381** | **72669** | **185494** | **51** | **73.2** |
| 房屋和土木工程建筑业 | Civil Engineering | 130965 | 235098 | 70882 | 159640 | 54.1 | 67.9 |

3-5 续表2 continued

| 指　标 | Item | 投资额（万元）Investment（10000 yuan） | | 新增固定资产（万元）Newly Increased Fixed Assets（10000 yuan） | | 固定资产交付使用率（%）Rate of Fixed Put Into Use（%） | |
|---|---|---|---|---|---|---|---|
| | | 2007 | 2008 | 2007 | 2008 | 2007 | 2008 |
| 建筑安装业 | Installation | 2984 | 5306 | 172 | 6983 | 5.8 | 131.6 |
| 建筑装饰业 | Decoration | 526 | 3699 | 315 | 2947 | 59.9 | 79.7 |
| 其他建筑业 | Other Construction | 8137 | 9278 | 1300 | 15924 | 16 | 171.6 |
| **交通运输、仓储和邮政业** | **Transport, Storage and Postal Services** | **7219546** | **7408014** | **4084277** | **5369486** | **56.6** | **72.5** |
| 铁路运输业 | Railway Transport | 701729 | 481509 | 75680 | 106416 | 10.8 | 22.1 |
| 道路运输业 | Highway Transport | 4231179 | 3477162 | 3108892 | 3778723 | 73.5 | 108.7 |
| 城市公共交通业 | City Public Transport | 358341 | 594405 | 44011 | 107039 | 12.3 | 18.0 |
| 水上运输业 | Waterway Transport | 1364659 | 1654103 | 673815 | 1230181 | 49.4 | 74.4 |
| 航空运输业 | Air Transport | 63319 | 184825 | 20325 | 37280 | 32.1 | 20.2 |
| 管道运输业 | Pipeline Transport | 650 | 21313 | 150 | 1793 | 23.1 | 8.4 |
| 装卸搬运和其他运输服务业 | Carrying and Other Transport Services | 10625 | 3815 | 8327 | 960 | 78.4 | 25.2 |
| 仓储业 | Storage | 484459 | 976688 | 148845 | 102567 | 30.7 | 10.5 |
| 邮政业 | Postal Services | 4585 | 14194 | 4232 | 4527 | 92.3 | 31.9 |
| **信息传输、计算机服务和软件业** | **Information Transmission, Computer Services and Software** | **1253531** | **1345793** | **399757** | **220727** | **31.9** | **16.4** |
| 电信和其他信息传输服务业 | Telecommunication and Other Information Transmission Services | 1187937 | 1259125 | 397082 | 203655 | 33.4 | 16.2 |
| 计算机服务业 | Computer Services | | 1052 | | | | |
| 软件业 | Software | 65594 | 85616 | 2675 | 17072 | 4.1 | 19.9 |
| **批发和零售业** | **Wholesale and Retail Trade** | **1405775** | **1506781** | **387382** | **597145** | **27.6** | **39.6** |
| 批发业 | Wholesale Trade | 768790 | 832097 | 193959 | 287245 | 25.2 | 34.5 |
| 零售业 | Retail Trade | 636985 | 674684 | 193423 | 309900 | 30.4 | 45.9 |
| **住宿和餐饮业** | **Hotels and Catering Services** | **984090** | **806179** | **529203** | **335916** | **53.8** | **41.7** |
| 住宿业 | Hotels | 686838 | 578347 | 420390 | 259653 | 61.2 | 44.9 |
| 餐饮业 | Catering Services | 297252 | 227832 | 108813 | 76263 | 36.6 | 33.5 |
| **金融业** | **Finance** | **94379** | **191824** | **84955** | **111971** | **90** | **58.4** |
| 银行业 | Bank | 94379 | 174762 | 84955 | 95573 | 90 | 54.7 |
| 保险业 | Insurance | | 7050 | | 6016 | | 85.3 |
| 其他金融活动 | Other Financial Activities | | 2110 | | 2480 | | 117.5 |
| **房地产业** | **Real Estate** | **19783742** | **22284957** | **10395600** | **12290825** | **52.5** | **55.2** |
| 房地产业 | Real Estate | 19783742 | 22284957 | 10395600 | 12290825 | 52.5 | 55.2 |
| **租赁和商务服务业** | **Leasing and Commercial Services** | **828898** | **929939** | **152065** | **372326** | **18.3** | **40.0** |
| 租赁业 | Leasing | 1245 | 2240 | | 1300 | | 58.0 |

3－5 续表3 continued

| 指 标 | Item | 投资额（万元）Investment（10000 yuan） | | 新增固定资产（万元）Newly Increased Fixed Assets（10000 yuan） | | 固定资产交付使用率(%) Rate of Fixed Put Into Use（%） | |
|---|---|---|---|---|---|---|---|
| | | 2007 | 2008 | 2007 | 2008 | 2007 | 2008 |
| 商务服务业 | Commercial Services | 827653 | 927699 | 152065 | 371026 | 18.4 | 40.0 |
| **科学研究、技术服务和地质勘查业** | **Scientific Research, Technic Services and Geological Prospecting** | **120362** | **240728** | **26640** | **110796** | **22.1** | **46.0** |
| 研究与试验发展 | Research and Experiment Development | 43751 | 94084 | 15887 | 14504 | 36.3 | 15.4 |
| 专业技术服务业 | Technical Services | 55841 | 104438 | 7943 | 62154 | 14.2 | 59.5 |
| 科技交流和推广服务业 | Scientific and Technical Interchange and Popularization | 20070 | 41306 | 1410 | 32738 | 7 | 79.3 |
| 地质勘查业 | Geological Prospecting | 700 | 900 | 1400 | 1400 | 200 | 155.6 |
| **水利、环境和公共设施管理业** | **Water Conservancy, Environment and Public Facilities Management** | **6437292** | **8166892** | **2705431** | **2983035** | **42** | **36.5** |
| 水利管理业 | Water Conservancy | 1242795 | 1342026 | 510938 | 457397 | 41.1 | 34.1 |
| 环境管理业 | Environment | 287975 | 398336 | 152646 | 212729 | 53 | 53.4 |
| 公共设施管理业 | Public Facilities | 4906522 | 6426530 | 2041847 | 2312909 | 41.6 | 36.0 |
| **居民服务和其他服务业** | **Resident Services and Other Services** | **49717** | **35798** | **36374** | **33159** | **73.2** | **92.6** |
| 居民服务业 | Resident Services | 29413 | 23158 | 25101 | 20704 | 85.3 | 89.4 |
| 其他服务业 | Other Services | 20304 | 12640 | 11273 | 12455 | 55.5 | 98.5 |
| **教育** | **Education** | **932877** | **1015424** | **685700** | **743597** | **73.5** | **73.2** |
| 教育 | Education | 932877 | 1015424 | 685700 | 743597 | 73.5 | 73.2 |
| **卫生、社会保障和社会福利业** | **Health Care, Social Security and Social Welfare** | **492690** | **559534** | **344830** | **453882** | **70** | **81.1** |
| 卫生 | Health Care | 425630 | 493777 | 310798 | 413359 | 73 | 83.7 |
| 社会福利业 | Social Welfare | 65777 | 65571 | 31530 | 40323 | 47.9 | 61.5 |
| **文化、体育和娱乐业** | **Culture, Sports and Recreation** | **347393** | **439530** | **216330** | **162888** | **62.3** | **37.1** |
| 新闻出版业 | Press Publishing | 4418 | 10452 | 7050 | 3650 | 159.6 | 34.9 |
| 广播、电视、电影和音像业 | Radio, Film, Television and Audio-video | 29282 | 22613 | 23891 | 15080 | 81.6 | 66.7 |
| 文化艺术业 | Culture and Arts | 164059 | 263840 | 105102 | 61590 | 64.1 | 23.3 |
| 体育 | Sports | 70471 | 83549 | 31779 | 40630 | 45.1 | 48.6 |
| 娱乐业 | Recreation | 79163 | 59076 | 48508 | 41938 | 61.3 | 71.0 |
| **公共管理和社会组织** | **Public Management and Social Organization** | **582642** | **825401** | **383268** | **417635** | **65.8** | **50.6** |
| 中国共产党机关 | Communist Party Agencies | 5916 | 10092 | 500 | | 8.5 | |
| 国家机构 | Government Agencies | 440728 | 660698 | 310370 | 317106 | 70.4 | 48.0 |
| 人民政协和民主党派 | The Chinese People's Political Consultative Conference and Democratic Parties | 9371 | 6000 | 1691 | | 18 | |
| 群众团体、社会团体和宗教组织 | Mass Organizations, Social Organizations and Religion Organizations | 43486 | 80565 | 14696 | 53552 | 33.8 | 66.5 |
| 基层群众自治组织 | Mass Grassroot Organizations | 83141 | 68046 | 56011 | 46977 | 67.4 | 69.0 |

# 3-6 限额以上分行业施工和竣工面积
## Floor Space of Buildings Under Construction and Completed Above Designated Size by Sector

| 指　标 | Item | 施工房屋面积（平方米）Floor Space of Buildings Under Construction (sq. m) | | 竣工房屋面积（平方米）Floor Space of Buildings Completed (sq. m) | | 房屋建筑面积竣工率(%) Rate of Floor Space of Buildings Completed(%) | |
|---|---|---|---|---|---|---|---|
| | | 2007 | 2008 | 2007 | 2008 | 2007 | 2008 |
| **总计** | **Total** | **410303555** | **446562673** | **111633593** | **125675171** | **27.2** | **28.1** |
| 第一产业 | Primary Industry | 653241 | 524877 | 126915 | 234256 | 19.4 | 44.6 |
| 第二产业 | Secondary Industry | 160910881 | 176471426 | 54235075 | 62643256 | 33.7 | 35.5 |
| 第三产业 | Tertiary Industry | 248739433 | 269566370 | 57271603 | 62797659 | 23 | 23.3 |
| **按国民经济行业分组** | **by Sector** | | | | | | |
| **农林牧渔业** | **Farming, Forestry, Animal Husbandry and Fishery** | **653241** | **524877** | **126915** | **234256** | **19.4** | **44.6** |
| 农业 | Farming | 31410 | 155810 | 5860 | 33250 | 18.7 | 21.3 |
| 林业 | Forestry | 1000 | | | | | |
| 畜牧业 | Animal Husbandry | 197681 | 235880 | 71841 | 114993 | 36.3 | 48.8 |
| 渔业 | Fishery | 42364 | 63474 | 40714 | 59824 | 96.1 | 94.2 |
| 农、林、牧、渔服务业 | Services | 380786 | 69713 | 8500 | 26189 | 2.2 | 37.6 |
| **采矿业** | **Mining and Quarrying** | **63542** | **48825** | **26027** | **30867** | **41** | **63.2** |
| 煤炭采选业 | Coal Mining and Dressing | 150 | 300 | 150 | 300 | 100 | 100.0 |
| 黑色金属矿采选业 | Ferrous Metals Mining and Dressing | | 5000 | | 5000 | | 100.0 |
| 有色金属矿采选业 | Nonferrous Metals Mining and Dressing | 11000 | 400 | 11000 | | 100 | |
| 非金属矿采选业 | Nonmetal Minerals and Dressing | 52392 | 43125 | 14877 | 25567 | 28.4 | 59.3 |
| 其他矿采选业 | Others | | | | | | |
| **制造业** | **Manufacturing** | **158454821** | **172635655** | **53639908** | **61449984** | **33.9** | **35.6** |
| 农副食品加工业 | Non-staple Food Processing | 2082472 | 2545234 | 787193 | 627201 | 37.8 | 24.6 |
| 食品制造业 | Food Manufacturing | 1461616 | 1949599 | 465523 | 463274 | 31.8 | 23.8 |
| 饮料制造业 | Beverage Manufacturing | 1416364 | 1573467 | 405447 | 646967 | 28.6 | 41.1 |
| 烟草加工业 | Tobacco Processing | | | | | | |
| 纺织业 | Textile Industry | 17125764 | 17753914 | 5688210 | 7903544 | 33.2 | 44.5 |
| 纺织服装、鞋、帽制造业 | Garments, Shoes and Hats Manufacturing | 11839501 | 11136622 | 3856234 | 4025912 | 32.6 | 36.2 |
| 皮革、毛皮、羽毛(绒)及其制造业 | Leather, Furs, Feather and Related Products | 7169453 | 7123898 | 1919193 | 2288697 | 26.8 | 32.1 |
| 木材加工及竹、藤、棕、草制品业 | Timber Processing, Bamboo, Cane, Palm Fiber and Straw Products | 1560345 | 1441936 | 696858 | 963535 | 44.7 | 66.8 |
| 家具制造业 | Furniture Manufacturing | 5208295 | 4361758 | 2282580 | 2123265 | 43.8 | 48.7 |
| 造纸及纸制品业 | Papermaking and Paper Products | 2994438 | 3097420 | 1122403 | 823801 | 37.5 | 26.6 |

3-6 续表1 continued

| 指 标 | Item | 施工房屋面积（平方米）Floor Space of Buildings Under Construction (sq. m) 2007 | 2008 | 竣工房屋面积（平方米）Floor Space of Buildings Completed (sq. m) 2007 | 2008 | 房屋建筑面积竣工率（%）Rate of Floor Space of Buildings Completed (%) 2007 | 2008 |
|---|---|---|---|---|---|---|---|
| 印刷业、记录媒介的复制 | Printing and Record Medium Reproduction | 1671815 | 2045256 | 550002 | 706335 | 32.9 | 34.5 |
| 文教体育用品制造业 | Cultural, Educational and Sports Goods | 3244019 | 3479143 | 1130487 | 1139463 | 34.8 | 32.8 |
| 石油加工、炼焦及核燃料加工业 | Petroleum Processing, Cooking and Nuclear Fuel Processing | 30643 | 43862 | 14291 | 11220 | 46.6 | 25.6 |
| 化学原料及化学制品制造业 | Raw Chemical Materials and Chemical Products | 5076917 | 5961540 | 1706106 | 2036775 | 33.6 | 34.2 |
| 医药制造业 | Medical and Pharmaceutical Products | 1902292 | 1868618 | 782251 | 644342 | 41.1 | 34.5 |
| 化学纤维制造业 | Chemical Fiber | 1554095 | 2230822 | 604520 | 875143 | 38.9 | 39.2 |
| 橡胶制品业 | Rubber Products | 962061 | 1094151 | 399463 | 292410 | 41.5 | 26.7 |
| 塑料制品业 | Plastic Products | 6064856 | 6220613 | 2569486 | 2533785 | 42.4 | 40.7 |
| 非金属矿物制品业 | Nonmetal Mineral Products | 3515565 | 3684256 | 1112673 | 1447868 | 31.6 | 39.3 |
| 黑色金属冶炼及压延加工业 | Smelting and Pressing of Ferrous Metals | 4069068 | 4899919 | 441163 | 568111 | 10.8 | 11.6 |
| 有色金属冶炼及压延加工业 | Smelting and Pressing of Nonferrous Metals | 1872385 | 2362550 | 476139 | 1072185 | 25.4 | 45.4 |
| 金属制品业 | Metal Products | 11061188 | 11650329 | 4038499 | 4037584 | 36.5 | 34.7 |
| 通用设备制造业 | Equipment in Common Use | 15579163 | 17275692 | 5892821 | 5997465 | 37.8 | 34.7 |
| 专用设备制造业 | Equipment for Special Purpose | 8316903 | 9237413 | 2392322 | 3238568 | 28.8 | 35.1 |
| 交通运输设备制造业 | Transportation Equipment | 13292257 | 15542471 | 3504750 | 4759988 | 26.4 | 30.6 |
| 电气机械及器材制造业 | Electric Equipment and Machinery | 14150000 | 18084666 | 5194283 | 6400080 | 36.7 | 35.4 |
| 通信设备、计算机及其他电子设备制造业 | Telecommunications Equipment, Computer and Other Electronic Equipment | 6054334 | 7413853 | 1939828 | 2342992 | 32 | 31.6 |
| 仪器仪表及文化、办公用机械制造业 | Instruments, Meters, Cultural and Office Machinery | 2905725 | 2946787 | 746187 | 1373673 | 25.7 | 46.6 |
| 工艺品及其他制造业 | Handicraft Article and Other Manufacturing Industry | 5770297 | 4823244 | 2770836 | 1851022 | 48 | 38.4 |
| 废弃资源和废旧材料回收加工业 | Recovery of Resource Discarded and Useless Material | **502990** | **786622** | **150160** | **254779** | **29.9** | **32.4** |
| **电力、燃气及水的生产和供应业** | **Production and Supply of Electricity, Gas and Water** | 1826034 | 2038229 | 468335 | 637077 | 25.6 | 31.3 |
| 电力、热力的生产和供应 | Production and Supply of Electricity and Heating Power | 1422971 | 1344529 | 369927 | 469341 | 26 | 34.9 |
| 燃气生产和供应业 | Production and Supply of Gas | 43524 | 46743 | 21015 | 9600 | 48.3 | 20.5 |
| 水的生产和供应业 | Production and Supply of Water | 359539 | 646957 | 77393 | 158136 | 21.5 | 24.4 |
| **建筑业** | **Construction** | 566484 | 1748717 | 100805 | 525328 | 17.8 | 30.0 |
| 房屋和土木工程建筑业 | Civil Engineering | 512471 | 1671292 | 94285 | 496200 | 18.4 | 29.7 |

3-6 续表2 continued

| 指 标 | Item | 施工房屋面积（平方米）Floor Space of Buildings Under Construction (sq. m) | | 竣工房屋面积（平方米）Floor Space of Buildings Completed (sq. m) | | 房屋建筑面积竣工率（%）Rate of Floor Space of Buildings Completed (%) | |
|---|---|---|---|---|---|---|---|
| | | 2007 | 2008 | 2007 | 2008 | 2007 | 2008 |
| 建筑安装业 | Installation | 17728 | 21328 | 2020 | 21328 | 11.4 | 100.0 |
| 建筑装饰业 | Decoration | 4500 | 23705 | | 300 | | 1.3 |
| 其他建筑业 | Other Construction | 31785 | 32392 | 4500 | 7500 | 14.2 | 23.2 |
| **交通运输、仓储和邮政业** | **Transport, Storage and Postal Services** | **1991065** | **3438706** | **506752** | **760668** | **25.5** | **22.1** |
| 铁路运输业 | Railway Transport | | 45463 | | | | |
| 道路运输业 | Highway Transport | 366590 | 765387 | 90902 | 202027 | 24.8 | 26.4 |
| 城市公共交通业 | City Public Transport | 57350 | 100221 | 850 | 18270 | 1.5 | 18.2 |
| 水上运输业 | Waterway Transport | 240224 | 307528 | 91384 | 57459 | 38 | 18.7 |
| 航空运输业 | Air Transport | 132078 | 222696 | 30172 | 84231 | 22.8 | 37.8 |
| 管道运输业 | Pipeline Transport | 6600 | 3000 | | | | |
| 装卸搬运和其他运输服务业 | Carrying and Other Transport Services | 37010 | 10510 | 300 | 300 | 0.8 | 2.9 |
| 仓储业 | Storage | 1079798 | 1886635 | 271539 | 384881 | 25.1 | 20.4 |
| 邮政业 | Postal Services | 71415 | 97266 | 21605 | 13500 | 30.3 | 13.9 |
| **信息传输、计算机服务和软件业** | **Information Transmission, Computer Services and Software** | 588505 | 1169382 | 81501 | 135404 | 13.8 | 11.6 |
| 电信和其他信息传输服务业 | Telecommunication and Other Information Transmission Services | 251382 | 279152 | 67373 | 112404 | 26.8 | 40.3 |
| 计算机服务业 | Computer Services | | | | | | |
| 软件业 | Software | 337123 | 890230 | 14128 | 23000 | 4.2 | 2.6 |
| **批发和零售业** | **Wholesale and Retail Trade** | **7991776** | **9572369** | **1512895** | **2069067** | **18.9** | **21.6** |
| 批发业 | Wholesale Trade | 4804091 | 5714170 | 752650 | 1236745 | 15.7 | 21.6 |
| 零售业 | Retail Trade | 3187685 | 3858199 | 760245 | 832322 | 23.8 | 21.6 |
| **住宿和餐饮业** | **Hotels and Catering Services** | **4498871** | **4322073** | **1023570** | **672038** | **22.8** | **15.5** |
| 住宿业 | Hotels | 3789071 | 3453363 | 740728 | 531372 | 19.5 | 15.4 |
| 餐饮业 | Catering Services | 709800 | 868710 | 282842 | 140666 | 39.8 | 16.2 |
| **金融业** | **Finance** | **332837** | **633284** | **86053** | **90266** | **25.9** | **14.3** |
| 银行业 | Bank | 332837 | 605041 | 86053 | 65266 | 25.9 | 10.8 |
| 保险业 | Insurance | | 3243 | | | | |
| 其他金融活动 | Other Financial Activities | | 25000 | | 25000 | | 100.0 |
| **房地产业** | **Real Estate** | **199080083** | **213412803** | **44957278** | **50048998** | **22.6** | **23.5** |
| 房地产业 | Real Estate | 199080083 | 213412803 | 44957278 | 50048998 | 22.6 | 23.5 |
| **租赁和商务服务业** | **Leasing and Commercial Services** | **4165335** | **5201607** | **446734** | **943826** | **10.7** | **18.1** |
| 租赁业 | Leasing | 10300 | 18715 | | 5100 | | 27.3 |

3－6 续表3 continued

| 指 标 | Item | 施工房屋面积（平方米）Floor Space of Buildings Under Construction (sq. m) | | 竣工房屋面积（平方米）Floor Space of Buildings Completed (sq. m) | | 房屋建筑面积竣工率（%）Rate of Floor Space of Buildings Completed (%) | |
|---|---|---|---|---|---|---|---|
| | | 2007 | 2008 | 2007 | 2008 | 2007 | 2008 |
| 商务服务业 | Commercial Services | 4155035 | 5182892 | 446734 | 938726 | 10.8 | 18.1 |
| **科学研究、技术服务和地质勘查业** | **Scientific Research, Technic Services and Geological Prospecting** | **791989** | **1815229** | **91049** | **228573** | **11.5** | **12.6** |
| 研究与试验发展 | Research and Experiment Development | 364110 | 690420 | 59776 | 36747 | 16.4 | 5.3 |
| 专业技术服务业 | Technical Services | 218880 | 767731 | 31273 | 126020 | 14.3 | 16.4 |
| 科技交流和推广服务业 | Scientific and Technical Interchange and Popularization | 208999 | 357078 | | 65806 | | 18.4 |
| 地质勘查业 | Geological Prospecting | | | | | | |
| **水利、环境和公共设施管理业** | **Water Conservancy, Environment and Public Facilities Management** | **8267567** | **10022501** | **2228992** | **2602327** | **27** | **26.0** |
| 水利管理业 | Water Conservancy | 467088 | 633732 | 263903 | 7600 | 56.5 | 1.2 |
| 环境管理业 | Environment | 193942 | 1346344 | 8191 | 1149613 | 4.2 | 85.4 |
| 公共设施管理业 | Public Facilities | 7606537 | 8042425 | 1956898 | 1445114 | 25.7 | 18.0 |
| **居民服务和其他服务业** | **Resident Services and Other Services** | **93658** | **49848** | **44965** | **32477** | **48** | **65.2** |
| 居民服务业 | Resident Services | 50602 | 29231 | 24357 | 23160 | 48.1 | 79.2 |
| 其他服务业 | Other Services | 43056 | 20617 | 20608 | 9317 | 47.9 | 45.2 |
| **教育** | **Education** | **10162317** | **9033218** | **3446768** | **2545008** | **33.9** | **28.2** |
| 教育 | Education | 10162317 | 9033218 | 3446768 | 2545008 | 33.9 | 28.2 |
| **卫生、社会保障和社会福利业** | **Health Care, Social Security and Social Welfare** | **4306519** | **4361681** | **1016475** | **1156009** | **23.6** | **26.5** |
| 卫生 | Health Care | 3485166 | 3663420 | 730324 | 858439 | 21 | 23.4 |
| 社会福利业 | Social Welfare | 802980 | 698261 | 286151 | 297570 | 35.6 | 42.6 |
| **文化、体育和娱乐业** | **Culture, Sports and Recreation** | **1851961** | **2118494** | **471769** | **371342** | **25.5** | **17.5** |
| 新闻出版业 | Press Publishing | 95815 | 139514 | 19301 | 13115 | 20.1 | 9.4 |
| 广播、电视、电影和音像业 | Radio, Film, Television and Audio-video | 188661 | 53323 | 58138 | 26439 | 30.8 | 49.6 |
| 文化艺术业 | Culture and Arts | 1060857 | 1374716 | 267578 | 137693 | 25.2 | 10.0 |
| 体育 | Sports | 310597 | 416985 | 60348 | 134061 | 19.4 | 32.2 |
| 娱乐业 | Recreation | 196031 | 133956 | 66404 | 60034 | 33.9 | 44.8 |
| **公共管理和社会组织** | **Public Management and Social Organization** | **4616950** | **4415175** | **1356802** | **1141656** | **29.4** | **25.9** |
| 中国共产党机关 | Communist Party Agencies | 47215 | 54228 | 7680 | | 16.3 | |
| 国家机构 | Government Agencies | 3635898 | 3344426 | 1067317 | 763886 | 29.4 | 22.8 |
| 人民政协和民主党派 | The Chinese People's Political Consultative Conference and Democratic Parties | 42758 | 42758 | | | | |
| 群众团体、社会团体和宗教组织 | Mass Organizations, Social Organizations and Religion Organizations | 355845 | 395974 | 76582 | 96446 | 21.5 | 24.4 |
| 基层群众自治组织 | Mass Grassroot Organizations | 535234 | 577789 | 205223 | 281324 | 38.3 | 48.7 |

## 3－7　限额以上国有及国有控股经济分行业投资和资金来源(2004－2008年)
Investment and Sources of Funds in State-owned and State-holding Units Above Designated Size by Sector(2004－2008)

单位:万元(10000 yuan)

| 指　标 | Item | 2004 | 2005 | 2006 | 2007 | 2008 |
|---|---|---|---|---|---|---|
| **投资总计** | **Total** | **19565572** | **22703019** | **25354985** | **26598096** | **28987458** |
| 第一产业 | Primary Industry | 100888 | 118518 | 130939 | 229245 | 246337 |
| 第二产业 | Secondary Industry | 4878830 | 5948695 | 5495328 | 6510538 | 6311166 |
| 第三产业 | Tertiary Industry | 14585854 | 16635806 | 19728718 | 19858313 | 22429955 |
| **按国民经济行业分组** | **by Sector** | | | | | |
| **农林牧渔业** | **Farming, Forestry, Animal Husbandry and Fishery** | **100888** | **118518** | **130939** | **229245** | **246337** |
| 农业 | Farming | 35855 | 42340 | 49409 | 56855 | 43456 |
| 林业 | Forestry | 3944 | 14328 | 3099 | 7241 | 7157 |
| 畜牧业 | Animal Husbandry | 1999 | 8420 | 391 | 717 | 9709 |
| 渔业 | Fishery | | 2400 | 4377 | 4089 | 5433 |
| 农、林、牧、渔服务业 | Services | 59090 | 51030 | 73663 | 160343 | 180582 |
| **采矿业** | **Mining and Quarrying** | **10642** | **4450** | **447** | **6365** | **5068** |
| 煤炭采选业 | Coal Mining and Dressing | | | | | |
| 黑色金属矿采选业 | Ferrous Metals Mining and Dressing | 4617 | 1141 | 447 | | |
| 有色金属矿采选业 | Nonferrous Metals Mining and Dressing | 285 | 3 | | 1370 | 1210 |
| 非金属矿采选业 | Nonmetal Minerals and Dressing | 5740 | 3306 | | 4995 | 3858 |
| **制造业** | **Manufacturing** | **1572851** | **1469759** | **1468992** | **1628388** | **2007269** |
| 农副食品加工业 | Non－staple Food Processing | 18336 | 20123 | 31895 | 15048 | 19145 |
| 食品制造业 | Food Manufacturing | 10364 | 2643 | 1352 | 3941 | 18279 |
| 饮料制造业 | Beverage Manufacturing | 50716 | 48553 | 35604 | 14243 | 8846 |
| 烟草加工业 | Tobacco Processing | 15632 | 28204 | 57138 | 6919 | 4291 |
| 纺织业 | Textile Industry | 67145 | 44038 | 43927 | 43949 | 35571 |
| 纺织服装、鞋、帽制造业 | Garments, Shoes and Hats Manufacturing | 18508 | 28587 | 24157 | 64306 | 73911 |
| 皮革、毛皮、羽毛(绒)及其制造业 | Leather, Furs, Down and Related Products | 28852 | 16486 | 15119 | 352 | 4118 |
| 木材加工及竹、藤、棕、草制品业 | Timber Processing, Bamboo, Cane, Palm Fiber and Straw Products | 7931 | 44666 | 9961 | 7757 | 10092 |
| 家具制造业 | Furniture Manufacturing | 23870 | 45208 | 7730 | 3080 | 2365 |
| 造纸及纸制品业 | Papermaking and Paper Products | 251202 | 323619 | 15400 | 7937 | 9412 |
| 印刷业、记录媒介的复制 | Printing and Record Medium Reproduction | 3838 | 12360 | 19986 | 14227 | 7639 |
| 文教体育用品制造业 | Cultural, Educational and Sports Goods | 4630 | 4157 | 4832 | 3520 | 3591 |

3－7 续表1 continued 单位:万元(10000 yuan)

| 指 标 | Item | 2004 | 2005 | 2006 | 2007 | 2008 |
|---|---|---|---|---|---|---|
| 石油加工、炼焦及核燃料加工业 | Petroleum Processing, Cooking and Nuclear Fuel Processing | 151491 | 81771 | 101543 | 116415 | 101501 |
| 化学原料及化学制品制造业 | Raw Chemical Materials and Chemical Products | 222796 | 206543 | 191641 | 346532 | 681250 |
| 医药制造业 | Medical and Pharmaceutical Products | 69247 | 64443 | 63332 | 54978 | 37894 |
| 化学纤维制造业 | Chemical Fiber | 3867 | 3472 | 1306 | 2743 | 273 |
| 橡胶制品业 | Rubber Products | 22469 | 5400 | 40350 | 57226 | 49552 |
| 塑料制品业 | Plastic Products | 15804 | 22287 | 6227 | 2311 | 450 |
| 非金属矿物制品业 | Nonmetal Mineral Products | 57992 | 28766 | 21932 | 54672 | 53030 |
| 黑色金属冶炼及压延加工业 | Smelting and Pressing of Ferrous Metals | 121453 | 177194 | 475475 | 357603 | 329707 |
| 有色金属冶炼及压延加工业 | Smelting and Pressing of Nonferrous Metals | 21369 | 1490 | 976 | | 16442 |
| 金属制品业 | Metal Products | 24654 | 20171 | 24176 | 39367 | 43403 |
| 通用设备制造业 | Equipment in Common Use | 90404 | 28675 | 79092 | 127500 | 200109 |
| 专用设备制造业 | Equipment for Special Purpose | 28937 | 30389 | 58694 | 94646 | 41140 |
| 交通运输设备制造业 | Transportation Equipment | 76417 | 89980 | 61759 | 57433 | 91245 |
| 电气机械及器材制造业 | Electric Equipment and Machinery | 66305 | 37183 | 26685 | 26680 | 37432 |
| 通信设备、计算机及其他电子设备制造业 | Telecommunications Equipment, Computer and Other Electronic Equipment | 43121 | 31915 | 14934 | 42398 | 44754 |
| 仪器仪表及文化、办公用机械制造业 | Instruments, Meters, Cultural and Office Machinery | 2163 | 3487 | 5152 | 5562 | 1171 |
| 工艺品及其他制造业 | Handicraft Article and Other Manufacturing Industry | 53338 | 17949 | 28617 | 45520 | 66501 |
| **电力、燃气及水的生产和供应业** | **Production and Supply of Electricity, Gas and Water** | **3241054** | **4378416** | **3966414** | **4826024** | **4194404** |
| 电力、热力的生产和供应 | Production and Supply of Electricity and Heating Power | 2586797 | 3695300 | 3187416 | 3889095 | 3177373 |
| 燃气生产和供应业 | Production and Supply of Gas | 286263 | 308384 | 169229 | 59880 | 65817 |
| 水的生产和供应业 | Production and Supply of Water | 367994 | 374732 | 609769 | 877049 | 951214 |
| **建筑业** | **Construction** | **54283** | **96070** | **59475** | **49761** | **104425** |
| 房屋和土木工程建筑业 | Civil Engineering | 39550 | 96070 | 54351 | 48278 | 96380 |
| 建筑安装业 | Installation | 8602 | | 457 | 1483 | 3813 |
| 其他建筑业 | Other Construction | 6131 | | 4667 | | 2625 |
| **交通运输、仓储和邮政业** | **Transport, Storage and Postal Services** | **4189677** | **5688345** | **7562248** | **6539819** | **6567084** |
| 铁路运输业 | Railway Transport | 70492 | 197441 | 681475 | 701729 | 481509 |
| 道路运输业 | Highway Transport | 3149963 | 4297516 | 5386697 | 4087174 | 3278366 |
| 城市公共交通业 | City Public Transport | 50342 | 34727 | 55008 | 330218 | 574970 |
| 水上运输业 | Waterway Transport | 777986 | 848634 | 1140396 | 944299 | 1263288 |
| 航空运输业 | Air Transport | 14820 | 16079 | 25740 | 63319 | 184825 |

3－7 续表2 continued 单位:万元(10000 yuan)

| 指 标 | Item | 2004 | 2005 | 2006 | 2007 | 2008 |
|---|---|---|---|---|---|---|
| 管道运输业 | Pipeline Transport | | 35234 | 7802 | 190 | 17700 |
| 装卸搬运和其他运输服务业 | Carrying and Other Transport Services | 2112 | 2594 | 8051 | 3294 | 513 |
| 仓储业 | Storage | 121081 | 250941 | 252524 | 405011 | 758156 |
| 邮政业 | Postal Services | 2881 | 5179 | 4555 | 4585 | 7757 |
| **信息传输、计算机服务和软件业** | **Information Transmission, Computer Services and Software** | **818998** | **820648** | **902703** | **1121560** | **1199695** |
| 电信和其他信息传输服务业 | Telecommunication and Other Information Transmission Services | 806472 | 810643 | 887344 | 1100959 | 1186867 |
| 软件业 | Software | 360 | 10005 | 15359 | 20601 | 11776 |
| **批发和零售业** | **Wholesale and Retail Trade** | **131637** | **142776** | **134530** | **338429** | **333554** |
| 批发业 | Wholesale Trade | 92723 | 107296 | 77862 | 193975 | 265419 |
| 零售业 | Retail Trade | | 35480 | 56668 | 144454 | 68135 |
| **住宿和餐饮业** | **Hotels and Catering Services** | **40400** | **32111** | **63083** | **248121** | **136336** |
| 住宿业 | Hotels | 35868 | 25726 | 38047 | 94600 | 92350 |
| 餐饮业 | Catering Services | 4532 | 6385 | 25036 | 153521 | 43986 |
| **金融业** | **Finance** | **59993** | **31144** | **67770** | **69199** | **156459** |
| 银行业 | Bank | 59159 | 26815 | 64464 | 69199 | 7902 |
| 保险业 | Insurance | | 3428 | 1756 | | 7050 |
| 其他金融活动 | Other Financial Activities | 834 | 901 | 1550 | | |
| **房地产业** | **Real Estate** | **2068877** | **2614441** | **3190670** | **3322142** | **3678148** |
| 房地产业 | Real Estate | 2068877 | 2614441 | 3190670 | 3322142 | 3678148 |
| **租赁和商务服务业** | **Leasing and Commercial Services** | **210499** | **337289** | **174577** | **444670** | **485273** |
| 租赁业 | Leasing | | | | | |
| 商务服务业 | Commercial Services | 210499 | 337289 | 174577 | 444670 | 485273 |
| **科学研究、技术服务和地质勘查业** | **Scientific Research, Technic Services and Geological Prospecting** | **39498** | **67629** | **62895** | **71148** | **109843** |
| 研究与试验发展 | Research and Experiment Development | 10233 | 15287 | 15603 | 11033 | 21479 |
| 专业技术服务业 | Technical Services | 27950 | 45373 | 34024 | 40445 | 48504 |
| 科技交流和推广服务业 | Scientific and Technical Interchange and Popularization | 334 | 5589 | 12732 | 18970 | 38960 |
| 地质勘查业 | Geological Prospecting | 981 | 1380 | 536 | 700 | 900 |
| **水利、环境和公共设施管理业** | **Water Conservancy, Environment and Public Facilities Management** | **4513463** | **4515779** | **5280456** | **5764773** | **7350878** |
| 水利管理业 | Water Conservancy | 617109 | 756433 | 917933 | 1181460 | 1207503 |
| 环境管理业 | Environment | 131826 | 136491 | 139686 | 251810 | 350609 |
| 公共设施管理业 | Public Facilities | 3764528 | 3622855 | 4222837 | 4331503 | 5792766 |

3－7 续表3 continued 单位:万元(10000 yuan)

| 指 标 | Item | 2004 | 2005 | 2006 | 2007 | 2008 |
|---|---|---|---|---|---|---|
| **居民服务和其他服务业** | **Resident Services and Other Services** | **145638** | **271533** | **8255** | **17399** | **14043** |
| 居民服务业 | Resident Services | 143065 | 267209 | 8255 | 8887 | 13173 |
| 其他服务业 | Other Services | 2573 | 4324 | | 8512 | 870 |
| **教育** | **Education** | **1136266** | **913229** | **863946** | **836747** | **913665** |
| 教育 | Education | 1136266 | 913229 | 863946 | 836747 | 913665 |
| **卫生、社会保障和社会福利业** | **Health Care, Social Security and Social Welfare** | **263806** | **284163** | **428574** | **397247** | **438383** |
| 卫生 | Health Care | 245847 | 253438 | 403529 | 371072 | 415200 |
| 社会福利业 | Social Welfare | 17959 | 30725 | 23842 | 25090 | 23183 |
| **文化、体育和娱乐业** | **Culture, Sports and Recreation** | **294237** | **196754** | **261685** | **228687** | **337831** |
| 新闻出版业 | Press Publishing | 7852 | 4920 | 2636 | 4418 | 10452 |
| 广播、电视、电影和音像业 | Radio, Film, Television and Audio video | 14546 | 20733 | 28804 | 23082 | 22613 |
| 文化艺术业 | Culture and Arts | 174991 | 103769 | 142561 | 130760 | 215787 |
| 体育 | Sports | 72690 | 56023 | 67264 | 58040 | 81164 |
| 娱乐业 | Recreation | 24158 | 11309 | 20420 | 12387 | 7815 |
| **公共管理和社会组织** | **Public Management** | **672865** | **719965** | **727326** | **458372** | **708763** |
| 中国共产党机关 | Communist Party Agencies | 15213 | 21761 | 9120 | 5916 | 10092 |
| 国家机构 | Government Agencies | 647548 | 637430 | 667078 | 417849 | 641605 |
| 人民政协和民主党派 | The Chinese People's Political Consultative Conference and Democratic Parties | | 492 | 3431 | 9371 | 6000 |
| 群众团体、社会团体和宗教组织 | Mass Organizations, Social Organizations and Religion Organizations | 10098 | 55763 | 14361 | 19416 | 46996 |
| 基层群众自治组织 | Mass Grassroot Organizations | 6 | 4519 | 33336 | 5820 | 4070 |
| **自年初累计资金来源合计** | **Source of Funds** | **22038597** | **25047332** | **28442803** | **30996930** | **33745976** |
| 上年末结余资金 | Surplus Funds Last Year | 1487628 | 2084557 | 2176495 | 2239230 | 2509199 |
| 本年资金来源小计 | Funds This Year | 20550969 | 22962775 | 26266308 | 28757700 | 31236777 |
| #国家预算内资金 | State Budgetary Appropriations | 732408 | 1047925 | 1227519 | 1642584 | 3203006 |
| 国内贷款 | Domestic Loans | 6148861 | 6545518 | 7313381 | 7598396 | 8425650 |
| 债券 | Debenture | 64872 | 195697 | 45644 | 23865 | 5556 |
| 利用外资 | Foreign Investment | 176953 | 322208 | 84779 | 100802 | 28936 |
| 自筹资金 | Fundraising | 10753083 | 12191894 | 14344462 | 15881287 | 16569031 |
| 其他资金 | Others | 2674792 | 2659533 | 3250523 | 3510766 | 3004598 |

## 3-8 限额以上非国有经济分行业投资和资金来源(2004-2008年)
## Investment and Sources of Funds in Non-state-owned Units Above Designated Size by Sector (2004-2008)

| 指 标 | Item | 2004 | 2005 | 2006 | 2007 | 2008 |
|---|---|---|---|---|---|---|
| **投资总计** | **Total** | **34278212** | **38680872** | **44287827** | **50450921** | **56519604** |
| 第一产业 | Primary Industry | 68516 | 82578 | 87599 | 100934 | 114378 |
| 第二产业 | Secondary Industry | 19433433 | 22588686 | 26812806 | 29675366 | 33078387 |
| 第三产业 | Tertiary Industry | 14776263 | 16009608 | 17387422 | 20674621 | 23326839 |
| **按国民经济行业分组** | **by Sector** | | | | | |
| **农林牧渔业** | **Farming, Forestry, Animal Husbandry and Fishery** | **68516** | **82578** | **87599** | **100934** | **114378** |
| 农业 | Farming | 19099 | 26424 | 26574 | 23731 | 29156 |
| 林业 | Forestry | | 1277 | 4084 | 4451 | 2460 |
| 畜牧业 | Animal Husbandry | 7426 | 17770 | 20664 | 19848 | 39513 |
| 渔业 | Fishery | 13408 | 5450 | 9392 | 15294 | 16084 |
| 农、林、牧、渔服务业 | Services | 22257 | 31657 | 26885 | 37610 | 27165 |
| **采矿业** | **Mining and Quarrying** | **94819** | **71672** | **88319** | **94845** | **86647** |
| 煤炭采选业 | Coal Mining and Dressing | 550 | 3400 | 1800 | 1100 | 1380 |
| 黑色金属矿采选业 | Ferrous Metals Mining and Dressing | | 4745 | 221 | 340 | 2360 |
| 有色金属矿采选业 | Nonferrous Metals Mining and Dressing | | 2521 | 5751 | 7638 | 4966 |
| 非金属矿采选业 | Nonmetal Minerals and Dressing | 93711 | 60141 | 78698 | 84567 | 77741 |
| 其他矿采选业 | Other | 558 | 865 | 1849 | 1200 | 200 |
| **制造业** | **Manufacturing** | **18227141** | **21370047** | **25213213** | **28630774** | **32019812** |
| 农副食品加工业 | Non-staple Food Processing | 182528 | 230494 | 258971 | 262298 | 341071 |
| 食品制造业 | Food Manufacturing | 183228 | 180116 | 265803 | 297144 | 354727 |
| 饮料制造业 | Beverage Manufacturing | 115980 | 173305 | 209000 | 304375 | 384381 |
| 烟草加工业 | Tobacco Processing | 2575 | | | | |
| 纺织业 | Textile Industry | 2841536 | 2825262 | 3333128 | 3566811 | 3333948 |
| 纺织服装、鞋、帽制造业 | Garments, Shoes and Hats Manufacturing | 818444 | 1029467 | 1342418 | 1470770 | 1286284 |
| 皮革、毛皮、羽毛(绒)及其制造业 | Leather, Furs, Down and Related Products | 388629 | 458477 | 531157 | 590060 | 521289 |
| 木材加工及竹、藤、棕、草制品业 | Timber Processing, Bamboo, Cane, Palm Fiber and Straw Products | 234851 | 221610 | 381055 | 383888 | 390244 |
| 家具制造业 | Furniture Manufacturing | 322694 | 358038 | 530806 | 573753 | 551293 |
| 造纸及纸制品业 | Papermaking and Paper Products | 480218 | 556454 | 595054 | 732499 | 881004 |
| 印刷业、记录媒介的复制 | Printing and Record Medium Reproduction | 261052 | 255863 | 313103 | 351985 | 369549 |
| 文教体育用品制造业 | Cultural, Educational and Sports Goods | 216160 | 306912 | 317526 | 395686 | 448987 |

3-8 续表1 continued 单位:万元(10000 yuan)

| 指 标 | Item | 2004 | 2005 | 2006 | 2007 | 2008 |
|---|---|---|---|---|---|---|
| 石油加工、炼焦及核燃料加工业 | Petroleum Processing, Cooking and Nuclear Fuel Processing | 15860 | 20759 | 9333 | 34054 | 25003 |
| 化学原料及化学制品制造业 | Raw Chemical Materials and Chemical Products | 1124292 | 1803139 | 2251789 | 1507274 | 2002407 |
| 医药制造业 | Medical and Pharmaceutical Products | 384916 | 500384 | 551738 | 465704 | 489661 |
| 化学纤维制造业 | Chemical Fiber | 754807 | 504603 | 497365 | 752389 | 817958 |
| 橡胶制品业 | Rubber Products | 160883 | 195420 | 248566 | 254429 | 236716 |
| 塑料制品业 | Plastic Products | 849897 | 983315 | 1024533 | 1042577 | 1236284 |
| 非金属矿物制品业 | Nonmetal Mineral Products | 1302869 | 959627 | 895385 | 1078921 | 1285353 |
| 黑色金属冶炼及压延加工业 | Smelting and Pressing of Ferrous Metals | 709392 | 631442 | 473135 | 437274 | 490631 |
| 有色金属冶炼及压延加工业 | Smelting and Pressing of Nonferrous Metals | 237703 | 323781 | 410955 | 384775 | 470387 |
| 金属制品业 | Metal Products | 972593 | 1185578 | 1542914 | 1822304 | 2074365 |
| 通用设备制造业 | Equipment in Common Use | 1161521 | 1777932 | 2151082 | 2963078 | 3170144 |
| 专用设备制造业 | Equipment for Special Purpose | 669729 | 810313 | 912450 | 1253007 | 1524889 |
| 交通运输设备制造业 | Transport Equipment | 1123773 | 1530849 | 2096519 | 2914421 | 3923639 |
| 电气机械及器材制造业 | Electric Equipment and Machinery | 1278304 | 1754454 | 2022073 | 2523392 | 2843956 |
| 通信设备、计算机及其他电子设备制造业 | Telecommunications Equipment, Computer and Other Electronic Equipment | 751747 | 784751 | 914536 | 1099152 | 1372090 |
| 仪器仪表及文化、办公用机械制造业 | Instruments, Meters, Cultural and Office Machinery | 175963 | 271632 | 273768 | 388183 | 392969 |
| 工艺品及其他制造业 | Handicraft Article and Other Manufacturing Industry | 424317 | 649621 | 794039 | 695549 | 710006 |
| 废弃资源和废旧材料回收加工业 | Recovery of Resource Discarded and Useless Material | 80680 | 86449 | 65012 | 85022 | 90577 |
| **电力、燃气及水的生产和供应业** | **Production and Supply of Electricity, Gas and Water** | **1055234** | **1069508** | **1373324** | **856896** | **822972** |
| 电力、热力的生产和供应 | Production and Supply of Electricity and Heating Power | 979221 | 915430 | 1157454 | 664522 | 588819 |
| 燃气生产和供应业 | Production and Supply of Gas | 19346 | 27235 | 56691 | 37245 | 52654 |
| 水的生产和供应业 | Production and Supply of Water | 56667 | 126843 | 159179 | 155129 | 181499 |
| **建筑业** | **Construction** | **56239** | **77459** | **137950** | **92851** | **148956** |
| 房屋和土木工程建筑业 | Civil Engineering | 30557 | 71062 | 125717 | 82687 | 138718 |
| 建筑安装业 | Installation | 2140 | 2067 | 4315 | 1501 | 1493 |
| 建筑装饰业 | Decoration | 3954 | 1511 | 1960 | 526 | 2092 |
| 其他建筑业 | Other Construction | 19788 | 2819 | 5958 | 8137 | 6653 |
| **交通运输、仓储和邮政业** | **Transport, Storage and Postal Services** | **713161** | **1017646** | **546759** | **679727** | **840930** |
| 铁路运输业 | Railway Transport | | 5296 | 1670 | | |
| 道路运输业 | Highway Transport | 607811 | 829952 | 178677 | 144005 | 198796 |
| 城市公共交通业 | City Public Transport | 15602 | 4571 | 8849 | 28123 | 19435 |

3－8　续表2　continued　　单位:万元(10000 yuan)

| 指　标 | Item | 2004 | 2005 | 2006 | 2007 | 2008 |
|---|---|---|---|---|---|---|
| 水上运输业 | Waterway Transport | 69652 | 135089 | 266771 | 420360 | 390815 |
| 装卸搬运和其他运输服务业 | Carrying and Other Transport Services | 2860 | 6449 | 10765 | 7331 | 3302 |
| 仓储业 | Storage | 17236 | 36289 | 77489 | 79448 | 218532 |
| **信息传输、计算机服务和软件业** | **Information Transmission, Computer Services and Software** | **235264** | **146299** | **125780** | **131971** | **146098** |
| 电信和其他信息传输服务业 | Telecommunication and Other Information Transmission Services | 220420 | 125916 | 84534 | 86978 | 72258 |
| 计算机服务业 | Computer Services | 800 | | 2545 | | |
| 软件业 | Software | 14044 | 20383 | 38701 | 44993 | 73840 |
| **批发和零售业** | **Wholesale and Retail Trade** | **303663** | **365021** | **734946** | **1067346** | **1173227** |
| 批发业 | Wholesale Trade | 130968 | 148991 | 340614 | 574815 | 566678 |
| 零售业 | Retail Trade | | 216030 | 394332 | 492531 | 606549 |
| **住宿和餐饮业** | **Hotels and Catering Services** | **267539** | **385551** | **530297** | **735969** | **669843** |
| 住宿业 | Hotels | 222766 | 283023 | 431543 | 592238 | 485997 |
| 餐饮业 | Catering Services | 44773 | 102528 | 98754 | 143731 | 183846 |
| **金融业** | **Finance** | **8909** | **15369** | **20456** | **25180** | **35365** |
| 银行业 | Bank | 8909 | 15369 | 17121 | 25180 | 33255 |
| 其他金融活动 | Other Financial Activities | | | 2760 | | 2110 |
| **房地产业** | **Real Estate** | **12061083** | **12749170** | **13740424** | **16461600** | **18606809** |
| 房地产业 | Real Estate | 12061083 | 12749170 | 13740424 | 16461600 | 18606809 |
| **租赁和商务服务业** | **Leasing and Commercial Services** | **147783** | **258020** | **376398** | **384228** | **444666** |
| 租赁业 | Leasing | 1970 | 2276 | 4409 | 1245 | 2240 |
| 商务服务业 | Commercial Services | 145813 | 255744 | 371989 | 382983 | 442426 |
| **科学研究、技术服务和地质勘查业** | **Scientific Research, Technic Services and Geological Prospecting** | **36546** | **32511** | **59732** | **49214** | **130885** |
| 研究与试验发展 | Research and Experiment Development | 13347 | 16648 | 49007 | 32718 | 72605 |
| 专业技术服务业 | Technical Services | 18586 | 12013 | 4634 | 15396 | 55934 |
| 科技交流和推广服务业 | Scientific and Technical Interchange and Popularization | 4238 | 3850 | 6091 | 1100 | 2346 |
| **水利、环境和公共设施管理业** | **Water Conservancy, Environment and Public Facilities Management** | **700183** | **672368** | **804412** | **672519** | **816014** |
| 水利管理业 | Water Conservancy | 7262 | 33750 | 81768 | 61335 | 134523 |
| 环境管理业 | Environment | 17971 | 46616 | 38605 | 36165 | 47727 |
| 公共设施管理业 | Public Facilities | 674950 | 592002 | 684039 | 575019 | 633764 |

3-8 续表3 continued 单位:万元(10000 yuan)

| 指 标 | Item | 2004 | 2005 | 2006 | 2007 | 2008 |
|---|---|---|---|---|---|---|
| **居民服务和其他服务业** | **Resident Services and Other Services** | **50394** | **53773** | **24713** | **32318** | **21755** |
| 居民服务业 | Resident Services | 34108 | 29669 | 13564 | 20526 | 9985 |
| 其他服务业 | Other Services | 16286 | 24104 | 11149 | 11792 | 11770 |
| **教育** | **Education** | **93552** | **108821** | **94224** | **96130** | **101759** |
| 教育 | Education | 93552 | 108821 | 94224 | 96130 | 101759 |
| **卫生、社会保障和社会福利业** | **Health Care, Social Security and Social Welfare** | **63675** | **68948** | **133286** | **95443** | **121151** |
| 卫生 | Health Care | 57592 | 62864 | 96748 | 54558 | 78577 |
| 社会福利业 | Social Welfare | 6083 | 6084 | 36035 | 40687 | 42388 |
| **文化、体育和娱乐业** | **Culture, Sports and Recreation** | **55190** | **85197** | **98384** | **118706** | **101699** |
| 广播、电视、电影和音像业 | Radio, Film, Television and Audio video | 4026 | 30 | 6000 | 6200 | |
| 文化艺术业 | Culture and Arts | 6742 | 21712 | 55717 | 33299 | 48053 |
| 体育 | Sports | 1005 | 483 | 1390 | 12431 | 2385 |
| 娱乐业 | Recreation | 43417 | 62972 | 35277 | 66776 | 51261 |
| **公共管理和社会组织** | **Public Management** | **39321** | **50914** | **97611** | **124270** | **116638** |
| 国家机构 | Government Agencies | 10741 | 15403 | 30968 | 22879 | 19093 |
| 群众团体、社会团体和宗教组织 | Mass Organizations, Social Organizations and Religion Organizations | 4788 | 10314 | 8816 | 24070 | 33569 |
| 基层群众自治组织 | Mass Grassroot Organizations | 23792 | 25197 | 57827 | 77321 | 63976 |
| **自年初累计资金来源合计** | **Source of Funds** | **43982814** | **47229694** | **56271146** | **67346739** | **73003576** |
| 上年末结余资金 | Surplus Funds Last Year | 3227195 | 3853467 | 4333067 | 5156573 | 7570730 |
| 本年资金来源小计 | Funds This Year | 40755619 | 43376227 | 51938079 | 62190166 | 65432846 |
| #国家预算内资金 | State Budgetary Appropriations | 65646 | 47258 | 40544 | 164587 | 84423 |
| 国内贷款 | Domestic Loans | 8364549 | 7794433 | 8238267 | 9271152 | 9638674 |
| 债券 | Debenture | 3286 | 3087 | 4435 | 2847 | 1860 |
| 利用外资 | Foreign Investment | 2041189 | 2992823 | 3777343 | 3058492 | 2966708 |
| 自筹资金 | Fundraising | 18825973 | 22575718 | 27619788 | 32914680 | 38072556 |
| 其他资金 | Others | 11454976 | 9962908 | 12257702 | 16778408 | 14668625 |

## 3-9 限额以上港澳台经济分行业投资和资金来源(2004-2008年)
Investment and Sources of Funds in HongKong, Macao and Taiwan Units Above Designated Size by Sector(2004-2008)

| 指 标 | Item | 2004 | 2005 | 2006 | 2007 | 2008 |
|---|---|---|---|---|---|---|
| **投资总计** | **Total** | **2598041** | **3421947** | **3947373** | **5040047** | **5748215** |
| 第一产业 | Primary Industry | 2699 | 550 | | 1150 | |
| 第二产业 | Secondary Industry | 1894460 | 2637025 | 2842441 | 2976700 | 3445692 |
| 第三产业 | Tertiary Industry | 700882 | 784372 | 1104932 | 2062197 | 2302523 |
| **按国民经济行业分组** | **by Sector** | | | | | |
| **农林牧渔业** | **Farming, Forestry, Animal Husbandry and Fishery** | **2699** | **550** | | **1150** | |
| 农业 | Farming | 1200 | 550 | | | |
| 渔业 | Fishery | 1104 | | | | |
| **采矿业** | **Mining and Quarrying** | **3115** | **9000** | **3500** | | |
| 非金属矿采选业 | Nonmetal Minerals and Dressing | 3115 | 9000 | 3500 | | |
| **制造业** | **Manufacturing** | **1777958** | **2569937** | **2779571** | **2926926** | **3409893** |
| 农副食品加工业 | Non-staple Food Processing | 5181 | 11901 | 101115 | 11087 | 24093 |
| 食品制造业 | Food Manufacturing | 35277 | 23351 | 57379 | 34972 | 44534 |
| 饮料制造业 | Beverage Manufacturing | 4331 | 28334 | 16196 | 44397 | 128179 |
| 纺织业 | Textile Industry | 367453 | 339078 | 493921 | 440396 | 457540 |
| 纺织服装、鞋、帽制造业 | Garments, Shoes and Hats Manufacturing | 108676 | 190706 | 183087 | 260785 | 224206 |
| 皮革、毛皮、羽毛(绒)及其制造业 | Leather, Furs, Down and Related Products | 30506 | 27692 | 39478 | 49618 | 28842 |
| 木材加工及竹、藤、棕、草制品业 | Timber Processing, Bamboo, Cane, Palm Fiber and Straw Products | 7781 | 15032 | 16795 | 29602 | 24608 |
| 家具制造业 | Furniture Manufacturing | 71564 | 43897 | 82586 | 63936 | 52532 |
| 造纸及纸制品业 | Papermaking and Paper Products | 45046 | 66215 | 71028 | 151910 | 192331 |
| 印刷业、记录媒介的复制 | Printing and Record Medium Reproduction | 11800 | 8431 | 19057 | 19110 | 25115 |
| 文教体育用品制造业 | Cultural, Educational and Sports Goods | 36894 | 52640 | 39675 | 37210 | 41148 |
| 石油加工、炼焦及核燃料加工业 | Petroleum Processing, Cooking and Nuclear Fuel Processing | | 1819 | | 30689 | 81502 |
| 化学原料及化学制品制造业 | Raw Chemical Materials and Chemical Products | 126917 | 652965 | 605158 | 186741 | 238295 |
| 医药制造业 | Medical and Pharmaceutical Products | 43418 | 43540 | 36978 | 56309 | 47783 |
| 化学纤维制造业 | Chemical Fiber | 77797 | 52839 | 48208 | 146046 | 206222 |

3-9 续表1 continued 单位:万元(10000 yuan)

| 指 标 | Item | 2004 | 2005 | 2006 | 2007 | 2008 |
|---|---|---|---|---|---|---|
| 橡胶制品业 | Rubber Products | 27360 | 40664 | 881 | 7138 | 6734 |
| 塑料制品业 | Plastic Products | 73783 | 89702 | 57447 | 96104 | 106671 |
| 非金属矿物制品业 | Nonmetal Mineral Products | 121853 | 56811 | 38953 | 61069 | 57375 |
| 黑色金属冶炼及压延加工业 | Smelting and Pressing of Ferrous Metals | 87609 | 40278 | 44415 | 50219 | 21300 |
| 有色金属冶炼及压延加工业 | Smelting and Pressing of Nonferrous Metals | 20879 | 15313 | 33369 | 22775 | 22540 |
| 金属制品业 | Metal Products | 52552 | 86861 | 123813 | 115666 | 133440 |
| 通用设备制造业 | Equipment in Common Use | 65730 | 134916 | 79314 | 112879 | 179122 |
| 专用设备制造业 | Equipment for Special Purpose | 53394 | 76949 | 96182 | 145270 | 207893 |
| 交通运输设备制造业 | Transportation Equipment | 62741 | 59732 | 84695 | 172466 | 214403 |
| 电气机械及器材制造业 | Electric Equipment and Machinery | 100066 | 149450 | 164617 | 203077 | 256552 |
| 通信设备、计算机及其他电子设备制造业 | Telecommunications Equipment, Computer and Other Electronic Equipment | 75622 | 159855 | 252309 | 327260 | 308946 |
| 仪器仪表及文化、办公用机械制造业 | Instruments, Meters, Cultural and Office Machinery | 20920 | 27780 | 33625 | 28052 | 38161 |
| 工艺品及其他制造业 | Handicraft Article and Other Manufacturing Industry | 37208 | 69536 | 49590 | 22143 | 29458 |
| 废弃资源和废旧材料回收加工业 | Recovery of Resource Discorded and Useless Material | 5600 | 3650 | 700 | | 10368 |
| **电力、燃气及水的生产和供应业** | **Production and Supply of Electricity, Gas and Water** | **113087** | **55688** | **54595** | **49054** | **35799** |
| 电力、热力的生产和供应 | Production and Supply of Electricity and Heating Power | 94052 | 39959 | 53522 | 25927 | 25120 |
| 燃气生产和供应业 | Production and Supply of Gas | 3632 | 2169 | 1073 | 780 | 841 |
| 水的生产和供应业 | Production and Supply of Water | 15403 | 13560 | | 22347 | 9838 |
| **建筑业** | **Construction** | **300** | **2400** | **4775** | **720** | |
| 房屋和土木工程建筑业 | Civil Engineering | 300 | 2400 | 4775 | 720 | |
| **交通运输、仓储和邮政业** | **Transport, Storage and Postal Services** | **43614** | **121439** | **274805** | **366235** | **452888** |
| 道路运输业 | Highway Transport | 38610 | 97479 | 257103 | 280920 | 250582 |
| 水上运输业 | Waterway Transport | 5004 | 15624 | 17212 | 69365 | 144246 |
| 仓储业 | Storage | | 8336 | 490 | 15950 | 58060 |
| **信息传输、计算机服务和软件业** | **Information Transmission, Computer Services and Software** | **79307** | **78610** | **45129** | **735682** | **866343** |
| 电信和其他信息传输服务业 | Telecommunication and Other Information Transmission Services | 32700 | 78610 | 45129 | 726890 | 837509 |

3－9　续表 2　continued　　单位：万元(10000 yuan)

| 指　标 | Item | 2004 | 2005 | 2006 | 2007 | 2008 |
|---|---|---|---|---|---|---|
| **批发和零售业** | **Wholesale and Retail Trade** | **51170** | **11015** | **35939** | **51937** | **40879** |
| 零售业 | Retail Trade | | 11015 | 33209 | 51937 | 35467 |
| **住宿和餐饮业** | **Hotels and Catering Services** | **45854** | **56806** | **49885** | **91854** | **78019** |
| 住宿业 | Hotels | 5316 | 44813 | 40566 | 85011 | 71773 |
| 餐饮业 | Catering Services | 466574 | 11993 | 9329 | 6843 | 6246 |
| **房地产业** | **Real Estate** | **466574** | **497591** | **650099** | **775601** | **762729** |
| 房地产业 | Real Estate | 600 | 497591 | 650099 | 775601 | 762729 |
| **租赁和商务服务业** | **Leasing and Commercial Services** | **600** | **5073** | **1740** | **10650** | **35648** |
| 商务服务业 | Commercial Services | 4347 | 5073 | 1740 | 10650 | 35648 |
| **科学研究、技术服务和地质勘查业** | **Scientific Research, Technic Services and Geological Prospecting** | **4347** | **3438** | **34938** | **18973** | **51705** |
| 研究与试验发展 | Research and Experiment Development | 4347 | 3438 | 34938 | 18973 | 51705 |
| **水利、环境和公共设施管理业** | **Water Conservancy, Environment and Public Facilities Management** | **16015** | **7733** | **12397** | **11265** | **14312** |
| 公共设施管理业 | Public Facilities | 16015 | 7733 | 12397 | 11265 | 14312 |
| **文化、体育和娱乐业** | **Culture, Sports and Recreation** | | **2667** | | | |
| 娱乐业 | Recreation | | 2667 | | | |
| **教育** | **Education** | | | | | |
| 教育 | Education | | | | | |
| **资金来源合计** | **Source of Funds** | **3091514** | **3785746** | **4541167** | **5961244** | **6580075** |
| 上年末结余资金 | Surplus Funds Last Year | 147084 | 236373 | 303786 | 376891 | 614742 |
| 本年资金来源小计 | Funds This Year | 2944430 | 3549373 | 4237381 | 5584353 | 5965333 |
| #国家预算内资金 | State Budgetary Appropriations | 1000 | 4248 | 282 | 650 | 2584 |
| 国内贷款 | Domestic Loans | 546409 | 468313 | 439404 | 1038711 | 756735 |
| 利用外资 | Foreign Investment | 792187 | 1217896 | 1312254 | 1026644 | 984194 |
| 自筹资金 | Fundraising | 1298388 | 1469859 | 2022334 | 2937702 | 3582318 |
| 其他资金 | Others | 306446 | 389057 | 461422 | 580646 | 639502 |

## 3-10 限额以上外商经济分行业投资和资金来源(2004-2008年)
## Investment and Sources of Funds in Foreign-owned Units Above Designated by Sector(2004-2008)

单位:万元(10000 yuan)

| 指 标 | Item | 2004 | 2005 | 2006 | 2007 | 2008 |
|---|---|---|---|---|---|---|
| **投资总计** | **Total** | **3732231** | **4449566** | **5509868** | **5553520** | **5835723** |
| 第一产业 | Primary Industry | 200 | | 929 | 1380 | 948 |
| 第二产业 | Secondary Industry | 3119556 | 3810114 | 4557283 | 4322638 | 4566568 |
| 第三产业 | Tertiary Industry | 612475 | 639452 | 951656 | 1229502 | 1268207 |
| **按国民经济行业分组** | **by Sector** | | | | | |
| **农林牧渔业** | **Farming, Forestry, Animal Husbandry and Fishery** | **200** | | **929** | **1380** | **948** |
| 农业 | Farming | 200 | | 929 | 1380 | 948 |
| **采矿业** | **Mining and Quarrying** | | **2920** | **10099** | | |
| 非金属矿采选业 | Nonmetal Minerals and Dressing | | 2920 | 10099 | | |
| **制造业** | **Manufacturing** | **2824038** | **3348004** | **3978084** | **4269311** | **4487375** |
| 农副食品加工业 | Non-staple Food Processing | 17476 | 27415 | 28482 | 26542 | 19693 |
| 食品制造业 | Food Manufacturing | 25091 | 31539 | 49078 | 56198 | 75743 |
| 饮料制造业 | Beverage Manufacturing | 12371 | 17333 | 81971 | 67084 | 65127 |
| 纺织业 | Textile Industry | 267711 | 342980 | 354184 | 427717 | 268298 |
| 纺织服装、鞋、帽制造业 | Garments, Shoes and Hats Manufacturing | 147373 | 178344 | 196751 | 208472 | 193748 |
| 皮革、毛皮、羽毛(绒)及其制造业 | Leather, Furs, Feather and Related Products | 61235 | 104154 | 95775 | 84383 | 92753 |
| 木材加工及竹、藤、棕、草制品业 | Timber Processing, Bamboo, Cane, Rattan, Palm and Straw Products | 19316 | 13191 | 14680 | 10386 | 11833 |
| 家具制造业 | Furniture Manufacturing | 81980 | 64683 | 72387 | 91050 | 81155 |
| 造纸及纸制品业 | Papermaking and Paper Products | 278728 | 322084 | 29359 | 77718 | 120017 |
| 印刷业、记录媒介的复制 | Printing and Record Medium Reproduction | 11857 | 7572 | 9094 | 13616 | 20272 |
| 文教体育用品制造业 | Cultural, Educational and Sports Goods | 42861 | 50001 | 32405 | 53022 | 47325 |
| 石油加工、炼焦及核燃料加工业 | Petroleum Processing, Cooking and Nuclear Fuel Processing | 6000 | 5549 | 432 | 4746 | 2181 |
| 化学原料及化学制品制造业 | Raw Chemical Materials and Chemical Products | 223866 | 304420 | 673297 | 409313 | 499681 |
| 医药制造业 | Medical and Pharmaceutical Products | 18902 | 41448 | 60959 | 58715 | 45568 |
| 化学纤维制造业 | Chemical Fiber | 169652 | 97045 | 112666 | 177109 | 156539 |
| 橡胶制品业 | Rubber Products | 40276 | 56502 | 123588 | 108461 | 62824 |
| 塑料制品业 | Plastic Products | 78483 | 107690 | 70087 | 96360 | 139538 |
| 非金属矿物制品业 | Nonmetal Mineral Products | 119007 | 118485 | 155878 | 172414 | 213941 |
| 黑色金属冶炼及压延加工业 | Smelting and Pressing of Ferrous Metals | 341148 | 193387 | 486021 | 399533 | 328497 |

3-10 续表1 continued 单位:万元(10000 yuan)

| 指 标 | Item | 2004 | 2005 | 2006 | 2007 | 2008 |
|---|---|---|---|---|---|---|
| 有色金属冶炼及压延加工业 | Smelting and Pressing of Nonferrous Metals | 42119 | 42456 | 43229 | 49197 | 63025 |
| 金属制品业 | Metal Products | 76788 | 74292 | 121621 | 137325 | 102486 |
| 通用设备制造业 | Equipment in Common Use | 113566 | 189769 | 209712 | 302884 | 351372 |
| 专用设备制造业 | Equipmentation for Special Purpose | 51480 | 81207 | 94231 | 182062 | 178642 |
| 交通运输设备制造业 | Transport Equipment | 75705 | 231869 | 268871 | 399949 | 458500 |
| 电气机械及器材制造业 | Electric Equipment and Machinery | 145054 | 282985 | 256952 | 288975 | 282295 |
| 通信设备、计算机及其他电子设备制造业 | Telecommunications Equipment, Computer and Other Electronic Equipment | 255712 | 198475 | 227603 | 251814 | 470246 |
| 仪器仪表及文化、办公用机械制造业 | Instruments, Meters, Cultural and Office Machinery | 12195 | 42852 | 38665 | 41799 | 36628 |
| 工艺品及其他制造业 | Handicraft Article and Other Manufacturing Industry | 37541 | 79207 | 47181 | 66193 | 90379 |
| 废弃资源和废旧材料回收加工业 | Recovery of Resource Discarded and Useless Material | 47970 | 41070 | 22925 | 6274 | 9069 |
| **电力、燃气及水的生产和供应业** | **Production and Supply of Electricity, Gas and Water** | **293713** | **458929** | **567600** | **53327** | **79193** |
| 电力、热力的生产和供应 | Production and Supply of Electricity and Heating Power | 280046 | 455502 | 561414 | 44035 | 65318 |
| 燃气生产和供应业 | Production and Supply of Gas | 10805 | 3427 | 5627 | 3992 | 12171 |
| 水的生产和供应业 | Production and Supply of Water | 2862 |  | 559 | 5300 | 1704 |
| **建筑业** | **Construction** |  | **261** | **1500** |  |  |
| 建筑装饰业 | Decoration |  | 261 | 1500 |  |  |
| **交通运输、仓储和邮政业** | **Transport, Storage and Postal Services** | **117601** | **140978** | **190356** | **90787** | **89994** |
| 道路运输业 | Highway Transport | 51896 | 77392 |  | 3688 |  |
| 水上运输业 | Waterway Transport | 65705 | 60791 | 164337 | 10361 | 24492 |
| 仓储业 | Storage |  | 2795 | 23481 | 75778 | 63682 |
| **信息传输、计算机服务和软件业** | **Information Transmission, Computer Services and Software** | **130981** | **56445** | **48987** | **76318** | **72738** |
| 电信和其他信息传输服务业 | Telecommunication and Other Information Transmission Services | 130529 | 54171 | 35883 | 60244 | 56131 |
| 计算机服务业 | Computer Services |  |  |  |  |  |
| 软件业 | Software |  | 2274 | 13104 | 16074 | 16607 |
| **批发和零售业** | **Wholesale and Retail Trade** | **550** |  | **34519** | **41931** | **49624** |
| 批发业 | Wholesale Trade | 550 |  | 7534 | 1261 | 784 |
| 零售业 | Retail Trade |  |  | 26985 | 40670 | 48840 |
| **住宿和餐饮业** | **Hotels and Catering Services** | **51762** | **78673** | **124860** | **92320** | **116974** |

3－10 续表2 continued 单位:万元(10000 yuan)

| 指 标 | Item | 2004 | 2005 | 2006 | 2007 | 2008 |
|---|---|---|---|---|---|---|
| 住宿业 | Hotels | 51762 | 52603 | 105187 | 66982 | 73223 |
| 餐饮业 | Catering Services | | 26070 | 19673 | 25338 | 43751 |
| **房地产业** | **Real Estate** | **274269** | **316851** | **500535** | **854870** | **878489** |
| 房地产业 | Real Estate | 274269 | 316851 | 500535 | 854870 | 878489 |
| **租赁和商务服务业** | **Leasing and Commercial Services** | | **7340** | **1070** | **32042** | **12781** |
| 商务服务业 | Commercial Services | | 7340 | 1070 | 32042 | 12781 |
| **水利、环境和公共设施管理业** | **Water Conservancy, Environment and Public Facilities Management** | **28134** | **11814** | **31748** | **23451** | **8680** |
| 水利管理业 | Water Conservancy | | 8050 | 30050 | 20000 | 7150 |
| 公共设施管理业 | Public Facilities | 28134 | 3764 | 1698 | 973 | 1530 |
| **居民服务和其他服务业** | **Resident Services and Other Services** | | **4839** | **385** | **446** | |
| 居民服务业 | Resident Services | | 4839 | 385 | 446 | |
| **教育** | **Education** | | **4000** | **4000** | | |
| 教育 | Education | | 4000 | 4000 | | |
| **卫生、社会保障和社会福利业** | **Health Care, Social Security and Social Welfare** | | **6500** | **10826** | **15500** | **30865** |
| 卫生 | Health Care | | 6500 | 10826 | 15500 | 30865 |
| **文化、体育和娱乐业** | **Culture, Sports and Recreation** | **9178** | **12012** | **2040** | **1837** | **3942** |
| 体育 | Sports | 1005 | 483 | 1040 | 1 | |
| 娱乐业 | Recreation | 8173 | 11529 | 1000 | 1836 | 3942 |
| **自年初累计资金来源合计** | **Source of Funds** | **4262122** | **4988469** | **6118816** | **6464338** | **7517148** |
| 上年末结余资金 | Surplus Funds Last Year | 282624 | 330906 | 347269 | 533462 | 782806 |
| 本年资金来源小计 | Funds This Year | 3979498 | 4657563 | 5771547 | 5930876 | 6734342 |
| #国家预算内资金 | State Budgetary Appropriations | 30 | | | 2729 | 100 |
| 国内贷款 | Domestic Loans | 791106 | 602007 | 920401 | 787083 | 1011774 |
| 债券 | Debenture | 2726 | | | | 50 |
| 利用外资 | Foreign Investment | 1177829 | 1835504 | 2188504 | 1851693 | 1874187 |
| 自筹资金 | Fundraising | 1630347 | 1784364 | 2247954 | 2583656 | 2911772 |
| 其他资金 | Others | 377460 | 245865 | 414688 | 705715 | 936459 |

## 3－11 限额以上私营个体经济分行业投资和资金来源(2004－2008 年)
## Investment and Sources of Funds in Private－owned Units Above Designated Size by Sector (2004－2008)

单位:万元(10000 yuan)

| 指 标 | Item | 2004 | 2005 | 2006 | 2007 | 2008 |
|---|---|---|---|---|---|---|
| **投资总计** | **Total** | **10731513** | **11770204** | **14920208** | **18465037** | **19771612** |
| 第一产业 | Primary Industry | 20783 | 21210 | 19440 | 31194 | 52635 |
| 第二产业 | Secondary Industry | 5373152 | 6464689 | 8107325 | 10048416 | 11290021 |
| 第三产业 | Tertiary Industry | 5337578 | 5284305 | 6793443 | 8385427 | 8428956 |
| **按国民经济行业分组** | **by Sector** | | | | | |
| **农林牧渔业** | **Farming,Forestry,Animal Husbandry and Fishery** | **20783** | **21210** | **19440** | **31194** | **52635** |
| 农业 | Farming | 2135 | 6165 | 8750 | 6254 | 19491 |
| 畜牧业 | Animal Husbandry | 2160 | 8212 | 3583 | 11390 | 20893 |
| 渔业 | Fishery | 6811 | 3330 | 4524 | 11118 | 8044 |
| 农、林、牧、渔服务业 | Services | 8077 | 3503 | 2583 | 2432 | 2827 |
| **采矿业** | **Mining and Quarrying** | **41640** | **17639** | **20618** | **46728** | **51151** |
| 煤炭采选业 | Coal Mining and Dressing | 550 | | | 1100 | 1380 |
| 黑色金属矿采选业 | Ferrous Metals Mining and Dressing | | 500 | 221 | 340 | 2360 |
| 非金属矿采选业 | Nonmetal Minerals and Dressing | 40532 | 16274 | 19548 | 43986 | 2308 |
| 其他矿采选业 | Others | 558 | 865 | 849 | | 45103 |
| **制造业** | **Manufacturing** | **5247079** | **6361208** | **7925308** | **9860745** | **11069472** |
| 农副食品加工业 | Non－staple Food Processing | 52620 | 75347 | 92848 | 105180 | 133248 |
| 食品制造业 | Food Manufacturing | 44133 | 38554 | 80771 | 96191 | 104276 |
| 饮料制造业 | Beverage Manufacturing | 17863 | 47352 | 32925 | 34048 | 50293 |
| 纺织业 | Textile Industry | 862221 | 971966 | 1178384 | 1421581 | 1442263 |
| 纺织服装、鞋、帽制造业 | Garments,Shoes and Hats Manufacturing | 282423 | 325423 | 433176 | 403443 | 370586 |
| 皮革、毛皮、羽毛(绒)及其制造业 | Leather,Furs,Down and Related Products | 84926 | 118810 | 139140 | 193363 | 160417 |
| 木材加工及竹、藤、棕、草制品业 | Timber Processing,Bamboo,Cane,Palm Fiber and Straw Products | 73462 | 73995 | 121123 | 166756 | 172234 |
| 家具制造业 | Furniture Manufacturing | 94606 | 129975 | 134619 | 232872 | 212508 |
| 造纸及纸制品业 | Papermaking and Paper Products | 127478 | 214844 | 239598 | 266552 | 229098 |
| 印刷业、记录媒介的复制 | Printing and Record Medium Reproduction | 112253 | 151383 | 152853 | 122386 | 155542 |
| 文教体育用品制造业 | Cultural,Educational and Sports Goods | 77445 | 142308 | 164778 | 228254 | 222262 |
| 石油加工、炼焦及核燃料加工业 | Petroleum Processing,Cooking and Nuclear Fuel Processing | 6142 | 5312 | 1602 | 4535 | 13378 |
| 化学原料及化学制品制造业 | Raw Chemical Materials and Chemical Products | 157446 | 181290 | 244170 | 342054 | 422118 |
| 医药制造业 | Medical and Pharmaceutical Products | 76313 | 65388 | 93590 | 66133 | 102177 |
| 化学纤维制造业 | Chemical Fiber | 192462 | 134492 | 134867 | 178583 | 184464 |
| 橡胶制品业 | Rubber Products | 46651 | 48752 | 70830 | 68578 | 91262 |
| 塑料制品业 | Plastic Products | 229172 | 240283 | 331754 | 397920 | 492826 |
| 非金属矿物制品业 | Nonmetal Mineral Products | 342657 | 257287 | 251139 | 305436 | 422753 |

3-11 续表1 continued 单位:万元(10000 yuan)

| 指 标 | Item | 2004 | 2005 | 2006 | 2007 | 2008 |
|---|---|---|---|---|---|---|
| 黑色金属冶炼及压延加工业 | Smelting and Pressing of Ferrous Metals | 124764 | 166460 | 182899 | 176367 | 191224 |
| 有色金属冶炼及压延加工业 | Smelting and Pressing of Nonferrous Metals | 86551 | 82505 | 119701 | 144464 | 200267 |
| 金属制品业 | Metal Products | 369056 | 475759 | 644932 | 815516 | 958199 |
| 通用设备制造业 | Equipment in Common Use | 451866 | 732015 | 889755 | 1246655 | 1229512 |
| 专用设备制造业 | Equipment for Special Purpose | 234411 | 259262 | 272014 | 352889 | 511446 |
| 交通运输设备制造业 | Transport Equipment | 336766 | 402759 | 605978 | 882219 | 1195323 |
| 电气机械及器材制造业 | Electric Equipment and Machinery | 418891 | 547092 | 788881 | 1016733 | 1140959 |
| 通信设备、计算机及其他电子设备制造业 | Telecommunications Equipment, Computer and Other Electronic Equipment | 118190 | 149037 | 144342 | 185488 | 241883 |
| 仪器仪表及文化、办公用机械制造业 | Instruments, Meters, Cultural and Office Machinery | 71813 | 96750 | 83988 | 120398 | 134347 |
| 工艺品及其他制造业 | Handicraft Article and Other Manufacturing Industry | 151898 | 213243 | 278624 | 260019 | 251099 |
| 废弃资源和废旧材料回收加工业 | Recovery of Resource Discarded and Useless Material | 2600 | 13565 | 16027 | 26132 | 33508 |
| **电力、燃气及水的生产和供应业** | **Production and Supply of Electricity, Gas and Water** | **77903** | **71735** | **93090** | **97804** | **143592** |
| 电力、热力的生产和供应 | Production and Supply of Electricity and Heating Power | 76408 | 59224 | 72150 | 81883 | 107004 |
| 燃气生产和供应业 | Production and Supply of Gas | | 476 | 12444 | 6520 | 14523 |
| 水的生产和供应业 | Production and Supply of Water | 1495 | 12035 | 8496 | 9401 | 22065 |
| **建筑业** | **Construction** | **6530** | **14107** | **68309** | **43139** | **25806** |
| 房屋和土木工程建筑业 | Civil Engineering | 2651 | 11958 | 63539 | 40412 | 23140 |
| 建筑安装业 | Installation | 1109 | 599 | 200 | 1000 | 600 |
| 建筑装饰业 | Decoration | | 1250 | 1560 | 526 | 50 |
| 其他建筑业 | Other Construction | | 300 | 3010 | 1201 | 2016 |
| **交通运输、仓储和邮政业** | **Transport, Storage and Postal Services** | **32858** | **72364** | **95103** | **307288** | **299980** |
| 道路运输业 | Highway Transport | 3595 | 21519 | 19321 | 12119 | 47037 |
| 城市公共交通业 | City Public Transport | | 2241 | 546 | 1318 | 2747 |
| 水上运输业 | Waterway Transport | 23333 | 36678 | 47834 | 281756 | 214990 |
| 装卸搬运和其他运输服务业 | Carrying and Other Transport Services | 2500 | 6449 | 5413 | 2650 | 1050 |
| 仓储业 | Storage | 3430 | 5477 | 21989 | 9445 | 32706 |
| **信息传输、计算机服务和软件业** | **Information Transmission, Computer Services and Software** | **5129** | **2300** | **7159** | **5092** | **5549** |
| 计算机服务业 | Computer Services | 800 | | 1165 | | |
| 软件业 | Software | | 2300 | 5994 | 5092 | 5549 |
| **批发和零售业** | **Wholesale and Retail Trade** | **36427** | **125065** | **173256** | **284339** | **365272** |
| 批发业 | Wholesale Trade | 26891 | 48587 | 105835 | 149268 | 152854 |
| 零售业 | Retail Trade | | 76478 | 67421 | 135071 | 212418 |
| **住宿和餐饮业** | **Hotels and Catering Services** | **28647** | **87161** | **139879** | **223158** | **171401** |
| 住宿业 | Hotels | 15560 | 58424 | 92173 | 156979 | 95875 |

3－11 续表2 continued 单位:万元(10000 yuan)

| 指 标 | Item | 2004 | 2005 | 2006 | 2007 | 2008 |
|---|---|---|---|---|---|---|
| 餐饮业 | Catering Services | 13087 | 28737 | 47706 | 66179 | 75526 |
| **房地产业** | **Real Estate** | **5178042** | **4850927** | **6078078** | **7278409** | **7303051** |
| 房地产业 | Real Estate | 5178042 | 4850927 | 6078078 | 7278409 | 7303051 |
| **租赁和商务服务业** | **Leasing and Commercial Services** | **11250** | **43680** | **111973** | **73738** | **81285** |
| 租赁业 | Leasing | | 1100 | 3362 | 500 | 2240 |
| 商务服务业 | Commercial Services | 11250 | 42580 | 108611 | 73238 | 79045 |
| **科学研究、技术服务和地质勘查业** | **Scientific Research, Technic Services and Geological Prospecting** | **2077** | **718** | **5299** | **8411** | **11039** |
| 专业技术服务业 | Technical Services | 2077 | 718 | 1464 | 7311 | 9426 |
| **水利、环境和公共设施管理业** | **Water Conservancy, Environment and Public Facilities Management** | **5812** | **38085** | **60612** | **83773** | **99402** |
| 环境管理业 | Environment | 289 | | 2130 | 6090 | 16639 |
| 公共设施管理业 | Public Facilities | 5523 | 38085 | 58482 | 76683 | 82263 |
| **居民服务和其他服务业** | **Resident Services and Other Services** | | **16498** | **5030** | **15780** | **6190** |
| 居民服务业 | Resident Services | | 10828 | 2200 | 11904 | 2590 |
| 其他服务业 | Other Services | | 5670 | 2830 | 3876 | 3600 |
| **教育** | **Education** | **23543** | **18271** | **26841** | **16566** | **18589** |
| 教育 | Education | 23543 | 18271 | 26841 | 16566 | 18589 |
| **卫生、社会保障和社会福利业** | **Health Care, Social Security and Social Welfare** | **4718** | **7996** | **52601** | **7921** | **19442** |
| 卫生 | Health Care | 4718 | 7996 | 52601 | 2919 | 14702 |
| 社会福利业 | Social Welfare | | | | 5002 | 4740 |
| **文化、体育和娱乐业** | **Culture, Sports and Recreation** | **6039** | **18123** | **36491** | **60311** | **32870** |
| 文化艺术业 | Culture and Arts | 1349 | 550 | 24913 | 6570 | 10070 |
| 娱乐业 | Recreation | | 17573 | 10828 | 43161 | 20500 |
| **公共管理和社会组织** | **Public Management** | **200** | **3117** | **1121** | **20641** | **10686** |
| 国家机构 | Government Agencies | 200 | 3117 | 1121 | 6531 | 3686 |
| **自年初累计资金来源合计** | **Source of Funds** | **13647924** | **14577667** | **18868058** | **24536155** | **24269918** |
| 上年末结余资金 | Surplus Funds Last Year | 993933 | 1217923 | 1308047 | 1807993 | 2102031 |
| 本年资金来源小计 | Funds This Year | 12653991 | 13359744 | 17560011 | 22728162 | 22167887 |
| #国家预算内资金 | State Budgetary Appropriations | 6800 | | | 1110 | 3799 |
| 国内贷款 | Domestic Loans | 2114599 | 2052896 | 2475855 | 3125898 | 2666678 |
| 债券 | Debenture | 450 | | | 700 | 300 |
| 利用外资 | Foreign Investment | 64936 | 52564 | 169136 | 86444 | 37120 |
| 自筹资金 | Fundraising | 6138610 | 7479842 | 10054401 | 12901072 | 14399851 |
| 其他资金 | Others | 4328596 | 3774192 | 4859119 | 6612938 | 5060139 |

## 3－12 房地产开发投资主要指标(2003－2008 年)
## Main Indicators of Investment in Real Estate Development(2003－2008)

单位:万元(10000 yuan)

| 指 标 | Item | 2003 | 2004 | 2005 | 2006 | 2007 | 2008 |
|---|---|---|---|---|---|---|---|
| **开发投资额** | **Development** | **9800514** | **13530715** | **14564885** | **15742756** | **18216690** | **20231177** |
| #土地开发 | Land Development | 404286 | 489329 | 324198 | 431975 | 500797 | 461715 |
| **按登记注册类型分** | **by Registered Type** | | | | | | |
| 内资 | Domestic Funds | 9348805 | 12794874 | 13758290 | 14601347 | 16592949 | 18599127 |
| 国有 | State－owned | 890877 | 482643 | 492300 | 491799 | 619342 | 656301 |
| 集体 | Collective Owned | 268014 | 164410 | 93836 | 89786 | 64904 | 86280 |
| 股份合作 | Share－cooperations | 213687 | 86981 | 56510 | 40733 | 11820 | 27417 |
| 国有联营 | State Joint | 15556 | 38792 | 124166 | 74878 | 126378 | 90943 |
| 集体联营 | Collective Joint | 2649 | 2320 | 8550 | | | |
| 国有与集体联营 | State－collective Joint | 5386 | 4766 | 2835 | 22529 | 13506 | 1087 |
| 其他联营 | Other Joint | 2795 | | | 6400 | 2920 | |
| 国有独资公司 | State Sole Funds | 151290 | 303522 | 389301 | 480023 | 351616 | 312954 |
| 其他有限责任公司 | Other Limited Liability Corporations | 5013708 | 6179665 | 7236316 | 7014266 | 7805396 | 9051924 |
| 股份有限公司 | Share－holding Corporations Ltd. | 811642 | 385792 | 429472 | 342407 | 332041 | 836800 |
| 私营 | Private | 1957798 | 5145983 | 4838152 | 6010753 | 7221073 | 7203952 |
| 其他 | Others | 15403 | | 86852 | 27773 | 43953 | 331469 |
| 港澳台商投资 | Investment from HongKong, Macao and Taiwan | 290312 | 463076 | 497591 | 641924 | 775101 | 757479 |
| 外商投资 | Investment from Foreign | 161397 | 272765 | 309004 | 499485 | 848640 | 874571 |
| **按构成分** | **by Structure** | | | | | | |
| 建筑工程 | Construction | 5254301 | 7507646 | 8603191 | 8793185 | 9343628 | 11069093 |
| 安装工程 | Installation | 321984 | 528423 | 567247 | 745921 | 875825 | 926074 |
| 设备工器具购置 | Purchase of Equipment and Instruments | 72256 | 117683 | 128675 | 167616 | 199768 | 244823 |
| 其他费用 | Others | 4151973 | 5376963 | 5265772 | 6036034 | 7797469 | 7991187 |
| #旧建筑物购置费 | Purchase of Old Buildings | 39013 | 5635 | 36365 | 89674 | 21283 | 10763 |
| 土地购置费 | Purchase of Land | 3389979 | 4205023 | 4164098 | 4792568 | 6318669 | 6043533 |

3-12 续表 continued 单位:万元(10000 yuan)

| 指 标 | Item | 2003 | 2004 | 2005 | 2006 | 2007 | 2008 |
|---|---|---|---|---|---|---|---|
| **按用途分** | **by Purpose** | | | | | | |
| 住宅 | Residential Buildings | 7158355 | 9972777 | 10895057 | 11437869 | 13082714 | 14265508 |
| #别墅、高档公寓 | Villas and High - grade | 600408 | 814816 | 925300 | 978785 | 1163730 | 1444881 |
| 经济适用房 | Economical Houses | 367706 | 554557 | 616628 | 708946 | 594537 | 491452 |
| 办公楼 | Office Buildings | 481362 | 667550 | 678772 | 1069573 | 1095616 | 1374590 |
| 商业营业用房 | Commercial Buildings | 1454305 | 1762338 | 1705982 | 1813326 | 2079326 | 2087399 |
| 其他 | Others | 706492 | 1128050 | 1285074 | 1421988 | 1959034 | 2503680 |
| 新增固定资产 | Newly Increased Fixed Assets | 5550752 | 5692650 | 7534411 | 7437546 | 9933824 | 11316600 |
| 开发土地面积(平方米) | Land Space Developed(sq. m) | 17909338 | 18615359 | 13116238 | 12610789 | 13706918 | 12518811 |
| 购置的土地面积(平方米) | Land Space Purchased(sq. m) | 34079357 | 30235973 | 18018722 | 18911172 | 18292615 | 18342911 |
| 施工面积(平方米) | Floor Space Under Construction (sq. m) | 108047647 | 140300356 | 156517364 | 169700779 | 183701512 | 192733308 |
| #住宅 | Residential Buildings | 84408868 | 107599438 | 120099149 | 127233559 | 134499342 | 136884433 |
| 竣工面积(平方米) | Floor Space Completed(sq. m) | 32148543 | 35637288 | 41308025 | 38774688 | 41001313 | 44582633 |
| #住宅 | Residential Buildings | 25717176 | 28005155 | 32088977 | 29953398 | 30544759 | 32608268 |
| 销售面积(平方米) | Floor Space of Selling House(sq. m) | 27818419 | 30513831 | 33058402 | 35449637 | 45419663 | 29921980 |
| #住宅 | Residential Buildings | 23567831 | 25653054 | 28246482 | 30395413 | 39249182 | 24807376 |
| **资金来源合计** | **Source of Funds** | **15687368** | **23714807** | **23026682** | **27520978** | **35442068** | **36706349** |
| 上年末结余资金 | Surplus Funds Last Year | 1846094 | 2975413 | 3625096 | 3915802 | 4662970 | 6834125 |
| 本年资金来源小计 | Funds This Year | 13841274 | 20739394 | 19401586 | 23605176 | 30779098 | 29872224 |
| #国家预算内资金 | State Budgetary Appropriations | 200 | 4027 | | | | |
| 国内贷款 | Domestic Loans | 3941332 | 4251726 | 4338618 | 5074701 | 6159442 | 6646244 |
| 债券 | Debenture | 850 | | | | | |
| 利用外资 | Foreign Investment | 45555 | 131403 | 65182 | 370897 | 172269 | 274651 |
| 自筹资金 | Fundraising | 2534602 | 4327419 | 4340125 | 5103420 | 6329102 | 7566981 |
| 其他资金 | Others | 7318735 | 12024819 | 10657661 | 13056158 | 18118285 | 15384348 |

## 3-13 按资质等级分的房地产开发投资(2008 年)
Investment in Real Estate Development by Classification(2008)

单位:万元(10000 yuan)

| 指 标 | Item | 投资额 Investment | 一级 The First Grade | 二级 The Second Grade | 三级 The Third Grade |
|---|---|---|---|---|---|
| **开发投资额** | **Development** | **20231177** | **1790414** | **3691072** | **6082288** |
| 土地开发 | Land Development | 461715 | 11747 | 42605 | 112398 |
| **按登记注册类型分** | **by Registered Type** | | | | |
| 内资 | Domestic Funds | 18599127 | 1773342 | 3443402 | 5695825 |
| 国有 | State - owned | 656301 | 361 | 115739 | 307558 |
| 集体 | Collective Owned | 86280 | 2060 | 37819 | 16000 |
| 股份合作 | Share - cooperations | 27417 | | 10776 | 9388 |
| 国有联营 | State Joint | 90943 | 75305 | | 11257 |
| 集体联营 | Collective Joint | | | | |
| 国有与集体联营 | State - collective Joint | 1087 | | | 1087 |
| 其他联营 | Other Joint | | | | |
| 国有独资公司 | State Sole Funds | 312954 | | 39139 | 141059 |
| 其他有限责任公司 | Other Limited Liability Corporations | 9051924 | 966360 | 1362597 | 2759561 |
| 股份有限公司 | Share - holding Corporations Ltd. | 836800 | 353267 | 133748 | 122313 |
| 私营 | Private | 7203952 | 295946 | 1634672 | 2235604 |
| 其他 | Others | 331469 | 80043 | 108912 | 91998 |
| 港澳台商投资 | Investment from HongKong, Macao and Taiwan | 757479 | 9545 | 200606 | 263954 |
| 外商投资 | Investment from Foreign | 874571 | 7527 | 47064 | 122509 |
| **按构成分** | **by Structure** | | | | |
| 建筑工程 | Construction | 11069093 | 963863 | 2103044 | 3600997 |
| 安装工程 | Installation | 926074 | 79031 | 174363 | 314721 |
| 设备工器具购置 | Purchase of Equipment and Instruments | 244823 | 32942 | 55782 | 64420 |
| 其他费用 | Others | 7991187 | 714578 | 1357883 | 2102150 |
| #旧建筑物购置费 | Purchase of Old Buildings | 10763 | 670 | 950 | 7379 |
| 土地购置费 | Purchase of Land | 6043533 | 544696 | 964282 | 1582507 |

3 - 13 续表 continued 单位:万元(10000 yuan)

| 指 标 | Item | 投资额 Investment | 一级 The First Grade | 二级 The Second Grade | 三级 The Third Grade |
|---|---|---|---|---|---|
| **按用途分** | **by Purpose** | | | | |
| 住宅 | Residential Buildings | 14265508 | 1303744 | 2644663 | 4360975 |
| #别墅、高档公寓 | Villas and High - grade | 1444881 | 131089 | 216825 | 432010 |
| 经济适用房 | Economical Houses | 491452 | 29747 | 104449 | 179247 |
| 办公楼 | Office Buildings | 1374590 | 110006 | 254829 | 400936 |
| 商业营业用房 | Commercial Buildings | 2087399 | 148041 | 336994 | 550988 |
| 其他 | Others | 2503680 | 228623 | 454586 | 769389 |
| 新增固定资产 | Newly Increased Fixed Assets | 11316600 | 1101886 | 2954605 | 3988667 |
| 开发土地面积(平方米) | Land Space Developed(sq. m) | 12518811 | 842710 | 1798913 | 3306715 |
| 购置的土地面积(平方米) | Land Space Purchased(sq. m) | 18342911 | 1151334 | 1942448 | 3634155 |
| 施工面积(平方米) | Floor Space Under Construction (sq. m) | 192733308 | 14213288 | 39693781 | 66782274 |
| #住宅 | Residential Buildings | 136884433 | 9604245 | 28692185 | 49322261 |
| 竣工面积(平方米) | Floor Space Completed(sq. m) | 44582633 | 3652478 | 11411666 | 17108589 |
| #住宅 | Residential Buildings | 32608268 | 2621645 | 8438558 | 13063696 |
| 销售面积(平方米) | Floor Space of Selling House (sq. m) | 29921980 | 2087403 | 5613570 | 10069016 |
| #住宅 | Residential Buildings | 24807376 | 1764552 | 4699140 | 8556348 |
| **资金来源合计** | **Source of Funds** | **36706349** | **3916284** | **6978058** | **10128397** |
| 上年末结余资金 | Surplus Funds Last Year | 6834125 | 672110 | 1342603 | 1798696 |
| 本年资金来源小计 | Funds This Year | 29872224 | 3244174 | 5635455 | 8329701 |
| #国家预算内资金 | State Budgetary Appropriations | | | | |
| 国内贷款 | Domestic Loans | 6646244 | 1054703 | 1133550 | 1634310 |
| 债券 | Debenture | | | | |
| 利用外资 | Foreign Investment | 274651 | | | 27941 |
| 自筹资金 | Fundraising | 7566981 | 546263 | 922004 | 2101633 |
| 其他资金 | Others | 15384348 | 1643208 | 3579901 | 4565817 |

## 3-14 各市限额以上固定资产投资完成情况
Investment In Fixed Assets Above Designated Size by City

| 城市 | City | 投资额（亿元）Investment (100 million yuan) | | #投资项目 Projects | | #房地产开发 Real Estate Development | | 施工项目个数（个）Projects Under Construction (unit) | |
|---|---|---|---|---|---|---|---|---|---|
| | | 2007 | 2008 | 2007 | 2008 | 2007 | 2008 | 2007 | 2008 |
| **合 计** | **Total** | **7704.9** | **8550.71** | **5883.23** | **6527.59** | **1821.67** | **2023.12** | **24409** | **26323** |
| 杭州市 | Hangzhou | 1583.78 | 1882.29 | 1064.99 | 1266.89 | 518.79 | 615.41 | 3387 | 3509 |
| 宁波市 | Ningbo | 1486.54 | 1610.86 | 1153.65 | 1303.11 | 332.89 | 307.75 | 3643 | 4290 |
| 温州市 | Wenzhou | 640.59 | 655.84 | 448.1 | 436.45 | 192.49 | 219.39 | 2583 | 2385 |
| 嘉兴市 | Jiaxing | 813.37 | 906.86 | 665.63 | 725.74 | 147.74 | 181.12 | 3049 | 3262 |
| 湖州市 | Huzhou | 421.2 | 485.50 | 326.2 | 378.66 | 95 | 106.84 | 1445 | 1895 |
| 绍兴市 | Shaoxing | 761.05 | 820.01 | 582.46 | 617.96 | 178.59 | 202.06 | 2729 | 2726 |
| 金华市 | Jinhua | 495.81 | 535.72 | 374.38 | 394.76 | 121.42 | 140.96 | 2196 | 2371 |
| 衢州市 | Quzhou | 285.67 | 325.10 | 239.76 | 280.71 | 45.91 | 44.39 | 1459 | 1530 |
| 舟山市 | Zhoushan | 274.61 | 333.63 | 235.46 | 294.68 | 39.15 | 38.95 | 368 | 367 |
| 台州市 | Taizhou | 624.35 | 654.76 | 528.63 | 528.51 | 95.73 | 126.25 | 2574 | 2804 |
| 丽水市 | Lishui | 222.93 | 231.71 | 168.99 | 191.71 | 53.95 | 39.99 | 974 | 1182 |

3-14 续表 continued

| 城市 | City | 全投项目个数（个）Projects Completed and Put Into Use (unit) | | 房屋施工面积（平方米）Floor Space Under Construction (sq. m) | | 房屋竣工面积（平方米）Floor Space Completed (sq. m) | | 新增固定资产（亿元）Newly Increased Fixed Assets (100 million yuan) | |
|---|---|---|---|---|---|---|---|---|---|
| | | 2007 | 2008 | 2007 | 2008 | 2007 | 2008 | 2007 | 2008 |
| **合 计** | **Total** | **9243** | **10729** | **410303555** | **446562673** | **111633593** | **125675171** | **4293.54** | **4824.97** |
| 杭州市 | Hangzhou | 1401 | 1357 | 79420748 | 94714134 | 18492389 | 20578606 | 745.21 | 857.52 |
| 宁波市 | Ningbo | 1776 | 2444 | 77475811 | 90083870 | 23490468 | 30870933 | 922.02 | 1065.34 |
| 温州市 | Wenzhou | 979 | 839 | 56318530 | 53713335 | 14490190 | 14874830 | 396.02 | 415.89 |
| 嘉兴市 | Jiaxing | 1053 | 1364 | 49712505 | 53271486 | 14208662 | 14478388 | 496.9 | 688.20 |
| 湖州市 | Huzhou | 484 | 997 | 19427041 | 20243268 | 3748661 | 5721310 | 220.65 | 273.43 |
| 绍兴市 | Shaoxing | 1356 | 1216 | 38195547 | 42804094 | 11694244 | 12624777 | 493.15 | 1504.48 |
| 金华市 | Jinhua | 290 | 331 | 25371913 | 24604487 | 8122077 | 5983486 | 251.46 | 216.71 |
| 衢州市 | Quzhou | 554 | 736 | 15165537 | 14953951 | 4464691 | 5585650 | 170.29 | 195.94 |
| 舟山市 | Zhoushan | 147 | 110 | 6065812 | 6479887 | 2044752 | 1582087 | 96.45 | 130.71 |
| 台州市 | Taizhou | 908 | 924 | 32054630 | 32993622 | 7888747 | 9414969 | 343.34 | 298.04 |
| 丽水市 | Lishui | 295 | 411 | 11095481 | 12700539 | 2988712 | 3960135 | 158.05 | 178.72 |

## 3－15　各市按资质等级分的房地产开发企业个数
Number of Enterprises for Real Estate Development by Classification and by City

单位:个(unit)

| 城 市 | City | 合计 Total | | 一级企业 The First Enterprises | | 二级企业 The Second Enterprises | | 三级企业 The Third Enterprises | | 四级企业 The Fourth Enterprises | | 暂定 Undefined Enterprises | | 其他 Others | |
|---|---|---|---|---|---|---|---|---|---|---|---|---|---|---|---|
| | | 2007 | 2008 | 2007 | 2008 | 2007 | 2008 | 2007 | 2008 | 2007 | 2008 | 2007 | 2008 | 2007 | 2008 |
| **合　计** | **Total** | **3872** | **5600** | **64** | **116** | **377** | **539** | **1363** | **1686** | **600** | **768** | **1086** | **1678** | **382** | **813** |
| 杭州市 | Hangzhou | 903 | 1315 | 24 | 49 | 90 | 182 | 306 | 337 | 91 | 93 | 164 | 312 | 228 | 342 |
| 宁波市 | Ningbo | 538 | 786 | 13 | 15 | 50 | 56 | 193 | 253 | 67 | 79 | 161 | 210 | 54 | 173 |
| 温州市 | Wenzhou | 460 | 557 | 7 | 7 | 64 | 78 | 273 | 276 | 16 | 18 | 85 | 127 | 15 | 51 |
| 嘉兴市 | Jiaxing | 383 | 570 | 2 | 3 | 24 | 24 | 63 | 105 | 81 | 125 | 189 | 243 | 24 | 70 |
| 湖州市 | Huzhou | 202 | 340 | 1 | 4 | 6 | 14 | 26 | 48 | 44 | 70 | 112 | 171 | 13 | 33 |
| 绍兴市 | Shaoxing | 338 | 631 | 5 | 10 | 51 | 61 | 121 | 181 | 41 | 77 | 116 | 246 | 4 | 56 |
| 金华市 | Jinhua | 319 | 464 | 2 | 7 | 19 | 37 | 100 | 139 | 56 | 109 | 117 | 124 | 25 | 48 |
| 衢州市 | Quzhou | 202 | 238 | 4 | 5 | 17 | 20 | 63 | 69 | 71 | 65 | 46 | 78 | 1 | 1 |
| 舟山市 | Zhoushan | 143 | 179 | 1 | 2 | 3 | 14 | 70 | 96 | 54 | 51 | 10 | 13 | 5 | 3 |
| 台州市 | Taizhou | 254 | 332 | 4 | 4 | 38 | 35 | 97 | 113 | 52 | 53 | 61 | 116 | 2 | 11 |
| 丽水市 | Lishui | 130 | 188 | 1 | 10 | 15 | 18 | 51 | 69 | 27 | 28 | 25 | 38 | 11 | 25 |

## 3－16 各市按登记注册类型分的房地产开发企业个数
Number of Enterprises for Real Estate Development by Registered Type and by City

单位：个(unit)

| 城 市 | City | 合计 Total | | 国有 State－owned | | 集体 Collective Owned | | 股份合作 Share－cooperations | | 国有独资公司 State Sole Funds | |
|---|---|---|---|---|---|---|---|---|---|---|---|
| | | 2007 | 2008 | 2007 | 2008 | 2007 | 2008 | 2007 | 2008 | 2007 | 2008 |
| **合 计** | **Total** | **3872** | **5600** | **144** | **163** | **56** | **67** | **12** | **15** | **42** | **56** |
| 杭州市 | Hangzhou | 903 | 1315 | 38 | 48 | 5 | 7 | | 5 | 12 | 12 |
| 宁波市 | Ningbo | 538 | 786 | 21 | 23 | 19 | 35 | | | 10 | 12 |
| 温州市 | Wenzhou | 460 | 557 | 24 | 21 | 11 | 7 | 5 | 9 | 8 | 10 |
| 嘉兴市 | Jiaxing | 383 | 570 | 6 | 15 | 5 | 4 | 2 | | 1 | 4 |
| 湖州市 | Huzhou | 202 | 340 | 11 | 11 | 3 | 3 | | 1 | | |
| 绍兴市 | Shaoxing | 338 | 631 | 9 | 16 | 6 | 6 | 2 | | 2 | 1 |
| 金华市 | Jinhua | 319 | 464 | 10 | 8 | 4 | 3 | | | 2 | 3 |
| 衢州市 | Quzhou | 202 | 238 | 3 | 4 | | | | | 1 | 1 |
| 舟山市 | Zhoushan | 143 | 179 | 11 | 7 | 2 | 1 | 1 | | | 1 |
| 台州市 | Taizhou | 254 | 332 | 9 | 9 | 1 | 1 | 2 | | 6 | 12 |
| 丽水市 | Lishui | 130 | 188 | 2 | 1 | | | | | | |

3－16 续表 continued

单位：个(unit)

| 城 市 | City | 其他有限责任公司 Other Limited Liability Corporations | | 股份有限公司 Share－holding Corporations Ltd. | | 私营 Private | | 港澳台商投资 Investment from HongKong, Macao and Taiwan | | 外商投资 Investment from Foreign | |
|---|---|---|---|---|---|---|---|---|---|---|---|
| | | 2007 | 2008 | 2007 | 2008 | 2007 | 2008 | 2007 | 2008 | 2007 | 2008 |
| **合 计** | **Total** | **1414** | **1915** | **71** | **119** | **1883** | **2885** | **116** | **162** | **111** | **149** |
| 杭州市 | Hangzhou | 443 | 611 | 17 | 44 | 327 | 482 | 33 | 43 | 19 | 28 |
| 宁波市 | Ningbo | 113 | 158 | 9 | 17 | 306 | 463 | 38 | 49 | 20 | 27 |
| 温州市 | Wenzhou | 208 | 198 | 5 | 6 | 173 | 273 | 2 | 5 | 22 | 26 |
| 嘉兴市 | Jiaxing | 126 | 175 | 11 | 11 | 203 | 307 | 9 | 19 | 16 | 28 |
| 湖州市 | Huzhou | 116 | 151 | 3 | 11 | 48 | 125 | 10 | 13 | 7 | 15 |
| 绍兴市 | Shaoxing | 90 | 210 | 8 | 15 | 204 | 358 | 5 | 10 | 11 | 6 |
| 金华市 | Jinhua | 81 | 101 | 4 | 4 | 202 | 321 | 8 | 11 | 8 | 10 |
| 衢州市 | Quzhou | 23 | 26 | 5 | 1 | 170 | 206 | | | | |
| 舟山市 | Zhoushan | 74 | 87 | | | 54 | 81 | 1 | 1 | | 1 |
| 台州市 | Taizhou | 122 | 177 | 5 | 9 | 92 | 107 | 10 | 11 | 6 | 5 |
| 丽水市 | Lishui | 18 | 21 | 4 | 1 | 104 | 162 | | | 2 | 3 |

## 3-17 各市按资质等级分的房地产开发从业人员数
Number of Employed Persons In Real Estate Development by Classification and by City

单位:人(person)

| 城市 | City | 合计 Total | | 一级企业 The First Enterprises | | 二级企业 The Second Enterprises | | 三级企业 The Third Enterprises | | 四级企业 The Fourth Enterprises | | 暂定 Undefined Enterprises | | 其他 Others | |
|---|---|---|---|---|---|---|---|---|---|---|---|---|---|---|---|
| | | 2007 | 2008 | 2007 | 2008 | 2007 | 2008 | 2007 | 2008 | 2007 | 2008 | 2007 | 2008 | 2007 | 2008 |
| **合 计** | **Total** | **79624** | **95183** | **4207** | **6027** | **13896** | **18456** | **29158** | **31115** | **7906** | **9296** | **18128** | **23248** | **6329** | **7041** |
| 杭州市 | Hangzhou | 20759 | 25135 | 1905 | 3028 | 3328 | 6108 | 6871 | 6468 | 1460 | 946 | 2968 | 5282 | 4227 | 3303 |
| 宁波市 | Ningbo | 10970 | 12882 | 726 | 784 | 1987 | 1751 | 4083 | 4962 | 791 | 967 | 2948 | 3287 | 435 | 1131 |
| 温州市 | Wenzhou | 10196 | 10292 | 393 | 351 | 2399 | 2718 | 5526 | 4761 | 283 | 271 | 1200 | 1654 | 395 | 537 |
| 嘉兴市 | Jiaxing | 7001 | 8474 | 89 | 94 | 888 | 774 | 1497 | 2310 | 1028 | 1598 | 3066 | 3197 | 433 | 501 |
| 湖州市 | Huzhou | 3769 | 5494 | 86 | 207 | 644 | 806 | 613 | 865 | 687 | 860 | 1565 | 2240 | 174 | 516 |
| 绍兴市 | Shaoxing | 6818 | 9227 | 387 | 474 | 1632 | 1915 | 2207 | 2774 | 450 | 941 | 2065 | 2813 | 77 | 310 |
| 金华市 | Jinhua | 6273 | 7558 | 87 | 281 | 614 | 1177 | 2408 | 2528 | 763 | 1497 | 2017 | 1753 | 384 | 322 |
| 衢州市 | Quzhou | 2385 | 2357 | 99 | 142 | 394 | 339 | 903 | 816 | 578 | 535 | 392 | 510 | 19 | 15 |
| 舟山市 | Zhoushan | 2647 | 3492 | 9 | 38 | 172 | 1040 | 1481 | 1761 | 764 | 526 | 196 | 107 | 25 | 20 |
| 台州市 | Taizhou | 5753 | 6794 | 327 | 315 | 1400 | 1355 | 2172 | 2297 | 685 | 695 | 1116 | 1901 | 53 | 231 |
| 丽水市 | Lishui | 3053 | 3478 | 99 | 313 | 438 | 473 | 1397 | 1573 | 417 | 460 | 595 | 504 | 107 | 155 |

## 3－18 各市按登记注册类型分的房地产开发从业人员数
Number of Employed Persons In Real Estate Development by Registered Type and by City

单位：人（person）

| 城 市 | City | 合计 Total | | 国有 State－owned | | 集体 Collective Owned | | 股份合作 Share－cooperations | | 国有独资公司 State Sole Funds | |
|---|---|---|---|---|---|---|---|---|---|---|---|
| | | 2007 | 2008 | 2007 | 2008 | 2007 | 2008 | 2007 | 2008 | 2007 | 2008 |
| **合 计** | **Total** | **79624** | **95183** | **4036** | **3734** | **878** | **718** | **316** | **227** | **1264** | **1255** |
| 杭州市 | Hangzhou | 20759 | 25135 | 1203 | 1112 | 65 | 35 | | 79 | 352 | 244 |
| 宁波市 | Ningbo | 10970 | 12882 | 316 | 287 | 187 | 316 | | | 427 | 399 |
| 温州市 | Wenzhou | 10196 | 10292 | 857 | 793 | 214 | 135 | 139 | 138 | 301 | 298 |
| 嘉兴市 | Jiaxing | 7001 | 8474 | 211 | 164 | 54 | 21 | 29 | | 11 | 39 |
| 湖州市 | Huzhou | 3769 | 5494 | 734 | 671 | 47 | 41 | | 10 | | |
| 绍兴市 | Shaoxing | 6818 | 9227 | 67 | 222 | 235 | 128 | 22 | | 31 | 3 |
| 金华市 | Jinhua | 6273 | 7558 | 144 | 78 | 54 | 27 | | | 30 | 68 |
| 衢州市 | Quzhou | 2385 | 2357 | 54 | 50 | | | | | 4 | 1 |
| 舟山市 | Zhoushan | 2647 | 3492 | 248 | 152 | 15 | 6 | 45 | | | 10 |
| 台州市 | Taizhou | 5753 | 6794 | 189 | 200 | 7 | 9 | 81 | | 108 | 193 |
| 丽水市 | Lishui | 3053 | 3478 | 13 | 5 | | | | | | |

3－18 续表 continued

单位：人（person）

| 城 市 | City | 其他有限责任公司 Other Limited Liability Corporations | | 股份有限公司 Share－holding Corporations Ltd. | | 私营 Private | | 港澳台商投资 Investment from HongKong, Macao and Taiwan | | 外商投资 Investment from Foreign | |
|---|---|---|---|---|---|---|---|---|---|---|---|
| | | 2007 | 2008 | 2007 | 2008 | 2007 | 2008 | 2007 | 2008 | 2007 | 2008 |
| **合 计** | **Total** | **29715** | **34240** | **2141** | **2696** | **35396** | **44306** | **2592** | **3527** | **2758** | **3087** |
| 杭州市 | Hangzhou | 10500 | 12330 | 587 | 1159 | 6421 | 7595 | 698 | 869 | 676 | 845 |
| 宁波市 | Ningbo | 2284 | 2841 | 546 | 352 | 5955 | 7085 | 790 | 1037 | 460 | 560 |
| 温州市 | Wenzhou | 4279 | 3384 | 256 | 272 | 3653 | 4692 | 40 | 83 | 435 | 479 |
| 嘉兴市 | Jiaxing | 2229 | 2507 | 257 | 244 | 3475 | 4437 | 190 | 489 | 448 | 469 |
| 湖州市 | Huzhou | 1709 | 2131 | 93 | 191 | 763 | 1540 | 220 | 460 | 80 | 271 |
| 绍兴市 | Shaoxing | 1970 | 3322 | 104 | 265 | 4104 | 4873 | 119 | 114 | 155 | 132 |
| 金华市 | Jinhua | 1535 | 1787 | 100 | 38 | 3941 | 5147 | 227 | 215 | 242 | 152 |
| 衢州市 | Quzhou | 259 | 272 | 57 | 10 | 2011 | 2024 | | | | |
| 舟山市 | Zhoushan | 1444 | 1404 | | | 880 | 1899 | 15 | 15 | | 6 |
| 台州市 | Taizhou | 3063 | 3945 | 104 | 153 | 1695 | 1951 | 293 | 245 | 200 | 92 |
| 丽水市 | Lishui | 443 | 317 | 37 | 12 | 2498 | 3063 | | | 62 | 81 |

## 3－19　各市按资质等级分的房地产开发投资额
Investment In Real Estate Development by Classification and by City

单位:亿元(100 million yuan)

| 城　市 | City | 合计 Total | | 一级企业 The First Enterprises | | 二级企业 The Second Enterprises | | 三级企业 The Third Enterprises | | 四级企业 The Fourth Enterprises | | 暂定 Undefined Enterprises | | 其他 Others | |
|---|---|---|---|---|---|---|---|---|---|---|---|---|---|---|---|
| | | 2007 | 2008 | 2007 | 2008 | 2007 | 2008 | 2007 | 2008 | 2007 | 2008 | 2007 | 2008 | 2007 | 2008 |
| **合　计** | **Total** | **1821.67** | **2023.12** | **144.1** | **179.04** | **279.76** | **369.11** | **524.4** | **608.23** | **87.3** | **99.88** | **580.49** | **622.52** | **205.6** | **144.34** |
| 杭州市 | Hangzhou | 518.79 | 615.41 | 73.74 | 64.34 | 55.23 | 134.65 | 136.77 | 158.05 | 16.5 | 7.08 | 97.53 | 148.82 | 139.01 | 102.47 |
| 宁波市 | Ningbo | 332.89 | 307.75 | 28.32 | 32.44 | 51.29 | 44.42 | 94.67 | 113.78 | 5.64 | 6.04 | 135.49 | 101.34 | 17.49 | 9.73 |
| 温州市 | Wenzhou | 192.49 | 219.39 | 6.35 | 6.43 | 60.14 | 80.09 | 71.83 | 79.79 | 3.4 | 1.96 | 33.38 | 36.09 | 17.39 | 15.03 |
| 嘉兴市 | Jiaxing | 147.74 | 181.12 | 8.1 | 5.82 | 28.97 | 14.72 | 21.47 | 43.32 | 14.7 | 20.11 | 63.07 | 94.94 | 11.43 | 2.21 |
| 湖州市 | Huzhou | 95 | 106.84 | 7.83 | 11.73 | 2.67 | 4.55 | 23.41 | 16.66 | 8.21 | 9.26 | 49.58 | 63.39 | 3.31 | 1.26 |
| 绍兴市 | Shaoxing | 178.59 | 202.06 | 3.21 | 12.05 | 15 | 31.71 | 47.66 | 62.08 | 9.02 | 7.12 | 101.46 | 82.35 | 2.24 | 6.74 |
| 金华市 | Jinhua | 121.42 | 140.96 | 0.6 | 19.77 | 16.36 | 16.66 | 34.29 | 31.02 | 8.37 | 29.05 | 51.74 | 40.53 | 10.07 | 3.93 |
| 衢州市 | Quzhou | 45.91 | 44.39 | 4.38 | 3.67 | 4.75 | 6.14 | 17.28 | 15.53 | 8.02 | 5.26 | 11.07 | 13.56 | 0.41 | 0.23 |
| 舟山市 | Zhoushan | 39.15 | 38.95 | 1.97 | 0.88 | 3.02 | 10.25 | 23.33 | 23.75 | 6.28 | 2.03 | 4.55 | 2.05 | | |
| 台州市 | Taizhou | 95.73 | 126.25 | 8 | 9.72 | 28.29 | 17.26 | 33.61 | 51.79 | 3.97 | 7.91 | 19.01 | 36.90 | 2.85 | 2.66 |
| 丽水市 | Lishui | 53.95 | 39.99 | 1.61 | 12.19 | 14.03 | 8.67 | 20.1 | 12.45 | 3.19 | 4.06 | 13.62 | 2.55 | 1.4 | 0.07 |

## 3-20 各市按登记注册类型分的房地产开发投资额
Investment In Real Estate Development by Registered Type and by City

单位:亿元(100 million yuan)

| 城 市 | City | 合计 Total | | 国有 State - owned | | 集体 Collective Owned | | 股份合作 Share - cooperations | | 国有独资公司 State Sole Funds | |
|---|---|---|---|---|---|---|---|---|---|---|---|
| | | 2007 | 2008 | 2007 | 2008 | 2007 | 2008 | 2007 | 2008 | 2007 | 2008 |
| **合 计** | **Total** | **1821.7** | **2023.1** | **61.9** | **65.6** | **6.5** | **8.6** | **1.2** | **2.7** | **35.2** | **31.3** |
| 杭州市 | Hangzhou | 518.8 | 615.4 | 15 | 27.3 | 0.4 | 0.9 | | 1.1 | 14.4 | 6.1 |
| 宁波市 | Ningbo | 332.9 | 307.8 | 4.9 | 8.8 | 0.5 | 2.3 | | | 6.5 | 11.1 |
| 温州市 | Wenzhou | 192.5 | 219.4 | 29.8 | 16.9 | 1.1 | 0.5 | 0.7 | 1.6 | 8.5 | 7.6 |
| 嘉兴市 | Jiaxing | 147.7 | 181.1 | 0.7 | 3.6 | 1.6 | 0.2 | 0.1 | | 1.3 | 4.4 |
| 湖州市 | Huzhou | 95 | 106.8 | 3.7 | 1.3 | 1.5 | 0.7 | | | | |
| 绍兴市 | Shaoxing | 178.6 | 202.1 | 0.7 | 3.4 | 1.1 | 3.3 | | | 1.3 | |
| 金华市 | Jinhua | 121.4 | 141.0 | 3.6 | 1.5 | 0.2 | 0.5 | | | 1 | 0.2 |
| 衢州市 | Quzhou | 45.9 | 44.4 | 0.4 | 1.0 | | | | | | |
| 舟山市 | Zhoushan | 39.2 | 39.0 | 1.3 | 0.6 | | | | | | |
| 台州市 | Taizhou | 95.7 | 126.2 | 1.7 | 1.3 | 0.1 | 0.2 | 0.4 | | 2.2 | 1.9 |
| 丽水市 | Lishui | 54 | 40.0 | | 0.0 | | | | | | |

3-20 续表 continued

单位:亿元(100 million yuan)

| 城 市 | City | 其他有限责任公司 Other Limited Liability Corporations | | 股份有限公司 Share - holding Corporations Ltd. | | 私营 Private | | 港澳台商投资 Investment from HongKong, Macao and Taiwan | | 外商投资 Investment from Foreign | |
|---|---|---|---|---|---|---|---|---|---|---|---|
| | | 2007 | 2008 | 2007 | 2008 | 2007 | 2008 | 2007 | 2008 | 2007 | 2008 |
| **合 计** | **Total** | **780.5** | **905.2** | **33.2** | **83.7** | **722.1** | **720.4** | **77.5** | **75.7** | **84.9** | **87.5** |
| 杭州市 | Hangzhou | 286.8 | 352.8 | 4.9 | 38.7 | 138.5 | 110.5 | 26.2 | 30.0 | 25.3 | 31.2 |
| 宁波市 | Ningbo | 111.7 | 113.5 | 5.8 | 11.1 | 159.3 | 123.1 | 25.4 | 23.0 | 18.9 | 14.9 |
| 温州市 | Wenzhou | 76.9 | 79.1 | 6.1 | 6.8 | 53.2 | 86.6 | 0.6 | 2.6 | 15.6 | 17.7 |
| 嘉兴市 | Jiaxing | 60.9 | 61.0 | 9.6 | 7.1 | 53 | 81.9 | 9.4 | 10.7 | 9.4 | 9.5 |
| 湖州市 | Huzhou | 43.4 | 59.5 | 1.1 | 8.8 | 28.1 | 20.8 | 6.6 | 1.7 | 2.4 | 5.0 |
| 绍兴市 | Shaoxing | 61.5 | 74.2 | 0.8 | 8.8 | 104 | 92.3 | 0.1 | 0.7 | 8.9 | 5.4 |
| 金华市 | Jinhua | 39.9 | 52.6 | 1.1 | 0.2 | 66.5 | 79.4 | 6.3 | 4.2 | 2.7 | 2.4 |
| 衢州市 | Quzhou | 8.3 | 6.1 | 1.7 | 1.0 | 35.6 | 36.4 | | | | |
| 舟山市 | Zhoushan | 26.6 | 19.6 | | | 10.8 | 18.3 | 0.5 | 0.4 | | |
| 台州市 | Taizhou | 52.8 | 84.3 | 1.4 | 1.1 | 32.1 | 34.5 | 2.4 | 2.4 | 1.3 | 0.6 |
| 丽水市 | Lishui | 11.8 | 2.4 | 0.8 | 0.1 | 41.1 | 36.7 | | | 0.3 | 0.8 |

## 3－21　各市房地产开发企业建造的商品房屋面积和价格
Floor Space and Price of Building for Real Estate Development Enterprises by City

| 城　市 | City | 施工面积（万平方米）Floor Space of Buildings Under Construction (10000sq. m) | | 竣工面积（万平方米）Floor Space of Buildings Completed (10000sq. m) | | 房屋面积竣工率（%）Rate of Floor Space of Buildings Completed(%) | | 竣工房屋价值（万元）Value of Buildings Completed (10000yuan) | | 竣工房屋造价（元/平方米）Cost of Buildings Completed (yuan/sq. m) | |
|---|---|---|---|---|---|---|---|---|---|---|---|
| | | 2007 | 2008 | 2007 | 2008 | 2007 | 2008 | 2007 | 2008 | 2007 | 2008 |
| **合　计** | **Total** | **18370.2** | **19273.3** | **4100.1** | **4458.3** | **22.3** | **23.1** | **8365366** | **9507644** | **2040** | **2133** |
| 杭州市 | Hangzhou | 4775.6 | 4987.4 | 948.5 | 1030.6 | 19.9 | 20.7 | 2756716 | 2758858 | 2906 | 2677 |
| 宁波市 | Ningbo | 3014.3 | 3105.3 | 742.8 | 833.6 | 24.6 | 26.8 | 1537783 | 1762674 | 2070 | 2114 |
| 温州市 | Wenzhou | 2460.3 | 2395.7 | 529.9 | 594.1 | 21.5 | 24.8 | 959907 | 1128923 | 1811 | 1900 |
| 嘉兴市 | Jiaxing | 1630.1 | 1979.6 | 374.6 | 424.9 | 23 | 21.5 | 608497 | 868848 | 1624 | 2045 |
| 湖州市 | Huzhou | 959.2 | 999.0 | 171.6 | 182.9 | 17.9 | 18.3 | 284007 | 423590 | 1655 | 2316 |
| 绍兴市 | Shaoxing | 1665.9 | 1803.6 | 356.7 | 390.4 | 21.4 | 21.6 | 559556 | 886824 | 1569 | 2271 |
| 金华市 | Jinhua | 1118.7 | 1160.4 | 337.5 | 251.3 | 30.2 | 21.7 | 657586 | 460305 | 1948 | 1832 |
| 衢州市 | Quzhou | 571.7 | 590.2 | 147.6 | 244.9 | 25.8 | 41.5 | 135728 | 255456 | 920 | 1043 |
| 舟山市 | Zhoushan | 380.5 | 385.1 | 122.5 | 97.3 | 32.2 | 25.3 | 196895 | 191005 | 1607 | 1964 |
| 台州市 | Taizhou | 1286.1 | 1364.5 | 231.9 | 296.2 | 18 | 21.7 | 475246 | 604153 | 2049 | 2040 |
| 丽水市 | Lishui | 507.7 | 502.5 | 136.6 | 112.0 | 26.9 | 22.3 | 193445 | 167008 | 1416 | 1491 |

## 3－22　各市房地产开发企业建造的住宅面积和价格
Floor Space and Price of Residential Buildings for Real Estate Development Enterprises by City

| 城　市 | City | 施工面积（万平方米）Floor Space of Buildings Under Construction (10000sq. m) | | 竣工面积（万平方米）Floor Space of Buildings Completed (10000sq. m) | | 房屋面积竣工率（%）Rate of Floor Space of Buildings Completed(%) | | 竣工房屋价值（万元）Value of Buildings Completed (10000yuan) | | 竣工房屋造价（元/平方米）Cost of Buildings Completed (yuan/sq. m) | |
|---|---|---|---|---|---|---|---|---|---|---|---|
| | | 2007 | 2008 | 2007 | 2008 | 2007 | 2008 | 2007 | 2008 | 2007 | 2008 |
| **合　计** | **Total** | **13449.9** | **13688.4** | **3054.5** | **3260.8** | **22.7** | **23.8** | **6138837** | **6848107** | **2010** | **2100** |
| 杭州市 | Hangzhou | 3614.3 | 3623.4 | 771.6 | 772.7 | 21.3 | 21.3 | 2244532 | 2079078 | 2909 | 2691 |
| 宁波市 | Ningbo | 1954 | 2007.0 | 482.9 | 594.5 | 24.7 | 29.6 | 942889 | 1227685 | 1953 | 2065 |
| 温州市 | Wenzhou | 1836.7 | 1759.8 | 405.3 | 455.6 | 22.1 | 25.9 | 706114 | 839044 | 1742 | 1842 |
| 嘉兴市 | Jiaxing | 1110.4 | 1312.8 | 276.5 | 264.5 | 24.9 | 20.1 | 444071 | 519735 | 1606 | 1965 |
| 湖州市 | Huzhou | 729.8 | 746.8 | 127.4 | 138.6 | 17.5 | 18.6 | 199103 | 296146 | 1563 | 2137 |
| 绍兴市 | Shaoxing | 1221.2 | 1230.9 | 254.5 | 274.3 | 20.8 | 22.3 | 380459 | 612659 | 1495 | 2234 |
| 金华市 | Jinhua | 900.7 | 885.0 | 238.2 | 189.0 | 26.4 | 21.4 | 442545 | 363219 | 1858 | 1922 |
| 衢州市 | Quzhou | 459.9 | 466.3 | 115.1 | 188.8 | 25 | 40.5 | 101965 | 197970 | 886 | 1049 |
| 舟山市 | Zhoushan | 294.4 | 288.1 | 97.9 | 82.7 | 33.3 | 28.7 | 158192 | 152932 | 1616 | 1848 |
| 台州市 | Taizhou | 952.6 | 980.0 | 189.9 | 218.1 | 19.9 | 22.3 | 385737 | 441742 | 2031 | 2025 |
| 丽水市 | Lishui | 376 | 388.4 | 95.4 | 82.1 | 25.4 | 21.1 | 133230 | 117897 | 1397 | 1437 |

## 3-23 各市房地产开发企业商品房屋销售面积和价格 Floor Space and Price of Selling of Commercial Houses for Real Estate Development Enterprises by City

| 城 市 | City | 销售面积（万平方米）Floor Space Sold of Commercial Houses (10000sq. m) | | | 销售额（万元）Total Sales of Commercial Houses (10000yuan) | | | 商品房屋销售价格（元/平方米）Average Selling Price of Commercial Houses (yuan/sq. m) | | |
|---|---|---|---|---|---|---|---|---|---|---|
| | | 2006 | 2007 | 2008 | 2006 | 2007 | 2008 | 2006 | 2007 | 2008 |
| **合 计** | **Total** | **3545** | **4542** | **2992.2** | **1692528** | **26279951** | **18736825** | **4774** | **5786** | **6262** |
| 杭州市 | Hangzhou | 761.8 | 1150.3 | 775.0 | 4736854 | 8760181 | 6517463 | 6218 | 7616 | 8409 |
| 宁波市 | Ningbo | 609.3 | 804.4 | 448.4 | 3313134 | 5028878 | 3239083 | 5438 | 6251 | 7224 |
| 温州市 | Wenzhou | 262.8 | 297.1 | 172.8 | 1532049 | 2231490 | 1527456 | 5830 | 7510 | 8839 |
| 嘉兴市 | Jiaxing | 360.6 | 418.8 | 333.2 | 1240548 | 1688401 | 1471968 | 3440 | 4032 | 4417 |
| 湖州市 | Huzhou | 244.7 | 288.1 | 196.3 | 815708 | 1111066 | 822804 | 3334 | 3857 | 4191 |
| 绍兴市 | Shaoxing | 387.1 | 479.4 | 216.9 | 1696779 | 2423011 | 1161205 | 4383 | 5054 | 5354 |
| 金华市 | Jinhua | 272.7 | 367.1 | 336.8 | 1036439 | 1747632 | 1470670 | 3801 | 4760 | 4367 |
| 衢州市 | Quzhou | 181.3 | 184.6 | 129.1 | 436679 | 515985 | 394926 | 2409 | 2796 | 3058 |
| 舟山市 | Zhoushan | 91.9 | 136.5 | 74.1 | 391891 | 669226 | 456949 | 4264 | 4903 | 6167 |
| 台州市 | Taizhou | 259.7 | 281.3 | 227.9 | 1227395 | 1435164 | 1226328 | 4726 | 5101 | 5381 |
| 丽水市 | Lishui | 113 | 134.4 | 81.6 | 497752 | 668917 | 447973 | 4405 | 4977 | 5487 |

## 3-24 各市房地产开发企业住宅销售面积和价格 Floor Space and Price of Selling of Residential Buildings for Real Estate Development Enterprises by City

| 城 市 | City | 销售面积（万平方米）Floor Space Sold of Commercial Houses (10000sq. m) | | | 销售额（万元）Total Sales of Commercial Houses (10000yuan) | | | 商品房屋销售价格（元/平方米）Average Selling Price of Commercial Houses (yuan/sq. m) | | |
|---|---|---|---|---|---|---|---|---|---|---|
| | | 2006 | 2007 | 2008 | 2006 | 2007 | 2008 | 2006 | 2007 | 2008 |
| **合 计** | **Total** | **3039.5** | **3924.9** | **2480.7** | **13708688** | **22070890** | **15241113** | **4510** | **5623** | **6144** |
| 杭州市 | Hangzhou | 680 | 1043.7 | 677.0 | 4057609 | 7756308 | 5559079 | 5967 | 7432 | 8212 |
| 宁波市 | Ningbo | 512.6 | 658 | 357.1 | 2617014 | 4011641 | 2443518 | 5105 | 6097 | 6843 |
| 温州市 | Wenzhou | 236 | 262.9 | 140.5 | 1318840 | 1984524 | 1210030 | 5588 | 7550 | 8615 |
| 嘉兴市 | Jiaxing | 290.5 | 341.7 | 255.3 | 956337 | 1343958 | 1093599 | 3292 | 3933 | 4284 |
| 湖州市 | Huzhou | 197.5 | 245.5 | 157.3 | 607349 | 923231 | 645906 | 3075 | 3760 | 4107 |
| 绍兴市 | Shaoxing | 319.9 | 406 | 182.1 | 1237551 | 1963114 | 921627 | 3869 | 4835 | 5061 |
| 金华市 | Jinhua | 241.4 | 328.8 | 280.6 | 817055 | 1336461 | 1274443 | 3385 | 4065 | 4543 |
| 衢州市 | Quzhou | 157.1 | 158.1 | 102.4 | 352641 | 411568 | 297632 | 2245 | 2604 | 2908 |
| 舟山市 | Zhoushan | 80 | 124.8 | 67.6 | 326516 | 600158 | 411537 | 4081 | 4809 | 6091 |
| 台州市 | Taizhou | 231.2 | 241.7 | 197.4 | 1042565 | 1201307 | 1046742 | 4509 | 4971 | 5304 |
| 丽水市 | Lishui | 93.3 | 113.9 | 63.7 | 375211 | 538620 | 337000 | 4022 | 4731 | 5289 |

## 3-25 主要年份基础设施投资
Investment in Infrastructure

单位:亿元(100 million yuan)

| 年 份 Year | 基础设施投资合计 Total Investment in Infrastructure | #水利、环境和公共设施 Water, Environment and Public Facilities | #电力、燃气及水的生产供应业 Production and Supply of Electricity, Gas and Water | #交通运输 Transportation | #邮电通信 Post & Telecommunications | #教育设施 Education Facilities | #卫生设施 Sanitary Facilities |
|---|---|---|---|---|---|---|---|
| 1990 | 37.58 | | 15.67 | 10.18 | 2.96 | | |
| 1995 | 230.39 | | 72.03 | 68.40 | 23.75 | | |
| 2000 | 876.33 | | 214.22 | 221.65 | 127.53 | | |
| 2001 | 999.28 | | 191.84 | 223.18 | 155.60 | | |
| 2002 | 1066.80 | | 188.28 | 227.28 | 95.49 | | |
| 2003 | 1360.40 | 558.85 | 239.25 | 295.54 | 88.09 | 114.66 | 26.76 |
| 2004 | 1724.69 | 521.36 | 429.63 | 476.16 | 102.98 | 122.98 | 30.34 |
| 2005 | 1981.97 | 518.81 | 544.79 | 641.36 | 94.18 | 102.21 | 31.63 |
| 2006 | 2226.57 | 608.49 | 533.97 | 777.44 | 97.64 | 95.82 | 50.03 |
| 2007 | 2215 | 643.73 | 568.29 | 673.05 | 119.25 | 93.29 | 42.56 |
| 2008 | 2373.06 | 816.69 | 501.74 | 740.80 | 125.91 | 101.54 | 49.38 |

注:2003 年以前为城镇以上范围,2003 年(含)以后为限额以上范围。
The figures in this table refer to the investment at town level and above before 2003, while above designated size since 2003.

浙/江/统/计/年/鉴

# 主要统计指标解释

## ■ 全社会固定资产投资额

固定资产投资额是以货币表现的建造和购置固定资产活动的工作量，它是反映固定资产投资规模、速度、比例关系和使用方向的综合性指标。全社会固定资产投资包括国有经济单位投资、城乡集体经济单位投资、其他各种经济类型的单位投资和城乡居民个人投资。按照我国现行计划管理体制，全社会固定资产投资总额分为基本建设、更新改造、房地产开发投资和其他固定资产投资四个部分；城乡集体经济单位投资包括城镇集体所有制单位投资和农村集体所有制单位投资；其他各种经济类型单位投资包括联营经济、股份制经济、中外合资经营、中外合作经营、外资、与大陆合资经营、与大陆合作经营、港澳台独资及其他经济的单位投资。城乡居民个人投资包括城市、县城、镇、工矿区所辖范围内的个人建房和农村个人建房及购买生产性固定资产的投资。

## ■ 房地产开发投资

包括各种经济类型的房地产开发公司、商品房建设公司及其他房地产开发单位统一开发的包括统代建、拆迁还建的住宅、厂房、仓库、饭店、宾馆、度假村、写字楼、办公楼等房屋建筑物和配套的服务设施、土地开发工程，如道路、给水、排水、供电、供热、通讯、平整场地等基础设施工程的投资。包括非房地产企业实际从事房地产开发或经营活动，不包括单纯的土地交易活动。

## ■ 施工项目

指报告期内曾进行建筑或安装工程施工活动的建设项目。包括报告期内新开工项目、报告期以前开工跨入报告期继续施工的项目以及报告期施工过并在报告期内全部建设投产或停缓建的项目。

## ■ 全部建成投产项目

工业项目是指设计文件规定形成生产能力的主体工程及其相应配套的辅助设施全部建成，经负荷试运转，证明具备生产设计规定合格产品的条件，并经过验收鉴定合格或达到竣工验收标准，与生产性工程配套的生产福利设施可以满足近期正常生产的需要，正式移交生产的建设项目。非工业项目是指设计文件规定的主体工程和相应的配套工程全部建成，能够发挥设计规定的全部效益，经验收鉴定合格或达到竣工验收标准，正式移交使用的建设项目。

## ■ 施工和竣工房屋建筑面积

房屋建筑面积是从房屋外墙线算起的各层平面面积的总和，包括房屋结构（如柱、墙）占用的面积和地下室面积。多层建筑按各自然层面积总和计算，包括房屋内的楼隔层，突出墙面的眺望间、门斗、有柱雨罩的面积。不包括突出墙面结构的构件、艺术装饰等所占的面积，如台阶等。凹阳台、挑阳台按其水平投影面积一半计算建筑面积。

## ■ 新增固定资产

指通过投资活动所形成的新的固定资产价值。包括已经建成投入生产或交付使用的工程价值和达到固定资产标准的设备、工具、器具的价值及有关应摊入的费用。它是以价值形式表示的固定资产投资成果的综合性指标，可以综合反映不同时期、不同部门、不同地区的固定资产投资成果。

ZHEJIANG STATISTICAL YEARBOOK

# Explanatory Notes on Main Statistical Indicators

## □ Total Investmentin in Fixed Assets

Amount of investment in fixed assets refers to the volume of activities in construction and purchases of fixed assets in monetary terms. It is a comprehensive indicator which shows the size, pace, proportional relations and use orientation of the investment in fixed assets. Total investment in fixed assets in the whole country includes the investment by the state-owned units, the investment by the urban and rural collective units, the investment by the units of other types of ownership and the investment by the individuals in the urban and rural areas. According to China's current planning management system, the investment in fixed assets in the whole country is classified into the following four parts: investment in capital construction, investment in innovation, investment in real estates development and other investment in fixed assets. The investment by the urban and rural collective units includes the investment by the urban collective units and the investment by the rural collective units. The investment by the units of other types of ownership includes the investment by the units of joint – owned economy, share – holding economy, Sino – foreign joint economy, Sino – foreign cooperative economy, economy exclusively with foreign investment, Mainland – Hong kong or Mainland – Macao or Mainland – Taiwan joint economy, Mainland – Hong kong or Mainland – Macao or Mainland – Taiwan coope rative economy, and economy exclusively with investment of Hong Kong or Macao or Taiwan. The investment by the individuals in the urban and rural areas includes the investment in personal house building in the areas under the jurisdiction of city, county, town and special industrial and mining areas as well as the investment in personal house building and purchase of productive fixed assets in the rural areas.

## □ Investment in Real Estate Development

It includes the investment by the real estate development companies, commercial buildings construction companies and other real estate development units of various types of ownership in the construction of house buildings, such as residential buildings, factory buildings, warehouses, hotels, guesthouses, holiday villages, office buildings, and the complementary service facilities and land development projects, such as roads, watersupply, water drainage, power supply, heating, telecommunications, land levelling and other projects of infrastructure. It covers the activities of the non – real estate companies in real estate development or management, but excludes the activities in simple land transactions.

## □ Projects Under Construction

refer to projects having construction and installation activities undertaken in the reference period, including projects started in the reference period, or continued from the previous period, or completed and put into production or suspended in the reference period.

## □ Projects Completed and Put into Use

Industrial projects refer to the major projects and accessory facilities completed which result in forming production capacity and have been checked and accepted while the living and welfare facilities have been completed and can ensure normal production and formally put into production. Non – industrial projects refer to the major projects and accessory facilities completed which possess the disigned capacity and have been checked, accepted and formally put into production.

## □ Floor Space of Buildings Under Construction and Completed

refers to total floor space in each story of buildings calculated from the outside line of building walls, including the space occupied by constructions like pillars or walls and basements. The floor space of multi – story building includes the total floor space of each story,

EXPLANATORY NOTES ON MAIN STATISTICAL INDICATORS

including area occupied by separating walls, watching rooms, doorways, and pillars, but excluding protruding wall structures, artistic decoration, etc. (for example, flight of steps). The space of recessed verand and tantilevered balcony is counted by half of the projection area.

## □ Newly Increased Fixed Assets

refer to the newly increased value of fixed assets through investment, including the value of projects completed and put into production, the value of equipment, tools, and vessels considered as fixed assets, as well as the relevant expenses as investment in fixed assets. This is a comprehensive indicator of investment in fixed assets, reflecting the achievements of investment in fixed assets in different periods, different sectors, and different regions.

浙江统计年鉴 2009

ZHEJIANG STATISTICAL YEARBOOK

# CHAPTER 4

# 价 格

## Prices

# 4-1 各种价格总指数(1978-2008年)
General Price Indices(1978-2008)

(上年=100)(preceding year=100)

| 年　份 Year | 居民消费价格指数 General Consumer Price Index | | | 商品零售价格指数 General Retail Price Index of Commodities | | | 工业品出厂价格指数 Ex-Factory Price Index of Industrial Products |
|---|---|---|---|---|---|---|---|
| | 全省 Total | 城市 Urban Areas | 农村 Rural Areas | 全省 Total | 城市 Urban Areas | 农村 Rural Areas | |
| 1978 | | 100.0 | | 100.1 | 99.9 | 100.1 | |
| 1979 | | 102.6 | | 102.1 | 103.4 | 101.5 | |
| 1980 | | 108.8 | | 108.0 | 109.5 | 106.9 | |
| 1981 | | 101.7 | | 101.5 | 101.6 | 101.4 | |
| 1982 | | 101.9 | | 100.9 | 102.1 | 100.1 | |
| 1983 | | 102.8 | | 102.0 | 102.9 | 101.2 | |
| 1984 | 103.0 | 103.7 | 101.8 | 103.4 | 103.5 | 103.4 | |
| 1985 | 114.8 | 115.1 | 114.3 | 114.0 | 115.2 | 112.9 | |
| 1986 | 106.2 | 106.3 | 106.1 | 106.0 | 106.1 | 105.9 | |
| 1987 | 108.8 | 110.9 | 106.4 | 109.5 | 111.3 | 107.4 | |
| 1988 | 121.5 | 123.4 | 119.8 | 122.1 | 124.2 | 120.5 | |
| 1989 | 118.2 | 116.8 | 119.6 | 117.8 | 116.6 | 118.7 | |
| 1990 | 102.1 | 102.1 | 102.0 | 101.6 | 101.4 | 101.8 | 100.4 |
| 1991 | 103.5 | 105.6 | 101.5 | 103.0 | 105.2 | 101.4 | 101.8 |
| 1992 | 107.5 | 109.2 | 104.8 | 106.6 | 108.9 | 104.1 | 104.8 |
| 1993 | 119.8 | 121.4 | 117.4 | 116.7 | 119.1 | 115.2 | 117.3 |
| 1994 | 124.8 | 124.7 | 124.9 | 121.7 | 120.0 | 124.8 | 117.5 |
| 1995 | 116.6 | 117.0 | 116.4 | 113.5 | 113.0 | 114.3 | 112.3 |
| 1996 | 107.9 | 109.8 | 107.0 | 105.8 | 106.4 | 105.1 | 99.5 |
| 1997 | 102.8 | 104.1 | 102.1 | 100.3 | 100.9 | 99.4 | 99.2 |
| 1998 | 99.7 | 100.5 | 99.3 | 98.4 | 98.4 | 98.4 | 95.6 |
| 1999 | 98.8 | 99.5 | 98.5 | 97.7 | 97.7 | 97.7 | 96.8 |
| 2000 | 101.0 | 100.9 | 101.1 | 99.0 | 98.8 | 99.1 | 101.1 |
| 2001 | 99.8 | 99.6 | 100.0 | 98.1 | 97.4 | 99.0 | 98.3 |
| 2002 | 99.1 | 98.8 | 99.3 | 98.7 | 98.4 | 99.3 | 96.9 |
| 2003 | 101.9 | 100.5 | 102.9 | 99.6 | 99.4 | 99.9 | 100.6 |
| 2004 | 103.9 | 102.8 | 104.6 | 102.7 | 102.0 | 103.6 | 105.0 |
| 2005 | 101.3 | 101.5 | 101.2 | 100.9 | 101.0 | 100.7 | 102.3 |
| 2006 | 101.1 | 101.1 | 101.0 | 100.8 | 100.7 | 101.0 | 103.8 |
| 2007 | 104.2 | 103.9 | 104.4 | 103.8 | 103.7 | 103.9 | 102.4 |
| 2008 | 105.0 | 104.8 | 105.3 | 106.3 | 106.3 | 106.1 | 104.3 |

## 4－2 历年各种价格总指数(1986－2008年)
General Price Indices(1986－2008)

(1985年＝100)(1985＝100)

| 年 份 Year | 居民消费价格指数 General Consumer Price Index | | | 商品零售价格指数 General Retail Price Index of Commodities |
|---|---|---|---|---|
| | 全省 Total | 城市 Urban Areas | 农村 Rural Areas | |
| 1986 | 106.2 | 106.3 | 106.1 | 106.0 |
| 1987 | 115.5 | 117.9 | 112.9 | 116.1 |
| 1988 | 140.4 | 145.5 | 135.2 | 141.7 |
| 1989 | 165.9 | 169.9 | 161.8 | 166.9 |
| 1990 | 169.4 | 173.5 | 165.0 | 169.6 |
| 1991 | 175.4 | 183.2 | 167.5 | 174.7 |
| 1992 | 188.5 | 200.0 | 175.5 | 186.2 |
| 1993 | 225.8 | 242.9 | 206.0 | 217.3 |
| 1994 | 281.8 | 302.8 | 257.3 | 264.5 |
| 1995 | 328.6 | 354.3 | 299.5 | 300.2 |
| 1996 | 354.6 | 389.1 | 320.5 | 317.6 |
| 1997 | 364.5 | 405.0 | 327.2 | 318.6 |
| 1998 | 363.4 | 407.0 | 324.9 | 313.5 |
| 1999 | 359.1 | 405.0 | 320.1 | 306.3 |
| 2000 | 362.6 | 408.6 | 323.6 | 303.2 |
| 2001 | 361.9 | 407.0 | 323.6 | 297.4 |
| 2002 | 358.6 | 402.1 | 321.3 | 293.5 |
| 2003 | 365.4 | 404.1 | 330.6 | 292.3 |
| 2004 | 379.7 | 415.4 | 345.8 | 300.2 |
| 2005 | 384.6 | 421.6 | 349.9 | 302.9 |
| 2006 | 388.8 | 426.2 | 353.4 | 305.3 |
| 2007 | 405.1 | 442.8 | 368.9 | 316.9 |
| 2008 | 425.4 | 464.1 | 388.5 | 336.9 |

## 4-3 价格总指数(2008 年) General Price Indices (2008)

| 年 份 Year | 居民消费价格指数 General Consumer Price Index 全省 Total | 城市 Urban Areas | 农村 Rural Areas | 商品零售价格指数 General Retail Price Index of Commodities |
|---|---|---|---|---|
| 1978 = 100 | | 659.1 | | 457.6 |
| 1980 = 100 | | 590.3 | | 415.0 |
| 1985 = 100 | 425.4 | 464.1 | 388.5 | 337.0 |
| 1986 = 100 | 400.6 | 436.6 | 366.1 | 317.9 |
| 1987 = 100 | 368.1 | 393.6 | 344.1 | 290.3 |
| 1988 = 100 | 303.0 | 319.0 | 287.3 | 237.8 |
| 1989 = 100 | 256.3 | 273.1 | 240.2 | 201.9 |
| 1990 = 100 | 251.1 | 267.8 | 235.4 | 198.6 |
| 1995 = 100 | 129.5 | 131.1 | 129.7 | 112.2 |
| 1996 = 100 | 120.0 | 119.2 | 121.3 | 106.1 |
| 1997 = 100 | 116.8 | 114.5 | 118.7 | 105.8 |
| 1998 = 100 | 117.2 | 114.0 | 119.7 | 107.6 |
| 1999 = 100 | 118.6 | 114.5 | 121.5 | 110.0 |
| 2000 = 100 | 117.4 | 113.6 | 120.2 | 111.1 |
| 2001 = 100 | 117.6 | 114.0 | 120.2 | 113.3 |
| 2002 = 100 | 118.7 | 115.4 | 120.9 | 114.8 |
| 2003 = 100 | 116.5 | 114.8 | 117.6 | 115.2 |
| 2004 = 100 | 112.0 | 111.7 | 112.4 | 112.2 |
| 2005 = 100 | 110.6 | 110.1 | 111.0 | 111.2 |
| 2006 = 100 | 109.4 | 108.9 | 109.9 | 110.3 |
| 2007 = 100 | 105.0 | 104.8 | 105.3 | 106.3 |

## 4－4 居民消费价格指数(2003－2008 年)
## Consumer Price Indices(2003－2008)

(上年＝100)(preceding year＝100)

| 项目 | Item | 2003 | 2004 | 2005 | 2006 | 2007 | 2008 |
|---|---|---|---|---|---|---|---|
| **居民消费价格总指数** | **General Consumer Price Index** | **101.9** | **103.9** | **101.3** | **101.1** | **104.2** | **105.0** |
| 城市 | Urban Areas | 100.5 | 102.8 | 101.5 | 101.1 | 103.9 | 104.8 |
| 农村 | Rural Areas | 102.9 | 104.6 | 101.2 | 101.0 | 104.4 | 105.3 |
| **食品** | **Food** | **102.8** | **111.1** | **103.0** | **101.9** | **111.0** | **113.9** |
| 粮食 | Grain | 103.2 | 135.5 | 98.0 | 103.6 | 103.9 | 105.4 |
| 油脂 | Oil and Fat | 112.9 | 119.0 | 95.2 | 99.1 | 131.4 | 126.3 |
| 肉禽及其制品 | Meal, Poultry and Their Products | 105.3 | 119.8 | 103.2 | 95.7 | 131.2 | 119.2 |
| 蛋 | Eggs | 98.4 | 122.6 | 107.4 | 94.8 | 124.5 | 105.4 |
| 水产品 | Aquatic Products | 100.2 | 111.6 | 106.0 | 102.5 | 104.9 | 113.3 |
| 鲜菜 | Fresh Vegetables | 107.9 | 96.2 | 112.6 | 103.4 | 106.4 | 112.3 |
| **烟酒及用品** | **Tobacco,Liquor and Articles** | **101.2** | **101.4** | **100.0** | **99.5** | **101.8** | **102.1** |
| **衣着** | **Clothing** | **96.7** | **97.3** | **97.0** | **97.8** | **99.8** | **97.9** |
| **家庭设备用品及维修服务** | **Household Facilities Articles and Maintenance Services** | **96.9** | **98.3** | **100.1** | **101.8** | **102.1** | **103.4** |
| **医疗保健和个人用品** | **Health Care Articles and Personal Goods** | **100.1** | **95.1** | **100.8** | **101.7** | **102.1** | **105.8** |
| **交通和通讯** | **Transportation and Communication** | **95.1** | **97.7** | **98.9** | **100.3** | **98.8** | **95.6** |
| **娱乐教育文化用品及服务** | **Recreation, Education, Culture Articles and Services** | **111.2** | **102.8** | **100.2** | **98.0** | **98.1** | **99.0** |
| **居住** | **Residence** | **101.2** | **104.4** | **104.4** | **104.8** | **105.3** | **105.0** |

## 4-5 城乡居民消费价格分类指数
Consumer Price Indices by Urban and Rural Areas

(上年=100)(preceding year=100)

| 项目 | Item | 全省 Total 2007 | 全省 Total 2008 | 城市 Urban Areas 2007 | 城市 Urban Areas 2008 | 农村 Rural Areas 2007 | 农村 Rural Areas 2008 |
|---|---|---|---|---|---|---|---|
| **居民消费价格总指数** | **General Consumer Price Index** | **104.2** | **105.0** | **103.9** | **104.8** | **104.4** | **105.3** |
| **非食品价格指数** | **Non-food Price Index** | **101.1** | **101.0** | **101.1** | **100.6** | **101.0** | **101.3** |
| **服务项目价格指数** | **Price Index of Services** | **101.4** | **99.2** | **101.9** | **99.1** | **101.0** | **99.3** |
| **扣除鲜菜鲜果总指数** | **General Price Index Except Fresh Vegetables and Fruits** | **104.3** | **104.8** | **103.9** | **104.5** | **104.7** | **104.9** |
| **消费品价格指数** | **Price Index of Consumer Goods** | **105.1** | **106.9** | **104.6** | **106.8** | **105.4** | **107.0** |
| **食品** | **Food** | **111.0** | **113.9** | **110.1** | **114.2** | **111.8** | **113.6** |
| 粮食 | Grain | 103.9 | 105.4 | 104.2 | 105.5 | 103.7 | 105.3 |
| 淀粉 | Starches | 102.5 | 108.4 | 101.7 | 110.6 | 103.0 | 106.1 |
| 干豆类及豆制品 | Dried Bean and Related Products | 109.4 | 143.0 | 110.6 | 136.9 | 108.6 | 146.8 |
| 油脂 | Oil and Fat | 131.4 | 126.3 | 129.7 | 127.0 | 132.5 | 125.8 |
| 肉禽及其制品 | Meat, Poultry and Their Products | 131.2 | 119.2 | 128.6 | 121.0 | 132.8 | 118.2 |
| 蛋 | Eggs | 124.5 | 105.4 | 123.2 | 105.9 | 125.3 | 105.0 |
| 水产品 | Aquatic Products | 104.9 | 113.3 | 105.1 | 114.0 | 104.7 | 112.7 |
| 菜 | Vegetables | 106.5 | 112.4 | 107.6 | 109.7 | 105.6 | 114.5 |
| 调味品 | Condiment | 101.3 | 103.5 | 101.1 | 104.6 | 101.4 | 103.0 |
| 糖 | Sugar | 101.2 | 104.6 | 102.5 | 105.8 | 100.4 | 103.7 |
| 茶及饮料 | Tea and Beverage | 100.9 | 106.0 | 100.8 | 106.4 | 100.8 | 105.6 |
| 干鲜瓜果 | Dried and Fresh, Melons and Fruits | 100.1 | 111.0 | 102.6 | 113.6 | 97.8 | 108.6 |
| 糕点饼干面包 | Cakes Cookies and Bread | 103.4 | 108.8 | 104.5 | 110.0 | 102.3 | 107.6 |
| 奶及奶制品 | Milk and Related Products | 103.4 | 115.4 | 103.9 | 119.1 | 103.1 | 112.1 |
| 在外用膳食品 | Eating Outside | 107.9 | 111.1 | 107.9 | 112.4 | 107.8 | 109.4 |
| 其它食品及食品加工服务 | Other Foods and Foods Processing Services | 103.3 | 110.1 | 103.4 | 110.9 | 103.2 | 109.5 |
| **烟酒及用品** | **Tobacco, Liquor and Articles** | **101.8** | **102.1** | **102.0** | **102.2** | **101.6** | **102.1** |
| 烟草 | Tobacco | 101.1 | 100.3 | 101.3 | 100.1 | 101.0 | 100.4 |
| 酒 | Liquor | 103.5 | 107.2 | 104.1 | 108.0 | 103.1 | 106.8 |
| 吸烟饮酒用品 | Articles for Smoking and Drinking | 100.0 | 100.7 | 99.7 | 101.0 | 100.2 | 100.4 |

4－5 续表 continued (上年＝100)(preceding year＝100)

| 项目 | Item | 全省 Total | | 城市 Urban Areas | | 农村 Rural Areas | |
|---|---|---|---|---|---|---|---|
| | | 2007 | 2008 | 2007 | 2008 | 2007 | 2008 |
| **衣着** | **Clothing** | **99.8** | **97.9** | **100.8** | **97.5** | **98.8** | **98.4** |
| 服装 | Garments | 99.6 | 97.9 | 100.4 | 97.4 | 98.7 | 98.3 |
| 衣着材料 | Clothing Material | 101.8 | 102.0 | 103.7 | 102.2 | 101.1 | 102.0 |
| 鞋袜帽 | Shoes, Stockings and Hats | 100.2 | 97.0 | 101.7 | 96.6 | 98.7 | 97.5 |
| 衣着加工服务 | Processing Services for Clothing | 101.7 | 104.0 | 102.5 | 107.8 | 101.1 | 101.4 |
| **家庭设备用品及维修服务** | **Household Facilities Articles and Maintenance Services** | **102.1** | **103.4** | **101.8** | **104.5** | **102.4** | **102.5** |
| 耐用消费品 | Durable Consumer Goods | 101.8 | 101.4 | 100.9 | 101.5 | 102.7 | 101.3 |
| 室内装饰品 | Interior Decorations | 101.1 | 101.7 | 101.7 | 102.1 | 100.7 | 101.5 |
| 床上用品 | Bed Articles | 100.6 | 101.4 | 101.4 | 100.5 | 99.2 | 102.3 |
| 家庭日用杂品 | Daily Use Household Articles | 100.4 | 105.4 | 100.6 | 105.5 | 100.3 | 105.2 |
| 家庭服务及加工维修服务 | Household and Processing Maintenance Services | 108.2 | 111.7 | 107.2 | 117.1 | 109.6 | 105.4 |
| **医疗保健和个人用品** | **Health Care Articles and Personal Goods** | **102.1** | **105.8** | **102.2** | **106.8** | **102.1** | **105.0** |
| 医疗保健 | Health Care Articles | 102.2 | 106.1 | 102.5 | 107.8 | 102.0 | 104.7 |
| 个人用品及服务 | Personal Goods and Services | 101.9 | 105.1 | 101.5 | 104.4 | 102.3 | 105.9 |
| **交通和通讯** | **Transportation and Communication** | **98.8** | **95.6** | **98.5** | **94.4** | **99.1** | **96.9** |
| 交通 | Transportation | 100.1 | 101.3 | 99.4 | 100.1 | 100.9 | 102.6 |
| 通信 | Communication | 96.8 | 86.4 | 97.1 | 85.5 | 96.5 | 87.4 |
| **娱乐教育文化用品及服务** | **Recreation, Education, Culture Articles and Services** | **98.1** | **99.0** | **99.1** | **99.8** | **97.2** | **98.3** |
| 文娱用耐用消费品及服务 | Durable Consumer Goods for Recreational Use | 93.2 | 91.9 | 93.2 | 92.6 | 93.2 | 91.2 |
| 教育 | Education | 96.8 | 99.9 | 97.7 | 100.6 | 96.1 | 99.3 |
| 文化娱乐用品 | Culture and Recreational Articles | 101.8 | 100.9 | 101.4 | 101.3 | 102.2 | 100.6 |
| 旅游及外出 | Tourism and Going out | 107.4 | 101.3 | 108.0 | 102.8 | 106.2 | 99.7 |
| **居住** | **Residence** | **105.3** | **105.0** | **105.4** | **104.0** | **105.2** | **105.7** |
| 建房及装修材料 | Building and Decoration Materials | 107.4 | 107.9 | 106.9 | 106.9 | 107.6 | 108.4 |
| 租房 | Rent Houses | 102.9 | 103.8 | 103.4 | 103.8 | 102.0 | 103.8 |
| 自有住房 | Personal Housing | 107.8 | 103.5 | 107.8 | 103.6 | 107.9 | 103.4 |
| 水、电、燃料 | Water, Electricity and Fuels | 102.5 | 103.4 | 103.5 | 102.8 | 101.7 | 104.0 |

## 4-6 城乡商品零售价格分类指数
General Retail Price Indices of Commodities by Urban and Rural Areas

(上年=100)(preceding year=100)

| 项目 | Item | 全省 Total 2007 | 全省 Total 2008 | 城市 Urban Areas 2007 | 城市 Urban Areas 2008 | 农村 Rural Areas 2007 | 农村 Rural Areas 2008 |
|---|---|---|---|---|---|---|---|
| **商品零售价格指数** | **General Retail Price Indices** | **103.8** | **106.3** | **103.7** | **106.3** | **103.9** | **106.1** |
| **食品类** | **Food** | **110.9** | **114.0** | **110.7** | **114.3** | **111.5** | **113.3** |
| 粮食 | Grain | 104.0 | 105.1 | 104.0 | 104.9 | 104.2 | 105.5 |
| 油脂 | Oil and Fat | 130.2 | 126.8 | 130.6 | 128.8 | 129.7 | 123.7 |
| 肉禽及其制品 | Meat, Poultry and Their Products | 129.4 | 119.2 | 127.8 | 120.1 | 132.2 | 117.5 |
| 蛋 | Eggs | 124.0 | 105.5 | 123.2 | 105.6 | 125.3 | 105.2 |
| 水产品 | Aquatic Products | 104.9 | 114.1 | 105.2 | 114.1 | 104.3 | 113.9 |
| **饮料、烟酒类** | **Beverages, Tobacco and Liquor** | **101.7** | **103.8** | **101.9** | **104.2** | **101.4** | **103.3** |
| 饮料 | Beverages | 100.8 | 106.1 | 101.0 | 106.5 | 100.5 | 105.2 |
| 烟草 | Tobacco | 101.1 | 100.2 | 101.4 | 100.0 | 100.7 | 100.3 |
| 酒 | Liquor | 103.5 | 107.5 | 104.2 | 108.2 | 102.9 | 106.7 |
| **服装、鞋帽类** | **Garments, Shoes and Hats** | **100.0** | **97.1** | **101.0** | **96.8** | **98.1** | **97.7** |
| 服装 | Garments | 99.7 | 97.2 | 100.6 | 96.9 | 97.9 | 97.9 |
| 鞋袜帽 | Shoes, Stockings and Hats | 100.9 | 96.9 | 102.2 | 96.6 | 98.4 | 97.6 |
| 其它 | Other | 100.3 | 95.6 | 100.1 | 99.0 | 100.4 | 94.3 |
| **纺织品类** | **Textiles** | **101.7** | **101.5** | **102.7** | **101.0** | **99.9** | **102.4** |
| 衣着材料 | Material for Clothing | 103.3 | 102.1 | 104.8 | 102.3 | 100.9 | 101.7 |
| 床上用品 | Bed Articles | 100.8 | 101.1 | 101.5 | 100.2 | 99.0 | 103.1 |
| **家用电器及音像器材** | **Household Appliances and Audiovisual Equipment** | **98.2** | **98.0** | **98.0** | **98.5** | **98.7** | **96.9** |
| 家庭设备 | Household Facilities | 101.0 | 100.9 | 100.5 | 101.0 | 102.4 | 100.7 |
| 文娱用耐用消费品 | Durable Consumer Goods for Recreation Use | 92.3 | 91.7 | 91.1 | 91.9 | 94.0 | 91.2 |
| 音像器材类 | Audiovisual Equipment | 99.2 | 99.4 | 99.4 | 99.2 | 98.4 | 99.9 |
| **文化办公用品** | **Culture and Official Articles** | **98.0** | **98.3** | **98.3** | **98.3** | **97.3** | **98.3** |
| **日用品类** | **Articles for Daily Use** | **101.1** | **104.0** | **101.6** | **103.8** | **100.2** | **104.5** |
| 日用百货 | General Merchandise | 100.9 | 103.5 | 101.3 | 103.5 | 100.0 | 103.7 |

4-6 续表 continued (上年=100)(preceding year=100)

| 项目 | Item | 全省 Total | | 城市 Urban Areas | | 农村 Rural Areas | |
|---|---|---|---|---|---|---|---|
| | | 2007 | 2008 | 2007 | 2008 | 2007 | 2008 |
| 日用杂品 | Sundries for Daily Use | 101.1 | 100.4 | 101.6 | 99.2 | 100.2 | 102.4 |
| 洗涤用品 | Washing Goods | 101.5 | 108.3 | 102.1 | 108.5 | 100.3 | 107.9 |
| 其它日用品 | Others for Daily Use | 101.1 | 102.5 | 101.4 | 102.3 | 100.2 | 102.8 |
| **体育娱乐用品** | **Sports and Recreation** | **99.3** | **100.1** | **99.1** | **99.9** | **99.9** | **100.6** |
| 体育用品 | Sports Goods | 101.0 | 101.9 | 101.2 | 102.2 | 100.5 | 101.1 |
| 娱乐用品 | Recreation Goods | 98.3 | 99.0 | 97.8 | 98.5 | 99.5 | 100.2 |
| **交通、通信用品** | **Transportation and Communication Articles** | **94.7** | **95.3** | **94.6** | **95.5** | **95.1** | **94.8** |
| 交通运输机械 | Transportation Mechanism | 97.2 | 98.2 | 96.8 | 98.0 | 98.1 | 98.8 |
| 通讯器材类 | Communication Appliance | 85.0 | 83.7 | 85.2 | 85.1 | 84.5 | 80.7 |
| **家具** | **Furniture** | **102.4** | **102.1** | **101.7** | **101.7** | **103.4** | **102.7** |
| **化妆品类** | **Cosmetics** | **100.2** | **101.0** | **99.9** | **101.2** | **100.6** | **100.8** |
| **金银珠宝类** | **Jewelry** | **108.5** | **117.7** | **108.3** | **117.7** | **109.1** | **117.8** |
| **中西药品及医疗保健用品类** | **Traditional Chinese - Westen Medicines and Medical Health Articles** | **101.6** | **108.5** | **102.0** | **110.2** | **100.9** | **105.3** |
| 医疗器具及用品 | Medical Appliances and Articles | 99.9 | 100.8 | 100.2 | 101.1 | 99.3 | 100.4 |
| 中药材及中成药 | Traditional Chinese Medicine | 110.4 | 110.8 | 111.0 | 111.2 | 109.7 | 110.3 |
| 西药 | Westen Medicines | 96.9 | 108.4 | 97.5 | 111.4 | 95.8 | 102.5 |
| 保健器具及用品 | Health Care Appliances and Articles | 104.0 | 107.4 | 104.8 | 108.1 | 101.9 | 105.7 |
| **书报杂志及电子出版物类** | **Newspaper,Magazines and Electronic Publication** | **99.7** | **100.8** | **99.8** | **101.0** | **99.5** | **100.4** |
| 教材及参考书 | Teaching Materials and Reference Books | 96.4 | 101.4 | 96.6 | 101.9 | 96.2 | 100.7 |
| 书报杂志 | Newspaper and Magazines | 101.9 | 100.8 | 101.9 | 101.2 | 102.0 | 100.1 |
| 电子音像制品 | Electronic Publication | 100.4 | 99.7 | 100.9 | 99.0 | 99.6 | 100.7 |
| **燃料类** | **Fuels** | **104.5** | **114.5** | **104.7** | **113.7** | **104.1** | **116.1** |
| 煤炭及制品类 | Coal and Its Products | 104.9 | 122.7 | 105.6 | 120.6 | 103.6 | 126.8 |
| 石油及制品类 | Petroleum and Its Products | 104.4 | 113.3 | 104.5 | 112.8 | 104.2 | 114.4 |
| **建筑材料及五金电料类** | **Building Materials and Hardware and Electric Materials** | **107.0** | **108.1** | **106.7** | **107.0** | **107.5** | **110.1** |
| 建筑装璜材料 | Building Decoration Materials | 108.2 | 109.5 | 107.8 | 108.8 | 108.8 | 110.6 |
| 五金电料类 | Hardware and Electric Materials | 104.0 | 104.4 | 104.3 | 102.8 | 103.2 | 107.9 |

## 4-7　农业生产资料价格分类指数(2000-2008年)
Price Indices of Agricultural Means of Production by Category(2000-2008)

(上年=100)(preceding year=100)

| 项目 | Item | 2000 | 2001 | 2002 | 2003 | 2004 | 2005 | 2006 | 2007 | 2008 |
|---|---|---|---|---|---|---|---|---|---|---|
| 农业生产资料价格指数 | Price Indices of Agricultural Means of Production | 100.4 | 99.7 | 99.5 | 102.9 | 113.2 | 105.8 | 99.6 | 107.3 | 118.9 |
| 小农具 | Small Farm Tools | 98.2 | 101.9 | 99.2 | 101.5 | 103.4 | 104.3 | 105.2 | 110.9 | 110.4 |
| 饲料 | Forage | 95.1 | 104.6 | 100.0 | 103.3 | 120.1 | 102.7 | 98.1 | 108.8 | 113.4 |
| 产品畜 | Livestock Products | 116.3 | 100.2 | 93.8 | 112.3 | 134.7 | 105.1 | 83.9 | 143.2 | 114.3 |
| 役畜 | Draught Animal | 102.0 | 120.2 | 111.0 | 103.6 | 108.3 | 102.3 | | | |
| 半机械化农具 | Semi-mechanized Farm Tools | 99.3 | 98.1 | 99.3 | 100.8 | 100.3 | 102.2 | 100.3 | 100.5 | 111.3 |
| 机械化农具 | Mechanized Farm Tools | 97.8 | 97.5 | 98.4 | 100.5 | 103.3 | 103.3 | 103.5 | 102.6 | 114.2 |
| 化学肥料 | Chemical Fertilizer | 93.0 | 100.0 | 101.4 | 102.3 | 115.4 | 110.0 | 99.0 | 102.9 | 138.4 |
| 农药及农药器械 | Pesticide and Its Appliances | 95.0 | 97.0 | 99.6 | 99.1 | 104.1 | 103.7 | 99.8 | 100.8 | 105.9 |
| 化学农药 | Chemical Pesticide | 94.8 | 97.1 | 99.7 | 99.0 | 104.2 | 103.8 | 99.7 | 100.9 | 106.4 |
| 农药器械 | Pesticide Appliances | 97.0 | 96.2 | 98.2 | 99.5 | 103.4 | 102.5 | 100.8 | 99.5 | 100.7 |
| 农用机油 | Oil for Farm Machinery | 123.2 | 94.4 | 99.9 | 107.2 | 105.5 | 107.7 | 111.7 | 104.3 | 111.8 |
| 其它农业生产资料 | Others | 101.3 | 100.3 | 97.3 | 101.4 | 101.9 | 105.3 | 102.6 | 103.7 | 102.5 |
| 农业生产服务 | Agricultural Production Service | | | | | | | 104.0 | 109.6 | 107.0 |

## 4－8 各市、县居民消费价格指数(2008年)
## Residents Consumer Price Indices by City and County(2008)

(上年＝100)(preceding year＝100)

| 市(县)名称 City(County) | | 居民消费价格指数 Consumer Price Index | 食品类 Food | 粮食 Grain | 肉禽及其制品 Meat and Poultry | 蛋类 Eggs | 水产品 Aquatic Products | 鲜菜 Fresh Vegetables |
|---|---|---|---|---|---|---|---|---|
| 杭州市 | Hangzhou | 104.9 | 114.6 | 104.5 | 119.0 | 105.6 | 114.8 | 111.9 |
| 宁波市 | Ningbo | 105.0 | 113.8 | 106.1 | 124.1 | 109.7 | 112.1 | 105.8 |
| 温州市 | Wenzhou | 104.7 | 112.6 | 105.4 | 121.8 | 104.3 | 113.8 | 110.2 |
| 嘉兴市 | Jiaxing | 105.2 | 113.3 | 108.7 | 120.9 | 110.0 | 112.9 | 112.2 |
| 湖州市 | Huzhou | 105.1 | 113.9 | 104.2 | 116.3 | 106.3 | 119.2 | 106.6 |
| 绍兴市 | Shaoxing | 105.0 | 114.7 | 105.3 | 120.0 | 104.1 | 111.9 | 107.3 |
| 金华市 | Jinhua | 105.2 | 115.1 | 108.2 | 121.2 | 107.5 | 110.1 | 111.6 |
| 衢州市 | Quzhou | 105.0 | 113.9 | 106.6 | 119.7 | 101.9 | 118.9 | 109.0 |
| 舟山市 | Zhoushan | 105.6 | 112.7 | 108.1 | 120.1 | 105.6 | 111.8 | 110.1 |
| 台州市 | Taizhou | 104.2 | 110.1 | 103.2 | 116.9 | 101.4 | 107.0 | 106.1 |
| 丽水市 | Lishui | 105.2 | 112.6 | 105.6 | 117.4 | 102.7 | 118.8 | 99.9 |
| 萧山区 | Xiaoshan | 104.3 | 111.8 | 103.5 | 115.3 | 103.4 | 112.3 | 120.4 |
| 建德市 | Jiande | 105.9 | 113.0 | 106.1 | 118.8 | 104.2 | 116.2 | 115.2 |
| 海宁市 | Haining | 105.2 | 113.6 | 106.5 | 119.0 | 107.5 | 113.1 | 108.6 |
| 安吉县 | Anji | 105.3 | 114.8 | 103.9 | 119.7 | 114.3 | 116.3 | 106.0 |
| 新昌县 | Xinchang | 105.0 | 113.9 | 105.6 | 121.1 | 102.9 | 115.7 | 108.2 |
| 浦江县 | Pujiang | 104.1 | 113.4 | 99.2 | 122.6 | 102.8 | 120.7 | 114.7 |
| 兰溪市 | Lanxi | 105.7 | 112.8 | 105.7 | 117.9 | 104.0 | 116.7 | 115.2 |
| 江山市 | Jiangshan | 105.7 | 115.2 | 106.7 | 119.6 | 106.3 | 121.5 | 108.9 |
| 临海市 | Linhai | 105.6 | 113.7 | 106.9 | 121.1 | 106.3 | 109.4 | 110.2 |
| 龙泉市 | Longquan | 105.5 | 113.4 | 106.5 | 118.7 | 105.3 | 112.5 | 108.1 |

4-8　续表　continued　（上年=100）(preceding year=100)

| 市(县)名称 City(County) | | 烟酒及用品类 Tobacco, Liquor and Articles | 衣着类 Clothing | 家庭设备用品及维修服务类 Household Appliances and Articles | 医疗保健个人用品类 Health Care Articles | 交通和通讯工具类 Means of Transpor-tation and Communi-cation | 娱乐教育文化及服务类 Recreation, Education and Culture | 居住类 Residence |
|---|---|---|---|---|---|---|---|---|
| 杭州市 | Hangzhou | 102.5 | 98.6 | 105.0 | 105.3 | 94.7 | 99.4 | 102.4 |
| 宁波市 | Ningbo | 101.1 | 100.5 | 103.2 | 108.7 | 93.4 | 100.0 | 103.5 |
| 温州市 | Wenzhou | 103.6 | 94.0 | 104.6 | 106.7 | 97.0 | 101.0 | 103.4 |
| 嘉兴市 | Jiaxing | 102.9 | 97.8 | 102.7 | 102.2 | 96.2 | 99.6 | 108.6 |
| 湖州市 | Huzhou | 101.8 | 101.2 | 102.3 | 105.1 | 98.0 | 99.1 | 103.3 |
| 绍兴市 | Shaoxing | 102.0 | 97.7 | 104.0 | 108.3 | 93.4 | 98.5 | 104.2 |
| 金华市 | Jinhua | 100.6 | 91.0 | 105.4 | 106.0 | 96.2 | 99.4 | 106.5 |
| 衢州市 | Quzhou | 103.7 | 98.4 | 103.6 | 104.8 | 97.2 | 98.2 | 104.5 |
| 舟山市 | Zhoushan | 102.5 | 100.7 | 103.9 | 107.4 | 95.7 | 102.4 | 104.7 |
| 台州市 | Taizhou | 101.3 | 89.4 | 104.6 | 110.1 | 96.9 | 101.5 | 104.6 |
| 丽水市 | Lishui | 102.6 | 96.1 | 101.6 | 109.7 | 96.2 | 102.2 | 104.1 |
| 萧山区 | Xiaoshan | 102.6 | 97.5 | 102.4 | 105.0 | 96.1 | 99.3 | 104.7 |
| 建德市 | Jiande | 101.6 | 99.5 | 103.3 | 110.6 | 98.1 | 95.8 | 108.2 |
| 海宁市 | Haining | 101.4 | 97.0 | 101.2 | 103.4 | 99.6 | 98.5 | 105.6 |
| 安吉县 | Anji | 102.6 | 92.7 | 102.1 | 107.0 | 97.4 | 98.2 | 104.6 |
| 新昌县 | Xinchang | 101.9 | 100.4 | 102.6 | 105.5 | 94.8 | 95.8 | 106.4 |
| 浦江县 | Pujiang | 100.8 | 96.4 | 101.2 | 101.5 | 94.7 | 96.9 | 105.5 |
| 兰溪市 | Lanxi | 102.2 | 103.9 | 102.5 | 108.6 | 93.8 | 100.8 | 104.7 |
| 江山市 | Jiangshan | 101.4 | 100.2 | 102.1 | 103.0 | 97.0 | 98.8 | 106.8 |
| 临海市 | Linhai | 101.7 | 100.1 | 104.2 | 103.1 | 101.0 | 98.1 | 105.6 |
| 龙泉市 | Longquan | 100.6 | 100.6 | 100.5 | 102.1 | 99.0 | 99.7 | 106.9 |

## 4-9 各市、县商品零售价格指数和农业生产资料零售价格指数(2008 年)
## General Retail Price Indices of Commodities and Agricultural Means of Production by City and County(2008)

(上年=100)(preceding year=100)

| 市(县)名称 City(County) | 商品零售价格指数 General Retail Price Index of Commodities | 食品类 Food | 饮料、烟酒类 Beverages, Tobacco and Liquor | 服装、鞋帽类 Garments, Shoes and Hats | 纺织品类 Textiles | 家用电器及音响器材类 Household Appliances and Audiovisual Eqiupment |
|---|---|---|---|---|---|---|
| 杭州市 Hangzhou | 106.0 | 115.3 | 103.8 | 98.4 | 101.4 | 97.8 |
| 宁波市 Ningbo | 107.1 | 113.9 | 102.4 | 100.3 | 99.8 | 98.1 |
| 温州市 Wenzhou | 105.5 | 112.9 | 103.4 | 93.4 | 100.1 | 97.1 |
| 嘉兴市 Jiaxing | 106.6 | 114.5 | 103.5 | 97.8 | 100.9 | 97.5 |
| 湖州市 Huzhou | 106.5 | 114.2 | 103.1 | 101.4 | 102.9 | 100.9 |
| 绍兴市 Shaoxing | 106.9 | 115.1 | 102.8 | 97.3 | 105.8 | 97.3 |
| 金华市 Jinhua | 106.1 | 115.2 | 102.1 | 90.0 | 101.7 | 102.6 |
| 衢州市 Quzhou | 106.7 | 114.8 | 103.9 | 98.2 | 99.6 | 96.5 |
| 舟山市 Zhoushan | 106.7 | 112.9 | 103.7 | 100.2 | 101.1 | 98.5 |
| 台州市 Taizhou | 105.6 | 110.0 | 103.0 | 89.0 | 99.3 | 99.3 |
| 丽水市 Lishui | 106.9 | 113.3 | 103.3 | 96.8 | 91.1 | 99.8 |
| 萧山区 Xiaoshan | 105.8 | 112.1 | 104.2 | 97.2 | 102.7 | 100.1 |
| 建德市 Jiande | 107.0 | 113.2 | 102.1 | 99.1 | 102.7 | 93.0 |
| 海宁市 Haining | 105.8 | 114.0 | 101.8 | 96.5 | 101.4 | 98.4 |
| 安吉县 Anji | 106.4 | 115.3 | 102.0 | 92.0 | 97.9 | 97.2 |
| 新昌县 Xinchang | 106.5 | 114.1 | 102.5 | 99.8 | 103.2 | 96.2 |
| 浦江县 Pujiang | 104.8 | 113.1 | 101.1 | 96.3 | 99.1 | 98.6 |
| 兰溪市 Lanxi | 107.4 | 114.2 | 101.8 | 104.3 | 104.3 | 96.4 |
| 江山市 Jiangshan | 106.2 | 115.4 | 102.1 | 99.6 | 104.9 | 99.9 |
| 临海市 Linhai | 106.7 | 114.2 | 102.7 | 100.1 | 99.9 | 99.6 |
| 龙泉市 Longquan | 105.8 | 113.3 | 100.6 | 100.5 | 100.1 | 99.8 |

4-9 续表1 continued （上年=100）(preceding year=100)

| 市(县)名称 City(County) | 文化办公用品类 Culture and Official Articles | 日用品类 Articles for Daily Use | 体育娱乐用品类 Sports and Recreation | 交通通讯用品类 Transportation and Communication Articles | 家具类 Furniture | 化妆品类 Cosmetics |
|---|---|---|---|---|---|---|
| 杭州市 Hangzhou | 98.6 | 101.0 | 103.6 | 93.6 | 104.2 | 100.7 |
| 宁波市 Ningbo | 98.7 | 105.6 | 98.6 | 98.6 | 101.9 | 104.8 |
| 温州市 Wenzhou | 97.0 | 104.1 | 95.9 | 95.2 | 102.5 | 101.4 |
| 嘉兴市 Jiaxing | 99.9 | 104.3 | 97.3 | 97.1 | 100.7 | 98.0 |
| 湖州市 Huzhou | 98.3 | 104.5 | 96.6 | 98.6 | 99.7 | 100.0 |
| 绍兴市 Shaoxing | 99.1 | 102.3 | 98.9 | 96.5 | 105.4 | 102.0 |
| 金华市 Jinhua | 95.0 | 105.8 | 100.6 | 94.7 | 104.4 | 98.9 |
| 衢州市 Quzhou | 97.3 | 102.7 | 100.3 | 99.2 | 99.4 | 99.5 |
| 舟山市 Zhoushan | 94.9 | 105.3 | 100.8 | 97.6 | 104.2 | 100.7 |
| 台州市 Taizhou | 99.4 | 104.5 | 93.1 | 97.1 | 90.2 | 100.7 |
| 丽水市 Lishui | 100.1 | 104.7 | 102.2 | 97.2 | 102.6 | 100.7 |
| 萧山区 Xiaoshan | 98.7 | 102.7 | 100.4 | 94.1 | 102.2 | 99.5 |
| 建德市 Jiande | 92.9 | 110.7 | 104.3 | 94.7 | 100.5 | 103.2 |
| 海宁市 Haining | 96.3 | 104.2 | 98.0 | 97.8 | 101.1 | 103.6 |
| 安吉县 Anji | 99.8 | 106.3 | 97.8 | 96.7 | 100.6 | 101.5 |
| 新昌县 Xinchang | 96.4 | 102.6 | 102.3 | 93.9 | 109.3 | 100.0 |
| 浦江县 Pujiang | 97.2 | 103.1 | 103.2 | 94.7 | 100.2 | 97.7 |
| 兰溪市 Lanxi | 96.5 | 108.8 | 101.8 | 93.8 | 105.4 | 101.1 |
| 江山市 Jiangshan | 99.7 | 101.7 | 100.0 | 95.5 | 100.6 | 104.2 |
| 临海市 Linhai | 97.8 | 105.3 | 99.3 | 98.2 | 101.4 | 107.2 |
| 龙泉市 Longquan | 97.4 | 105.9 | 101.1 | 92.5 | 100.9 | 105.0 |

4－9 续表2 continued （上年＝100）（preceding year＝100）

| 市（县）名称 City（County） | 金银珠宝类 Jewelry | 中西药品及医疗保健用品类 Traditional Chinese Westen Medicines and Health Care | 书报杂志及电子出版物类 Newspaper, Magazines and Electronic Publication | 燃料类 Fuels | 建筑材料及五金电料类 Building Materials and Hardware and Electric Materials | 农业生产资料零售价格指数 Retail Price Index of Agricultural Means of Production |
|---|---|---|---|---|---|---|
| 杭州市 Hangzhou | 117.0 | 107.8 | 99.9 | 113.1 | 105.0 | |
| 宁波市 Ningbo | 122.4 | 112.0 | 99.4 | 114.6 | 106.5 | |
| 温州市 Wenzhou | 120.6 | 109.7 | 103.8 | 117.4 | 106.0 | |
| 嘉兴市 Jiaxing | 125.3 | 103.3 | 101.8 | 115.3 | 122.7 | |
| 湖州市 Huzhou | 112.8 | 106.5 | 100.3 | 112.4 | 105.7 | |
| 绍兴市 Shaoxing | 112.8 | 112.4 | 100.5 | 113.2 | 108.7 | |
| 金华市 Jinhua | 115.3 | 107.9 | 101.1 | 113.7 | 110.3 | |
| 衢州市 Quzhou | 118.9 | 106.3 | 100.0 | 115.3 | 108.7 | |
| 舟山市 Zhoushan | 121.4 | 107.8 | 101.3 | 115.4 | 108.1 | |
| 台州市 Taizhou | 111.8 | 117.2 | 101.8 | 117.9 | 108.8 | |
| 丽水市 Lishui | 109.7 | 115.8 | 99.6 | 114.9 | 104.0 | |
| 萧山区 Xiaoshan | 115.2 | 106.5 | 100.0 | 117.5 | 107.5 | 116.8 |
| 建德市 Jiande | 112.2 | 114.7 | 101.2 | 115.6 | 115.4 | 118.3 |
| 海宁市 Haining | 118.6 | 102.4 | 100.0 | 114.0 | 108.4 | 115.8 |
| 安吉县 Anji | 120.6 | 110.0 | 100.2 | 110.7 | 109.6 | 123.2 |
| 新昌县 Xinchang | 124.6 | 108.6 | 100.0 | 113.6 | 114.4 | 120.6 |
| 浦江县 Pujiang | 118.9 | 100.7 | 99.9 | 113.6 | 103.9 | 119.8 |
| 兰溪市 Lanxi | 113.3 | 111.4 | 100.9 | 114.7 | 112.1 | 117.7 |
| 江山市 Jiangshan | 125.9 | 101.3 | 99.5 | 113.1 | 108.4 | 123.9 |
| 临海市 Linhai | 122.8 | 102.6 | 99.9 | 115.9 | 108.1 | 118.0 |
| 龙泉市 Longquan | 107.3 | 101.5 | 100.8 | 119.2 | 111.4 | 120.2 |

## 4-10　分月各种价格指数(2008年)
## Price Indices by Month(2008)

(上年同期=100)(preceding period=100)

| 项　目 | Item | 1月 | 2月 | 3月 | 4月 | 5月 | 6月 |
|---|---|---|---|---|---|---|---|
| **居民消费价格指数** | **Consumer Price Index** | **106.6** | **108.3** | **107.7** | **107.9** | **107.2** | **106.4** |
| 城市 | Urban Areas | 106.0 | 107.6 | 107.0 | 107.2 | 106.8 | 106.2 |
| 农村 | Rural Areas | 107.2 | 109.0 | 108.4 | 108.5 | 107.7 | 106.7 |
| #服务项目价格指数 | Services Price Index | 103.3 | 102.8 | 99.8 | 99.5 | 98.9 | 98.9 |
| 城市 | Urban Areas | 103.7 | 102.9 | 100.1 | 99.9 | 99.0 | 98.9 |
| 农村 | Rural Areas | 102.9 | 102.8 | 99.4 | 99.2 | 98.9 | 98.8 |
| **商品零售价格指数** | **Retail Price Index of Commodities** | **106.1** | **108.3** | **108.6** | **108.9** | **108.5** | **107.8** |
| 城市 | Urban Areas | 105.9 | 108.1 | 108.4 | 108.8 | 108.5 | 107.9 |
| 农村 | Rural Areas | 106.5 | 108.6 | 108.9 | 109.1 | 108.4 | 107.7 |
| **农业生产资料零售价格指数** | **Price Index of Agricultural Means of Production** | **115.4** | **117.2** | **119.8** | **122.2** | **121.9** | **124.6** |

4-10　续表　continued

(上年同期=100)(preceding period=100)

| 项　目 | Item | 7月 | 8月 | 9月 | 10月 | 11月 | 12月 |
|---|---|---|---|---|---|---|---|
| **居民消费价格指数** | **Consumer Price Index** | **106.0** | **103.9** | **103.8** | **102.6** | **100.8** | **99.6** |
| 城市 | Urban Areas | 106.1 | 104.2 | 104.0 | 102.6 | 100.9 | 99.4 |
| 农村 | Rural Areas | 105.9 | 103.7 | 103.6 | 102.7 | 100.7 | 99.7 |
| #服务项目价格指数 | Services Price Index | 98.8 | 98.6 | 98.7 | 98.1 | 97.5 | 95.6 |
| 城市 | Urban Areas | 98.8 | 98.6 | 98.1 | 97.6 | 96.8 | 94.6 |
| 农村 | Rural Areas | 98.7 | 98.7 | 99.2 | 98.5 | 98.1 | 96.6 |
| **商品零售价格指数** | **Retail Price Index of Commodities** | **107.9** | **105.9** | **105.7** | **104.5** | **102.3** | **101.1** |
| 城市 | Urban Areas | 108.1 | 106.2 | 106.1 | 104.7 | 102.6 | 101.2 |
| 农村 | Rural Areas | 107.5 | 105.3 | 105.1 | 104.0 | 101.7 | 100.9 |
| **农业生产资料零售价格指数** | **Price Index of Agricultural Means of Production** | **124.4** | **123.1** | **121.3** | **118.3** | **112.0** | **107.7** |

## 4-11 固定资产投资价格指数(2001-2008年)
## Price Indices of Investment in Fixed Assets(2001-2008)

(上年=100)(preceding year=100)

| 项 目 | Item | 2001 | 2002 | 2003 | 2004 | 2005 | 2006 | 2007 | 2008 |
|---|---|---|---|---|---|---|---|---|---|
| **固定资产投资价格指数** | **Price Index of Investment in Fixed Assets** | **100.4** | **100.4** | **103.5** | **105.9** | **100.3** | **101.5** | **104.3** | **109.3** |
| **建筑安装工程** | **Construction and Installation** | **101.2** | **101.3** | **106.1** | **108.7** | **99.3** | **100.3** | **105.6** | **113.7** |
| #人工费 | Manpower | 102.4 | 103.3 | 102.9 | 104.2 | 104.8 | 104.6 | 107.9 | 115.5 |
| 机械使用费 | Using Expenses of Machanism | 99.8 | 99.8 | 101 | 101.6 | 100.9 | 101.5 | 102.6 | 104.6 |
| 材料费 | Materials | 101.1 | 101.1 | 107.6 | 112.1 | 97.6 | 99.2 | 105.5 | 114.5 |
| 钢材 | Steel Products | 99.7 | 100.3 | 113 | 120.9 | 99 | 95.8 | 108.5 | 123.2 |
| 木材 | Timber | 100.3 | 101.9 | 101 | 102.1 | 101.6 | 103.5 | 104.1 | 109.3 |
| 水泥 | Cement | 103.5 | 101.2 | 106.1 | 110.3 | 86.6 | 98.3 | 104.5 | 108.4 |
| 地方材料 | Local Materials | 102.8 | 101.8 | 104.9 | 105.4 | 97.5 | 101.7 | 102.5 | 107.4 |
| 化工材料 | Chemical Materials | 99.7 | 103.6 | 102.1 | 104.7 | 105.1 | 109.1 | 105.1 | 109.8 |
| 电料 | Electrical Material | 98.8 | 100 | 101 | 104.7 | 104.8 | 115.7 | 106.3 | 104.7 |
| 其他材料 | Others | 101.6 | 101.3 | 100.2 | 101.7 | 100.9 | 101.7 | 102.5 | 104.1 |
| **设备、工器具购置** | **Purchase of Equipment, Tools and Instruments** | **97.6** | **96.4** | **98.2** | **102.1** | **100.3** | **101.7** | **100.5** | **101.2** |
| 金属制品业 | Metal Products | 98.8 | 98.8 | 100.7 | 107.1 | 103.8 | | | |
| 机械工业 | Machanical Industry | 99 | 97.8 | 99.3 | 103.8 | 101.7 | | | |
| 交通运输设备 | Transport Equipment | 98.1 | 95.8 | 96.9 | 99.6 | 100.2 | | | |
| 电气机械及器材 | Electric Equipment and Machinery | 95.6 | 95.8 | 99.2 | 104.5 | 102.7 | | | |
| 电子及通信设备制造业 | Electronic and Telecommunication Equipment | 97.8 | 93.6 | 96.1 | 95.1 | 92.8 | | | |
| 仪器仪表及其他计量器 | Instruments, Meters and Others | 99.1 | 98.3 | 98.6 | 101.4 | 100.1 | | | |
| **其他费用投资** | **Others** | **101.1** | **102.1** | **101.7** | **103.4** | **103.1** | **104.5** | **105.2** | **106.6** |

## 4-12 工业品出厂价格指数(2002-2008年)
## Ex-factory Price Indices of Industrial Products(2002-2008)

(上年=100)(preceding year=100)

| 项 目 | Item | 2002 | 2003 | 2004 | 2005 | 2006 | 2007 | 2008 |
|---|---|---|---|---|---|---|---|---|
| **全 省** | **General Index** | **96.9** | **100.6** | **105** | **102.3** | **103.8** | **102.4** | **104.27** |
| **轻工业** | **Light Industry** | **96.6** | **99.9** | **103.3** | **101.6** | **101.9** | **102** | **103.55** |
| 以农产品为原料 | Using Farm Products as Raw Materials | 96.7 | 100.3 | 103.7 | 101.2 | 101.4 | 101.5 | 103.14 |
| 以非农产品为原料 | Using Non-farm Products as Raw Materials | 96.5 | 99.7 | 103 | 101.9 | 102.5 | 102.5 | 103.96 |
| **重工业** | **Heavy Industry** | **97.2** | **101.9** | **106.8** | **103** | **106.6** | **102.9** | **105.33** |
| 采掘 | Mining and Quarrying Industry | 105.9 | 102.4 | 125.7 | 116.7 | 105.1 | 105.8 | 110.10 |
| 原料 | Raw Material Industry | 98.1 | 104.1 | 108.5 | 105.7 | 106.6 | 103 | 107.41 |
| 加工 | Manufacturing Industry | 96.5 | 100.3 | 106.1 | 101.6 | 106.7 | 102.8 | 103.97 |
| **生产资料** | **Means of Production** | **96.5** | **101.2** | **106.3** | **102.8** | **104.9** | **102.7** | **104.82** |
| 采掘 | Mining and Quarrying Industry | 105.9 | 102.4 | 125.7 | 116.7 | 105.1 | 105.8 | 110.09 |
| 原料 | Raw Material Industry | 97 | 103.9 | 108.7 | 107.2 | 106.4 | 102.9 | 104.99 |
| 加工 | Manufacturing Industry | 96.1 | 100 | 105.4 | 101.1 | 104.4 | 102.5 | 104.71 |
| **生活资料** | **Means of Subsistence** | **97.8** | **99.4** | **101.7** | **101.1** | **101.1** | **101.7** | **102.85** |
| 食品 | Food | 99.3 | 101.4 | 102.5 | 99.8 | 101 | 104.9 | 105.76 |
| 衣着 | Clothing | 98.6 | 98.9 | 102 | 101.3 | 100.9 | 100.5 | 101.41 |
| 一般日用品 | Articles for Daily Use | 97.4 | 99.8 | 102 | 101.6 | 101.5 | 101.4 | 103.22 |
| 耐用消费品 | Durable Consumer Goods | 95.2 | 97.1 | 99.4 | 101.7 | 100.9 | 101.7 | 102.01 |
| **分部门** | **by Sector** | | | | | | | |
| 冶金工业 | Metallurgical Industry | 96.8 | 104.8 | 117.5 | 106.2 | 114.9 | 108.1 | 106.32 |
| 电力工业 | Power Industry | 99.9 | 100 | 102.5 | 104.6 | 102 | 100.6 | 100.88 |
| 煤炭及炼焦工业 | Coal Industry | 118.4 | 101.4 | 116.1 | 121.4 | 103.5 | 105.1 | 107.68 |
| 石油工业 | Petroleum Industry | 94 | 112.7 | 115.8 | 122 | 117 | 102.1 | 123.76 |
| 化学工业 | Chemical Industry | 96.8 | 101.6 | 107.3 | 104.9 | 102.6 | 103.1 | 104.34 |
| 机械工业 | Machinery Industry | 96.1 | 98.4 | 101.5 | 99.7 | 102.8 | 101.2 | 103.23 |
| 建筑材料工业 | Building Materials Industry | 99 | 104.4 | 109 | 89.9 | 102.8 | 104.7 | 109.55 |
| 森林工业 | Timber Industry | 95.9 | 99.7 | 100.8 | 103.4 | 103.5 | 102.1 | 102.24 |
| 食品工业 | Food Industry | 99.3 | 101.9 | 104.2 | 99.6 | 100.6 | 105.4 | 106.42 |
| 纺织工业 | Textile Industry | 92.8 | 99.8 | 104.6 | 102 | 102.7 | 100.5 | 101.89 |
| 缝纫工业 | Tailoring Industry | 98.7 | 98.7 | 102.2 | 100.9 | 100.9 | 100.5 | 101.68 |
| 皮革工业 | Leather Industry | 98.1 | 99.6 | 101.3 | 102.3 | 100.5 | 101.4 | 102.27 |
| 造纸工业 | Paper Industry | 96.4 | 98.2 | 101.7 | 100.8 | 99.9 | 101.8 | 108.36 |
| 文教艺术品工业 | Cultural, Educational & Handicrafts Articles Industry | 97.9 | 99.4 | 100 | 101.3 | 100.3 | 101.2 | 102.11 |
| 其他工业 | Others | 103.1 | 102.4 | 103.2 | 102.2 | 103.8 | 103.8 | 103.57 |

## 4-13　按行业分的工业品出厂价格指数(2005-2008 年)
## Ex-factory Price Indices of Industrial Products by Sector(2005-2008)

(上年=100)(preceding year=100)

| 项　目 | Item | 2005 | 2006 | 2007 | 2008 |
|---|---|---|---|---|---|
| **全省** | **General Index** | **102.3** | **103.8** | **102.4** | **104.27** |
| 煤炭开采和洗选业 | Coal Mining and Dressing | 133.5 | 98.8 | 105.1 | 106.04 |
| 黑色金属矿采选业 | Ferrous Metals Mining and Dressing | 131.4 | 96.8 | 115 | 145.09 |
| 有色金属矿采选业 | Nonferrous Metals Mining and Dressing | 131.3 | 169.6 | 149.3 | 87.58 |
| 非金属矿采选业 | Nonmetal Minerals Mining and Dressing | 100.7 | 102.6 | 101.2 | 106.06 |
| 其他采矿业 | Mining of Other Ores | | | | |
| 农副食品加工业 | Food Processing | 98 | 100.4 | 111 | 110.30 |
| 食品制造业 | Food Production | 101 | 101.4 | 101.3 | 106.73 |
| 饮料制造业 | Beverage Production | 100.5 | 99.6 | 99.2 | 102.23 |
| 烟草制品业 | Tobacco Processing | 100 | 100.9 | 101.1 | 100.00 |
| 纺织业 | Textile Industry | 101.9 | 102.3 | 100.5 | 101.82 |
| 纺织服装、鞋帽制造业 | Garments and Other Fiber Products | 100.8 | 101 | 100.4 | 101.98 |
| 皮革、皮毛、羽毛(绒)及其制品业 | Leather, Furs and Related Products | 102.3 | 100.6 | 101.2 | 101.82 |
| 木材加工及木、竹、藤、棕、草制品业 | Timber Processing, Bamboo, Cane, Palm Fiber & Straw Products | 103.9 | 104.6 | 103.2 | 103.32 |
| 家具制造业 | Furniture Manufacturing | 101.7 | 100 | 99.8 | 101.10 |
| 造纸及纸制品业 | Papermaking and Paper Products | 100.8 | 99.9 | 101.8 | 108.36 |
| 印刷业和记录媒介的复制 | Printing and Record Medium Reproduction | 99.9 | 99.1 | 100 | 101.86 |
| 文教体育用品制造业 | Cultural, Educational and Sports Articles | 102.5 | 102.3 | 102.8 | 102.49 |
| 石油加工、炼焦及核燃加工业 | Petroleum Processing and Coking | 122 | 117.4 | 101.9 | 124.41 |
| 化学原料及化学制品制造业 | Raw Chemical Materials and Chemical Products | 105.8 | 101.3 | 106.5 | 112.86 |
| 医药制造业 | Medical and Pharmaceutical Products | 98 | 96.8 | 97.4 | 103.70 |
| 化学纤维制造业 | Chemical Fiber | 105.6 | 105.1 | 102 | 95.47 |
| 橡胶制品业 | Rubber Products | 105.2 | 104.1 | 103.5 | 103.10 |
| 塑料制品业 | Plastic Products | 106.8 | 103.2 | 102.2 | 103.60 |
| 非金属矿物制品业 | Nonmetal Mineral Products | 89.9 | 102.8 | 104.8 | 110.09 |
| 黑色金属冶炼及压延加工业 | Smelting and Pressing of Ferrous Metals | 103.2 | 94.3 | 112.4 | 122.33 |
| 有色金属冶炼及压延加工业 | Smelting and Pressing of Nonferrous Metals | 114.6 | 148.9 | 106.3 | 89.17 |
| 金属制品业 | Metal Products | 103.8 | 102.9 | 105.3 | 106.45 |
| 通用设备制造业 | Ordinary Machanism | 101.7 | 101.1 | 102.7 | 108.65 |
| 专用设备制造业 | Equipment for Special Purpose | 100.5 | 99.8 | 100.5 | 104.06 |
| 交通运输设备制造业 | Transportation Equipment Manufacturing | 100.3 | 98.9 | 100.2 | 102.19 |
| 电气机械及器材制造业 | Electric Machinery and Equipment Manufacturing | 102.7 | 111.8 | 103.7 | 102.54 |
| 通信设备、计算机及其他电子设备制造业 | Electronic and Telecommunications Equipment Manufacturing | 91.6 | 96.9 | 96 | 96.70 |
| 仪器仪表及文化办公用机械制造业 | Instruments, Meters and Cultive and Office Equipment Manufacturing | 100.1 | 102.2 | 103.4 | 102.60 |
| 工艺品及其他制造业 | Other Manufacturing | 101.9 | 103.9 | 102.9 | 102.10 |
| 废弃资源和废旧材料回收加工工业 | Retrieve Processing of Abandoned Resources and old Materials | 98.6 | 118.7 | 111.2 | 110.44 |
| 电力、热力的生产和供应业 | Production and Supply of Electric Power and Heat Power | 104.6 | 102.1 | 100.7 | 100.96 |
| 煤气生产和供应业 | Production and Supply of Gas | 115.5 | 108.6 | 105.3 | 107.48 |
| 水的生产和供应业 | Production and Supply of Water | 106.4 | 108.2 | 107.4 | 110.16 |

## 4－14　主要原材料、燃料、动力购进价格分类指数(2000－2008 年)
Purchasing Price Indices of Raw Material, Fuels and Motive Power by Category(2000－2008)

(上年＝100)(preceding year＝100)

| 项　目 | Item | 2000 | 2001 | 2002 | 2003 | 2004 | 2005 | 2006 | 2007 | 2008 |
|---|---|---|---|---|---|---|---|---|---|---|
| **总指数** | **General Purchasing Price Index** | **107.2** | **99.6** | **97.5** | **105.8** | **113.4** | **105.4** | **105.6** | **105.3** | **110.58** |
| 燃料动力类 | Fuels and Motive Power | 110.7 | 102 | 103.9 | 105.8 | 114.5 | 115.5 | 109.8 | 103.9 | 120.51 |
| 黑色金属材料类 | Ferrous Metals Material | 102.8 | 100 | 97.1 | 110.1 | 123.5 | 104.9 | 94.3 | 108.7 | 119.81 |
| 有色金属材料和电线类 | Nonferrous Metal Materials and Electric Wire | 107.7 | 94.6 | 95.9 | 106.9 | 126.4 | 113.4 | 137.2 | 112.9 | 94.08 |
| 化工原料类 | Chemical Raw Materials | 112.2 | 96.5 | 96.7 | 103.6 | 111.7 | 107.7 | 101.5 | 106 | 107.76 |
| 木材及纸浆类 | Logging and Paper Pulp | 103.5 | 94.3 | 96.5 | 101 | 102.5 | 102.3 | 102.6 | 102.9 | 106.20 |
| 建筑材料类及非金属矿类 | Building Materials and Nonmetal Minerals | 100.9 | 97.6 | 96.2 | 100.8 | 111.6 | 93.7 | 99.9 | 104.4 | 110.05 |
| 其他工业原材料及半成品类 | Other Industrial Raw Materials | 109.3 | 97.7 | 95.4 | 100.7 | 109.8 | 101.8 | 105 | 106.8 | 106.97 |
| 农副产品类 | Farm Products | 102.4 | 108.5 | 95.2 | 112.2 | 114.4 | 97.8 | 104 | 104.3 | 105.00 |
| 纺织原料类 | Textile Raw Materials | 105.1 | 98.7 | 95.3 | 102.6 | 104.6 | 102.7 | 103 | 101.9 | 101.93 |

## 4-15 房地产价格指数(2005-2008年)
## Price Indices of Real Estate(2005-2008)

(上年=100)(preceding year=100)

| 项 目 | Item | 2005 | 2006 | 2007 | 2008 |
|---|---|---|---|---|---|
| 房屋销售价格指数 | Sales Price Indices of Houses | 108.4 | 102.5 | 108.1 | 107.4 |
| 新建房 | New Building Houses | 109.7 | 102.9 | 108.5 | 108.4 |
| 住宅 | Residential Buildings | 109.6 | 103.1 | 109.4 | 109.3 |
| 经济适用房 | Economically Affordable Housing | 101.4 | 100.9 | 100.4 | 100.0 |
| 商品住宅 | Commercialized Residential Buildings | | | | 109.8 |
| 普通住宅 | General Residential Buildings | 110.2 | 103.2 | 109.6 | 109.2 |
| 高档住宅 | Luxury Residential Buildings | 109.2 | 103.7 | 113.0 | 116.8 |
| 非住宅 | Non-Residential Buildings | 110.1 | 102.2 | 105.1 | 103.7 |
| 办公楼 | Office Buildings | 109.6 | 102.4 | 106.5 | 106.4 |
| 商业营业用房 | Business | 111.0 | 101.9 | 104.6 | 103.9 |
| 其他用房 | Others | 110.0 | 102.9 | 104.8 | 100.8 |
| 二手房 | Second-hand House | 105.7 | 101.7 | 107.2 | 105.4 |
| 住宅 | Residential Buildings | 105.9 | 101.5 | 107.7 | 106.2 |
| 普通住宅 | General Residential Buildings | 106.5 | 102.0 | 108.2 | 106.2 |
| 高档住宅 | Luxury Residential Buildings | 105.4 | 101.5 | 107.2 | 106.5 |
| 非住宅 | Non-Residential Buildings | 104.6 | 102.7 | 104.8 | 102.9 |
| 土地交易价格指数 | TranSactions Price Indices of Land | 120.4 | 110.7 | 142.1 | 123.9 |
| 居住用地 | Land for Residential Building Use | 121.9 | 111.9 | 145.9 | 130.6 |
| 工业用地 | Land for Industry Use | 114.3 | 109.5 | 128.4 | 109.8 |
| 商业营业用地 | Land for Business | 117.5 | 106.8 | 139.6 | 139.6 |
| 其他用地 | Land for Other Use | 123.5 | 107.0 | 114.5 | 110.3 |
| 房屋租赁价格指数 | Residential Buildings | 104.0 | 101.9 | 104.2 | 103.4 |
| 住宅 | Residential Buildings | 105.3 | 102.3 | 103.7 | 104.6 |
| 经济适用房 | Economically Affordable Housing | 100.0 | 100.0 | 100.0 | 100.0 |
| 廉租房 | Tenement House | 99.9 | 99.3 | 100.1 | 98.8 |
| 商品住宅 | Commercialized Residential Budildings | | | | 104.8 |
| 普通住宅 | General Residential Buildings | 104.0 | 102.6 | 103.8 | 104.9 |
| 高档住宅 | Luxury Residential Buildings | 118.6 | 102.1 | 104.8 | 103.7 |
| 非住宅 | Non-Residential Buildings | | | | 102.7 |
| 办公楼 | Office Buildings | 102.9 | 102.0 | 105.3 | 103.1 |
| 商业营业用房 | Business | 103.6 | 101.7 | 104.5 | 101.5 |
| 其他 | Others | 104.9 | 101.1 | 101.3 | 107.2 |
| 物业管理价格指数 | Property Management Price Indices | 100.2 | 100.7 | 100.9 | 101.1 |
| 住宅 | Residential Buildings | 99.7 | 100.6 | 100.8 | 100.9 |
| 经济适用房 | Economically Affordable Housing | 100.4 | 100.0 | 100.0 | 100.0 |
| 商品住宅 | Commercialized Residential Budildings | | | | 101.0 |
| 普通住宅 | General Residential Buildings | 99.4 | 100.6 | 101.0 | 101.1 |
| 高档住宅 | Luxury Residential Buildings | 100.6 | 100.9 | 100.3 | 100.5 |
| 非住宅 | Non-Residential Buildings | | | | 101.5 |
| 办公楼 | Office Buildings | 100.9 | 100.6 | 101.2 | 102.8 |
| 商业营业用房 | Business | 100.8 | 101.8 | 100.9 | 100.4 |
| 其他 | Others | 100.4 | 100.2 | 100.0 | 99.9 |

## 4－16　各城市房地产价格指数
Price Indices of Real Estate by City

（上年＝100）（preceding year＝100）

| 城　市 | City | 房屋销售价格指数 Selling Price Indices of Houses | | | 土地交易价格指数 Transactions Price Indices of Land | | | 房屋租赁价格指数 Renting Price Indices of Houses | | | 物业管理价格指数 Property Management Price Indices | | |
|---|---|---|---|---|---|---|---|---|---|---|---|---|---|
| | | 2006 | 2007 | 2008 | 2006 | 2007 | 2008 | 2006 | 2007 | 2008 | 2006 | 2007 | 2008 |
| **全　省** | **Total** | **102.5** | **108.1** | **107.4** | **110.7** | **142.1** | **123.9** | **101.9** | **104.2** | **103.4** | **100.7** | **100.9** | **101.1** |
| 杭州市 | Hangzhou | 102.6 | 107.3 | 108.6 | 107.1 | 155.2 | 127.8 | 101.1 | 102.7 | 102.5 | 100.1 | 100.4 | 101.9 |
| 宁波市 | Ningbo | 102.2 | 108.6 | 109.2 | 109.2 | 138.3 | 149.5 | 103.4 | 103.8 | 106.7 | 102.3 | 102.3 | 100.2 |
| 温州市 | Wenzhou | 100.7 | 107.0 | 103.5 | 105.6 | 145.3 | 122.0 | 101.2 | 109.9 | 102.6 | 99.2 | 99.9 | 101.9 |
| 嘉兴市 | Jiaxing | 103.1 | 104.4 | 105.3 | 106.9 | 125.8 | 111.0 | 101.6 | 102.2 | 100.7 | 103.8 | 102.6 | 102.8 |
| 湖州市 | Huzhou | 103.5 | 103.3 | 101.9 | 109.5 | 131.7 | 108.5 | 101.1 | 100.9 | 102.5 | 100.0 | 100.0 | 100.0 |
| 绍兴市 | Shaoxing | 104.6 | 107.9 | 105.4 | 135.7 | 143.6 | 114.5 | 100.3 | 102.7 | 103.9 | 100.0 | 100.0 | 100.0 |
| 金华市 | Jinhua | 100.7 | 101.1 | 105.9 | 107.2 | 108.6 | 109.0 | 100.2 | 100.1 | 100.0 | 100.6 | 100.0 | 100.0 |
| 衢州市 | Quzhou | 103.1 | 103.4 | 107.1 | 104.7 | 103.9 | 106.4 | 102.0 | 103.6 | 103.3 | 101.2 | 101.7 | 101.3 |
| 舟山市 | Zhoushan | 100.1 | 117.9 | 114.3 | 107.9 | 143.8 | 116.7 | 107.3 | 125.4 | 106.5 | 100.7 | 101.1 | 100.2 |
| 台州市 | Taizhou | 101.8 | 105.0 | 106.1 | 101.1 | 102.7 | 105.4 | 104.2 | 103.7 | 104.6 | 100.0 | 100.3 | 100.3 |
| 丽水市 | Lishui | 113.8 | 121.7 | 110.6 | 131.1 | 126.0 | 110.9 | 105.1 | 103.8 | 105.8 | 100.0 | 100.0 | 100.0 |

## 4-17 全国和70个大中城市房地产价格指数
Price Indices of Real Estate In China and 70 Large-scale and Medium-scale Cities

(上年=100)(preceding year=100)

| 城 市 | City | 房屋销售价格指数 Selling Price Indices of Houses | | | 土地交易价格指数 Transactions Price Indices of Land | | | 房屋租赁价格指数 Renting Price Indices of Houses | | | 物业管理价格指数 Property Management Price Indices | | |
|---|---|---|---|---|---|---|---|---|---|---|---|---|---|
| | | 2006 | 2007 | 2008 | 2006 | 2007 | 2008 | 2006 | 2007 | 2008 | 2006 | 2007 | 2008 |
| **全 国** | **Total** | **105.5** | **107.6** | **106.5** | **105.8** | **112.3** | **109.4** | **101.4** | **102.6** | **101.4** | **100.3** | **100.5** | **100.5** |
| 北 京 | Beijing | 108.8 | 111.4 | 109.5 | 105.2 | 109.4 | 111.6 | 102.9 | 102.7 | 101.8 | 100.8 | 100.1 | 100.2 |
| 天 津 | Tianjin | 106.7 | 106.9 | 105.8 | 103.9 | 122.1 | 111.1 | 100.2 | 100.3 | 100.4 | 100.0 | 100 | 100.0 |
| 石家庄 | Shijiazhuang | 104.3 | 107.6 | 105.8 | 100.3 | 101.6 | 100.6 | 100.5 | 100.6 | 102.9 | 100.0 | 100 | 100.0 |
| 太 原 | Taiyuan | 103.9 | 104.4 | 105.7 | 102.6 | 102.2 | 102.1 | 105.4 | 105.6 | 104.2 | 101.6 | 102.6 | 101.1 |
| 呼和浩特 | Huhehaote | 109.5 | 104.4 | 101.2 | 112.8 | 108.7 | 107.0 | 105.6 | 105.4 | 104.2 | 100.0 | 100 | 100.0 |
| 沈 阳 | Shenyang | 106.6 | 106.1 | 104.6 | 107.3 | 106.6 | 105.3 | 102.3 | 101.8 | 100.9 | 100.5 | 100.2 | 99.7 |
| 大 连 | Dalian | 110.9 | 107.2 | 104.8 | 103.8 | 105.9 | 104.2 | 99.7 | 99.8 | 101.2 | 100.9 | 100.3 | 100.5 |
| 长 春 | Changchun | 101.6 | 106.4 | 107.0 | 112.1 | 100.7 | 100.0 | 100.3 | 100 | 102.6 | 100.0 | 99.5 | 108.2 |
| 哈尔滨 | Haerbin | 103.3 | 106.8 | 106.4 | 106.7 | 108.2 | 104.6 | 102.7 | 100.2 | 102.2 | 100.0 | 100 | 100.0 |
| 上 海 | Shanghai | 98.7 | 103.4 | 105.9 | 101.2 | 107.9 | 107.9 | 104.0 | 105.1 | 104.6 | 100.0 | 100 | 100.0 |
| 南 京 | Nanjing | 104.3 | 106.6 | 102.7 | 103.0 | 103.9 | 103.6 | 100.4 | 101.8 | 102.0 | 100.3 | 101.4 | 100.3 |
| 杭 州 | Hangzhou | 102.6 | 107.3 | 108.6 | 107.1 | 155.2 | 127.8 | 101.1 | 102.7 | 102.5 | 100.1 | 100.4 | 101.9 |
| 宁 波 | Ningbo | 102.2 | 108.6 | 109.2 | 109.2 | 138.3 | 149.5 | 103.4 | 103.8 | 106.7 | 102.3 | 102.3 | 100.2 |
| 合 肥 | Hefei | 101.3 | 101.8 | 108.4 | 101.4 | 104.1 | 104.9 | 101.7 | 100.6 | 100.5 | 100.0 | 100 | 101.1 |
| 福 州 | Fuzhou | 106.7 | 106.8 | 103.9 | 107.9 | 117.1 | 107.7 | 101.7 | 102.6 | 101.7 | 100.0 | 100.1 | 100.0 |
| 厦 门 | Xiamen | 107.0 | 107 | 102.7 | 108.3 | 111.3 | 104.2 | 102.5 | 103.8 | 102.6 | 100.1 | 100 | 101.5 |
| 南 昌 | Nanchang | 106.2 | 106.8 | 104.2 | 105.1 | 103.9 | 109.4 | 101.3 | 101.3 | 100.8 | 100.4 | 101.8 | 100.2 |
| 济 南 | Jinan | 104.3 | 105.2 | 107.2 | 104.9 | 105 | 102.7 | 101.2 | 101.2 | 100.8 | 100.1 | 100.1 | 100.1 |
| 青 岛 | Qingdao | 106.9 | 106.5 | 105.1 | 103.2 | 101.8 | 102.1 | 110.1 | 108.3 | 106.5 | 99.8 | 100.4 | 100.3 |
| 郑 州 | Zhengzhou | 105.7 | 106.3 | 103.3 | 104.0 | 105.3 | 100.3 | 100.5 | 100.9 | 101.4 | 100.1 | 100.6 | 100.0 |
| 武 汉 | Wuhan | 103.0 | 105.2 | 104.9 | 101.5 | 100.9 | 101.3 | 100.3 | 100.3 | 100.1 | 100.0 | 100.1 | 100.0 |
| 长 沙 | Changsha | 105.3 | 108.4 | 106.7 | 118.6 | 122.1 | 109.0 | 102.8 | 102.5 | 100.6 | 100.0 | 100.1 | 100.3 |
| 广 州 | Guangzhou | 106.2 | 106.6 | 99.8 | 100.0 | 100 | 100.0 | 102.2 | 102.8 | 100.1 | 100.5 | 100.5 | 101.0 |
| 深 圳 | Shenzhen | 112.3 | 116.3 | 98.1 | 100.3 | 100.1 | 100.0 | 102.5 | 104.8 | 102.2 | 100.0 | 100.2 | 100.7 |
| 南 宁 | Nanning | 104.1 | 107.6 | 108.2 | 102.6 | 121.5 | 110.6 | 103.6 | 99.6 | 103.4 | 100.1 | 100 | 101.1 |
| 海 口 | Haikou | 102.8 | 106.6 | 110.4 | 115.1 | 118.5 | 120.9 | 100.7 | 100.6 | 101.4 | 100.0 | 100 | 100.0 |
| 重 庆 | Chongqing | 103.0 | 106.9 | 106.3 | 100.6 | 109.7 | 109.5 | 102.8 | 104.2 | 104.2 | 100.7 | 99.7 | 100.3 |
| 成 都 | Chengdu | 107.1 | 107.6 | 103.4 | 106.2 | 110.2 | 104.8 | 101.1 | 100.9 | 103.8 | 100.4 | 100.2 | 100.2 |
| 贵 阳 | Guiyang | 104.4 | 106.9 | 106.6 | 101.6 | 109.9 | 108.3 | 101.7 | 101.1 | 101.5 | 103.1 | 100.2 | 100.3 |
| 昆 明 | Kunming | 101.3 | 103.5 | 103.2 | 100.6 | 101.3 | 102.6 | 100.1 | 100.4 | 100.0 | 100.0 | 100 | 100.0 |
| 西 安 | Xi'an | 103.6 | 106.4 | 108.1 | 104.5 | 106.8 | 109.0 | 101.2 | 106.4 | 106.9 | 100.2 | 100.7 | 102.6 |
| 兰 州 | Lanzhou | 104.7 | 106 | 109.8 | 100.0 | 100 | 100.0 | 99.7 | 100.3 | 101.5 | 100.2 | 102 | 100.1 |
| 西 宁 | Xining | 102.8 | 103.8 | 107.5 | 102.5 | 103.2 | 103.2 | 101.1 | 104.2 | 102.4 | 100.0 | 100.8 | 101.9 |
| 银 川 | Yinchuan | 102.3 | 103.9 | 111.8 | 103.1 | 105.7 | 106.0 | 101.7 | 101.3 | 101.3 | 100.0 | 99.8 | 103.0 |
| 乌鲁木齐 | Wulumuqi | 101.2 | 109 | 115.5 | 100.2 | 102.6 | 106.5 | 100.3 | 100.8 | 101.1 | 100.1 | 100.1 | 101.0 |

4－17　**续表**　continued

| 城　市 | City | 房屋销售价格指数 Selling Price Indices of Houses | | | 土地交易价格指数 Transactions Price Indices of Land | | | 房屋租赁价格指数 Renting Price Indices of Houses | | | 物业管理价格指数 Property Management Price Indices | | |
|---|---|---|---|---|---|---|---|---|---|---|---|---|---|
| | | 2006 | 2007 | 2008 | 2006 | 2007 | 2008 | 2006 | 2007 | 2008 | 2006 | 2007 | 2008 |
| 唐　山 | Tangshan | 106.5 | 106.4 | 105.9 | 105.8 | 107.8 | 107.1 | 101.3 | 102.3 | 103.1 | 100.0 | 100 | 100.0 |
| 秦皇岛 | Qinhuangdao | 105.5 | 105.8 | 104.0 | 98.8 | 111.1 | 113.7 | 102.3 | 101 | 101.3 | 100.1 | 100.3 | 100.6 |
| 包　头 | Baotou | 107.5 | 105.5 | 102.0 | 104.2 | 106 | 105.2 | 101.6 | 103.2 | 101.7 | 113.3 | 100.3 | 100.0 |
| 丹　东 | Dandong | 103.0 | 102.5 | 104.4 | 104.9 | 104.5 | 101.0 | 101.4 | 100.5 | 100.2 | 100.0 | 100 | 100.0 |
| 锦　州 | Jinzhou | 100.9 | 103.6 | 104.2 | 101.5 | 104.5 | 102.5 | 100.5 | 101.6 | 100.8 | 100.0 | 103.2 | 100.0 |
| 吉　林 | Jilin | 104.0 | 104.9 | 107.6 | 131.0 | 131 | 100.0 | 100.2 | 100.3 | 100.0 | 100.0 | 100 | 100.0 |
| 牡丹江 | Mudanjiang | 102.4 | 105.4 | 106.5 | 99.6 | 117 | 115.5 | 100.9 | 102.5 | 100.0 | 100.0 | 96.9 | 100.0 |
| 无　锡 | Wuxi | 103.9 | 105.9 | 105.5 | 105.6 | 117.3 | 106.1 | 99.5 | 105.5 | 103.5 | 99.9 | 100 | 100.0 |
| 扬　州 | Yangzhou | 104.2 | 105.5 | 104.9 | 104.2 | 102.9 | 105.0 | 100.8 | 101.4 | 101.9 | 100.0 | 100 | 100.0 |
| 徐　州 | Xuzhou | 105.5 | 106.2 | 103.3 | 104.8 | 105.7 | 101.9 | 104.4 | 101.3 | 102.1 | 105.8 | 101.3 | 101.3 |
| 温　州 | Wenzhou | 100.7 | 107 | 103.5 | 105.6 | 145.3 | 122.0 | 101.2 | 109.9 | 102.6 | 99.2 | 99.9 | 101.9 |
| 金　华 | Jinhua | 100.7 | 101.1 | 105.9 | 107.2 | 108.6 | 109.0 | 100.2 | 100.1 | 100.0 | 100.6 | 100 | 100.0 |
| 蚌　埠 | Bengbu | 104.3 | 108.9 | 109.1 | 105.9 | 106.8 | 104.0 | 100.1 | 100.5 | 116.1 | 100.0 | 100 | 100.0 |
| 安　庆 | Anqing | 105.8 | 104.8 | 103.7 | 105.6 | 106 | 104.5 | 104.9 | 102.8 | 100.6 | 103.5 | 100 | 100.8 |
| 泉　州 | Quanzhou | 105.8 | 106.7 | 102.6 | 110.8 | 117.1 | 105.4 | 101.5 | 106.3 | 104.6 | 99.9 | 100.2 | 100.2 |
| 九　江 | Jiujiang | 105.2 | 106 | 105.0 | 104.8 | 106.1 | 105.0 | 101.6 | 102.2 | 102.9 | 100.0 | 100.1 | 100.6 |
| 赣　州 | Ganzhou | 105.3 | 105.9 | 104.6 | 104.9 | 105.3 | 106.3 | 101.3 | 100.9 | 101.6 | 101.7 | 103.3 | 101.6 |
| 烟　台 | Yantai | 105.5 | 106.2 | 107.3 | 105.1 | 104.6 | 102.6 | 100.2 | 101.4 | 100.3 | 100.0 | 100.2 | 100.1 |
| 济　宁 | Jining | 105.4 | 105 | 104.9 | 103.2 | 103.9 | 105.5 | 101.5 | 101.9 | 105.1 | 100.0 | 100.1 | 100.9 |
| 洛　阳 | Luoyang | 102.7 | 103.5 | 104.1 | 109.2 | 109.6 | 109.1 | 100.2 | 100.1 | 102.0 | 100.1 | 100 | 100.1 |
| 平顶山 | Pingdingshan | 103.8 | 105.1 | 105.7 | 108.4 | 110.8 | 104.6 | 101.7 | 104.5 | 100.9 | 100.5 | 102 | 102.0 |
| 宜　昌 | Yichang | 105.3 | 106.4 | 108.8 | 106.6 | 104.3 | 114.7 | 100.3 | 101.8 | 104.6 | 100.5 | 103.3 | 103.8 |
| 襄　樊 | Xiangfan | 105.6 | 107.4 | 105.9 | 108.6 | 110.6 | 114.5 | 100.4 | 100 | 100.0 | 110.3 | 103 | 101.8 |
| 岳　阳 | Yueyang | 104.1 | 107.1 | 107.6 | 105.7 | 109.7 | 112.8 | 101.0 | 104.4 | 100.4 | 100.0 | 99.9 | 102.4 |
| 常　德 | Changde | 103.6 | 106.7 | 106.2 | 117.7 | 122.6 | 112.5 | 100.8 | 100.3 | 100.2 | 100.7 | 100.1 | 101.1 |
| 惠　州 | Huizhou | 103.4 | 108.1 | 103.3 | 100.0 | 100 | 100.0 | 99.2 | 102.3 | 99.3 | 100.2 | 103.8 | 100.6 |
| 湛　江 | Zhanjiang | 104.4 | 105.3 | 108.6 | 100.0 | 100 | 100.0 | 100.0 | 103.4 | 112.1 | 100.0 | 100.2 | 100.6 |
| 韶　关 | Shaoguan | 104.9 | 106.5 | 104.9 | 112.8 | 113.3 | 104.4 | 101.1 | 103.5 | 101.1 | 100.0 | 100 | 100.1 |
| 桂　林 | Guilin | 103.7 | 104.4 | 103.7 | 106.1 | 112.2 | 110.2 | 101.9 | 102.6 | 101.1 | 100.2 | 100.6 | 100.9 |
| 北　海 | Beihai | 101.2 | 113.3 | 108.1 | 106.9 | 139.5 | 115.8 | 99.1 | 102.2 | 104.4 | 100.0 | 108.8 | 100.0 |
| 三　亚 | Sanya | 101.9 | 103.4 | 110.4 | 102.8 | 100.8 | 111.9 | 103.2 | 103.9 | 100.7 | 100.0 | 100 | 100.2 |
| 泸　州 | Luzhou | 107.1 | 106.7 | 102.3 | 115.8 | 115.8 | 109.3 | 98.5 | 100.8 | 102.1 | 104.2 | 100.2 | 100.5 |
| 南　充 | Nanchong | 106.6 | 107 | 102.6 | 108.4 | 126.9 | 111.7 | 101.6 | 103.1 | 110.1 | 100.0 | 100.2 | 100.0 |
| 遵　义 | Zunyi | 102.5 | 103.1 | 103.7 | 102.4 | 104.7 | 103.7 | 101.2 | 101.8 | 101.4 | 100.2 | 99.8 | 101.8 |
| 大　理 | Dali | 104.5 | 107 | 105.3 | 102.8 | 102.7 | 100.0 | 100.0 | 100.4 | 101.3 | 100.1 | 100 | 100.0 |

浙/江/统/计/年/鉴

# 主要统计指标解释

## ■ 居民消费价格指数

是反映一定时期内城乡居民所购买的生活消费品价格和服务项目价格变动趋势和程度的相对数。是综合了城市居民消费价格指数和农民消费价格指数计算取得。利用居民消费价格指数，可以观察和分析消费品的零售价格和服务价格变动对城乡居民实际生活支出的影响程度。

## ■ 城市居民消费价格指数

是反映城市职工及其家庭所购买的生活消费品和服务项目价格变动趋势和程度的相对数。编制城市居民消费价格指数，可以观察和分析消费品的零售价格和服务项目价格变动对职工货币工资的影响，作为研究职工生活和确定工资政策的依据。

## ■ 农村居民消费价格指数

是反映农村居民家庭所购买的生活消费品的价格和服务项目价格变动趋势和程度的相对数。用它可以观察农村消费品的零售价格和服务项目价格变动对农村居民生活消费支出的影响，直接反映农民生活水平的实际变化情况，为分析和研究农村居民生活问题提供依据。

## ■ 农村工业品零售价格指数

是反映农村市场工业品零售价格水平变动趋势和程度的相对数。通过农村工业品零售价格指数，可以观察工业品零售价格变动对农民货币支出的影响。

## ■ 工业品出厂价格指数

是反映全部工业产品出厂价格总水平的变动趋势和程度的相对数。其中除包括工业企业售给商业、外贸、物资部门的产品外，还包括售给工业和其他部门的生产资料以及直接售给居民的生活消费品。通过工业生产价格指数能观察出厂价格变动对工业总产值的影响。

## ■ 固定资产投资价格指数

是反映固定资产投资额价格变动趋势和程度的相对数。固定资产投资额是由建筑安装工程投资完成额、设备、工器具购置投资完成额和其他费用投资完成额三部分组成的。编制固定资产投资价格指数应首先分别编制上述三部分投资的价格指数，然后采用加权算术平均法求出固定资产投资价格总指数。

编制固定资产投资价格指数可以准确地反映固定资产投资中涉及的各类商品和取费项目价格变动趋势和变动幅度，消除按现价计算的固定资产投资指标中的价格变动因素，真实地反映固定资产投资的规模、速度、结构和效益，为国家科学地制定，检查固定资产投资计划并提高宏观调控水平，为完善国民经济核算体系提供科学的、可靠的依据。

## ■ 商品零售价格指数

是反映城乡商品零售价格变动趋势的一种经济指数。零售物价的调整变动直接影响到城乡居民的生活支出和国家的财政收入，影响居民购买力和市场供需平衡，影响消费与积累的比例。因此，计算零售价格指数，可以从一个侧面对上述经济活动进行观察和分析。

## ■ 原材料、燃料和动力购进价格指数

是反映工业企业作为生产投入，而从物资交易市场和能源、原材料生产企业购买原材料、燃料和动力产品时，所支付的价格水平变动趋势和程度的统计指标，是扣除工业企业物质消耗成本中的价格变动影响的重要依据。

目前，我国编制的原材料、燃料和动力购进价格指数所调查的产品，包括燃料动力、黑色金属、有色金属、化工、建材等九大类的近1800种产品。

## ■ 房地产价格指数

是反映一定时期内房地产价格变动趋势和程度的相对数，包括房屋销售价格指数、房屋租赁价格指数、土地交易价格指数和物业管理价格指数。这四套指数的计算方法相似，均采用由下到上逐级汇总的方法。

ZHEJIANG STATISTICAL YEARBOOK

# Explanatory Notes on Main Statistical Indicators

## Consumer Price Index

reflects the relative change in prices of consumer goods and services purchased by urban and rural residents, and is a composite index derived from the urban consumer price index and the rural consumer price index. Consumer price index can be used to analyze the impact of consumer price change on actual expenditure for living cost of urban and rural residents.

## Urban Consumer Price Index

reflects the relative change in prices of consumer goods and services purchased by urban staff and workers and their families and can be used to observe and analyze the impact of price changes in consumer goods and services on money wages of staff and workers, and provide basis for policy making concerning the living cost and wages of staff and workers.

## Rural Consumer Price Index

reflects the relative change in prices of consumer goods and services purchased by rural households and can be used to observe the impact of change in prices of consumer goods and services on living expenditure and actual change in peasants' living cost. It provides basis for analysis and research on peasants' living cost and welfare.

## Retail Price Index of Rural Industrial Products

reflects the relative change in prices of industrial products in rural market and can be used to observe the impact of the price change on farmers' money expenditure.

## Ex – factory Price Index of Industrial Products

reflects the change in general ex – factory prices of all industrial products, including sales of industrial products to commercial enterprises, foreign trade sectors, materials supplying and distributing sectors as well as sales of production means to industry and other sectors and sales of consumer goods to residents. It can be used to analyze the impact of ex – factory prices on gross industrial output value.

## Price Index of Investment in Fixed Assets

reflects the change in prices of investment in fixed assets. The investment in fixed assests consists of three components, namely the investment in construction and installation, the investment in purchases of equipment and instrument, and the investment in other items. Price index of investment in fixed assets is calculated as the weighted arithmetic mean of the price indices of the three components of investment in fixed assets.

Price index of investment in fixed assets reflects the changes of prices in various goods and services involved in investment in fixed assets and therefore can be used to observe the actual size, speed, structure, and efficiency of investment in fixed assets and provides reliable and scientific data for government planning, management, decision making, and further improving the current national accounting system.

## Retail Price Index

reflects the general change in retail prices of commodities. The change and adjustment in retail prices directly affect the living expenditure of urban and rural residents, government revenue, purchasing power of residents and the equilibrium of market supply and demand, and the ratio of consumption to accumulation. Therefore, the calculation of retail price index is useful to analyze the changes of the above economic activities.

EXPLANATORY NOTES ON
MAIN STATISTICAL INDICATORS

## □ Purchasing Price Indices for Raw Materials, Fuels and Power

reflect changes in the level and degree of prices paid by industrial enterprises when they purchase production input such as raw materials, fuels and power from the market or from other energy or raw materials producing enterprises. These indices provide an important basis for measuring the material consumption of industrial enterprises after removing the influence of price changes.

At present, close to 1,800 products in 9 categories, including fuels and power, ferrous metals, non – ferrous-metals, chemicals, building materials, are covered in China for the survey to produce indices for purchasing prices of raw materials, fuels and power.

## □ Price Indices for Real Estate

reflect the trend and degree of changes in prices of real estate during a given period, including sale price indices for houses, price indices for renting houses, price indices for land transactions and price indices for management of properties. The methods for the compilation of these four sets of indices are similar in that they all use the bottom – up approach under which data are reported from lower level to higher level.

5

# CHAPTER 5

# 人民生活

# People's Livelihood

## 5－1 人民物质文化生活
People's Material and Cultural Life

| 项目 | Item | 2001 | 2002 | 2003 | 2004 | 2005 | 2006 | 2007 | 2008 |
|---|---|---|---|---|---|---|---|---|---|
| **城乡居民收入与支出（元）** | **Income and Expenditure of Urban and Rual Residents (yuan)** | | | | | | | | |
| 农村居民人均纯收入 | Annual Per Capita Net Income of Rural Residents | 4582 | 4940 | 5431 | 6096 | 6660 | 7335 | 8265 | 9258 |
| 农村居民人均生活消费支出 | Annual Per Capita Living Expenditure of Rural Residents | 3479 | 3693 | 4287 | 4659 | 5215 | 5762 | 6442 | 7072 |
| 城镇居民人均可支配收入 | Annual Per Capita Disposable Income of Urban Residents | 10465 | 11716 | 13180 | 14546 | 16294 | 18265 | 20574 | 22727 |
| 城镇居民人均消费支出 | Annual Per Capita Expenditure of Urban Residents | 7952 | 8713 | 9713 | 10636 | 12254 | 13349 | 14091 | 15158 |
| **居民消费水平（元）** | **Per Capita Consumption (yuan)** | **5551** | **6098** | **7033** | **8174** | **9701** | **11161** | **12569** | |
| 农村居民 | Rural Residents | 3621 | 4012 | 4504 | 4918 | 5476 | 6301 | 7077 | |
| 城镇居民 | Urban Residents | 8404 | 8839 | 9907 | 11771 | 14097 | 15877 | 17486 | |
| **居民生活质量** | **Life Quality** | | | | | | | | |
| 居民人均住房面积（平方米） | Per Capita Floor Space of Residents Buildings (sq. m) | | | | | | | | |
| 农村居民 | Rural Areas | 47.82 | 49.53 | 50.73 | 51.29 | 54.98 | 55.57 | 57.06 | 58.5 |
| 城镇居民 | Urban Areas | 20.3 | 21.12 | 21.6 | 23.94 | 26.1 | 26.44 | 34.72 | 34.33 |
| 居民家庭恩格尔系数 | Engle Coefficient | | | | | | | | |
| 城市 | Urban | 36.3 | 37.9 | 36.6 | 36.2 | 33.8 | 32.9 | 34.7 | 36.4 |
| 农村 | Rural | 41.6 | 40.8 | 38.2 | 39.5 | 38.6 | 37.2 | 36.4 | 38.0 |
| **交通** | **Traffic** | | | | | | | | |
| 农村每百户拥有家用汽车（辆） | Number of Household Cars Per 100 Households in Rural Areas (unit) | 0.52 | 0.56 | 0.79 | 1.33 | 2.91 | 3.11 | 3.96 | 4.7 |
| 城镇每百户拥有家用汽车（辆） | Number of Household Cars Per 100 Households in Urban Areas (unit) | 0.67 | 1.44 | 2.98 | 3.52 | 8.71 | 11.03 | 13.86 | 19.65 |

5-1 续表 continued

| 项目 | Item | | 2001 | 2002 | 2003 | 2004 | 2005 | 2006 | 2007 | 2008 |
|---|---|---|---|---|---|---|---|---|---|---|
| **储蓄** | **Savings** | | | | | | | | | |
| 城乡居民储蓄存款年末余额（亿元） | Balance of Savings Deposit of Rural and Urban Residents(year-end) | (100 million yuan) | 4262 | 5234 | 6452 | 7364 | 8746 | 10473 | 11161 | 14501 |
| 平均每人储蓄存款余额（元） | Per Capita Balance of Savings Deposits | (yuan) | 9074 | 11063 | 13545 | 15331 | 17856 | 21030 | 22057 | 28322 |
| **文化、教育及卫生** | **Culture, Education and Public Health** | | | | | | | | | |
| 农村每百户拥有彩色电视机（台） | Number of Color Tv Sets Per 100 Households in Rural Areas | (unit) | 93 | 103 | 110 | 117 | 130 | 137 | 144.17 | 149.64 |
| 城镇每百户拥有彩色电视机（台） | Number of Color Tv Sets Per 100 Households in Urban Areas | (unit) | 150 | 152 | 159 | 163 | 179 | 181.02 | 182.89 | 176.18 |
| 农村每百户拥有家用电脑（台） | Number of Computer Per 100 Households in Rural Areas | (unit) | 1.96 | 3.37 | 5.96 | 6.93 | 10.77 | 14.28 | 19.38 | 23.38 |
| 城镇每百户拥有家用电脑（台） | Number of Computer Per 100 Households in Urban Areas | (unit) | 20.04 | 29.6 | 40.23 | 44.72 | 59.47 | 64.83 | 73.76 | 79.45 |
| 每百人每天有报纸杂志（份） | Daily Newspapers and Magazines Per 100 persons | (copy) | 12.0 | 12.8 | 14.4 | 15.1 | 15.3 | 15.9 | 16.2 | 16.4 |
| 学龄儿童入学率（%） | Enrollment Ratio of School-age Children | (%) | 99.97 | 99.99 | 99.98 | 99.99 | 99.99 | 99.99 | 99.99 | 99.99 |
| 每千人口拥有在校大学生数（人） | Students Enrollment in University Per 1000 Persons | (person) | 6.24 | 8.31 | 10.17 | 11.92 | 13.30 | 14.46 | 16.00 | 16.95 |
| 每千人口拥有医疗床位数（张） | Number of Hospital Beds Per 1000 Persons | (person) | 2.46 | 2.53 | 2.66 | 2.81 | 2.88 | 2.98 | 3.08 | 3.15 |
| 每千人口拥有医生数（人） | Number of Doctors Per 1000 Persons | (person) | 1.7 | 1.64 | 1.66 | 1.74 | 1.8 | 1.9 | 1.98 | 1.99 |
| **就业** | **Employment** | | | | | | | | | |
| 城镇登记失业率（%） | Registered Unemployment Rate in Urban Areas | (%) | 3.7 | 4 | 3.7 | 4.1 | 3.7 | 3.51 | 3.27 | 3.49 |
| 农村居民家庭每一劳动力负担人数（人） | Number of Dependents Per Rural Laborer in Rural Households | (person) | 1.4 | 1.39 | 1.37 | 1.37 | 1.37 | 1.36 | 1.36 | 1.36 |
| 城镇每一就业者负担人数（人） | Number of Dependents Per Urban Employee | (person) | 1.84 | 1.89 | 1.86 | 1.87 | 1.93 | 1.91 | 1.86 | 1.96 |
| **邮电通信** | **Post and Telecommunication** | | | | | | | | | |
| 电话普及率（部/每人） | Telephone Popularization Rate | (set/person) | 62.3 | 78.4 | 88.8 | 91 | 100.4 | 108.5 | 117.2 | 122.6 |
| 固定电话（部/每人） | Fixed Telephones | (set/person) | 38.2 | 46.1 | 46.5 | 41.8 | 45.6 | 48 | 47.5 | 44.9 |
| 移动电话（部/每人） | Mobile Telephones | (set/person) | 24.1 | 32.4 | 42.3 | 49.2 | 54.8 | 60.5 | 69.7 | 77.7 |

注:1. 自2004年起固定电话普及率统计口径已作调整。 The Statistical Coverage of Telephone Popularization Rate was adjusted since 2004.

2. 每百人每天拥有报纸、每千人口拥有医疗床位和拥有医生数均按常住人口计算。

Daily Newspapers and Magazines Per 100 Persons, Number of Hospital Beds and Number of Doctors Per 1000 Persons are calculated at permanent residence.

## 5-2 城镇单位在岗职工工资总额(1985-2008年)
## Total Wages of Fully Employed Staff and Workers in Urban Units(1985-2008)

单位:亿元(100 million yuan)

| 年 份<br>Year | 工资总额<br>Total Wages of Fully Employed Staff and Workers | 国有单位<br>State-owned Units | 城镇集体单位<br>Urban Collective Owned Units | 其他经济单位<br>Units of Other Types of Ownership |
|---|---|---|---|---|
| 1985 | 47.85 | 28.69 | 18.91 | 0.25 |
| 1986 | 58.01 | 35.45 | 22.23 | 0.33 |
| 1987 | 66.62 | 40.68 | 25.44 | 0.50 |
| 1988 | 85.04 | 52.71 | 31.50 | 0.83 |
| 1989 | 94.46 | 59.08 | 34.17 | 1.21 |
| 1990 | 102.76 | 66.10 | 35.33 | 1.33 |
| 1991 | 115.98 | 74.42 | 39.39 | 2.17 |
| 1992 | 138.04 | 90.82 | 43.44 | 3.78 |
| 1993 | 192.98 | 123.08 | 58.80 | 11.10 |
| 1994 | 274.27 | 175.09 | 76.99 | 22.19 |
| 1995 | 324.25 | 201.67 | 90.46 | 32.12 |
| 1996 | 361.84 | 222.18 | 98.06 | 41.60 |
| 1997 | 402.01 | 251.85 | 100.13 | 50.03 |
| 1998 | 422.51 | 257.01 | 74.83 | 90.67 |
| 1999 | 456.04 | 273.77 | 66.23 | 116.04 |
| 2000 | 501.07 | 293.83 | 56.99 | 150.25 |
| 2001 | 589.48 | 351.40 | 47.61 | 190.47 |
| 2002 | 664.01 | 397.69 | 47.24 | 219.08 |
| 2003 | 797.54 | 469.63 | 49.68 | 278.23 |
| 2004 | 1016.42 | 573.10 | 60.76 | 382.56 |
| 2005 | 1311.93 | 676.28 | 59.54 | 576.11 |
| 2006 | 1591.84 | 762.03 | 61.34 | 768.47 |
| 2007 | 1937.41 | 886.50 | 67.71 | 983.20 |
| 2008 | 2359.05 | 990.08 | 72.33 | 1296.64 |

注:本表2008年前为职工工资总额。 Data on total wages in this table refer wages of staff and workers before 2008.

## 5-3 城镇单位在岗职工工资总额指数(1986-2008年)
## Indices of Total Wages of Fully Employed Staff and Workers in Urban Units(1986-2008)

(1985年=100)(1985=100)

| 年 份<br>Year | 工资总额指数<br>Indices of Total Wages | | 国有单位<br>State-owned Units | | 城镇集体单位<br>Urban Collective Owned Units | |
|---|---|---|---|---|---|---|
| | 货币指数<br>Money Wage | 实际指数<br>Real Wage | 货币指数<br>Money Wage | 实际指数<br>Real Wage | 货币指数<br>Money Wage | 实际指数<br>Real Wage |
| 1986 | 121.2 | 114.1 | 123.6 | 116.3 | 117.6 | 110.6 |
| 1987 | 139.2 | 118.2 | 141.8 | 120.3 | 134.5 | 114.2 |
| 1988 | 177.7 | 122.2 | 183.7 | 126.4 | 166.5 | 114.5 |
| 1989 | 197.4 | 116.2 | 205.9 | 121.2 | 180.7 | 106.4 |
| 1990 | 214.7 | 123.8 | 230.4 | 132.8 | 186.8 | 107.7 |
| 1991 | 242.4 | 132.4 | 259.4 | 141.6 | 208.3 | 113.7 |
| 1992 | 288.5 | 144.2 | 316.6 | 158.3 | 229.7 | 114.8 |
| 1993 | 403.3 | 166.1 | 429.0 | 176.7 | 310.9 | 128.1 |
| 1994 | 573.1 | 189.3 | 610.3 | 201.6 | 406.8 | 134.4 |
| 1995 | 677.6 | 191.4 | 702.9 | 198.5 | 478.4 | 135.1 |
| 1996 | 756.1 | 194.3 | 774.4 | 199.0 | 518.5 | 133.2 |
| 1997 | 840.0 | 207.4 | 877.8 | 216.7 | 529.5 | 130.7 |
| 1998 | 883.0 | 217.0 | 895.8 | 220.1 | 395.7 | 97.2 |
| 1999 | 953.1 | 235.4 | 954.2 | 235.7 | 350.2 | 86.5 |
| 2000 | 1047.2 | 256.3 | 1024.2 | 250.7 | 301.4 | 73.8 |
| 2001 | 1231.9 | 302.7 | 1224.8 | 300.9 | 251.8 | 61.8 |
| 2002 | 1387.7 | 345.1 | 1386.2 | 344.7 | 249.8 | 62.1 |
| 2003 | 1666.8 | 412.5 | 1637.0 | 405.1 | 262.7 | 65.0 |
| 2004 | 2124.2 | 511.4 | 1997.6 | 480.9 | 321.3 | 77.3 |
| 2005 | 2741.8 | 650.3 | 2357.2 | 559.1 | 314.8 | 74.7 |
| 2006 | 3326.7 | 780.6 | 2656.1 | 623.2 | 324.4 | 76.1 |
| 2007 | 4048.9 | 999.5 | 3089.9 | 762.8 | 358.1 | 88.4 |
| 2008 | 4930.1 | 1158.9 | 3451 | 811.2 | 382.5 | 89.9 |

注:本表2008年前为职工工资总额指数。 Data on indices of total wages refer to indices of wages of sfaff and workers before 2008.

## 5-4 分行业城镇单位在岗职工工资总额
Total Wages of Fully Employed Staff and Workers in Urban Units by Sector

单位:亿元(100 million yuan)

| 行业 | Sector | 工资总额 Total Wages of Staff and Workers | | 国有单位 State - owned Units | | 城镇集体单位 Urban Collective Owned Units | | 其他单位 Units of Other Types of Ownership | |
|---|---|---|---|---|---|---|---|---|---|
| | | 2007 | 2008 | 2007 | 2008 | 2007 | 2008 | 2007 | 2008 |
| **总计** | **Total** | **1937.41** | **2359.05** | **886.5** | **990.08** | **67.71** | **72.33** | **983.2** | **1296.64** |
| 农、林、牧、渔业 | Farming, Forestry, Animal Husbandry and Fishery | 4.55 | 4.71 | 4.15 | 4.25 | 0.21 | 0.2 | 0.2 | 0.26 |
| 采掘业 | Mining and Quarrying | 3.58 | 3.94 | 0.28 | 0.37 | 0.79 | 0.9 | 2.51 | 2.67 |
| 制造业 | Manufacturing | 565.59 | 748.61 | 14.79 | 19.9 | 8.45 | 8.39 | 542.35 | 720.32 |
| 电力、煤气及水的生产和供应业 | Electricity, Gas and Water Production and Supply | 63.94 | 74.08 | 46.47 | 54.04 | 0.86 | 0.98 | 16.61 | 19.06 |
| 建筑业 | Construction | 213.88 | 262.88 | 11.64 | 15.34 | 14.38 | 13.18 | 187.86 | 234.36 |
| 交通运输、仓储及邮政业 | Transport, Storage and Post | 70.6 | 80.88 | 42.24 | 46.67 | 3.21 | 3.4 | 25.15 | 30.81 |
| 信息传输、计算机服务和软件业 | Information Transport, Computer Services and Software | 38.59 | 50.38 | 9.35 | 11.4 | 0.23 | 0.18 | 29 | 38.8 |
| 批发与零售业 | Wholesale and Retail Sale | 60.35 | 78.32 | 14.51 | 16.46 | 2.14 | 2.47 | 43.7 | 59.39 |
| 住宿和餐饮业 | Hotels and Catering Services | 21.52 | 28.65 | 4.52 | 5.29 | 1.22 | 1.41 | 15.78 | 21.96 |
| 金融业 | Banking | 131.44 | 168.98 | 57.25 | 66.33 | 10.83 | 11.54 | 63.36 | 91.11 |
| 房地产业 | Real Estate Trade | 24.79 | 32.33 | 6.65 | 7.34 | 0.54 | 0.65 | 17.6 | 24.34 |
| 租赁与商务服务业 | Leasing and Commercial Services | 44.31 | 53.51 | 21.81 | 22.95 | 5.07 | 5.99 | 17.42 | 24.57 |
| 科学研究、技术服务与地质勘查业 | Science Research, Technology Services and Geological Prospecting | 37.2 | 44.21 | 27.04 | 30.98 | 1.11 | 1.34 | 9.05 | 11.89 |
| 水利、环境和公共设施管理业 | Water Conservancy, Environment and Public Facilities Management | 17.76 | 19.93 | 13.23 | 14.43 | 2.24 | 2.49 | 2.29 | 3 |
| 居民服务及其他服务业 | Resident and Other Services | 2.95 | 3.58 | 2.06 | 2.22 | 0.38 | 0.51 | 0.52 | 0.85 |
| 教育 | Education | 239.38 | 264.55 | 230.34 | 253.27 | 3.17 | 3.66 | 5.87 | 7.61 |
| 卫生、社会保障和社会福利业 | Health Care, Social Securities and Social Welfare | 118.26 | 134.11 | 104.18 | 118 | 12.4 | 14.39 | 1.69 | 1.72 |
| 文化、体育与娱乐业 | Culture, Sports and Entertainment | 21.37 | 22.98 | 20.07 | 21.41 | 0.28 | 0.33 | 1.01 | 1.25 |
| 公共管理与社会组织 | Public Management and Social Organization | 257.33 | 282.42 | 255.92 | 279.43 | 0.19 | 0.32 | 1.21 | 2.67 |

注:本表2008年前为职工工资总额。 Data on total wages refer to total wages of staff and workers before 2008.

## 5-5 城镇单位在岗职工平均工资(1985-2008年)
## Average Wage of Fully Employed Staff and Workers in Urban Units(1985-2008)

单位:元(yuan)

| 年份 Year | 平均工资 Average Wage | 国有单位 State-owned Units | 城镇集体单位 Urban Collective Owned Units | 其他单位 Units of Other Types of Ownership |
|---|---|---|---|---|
| 1985 | 1159 | 1226 | 1071 | 1247 |
| 1986 | 1346 | 1442 | 1271 | 1455 |
| 1987 | 1493 | 1584 | 1365 | 1635 |
| 1988 | 1841 | 1961 | 1667 | 2014 |
| 1989 | 2031 | 2158 | 1838 | 2209 |
| 1990 | 2220 | 2383 | 1964 | 2412 |
| 1991 | 2422 | 2583 | 2152 | 2831 |
| 1992 | 2884 | 3088 | 2507 | 3368 |
| 1993 | 3932 | 4168 | 3439 | 4544 |
| 1994 | 5597 | 6034 | 4671 | 6334 |
| 1995 | 6619 | 6952 | 5702 | 7813 |
| 1996 | 7413 | 7734 | 6414 | 8672 |
| 1997 | 8386 | 8847 | 7026 | 9584 |
| 1998 | 9259 | 10012 | 7230 | 9432 |
| 1999 | 10632 | 11684 | 8229 | 10167 |
| 2000 | 12414 | 13775 | 9479 | 11539 |
| 2001 | 15770 | 18926 | 11281 | 13508 |
| 2002 | 18227 | 22195 | 13281 | 14650 |
| 2003 | 20853 | 26651 | 15174 | 16036 |
| 2004 | 23101 | 32736 | 17265 | 16653 |
| 2005 | 25572 | 38313 | 19659 | 18813 |
| 2006 | 27567 | 42258 | 21856 | 20823 |
| 2007 | 30854 | 48130 | 25005 | 23597 |
| 2008 | 34146 | 53476 | 29137 | 26963 |

注:本表2008年前为职工平均工资。 Data on Average Wage refer to Average Wage of Staff and Workers before 2008.

## 5-6 城镇单位在岗职工平均工资指数(1986-2008年)
Indices of Average Wage of Fully Employed Staff and Workers in Urban Units (1986 -2008)

(1985年=100)(1985=100)

| 年 份<br>Year | 平均工资<br>Indices of Average Wage | | 国有单位<br>State owned Units | | 城镇集体单位<br>Urban Collective Owned Units | |
|---|---|---|---|---|---|---|
| | 货币指数<br>Average Money Wage | 实际指数<br>Average Real Wage | 货币指数<br>Average Money Wage | 实际指数<br>Average Real Wage | 货币指数<br>Average Money Wage | 实际指数<br>Average Real Wage |
| 1986 | 116.1 | 109.2 | 117.6 | 110.6 | 118.7 | 111.7 |
| 1987 | 128.8 | 109.2 | 129.2 | 109.6 | 127.5 | 108.1 |
| 1988 | 158.8 | 109.1 | 160.0 | 110.0 | 155.6 | 106.9 |
| 1989 | 175.2 | 103.1 | 176.0 | 103.6 | 171.6 | 101.0 |
| 1990 | 191.5 | 110.4 | 194.4 | 112.0 | 183.4 | 105.7 |
| 1991 | 209.0 | 114.1 | 210.7 | 115.0 | 200.9 | 109.7 |
| 1992 | 248.8 | 124.4 | 251.9 | 126.0 | 234.1 | 117.1 |
| 1993 | 339.3 | 139.7 | 340.0 | 140.0 | 321.1 | 132.2 |
| 1994 | 482.9 | 159.4 | 492.2 | 162.4 | 436.1 | 143.9 |
| 1995 | 571.1 | 161.1 | 567.0 | 160.0 | 532.4 | 150.2 |
| 1996 | 639.6 | 164.4 | 630.8 | 162.1 | 598.9 | 153.9 |
| 1997 | 723.6 | 178.6 | 721.6 | 178.1 | 656.0 | 161.9 |
| 1998 | 798.9 | 196.3 | 816.6 | 200.6 | 675.1 | 165.9 |
| 1999 | 917.3 | 226.6 | 953.0 | 235.4 | 768.3 | 189.8 |
| 2000 | 1071.1 | 262.1 | 1123.6 | 275.0 | 885.1 | 216.6 |
| 2001 | 1360.7 | 334.3 | 1543.7 | 379.3 | 1053.3 | 258.8 |
| 2002 | 1572.6 | 391.1 | 1810.4 | 450.2 | 1240.1 | 308.4 |
| 2003 | 1799.2 | 445.2 | 2173.9 | 537.9 | 1416.9 | 350.6 |
| 2004 | 1993.2 | 479.8 | 2670.1 | 642.8 | 1612.0 | 388.1 |
| 2005 | 2206.4 | 523.3 | 3125.0 | 741.2 | 1835.6 | 435.4 |
| 2006 | 2378.5 | 558.1 | 3446.8 | 808.7 | 2040.7 | 478.8 |
| 2007 | 2662.1 | 657.1 | 3925.8 | 969.1 | 2334.8 | 576.4 |
| 2008 | 2946.2 | 692.6 | 4361.8 | 1025.3 | 2720.5 | 639.5 |

注:本表2008年前为职工平均工资指数。 Data on indices of average wage refer to indices of average wage of staff and workers before 2008.

## 5-7 分行业城镇单位在岗职工平均工资
Average Wage of Fully Employed Staff and Workers in Urban Units by Sector

单位:元(yuan)

| 行 业 | Sector | 平均工资 Total Wages of Staff and Workers | | 国有单位 State - owned Units | | 城镇集体单位 Urban Collective owned Units | | 其他单位 Units of Other Types of Ownership | |
|---|---|---|---|---|---|---|---|---|---|
| | | 2007 | 2008 | 2007 | 2008 | 2007 | 2008 | 2007 | 2008 |
| **总计** | **Total** | **30854** | **34146** | **48130** | **53476** | **25005** | **29137** | **23597** | **26963** |
| 农、林、牧、渔业 | Farming, Forestry, Animal Husbandry and Fishery | 26771 | 31071 | 26904 | 32080 | 38285 | 33840 | 18776 | 19564 |
| 采掘业 | Mining and Quarrying | 19788 | 27385 | 10542 | 23740 | 26942 | 25084 | 20048 | 28884 |
| 制造业 | Manufacturing | 20570 | 23629 | 26034 | 33355 | 17569 | 19371 | 20507 | 23499 |
| 电力、煤气及水的生产和供应业 | Electricity, Gas and Water Production and Supply | 59296 | 68050 | 70121 | 80641 | 27770 | 33257 | 43185 | 48987 |
| 建筑业 | Construction | 23058 | 25252 | 34459 | 33839 | 19610 | 22328 | 22897 | 25021 |
| 交通运输、仓储及邮政业 | Transport, Storage and Post | 35758 | 40991 | 39861 | 44202 | 29172 | 33826 | 31257 | 37722 |
| 信息传输、计算机服务和软件业 | Information Transport, Computer Services and Software | 63823 | 70982 | 63463 | 70622 | 30193 | 32987 | 64519 | 71480 |
| 批发与零售业 | Wholesale and Retail Sale | 29444 | 34163 | 48299 | 60871 | 17594 | 26915 | 26852 | 30765 |
| 住宿和餐饮业 | Hotels and Catering Services | 19690 | 22052 | 20556 | 23622 | 15764 | 18750 | 19833 | 21948 |
| 金融业 | Banking | 72465 | 92509 | 75381 | 93843 | 48081 | 58935 | 76419 | 98602 |
| 房地产业 | Real Estate Trade | 32975 | 38444 | 41270 | 45549 | 22857 | 30008 | 31035 | 36981 |
| 租赁与商务服务业 | Leasing and Commercial Services | 27176 | 29297 | 32838 | 34243 | 23091 | 25160 | 23340 | 26760 |
| 科学研究、技术服务与地质勘查业 | Science Research, Technology Services and Geological Prospecting | 45378 | 52261 | 48318 | 55342 | 37145 | 43201 | 39299 | 46602 |
| 水利、环境和公共设施管理业 | Water Conservancy, Environment and Public Facilities Management | 28413 | 30675 | 32638 | 34401 | 18300 | 20423 | 23530 | 27792 |
| 居民服务及其他服务业 | Resident and Other Services | 31704 | 31991 | 38899 | 41298 | 21345 | 24641 | 22936 | 22678 |
| 教育 | Education | 45164 | 50090 | 45775 | 50835 | 34536 | 37575 | 33260 | 37736 |
| 卫生、社会保障和社会福利业 | Health Care, Social Securities and Social Welfare | 47040 | 51938 | 49652 | 54564 | 33879 | 38894 | 33748 | 34726 |
| 文化、体育与娱乐业 | Culture, Sports and Entertainment | 46500 | 51605 | 48164 | 54225 | 30908 | 33065 | 30150 | 30714 |
| 公共管理与社会组织 | Public Management and Social Organization | 52924 | 57346 | 53399 | 57926 | 34497 | 38580 | 18949 | 28829 |

注:本表2008年前为职工平均工资。 Data on average wage refer to average wage of staff and workers before 2008.

## 5-8 各市城镇单位在岗职工工资总额和平均工资
Total Wages and Average Wage of Fully Employed Staff and Workers in Urban Units by City

| 地 区 | Region | 2004 | 2005 | 2006 | 2007 | 2008 |
|---|---|---|---|---|---|---|
| **工资总额(万元)** | **Total Wages(10000 yuan)** | **10164237** | **13119269** | **15918431** | **19374101** | **23590498** |
| **浙东北** | **Eastern and Northern Region** | **6487868** | **8600195** | **10435370** | **13172568** | **16360544** |
| 杭州市 | Hangzhou | 2224734 | 3010148 | 3851573 | 4996876 | 6416424 |
| 宁波市 | Ningbo | 1697092 | 2144151 | 2583481 | 3223794 | 3991251 |
| 嘉兴市 | Jiaxing | 913451 | 1219593 | 1488325 | 1813124 | 2149705 |
| 湖州市 | Huzhou | 407545 | 543473 | 651602 | 775459 | 966985 |
| 绍兴市 | Shaoxing | 1001303 | 1410955 | 1566240 | 1981463 | 2381040 |
| 舟山市 | Zhoushan | 243743 | 271875 | 294148 | 381852 | 455139 |
| **浙西南** | **Western and Southern Region** | **3644413** | **4473079** | **5235442** | **6071019** | **7074745** |
| 温州市 | Wenzhou | 1466197 | 1708080 | 2099973 | 2534372 | 2968090 |
| 金华市 | Jinhua | 724152 | 917653 | 1130792 | 1129801 | 1255955 |
| 衢州市 | Quzhou | 293325 | 327142 | 361093 | 431859 | 488287 |
| 台州市 | Taizhou | 856535 | 1173844 | 1255154 | 1522302 | 1831658 |
| 丽水市 | Lishui | 304204 | 346360 | 388430 | 452685 | 530755 |
| **平均工资(元)** | **Average Wage (yuan)** | **23101** | **25572** | **27567** | **30854** | **34146** |
| **浙东北** | **Eastern and Northern Region** | **24301** | **26358** | **28290** | **31977** | **35198** |
| 杭州市 | Hangzhou | 28186 | 30580 | 32440 | 36200 | 40193 |
| 宁波市 | Ningbo | 25710 | 27986 | 28899 | 32892 | 35835 |
| 嘉兴市 | Jiaxing | 20432 | 20552 | 22511 | 25883 | 29219 |
| 湖州市 | Huzhou | 21477 | 23488 | 25674 | 28053 | 31455 |
| 绍兴市 | Shaoxing | 21271 | 24440 | 26739 | 29807 | 30636 |
| 舟山市 | Zhoushan | 21592 | 24678 | 27561 | 32580 | 38714 |
| **浙西南** | **Western and Southern Region** | **21411** | **24300** | **25585** | **28652** | **31874** |
| 温州市 | Wenzhou | 19141 | 21279 | 22758 | 25740 | 29594 |
| 金华市 | Jinhua | 22978 | 23752 | 24873 | 28638 | 31594 |
| 衢州市 | Quzhou | 21953 | 25802 | 28007 | 32185 | 35930 |
| 台州市 | Taizhou | 24307 | 30550 | 31470 | 33058 | 34126 |
| 丽水市 | Lishui | 22543 | 24613 | 27518 | 31206 | 36233 |

注:本表2008年前为职工工资总额和平均工资。 Data in this table refer to total wages and average wages of staff and workers before 2008.

## 5-9 分行业城镇单位从业人员劳动报酬(2008 年)
## Remuneration Payment to Employed Persons in Urban Units by Sector(2008)

单位:亿元(100 million yuan)

| 行 业 | Sector | 单位从业人员劳动报酬 Total Remuneration | 在岗职工工资总额 Wages of Staff and Workers at Work | 其他从业人员劳动报酬 Remuneration Payment to Other Employed Persons | 离开本单位仍保留劳动关系的职工生活费 Living Paying for Staff and Workers Leaving Their Working Units While Keeping Their Labour Contract |
|---|---|---|---|---|---|
| **总计** | **Total** | **2494.41** | **2359.05** | **135.36** | **12.60** |
| 农、林、牧、渔业 | Farming, Forestry, Animal Husbandry and Fishery | 4.79 | 4.71 | 0.08 | 0.10 |
| 采掘业 | Mining and Quarrying | 4.15 | 3.94 | 0.21 | 0.15 |
| 制造业 | Manufacturing | 775.46 | 748.61 | 26.85 | 2.69 |
| 电力、煤气及水的生产和供应业 | Electricity, Gas and Water Production and Supply | 77.95 | 74.08 | 3.87 | 0.25 |
| 建筑业 | Construction | 303.64 | 262.88 | 40.76 | 0.38 |
| 交通运输、仓储及邮政业 | Transport, Storage and Post | 86.86 | 80.88 | 5.98 | 1.24 |
| 信息传输、计算机服务和软件业 | Information Transport, Computer Services and Software | 55.82 | 50.38 | 5.44 | 0.27 |
| 批发与零售业 | Wholesale and Retail Sale | 81.49 | 78.32 | 3.17 | 0.76 |
| 住宿和餐饮业 | Hotels and Catering Services | 30.01 | 28.65 | 1.36 | 0.18 |
| 金融业 | Banking | 189.22 | 168.98 | 20.24 | 3.08 |
| 房地产业 | Real Estate Trade | 34.45 | 32.33 | 2.12 | 0.19 |
| 租赁与商务服务业 | Leasing and Commercial Services | 56.25 | 53.51 | 2.74 | 0.41 |
| 科学研究、技术服务与地质勘查业 | Science Research, Technology Services and Geological Prospecting | 47.52 | 44.21 | 3.31 | 0.19 |
| 水利、环境和公共设施管理业 | Water Conservancy, Environment and Public Facilities Management | 21.07 | 19.93 | 1.14 | 0.23 |
| 居民服务及其他服务业 | Resident and Other Services | 3.77 | 3.58 | 0.19 | 0.01 |
| 教育 | Education | 270.54 | 264.55 | 5.99 | 1.07 |
| 卫生、社会保障和社会福利业 | Health Care, Social Securities and Social Welfare | 139.11 | 134.11 | 5.01 | 0.34 |
| 文化、体育与娱乐业 | Culture, Sports and Entertainment | 24.52 | 22.98 | 1.54 | 0.09 |
| 公共管理与社会组织 | Public Management and Social Organization | 287.79 | 282.42 | 5.36 | 0.97 |

## 5-10 分行业国有单位从业人员劳动报酬(2008年)
## Remuneration Payment to Employed Persons in State-owned Units by Sector(2008)

单位:亿元(100 million yuan)

| 行 业 | Sector | 单位从业人员劳动报酬 Total Remuneration | 在岗职工工资总额 Wages of Staff and Workers at Work | 其他从业人员劳动报酬 Remuneration Payment to Other Employed Persons | 离开本单位仍保留劳动关系的职工生活费 Living Paying for Staff and Workers Leaving Their Working Units While Keeping Their Labour Contract |
|---|---|---|---|---|---|
| **总计** | **Total** | **1027.05** | **990.08** | **36.97** | **7.72** |
| 农、林、牧、渔业 | Farming, Forestry, Animal Husbandry and Fishery | 4.31 | 4.25 | 0.06 | 0.09 |
| 采掘业 | Mining and Quarrying | 0.46 | 0.37 | 0.09 | 0.02 |
| 制造业 | Manufacturing | 20.40 | 19.90 | 0.50 | 1.33 |
| 电力、煤气及水的生产和供应业 | Electricity, Gas and Water Production and Supply | 57.43 | 54.04 | 3.39 | 0.19 |
| 建筑业 | Construction | 18.14 | 15.34 | 2.80 | 0.12 |
| 交通运输、仓储及邮政业 | Transport, Storage and Post | 51.03 | 46.67 | 4.36 | 0.72 |
| 信息传输、计算机服务和软件业 | Information Transport, Computer Services and Software | 11.73 | 11.40 | 0.33 | 0.09 |
| 批发与零售业 | Wholesale and Retail Sale | 17.18 | 16.46 | 0.72 | 0.22 |
| 住宿和餐饮业 | Hotels and Catering Services | 5.46 | 5.29 | 0.17 | 0.11 |
| 金融业 | Banking | 71.09 | 66.33 | 4.76 | 1.71 |
| 房地产业 | Real Estate Trade | 7.65 | 7.34 | 0.31 | 0.09 |
| 租赁与商务服务业 | Leasing and Commercial Services | 24.10 | 22.95 | 1.15 | 0.23 |
| 科学研究、技术服务与地质勘查业 | Science Research, Technology Services and Geological Prospecting | 32.79 | 30.98 | 1.81 | 0.17 |
| 水利、环境和公共设施管理业 | Water Conservancy, Environment and Public Facilities Management | 15.11 | 14.43 | 0.68 | 0.20 |
| 居民服务及其他服务业 | Resident and Other Services | 2.27 | 2.22 | 0.05 | 0.01 |
| 教育 | Education | 258.31 | 253.27 | 5.04 | 1.07 |
| 卫生、社会保障和社会福利业 | Health Care, Social Securities and Social Welfare | 122.07 | 118.00 | 4.07 | 0.31 |
| 文化、体育与娱乐业 | Culture, Sports and Entertainment | 22.86 | 21.41 | 1.45 | 0.08 |
| 公共管理与社会组织 | Public Management and Social Organization | 284.66 | 279.43 | 5.23 | 0.96 |

## 5-11 分行业城镇集体单位从业人员劳动报酬(2008 年)
## Remuneration Payment to Employed Persons in State-owned Units by Sector(2008)

单位:亿元(100 million yuan)

| 行 业 | Sector | 单位从业人员劳动报酬 Total Remuneration | 在岗职工工资总额 Wages of Staff and Workers at Work | 其他从业人员劳动报酬 Remuneration Payment to Other Employed Persons | 离开本单位仍保留劳动关系的职工生活费 Living Paying for Staff and Workers Leaving Their Working Units While Keeping Their Labour Contract |
|---|---|---|---|---|---|
| **总计** | **Total** | **74.97** | **72.33** | **2.64** | **0.92** |
| 农、林、牧、渔业 | Farming, Forestry, Animal Husbandry and Fishery | 0.21 | 0.2 | 0.01 | |
| 采掘业 | Mining and Quarrying | 0.9 | 0.9 | | |
| 制造业 | Manufacturing | 8.55 | 8.39 | 0.16 | 0.13 |
| 电力、煤气及水的生产和供应业 | Electricity, Gas and Water Production and Supply | 0.99 | 0.98 | 0.01 | 0.01 |
| 建筑业 | Construction | 13.53 | 13.18 | 0.35 | 0.05 |
| 交通运输、仓储及邮政业 | Transport, Storage and Post | 3.5 | 3.4 | 0.1 | 0.07 |
| 信息传输、计算机服务和软件业 | Information Transport, Computer Services and Software | 0.19 | 0.18 | 0.01 | 0.01 |
| 批发与零售业 | Wholesale and Retail Sale | 2.6 | 2.47 | 0.13 | 0.14 |
| 住宿和餐饮业 | Hotels and Catering Services | 1.43 | 1.41 | 0.02 | 0.01 |
| 金融业 | Banking | 11.77 | 11.54 | 0.23 | 0.36 |
| 房地产业 | Real Estate Trade | 0.71 | 0.65 | 0.06 | 0.01 |
| 租赁与商务服务业 | Leasing and Commercial Services | 6.19 | 5.99 | 0.2 | 0.08 |
| 科学研究、技术服务与地质勘查业 | Science Research, Technology Services and Geological Prospecting | 1.4 | 1.34 | 0.06 | 0.01 |
| 水利、环境和公共设施管理业 | Water Conservancy, Environment and Public Facilities Management | 2.69 | 2.49 | 0.2 | 0.02 |
| 居民服务及其他服务业 | Resident and Other Services | 0.6 | 0.51 | 0.09 | |
| 教育 | Education | 3.94 | 3.66 | 0.28 | 0.01 |
| 卫生、社会保障和社会福利业 | Health Care, Social Securities and Social Welfare | 15.12 | 14.39 | 0.73 | 0.02 |
| 文化、体育与娱乐业 | Culture, Sports and Entertainment | 0.33 | 0.33 | | |
| 公共管理与社会组织 | Public Management and Social Organization | 0.32 | 0.32 | | |

## 5-12 分行业其他单位从业人员劳动报酬(2008 年)
Remuneration Payment to Employed Persons in Urban Other Ownership Units by Sector(2008)

单位:亿元(100 million yuan)

| 行业 | Sector | 单位从业人员劳动报酬 Total Remuneration | 在岗职工工资总额 Wages of Staff and Workers at Work | 其他从业人员劳动报酬 Remuneration Payment to Other Employed Persons | 离开本单位仍保留劳动关系的职工生活费 Living Paying for Staff and Workers Leaving Their Working Units While Keeping Their Labour Contract |
|---|---|---|---|---|---|
| **总计** | **Total** | **1392.4** | **1296.64** | **95.76** | **3.95** |
| 农、林、牧、渔业 | Farming, Forestry, Animal Husbandry and Fishery | 0.27 | 0.25 | 0.02 | |
| 采掘业 | Mining and Quarrying | 2.79 | 2.68 | 0.11 | 0.12 |
| 制造业 | Manufacturing | 746.5 | 720.32 | 26.18 | 1.23 |
| 电力、煤气及水的生产和供应业 | Electricity, Gas and Water Production and Supply | 19.53 | 19.06 | 0.47 | 0.05 |
| 建筑业 | Construction | 271.97 | 234.36 | 37.61 | 0.22 |
| 交通运输、仓储及邮政业 | Transport, Storage and Post | 32.33 | 30.82 | 1.51 | 0.46 |
| 信息传输、计算机服务和软件业 | Information Transport, Computer Services and Software | 43.91 | 38.79 | 5.12 | 0.18 |
| 批发与零售业 | Wholesale and Retail Sale | 61.72 | 59.39 | 2.33 | 0.4 |
| 住宿和餐饮业 | Hotels and Catering Services | 23.12 | 21.96 | 1.16 | 0.05 |
| 金融业 | Banking | 106.35 | 91.11 | 15.24 | 1.02 |
| 房地产业 | Real Estate Trade | 26.09 | 24.34 | 1.75 | 0.09 |
| 租赁与商务服务业 | Leasing and Commercial Services | 25.96 | 24.57 | 1.39 | 0.11 |
| 科学研究、技术服务与地质勘查业 | Science Research, Technology Services and Geological Prospecting | 13.34 | 11.89 | 1.45 | 0.01 |
| 水利、环境和公共设施管理业 | Water Conservancy, Environment and Public Facilities Management | 3.27 | 3 | 0.27 | |
| 居民服务及其他服务业 | Resident and Other Services | 0.9 | 0.85 | 0.05 | |
| 教育 | Education | 8.29 | 7.61 | 0.68 | |
| 卫生、社会保障和社会福利业 | Health Care, Social Securities and Social Welfare | 1.92 | 1.72 | 0.2 | |
| 文化、体育与娱乐业 | Culture, Sports and Entertainment | 1.34 | 1.25 | 0.09 | |
| 公共管理与社会组织 | Public Management and Social Organization | 2.8 | 2.67 | 0.13 | 0.01 |

## 5-13 各市企业单位从业人员劳动报酬
Remuneration Payment to Employed Persons in Enterprises by City

单位:亿元(100 million yuan)

| 城市 City | | 单位从业人员劳动报酬 Remuneration Payment to Employed Persons | | | #在岗职工工资总额 Wages of Staff and Workers at Work | | | 在岗职工平均工资(元) Average Wage of Staff and Workers at Work (yuan) | | |
|---|---|---|---|---|---|---|---|---|---|---|
| | | 2006 | 2007 | 2008 | 2006 | 2007 | 2008 | 2006 | 2007 | 2008 |
| **总计** | **Total** | **1053.4** | **1307.65** | **1713.15** | **999.71** | **1239.32** | **1596.98** | **23264** | **26034** | **29294** |
| 杭州市 | Hangzhou | 274.71 | 370.05 | 518.32 | 253.65 | 340.14 | 464.76 | 28885 | 32087 | 36209 |
| 宁波市 | Ningbo | 179.36 | 226.3 | 297.39 | 169.68 | 215.48 | 283.55 | 24135 | 27440 | 30827 |
| 温州市 | Wenzhou | 134.41 | 166.06 | 200.7 | 130.42 | 161.23 | 195.29 | 18144 | 20781 | 24120 |
| 嘉兴市 | Jiaxing | 114.25 | 139.1 | 167.14 | 108.7 | 132.2 | 159.78 | 19752 | 22554 | 25617 |
| 湖州市 | Huzhou | 39.54 | 48.9 | 63.55 | 38.07 | 47.06 | 61.17 | 20821 | 23188 | 25593 |
| 绍兴市 | Shaoxing | 108.36 | 141.48 | 191.47 | 104.26 | 136.49 | 172.98 | 22212 | 25098 | 26146 |
| 金华市 | Jinhua | 65.64 | 59.38 | 66.83 | 63.69 | 57.77 | 64.87 | 20202 | 22940 | 25326 |
| 衢州市 | Quzhou | 15.88 | 19.55 | 23.68 | 14.68 | 17.7 | 21.07 | 22650 | 25771 | 27843 |
| 舟山市 | Zhoushan | 15.74 | 21.68 | 29.78 | 15.37 | 21.08 | 26.38 | 24037 | 28435 | 34059 |
| 台州市 | Taizhou | 65.72 | 84.94 | 114.42 | 61.83 | 80.53 | 109 | 24259 | 25942 | 27622 |
| 丽水市 | Lishui | 16.36 | 18.49 | 23.87 | 15.98 | 17.97 | 22.61 | 25718 | 27294 | 32612 |

## 5-14 各市国有控股企业单位从业人员劳动报酬
Remuneration Payment to Employed Persons in Enterprises with Controling Share Hold by State by City

单位:亿元(100 million yuan)

| 城市 City | | 单位从业人员劳动报酬 Remuneration Payment to Employed Persons | | | #在岗职工工资总额 Wages of Staff and Workers at Work | | | 在岗职工平均工资(元) Average Wage of Staff and Workers at Work (yuan) | | |
|---|---|---|---|---|---|---|---|---|---|---|
| | | 2006 | 2007 | 2008 | 2006 | 2007 | 2008 | 2006 | 2007 | 2008 |
| **总计** | **Total** | **504.33** | **502.66** | **609.89** | **481.79** | **472.85** | **560.58** | **31730** | **39866** | **46316** |
| 杭州市 | Hangzhou | 161.94 | 186.38 | 238.03 | 151.66 | 172.52 | 212.74 | 34271 | 41443 | 48511 |
| 宁波市 | Ningbo | 57.21 | 71.23 | 89.02 | 54.72 | 67.45 | 81.73 | 41569 | 44626 | 52488 |
| 温州市 | Wenzhou | 44.61 | 57.71 | 63.63 | 42.64 | 54.4 | 60.43 | 29517 | 32535 | 39197 |
| 嘉兴市 | Jiaxing | 34.58 | 27.58 | 32.24 | 33.21 | 25.86 | 29.39 | 28749 | 45880 | 51167 |
| 湖州市 | Huzhou | 21.72 | 21.5 | 24.61 | 21.03 | 20.41 | 23.35 | 27645 | 35447 | 39407 |
| 绍兴市 | Shaoxing | 53.15 | 33.22 | 36.78 | 52.23 | 31.79 | 34.18 | 26195 | 43463 | 48115 |
| 金华市 | Jinhua | 36.44 | 20.01 | 22.35 | 35.84 | 19.15 | 21.79 | 22451 | 38560 | 45563 |
| 衢州市 | Quzhou | 10.44 | 11.09 | 12.73 | 9.91 | 10.36 | 11.42 | 28283 | 33234 | 36316 |
| 舟山市 | Zhoushan | 11.15 | 13.5 | 17.16 | 10.89 | 13.09 | 16.29 | 27442 | 35483 | 43843 |
| 台州市 | Taizhou | 41.86 | 34.85 | 40.19 | 38.73 | 32.53 | 37.21 | 32965 | 42042 | 45373 |
| 丽水市 | Lishui | 9.43 | 13.92 | 17.09 | 9.18 | 13.66 | 16.44 | 35906 | 40278 | 47414 |

## 5-15 各市事业单位从业人员劳动报酬
Remuneration Payment to Employed Persons in Institutions by City

单位:亿元(100 million yuan)

| 城市 City | | 单位从业人员劳动报酬 Remuneration Payment to Employed Persons | | | #在岗职工工资总额 Wages of Fully Employed Staff and Workers | | | 在岗职工平均工资(元) Average Wage of Fully Employed Staff and Workers (yuan) | | |
|---|---|---|---|---|---|---|---|---|---|---|
| | | 2006 | 2007 | 2008 | 2006 | 2007 | 2008 | 2006 | 2007 | 2008 |
| **总 计** | **Total** | **396.49** | **469.7** | **526.73** | **387.98** | **459.43** | **511.96** | **39422** | **45091** | **49530** |
| 杭州市 | Hangzhou | 89.47 | 110.26 | 127.55 | 87.19 | 106.87 | 122.41 | 41723 | 49060 | 53279 |
| 宁波市 | Ningbo | 59.55 | 71.19 | 77.53 | 58.3 | 69.59 | 75.51 | 44013 | 51485 | 55192 |
| 温州市 | Wenzhou | 52.62 | 61.03 | 68.77 | 51.46 | 60.02 | 67.31 | 39401 | 44548 | 50650 |
| 嘉兴市 | Jiaxing | 28.05 | 34.72 | 39.61 | 27.57 | 34.15 | 38.85 | 35021 | 41671 | 45633 |
| 湖州市 | Huzhou | 17.72 | 20.78 | 24.9 | 17.02 | 19.91 | 23.76 | 37579 | 41191 | 48170 |
| 绍兴市 | Shaoxing | 35.94 | 42.25 | 47.33 | 35.21 | 41.52 | 46.14 | 43300 | 48599 | 53270 |
| 金华市 | Jinhua | 32.78 | 36.35 | 40.2 | 32.35 | 36 | 39.79 | 35170 | 38324 | 40972 |
| 衢州市 | Quzhou | 11.48 | 13.96 | 15.69 | 11.22 | 13.58 | 15.14 | 32210 | 38147 | 41952 |
| 舟山市 | Zhoushan | 8.68 | 10.53 | 11.63 | 8.5 | 10.32 | 11.41 | 33939 | 40902 | 45703 |
| 台州市 | Taizhou | 44.35 | 50.14 | 54.23 | 43.47 | 49.2 | 52.61 | 43798 | 47136 | 50385 |
| 丽水市 | Lishui | 14.59 | 17.25 | 19.29 | 14.43 | 17.01 | 19.02 | 28292 | 32964 | 37676 |

## 5-16 各市机关单位从业人员劳动报酬
Remuneration Payment to Employed Persons in Government Agencies by City

单位:亿元(100 million yuan)

| 城市 City | | 单位从业人员劳动报酬 Remuneration Payment to Employed Persons | | | #在岗职工工资总额 Wages of Fully Employed Staff and Workers | | | 在岗职工平均工资(元) Average Wage of Fully Employed Staff and Workers (yuan) | | |
|---|---|---|---|---|---|---|---|---|---|---|
| | | 2006 | 2007 | 2008 | 2006 | 2007 | 2008 | 2006 | 2007 | 2008 |
| **总 计** | **Total** | **193.15** | **227.77** | **254.53** | **190.84** | **225.48** | **250.11** | **48614** | **54917** | **59060** |
| 杭州市 | Hangzhou | 41.25 | 48.79 | 55.29 | 40.33 | 48.47 | 54.47 | 53554 | 60773 | 65560 |
| 宁波市 | Ningbo | 29.21 | 36.82 | 40.71 | 29.03 | 36.28 | 40.07 | 55474 | 65692 | 70076 |
| 温州市 | Wenzhou | 27.08 | 31.19 | 34.8 | 26.85 | 30.93 | 34.2 | 46951 | 51958 | 56647 |
| 嘉兴市 | Jiaxing | 11.63 | 14.16 | 16.6 | 11.54 | 14.05 | 16.34 | 47587 | 54821 | 60828 |
| 湖州市 | Huzhou | 9.54 | 10.19 | 12.19 | 9.26 | 9.81 | 11.76 | 48879 | 54189 | 61699 |
| 绍兴市 | Shaoxing | 16.54 | 19.64 | 19.56 | 16.41 | 19.42 | 18.99 | 57405 | 65180 | 65486 |
| 金华市 | Jinhua | 16.3 | 18.49 | 21.09 | 16.25 | 18.43 | 20.93 | 39429 | 42779 | 47283 |
| 衢州市 | Quzhou | 9.57 | 11.21 | 12.87 | 9.43 | 11.05 | 12.62 | 39932 | 45361 | 52287 |
| 舟山市 | Zhoushan | 5 | 6.18 | 7.87 | 4.97 | 6.16 | 7.72 | 39987 | 47246 | 50994 |
| 台州市 | Taizhou | 19.2 | 21.38 | 21.95 | 19 | 21.24 | 21.56 | 54388 | 56398 | 57177 |
| 丽水市 | Lishui | 7.84 | 9.72 | 11.59 | 7.77 | 9.63 | 11.44 | 32699 | 39497 | 42913 |

## 5-17 历年城镇居民生活水平(1978-2008年)
## Living Standard of Urban Resident(1978-2008)

| 年份 Year | 人均可支配收入(元) Per Capita Disposable Income(yuan) | 人均可支配收入指数(上年=100) Growth Rate of Per Capita Disposable Income (Preceding year=100) | 人均消费性支出(元) Per Capita Consumption Expenditure (yuan) | #食品支出 Food | 恩格尔系数 Engel Coefficient | 人均住房使用面积(平方米) Per Captia Floor Space of Residential Buildings(sq. m) |
|---|---|---|---|---|---|---|
| 1978 | 332 | | 301 | | | |
| 1980 | 488 | | 428 | | | |
| 1981 | 523 | 105.4 | 476 | 264 | 55.6 | |
| 1982 | 530 | 99.4 | 471 | 270 | 57.3 | |
| 1983 | 551 | 101.2 | 484 | 288 | 59.5 | 9.44 |
| 1984 | 669 | 117.1 | 562 | 316 | 56.2 | 9.95 |
| 1985 | 904 | 117.4 | 795 | 407 | 51.3 | 11.07 |
| 1986 | 1104 | 114.9 | 969 | 492 | 50.8 | 11.76 |
| 1987 | 1228 | 100.3 | 1100 | 570 | 51.8 | 12.15 |
| 1988 | 1589 | 104.9 | 1453 | 741 | 51.0 | 12.49 |
| 1989 | 1797 | 96.8 | 1556 | 851 | 54.7 | 13.05 |
| 1990 | 1932 | 105.3 | 1604 | 885 | 55.1 | 13.55 |
| 1991 | 2143 | 105.0 | 1806 | 992 | 55.0 | 13.71 |
| 1992 | 2619 | 111.9 | 2154 | 1111 | 51.6 | 14.13 |
| 1993 | 3626 | 114.0 | 2856 | 1417 | 49.4 | 14.47 |
| 1994 | 5066 | 112.0 | 4079 | 1945 | 47.4 | 15.58 |
| 1995 | 6221 | 105.0 | 5263 | 2489 | 47.0 | 15.64 |
| 1996 | 6956 | 101.8 | 5764 | 2714 | 46.9 | 15.91 |
| 1997 | 7359 | 101.6 | 6170 | 2723 | 43.9 | 16.25 |
| 1998 | 7837 | 105.3 | 6218 | 2644 | 42.5 | 18.25 |
| 1999 | 8428 | 108.0 | 6522 | 2629 | 40.3 | 19.47 |
| 2000 | 9279 | 109.1 | 7020 | 2752 | 39.2 | 19.87 |
| 2001 | 10465 | 113.3 | 7952 | 2888 | 36.3 | 20.30 |
| 2002 | 11716 | 113.4 | 8713 | 3474 | 37.9 | 21.12 |
| 2003 | 13180 | 111.9 | 9713 | 3558 | 36.6 | 21.60 |
| 2004 | 14546 | 107.4 | 10636 | 3851 | 36.2 | 23.90 |
| 2005 | 16294 | 110.4 | 12254 | 4140 | 33.8 | 26.10 |
| 2006 | 18265 | 110.9 | 13349 | 4393 | 32.9 | 26.44 |
| 2007 | 20574 | 108.4 | 14091 | 4893 | 34.7 | 34.72 |
| 2008 | 22727 | 105.4 | 15158 | 5523 | 36.4 | 34.33 |

注:1. 人均可支配收入指数扣除价格变动因素。
Growth rate of per capita disposable income was excluded price changes.
2. 人均现住房建筑面积在2007年以前为使用面积。
The data of Per captia floor space of residential buildings is adjusted since 2007.

## 5-18 城镇居民家庭基本情况(2002-2008年)
Basic Statistics on Urban Households(2002-2008)

| 项　目 | | Item | | 2002 | 2003 | 2004 | 2005 | 2006 | 2007 | 2008 |
|---|---|---|---|---|---|---|---|---|---|---|
| 调查户数 | (户) | Number of Households Surveyed | (household) | 1900 | 2250 | 2380 | 4150 | 4100 | 4300 | 4450 |
| 平均每户家庭人口数 | (人) | Average Household Size | (person) | 2.84 | 2.81 | 2.81 | 2.8 | 2.78 | 2.74 | 2.72 |
| 平均每户就业人口数 | (人) | Average Employed Persons Per Household | (person) | 1.5 | 1.51 | 1.5 | 1.45 | 1.45 | 1.47 | 1.39 |
| 平均每户就业面 | (%) | Percentage of Employed Persons Per Household | (%) | 52.82 | 53.74 | 53.38 | 51.79 | 52.16 | 53.65 | 51.1 |
| 平均每一就业者负担人数(包括就业者本人) | (人) | Number of Persons Supported by Each Laborer (Including the Employee Himself or Herself) | (person) | 1.89 | 1.86 | 1.87 | 1.93 | 1.91 | 1.86 | 1.96 |
| 平均每人全部年收入 | (元) | Per Capita Annual Income | (yuan) | 12682 | 14295 | 15882 | 17877 | 19954 | 22584 | 24981 |
| #可支配收入 | (元) | Per Capita Disposal Income | (yuan) | 11716 | 13180 | 14546 | 16294 | 18265 | 20574 | 22727 |
| 工薪收入 | (元) | Wages Income | (yuan) | 8534 | 9693 | 10753 | 11941 | 13016 | 14510 | 15539 |
| 经营净收入 | (元) | Net Business Income | (yuan) | 761 | 1172 | 1336 | 1922 | 2172 | 2612 | 3162 |
| 财产性收入 | (元) | Property Income | (yuan) | 202 | 374 | 384 | 553 | 889 | 1080 | 1325 |
| 转移性收入 | (元) | Transfer Income | (yuan) | 3185 | 3057 | 3409 | 3462 | 3877 | 4382 | 4955 |
| 出售财物收入 | (元) | Income of Properties Sold | (yuan) | 77 | 322 | 596 | 158 | 904 | 482 | 483 |
| 平均每人消费性支出 | (元) | Per Annual Expenditure for Consumption | (yuan) | 8713 | 9713 | 10636 | 12254 | 13349 | 14091 | 15158 |
| 食品 | (元) | Food | (yuan) | 3474 | 3558 | 3851 | 4140 | 4393 | 4893 | 5523 |
| 衣着 | (元) | Clothing | (yuan) | 744 | 830 | 942 | 1264 | 1384 | 1406 | 1546 |

5－18 续表 continued

| 项 目 | | Item | | 2002 | 2003 | 2004 | 2005 | 2006 | 2007 | 2008 |
|---|---|---|---|---|---|---|---|---|---|---|
| 居住 | （元） | Residence | （yuan） | 739 | 953 | 971 | 1059 | 1229 | 1168 | 1334 |
| 家庭设备用品及服务 | （元） | Household Facilities Articles and Services | （yuan） | 283 | 593 | 597 | 609 | 615 | 666 | 713 |
| 医疗保健 | （元） | Medicine and Medical Services | （yuan） | 668 | 738 | 829 | 832 | 852 | 859 | 933 |
| 交通和通讯 | （元） | Transportation and Communications | （yuan） | 899 | 1224 | 1419 | 2097 | 2492 | 2473 | 2393 |
| 娱乐教育、文化 | （元） | Recreation，Education and Culture | （yuan） | 1407 | 1487 | 1681 | 1850 | 1946 | 2158 | 2196 |
| 杂项商品和服务 | （元） | Miscellaneous Commodities and Services | （yuan） | 261 | 330 | 346 | 402 | 436 | 468 | 521 |
| 平均每人消费性支出构成（人均消费支出＝100） | （%） | Composition of Per Capita Annual Expenditure for Consumption（Per Capita Expenditure Consumption ＝100） | （%） | 100 | 100 | 100 | 100 | 100 | 100 | 100 |
| 食品 | （%） | Food | （%） | 37.88 | 36.64 | 36.2 | 33.8 | 32.91 | 34.72 | 36.44 |
| 衣着 | （%） | Clothing | （%） | 8.54 | 8.55 | 8.9 | 10.3 | 10.37 | 9.98 | 10.2 |
| 居住 | （%） | Residence | （%） | 8.48 | 9.81 | 9.1 | 8.6 | 9.21 | 8.29 | 8.8 |
| 家庭设备用品及服务 | （%） | Household Facilities，Articles and Services | （%） | 5.99 | 6.1 | 5.6 | 5 | 4.61 | 4.73 | 4.71 |
| 医疗保健 | （%） | Medicine and Medical Services | （%） | 7.66 | 7.6 | 7.8 | 6.8 | 6.38 | 6.1 | 6.16 |
| 交通和通讯 | （%） | Transportation and Communications | （%） | 10.32 | 12.6 | 13.3 | 17.1 | 18.67 | 17.55 | 15.78 |
| 娱乐教育、文化 | （%） | Recreation，Education and Culture | （%） | 16.15 | 15.31 | 15.8 | 15.1 | 14.58 | 15.32 | 14.48 |
| 杂项商品和服务 | （%） | Miscellanceous Commodities and Services | （%） | 2.99 | 3.39 | 3.3 | 3.3 | 3.27 | 3.32 | 3.44 |

## 5-19 城镇居民家庭基本情况(2008 年)
Basic Statistics on Urban Households(2008)

| 项目 | | Item | | 总平均 Average | 最低收入户 Lowest Income House-holds | 低收入户 Low Income House-holds | 中等偏下户 Lower Middle Income House-holds | 中等收入户 Middle Income House-holds | 中等偏上户 Upper Middle Income House-holds | 高收入户 High Income House-holds | 最高收入户 Highest Income House-holds |
|---|---|---|---|---|---|---|---|---|---|---|---|
| | | | | | 按可支配收入分组 Grouped by Disposable Income | | | | | | |
| 调查户数 | (户) | Number of Household Surveyed | (household) | 4450 | 445 | 445 | 890 | 890 | 890 | 445 | 445 |
| 比重 | (%) | Proportion | (%) | 100 | 10 | 10 | 20 | 20 | 20 | 10 | 10 |
| 平均每户家庭人口数 | (人) | Average Household Size | (person) | 2.72 | 3.01 | 2.99 | 2.85 | 2.62 | 2.6 | 2.55 | 2.53 |
| 有收入者人数 | (人) | Persons with Income | (person) | 1.92 | 1.55 | 1.79 | 1.97 | 1.98 | 1.99 | 2.03 | 1.95 |
| #离退休人口数 | (人) | Retired | (person) | 0.48 | 0.33 | 0.39 | 0.54 | 0.64 | 0.57 | 0.4 | 0.23 |
| 无收入者人数 | (人) | Persons with-out Income | (person) | 0.8 | 1.45 | 1.2 | 0.87 | 0.64 | 0.61 | 0.52 | 0.57 |
| 平均每户就业人口数 | (人) | Average Employed Persons Per Household | (person) | 1.39 | 1.08 | 1.32 | 1.38 | 1.3 | 1.4 | 1.59 | 1.7 |
| 平均每户就业面 | (%) | Percentage of Employed Persons Per Household | (%) | 51.1 | 35.88 | 44.15 | 48.42 | 49.62 | 53.85 | 62.35 | 67.19 |
| 平均每一就业者负担人数 | (人) | Number of Persons Supported by Each Laborer | (person) | 1.96 | 2.79 | 2.27 | 2.07 | 2.02 | 1.86 | 1.6 | 1.49 |
| 家庭总收入 | (元) | Household Income | (yuan) | 24981 | 8431 | 11861 | 15722 | 21094 | 28534 | 39129 | 66028 |
| #可支配收入 | (元) | Per Capita Disposable Income | (yuan) | 22727 | 7278 | 10705 | 14263 | 19294 | 26113 | 35252 | 60528 |
| 家庭总支出 | (元) | Household Expenditure | (yuan) | 20642 | 9891 | 10394 | 13529 | 16921 | 24070 | 31115 | 50602 |
| #消费性支出 | (元) | Per Capita Annual Expenditure for Consumption | (yuan) | 15158 | 7636 | 8536 | 10863 | 12872 | 17505 | 22117 | 33796 |
| 食品 | (元) | Food | (yuan) | 5523 | 3296 | 3834 | 4620 | 5294 | 6079 | 7509 | 9365 |
| 衣着 | (元) | Clothing | (yuan) | 1546 | 617 | 662 | 1001 | 1298 | 1876 | 2331 | 3890 |
| 居住 | (元) | Residence | (yuan) | 1334 | 866 | 806 | 921 | 1090 | 1467 | 1710 | 3242 |
| 家庭设备用品及服务 | (元) | Household Facilities, Articles and Services | (yuan) | 713 | 285 | 327 | 428 | 630 | 848 | 987 | 1905 |
| 医疗保健 | (元) | Medicine and Medical Services | (yuan) | 933 | 660 | 646 | 747 | 915 | 1072 | 1095 | 1586 |
| 交通和通讯 | (元) | Transportation and Communi-cations | (yuan) | 2393 | 734 | 939 | 1396 | 1658 | 3042 | 3886 | 6827 |
| 娱乐教育、文化 | (元) | Recreation, Education and Culture | (yuan) | 2196 | 1003 | 1150 | 1482 | 1602 | 2497 | 3786 | 5327 |
| 杂项商品和服务 | (元) | Miscellaneous Commodities and Services | (yuan) | 521 | 176 | 171 | 267 | 386 | 625 | 812 | 1653 |

## 5－20　城镇居民家庭平均每人收支情况(2001－2008年)
## Per Capita Annual Income and Expenditures of Urban Households(2001－2008)

单位:元(yuan)

| 项　目 | Item | 2001 | 2002 | 2003 | 2004 | 2005 | 2006 | 2007 | 2008 |
|---|---|---|---|---|---|---|---|---|---|
| **家庭总收入** | **Total Income** | **10519** | **12682** | **14295** | **15882** | **17877** | **19954** | **22584** | **24981** |
| 工薪收入 | Wages | 7214 | 8534 | 9693 | 10753 | 11941 | 13016 | 14510 | 15539 |
| 经营净收入 | Net Business Income | 554 | 761 | 1172 | 1336 | 1922 | 2172 | 2612 | 3162 |
| 财产性收入 | Property Income | 165 | 202 | 374 | 384 | 553 | 889 | 1080 | 1325 |
| 转移性收入 | Transfer Income | 2586 | 3185 | 3057 | 3409 | 3462 | 3877 | 4382 | 4955 |
| **出售财物收入** | **Income of Properties Sold** | **22** | **77** | **322** | **596** | **158** | **904** | **482** | **483** |
| **借贷收入** | **Borrowing Money and Loans** | **3068** | **2632** | **3647** | **4204** | **5134** | **6037** | **7125** | **6069** |
| #提取储蓄存款 | Drawing Money from Banks | 2069 | 2097 | 2573 | 3080 | 4120 | 4428 | 5744 | 5687 |
| 借入款 | Borrowed Money | 192 | 276 | 286 | 244 | 277 | 264 | 337 | 105 |
| 住房贷款 | Asking for Banks Loan for Purchasing Houses | 167 | 103 | 472 | 446 | 191 | 691 | 463 | 45 |
| **家庭总支出** | **Tolal Expenditure** | **10074** | **11836** | **13692** | **15220** | **16906** | **18984** | **20097** | **20642** |
| 消费性支出 | Consumption Expenditure | 7952 | 8713 | 9713 | 10636 | 12254 | 13349 | 14091 | 15158 |
| 财产性支出 | Property Expenditure | 6 | 9 | 20 | 48 | 77 | 143 | 193 | 280 |
| 转移性支出 | Transfer Expenditure | 990 | 1237 | 1526 | 1602 | 1966 | 2155 | 2331 | 2573 |
| #缴纳个人收入税 | Income Tax | 40 | 112 | 134 | 163 | 206 | 194 | 240 | 250 |
| 捐赠支出 | Expenditure for Presentation | 682 | 786 | 896 | 948 | 1149 | 1259 | 1348 | 1522 |
| 赡养支出 | Expenditure for Alimony | 203 | 269 | 406 | 389 | 453 | 507 | 522 | 505 |
| 社会保障支出 | Expenditure for Social Security | | 797 | 918 | 1089 | 1277 | 1387 | 1642 | 1860 |
| 购房与建房支出 | Purchasing and Building Houses | 1125 | 1079 | 1516 | 1844 | 1333 | 1951 | 1841 | 771 |
| **借贷支出** | **Lend Money and Savings** | **3143** | **3127** | **3734** | **4933** | **5226** | **7356** | **8995** | **9306** |
| #存入储蓄款 | Savings Deposits | 2407 | 2590 | 2909 | 3901 | 3973 | 5688 | 7124 | 7873 |
| 借出款 | Lend Money | 35 | 16 | 55 | 64 | 67 | 75 | 86 | 104 |
| 储蓄性保险支出 | Expenditure for Savings and Insurance | 215 | 106 | 142 | 195 | 138 | 141 | 118 | 139 |
| **期末手存现金** | **Cash Now Available** | **1378** | **1623** | **1770** | **1888** | **1920** | **2279** | **2826** | **2223** |

## 5-21 城镇居民家庭平均每人全年收支(2008年)
## Per Capita Annual Cash Income and Expenditures of Urban Households(2008)

单位:元(yuan)

| 项目 | Item | 总平均 Average | 按可支配收入分组 Grouped by Disposable Income 最低收入户 Lowest Income Households | 低收入户 Low Income Households | 中等偏下户 Lower Middle Income Households | 中等收入户 Middle Income Households | 中等偏上户 Upper Middle Income House-holds | 高收入户 High Income Households | 最高收入户 Highest Income Households |
|---|---|---|---|---|---|---|---|---|---|
| **家庭总收入** | **Total Income** | **24981** | **8431** | **11861** | **15722** | **21094** | **28534** | **39129** | **66028** |
| 工薪收入 | Wages | 15539 | 5184 | 7271 | 9551 | 12342 | 18055 | 26698 | 40286 |
| 经营净收入 | Net Business Income | 3162 | 785 | 1494 | 1797 | 2701 | 2936 | 4145 | 11279 |
| 财产性收入 | Property Income | 1325 | 176 | 508 | 536 | 490 | 1236 | 1984 | 6528 |
| 转移性收入 | Transfer Income | 4955 | 2287 | 2589 | 3839 | 5561 | 6308 | 6302 | 7936 |
| **出售财物收入** | **Income of Properties Sold** | **483** | **190** | **5** | **3** | **7** | **14** | **798** | **4073** |
| **借贷收入** | **Borrowing Money and Loans** | **6069** | **3912** | **2064** | **2943** | **4321** | **7536** | **9256** | **17496** |
| #提取储蓄存款 | Drawing Money from Banks | 5687 | 3690 | 2006 | 2826 | 4133 | 7245 | 8698 | 15551 |
| 借入款 | Borrowed Money | 105 | 211 | 47 | 89 | 88 | 35 | 213 | 168 |
| 住房贷款 | Asking for Banks Loan for Purchasing Houses | 45 | | | | | 66 | | 345 |
| **家庭总支出** | **Tolal Expenditure** | **20642** | **9891** | **10394** | **13529** | **16921** | **24070** | **31115** | **50602** |
| 消费性支出 | Consumption Expenditure | 15158 | 7636 | 8536 | 10863 | 12872 | 17505 | 22117 | 33796 |
| 财产性支出 | Property Expenditure | 280 | 39 | 51 | 36 | 198 | 394 | 506 | 1060 |
| 转移性支出 | Transfer Expenditure | 2573 | 890 | 779 | 1312 | 2184 | 3226 | 4384 | 7017 |
| #缴纳个人收入税 | Income Tax | 250 | 10 | 12 | 46 | 119 | 229 | 572 | 1242 |
| 捐赠支出 | Expenditure for Presentation | 1522 | 605 | 507 | 905 | 1434 | 2012 | 2433 | 3388 |
| 赡养支出 | Expenditure for Alimony | 505 | 206 | 190 | 258 | 463 | 590 | 874 | 1298 |
| 社会保障支出 | Expenditure for Social Security | 1860 | 1020 | 1020 | 1279 | 1538 | 2037 | 3143 | 4090 |
| 购房与建房支出 | Purchasing and Building Houses | 771 | 306 | 8 | 38 | 128 | 908 | 964 | 4639 |
| **借贷支出** | **Lend Money and Savings** | **9306** | **2007** | **2664** | **3847** | **7114** | **10269** | **16002** | **33248** |
| #存入储蓄款 | Savings Deposits | 7873 | 1723 | 2391 | 3603 | 6124 | 8600 | 12747 | 27938 |
| 借出款 | Lend Money | 104 | 32 | 4 | 5 | 165 | 126 | 109 | 349 |
| 储蓄性保险支出 | Expenditure for Savings and Insurance | 139 | 21 | 31 | 41 | 56 | 127 | 361 | 587 |
| **期末手存现金** | **Cash Now Available** | **2223** | **1188** | **1294** | **1724** | **2011** | **2541** | **2990** | **4607** |

## 5-22 城镇居民家庭平均每人全年消费性支出(2001-2008年)
## Per Capita Annual Consumption Expenditures of Urban Households(2001-2008)

单位:元(yuan)

| 项　目 | Item | 2001 | 2002 | 2003 | 2004 | 2005 | 2006 | 2007 | 2008 |
|---|---|---|---|---|---|---|---|---|---|
| **消费性支出** | **Consumption Expenditure** | **7952** | **8713** | **9713** | **10636** | **12254** | **13349** | **14091** | **15158** |
| **食品** | **Food** | **2888** | **3474** | **3558** | **3851** | **4140** | **4393** | **4893** | **5523** |
| 粮食类 | Category of Grain | 292 | 274 | 304 | 379 | 391 | 395 | 438 | 537 |
| 粮食 | Grain | 183 | 172 | 183 | 240 | 239 | 244 | 256 | 298 |
| 淀粉及薯类 | Starches and Potatoes | 14 | 10 | 13 | 13 | 21 | 22 | 25 | 28 |
| 干豆类及豆制品 | Dried Bean and Related Products | 47 | 41 | 45 | 52 | 53 | 52 | 56 | 70 |
| 油脂类 | Fat or Oil | 48 | 51 | 63 | 74 | 78 | 78 | 101 | 141 |
| 肉禽蛋水产品类 | Meat, Poultry Eggs and Aquatic Products | 892 | 1057 | 1070 | 1088 | 1151 | 1157 | 1336 | 1483 |
| 肉类 | Meat, Poultry and Related Products | 433 | 296 | 314 | 376 | 398 | 383 | 458 | 568 |
| 禽类 | | | 161 | 161 | 161 | 181 | 166 | 214 | 245 |
| 蛋类 | Eggs | 46 | 48 | 48 | 52 | 57 | 55 | 66 | 74 |
| 水产品类 | Aquatic Products | 413 | 552 | 547 | 500 | 516 | 552 | 598 | 596 |
| 蔬菜类 | Vegetables | 234 | 319 | 311 | 336 | 335 | 365 | 385 | 414 |
| 调味品 | Condiment | 32 | 35 | 36 | 36 | 36 | 38 | 40 | 45 |
| 糖烟酒饮料 | Sugar, Tobacco, Liquor and Beverage | 396 | 409 | 456 | 506 | 553 | 604 | 649 | 671 |
| 糖类 | Sugar | 29 | 28 | 28 | 33 | 33 | 37 | 36 | 40 |
| 烟草类 | Tobacco | 219 | 233 | 255 | 292 | 326 | 371 | 405 | 398 |
| 酒类 | Liquor | 148 | 88 | 103 | 108 | 116 | 115 | 122 | 139 |
| 饮料 | Beverage | | 60 | 70 | 73 | 78 | 81 | 86 | 93 |
| 干鲜瓜果类 | Dried and Fresh Melons, Fruits | 227 | 232 | 255 | 281 | 297 | 334 | 362 | 382 |
| 糕点、奶及奶制品 | Cake, Milk and Related Products | 155 | 178 | 202 | 213 | 227 | 234 | 253 | 310 |
| 糕点 | Cakes | 58 | 58 | 63 | 69 | 72 | 73 | 83 | 100 |
| 奶及奶制品 | Milk and Related Products | 97 | 120 | 139 | 144 | 155 | 160 | 169 | 210 |
| 其他食品 | Other Food | 60 | 88 | 95 | 101 | 85 | 81 | 72 | 81 |
| 饮食服务 | Catering Services | 601 | 880 | 828 | 911 | 1065 | 1186 | 1358 | 1600 |
| #在外饮食 | Eating Outside | 601 | 879 | 828 | 911 | 1064 | 1185 | 1356 | 1599 |

5－22 续表 continued 单位:元(yuan)

| 项 目 | Item | 2001 | 2002 | 2003 | 2004 | 2005 | 2006 | 2007 | 2008 |
|---|---|---|---|---|---|---|---|---|---|
| **衣着** | **Clothing** | **669** | **744** | **830** | **942** | **1264** | **1384** | **1406** | **1546** |
| #服装 | Garments | 472 | 543 | 628 | 718 | 970 | 1057 | 1070 | 1184 |
| 衣着材料 | Clothing Materials | 21 | 15 | 11 | 10 | 11 | 11 | 11 | 13 |
| 鞋类 | Shoes | 140 | 152 | 159 | 183 | 241 | 272 | 285 | 306 |
| 其他衣着用品 | Other Clothing | 25 | 23 | 22 | 23 | 34 | 35 | 33 | 35 |
| 衣着加工服务费 | Service Expenses of Clothing Processing | 11 | 11 | 10 | 8 | 9 | 9 | 8 | 8 |
| **居住** | **Residence** | **724** | **739** | **953** | **971** | **1059** | **1229** | **1168** | **1334** |
| 住房 | Housing | 347 | 292 | 428 | 447 | 368 | 478 | 401 | 480 |
| 水电燃料及其他 | Water, Electricity and Fuels | 349 | 421 | 492 | 496 | 641 | 698 | 713 | 784 |
| 居住服务费 | Residence Services | 28 | 25 | 34 | 28 | 50 | 53 | 54 | 70 |
| **家庭设备用品及服务** | **Family Articles and Services** | **927** | **522** | **593** | **597** | **609** | **615** | **666** | **713** |
| #耐用消费品 | Durable Consumer Goods | 545 | 283 | 320 | 316 | 285 | 288 | 316 | 307 |
| 室内装饰品 | Interior Decorations | 29 | 19 | 24 | 23 | 27 | 23 | 22 | 20 |
| 床上用品 | Bed Articles | 37 | 46 | 48 | 52 | 74 | 60 | 77 | 85 |
| 家庭日用杂品 | Articles for Daily Use | 115 | 117 | 141 | 147 | 155 | 162 | 175 | 214 |
| 家具材料 | Furniture Materials | 39 | 6 | 13 | 13 | 10 | 18 | 12 | 9 |
| 家庭服务 | Services | 162 | 51 | 47 | 46 | 58 | 65 | 65 | 79 |
| **医疗保健** | **Medicine and Medical Services** | **533** | **668** | **738** | **829** | **832** | **852** | **859** | **933** |
| **交通和通讯** | **Transportation and Communication** | **689** | **899** | **1224** | **1419** | **2097** | **2492** | **2473** | **2393** |
| 交通 | Transportation | 262 | 410 | 640 | 794 | 1299 | 1628 | 1531 | 1455 |
| 通讯 | Communication | 427 | 489 | 584 | 625 | 798 | 864 | 942 | 938 |
| **娱乐、教育、文化** | **Recreation, Education and Cultural Services** | **1065** | **1407** | **1487** | **1681** | **1850** | **1946** | **2158** | **2196** |
| 文化娱乐用品 | Goods for Recreation | 360 | 408 | 389 | 415 | 412 | 449 | 465 | 438 |
| 文化娱乐服务 | Services for Recreation | 155 | 264 | 296 | 407 | 465 | 445 | 495 | 579 |
| 教育 | Education | 636 | 735 | 802 | 860 | 973 | 1053 | 1198 | 1179 |
| **杂项商品和服务** | **Miscellaneous Commodities and Services** | **457** | **261** | **330** | **346** | **402** | **436** | **468** | **521** |

注:杂项商品和服务自2002年起数据统计口径调整。
The data of miscellaneous commodities and services are adjusted since 2002.

## 5－23 城镇居民家庭平均每人全年消费性支出(2008 年)
## Per Capita Annual Consumption Expenditures of Urban Households(2008)

单位:元(yuan)

| 项目 | Item | 总平均 Average | 按可支配收入分组 Grouped by Disposable Income 最低收入户 Lowest Income Households | 低收入户 Low Income Households | 中等偏下户 Lower Middle Income Households | 中等收入户 Middle Income Households | 中等偏上户 Upper Middle Income House-holds | 高收入户 High Income Households | 最高收入户 Highest Income Households |
|---|---|---|---|---|---|---|---|---|---|
| **消费性支出** | **Consumption Expenditure** | **15158** | **7636** | **8536** | **10863** | **12872** | **17505** | **22117** | **33796** |
| **食品** | **Food** | **5523** | **3296** | **3834** | **4620** | **5294** | **6079** | **7509** | **9365** |
| 粮食类 | Category of Grain | 537 | 463 | 511 | 538 | 572 | 559 | 570 | 499 |
| 粮食 | Grain | 298 | 252 | 279 | 294 | 316 | 313 | 323 | 291 |
| 淀粉及薯类 | Starches and Potatoes | 28 | 22 | 23 | 27 | 28 | 31 | 33 | 29 |
| 干豆类及豆制品 | Dried Bean and Related Products | 70 | 62 | 67 | 72 | 77 | 73 | 69 | 59 |
| 油脂类 | Fat or Oil | 141 | 128 | 141 | 145 | 151 | 142 | 144 | 120 |
| 肉禽蛋水产品类 | Meat, Poultry Eggs and Aquatic Products | 1483 | 1067 | 1192 | 1455 | 1521 | 1679 | 1730 | 1636 |
| 肉类 | Meat and Related Products | 568 | 442 | 513 | 592 | 598 | 624 | 588 | 532 |
| 禽类 | Poultry | 245 | 168 | 203 | 252 | 262 | 278 | 259 | 251 |
| 蛋类 | Eggs | 74 | 63 | 66 | 72 | 78 | 81 | 81 | 69 |
| 水产品类 | Aquatic Products | 596 | 394 | 410 | 539 | 583 | 696 | 802 | 784 |
| 蔬菜类 | Vegetables | 414 | 324 | 376 | 408 | 444 | 454 | 443 | 397 |
| 调味品 | Condiment | 45 | 34 | 39 | 48 | 46 | 49 | 54 | 43 |
| 糖烟酒饮料 | Sugar, Tobacco, Liquor and Beverage | 671 | 349 | 445 | 525 | 606 | 745 | 963 | 1308 |
| 糖类 | Sugar | 40 | 22 | 24 | 31 | 39 | 43 | 60 | 77 |
| 烟草类 | Tobacco | 398 | 210 | 276 | 320 | 348 | 448 | 591 | 731 |
| 酒类 | Liquor | 139 | 71 | 87 | 95 | 129 | 149 | 179 | 335 |
| 饮料 | Beverage | 93 | 45 | 58 | 79 | 90 | 105 | 133 | 166 |
| 干鲜瓜果类 | Dried and Fresh Melons, Fruits | 382 | 242 | 262 | 315 | 390 | 444 | 487 | 584 |
| 糕点、奶及奶制品 | Cake, Milk and Related Products | 310 | 202 | 218 | 266 | 306 | 358 | 419 | 444 |
| 糕点 | Cakes | 100 | 62 | 69 | 85 | 107 | 115 | 136 | 136 |
| 奶及奶制品 | Milk and Related Products | 210 | 140 | 149 | 181 | 199 | 243 | 283 | 307 |
| 其他食品 | Other Food | 81 | 44 | 60 | 68 | 91 | 85 | 106 | 123 |
| 饮食服务 | Catering Services | 1600 | 572 | 731 | 997 | 1319 | 1706 | 2737 | 4331 |
| #在外饮食 | Eating Outside | 1599 | 572 | 731 | 996 | 1318 | 1706 | 2736 | 4330 |

5－23 续表 continued 单位:元(yuan)

| 项 目 | Item | 总平均 Average | 按可支配收入分组 Grouped by Disposable Income 最低收入户 Lowest Income Households | 低收入户 Low Income Households | 中等偏下户 Lower Middle Income Households | 中等收入户 Middle Income Households | 中等偏上户 Upper Middle Income House-holds | 高收入户 High Income Households | 最高收入户 Highest Income Households |
|---|---|---|---|---|---|---|---|---|---|
| **衣着** | **Clothing** | **1546** | **617** | **662** | **1001** | **1298** | **1876** | **2331** | **3890** |
| #服装 | Garments | 1184 | 452 | 476 | 726 | 968 | 1442 | 1813 | 3139 |
| 衣着材料 | Clothing Materials | 13 | 12 | 6 | 12 | 9 | 18 | 18 | 15 |
| 鞋类 | Shoes | 306 | 134 | 157 | 228 | 285 | 365 | 443 | 637 |
| 其他衣着用品 | Other Clothing | 35 | 15 | 19 | 29 | 30 | 41 | 45 | 77 |
| 衣着加工服务费 | Service Expenses of Clothing Processing | 8 | 4 | 5 | 6 | 6 | 9 | 11 | 22 |
| **居住** | **Residence** | **1334** | **866** | **806** | **921** | **1090** | **1467** | **1710** | **3242** |
| 住房 | Housing | 480 | 277 | 172 | 153 | 264 | 483 | 652 | 2055 |
| 水电燃料及其他 | Water, Electricity and Fuels | 784 | 567 | 611 | 742 | 771 | 899 | 917 | 982 |
| 居住服务费 | Residence Services | 70 | 22 | 23 | 25 | 55 | 85 | 141 | 205 |
| **家庭设备用品及服务** | **Family Articles and Services** | **713** | **285** | **327** | **428** | **630** | **848** | **987** | **1905** |
| #耐用消费品 | Durable Consumer Goods | 307 | 77 | 148 | 167 | 253 | 350 | 404 | 987 |
| 室内装饰品 | Interior Decorations | 20 | 2 | 5 | 3 | 14 | 22 | 26 | 98 |
| 床上用品 | Bed Articles | 85 | 47 | 28 | 66 | 72 | 111 | 123 | 175 |
| 家庭日用杂品 | Articles for Daily Use | 214 | 137 | 129 | 170 | 201 | 246 | 278 | 394 |
| 家具材料 | Furniture Materials | 9 | 1 | 1 | 1 | 4 | 16 | 7 | 41 |
| 家庭服务 | Services | 79 | 20 | 16 | 22 | 86 | 102 | 150 | 210 |
| **医疗保健** | **Medicine and Medical Services** | **933** | **660** | **646** | **747** | **915** | **1072** | **1095** | **1586** |
| **交通和通讯** | **Transportation and Communication** | **2393** | **734** | **939** | **1396** | **1658** | **3042** | **3886** | **6827** |
| 交通 | Transportation | 1455 | 249 | 346 | 682 | 796 | 1964 | 2562 | 4994 |
| 通讯 | Communication | 938 | 484 | 593 | 714 | 861 | 1078 | 1324 | 1833 |
| **娱乐、教育、文化** | **Recreation, Education and Cultural Services** | **2196** | **1003** | **1150** | **1482** | **1602** | **2497** | **3786** | **5327** |
| 文化娱乐用品 | Goods for Recreation | 438 | 153 | 151 | 238 | 319 | 547 | 825 | 1173 |
| 文化娱乐服务 | Services for Recreation | 579 | 133 | 157 | 322 | 357 | 661 | 1275 | 1724 |
| 教育 | Education | 1179 | 717 | 843 | 922 | 926 | 1288 | 1686 | 2431 |
| **杂项商品和服务** | **Miscellaneous Commodities and Services** | **521** | **176** | **171** | **267** | **386** | **625** | **812** | **1653** |

## 5－24 城镇居民家庭平均每人全年购买主要商品数量(2002－2008 年)
## Per Capita Annual Purchases of Major Commodities of Urban Households(2002－2008)

| 名 称 | | Item | | 2002 | 2003 | 2004 | 2005 | 2006 | 2007 | 2008 |
|---|---|---|---|---|---|---|---|---|---|---|
| 大米 | (公斤) | Rice | (kg) | 58.06 | 58.4 | 58.88 | 54.15 | 54.09 | 51.07 | 52.61 |
| 面粉 | (公斤) | Flour | (kg) | 1.08 | 1.12 | 1.27 | 1.46 | 1.55 | 1.38 | 1.73 |
| 食用植物油 | (公斤) | Edible Vegetables Oil | (kg) | 6.71 | 7.37 | 7.76 | 8.18 | 7.95 | 8.1 | 8.61 |
| 猪肉 | (公斤) | Pork | (kg) | 17.6 | 17.58 | 18.19 | 18.73 | 18.24 | 16.3 | 16.76 |
| 牛肉 | (公斤) | Beef | (kg) | 0.84 | 0.88 | 0.93 | 1.24 | 1.48 | 1.58 | 1.34 |
| 羊肉 | (公斤) | Mutton | (kg) | 0.18 | 0.22 | 0.26 | 0.41 | 0.41 | 0.36 | 0.3 |
| 鸡 | (公斤) | Chicken | (kg) | 5.15 | 5.13 | 4.34 | 5.02 | 4.48 | 5.09 | 5.25 |
| 鸭 | (公斤) | Duck | (kg) | 3.07 | 3.14 | 3.13 | 3.35 | 3.13 | 2.93 | 3 |
| 鲜蛋 | (公斤) | Fresh Eggs | (kg) | 7.17 | 7.24 | 6.49 | 6.4 | 6.49 | 6.32 | 6.77 |
| 鱼 | (公斤) | Fish | (kg) | 14.9 | 15.18 | 13.02 | 13.65 | 13.55 | 14.27 | 13.33 |
| 虾 | (公斤) | Shrimp | (kg) | 3.77 | 3.6 | 3.28 | 3.01 | 3.17 | 3.53 | 3.07 |
| 鲜菜 | (公斤) | Fresh Vegetables | (kg) | 108.25 | 101.5 | 102.28 | 88.71 | 91.15 | 91.32 | 88.65 |
| 白酒 | (公斤) | White Spirit | (kg) | 1.47 | 1.56 | 1.95 | 1.93 | 2.04 | 2.02 | 1.54 |
| 啤酒 | (公斤) | Beer | (kg) | 10.11 | 10.52 | 11.14 | 9.97 | 10.26 | 9.15 | 7.53 |
| 茶叶 | (公斤) | Tea | (kg) | 0.14 | 0.14 | 0.16 | 0.17 | 0.17 | 0.17 | 0.18 |
| 鲜果 | (公斤) | Fresh fruit | (kg) | 35.9 | 39.39 | 41.45 | 37.07 | 37.24 | 39.14 | 36.16 |
| 鲜瓜 | (公斤) | Fresh melon | (kg) | 21.87 | 26.66 | 24.96 | 23.43 | 25.6 | 25.52 | 18.83 |
| 糕点 | (公斤) | Cake | (kg) | 3.68 | 4 | 4.13 | 4.08 | 4.06 | 4.32 | 4.63 |
| 鲜奶 | (公斤) | Fresh Milk | (kg) | 15.25 | 16.55 | 16.07 | 13.45 | 13.35 | 13.3 | 11.42 |
| 服装 | (件) | Garments | (piece) | 7.91 | 8.37 | 8.33 | 9.71 | 9.54 | 8.91 | 8.84 |
| 鞋 | (双) | Shoes | (pair) | 2.49 | 2.82 | 2.62 | 2.97 | 2.89 | 2.82 | 2.76 |
| 水 | (吨) | Water | (tons) | 44.07 | 42.39 | 43.68 | 56.38 | 56.92 | 56.8 | 58.65 |
| 电 | (千瓦时) | Electricity | (kw. h) | 424.33 | 543.5 | 542.11 | 656.07 | 717.25 | 726.23 | 805.66 |
| 煤炭 | (公斤) | Coal | (kg) | 13.08 | 12.31 | 12.37 | 11.56 | 8.82 | 6.25 | 4.58 |
| 罐装液化气 | (公斤) | Tank LPG | (kg) | 31.4 | 28.92 | 25.44 | 30.23 | 28.1 | 27.71 | 26.38 |
| 管道液化气 | (立方米) | Pipeline LPG | (Cu. m) | | | | | | | 0.9 |
| 管道煤气 | (立方米) | Pipeline Gas | (Cu. m) | 9.64 | 11.68 | 10 | 8.39 | 9.11 | 9.6 | 2.17 |
| 天然气 | (立方米) | Natural Gas | (Cu. m) | | | | | | | 11.21 |

## 5-25 城镇居民家庭平均每人全年购买主要商品数量(2008 年)
Per Capita Annual Purchases of Major Commodities of Urban Households(2008)

| 名 称 | | Item | | 总平均 Average | 最低收入户 Lowest Income Households | 低收入户 Low Income Households | 中等偏下户 Lower Middle Income Households | 中等收入户 Middle Income Households | 中等偏上户 Upper Middle Income Households | 高收入户 High Income Households | 最高收入户 Highest Income Households |
|---|---|---|---|---|---|---|---|---|---|---|---|
| | | | | | 按可支配收入分组 Grouped by Disposable Income | | | | | | |
| 大米 | (公斤) | Rice | (kg) | 52.61 | 49.6 | 54.31 | 56.84 | 55.61 | 51.68 | 52.27 | 40.95 |
| 面粉 | (公斤) | Flour | (kg) | 1.73 | 1.89 | 2.18 | 1.74 | 1.95 | 1.77 | 1.18 | 1 |
| 食用植物油 | (公斤) | Edible Vegetables Oil | (kg) | 8.61 | 7.78 | 8.96 | 9.11 | 9.36 | 8.4 | 8.71 | 6.82 |
| 猪肉 | (公斤) | Pork | (kg) | 16.76 | 14.07 | 16.21 | 17.85 | 17.83 | 17.96 | 16.13 | 14.06 |
| 牛肉 | (公斤) | Beef | (kg) | 1.34 | 1.08 | 1.01 | 1.41 | 1.34 | 1.54 | 1.5 | 1.35 |
| 羊肉 | (公斤) | Mutton | (kg) | 0.3 | 0.23 | 0.24 | 0.3 | 0.31 | 0.42 | 0.24 | 0.28 |
| 鸡 | (公斤) | Chicken | (kg) | 5.25 | 4.26 | 4.7 | 5.54 | 5.61 | 5.8 | 5.21 | 4.57 |
| 鸭 | (公斤) | Duck | (kg) | 3 | 1.9 | 2.73 | 3.28 | 3.23 | 3.72 | 2.57 | 2.4 |
| 鲜蛋 | (公斤) | Fresh Eggs | (kg) | 6.77 | 5.92 | 6.55 | 6.85 | 7.23 | 7.29 | 6.91 | 5.71 |
| 鱼 | (公斤) | Fish | (kg) | 13.33 | 11.1 | 11.02 | 13.34 | 13.89 | 15.06 | 14.47 | 12.83 |
| 虾 | (公斤) | Shrimp | (kg) | 3.07 | 2.19 | 2.44 | 3.02 | 2.98 | 3.56 | 3.86 | 3.31 |
| 鲜菜 | (公斤) | Fresh Vegetables | (kg) | 88.65 | 77.86 | 88.76 | 89.23 | 94.84 | 94.85 | 86.87 | 75.82 |
| 白酒 | (公斤) | White Spirit | (kg) | 1.54 | 1.59 | 1.28 | 1.61 | 1.96 | 1.47 | 1.25 | 1.25 |
| 啤酒 | (公斤) | Beer | (kg) | 7.53 | 6.01 | 7.39 | 7.31 | 8.61 | 7.85 | 7.57 | 7.05 |
| 茶叶 | (公斤) | Tea | (kg) | 0.18 | 0.11 | 0.13 | 0.16 | 0.2 | 0.2 | 0.28 | 0.17 |
| 鲜果 | (公斤) | Fresh fruit | (kg) | 36.16 | 25.18 | 29.04 | 32.06 | 38.54 | 41.37 | 41.31 | 45.44 |
| 鲜瓜 | (公斤) | Fresh melon | (kg) | 18.83 | 13.44 | 14.65 | 17.42 | 20.26 | 20.24 | 21.8 | 24.37 |
| 糕点 | (公斤) | Cake | (kg) | 4.63 | 3.23 | 3.66 | 4.24 | 5.08 | 5.06 | 5.64 | 5.49 |
| 鲜奶 | (公斤) | Fresh Milk | (kg) | 11.42 | 7.05 | 8.68 | 9.89 | 11.83 | 13.28 | 15.46 | 14.26 |
| 服装 | (件) | Garments | (piece) | 8.84 | 5.46 | 5.8 | 7.44 | 8.56 | 10.34 | 11.63 | 14.09 |
| 鞋 | (双) | Shoes | (pair) | 2.76 | 2.05 | 2.07 | 2.45 | 2.75 | 3.11 | 3.38 | 3.81 |
| 水 | (吨) | Water | (tons) | 58.65 | 40.81 | 42.74 | 56.84 | 56.22 | 69.91 | 67.81 | 74.34 |
| 电 | (千瓦时) | Electricity | (kw. h) | 805.66 | 533.84 | 593.25 | 734.13 | 788.75 | 935.86 | 983.44 | 1111.74 |
| 煤炭 | (公斤) | Coal | (kg) | 4.58 | 6.03 | 4.92 | 6.68 | 5.34 | 4.4 | 0.99 | 0.49 |
| 罐装液化气 | (公斤) | Tank LPG | (kg) | 26.38 | 26.35 | 26.94 | 28.74 | 28 | 27.89 | 21.31 | 19.36 |
| 管道液化气 | (立方米) | Pipeline LPG | (Cu. m) | 0.9 | 0.54 | 0.35 | 0.4 | 0.71 | 1.01 | 2.13 | 2 |
| 管道煤气 | (立方米) | Pipeline Gas | (Cu. m) | 2.17 | 0.67 | 1.26 | 1.71 | 1.41 | 1.02 | 10.58 | 1.33 |
| 天然气 | (立方米) | Natural Gas | (Cu. m) | 11.21 | 6.29 | 5.34 | 6.18 | 10.3 | 15.35 | 21.68 | 17.56 |

## 5-26 城镇居民家庭平均每百户耐用消费品购买量(2002-2008年)
## Per 100 Urban Households Annual Average Purchases of Durable Consumer Goods(2002-2008)

| 名　称 | | Item | | 2002 | 2003 | 2004 | 2005 | 2006 | 2007 | 2008 |
|---|---|---|---|---|---|---|---|---|---|---|
| 摩托车 | (辆) | Motorcycle | (unit) | 2.28 | 1.44 | 2.28 | 1.44 | 0.96 | 0.76 | 0.78 |
| 助力车 | (辆) | Electric Bicycle | (unit) | 3 | 6.72 | 6.96 | 5.4 | 5.64 | 4.97 | 5.35 |
| 家用汽车 | (辆) | Household Car | (unit) | 0.24 | 0.6 | 0.84 | 1.92 | 2.16 | 1.96 | 1.03 |
| 洗衣机 | (台) | Washing Machine | (unit) | 4.2 | 4.68 | 4.56 | 3.72 | 2.76 | 3.07 | 3.62 |
| 电冰箱 | (台) | Refrigerator | (unit) | 4.8 | 4.2 | 4.8 | 4.56 | 3.96 | 3.73 | 3.74 |
| 彩色电视机 | (台) | Color TV Set | (unit) | 9.84 | 7.8 | 8.04 | 7.44 | 7.2 | 6.12 | 7.84 |
| 家用电脑 | (台) | Household Computer | (unit) | 7.08 | 7.32 | 6.48 | 6.12 | 7.2 | 7.77 | 5.97 |
| 组合音响 | (台) | Hi-Fi Stereo Component System | (unit) | 1.08 | 0.84 | 0.96 | 0.48 | 0.48 | 1.36 | 0.34 |
| 摄像机 | (架) | Vidicon | (unit) | 0.12 | 0.24 | 0.24 | 0.36 | 0.36 | 0.36 | 0.43 |
| 照相机 | (架) | Camera | (unit) | 1.44 | 2.28 | 2.64 | 3.24 | 3.96 | 4.28 | 3.29 |
| 钢琴 | (架) | Piano | (unit) | 0.12 | 0.12 | 0.12 | 0.24 | 0.12 | 0.05 | 0.22 |
| 中高档乐器 | (架) | Medium or High Rank Instrument | (unit) | 0.96 | 0.72 | 0.6 | 1.08 | 1.08 | 1.04 | 0.78 |
| 微波炉 | (台) | Microwave Oven | (unit) | 5.4 | 4.92 | 5.16 | 3 | 3.12 | 1.8 | 2.6 |
| 空调器 | (台) | Air Conditioner | (unit) | 10.32 | 16.08 | 13.32 | 9.6 | 7.92 | 9.45 | 6.68 |
| 淋浴热水器 | (个) | Shower | (unit) | 4.56 | 5.52 | 4.56 | 5.64 | 4.92 | 3.9 | 3.68 |
| 消毒碗柜 | (台) | Disinfecting Cupboard | (unit) | 0.84 | 0.96 | 0.72 | 0.72 | 0.48 | 0.53 | 0.42 |
| 洗碗机 | (台) | Dishwasher | (unit) | | | 0.12 | | | 0.01 | 0.02 |
| 健身器材 | (件) | Fitness Equipment | (unit) | | | | | | 0.13 | 0.48 |
| 电话机 | (部) | Telephone | (unit) | 8.88 | 8.52 | 6.96 | 6.24 | 5.04 | 4.58 | 5.61 |
| 移动电话 | (部) | Mobile phone | (unit) | 23.28 | 26.04 | 25.08 | 26.52 | 27.72 | 31.18 | 25.47 |

## 5-27 城镇居民家庭平均每百户耐用消费品购买量(2008 年)
## Per 100 Urban Households Annual Average Purchases of Durable Consumer Goods(2008)

| 名　称 | | Item | | 总平均 Average | 按可支配收入分组 Grouped by Disposable Income | | | | | | |
|---|---|---|---|---|---|---|---|---|---|---|---|
| | | | | | 最低收入户 Lowest Income Households | 低收入户 Low Income Households | 中等偏下户 Lower Middle Income Households | 中等收入户 Middle Income Households | 中等偏上户 Upper Middle Income Households | 高收入户 High Income Households | 最高收入户 Highest Income Households |
| 洗衣机 | (台) | Washing Machine | (unit) | 3.62 | 0.87 | 3.22 | 2.18 | 2.93 | 4.68 | 3.93 | 8.27 |
| 电冰箱 | (台) | Refrigerator | (unit) | 3.74 | 1.12 | 3.82 | 2.64 | 2.96 | 4.3 | 5.5 | 6.83 |
| 微波炉 | (台) | Microwave Oven | (unit) | 2.6 | 2.62 | 0.66 | 2.22 | 3.8 | 2.37 | 1.86 | 4.25 |
| 空调器 | (台) | Air Conditioner | (unit) | 6.68 | 1.21 | 5.09 | 4.92 | 5.87 | 5.74 | 8.56 | 18.47 |
| 淋浴热水器 | (个) | Shower | (unit) | 3.68 | 1.17 | 2.04 | 1.9 | 3.05 | 4.69 | 4.32 | 9.74 |
| 消毒碗柜 | (台) | Disinfecting Cupboard | (unit) | 0.42 | 0.15 | | 0.37 | 0.3 | 0.43 | 0.36 | 1.44 |
| 洗碗机 | (台) | Dishwasher | (unit) | 0.02 | 0.14 | 0.07 | | | | | |
| 摩托车 | (辆) | Motorcycle | (unit) | 0.78 | 0.26 | 0.3 | 0.26 | 0.7 | 1.37 | 1.03 | 1.54 |
| 助力车 | (辆) | Electric Bicycle | (unit) | 5.35 | 3.08 | 4.71 | 4.32 | 5.71 | 6.74 | 7.37 | 4.62 |
| 家用汽车 | (辆) | Household Car | (unit) | 1.03 | | | 0.52 | 0.23 | 1.8 | 1.64 | 3.42 |
| 电话机 | (部) | Telephone | (unit) | 5.61 | 2.32 | 6.33 | 3.38 | 5.75 | 6.81 | 4.16 | 10.97 |
| 移动电话 | (部) | Mobile phone | (unit) | 25.47 | 11.49 | 14.3 | 20.66 | 24.62 | 26.92 | 34.53 | 49.35 |
| 彩色电视机 | (台) | Color TV Set | (unit) | 7.84 | 5.99 | 4.33 | 4.59 | 5.63 | 8.79 | 13.06 | 16.69 |
| 家用电脑 | (台) | Household Computer | (unit) | 5.97 | 2.87 | 3.22 | 4.83 | 4.77 | 8.06 | 8.86 | 9.18 |
| 组合音响 | (台) | Hi-Fi Stereo Component System | (unit) | 0.34 | | 0.14 | 0.18 | 0.04 | 0.38 | 0.71 | 1.28 |
| 摄像机 | (架) | Vidicon | (unit) | 0.43 | | | 0.25 | 0.28 | 0.72 | 1.07 | 0.68 |
| 照相机 | (架) | Camera | (unit) | 3.29 | 0.84 | 1.17 | 1.67 | 2.45 | 4.18 | 7.22 | 6.81 |
| 钢琴 | (架) | Piano | (unit) | 0.22 | 0.13 | 0.02 | | 0.21 | 0.18 | 0.44 | 0.8 |
| 中高档乐器 | (架) | Medium or High Rank Instrument | (unit) | 0.78 | 0.19 | 0.21 | 0.78 | 1.16 | 0.81 | 1.64 | 0.31 |
| 健身器材 | (件) | Fitness Equipment | (unit) | 0.48 | | | 0.69 | 0.01 | 0.5 | 0.56 | 1.83 |

## 5-28 城镇居民家庭平均每百户耐用消费品拥有量(2002-2008年)
Per 100 Urban Households Annual Average Possession of Durable Consumer Goods(2002-2008)

| 名 称 | | Item | | 2002 | 2003 | 2004 | 2005 | 2006 | 2007 | 2008 |
|---|---|---|---|---|---|---|---|---|---|---|
| 摩托车 | (辆) | Motorcycle | (unit) | 18.82 | 25.53 | 29.41 | 32.65 | 31.84 | 30.38 | 25.85 |
| 助力车 | (辆) | Electric Bicycle | (unit) | 10.19 | 15.89 | 23.18 | 30.12 | 34.75 | 37.67 | 39.82 |
| 家用汽车 | (辆) | Household Car | (unit) | 1.44 | 2.98 | 3.52 | 8.71 | 11.03 | 13.86 | 19.65 |
| 洗衣机 | (台) | Washing Machine | (unit) | 92.41 | 92.69 | 94.94 | 91.45 | 93.06 | 92.91 | 91.23 |
| 电冰箱 | (台) | Refrigerator | (unit) | 98.96 | 98.6 | 98.93 | 97.79 | 99.27 | 100.04 | 97.87 |
| 彩色电视机 | (台) | Color TV Set | (unit) | 152.46 | 159.39 | 163.14 | 178.62 | 181.02 | 182.89 | 176.18 |
| 家用电脑 | (台) | Household Computer | (unit) | 29.6 | 40.23 | 44.72 | 59.47 | 64.83 | 73.76 | 79.45 |
| 组合音响 | (台) | Hi-Fi Stereo Component System | (unit) | 25.97 | 28.11 | 30.41 | 36.56 | 36.47 | 38.26 | 33.4 |
| 摄像机 | (架) | Vidicon | (unit) | 2.73 | 2.76 | 3.07 | 5.24 | 6.24 | 6.3 | 8.55 |
| 照相机 | (架) | Camera | (unit) | 49.36 | 50.72 | 51.47 | 51.35 | 52.51 | 52.15 | 45.8 |
| 钢琴 | (架) | Piano | (unit) | 1.22 | 2 | 2.28 | 2.64 | 2.48 | 2.62 | 2.7 |
| 中高档乐器 | (架) | Medium or High Rank Instrument | (unit) | 7.15 | 6.5 | 8.19 | 7.83 | 8.99 | 7.16 | 4.59 |
| 微波炉 | (台) | Microwave oven | (unit) | 41.44 | 51.21 | 51.65 | 58.24 | 60.06 | 65.67 | 66.35 |
| 空调器 | (台) | Air conditioner | (unit) | 85.56 | 105.23 | 115.7 | 146.89 | 152.42 | 161.02 | 170.73 |
| 淋浴热水器 | (个) | Shower | (unit) | 79.99 | 82.98 | 80.7 | 90.35 | 91.41 | 95.17 | 96.68 |
| 消毒碗柜 | (台) | Disinfecting Cupboard | (unit) | 13.51 | 16.08 | 16.6 | 21.7 | 21.55 | 22.4 | 23.67 |
| 洗碗机 | (台) | Dishwasher | (unit) | 0.58 | 0.99 | 0.85 | 0.84 | 0.63 | 0.57 | 1 |
| 健身器材 | (件) | Fitness Equipment | (unit) | 5.12 | 5.68 | 4.45 | 6.29 | 7.13 | 6.99 | 5.4 |
| 固定电话 | (部) | Fixed Telephone | (unit) | 99.72 | 100.1 | 99.37 | 96.84 | 95.81 | 95.54 | 90.07 |
| 移动电话 | (部) | Mobile phone | (unit) | 95.07 | 130.64 | 144.58 | 174.73 | 182.63 | 190.69 | 188.95 |

## 5-29 城镇居民家庭平均每百户耐用消费品拥有量(2008年)
Per 100 Urban Households Annual Average Possession of Durable Consumer Goods(2008)

| 名称 | | Item | | 总平均 Average | 按可支配收入分组 Grouped by Disposable Income | | | | | | |
|---|---|---|---|---|---|---|---|---|---|---|---|
| | | | | | 最低收入户 Lowest Income Households | 低收入户 Low Income Households | 中等偏下户 Lower Middle Income Households | 中等收入户 Middle Income Households | 中等偏上户 Upper Middle Income House-holds | 高收入户 High Income Households | 最高收入户 Highest Income Households |
| 摩托车 | (辆) | Motorcycle | (unit) | 25.85 | 21.82 | 24.1 | 28.96 | 28.19 | 24.68 | 27.95 | 21.17 |
| 助力车 | (辆) | Electric Bicycle | (unit) | 39.82 | 38.53 | 43.74 | 43.81 | 36.42 | 43.6 | 34.18 | 33.74 |
| 家用汽车 | (辆) | Household Car | (unit) | 19.65 | 3.48 | 3.45 | 8.88 | 14.98 | 23.43 | 35.34 | 58.19 |
| 洗衣机 | (台) | Washing Machine | (unit) | 91.23 | 82.32 | 82.63 | 91.22 | 88.83 | 94.72 | 95.42 | 101.96 |
| 电冰箱 | (台) | Refrigerator | (unit) | 97.87 | 91.8 | 95.48 | 98.14 | 95.06 | 99.79 | 100.45 | 104.34 |
| 彩色电视机 | (台) | Color TV Set | (unit) | 176.18 | 146.88 | 154.98 | 167.67 | 172.47 | 183.91 | 197.06 | 212.68 |
| 家用电脑 | (台) | Household Computer | (unit) | 79.45 | 55.3 | 57.99 | 69.87 | 72.96 | 85.99 | 103.75 | 117.83 |
| 组合音响 | (台) | Hi - Fi Stereo Component System | (unit) | 33.4 | 16.13 | 21.53 | 31.66 | 30.48 | 36.35 | 43.01 | 55.27 |
| 摄像机 | (架) | Vidicon | (unit) | 8.55 | 1.38 | 2.27 | 4.82 | 6.11 | 11.21 | 12.74 | 24.15 |
| 照相机 | (架) | Camera | (unit) | 45.8 | 18.75 | 24.94 | 33.98 | 40 | 56.16 | 70.62 | 81.08 |
| 钢琴 | (架) | Piano | (unit) | 2.7 | 0.38 | 1.77 | 2.08 | 1.43 | 3.56 | 4.93 | 5.56 |
| 其他中高档乐器 | (件) | Other Middle or High - Grade Instrument | (unit) | 4.59 | 2.09 | 3.45 | 3.43 | 4.6 | 6.08 | 5.35 | 6.53 |
| 微波炉 | (台) | Microwave Oven | (unit) | 66.35 | 45.95 | 48.3 | 62.71 | 65.81 | 73.22 | 81.63 | 83.18 |
| 空调器 | (台) | Air Conditioner | (unit) | 170.73 | 105.64 | 121.51 | 148.29 | 160.23 | 189.61 | 217.2 | 261.79 |
| 淋浴热水器 | (个) | Shower | (unit) | 96.68 | 78.91 | 81.66 | 92.26 | 91.67 | 105.11 | 108.87 | 117.87 |
| 消毒碗柜 | (台) | Disinfecting Cupboard | (unit) | 23.67 | 8.77 | 15.27 | 17.82 | 22.66 | 27.93 | 31.79 | 42.77 |
| 洗碗机 | (台) | Dishwasher | (unit) | 1 | 0.13 | 0.87 | 0.38 | 0.93 | 1.03 | 1.7 | 2.55 |
| 健身器材 | (件) | Fitness Equipment | (unit) | 5.4 | 0.5 | 2.23 | 1.62 | 3.44 | 8.45 | 9.02 | 14.53 |
| 固定电话 | (部) | Fixed Telephone | (unit) | 90.07 | 82.2 | 87.07 | 87.23 | 90.23 | 94.6 | 92.62 | 94.01 |
| 移动电话 | (部) | Mobile phone | (unit) | 188.95 | 158.03 | 172.86 | 180.14 | 181.61 | 195.78 | 208.08 | 232.63 |

## 5-30 城镇居民家庭居住情况(2002-2008 年)
Living Conditions of Urban Households(2002-2008)

单位:%(%)

| 项 目 | Item | 2002 | 2003 | 2004 | 2005 | 2006 | 2007 | 2008 |
|---|---|---|---|---|---|---|---|---|
| **调查总户数** | **Number of Households Surveyed** | **100** | **100** | **100** | **100** | **100** | **100** | **100** |
| **按房屋产权分** | **By Property Right of House** | | | | | | | |
| 租赁公房 | Rental State-owned House | 8.2 | 6.4 | 5.2 | 4.1 | 4.2 | 3.6 | 3.3 |
| 租赁私房 | Rental Private House | 1.4 | 1.6 | 1.5 | 2.9 | 3.2 | 3.1 | 6.08 |
| 自有房 | Private House | 88.3 | 90.8 | 92.3 | 90.4 | 90.3 | 92.3 | 89.7 |
| 原有私房 | Original Private House | 14.1 | 14.7 | 16.5 | 12.7 | 12.6 | 10.7 | 10.43 |
| 房改私房 | Private House after House Reforming | 55.8 | 50.5 | 48.3 | 32.1 | 31.7 | 32 | 27 |
| 商品房 | Commercial House | 18.4 | 25.7 | 27.6 | 45.5 | 46 | 49.6 | 52.26 |
| 其他 | Others | 2.1 | 1.2 | 1 | 2.7 | 2.4 | 1 | 0.92 |
| **按住宅建筑式样分** | **By Building Type** | | | | | | | |
| 单栋住宅 | One Household | 5.2 | 5.8 | 8.7 | 8.7 | 8.5 | 7.8 | 6.4 |
| 四居室 | Four Bedrooms | 7.7 | 5.9 | 4.5 | 6.7 | 5.7 | 4 | 4.6 |
| 三居室 | Three Bedrooms | 23 | 25.4 | 29.9 | 32.4 | 33.5 | 36 | 36.82 |
| 二居室 | Two Bedrooms | 53.8 | 52.9 | 46 | 42 | 42.1 | 42.5 | 43.42 |
| 一居室 | One Bedroom | 3.4 | 3.3 | 3.5 | 3.4 | 3.9 | 4 | 4.46 |
| 普通楼房 | Common House | 6 | 5.2 | 5.8 | 5.6 | 4.9 | 3.4 | 3.5 |
| 平房及其他 | Others | 1 | 1.4 | 1.6 | 1.3 | 1.3 | 1.3 | 0.8 |
| **按用水情况分** | **By Water Using** | | | | | | | |
| 独用自来水 | Tap Water Owned Per Household | 99.2 | 99.2 | 99.1 | 97.9 | 98.4 | 99.7 | 99.87 |
| 公用自来水 | Public Tap Water | 0.5 | 0.6 | 0.7 | 1.8 | 1.3 | 0.2 | 0.11 |
| 井水、河水 | Wall Water and River | 0.3 | 0.2 | 0.2 | 0.3 | 0.3 | 0.1 | 0.02 |
| **按卫生设备情况分** | **By Health Facilities** | | | | | | | |
| 无卫生设备 | Without Health Facilities | 5 | 3 | 2.1 | 2.6 | 2.7 | 1.3 | 0.9 |
| 有浴室厕所 | Bathroom and Toilet Room Owned Per Household | 87.1 | 87.6 | 88.2 | 91.4 | 90.3 | 93.1 | 92.67 |
| 有厕所无浴室 | Toilet Room Owned But Without Bath Room | 6.9 | 8.7 | 9 | 5.7 | 6.7 | 5.4 | 6.19 |
| 公用卫生设备 | Public Health Facilities | 1 | 0.8 | 0.8 | 0.3 | 0.3 | 0.3 | 0.25 |
| **按取暖设备情况分** | **By Heating Facilities** | | | | | | | |
| 无取暖设备 | Without Heating Equipment | 42.3 | 36.2 | 33.2 | 19.5 | 17.3 | 14.3 | 10.81 |
| 空调设备 | Air Coditioner Owned | 53.7 | 62.2 | 65.7 | 80.4 | 82.5 | 85.5 | 88.97 |
| 暖气 | Warm Gas | | | | | | | |
| 其他 | Others | 4 | 1.6 | 1.1 | 0.1 | 0.2 | 0.2 | 0.23 |
| **按炊用燃料使用情况分** | **By Fuel Types** | | | | | | | |
| 煤炭 | Coal | 0.7 | 0.7 | 0.8 | 0.5 | 0.3 | 0.2 | 0.32 |
| 罐装液化石油气 | Tank LPG | 82.5 | 81.1 | 82.9 | 80.7 | 79.9 | 79.7 | 74.04 |
| 管道液化石油气 | Pipeline LPG | | | | | | | 4.38 |
| 管道煤气 | Pipeline Gas | 16.5 | 18.2 | 16.1 | 18.5 | 19.5 | 19.6 | 1.6 |
| 管道天然气 | Pipeline Gas | | | | | | | 19.21 |
| 其他 | Others | 0.2 | 0.1 | 0.2 | 0.4 | 0.3 | 0.3 | 0.45 |

## 5-31 历年农村居民生活水平(1978-2008年)
Living Standard of Rural Resident(1978-2008)

| 年 份 Year | 人均纯收入(元) Per Capita Net Income(yuan) | 人均纯收入指数(上年=100) Growth Rate of Per Capita Net Income (Preceding year=100) | 人均消费性支出(元) Per Capita Consumption Expenditure (yuan) | #食品支出 Food | 恩格尔系数 Engel Coefficient | 人均居住面积(平方米) Per Captia Floor Space of Residential Buildings (sq. m) |
|---|---|---|---|---|---|---|
| 1978 | 165 | | 157 | 93 | 59.1 | |
| 1979 | 195 | 115.2 | 175 | 100 | 57.1 | |
| 1980 | 219 | 103.3 | 192 | 109 | 56.8 | 16.07 |
| 1981 | 286 | 129.0 | 267 | 147 | 55.2 | 14.02 |
| 1982 | 346 | 120.4 | 302 | 170 | 56.3 | 16.57 |
| 1983 | 359 | 102.3 | 326 | 183 | 56.2 | 19.32 |
| 1984 | 446 | 123.5 | 369 | 202 | 54.6 | 20.45 |
| 1985 | 549 | 112.5 | 474 | 247 | 52.1 | 22.08 |
| 1986 | 609 | 105.0 | 561 | 282 | 50.3 | 23.02 |
| 1987 | 725 | 113.6 | 659 | 320 | 48.6 | 24.73 |
| 1988 | 902 | 108.1 | 839 | 389 | 46.4 | 25.98 |
| 1989 | 1011 | 97.4 | 927 | 445 | 48.0 | 27.09 |
| 1990 | 1099 | 102.7 | 946 | 436 | 46.1 | 29.26 |
| 1991 | 1211 | 108.9 | 1027 | 518 | 50.5 | 30.77 |
| 1992 | 1359 | 108.8 | 1112 | 548 | 49.2 | 31.34 |
| 1993 | 1746 | 110.2 | 1263 | 633 | 50.2 | 32.62 |
| 1994 | 2225 | 104.1 | 1680 | 800 | 47.6 | 32.77 |
| 1995 | 2966 | 105.3 | 2378 | 1198 | 50.4 | 34.14 |
| 1996 | 3463 | 106.1 | 2702 | 1367 | 50.6 | 35.78 |
| 1997 | 3684 | 103.8 | 2839 | 1378 | 48.5 | 37.30 |
| 1998 | 3815 | 104.7 | 2891 | 1362 | 47.1 | 38.53 |
| 1999 | 3948 | 105.6 | 2806 | 1293 | 46.1 | 40.27 |
| 2000 | 4254 | 107.8 | 3231 | 1406 | 43.5 | 46.42 |
| 2001 | 4582 | 106.9 | 3479 | 1449 | 41.6 | 47.82 |
| 2002 | 4940 | 108.4 | 3693 | 1508 | 40.8 | 49.53 |
| 2003 | 5431 | 107.8 | 4287 | 1637 | 38.2 | 50.73 |
| 2004 | 6096 | 107.4 | 4659 | 1839 | 39.5 | 51.29 |
| 2005 | 6660 | 106.4 | 5215 | 2011 | 38.6 | 54.98 |
| 2006 | 7335 | 109.3 | 5762 | 2141 | 37.2 | 55.57 |
| 2007 | 8265 | 108.2 | 6442 | 2347 | 36.4 | 57.06 |
| 2008 | 9258 | 106.2 | 7072 | 2690 | 38.0 | 58.50 |

注:人均纯收入指数扣除价格因素。
Growth rate of per-capita net income was excluded price changes.

## 5－32 农村居民家庭基本情况(2002－2008 年)
Basic Statistics on Rural Households(2002－2008)

| 项　目 | | Item | | 2002 | 2003 | 2004 | 2005 | 2006 | 2007 | 2008 |
|---|---|---|---|---|---|---|---|---|---|---|
| **调查户数** | **(户)** | **Number of Household Surveyed** | **(household)** | **2700** | **2700** | **2700** | **4700** | **4700** | **4700** | **4700** |
| **常住人口** | **(人)** | **Number of Permanent Residents** | **(person)** | **9694** | **9636** | **9532** | **16709** | **16675** | **16629** | **16477** |
| 户均常住人口 | (人) | Average Permanent Residents Per Household | (person) | 3.59 | 3.57 | 3.53 | 3.56 | 3.55 | 3.54 | 3.51 |
| **户均整半劳动力** | **(人)** | **Average Able－bodied and Semi－ablebodied Laborers Per Household** | **(person)** | **2.59** | **2.61** | **2.58** | **2.60** | **2.60** | **2.60** | **2.58** |
| 整半劳动力占人口比重 | (%) | Percentage of Able－bodied and Semi－ablebodied Laborers | (%) | 72.16 | 73.16 | 73.08 | 73.02 | 73.36 | 73.53 | 73.65 |
| **每百个劳动力中:** | | **Among Per 100 Laborers** | | | | | | | | |
| **乡村企业人数** | **(人)** | **Laborers in Rural Enterprises** | **(person)** | **14.34** | **14.79** | **21.72** | **22.32** | **23.11** | **27.13** | **28.34** |
| **外出劳动力人数** | **(人)** | **Laborers Outside** | **(person)** | **9.25** | **12.68** | **12.98** | **10.7** | **10.81** | **9.94** | **9.69** |
| **平均每百个劳动力中:** | | **Among Per 100 Laborers** | | | | | | | | |
| 不识字或识字很少 | (人) | Illiterate or Semiliterate | (person) | 6.52 | 6.31 | 7.05 | 6.84 | 6.69 | 6.09 | 5.72 |
| 小学程度 | (人) | Primary School | (person) | 34.45 | 33.77 | 32.86 | 32.25 | 31.34 | 31.51 | 31.28 |
| 初中程度 | (人) | Junior Secondary School | (person) | 44.19 | 45.6 | 45.2 | 45.06 | 45.72 | 44.7 | 44.02 |
| 高中程度 | (人) | Senior Secondary School | (person) | 11.69 | 11.32 | 11.73 | 12.23 | 12.3 | 12.74 | 12.98 |
| 中专程度 | (人) | Specialized Secondary School | (person) | 2.44 | 2.13 | 2.12 | 2.17 | 2.28 | 2.7 | 3.11 |
| 大专程度 | (人) | College | (person) | 0.7 | 0.87 | 1.03 | 1.46 | 1.67 | 2.27 | 2.89 |
| **按人均纯收入分组的户数占调查户数的比重** | **(%)** | **Percentage of Households Grouped by Per Capita Net Income** | **(%)** | | | | | | | |
| 500 元以下 | | <500 yuan | | 0.6 | 0.7 | 0.5 | 1.4 | 0.9 | 0.9 | 0.9 |
| 500－1000 元 | | 500－1000 yuan | | 1.8 | 1.7 | 1.2 | 1.4 | 0.9 | 0.6 | 0.5 |
| 1000－1500 元 | | 1000－1500 yuan | | 4.1 | 3.4 | 3.2 | 2.5 | 1.9 | 1.6 | 1.1 |
| 1500－2000 元 | | 1500－2000 yuan | | 5.9 | 5 | 3.2 | 3.7 | 2.9 | 2.2 | 1.5 |
| 2000－2500 元 | | 2000－2500 yuan | | 8.7 | 6.4 | 4.6 | 4.5 | 3 | 2.9 | 2.5 |
| 2500－3000 元 | | 2500－3000 yuan | | 7.3 | 7.1 | 5.6 | 4.8 | 3.3 | 3.4 | 2.4 |
| 3000－3500 元 | | 3000－3500 yuan | | 8.9 | 7.2 | 6.4 | 4.7 | 4.9 | 3.7 | 3.3 |
| 3500－4000 元 | | 3500－4000 yuan | | 7.6 | 7.3 | 6.9 | 5.5 | 5 | 3.8 | 3.3 |
| 4000－4500 元 | | 4000－4500 yuan | | 7.9 | 7 | 6.7 | 5.6 | 5.3 | 4.3 | 3.6 |
| 4500－5000 元 | | 4500－5000 yuan | | 7.3 | 6.8 | 6.9 | 5.8 | 5.3 | 4.9 | 4.0 |
| 5000 元以上 | | >=5000 yuan | | 40.1 | 47.5 | 54.8 | 60.1 | 66.6 | 71.7 | 76.9 |
| **人均经营耕地面积** | **(亩)** | **Cultivated Areas Run by Per Capita** | **(mu)** | **0.79** | **0.72** | **0.73** | **0.7** | **0.67** | **0.66** | **0.65** |
| 人均经营山地面积 | (亩) | Hilly Areas Runned by Per Capita | (mu) | 0.53 | 0.39 | 0.43 | 0.66 | 0.42 | 0.45 | 0.43 |

## 5－33 农村居民家庭基本情况(2008 年)
Basic Statistics on Rural Households(2008)

| 项 目 | | Item | | 总平均 Average | 按人均纯收入等级分组 Grouped by Level of Net Income 低 20% 收入户 Lower Income Households (20%) | 次低 20% 收入户 Low Income Households (20%) | 中等 20% 收入户 Middle Income Households (20%) | 次高 20% 收入户 High Income Households (20%) | 高 20% 收入户 Higher Income Households (20%) |
|---|---|---|---|---|---|---|---|---|---|
| **调查户数** | **(户)** | **Number of Household Surveyed** | **(household)** | **4700** | **940** | **940** | **940** | **940** | **940** |
| **家庭常住人口** | **(人)** | **Permanent Residents** | **(person)** | **16477** | **3491** | **3433** | **3387** | **3241** | **2925** |
| 户均常住人口 | (人) | Average Permanent Residents Per Household | (person) | 3.51 | 3.71 | 3.65 | 3.60 | 3.45 | 3.11 |
| **户均整半劳动力** | **(人)** | **Average Able－bodied and Semi－ablebodied Laborers** | **(person)** | **2.58** | **2.65** | **2.61** | **2.65** | **2.55** | **2.45** |
| 整半劳动力占人口比重 | (%) | Percentage of Able－bodied and Semi－ablebodied | (%) | 73.65 | 71.44 | 71.42 | 73.58 | 73.96 | 78.63 |
| **平均每百个劳动力中:** | **(人)** | **Among Per 100 Laborers** | **(person)** | | | | | | |
| 乡村企业人数 | | Laborers in Rural Enterprises | | 28.34 | 11.06 | 22.47 | 29.63 | 39.48 | 40.10 |
| 外出劳动力人数 | | Laborers Outside | | 9.69 | 14.27 | 11.32 | 10.14 | 7.42 | 6.56 |
| **平均每百个劳动力中:** | **(人)** | **Among Per 100 Laborers** | **(person)** | | | | | | |
| 不识字或识字很少 | | Illiterate or Semiliterate | | 5.72 | 7.53 | 5.77 | 5.78 | 5.54 | 3.84 |
| 小学程度 | | Primary School | | 31.28 | 36.23 | 31.82 | 31.71 | 28.63 | 27.70 |
| 初中程度 | | Junior Secondary School | | 44.02 | 42.85 | 45.54 | 43.81 | 44.21 | 43.71 |
| 高中程度 | | Senior Secondary School | | 12.98 | 10.36 | 12.12 | 13.13 | 13.99 | 15.48 |
| 中专程度 | | Specialized Secondary School | | 3.11 | 1.46 | 2.53 | 2.95 | 4.42 | 4.33 |

5-33 续表 continued

| 项　目 | Item | 总平均 Average | 低20%收入户 Lower Income Households (20%) | 次低20%收入户 Low Income Households (20%) | 中等20%收入户 Middle Income Households (20%) | 次高20%收入户 High Income Households (20%) | 高20%收入户 Higher Income Households (20%) |
|---|---|---|---|---|---|---|---|
| 大专及以上程度 (人) | College (person) | 2.89 | 1.58 | 2.23 | 2.62 | 3.22 | 4.95 |
| **人均经营耕地面积 (亩)** | **Cultivated Areas Run by Per Capita (mu)** | **0.65** | **0.63** | **0.62** | **0.60** | **0.58** | **0.87** |
| 人均经营山地面积 (亩) | Average Hilly Areas Run by Per Capita (mu) | 0.43 | 0.59 | 0.42 | 0.39 | 0.31 | 0.46 |
| **人均新建(购)住房面积 (平方米)** | **Living Floor Space of House Newly Built Per Capita (sq. m)** | **0.99** | **0.75** | **0.68** | **1.24** | **0.81** | **1.56** |
| #钢筋混凝土结构面积 | Reinforced Concrete Structure | 0.87 | 0.58 | 0.59 | 1.16 | 0.67 | 1.44 |
| 砖木结构面积 | Brick and Wood Structure | 0.12 | 0.17 | 0.09 | 0.08 | 0.14 | 0.12 |
| **新建(购)住房每平方米价值 (元)** | **Value of Houses Newly Built Per Square Meter (yuan)** | **878** | **962** | **941** | **594** | **876** | **1061** |
| 年末人均住房面积 (平方米) | Per Capita Living Floor Space (sq. m) | 58.5 | 46.58 | 52.00 | 58.57 | 64.72 | 73.39 |
| #钢筋混凝土结构面积 | Reinforced Concrete Structure | 39.91 | 26.21 | 34.25 | 40.52 | 46.01 | 55.42 |
| 砖木结构面积 | Brick and Wood Structure | 17.13 | 18.28 | 16.27 | 16.99 | 17.24 | 16.79 |
| **户均年末使用住房屋价值 (元)** | **Houses Value Per Households (the End of the Year) (yuan)** | **98988** | **65971** | **80649** | **97558** | **115135** | **135630** |

## 5-34 农村居民家庭房屋状况(2002-2008年)
Housing Conditions of Rural Households(2002-2008)

| 项目 | | Item | | 2002 | 2003 | 2004 | 2005 | 2006 | 2007 | 2008 |
|---|---|---|---|---|---|---|---|---|---|---|
| **年内新建房屋户数** | **(户)** | **Number of Houses Households Newly Built** | **(household)** | **67** | **72** | **45** | **105** | **114** | **325** | **78** |
| 新建房户比重 | (%) | Percentage of Houses Households Newly Built | (%) | 2.48 | 2.67 | 1.67 | 2.23 | 2.43 | 6.91 | 1.66 |
| **新建房屋每平方米价值** | **(元)** | **Value of Newly Built House Per Square Meter** | **(yuan)** | **493** | **468** | **546** | **553** | **594** | **732.4** | **878.3** |
| **人均新建生活用房面积** | **(平方米)** | **Living Floor Space of House Newly Built Per Capita** | **(sq. m)** | **1.11** | **1.26** | **0.62** | **1.07** | **1.27** | **1.38** | **0.99** |
| #新建楼房面积 | (平方米) | Per Capita Floor Space of Multi-floor Buildings Newly Built | (sq. m) | 1.05 | 1.2 | 0.59 | 1.01 | 1.19 | 1.36 | 0.95 |
| **人均年末使用生活用房面积** | **(平方米)** | **Per Capita Living Floor Space (the End of Year)** | **(sq. m)** | **49.52** | **50.73** | **51.29** | **54.98** | **55.57** | **57.06** | **58.5** |
| #砖木结构 | | Brick and Wood Structure | | 20.95 | 21.69 | 20.88 | 16.2 | 17.26 | 16.89 | 17.13 |
| 钢筋混凝土结构 | | Reinforced Concrete Structure | | 26.05 | 27.3 | 28.55 | 36.49 | 36.19 | 37.41 | 39.91 |
| **年末每平方米生活用房价值** | **(元)** | **Value of Living House Per Square Meter** | **(yuan)** | **299** | **327** | **362** | **400** | **427** | **467** | **482.67** |
| **户均年末使用房屋价值** | **(元)** | **Houses Value Per Household (the End of Year)** | **(yuan)** | **53149** | **59156** | **65569** | **78179** | **84157** | **94340** | **98988** |

## 5-35 农村居民人均总收入和纯收入(2001-2008年)
## Per Capita Annual Total Income and Net Income of Rural Households(2001-2008)

单位:元 (yuan)

| 项 目 | Item | 2001 | 2002 | 2003 | 2004 | 2005 | 2006 | 2007 | 2008 |
|---|---|---|---|---|---|---|---|---|---|
| **全年总收入** | **Gross Income** | **5804** | **6152** | **6709** | **7584** | **8580** | **9164** | **10391** | **11748** |
| **全年纯收入** | **Net Income** | **4582** | **4940** | **5431** | **6096** | **6660** | **7335** | **8265** | **9258** |
| #生产性纯收入 | Productive Income | 4113 | 4405 | 4934 | 5423 | 5939 | 6569 | 7406 | 8247 |
| **基本收入** | **Basic Income** | **4226** | **4513** | **4949** | **5541** | **6065** | **6676** | **7515** | **8366** |
| 工资性收入 | Wage Income | 2226 | 2437 | 2613 | 2987 | 3299 | 3646 | 4093 | 4713 |
| 在非企业组织中劳动得到 | Remuneration from The Organizations of Non-enterprises | 456 | 467 | 411 | 456 | 250 | 276 | 306 | 344 |
| 企业劳动得到 | Remuneration from Enterprises | 1451 | 1644 | 1713 | 1972 | 2615 | 2887 | 2344 | 2344 |
| 乡村企业得到 | from Township Enterprises | 892 | 981 | 908 | 1018 | 1093 | 1200 | 1328 | 1328 |
| 其他单位劳动得到 | from Other Units | 318 | 326 | 489 | 560 | 434 | 482 | 1016 | 1016 |
| 家庭经营收入 | Income from Household Business | 2000 | 2075 | 2336 | 2554 | 2766 | 3030 | 3422 | 3654 |
| 农业收入 | Planting | 720 | 734 | 754 | 805 | 810 | 879 | 949 | 923 |
| 林业收入 | Forestry | 18 | 19 | 28 | 35 | 117 | 148 | 157 | 157 |
| 牧业收入 | Animal Husbandry | 213 | 200 | 211 | 239 | 268 | 281 | 358 | 460 |
| 渔业收入 | Fishery | 39 | 39 | 37 | 45 | 53 | 69 | 87 | 111 |
| 工业收入 | Industry | 303 | 312 | 377 | 399 | 406 | 442 | 496 | 526 |
| 建筑业收入 | Construction | 138 | 160 | 205 | 258 | 247 | 244 | 292 | 322 |
| 运输业收入 | Transportation | 139 | 151 | 194 | 223 | 272 | 317 | 305 | 322 |
| 批发零售贸易餐饮业收入 | Wholesale, Retail Sale and Catering Trade | 221 | 255 | 299 | 334 | 340 | 357 | 428 | 460 |
| 服务业收入 | Service Trade | 113 | 107 | 116 | 118 | 126 | 107 | 109 | 120 |
| 文教卫生业收入 | Culture, Education and Public Health | 11 | 12 | 55 | 18 | 28 | 38 | 45 | 38 |
| 其他家庭经营收入 | Others | 83 | 86 | 99 | 79 | 99 | 149 | 196 | 215 |
| **转移性收入、财产性收入** | **Transfer Income and Property Income** | **357** | **428** | **482** | **555** | **595** | **659** | **750** | **892** |

# 5-36 农村居民人均总收入和纯收入(2008年)
Per Capita Annual Total Income and Net Income of Rural Households(2008)

单位:元(yuan)

| 项目 | Item | 总平均 Average | 按人均纯收入等级分组 Grouped by Level of Net Income 低20%收入户 Lower Income Households (20%) | 次低20%收入户 Low Income Households (20%) | 中等20%收入户 Middle Income Households (20%) | 次高20%收入户 High Income Households (20%) | 高20%收入户 Higher Income Households (20%) |
|---|---|---|---|---|---|---|---|
| **全年总收入** | **Gross Income** | **11748** | **5365** | **7064** | **9688** | **13085** | **25767** |
| **工资性收入** | **Wage Income** | **4713** | **1705** | **3355** | **4834** | **6276** | **8025** |
| 在非企业组织中劳动得到 | From Orgazinations of Non-enterprises | 344 | 64 | 158 | 252 | 371 | 971 |
| 在本地企业中劳动得到 | From Local Enterprises | 2737 | 595 | 1587 | 2836 | 4188 | 4920 |
| 常住人口外出从业得到 | Income of Permanent Population Going out to Work | 600 | 304 | 493 | 702 | 607 | 955 |
| **家庭经营收入** | **Income from Household Business** | **5979** | **3179** | **3177** | **4123** | **5670** | **15100** |
| 农业收入 | Planting | 1414 | 954 | 1187 | 1216 | 1266 | 2620 |
| 林业收入 | Forestry | 178 | 119 | 125 | 184 | 175 | 307 |
| 牧业收入 | Animal Husbandry | 1485 | 1110 | 449 | 696 | 808 | 4812 |
| 渔业收入 | Fishery | 292 | 265 | 140 | 209 | 448 | 425 |
| 工业收入 | Industry | 830 | 270 | 257 | 359 | 921 | 2616 |
| 建筑业收入 | Construction | 365 | 63 | 209 | 334 | 492 | 801 |
| 交通、运输和邮电业收入 | Transportation, Posts and Telecommunication | 444 | 105 | 235 | 250 | 488 | 1269 |
| 批发和零售贸易、餐饮收入 | Wholesale, Retail Sale and Catering Trade | 570 | 180 | 361 | 505 | 627 | 1291 |
| 社会服务业收入 | Social Service Trade | 134 | 36 | 62 | 144 | 164 | 288 |
| 文教卫生业收入 | Culture, Education and Public Health | 42 | 10 | 14 | 56 | 49 | 87 |
| 其他家庭经营收入 | Others | 210 | 66 | 134 | 170 | 226 | 500 |
| **财产性收入** | **Property Income** | **472** | **101** | **158** | **289** | **513** | **1450** |
| **转移性收入** | **Transfer Income** | **584** | **381** | **374** | **442** | **626** | **1192** |
| **全年纯收入** | **Net Income** | **9258** | **2766** | **5879** | **8325** | **11273** | **19819** |

## 5-37 农村居民人均总支出(2001-2008年)
## Per Capita Annual Expenditure of Rural Households(2001-2008)

单位:元(yuan)

| 项目 | Item | 2001 | 2002 | 2003 | 2004 | 2005 | 2006 | 2007 | 2008 |
|---|---|---|---|---|---|---|---|---|---|
| **全年总支出** | **Total Expenditure** | **4890** | **5175** | **5908** | **6574** | **7534** | **8121** | **9071** | **10246** |
| 生活消费支出 | Living Expenditure for Consumption | 3479 | 3693 | 4287 | 4659 | 5215 | 5762 | 6442 | 7072 |
| 食品 | Food | 1449 | 1507 | 1637 | 1839 | 2011 | 2141 | 2347 | 2690 |
| 主食 | Staple Food | 258 | 247 | 237 | 250 | 257 | 263 | 264 | 285 |
| 副食 | Non-Staple Food | 664 | 674 | 690 | 774 | 870 | 890 | 1015 | 1225 |
| 其他食品 | Other Food | 383 | 403 | 492 | 553 | 617 | 672 | 718 | 772 |
| 在外饮食 | Eating Outside | 132 | 173 | 194 | 225 | 240 | 296 | 331 | 387 |
| 衣着 | Clothing | 182 | 207 | 229 | 259 | 310 | 362 | 399 | 441 |
| 居住 | Residence | 632 | 577 | 775 | 799 | 843 | 1048 | 1262 | 1425 |
| #住房 | Housing | 496 | 391 | 596 | 589 | 597 | 776 | 970 | 1089 |
| 电费 | Electricity | 60 | 63 | 77 | 80 | 97 | 119 | 148 | 168 |
| 燃料 | Fuel | 50 | 49 | 72 | 80 | 94 | 104 | 107 | 121 |
| 家庭设备、用品及服务 | Household Facilities, Articles and Services | 156 | 170 | 207 | 242 | 259 | 274 | 338 | 354 |
| 医疗保健 | Medicines and Medical Services | 252 | 267 | 306 | 326 | 399 | 455 | 465 | 512 |
| #医药卫生保健用品 | Medical Articles | 132 | 155 | 156 | 176 | 173 | 178 | 183 | 181 |
| 交通和通讯 | Transportations and Communications | 300 | 359 | 496 | 497 | 592 | 635 | 761 | 777 |
| #交通工具 | Means of Transportation | 88 | 107 | 184 | 152 | 164 | 178 | 55 | 240 |
| 交通费 | Traffic Fare | 42 | 48 | 66 | 65 | 87 | 85 | 94 | 105 |
| 邮电通讯费 | Postage | 104 | 131 | 148 | 166 | 189 | 204 | 216 | 233 |

5－37 续表 continued 单位:元（yuan）

| 项 目 | Item | 2001 | 2002 | 2003 | 2004 | 2005 | 2006 | 2007 | 2008 |
|---|---|---|---|---|---|---|---|---|---|
| 文教娱乐用品及服务 | Cultural, Educational and Recreational Services | 412 | 504 | 531 | 598 | 679 | 723 | 736 | 733 |
| 文化教育娱乐用品 | Cultural, Educational and Recreational Articles | 52 | 50 | 63 | 63 | 73 | 79 | 94 | 107 |
| 书报杂志 | Botes, Newpapers and Magazines | 5 | 6 | 7 | 8 | 8 | 11 | 12 | 10 |
| 教育服务费 | Educational Services | 315 | 394 | 412 | 461 | 526 | 546 | 522 | 499 |
| 旅游休闲娱乐费 | Tourism and Pecreation | 19 | 28 | 28 | 40 | 44 | 52 | 79 | 68 |
| 其他商品和服务 | Other Commodities and Services | 97 | 102 | 105 | 100 | 121 | 124 | 135 | 141 |
| 家庭经营费用支出 | Expenditure for Household Business | 821 | 812 | 938 | 1151 | 1525 | 1429 | 1708 | 2059 |
| 农业生产支出 | Planting | 260 | 262 | 266 | 270 | 345 | 375 | 407 | 449 |
| 林业生产支出 | Forestry | 15 | 13 | 22 | 24 | 23 | 28 | 24 | 19 |
| 牧业生产支出 | Animal Husbandry | 242 | 253 | 268 | 429 | 595 | 459 | 674 | 981 |
| 渔业生产支出 | Fishery | 38 | 37 | 35 | 39 | 88 | 114 | 150 | 160 |
| 工业生产支出 | Industry | 157 | 141 | 242 | 273 | 246 | 237 | 217 | 214 |
| 建筑业支出 | Construction | 9 | 8 | 7 | 8 | 25 | 25 | 31 | 35 |
| 运输业支出 | Transportation | 58 | 58 | 50 | 53 | 74 | 104 | 100 | 88 |
| 批发和零售贸易餐饮业 | Wholesale, Retail Sale and Catering Trade | 23 | 23 | 25 | 39 | 91 | 61 | 82 | 93 |
| 服务业支出 | Service Trade | 14 | 10 | 15 | 6 | 17 | 14 | 14 | 11 |
| 文教卫生业支出 | Culture, Education and Public Health | 0 | 2 | 1 | 1 | 2 | 1 | 1 | 2 |
| 其他经营支出 | Others | 6 | 7 | 9 | 10 | 20 | 11 | 8 | 7 |
| 购置生产用固定资产支出 | Expenditure for Purchasing Productive Fixed Assets | 114 | 126 | 152 | 222 | 163 | 249 | 150 | 149 |
| 税费支出 | Expenditure for Taxes and Expenses | 60 | 58 | 44 | 33 | 25 | 24 | 23 | 17 |
| #缴纳税金 | Taxes | 27 | 30 | 28 | 16 | 14 | 13 | 14 | 9 |

## 5-38 农村居民人均总支出(2008年)
## Per Capita Annual Expenditure of Rural Households(2008)

单位:元(yuan)

| 项 目 | Item | 总平均 Average | 按人均纯收入等级分组 Grouped by Level of Net Income | | | | |
|---|---|---|---|---|---|---|---|
| | | | 低20%收入户 Lower Income Households (20%) | 次低20%收入户 Low Income Households (20%) | 中等20%收入户 Middle Income Households (20%) | 次高20%收入户 High Income Households (20%) | 高20%收入户 Higher Income Households (20%) |
| **全年总支出** | **Gross Expenditure** | **10246.02** | **6376.07** | **6761.62** | **8564.07** | **10727.42** | **20368.62** |
| 生活消费支出 | Living Expenditure for Consumption | 7071.90 | 3603.33 | 5183.20 | 6592.77 | 8100.21 | 12843.79 |
| #服务性支出 | Service Expenditure | 2209.10 | 1053.91 | 1635.37 | 2076.72 | 2560.15 | 4025.53 |
| 食品 | Food | 2690.26 | 1650.37 | 2223.33 | 2700.71 | 3126.91 | 3983.48 |
| #谷物 | Cereal | 274.05 | 230.27 | 264.57 | 269.09 | 289.25 | 326.34 |
| 食用油 | Oil Edible | 91.37 | 63.98 | 79.41 | 90.60 | 101.26 | 128.04 |
| 蔬菜及制品 | Vegetables and Producted | 205.07 | 150.69 | 176.02 | 203.87 | 240.20 | 266.51 |
| 肉禽、蛋奶及制品 | Meat, Poulty Eggs Milk and Their Products | 628.01 | 431.38 | 553.11 | 651.51 | 713.34 | 828.83 |
| 水产品及制品 | Aquatic Products | 300.66 | 143.60 | 244.83 | 300.51 | 368.22 | 478.93 |
| 烟、酒 | Tobacco and Liquor | 419.63 | 230.95 | 315.58 | 401.42 | 502.95 | 695.70 |
| 在外饮食 | Eating Outside | 387.08 | 169.45 | 274.38 | 394.07 | 469.04 | 680.16 |
| 衣着 | Clothing | 441.36 | 216.17 | 326.81 | 424.86 | 531.16 | 764.18 |
| 居住 | Residence | 1424.52 | 544.61 | 890.68 | 1250.63 | 1501.05 | 3217.77 |
| 家庭设备、用品及服务 | Household Facilities, Articles and Services | 353.55 | 169.16 | 263.33 | 323.12 | 384.52 | 680.46 |
| 交通和通讯 | Transportation and Communications | 776.68 | 345.16 | 456.12 | 613.11 | 907.64 | 1712.26 |
| 文教娱乐用品及服务 | Cultural, Educational and Recreational Articles and Services | 732.62 | 313.80 | 533.26 | 709.57 | 901.04 | 1306.56 |
| 医疗保健 | Medicines and Medical Services | 512.24 | 300.97 | 390.32 | 455.87 | 585.62 | 891.46 |
| 其他商品和服务 | Other Commodities and Services | 140.66 | 63.11 | 99.35 | 114.90 | 162.26 | 287.62 |
| 家庭经营费用 | Expenditure For Household Business | 2058.87 | 2214.00 | 895.50 | 1039.73 | 1408.24 | 5140.16 |
| 农业生产 | Planting | 449.13 | 416.47 | 360.00 | 363.50 | 362.13 | 788.30 |
| 林业生产 | Forestry | 19.07 | 16.49 | 13.21 | 20.62 | 14.61 | 32.17 |
| 牧业生产 | Animal Husbandry | 981.22 | 1035.04 | 235.40 | 379.14 | 417.02 | 3114.65 |
| 渔业生产 | Fishery | 159.97 | 326.69 | 42.23 | 81.22 | 188.67 | 158.58 |
| 工业生产 | Industry | 214.04 | 219.61 | 85.60 | 77.68 | 188.04 | 544.82 |
| 农村居民生产费用现金支出 | Productive Expenditure Pay for Cash of Rural Inhabitant | 2197.84 | 2297.61 | 952.72 | 1150.79 | 1594.11 | 5421.52 |
| 农村居民生活消费现金支出 | Living Expenditure Pay for Cash of Rural Inhabitant | 6830.85 | 3355.99 | 4933.57 | 6359.23 | 7875.15 | 12593.87 |

5-38 续表 continued 单位:元(yuan)

| 项　目 | Item | 总平均 Average | 按人均纯收入等级分组 Grouped by Level of Net Income 低20%收入户 Lower Income Households (20%) | 次低20%收入户 Low Income Households (20%) | 中等20%收入户 Middle Income Households (20%) | 次高20%收入户 High Income Households (20%) | 高20%收入户 Higher Income Households (20%) |
|---|---|---|---|---|---|---|---|
| 食品 | Food | 2464.66 | 1424.62 | 1992.01 | 2478.46 | 2914.55 | 3746.21 |
| #谷物 | Cereal | 145.89 | 109.30 | 131.09 | 138.78 | 167.45 | 191.29 |
| 食用油 | Oil for Eating | 90.90 | 63.98 | 79.40 | 90.59 | 101.25 | 125.41 |
| 蔬菜及制品 | Vegetables and Related Products | 153.84 | 93.29 | 122.25 | 155.17 | 189.99 | 221.57 |
| 肉禽、蛋奶及制品 | Meat, Poulty Eggs Milk and Their Products | 604.07 | 406.50 | 529.89 | 631.65 | 689.15 | 800.73 |
| 水产品及制品 | Aquatic Products | 297.81 | 141.59 | 242.92 | 298.78 | 365.78 | 472.23 |
| 烟、酒 | Tobacco and Liquor | 419.59 | 230.95 | 315.49 | 401.33 | 502.94 | 695.70 |
| 茶叶、饮料 | Tea, Beverage | 41.97 | 19.95 | 33.62 | 40.43 | 50.29 | 70.61 |
| 其他类食品 | Others | 294.66 | 174.07 | 238.71 | 296.14 | 343.94 | 447.94 |
| 在外饮食 | Eating Outside | 387.08 | 169.45 | 274.38 | 394.07 | 469.04 | 680.16 |
| 食品加工费 | Food Processing | 16.80 | 8.85 | 15.28 | 15.57 | 21.96 | 23.79 |
| 衣着 | Clothing | 440.30 | 216.14 | 326.81 | 423.27 | 529.02 | 762.47 |
| #服装 | Garments | 317.94 | 154.82 | 233.60 | 306.01 | 378.97 | 557.83 |
| 鞋、帽、袜类 | Shoes, Hats and Stockings | 101.77 | 50.27 | 75.77 | 98.36 | 125.42 | 171.50 |
| 居住 | Residence | 1410.17 | 523.04 | 872.50 | 1240.96 | 1490.51 | 3206.94 |
| #装饰、装修 | Decorating | 301.02 | 95.43 | 114.47 | 270.42 | 321.26 | 778.35 |
| 购买生活用房 | Housing | 130.99 | | 29.13 | 103.93 | 145.65 | 421.95 |
| 燃料 | Fuel | 106.45 | 76.69 | 91.96 | 102.64 | 125.31 | 142.47 |
| 电费 | Electricity | 168.41 | 99.40 | 130.55 | 172.49 | 193.70 | 262.47 |
| 家庭设备、用品及服务 | Household Facilities, Articles and Services | 353.50 | 169.16 | 263.20 | 323.11 | 384.50 | 680.36 |
| 交通和通讯 | Transportation and Communications | 776.68 | 345.16 | 456.12 | 613.11 | 907.64 | 1712.26 |
| #交通工具 | Means of Transportation | 240.11 | 84.83 | 92.00 | 130.33 | 278.50 | 683.82 |
| 通讯工具 | Means of Communitation | 49.68 | 18.27 | 33.96 | 44.96 | 62.21 | 97.19 |
| 交通消费服务 | Traffic Fare | 143.12 | 65.75 | 89.70 | 124.50 | 156.92 | 304.44 |
| 邮电费 | Postage | 232.54 | 131.05 | 177.65 | 225.75 | 276.53 | 377.20 |
| 文教娱乐用品及服务 | Cultural, Educational and Recreational Articles and Services | 732.62 | 313.80 | 533.26 | 709.57 | 901.04 | 1306.56 |
| #文化教育娱乐用品 | Cultural, Educational and Recreational Articles | 106.52 | 51.66 | 81.38 | 130.52 | 180.08 | 320.88 |
| 学杂费 | Tuition Fee | 344.80 | 147.91 | 298.05 | 356.32 | 415.97 | 542.46 |
| 成人培训费 | Training Fee | 17.07 | 1.45 | 7.91 | 12.67 | 28.41 | 38.95 |
| 文教娱乐服务 | Cultural, Educational and Recreational Services | 86.82 | 48.73 | 48.14 | 72.26 | 123.03 | 154.39 |
| 医疗保健 | Medicines and Medical Services | 512.24 | 300.97 | 390.32 | 455.87 | 585.62 | 891.46 |
| #购买医疗保健用品 | Medical Articles | 180.54 | 113.19 | 146.99 | 169.73 | 224.11 | 264.53 |
| 医疗保健服务消费 | Medical Services | 331.70 | 187.78 | 243.33 | 286.14 | 361.51 | 626.94 |
| 其他商品和服务 | Others | 140.66 | 63.11 | 99.35 | 114.90 | 162.26 | 287.62 |

## 5-39 农村居民平均每人主要食品消费量(2002-2008年)
Per Capita Annual Foods Consumption of Major Commodities of Rural Households(2002-2008)

| 名 称 | | Item | | 2002 | 2003 | 2004 | 2005 | 2006 | 2007 | 2008 |
|---|---|---|---|---|---|---|---|---|---|---|
| 粮食 | (公斤) | Grain | (kg) | 224.02 | 207.26 | 203.17 | 187.85 | 187.64 | 180.59 | 183.23 |
| #稻谷 | (公斤) | Rice | (kg) | 208.26 | 194.37 | 190.56 | 169.63 | 170.22 | 164.08 | 165.81 |
| 小麦 | (公斤) | Wheat | (kg) | 6.83 | 3.54 | 3.78 | 4.25 | 3.77 | 3.59 | 3.82 |
| 蔬菜及菜制品 | (公斤) | Vegetable | (kg) | 87.32 | 83.91 | 81.4 | 80.95 | 77.45 | 79.47 | 79.02 |
| 植物油 | (公斤) | Vegetable Oil | (kg) | 4.5 | 4.62 | 4.39 | 4.45 | 4.47 | 5.34 | 5.49 |
| 动物油 | (公斤) | Animal Oil | (kg) | 1.43 | 1.19 | 1.05 | 0.97 | 0.93 | 0.81 | 0.76 |
| 猪肉 | (公斤) | Pork | (kg) | 15.34 | 15.51 | 14.09 | 17.31 | 17.16 | 14.05 | 13.88 |
| 牛羊肉 | (公斤) | Beef and Mutton | (kg) | 0.79 | 0.91 | 0.92 | 1.04 | 1.05 | 1.08 | 0.96 |
| 奶及奶制品 | (公斤) | Milk and Its Prooducts | (kg) | 1.83 | 3.15 | 3.07 | 3.52 | 4.18 | 4.5 | 4.67 |
| 家禽 | (公斤) | Poultry | (kg) | 5.47 | 6.03 | 5.36 | 5.64 | 5.12 | 5.43 | 5.82 |
| 蛋及蛋制品 | (公斤) | Eggs | (kg) | 4.89 | 5.33 | 5.37 | 4.58 | 4.77 | 4.55 | 4.96 |
| 鱼类 | (公斤) | Fish | (kg) | 8.98 | 9.11 | 9.06 | 9.75 | 9.46 | 10.02 | 10.01 |
| 虾、贝、蟹类 | (公斤) | Shrimps | (kg) | 3.41 | 3.41 | 3.57 | 3.66 | 4.07 | 4.34 | 4.38 |
| 食糖 | (公斤) | Sugar | (kg) | 2.36 | 2.13 | 1.89 | 1.67 | 1.59 | 1.55 | 2.11 |
| 卷烟 | (盒) | Cigarettes | (box) | 33.02 | 34.18 | 34.98 | 37.88 | 38.04 | 37.23 | 35.89 |
| 酒 | (公斤) | Wine | (kg) | 21.16 | 24.15 | 23.63 | 25.88 | 27.03 | 27.38 | 25.18 |
| #啤酒 | (公斤) | Beer | (kg) | 12.4 | 15.63 | 15.56 | 17.95 | 19.49 | 19.96 | 18.19 |
| 水果 | (公斤) | Fruit | (kg) | 31.46 | 18.92 | 18.49 | 17.08 | 16.36 | 18.57 | 17.22 |

## 5－40 农村居民按纯收入等级分组的人均主要食物消费量（2008 年）
Per Capita Annual Consumption of Major Commodities of Rural Households（2008）

| 名 称 | | Item | | 总平均 Average | 按人均纯收入等级分组 Grouped by Level of Net Income | | | | |
|---|---|---|---|---|---|---|---|---|---|
| | | | | | 低 20% 收入户 Lower Income House-holds (20%) | 次低 20% 收入户 Low Income House-holds (20%) | 中等 20% 收入户 Middle Income House-holds (20%) | 次高 20% 收入户 High Income House-holds (20%) | 高 20% 收入户 Higher Income House-holds (20%) |
| 粮食 | （公斤） | Grain | (kg) | 183.23 | 162.47 | 181.91 | 181.66 | 185.33 | 209.04 |
| #小麦 | （公斤） | Wheat | (kg) | 3.82 | 6.27 | 4.06 | 3.13 | 2.79 | 2.54 |
| 稻谷 | （公斤） | Rice | (kg) | 165.81 | 142.92 | 165.56 | 165.70 | 169.68 | 189.28 |
| 豆类及豆制品 | （公斤） | Beans and Related Products | (kg) | 8.71 | 7.29 | 8.39 | 9.37 | 9.03 | 9.65 |
| 蔬菜及菜制品 | （公斤） | Vegetable | (kg) | 79.02 | 70.63 | 80.06 | 77.96 | 83.69 | 83.88 |
| 油脂类 | （公斤） | Oil | (kg) | 6.25 | 4.39 | 5.51 | 6.37 | 6.93 | 8.47 |
| #植物油 | （公斤） | Vegetable Oil | (kg) | 5.49 | 3.61 | 4.73 | 5.62 | 6.19 | 7.72 |
| 动物油 | （公斤） | Animal Oil | (kg) | 0.76 | 0.78 | 0.78 | 0.75 | 0.74 | 0.75 |
| 肉禽及其制品 | （公斤） | Meat, Poulty and Their Products | (kg) | 26.55 | 18.23 | 23.31 | 29.30 | 29.31 | 34.03 |
| #猪肉 | （公斤） | Pork | (kg) | 13.88 | 11.54 | 12.99 | 14.75 | 14.29 | 16.28 |
| 牛肉 | （公斤） | Beef | (kg) | 0.66 | 0.38 | 0.68 | 0.60 | 0.79 | 0.89 |
| 羊肉 | （公斤） | Mutton | (kg) | 0.3 | 0.15 | 0.20 | 0.41 | 0.31 | 0.46 |
| 家禽 | （公斤） | Poultry | (kg) | 5.82 | 3.26 | 4.77 | 5.90 | 7.23 | 8.45 |
| 蛋类及蛋制品 | （公斤） | Eggs and Products | (kg) | 4.96 | 3.67 | 4.46 | 4.95 | 6.02 | 5.93 |
| 奶和奶制品 | （公斤） | Milk and Products | (kg) | 4.67 | 2.53 | 4.51 | 5.11 | 5.31 | 6.20 |
| 水产类 | （公斤） | Aquatic Products | (kg) | 16.71 | 9.17 | 14.32 | 16.71 | 20.21 | 24.63 |
| #鱼类 | （公斤） | Fish | (kg) | 10.01 | 5.96 | 8.67 | 10.09 | 12.13 | 13.99 |
| 虾、贝、蟹类 | （公斤） | Shrimp | (kg) | 4.38 | 1.91 | 3.57 | 4.26 | 5.34 | 7.35 |
| 藻类 | （公斤） | Alga | (kg) | 0.47 | 0.43 | 0.47 | 0.45 | 0.48 | 0.54 |
| 食糖 | （公斤） | Sugar | (kg) | 2.11 | 1.53 | 2.13 | 2.78 | 1.51 | 2.64 |
| 酒 | （公斤） | Wine | (kg) | 25.18 | 18.82 | 25.35 | 24.53 | 27.42 | 30.83 |
| #白酒 | （公斤） | White Spirit | (kg) | 2.25 | 1.70 | 2.18 | 2.26 | 2.46 | 2.71 |
| 啤酒 | （公斤） | Beer | (kg) | 18.19 | 14.53 | 19.51 | 17.45 | 18.57 | 21.47 |
| 果酒 | （公斤） | Fruit Wine | (kg) | 0.19 | 0.21 | 0.07 | 0.18 | 0.20 | 0.31 |

## 5-41 农村居民家庭主要商品购买情况
Annual Purchases of Major Commodities of Rural Households

| 名 称 | | Item | | 2002 | 2003 | 2004 | 2005 | 2006 | 2007 | 2008 |
|---|---|---|---|---|---|---|---|---|---|---|
| **平均每人购买服装** | | **Per Capita Purchases of Clothing** | **(piece)** | **1.53** | **1.91** | **4.15** | **3.33** | **3.32** | **3.4** | **3.54** |
| **每百户购买文化体育用品** | | **Per 100 Households Purchases of Cultural and Sports Goods** | | | | | | | | |
| 黑白电视机 | (台) | Black/White TV Set | (unit) | 0.04 | 0.19 | 0.11 | 0.09 | 0.15 | 0.09 | 0.16 |
| 彩色电视机 | (台) | Color TV Set | (unit) | 6.52 | 6.37 | 6.63 | 6.99 | 6.69 | 6 | 7.39 |
| 收录机 | (台) | Radio Tape Recorder | (unit) | 11.3 | 1.04 | 0.93 | 1.52 | 0.7 | 0.91 | 0.53 |
| 录放像机 | (台) | Videorecorder | (unit) | 0.11 | 0.37 | 0.04 | 0.15 | 0.13 | 0.13 | 0.15 |
| 照相机 | (架) | Camera | (unit) | 0.37 | 0.22 | 0.33 | 0.32 | 0.47 | 0.32 | 0.55 |
| **户均购买建筑材料** | | **Per Household Purchases of Building Materials** | | | | | | | | |
| 水泥 | (公斤) | Cement | (kg) | 371.57 | 487.29 | 326.97 | 519.21 | 624.79 | 787.43 | 629.24 |
| 木材 | (立方米) | Timber | (cu. m) | 0.37 | 0.24 | 0.07 | 0.11 | 0.18 | 0.12 | 0.62 |
| 钢材 | (公斤) | Steel Products | (kg) | 40.99 | 47.16 | 21.72 | 58.73 | 60.92 | 95.81 | 71.49 |
| 水泥预制 | (件) | Cement Prefabricated Parts | (unit) | 1.79 | 2.01 | 1.33 | 1.66 | 1.9 | 1.59 | 1.15 |
| 玻璃 | (平方米) | Glass | (sq. m) | 0.33 | 0.31 | 0.28 | 0.27 | 0.75 | 0.11 | 0.35 |
| 砖瓦 | (块) | Brick | (unit) | 745 | 714 | 730 | 966 | 1050 | 1256.94 | 831.99 |
| **每百户购买耐用消费品** | | **Per 100 Households Purchases of Durable Consumer Goods** | | | | | | | | |
| 自行车 | (辆) | Bicycle | (unit) | 8.59 | 7.56 | 6.41 | 6.01 | 6.06 | 5.53 | 3.94 |
| 缝纫机 | (架) | Sewing Machine | (unit) | 0.04 | 0.3 | 0.19 | 0.28 | 0.23 | 0.15 | 20.34 |
| 洗衣机 | (台) | Washing Machine | (unit) | 1.44 | 2.15 | 1.93 | 2.43 | 1.79 | 2.11 | 1.40 |
| 电风扇 | (台) | Electric Fan | (unit) | 10.59 | 12.48 | 12.48 | 11.43 | 11.79 | 13.28 | 12.02 |
| 电冰箱 | (台) | Refrigerator | (unit) | 2.3 | 2.85 | 3.52 | 4.26 | 5.02 | 6.87 | 5.19 |
| 摩托车 | (辆) | Motorcycle | (unit) | 4.7 | 5.59 | 5.04 | 4.3 | 2.94 | 2.98 | 2.25 |
| **户均购买生产资料** | | **Per Household Purchases of Means of Production** | | | | | | | | |
| 化肥 | (公斤) | Chemical Fertilizer | (kg) | 364.01 | 328.57 | 351.29 | 295.17 | 301.04 | 289.6 | 262.13 |
| 饼肥 | (公斤) | Cake Fertilizer | (kg) | 1.09 | 3.1 | 1.37 | 3.01 | 2.23 | 2.64 | 3.60 |
| 农药 | (公斤) | Chemical Pesticide | (kg) | 13.59 | 12.2 | 18.67 | 22.71 | 27.04 | 19.55 | 25.81 |
| 农用薄膜 | (公斤) | Farm Film | (kg) | 1.46 | 2.57 | 1.69 | 3.94 | 4.39 | 4.07 | 2.15 |
| 生产用燃料 | (公斤) | Fuel for Production | (kg) | 45.22 | 37.56 | 43 | 64.57 | 54.04 | 59.54 | 63.47 |

## 5-42 农村居民主要耐用品购买情况(2008年)
Per Capita Annual Purchase of Major Commodities of Rural Households(2008)

| 名 称 | | Item | | 总平均 Average | 按人均纯收入等级分组 Grouped by Level of Net Income | | | | |
|---|---|---|---|---|---|---|---|---|---|
| | | | | | 低20%收入户 Lower Income Households (20%) | 次低20%收入户 Low Income Households (20%) | 中等20%收入户 Middle Income Households (20%) | 次高20%收入户 High Income Households (20%) | 高20%收入户 Higher Income Households (20%) |
| **平均每人购买服装** | **(件)** | **Per Capita Purchases of Clothing** | **(piece)** | **3.54** | **2.35** | **3.22** | **3.32** | **4.23** | **4.83** |
| **每百户购买文化体育用品** | | **Per 100 Households Purchases of Cultural and Sports Goods** | | | | | | | |
| 黑白电视机 | (台) | Black/White TV Set | (unit) | 0.16 | 0.11 | 0.11 | 0.00 | 0.32 | 0.27 |
| 彩色电视机 | (台) | Color TV Set | (unit) | 7.39 | 2.87 | 6.06 | 7.50 | 8.09 | 12.45 |
| 录放像机 | (台) | Videorecorder | (unit) | 0.15 | 0.11 | 0.11 | 0.00 | 0.21 | 0.32 |
| 照相机 | (架) | Camera | (unit) | 0.55 | 0.00 | 0.11 | 0.53 | 0.85 | 1.28 |
| 影碟机 | (台) | Video Disc Player | (unit) | 0.72 | 0.21 | 0.64 | 0.53 | 1.38 | 0.85 |
| 组合音响 | (台) | Composite Acoustics | (unit) | 0.44 | 0.11 | 0.32 | 0.21 | 0.74 | 0.80 |
| 家用计算机 | (台) | Computer | (unit) | 4.48 | 1.17 | 1.49 | 4.36 | 6.12 | 9.26 |
| **每百户购买耐用消费品** | | **Per 100 Households Purchases of Durable Consumer Goods** | | | | | | | |
| 洗衣机 | (台) | Washing Machine | (unit) | 20.34 | 0.64 | 92.45 | 1.70 | 2.77 | 4.15 |
| 电风扇 | (台) | Electric Fan | (unit) | 12.02 | 7.23 | 12.66 | 9.36 | 15.00 | 15.85 |
| 电冰箱 | (台) | Refrigerator | (unit) | 5.19 | 2.87 | 4.47 | 4.79 | 6.28 | 7.55 |
| 空调机 | (台) | Air Conditioner | (unit) | 5.87 | 1.06 | 2.66 | 6.49 | 6.91 | 12.23 |
| 热水器 | (台) | Water Heater | (unit) | 2.53 | 1.17 | 2.13 | 2.87 | 2.45 | 4.04 |
| 微波炉 | (台) | Microware Oven | (unit) | 1.36 | 0.53 | 1.49 | 0.96 | 1.81 | 2.02 |
| 自行车 | (辆) | Bicycle | (unit) | 3.94 | 1.60 | 3.22 | 4.57 | 3.72 | 6.56 |

5-42 续表 continued

| 名称 | | Item | | 总平均 Average | 按人均纯收入等级分组 Grouped by Level of Net Income 低20%收入户 Lower Income Households (20%) | 次低20%收入户 Low Income Households (20%) | 中等20%收入户 Middle Income Households (20%) | 次高20%收入户 High Income Households (20%) | 高20%收入户 Higher Income Households (20%) |
|---|---|---|---|---|---|---|---|---|---|
| 摩托车 | (辆) | Motorcycle | (unit) | 2.25 | 0.85 | 2.45 | 2.66 | 3.27 | 2.02 |
| 电话机 | (部) | Telephone | (unit) | 6.45 | 3.40 | 6.17 | 6.91 | 8.19 | 7.55 |
| 移动电话 | (部) | Mobile Telephone | (unit) | 22.31 | 10.53 | 18.09 | 21.28 | 27.98 | 33.67 |
| **每户购买建筑材料** | | **Per Household Purchases of Building Materials** | | | | | | | |
| 水泥 | (公斤) | Cement | (kg) | 629.24 | 344.98 | 507.76 | 560.48 | 565.69 | 1167.29 |
| 木材 | (立方米) | Timber | (cu. m) | 0.62 | 0.01 | 0.13 | 0.28 | 2.29 | 0.37 |
| 钢材 | (公斤) | Steel Products | (kg) | 71.49 | 38.40 | 50.54 | 69.47 | 69.90 | 129.12 |
| 水泥预制件 | (件) | Cement Prefabricated Parts | (unit) | 1.15 | 1.01 | 0.58 | 1.14 | 1.33 | 1.70 |
| 玻璃 | (平方米) | Glass | (sq. m) | 0.35 | 0.04 | 0.03 | 0.10 | 0.93 | 0.68 |
| 砖瓦 | (块) | Brick | (unit) | 831.99 | 363.53 | 630.15 | 810.36 | 816.34 | 1539.58 |
| 沙石 | (立方米) | Asphalt Felt | (cu. m) | 6.04 | 2.09 | 3.19 | 7.91 | 4.60 | 8.29 |
| **每户购买生产资料** | | **Per Household Purchases of Means of Production** | | | | | | | |
| 化肥 | (公斤) | Chemical Fertilizer | (kg) | 262.13 | 266.32 | 253.96 | 252.28 | 225.32 | 312.76 |
| 饼肥 | (公斤) | Cake Fertilizer | (kg) | 3.6 | 3.08 | 1.43 | 7.82 | 1.37 | 4.27 |
| 农药金额 | (元) | Chemical Pesticide | (yuan) | 241.05 | 270.21 | 235.06 | 228.63 | 200.53 | 270.79 |
| 农用薄膜 | (公斤) | Farm Film | (kg) | 2.15 | 1.56 | 1.11 | 0.99 | 2.94 | 4.16 |
| 生产用燃料金额 | (元) | Fuel for Production | (yuan) | 369.7 | 520.91 | 133.36 | 165.05 | 356.97 | 672.22 |

## 5-43 农村居民家庭平均每百户耐用消费品拥有量(2001-2008年)
Annual Average Possession of Durable Consumer Goods Per 100 Rural Households(2001-2008)

| 名 称 | | Item | | 2001 | 2002 | 2003 | 2004 | 2005 | 2006 | 2007 | 2008 |
|---|---|---|---|---|---|---|---|---|---|---|---|
| 自行车 | (辆) | Bicycle | (unit) | 180.0 | 175.1 | 168.7 | 161.6 | 129.0 | 124.6 | 125.4 | 123.0 |
| 家用电脑 | (台) | Household Electronic Computer | (unit) | | 3.4 | 6.0 | 6.9 | 10.8 | 14.3 | 19.4 | 23.4 |
| 洗衣机 | (台) | Washing Machine | (unit) | 38.0 | 40.2 | 43.1 | 45.6 | 52.4 | 55.2 | 59.7 | 62.6 |
| 电冰箱 | (台) | Refrigerator | (unit) | 46.6 | 48.6 | 53.1 | 56.6 | 62.2 | 67.8 | 75.0 | 80.2 |
| 摩托车 | (辆) | Motorcycle | (unit) | 35.9 | 40.3 | 47.6 | 52.7 | 61.0 | 62.7 | 57.9 | 56.9 |
| 黑白电视机 | (台) | Black/White TV Set | (unit) | 49.4 | 45.6 | 39.9 | 33.7 | 22.0 | 17.0 | 11.2 | 9.2 |
| 彩色电视机 | (台) | Color TV Set | (unit) | 93.4 | 103.5 | 109.7 | 116.7 | 130.0 | 136.9 | 144.2 | 149.6 |
| 电话机 | (部) | Telephone | (unit) | 72.3 | 77.2 | 84.2 | 88.8 | 94.4 | 95.0 | 93.2 | 92.2 |
| 移动电话 | (部) | Moble Telephone | (unit) | 35.4 | 52.2 | 73.5 | 89.7 | 119.2 | 134.7 | 150.3 | 159.7 |
| 照相机 | (架) | Camera | (unit) | 7.5 | 8.1 | 7.9 | 8.6 | 8.7 | 9.2 | 9.0 | 9.6 |
| 抽油烟机 | (台) | Range Hoods | (unit) | 23.2 | 25.6 | 28.4 | 30.7 | 35.4 | 38.0 | 43.0 | 46.0 |
| 吸尘器 | (台) | Dust Catcher | (unit) | 3.0 | 2.7 | 2.8 | 3.4 | 3.8 | 3.6 | 4.0 | 4.4 |
| 空调机 | (台) | Air Conditioner | (unit) | 9.4 | 13.0 | 20.4 | 26.6 | 36.0 | 42.6 | 54.0 | 61.3 |

## 5-44 农村居民家庭平均每百户耐用消费品拥有量(2008年)
Annual Average Possession of Durable Consumer Goods Per 100 Rural Households(2008)

| 名称 | | Item | | 总平均 Average | 按人均纯收入等级分组 Grouped by Level of Net Income | | | | |
|---|---|---|---|---|---|---|---|---|---|
| | | | | | 低20%收入户 Lower Income Households (20%) | 次低20%收入户 Low Income Households (20%) | 中等20%收入户 Middle Income Households (20%) | 次高20%收入户 High Income Households (20%) | 高20%收入户 Higher Income Households (20%) |
| 自行车 | (辆) | Bicycle | (unit) | 123.02 | 93.72 | 117.13 | 130.53 | 134.68 | 139.04 |
| 家用电脑 | (台) | Household Electronic Computer | (unit) | 23.38 | 7.87 | 13.72 | 21.28 | 27.87 | 46.17 |
| 洗衣机 | (台) | Washing Machine | (unit) | 62.55 | 46.70 | 57.66 | 63.51 | 70.53 | 74.36 |
| 电冰箱 | (台) | Refrigerator | (unit) | 80.17 | 59.04 | 73.51 | 82.87 | 88.94 | 96.49 |
| 摩托车 | (辆) | Motorcycle | (unit) | 56.87 | 35.21 | 47.23 | 58.72 | 71.91 | 71.28 |
| 黑白电视机 | (台) | Black/White Tv Set | (unit) | 9.19 | 8.19 | 10.85 | 10.43 | 7.66 | 8.83 |
| 彩色电视机 | (台) | Color TV Set | (unit) | 149.64 | 127.34 | 136.91 | 152.23 | 163.19 | 168.51 |
| 电话机 | (部) | Telephone | (unit) | 92.23 | 81.70 | 89.89 | 94.04 | 95.85 | 99.68 |
| 移动电话 | (部) | Moble Telphone | (unit) | 159.74 | 119.26 | 145.96 | 166.38 | 177.34 | 189.79 |
| 照相机 | (架) | Camera | (unit) | 9.57 | 7.87 | 13.72 | 21.28 | 27.87 | 46.17 |
| 抽油烟机 | (台) | Range Hoods | (unit) | 46.02 | 24.26 | 33.72 | 47.66 | 58.83 | 65.64 |
| 吸尘器 | (台) | Dust Catcher | (unit) | 4.36 | 1.81 | 2.77 | 4.68 | 5.53 | 7.02 |
| 空调机 | (台) | Air Conditioner | (unit) | 61.3 | 28.51 | 42.87 | 62.13 | 76.60 | 96.38 |

## 5－45 农村居民家庭拥有生产性固定资产情况(2002－2008年)
Purchases of Productive Fixed Assets in Rural Households(2002－2008)

| 指 标 | Item | 2002 | 2003 | 2004 | 2005 | 2006 | 2007 | 2008 |
|---|---|---|---|---|---|---|---|---|
| **户均生产性固定资产原值（元）** | **Per Household Original Value of Productive Fixed Assets (yuan)** | **8418.8** | **9222.7** | **10078.0** | **12004.7** | **11946.5** | **12140.2** | **13106.6** |
| 役畜、产品畜 | Draught Animal and Product Livestock | 157.9 | 143.4 | 185.0 | 266.8 | 275.1 | 310.4 | 781.8 |
| 大中型铁木农具 | Large and Medium－sized Iron and wood Farm Tools | 245.7 | 280.1 | 248.0 | 237.6 | 203.2 | 229.0 | 229.2 |
| 农林牧渔业机械 | Agricultural Machinery | 1005.5 | 499.4 | 1304.5 | 1458.7 | 1355.1 | 1497.1 | 1374.0 |
| 工业 | Industrial Machinery | 2181.9 | 2568.7 | 3072.0 | 4211.6 | 4295.6 | 4206.0 | 4524.8 |
| 运输 | Transportation Machinery | 1503.7 | 1437.0 | 1796.5 | 1807.4 | 1745.1 | 1824.7 | 1691.8 |
| **平均每百户拥有:** | **Possession Per 100 Households** | | | | | | | |
| 汽车（辆） | Vehicles for Agricultural Use (unit) | 2.0 | 2.2 | 2.2 | 1.9 | 1.8 | 2.0 | 1.5 |
| 大中型拖拉机（辆） | Large and Medium sized Tractors (unit) | 1.0 | 1.5 | 1.3 | 1.5 | 1.8 | 1.6 | 1.2 |
| 小型和手扶拖拉机（辆） | Small－sized and Walking Tractors (unit) | 5.9 | 4.9 | 4.2 | 2.7 | 2.8 | 3.4 | 2.9 |
| 机动脱粒机（台） | Motorized Thresher (unit) | 28.9 | 27.5 | 25.6 | 16.5 | 16.4 | 16.6 | 15.8 |
| 水泵（台） | Turbine Pump (unit) | 25.0 | 21.7 | 22.0 | 19.6 | 19.3 | 19.7 | 19.6 |
| 役畜（头） | Draught Animal (head) | 4.3 | 3.0 | 2.0 | 3.5 | 3.0 | 2.4 | 2.8 |
| 产品畜（头） | Product Livestock (head) | 20.4 | 14.0 | 24.7 | 30.2 | 44.7 | 67.6 | 77.4 |

## 5-46 农村居民家庭拥有生产性固定资产情况(2008年)
Investment in Fixed Assets for Production(2008)

| 指 标 | | Item | | 总平均 Average | 按人均纯收入等级分组 Grouped by Level of Net Income 低20%收入户 Lower Income Households (20%) | 次低20%收入户 Low Income Households (20%) | 中等20%收入户 Middle Income Households (20%) | 次高20%收入户 High Income Households (20%) | 高20%收入户 Higher Income Households (20%) |
|---|---|---|---|---|---|---|---|---|---|
| **户均生产性固定资产原值** | (元) | **Per Household Original Value of Productive Fixed Assets** | (yuan) | **13106.62** | **13866.47** | **8012.39** | **9273.71** | **12502.62** | **21877.93** |
| 农业 | | Agricalture | | 5400.81 | 6680.19 | 3571.23 | 3883.68 | 4576.60 | 8292.35 |
| 工业 | | Industry | | 4524.83 | 4925.64 | 2513.19 | 2525.11 | 4689.66 | 7970.53 |
| 建筑业 | | Construction | | 421.30 | 80.64 | 56.70 | 140.48 | 789.32 | 1039.36 |
| 交通运输业 | | Transportation | | 1691.84 | 1829.54 | 949.26 | 1133.94 | 1353.94 | 3192.55 |
| 批发和零售贸易、餐饮业 | | Wholesale, Retail Sale and Catering Services | | 726.07 | 215.43 | 732.71 | 1164.15 | 639.06 | 878.99 |
| 社会服务业 | | Social Services | | 152.86 | 86.95 | 68.29 | 162.39 | 339.04 | 107.61 |
| 文教卫生业 | | Culture Education and Public Health | | 73.97 | 12.66 | 78.17 | 94.57 | 86.06 | 98.40 |
| 其他 | | Others | | 114.95 | 35.43 | 42.84 | 169.39 | 28.94 | 298.14 |
| **平均每百户拥有:** | | **Possession Per 100 Households** | | | | | | | |
| 汽车 | (辆) | Vehicles for Agricultural Use | (unit) | 1.51 | 1.28 | 0.96 | 1.17 | 1.38 | 2.77 |
| 大中型拖拉机 | (台) | Large and Medium - sized Tractors | (unit) | 1.15 | 1.17 | 0.85 | 1.06 | 1.17 | 1.49 |
| 小型和手扶拖拉机 | (辆) | Small - sized and Walking Tractors | (unit) | 2.89 | 2.34 | 3.62 | 2.66 | 2.66 | 3.19 |
| 机动脱粒机 | (辆) | Motorized Thresher | (unit) | 15.83 | 18.30 | 15.97 | 16.98 | 13.63 | 14.29 |
| 收割机 | (台) | Reaper | (unit) | 0.26 | 0.21 | 0.11 | 0.43 | 0.11 | 0.43 |
| 农用动力机械 | (台) | Dynamioal Machirery for Agricultural Use | (unit) | 10.46 | 8.48 | 8.57 | 14.51 | 7.96 | 12.79 |
| 水泵 | (台) | Turbine Pump | (unit) | 19.56 | 18.94 | 18.94 | 20.21 | 16.01 | 23.72 |
| 役畜 | (头) | Draught Animal | (head) | 2.79 | 3.77 | 3.03 | 1.60 | 3.51 | 2.02 |
| 产品畜 | (头) | Product Livestock | (head) | 77.43 | 51.60 | 25.96 | 31.81 | 35.85 | 241.91 |

浙/江/统/计/年/鉴

# 主要统计指标解释

## ■ 职工工资总额

指各单位在一定时期内直接支付给本单位全部职工的劳动报酬总额。

工资总额的计算原则应以直接支付给职工的全部劳动报酬为根据。各单位支付给职工的劳动报酬以及其他根据有关规定支付的工资，不论是计入成本的还是不计入成本的，不论是按国家规定列入计征奖金税项目的，还是未列入计征奖金税项目的，不论是以货币形式支付的还是以实物形式支付的，均包括在工资总额内。

## ■ 计件超额工资

是计件工资的一部分，指计件工人超额完成定额任务后所得的工资。即计件工人实得的全部计件工资级别减去应提的计件标准工资后的数额。某些企业的工人由于从事生产的工作物等级高于本人工资等级，因而其计件标准工资高于本人标准工资，其计件超额也应是全部工资减去应得的计件标准工资后的数额。

## ■ 奖　金

指支付给职工的超额劳动报酬和增收节支的劳动报酬。

## ■ 津贴和补贴

指为了补偿职工特殊或额外的劳动消耗和因其他特殊原因支付给职工的津贴，以及为了保证职工工资水平不受物价影响支付给职工的物价补贴。

## ■ 职工平均工资

指企业、事业、机关单位的职工在一定时期内平均每人所得的货币工资额。它表明一定时期职工工资收入的高低程度，是反映职工工资水平的主要指标。计算公式为：

$$\text{职工平均工资}=\frac{\text{报告期实际支付的全部职工工资总额}}{\text{报告期全部职工平均人数}}$$

## ■ 职工平均实际工资

指扣除物价变动因素后的职工平均工资。计算公式为：

$$\text{职工平均实际工资}=\frac{\text{报告期职工平均工资}}{\text{报告期城镇居民消费价格指数}}$$

## ■ 城镇居民家庭实际收入

指调查户中生活在一起的家庭成员在调查期得到的工资性收入、经营净收入、财产性收入、转移性收入的总和。不包括出售财物收入和借贷收入。

## ■ 城镇居民家庭可支配收入

指调查户可以用来自由支配的收入。它是家庭总收入扣除交纳的个人所得税、个人交纳的社会保障费以及调查户的记帐补贴后的收入。

## ■ 城镇居民家庭消费性支出

指调查户用于满足日常生活需要的全部消费支出，包括食品、衣着、居住、家庭设备用品及服务、医疗保健、交通和通信、娱乐教育文化服务、其它商品和服务等八大类。不包括生产经营过程中发生的各项成本费用支出、购建房支出、社会保障支出、贷款利息支出、捐赠赡养及非储蓄性保险等转移性支出。

## ■ 农村居民家庭纯收入

指农村常住居民家庭总收入中，扣除从事生产和非生产经营费用支出、缴纳税款和上交承包集体任务金额以后剩余的，可直接用于进行生产性、非生产性建设投资、生活消费和积蓄的那一部分收入。它是反映农民家庭实际收入水平的综合性的主要指标。农民家庭纯收入，既包括从事生产性和非生产性的经营收入，又包括取自在外人口寄回带回和国家财政救济、各种补贴等非经营性收入；既包括货币收入，又包括自产自用的实物收入。但不包括向银行、信用社和向亲友贷款等属于借贷性的收入。

## ■ 农村居民家庭生活消费支出

指农村常住居民家庭用于日常生活的全部开支，是反映和研究农民家庭实际生活消费水平高低的重要指标。

ZHEJIANG STATISTICAL YEARBOOK

# Explanatory Notes on Main Statistical Indicators

## □ Total Wages of Staff and Workers

refer to the total remuneration payment to staff and workers in various units during a certain period of time.

The calculation of total wages is based on the total remuneration payment to the staff and workers. Therefore, all the wages and salaries and other payments to staff and workers are included in the total wages regardless of their sources, category, and forms (in kind or cash).

## □ Extra Piece Wages

refer to the payment to workers for their extra work beyond labour quota, i. e. total amount of piece wages minus standard piece wages. For some enterprises, the standard of piece wage for some workers exceeds their normal payment. In this case, the extra piece wage is still calculated as total amount of wages minus standard picec wages.

## □ Bonus

refers to remuneration payment to workers for extra work and for increasing earnings and practicing economy.

## □ Subsidies and Allowances

refer to subsidies paid to staff and workers for compensating special or extra labour and allowances paid to staff and workers to offset the impact of inflation on real wages.

## □ Average Wage of Staff and Workers

refers to the average wage in money terms per person during a certain period of time for staff and workers in enterprises, institutions, and government agencies, which reflects the general level of wage income during a certain period of time and is calculated as follows:

$$\text{Average Wage of Staff and Workers} = \frac{\text{Total Wages of Staff and Workers in Reference Period}}{\text{Average Number of Staff and Workers in Reference Period}}$$

## □ Average Real Wage of Staff and Workers

refers to average wage of staff and workers after removing the effects of price changes, which is calculated as follows:

$$\text{Average Real Wage of Staff and Workers} = \frac{\text{Average Wage of Staff and Workers in Reference Period}}{\text{Consumer Price Index of Urban Residents in Reference Period}}$$

## □ Total Income of Urban Households

refers to the sum of wage and salary; net business income; income from properties; and income from transfers of members of the households. Income from selling of properties and income from borrowing are not included.

## □ Disposable Income of Urban Households

refers to the actual income at the disposal of members of the households which can be used for final consumption. This equals to total income minus income tax, personal contribution to social security and subsidy for keeping diaries in being a sample household.

## □ Expenditure for Consumption

refers to total expenditure of the sample households for consumption in daily life, including expenditure for various commodities and expenses for non – commodity items such as culture and service, etc., but excluding fines and confiscation, loss, tax payments (such as income tax, license tax, real estates tax, etc.) and various expenses by individual laborers for business purposes.

## □ Net Income of Rural Households

refers to the total income of the permanent residents of the rural households during a year after the deduction of the expenses for productive and non – productive business operation, the payment for taxes and the payment for collective units for their contracted tasks. The net income can

EXPLANATORY NOTES ON MAIN STATISTICAL INDICATORS

be spent for investments in productive and non – productive construction, for consumption in daily life and for savings deposit. It is a comprehensive indicator to show the actual level of the income of the peasants´household. The net income of the rural households includes not only the income from the productive and non – productive business operation, but also the income from the non business operation, such as the money remitted or brought back by the members of the household who are in other places, the government relief payment and various subsidies. It includes not only the money income, but also the income in kind. But the income from borrowing from banks, friends and relatives is excluded.

## □ Consumption Expenditure of Urban Households

refers to total expenditure of households for consumption in daily life, including expenditure on the eight categories of food; clothing; housing; household appliances and services; health care and medical services; transport and communications; recreation, education and cultural services; and miscellaneous goods and services.

浙江统计年鉴 2009

ZHEJIANG STATISTICAL YEARBOOK

6

# CHAPTER 6

# 农 业

Agriculture

## 6－1　农村基本情况(2003－2008 年)
Basic Statistics on Rural Areas(2003－2008)

| 指标 | Item | 2003 | 2004 | 2005 | 2006 | 2007 | 2008 |
|---|---|---|---|---|---|---|---|
| **农村基层组织** | **Rural Grass Roots Units (unit)** | | | | | | |
| 其中:乡镇政府 (个) | Number of Township and Town Governments (unit) | 1334 | 1281 | 1251 | 1215 | 1207 | 1197 |
| #镇政府 | Number of Town Governments | 791 | 763 | 758 | 754 | 749 | 747 |
| 村民委员会 (个) | Number of Villages' Committees (unit) | 38322 | 35445 | 34515 | 32976 | 31060 | 30112 |
| 村民小组 (万个) | Number of Villages' Groups (10000 units) | 33.45 | 33.28 | 33.22 | 32.98 | 32.92 | 32.65 |
| **农村住户数、人口、从业人员** | **Number of Rural Households, Population and Employed Persons** | | | | | | |
| 农村住户数 (万户) | Rural Households (10000 households) | 1168.74 | 1193.53 | 1224.62 | 1221.13 | 1226.54 | 1227.45 |
| #农业生产户数 (万人) | Agricultural Producing (10000 persons) | 943.15 | 920.61 | 903.47 | 808.26 | 793.48 | 781.63 |
| 农村人口 (万人) | Rural Population (10000 persons) | 3712.12 | 3734.83 | 3790.49 | 3770.17 | 3770.46 | 3761.72 |
| 农村劳动力资源 (万人) | Rural Labour Resource (10000 persons) | 2323.05 | 2367.99 | 2430.78 | 2438.12 | 2460.57 | 2465.23 |
| 农村从业人员 (万人) | Rural Employed persons (10000 persons) | 2219.9 | 2252.34 | 2298.54 | 2303.70 | 2318.21 | 2304.33 |
| 按性别分 | By Sex | | | | | | |
| 男 | Male | 1186.65 | 1202.96 | 1231.68 | 1231.33 | 1237.03 | 1232.43 |
| 女 | Female | 1033.25 | 1049.38 | 1066.86 | 1072.37 | 1081.18 | 1071.90 |
| 按部门分 | By Section | | | | | | |
| 农林牧渔业 | Farming, Forestry, Animal Husbandry and Fishery | 872.96 | 826.63 | 786.92 | 732.92 | 688.04 | 666.35 |
| 工业 | Industry | 647.41 | 700.68 | 754.89 | 796.18 | 844.90 | 849.87 |
| 建筑业 | Construction | 130.85 | 138.27 | 145.37 | 150.35 | 158.49 | 161.81 |
| 交通运输、仓储、邮政及信息传输、计算机业 | Transportation, Storage, Post, Information Trasmission, Computer Service and Softwrare Imdustries | 79.61 | 89.93 | 92.15 | 95.48 | 97.96 | 98.18 |
| 批发、零售贸易、住宿、餐饮业 | Wholesale, Retail Sales Hoteling and Catering Trades | 191.22 | 203.52 | 216.81 | 227.90 | 240.84 | 247.33 |
| 其他非农行业 | Other Non-agricultural Sectors | 297.85 | 293.31 | 302.40 | 300.87 | 287.98 | 280.79 |
| #外出临时工、合同工 | Temporary or Contract Workers Going Out | 113.66 | 111.57 | 105.63 | 109.00 | 105.06 | 109.05 |
| **在农村从业人员中:外出劳动力 (万人)** | **Among Rural Employed Persons: Transferring Out (10000 persons)** | **386.95** | **404.44** | **417.68** | **435.58** | **459.25** | **456.27** |

## 6-2 分行业农村从业人员(1978-2008年)
## Employed Persons in Rural Areas by Sector(1978-2008)

单位:万人(10000 persons)

| 年份 Year | 农林牧渔业 Farming, Forestry, Animal Husbandry and Fishery | 工业 Industry | 建筑业 Construction | 交通运输、仓储、邮政及信息传输、计算机业 Transport, Storage, Post, Information Transmission, Computer Service and Software Industries | 其他非农行业 Other Non-agricultural Trade |
|---|---|---|---|---|---|
| 1978 | 1300.00 | | | | |
| 1979 | 1285.80 | | | | |
| 1980 | 1257.40 | | | | |
| 1981 | 1218.30 | | | | |
| 1982 | 1274.70 | | | | |
| 1983 | 1279.90 | | | | |
| 1984 | 1277.90 | 319.42 | 55.82 | 21.77 | 110.99 |
| 1985 | 1299.10 | 339.14 | 63.74 | 28.36 | 133.46 |
| 1986 | 1263.70 | 376.15 | 68.99 | 32.62 | 173.04 |
| 1987 | 1260.40 | 399.73 | 72.97 | 37.91 | 184.09 |
| 1988 | 1260.80 | 409.16 | 76.65 | 41.66 | 199.43 |
| 1989 | 1308.50 | 375.58 | 75.00 | 41.88 | 210.04 |
| 1990 | 1336.50 | 368.41 | 74.11 | 41.70 | 214.08 |
| 1991 | 1348.74 | 376.99 | 74.36 | 42.90 | 229.13 |
| 1992 | 1338.56 | 367.88 | 78.27 | 46.56 | 268.11 |
| 1993 | 1239.16 | 418.91 | 87.15 | 52.53 | 307.89 |
| 1994 | 1187.43 | 436.72 | 91.87 | 58.31 | 326.97 |
| 1995 | 1145.87 | 447.25 | 99.44 | 62.89 | 341.57 |
| 1996 | 1123.06 | 446.52 | 104.38 | 64.07 | 358.00 |
| 1997 | 1106.59 | 448.24 | 102.66 | 64.00 | 378.12 |
| 1998 | 1102.70 | 439.93 | 102.11 | 64.31 | 387.45 |
| 1999 | 1073.58 | 445.65 | 104.51 | 66.44 | 399.90 |
| 2000 | 1014.93 | 474.25 | 110.68 | 69.03 | 439.55 |
| 2001 | 985.11 | 531.89 | 116.49 | 72.82 | 463.77 |
| 2002 | 929.58 | 582.40 | 122.71 | 76.18 | 474.73 |
| 2003 | 872.96 | 647.41 | 130.85 | 79.61 | 489.07 |
| 2004 | 826.63 | 700.68 | 138.27 | 89.93 | 496.83 |
| 2005 | 786.92 | 754.89 | 145.37 | 92.15 | 519.21 |
| 2006 | 732.92 | 796.18 | 150.35 | 95.48 | 528.77 |
| 2007 | 688.04 | 844.90 | 158.49 | 97.96 | 528.82 |
| 2008 | 666.35 | 849.87 | 161.81 | 98.18 | 528.12 |

注:本表其他非农行业包括批发、零售贸易、住宿、餐饮业。

The other non-agricultural trade is including wholesale, retail, hoteling and catering services.

## 6-3　各市农村从业人员(2008年)
Rural Labour Force by City(2008)

单位:万人(10000 persons)

| 地区 | Region | 合计 Total | #女 Female | 农、林、牧、渔业 Farming, Forestry, Animal Husbandry and Fishery | #农业 Farming | 工业 Industry |
|---|---|---|---|---|---|---|
| **全省合计** | **Total** | **2304.33** | **1071.90** | **666.35** | **533.61** | **849.87** |
| **浙东北** | **Eastern & Northern Region** | **1100.63** | **517.23** | **274.18** | **206.59** | **478.85** |
| 杭州市 | Hangzhou | 260.16 | 123.00 | 78.08 | 60.16 | 89.91 |
| 宁波市 | Ningbo | 305.56 | 141.89 | 64.14 | 50.76 | 152.00 |
| 嘉兴市 | Jiaxing | 154.01 | 74.07 | 36.23 | 25.81 | 84.14 |
| 湖州市 | Huzhou | 118.13 | 55.74 | 32.13 | 20.23 | 50.36 |
| 绍兴市 | Shaoxing | 223.39 | 106.16 | 52.61 | 44.79 | 93.91 |
| 舟山市 | Zhoushan | 39.38 | 16.37 | 10.99 | 4.84 | 8.53 |
| **浙西南** | **Western & Southern Region** | **1203.70** | **554.67** | **392.17** | **327.02** | **371.02** |
| 温州市 | Wenzhou | 384.58 | 171.84 | 100.27 | 83.71 | 136.12 |
| 金华市 | Jinhua | 272.17 | 128.66 | 89.94 | 82.68 | 98.30 |
| 其中:义乌市 | YiWu | 70.19 | 33.74 | 9.11 | 8.53 | 40.69 |
| 衢州市 | Quzhou | 121.41 | 56.02 | 57.38 | 46.27 | 18.47 |
| 台州市 | Taizhou | 313.59 | 147.08 | 83.00 | 65.81 | 105.16 |
| 丽水市 | Lishui | 111.95 | 51.07 | 61.58 | 48.55 | 12.97 |

6-3　续表　continued

单位:万人(10000 persons)

| 地区 | Region | 建筑业 Construction | 交通运输、仓储、邮政及信息传输、计算机业 Transport, Storage, Post, Information Transmission, Computer Service and Software Industries | 批发、零售贸易、住宿、餐饮业 Wholesale, Retail Sales Hoteling and Catering Services | 其他非农行业 Other Non-agricultural Trade | #外出合同工、临时工 Contract or Temporary Workers Transferring Out | 在农村从业人员中:外出 Among Rural Employed Persons: Transferring Out |
|---|---|---|---|---|---|---|---|
| **全省合计** | **Total** | **161.81** | **98.18** | **247.33** | **280.79** | **109.05** | **456.27** |
| **浙东北** | **Eastern & Northern Region** | **87.34** | **51.97** | **93.85** | **114.44** | **50.77** | **169.26** |
| 杭州市 | Hangzhou | 17.70 | 13.03 | 19.58 | 41.86 | 24.05 | 45.27 |
| 宁波市 | Ningbo | 21.42 | 13.32 | 26.81 | 27.87 | 10.01 | 40.00 |
| 嘉兴市 | Jiaxing | 8.44 | 5.61 | 10.96 | 8.63 | 3.47 | 9.89 |
| 湖州市 | Huzhou | 8.42 | 7.30 | 11.32 | 8.60 | 3.46 | 17.91 |
| 绍兴市 | Shaoxing | 26.88 | 9.43 | 20.37 | 20.19 | 7.18 | 46.09 |
| 舟山市 | Zhoushan | 4.48 | 3.28 | 4.81 | 7.29 | 2.60 | 10.10 |
| **浙西南** | **Western & Southern Region** | **74.47** | **46.21** | **153.48** | **166.35** | **58.28** | **287.01** |
| 温州市 | Wenzhou | 17.86 | 16.83 | 66.01 | 47.49 | 12.72 | 91.51 |
| 金华市 | Jinhua | 20.07 | 8.30 | 25.43 | 30.13 | 13.08 | 54.27 |
| 其中:义乌市 | YiWu | 3.38 | 2.12 | 10.54 | 4.35 | 1.01 | 6.29 |
| 衢州市 | Quzhou | 11.15 | 4.23 | 8.19 | 21.99 | 13.94 | 49.74 |
| 台州市 | Taizhou | 21.38 | 13.49 | 44.43 | 46.13 | 10.32 | 59.32 |
| 丽水市 | Lishui | 4.01 | 3.36 | 9.42 | 20.61 | 8.22 | 32.17 |

## 6-4 农、林、牧、渔业总产值(1978-2008年)
Gross Output Value of Farming, Forestry, Animal Husbandry and Fishery (1978-2008)

单位:亿元(100 million yuan)

| 年份 Year | 农林牧渔业总产值 Total | 农业产值 Farming | #种植业产值 Planting | 林业产值 Forestry | 牧业产值 Animal Husbandry | 渔业产值 Fishery | 农林牧渔服务产值 Services for Agriculture |
|---|---|---|---|---|---|---|---|
| 1978 | 65.71 | 50.82 | 48.86 | 1.99 | 9.42 | 3.48 | |
| 1979 | 91.84 | 69.47 | 67.29 | 2.75 | 15.55 | 4.07 | |
| 1980 | 92.67 | 64.23 | 60.52 | 3.61 | 19.39 | 5.44 | |
| 1981 | 95.56 | 69.21 | 64.48 | 3.79 | 16.45 | 6.11 | |
| 1982 | 118.04 | 84.61 | 77.91 | 4.42 | 22.88 | 6.13 | |
| 1983 | 118.68 | 83.65 | 74.87 | 4.77 | 23.41 | 6.85 | |
| 1984 | 147.49 | 102.80 | 89.93 | 6.67 | 27.01 | 11.01 | |
| 1985 | 174.05 | 111.20 | 92.85 | 8.87 | 37.84 | 16.14 | |
| 1986 | 192.04 | 122.97 | 101.00 | 9.26 | 40.09 | 19.72 | |
| 1987 | 227.18 | 141.09 | 113.91 | 11.61 | 48.57 | 25.91 | |
| 1988 | 280.94 | 162.80 | 129.89 | 14.40 | 70.33 | 33.41 | |
| 1989 | 304.50 | 181.26 | 145.97 | 13.60 | 75.68 | 33.96 | |
| 1990 | 331.56 | 199.48 | 163.92 | 16.00 | 75.18 | 40.90 | |
| 1991 | 363.22 | 217.21 | 180.00 | 17.42 | 76.78 | 51.81 | |
| 1992 | 396.93 | 226.46 | 179.94 | 21.01 | 85.23 | 64.23 | |
| 1993 | 490.13 | 274.85 | 218.01 | 29.80 | 92.11 | 93.37 | |
| 1994 | 690.20 | 372.97 | 305.58 | 41.92 | 134.78 | 140.53 | |
| 1995 | 868.76 | 481.90 | 407.24 | 50.02 | 142.03 | 194.81 | |
| 1996 | 932.85 | 517.29 | 431.90 | 54.77 | 155.88 | 204.92 | |
| 1997 | 1004.88 | 516.21 | 426.56 | 59.26 | 190.03 | 239.38 | |
| 1998 | 1003.66 | 522.98 | 434.22 | 59.46 | 165.85 | 255.37 | |
| 1999 | 1005.22 | 519.00 | 431.57 | 62.31 | 157.00 | 266.91 | |
| 2000 | 1057.07 | 521.31 | 446.15 | 54.48 | 183.94 | 297.36 | |
| 2001 | 1053.57 | 488.59 | 471.52 | 60.20 | 195.94 | 308.84 | |
| 2002 | 1101.86 | 511.42 | 495.72 | 60.84 | 205.09 | 324.51 | |
| 2003 | 1184.04 | 529.44 | 515.24 | 65.67 | 233.01 | 337.11 | 18.81 |
| 2004 | 1332.27 | 592.59 | 578.22 | 78.36 | 277.89 | 361.99 | 21.44 |
| 2005 | 1428.28 | 654.81 | 640.20 | 83.51 | 285.95 | 380.81 | 23.20 |
| 2006 | 1422.60 | 684.00 | 669.44 | 86.04 | 279.01 | 347.53 | 26.03 |
| 2007 | 1597.15 | 735.92 | 721.63 | 95.47 | 367.60 | 369.90 | 28.27 |
| 2008 | 1780.01 | 813.10 | 796.12 | 106.95 | 418.86 | 407.82 | 33.28 |

注:1. 本表按当年价格计算。 The data in this table are calculated at current price.
2. 2003年起农林牧渔业总产值中包括服务业产值。 Gross output value includes services for agriculture since 2003.
3. 2006年及以后年份农林牧渔业总产值已与农普数衔接。 According to the result of agricultural census, the figures are adjusted since 2006.

## 6-5　农、林、牧、渔业总产值指数(1979-2008年)
## Indices of Gross Output Value of Farming, Forestry, Animal Husbandry and Fishery (1979-2008)

(1978年=100)(1978=100)

| 年份 Year | 农林牧渔业总产值 Gross Output Value of Farming Forestry, Animal Husbandry & Fishery | 农业产值 Farming | #种植业 Planting | 林业产值 Forestry | 牧业产值 Animal Husbandry | 渔业产值 Fishery | 农林牧渔服务业(2003年=100) Services for Agriculture (2003=100) |
|---|---|---|---|---|---|---|---|
| 1979 | 112.26 | 109.58 | 110.04 | 109.95 | 131.12 | 93.69 | |
| 1980 | 109.85 | 105.62 | 103.41 | 115.71 | 133.27 | 94.59 | |
| 1981 | 110.78 | 107.65 | 104.36 | 115.71 | 128.88 | 96.69 | |
| 1982 | 128.98 | 127.88 | 123.64 | 113.26 | 148.37 | 102.71 | |
| 1983 | 124.88 | 122.05 | 114.82 | 116.93 | 149.42 | 99.70 | |
| 1984 | 145.51 | 145.51 | 132.39 | 149.29 | 156.79 | 116.48 | |
| 1985 | 151.17 | 146.44 | 125.92 | 155.09 | 176.43 | 136.74 | |
| 1986 | 159.30 | 152.77 | 126.90 | 149.90 | 185.83 | 162.85 | |
| 1987 | 164.65 | 158.47 | 125.65 | 161.50 | 181.27 | 184.84 | |
| 1988 | 168.39 | 162.26 | 122.63 | 157.53 | 189.10 | 182.79 | |
| 1989 | 170.76 | 166.71 | 124.53 | 152.65 | 185.44 | 182.16 | |
| 1990 | 175.37 | 170.34 | 128.84 | 166.08 | 187.23 | 198.14 | |
| 1991 | 186.67 | 181.51 | 137.66 | 185.57 | 192.05 | 217.84 | |
| 1992 | 193.70 | 179.20 | 129.00 | 198.03 | 209.41 | 251.91 | |
| 1993 | 202.65 | 184.90 | 127.48 | 240.93 | 203.50 | 286.54 | |
| 1994 | 221.50 | 191.86 | 127.47 | 283.27 | 204.03 | 383.96 | |
| 1995 | 242.72 | 205.46 | 135.15 | 302.47 | 202.14 | 482.07 | |
| 1996 | 258.08 | 221.62 | 142.54 | 319.98 | 203.38 | 516.58 | |
| 1997 | 270.66 | 223.18 | 142.51 | 340.13 | 222.24 | 570.26 | |
| 1998 | 280.94 | 223.98 | 143.15 | 328.23 | 230.46 | 640.51 | |
| 1999 | 294.15 | 233.77 | 153.57 | 351.75 | 242.33 | 669.03 | |
| 2000 | 307.67 | 230.70 | 150.09 | 391.15 | 265.45 | 741.95 | |
| 2001 | 322.75 | 240.16 | 160.75 | 414.23 | 288.28 | 769.40 | |
| 2002 | 336.31 | 155.05 | 171.36 | 417.96 | 300.39 | 787.87 | |
| 2003 | 348.29 | 267.73 | 180.78 | 429.21 | 306.42 | 811.56 | |
| 2004 | 363.75 | 171.10 | 190.00 | 458.00 | 310.38 | 848.84 | 109.84 |
| 2005 | 372.48 | 175.72 | 195.13 | 463.04 | 326.52 | 847.99 | 117.53 |
| 2006 | 385.52 | 183.80 | 202.34 | 488.51 | 311.42 | 870.04 | 125.87 |
| 2007 | 394.39 | 188.58 | 207.60 | 509.03 | 314.53 | 884.83 | 135.69 |
| 2008 | 412.57 | 198.08 | 217.73 | 554.03 | 323.49 | 918.72 | 152.16 |

注:本表按可比价格计算。　The data in this table are calculated at comparable price.

## 6-6 农、林、牧、渔业分项产值(2002-2008年)
Gross Output Value of Farming, Forestry, Animal Husbandry and Fishery by Branch (2002-2008)

单位:亿元(100 million yuan)

| 指标 | Item | 2002 | 2003 | 2004 | 2005 | 2006 | 2007 | 2008 |
|---|---|---|---|---|---|---|---|---|
| **农林牧渔业总产值** | **Total** | **1101.86** | **1184.04** | **1332.27** | **1428.28** | **1422.6** | **1597.15** | **1780.01** |
| **农业产值** | **Farming** | **511.42** | **529.44** | **592.59** | **654.81** | **684** | **735.92** | **813.10** |
| 农作物种植业产值 | Planting | 495.72 | 515.24 | 578.22 | 640.2 | 669.44 | 721.63 | 796.12 |
| #粮食 | Grain | 122.71 | 112.62 | 151.12 | 152.37 | 146.28 | 144.97 | 164.95 |
| 谷物 | Cereal | 103.26 | 93.71 | 128.96 | 128.17 | 134.21 | 131.82 | 144.25 |
| 豆类 | Beans | 10.62 | 10.76 | 12.37 | 13.76 | 8.27 | 8.94 | 11.13 |
| 薯类 | Tubers | 8.83 | 8.16 | 9.79 | 10.44 | 3.8 | 4.21 | 9.58 |
| 油料 | Oil-bearing Crops | 10.41 | 10.18 | 12.71 | 12.97 | 12.27 | 15.69 | 18.47 |
| 棉花 | Cotton | 2.24 | 2.62 | 2.08 | 2.27 | 2.49 | 2.77 | 3.08 |
| 麻类 | Fiber Crops | 0.09 | 0.08 | 0.07 | 0.06 | 0.04 | 0.04 | 0.03 |
| 糖料 | Sugar Crops | 9.03 | 9.65 | 8.53 | 8.75 | 9.95 | 12.1 | 11.22 |
| 蔬菜 | Vegetables | 158.56 | 159.29 | 153.24 | 192.91 | 200.76 | 210.9 | 240.34 |
| 茶、桑、果 | Tea, Mulberry, Fruit | 111.54 | 121.42 | 141.89 | 155.62 | 175.33 | 205.61 | 216.13 |
| 其他农业产值 | Other Farming | 15.7 | 14.20 | 14.37 | 14.61 | 14.56 | 14.29 | 16.98 |
| **林业产值** | **Forestry** | **60.84** | **65.67** | **78.36** | **83.51** | **86.04** | **95.47** | **106.95** |
| 人造林木生长 | Man-made Forestry Growing | 6.03 | 7.26 | 6.77 | 9.07 | 9.27 | 9.17 | 6.18 |
| 林产品 | Forestry Products | 32.49 | 36.20 | 46.87 | 45.34 | 45.81 | 51.25 | 51.45 |
| 竹木采运 | Lumbering | 22.32 | 22.20 | 24.72 | 29.1 | 30.96 | 35.05 | 49.32 |
| **牧业产值** | **Animal Husbandry** | **205.09** | **233.01** | **277.89** | **285.95** | **279.01** | **367.6** | **418.86** |
| 牲畜繁殖、增长增重 | Breeding and Growthing of Domestic Animals | 118.66 | 142.90 | 184.57 | 180.01 | 169.03 | 254.69 | 303.61 |
| 家禽饲养 | Poultry Raising | 28.01 | 33.00 | 30.6 | 35.15 | 35.34 | 42.07 | 47.54 |
| 活的畜禽产品 | Live Livestock Products | 26.30 | 27.72 | 29.29 | 32.81 | 20.93 | 20.93 | 33.13 |
| 其他动物饲养 | Other Animals Raising | 31.97 | 29.25 | 33.23 | 37.76 | 53.40 | 49.64 | 34.25 |
| **渔业产值** | **Fishery** | **324.63** | **337.11** | **361.99** | **380.81** | **347.53** | **369.9** | **407.82** |
| 海水产品 | Seawater Aquatic Products | 234.63 | 240.84 | 261.54 | 279.85 | 255.33 | 268.70 | 277.23 |
| 淡水产品 | Freshwater Aquatic Products | 89.88 | 96.27 | 100.45 | 100.96 | 92.20 | 101.20 | 130.59 |
| **服务业产值** | **Services for Agriculture** | | **18.81** | **21.44** | **23.20** | **26.03** | **28.27** | **33.28** |

注:1. 本表按当年价格计算。 The data in this table are calculated at current price.
2. 2003年起总产值中包括服务业产值。 Total gross output value includes services for agriculture since 2003.

## 6-7 农、林、牧、渔业增加值(2002-2008年)
The Added Value of Farming, Forestry, Animal Husbandry and Fishery(2002-2008)

单位:亿元(100 million yuan)

| 指标 | Item | 2002 | 2003 | 2004 | 2005 | 2006 | 2007 | 2008 |
|---|---|---|---|---|---|---|---|---|
| **总产值** | **Gross Output Value** | **1101.86** | **1165.23** | **1332.27** | **1428.28** | **1422.6** | **1597.15** | **1780.01** |
| **中间消耗** | **Intermediate Consumption** | **408.13** | **437.74** | **498.93** | **535.45** | **533.48** | **611.13** | **684.05** |
| 中间物质消耗 | Intermediate Material Consumption | 356.02 | 380.92 | 427.52 | 458.04 | 434.95 | 500.94 | 560.24 |
| 对非物质生产部门的劳务支出 | Labour Service Expenditure of Non-material Productive Sectors | 52.11 | 56.82 | 71.41 | 77.41 | 98.53 | 110.19 | 123.81 |
| **增加值** | **Added Value** | **693.73** | **727.49** | **833.34** | **892.83** | **889.12** | **986.02** | **1095.96** |
| 农业 | Farming | 375.45 | 389.31 | 436.38 | 480.83 | 491.03 | 524.65 | 578.93 |
| 林业 | Forestry | 47.02 | 50.25 | 59.91 | 63.07 | 62.55 | 69.53 | 77.85 |
| 牧业 | Animal Husbandry | 95.70 | 110.12 | 134.06 | 131.32 | 123.01 | 165.00 | 188.07 |
| 渔业 | Fishery | 175.56 | 177.81 | 192.49 | 206.24 | 200.17 | 213.05 | 234.91 |
| 服务业 | Services | | 9.28 | 10.50 | 11.37 | 12.36 | 13.79 | 16.20 |

注:1.2003年起农林牧渔业增加值中包括服务业增加值。 Gross Output Value includes Services for agricultuer since 2003.
2.2006年及以后年份农林牧渔业增加值已与农普数衔接。
The gross output value are adjusted according to agricultural census result since 2006.

## 6-8 各市农、林、牧、渔业增加值(2008年)
The Added Value of Farming, Forestry, Animal Husbandry and Fishery by City (2008)

单位:亿元(100 million yuan)

| 地区 | Region | 农、林、牧、渔业增加值 Total | #农业增加值 Farming | #固定资产折旧 Depreciation of Fixed Assets | #劳动者报酬 Compensation of Labourers | 中间消耗 Intermediate Consumption |
|---|---|---|---|---|---|---|
| **全省合计** | **Total** | **1095.96** | **578.93** | **82.11** | **1055.16** | **684.05** |
| **浙东北** | **Eastern & Northern Region** | **702.93** | **367.45** | **48.45** | **680.47** | **434.61** |
| 杭州市 | Hangzhou | 179.83 | 100.35 | 8.61 | 179.40 | 93.93 |
| 宁波市 | Ningbo | 166.85 | 88.75 | 7.77 | 165.20 | 95.60 |
| 嘉兴市 | Jiaxing | 105.52 | 57.32 | 6.74 | 100.22 | 75.35 |
| 湖州市 | Huzhou | 84.83 | 41.86 | 8.96 | 75.87 | 59.62 |
| 绍兴市 | Shaoxing | 116.19 | 74.51 | 6.88 | 110.06 | 61.96 |
| 舟山市 | Zhoushan | 49.71 | 4.66 | 9.49 | 49.72 | 48.15 |
| **浙西南** | **Western & Southern Region** | **397.74** | **213.52** | **34.01** | **379.06** | **260.08** |
| 温州市 | Wenzhou | 75.54 | 36.72 | 4.83 | 73.93 | 49.91 |
| 金华市 | Jinhua | 87.01 | 50.32 | 8.75 | 79.62 | 51.69 |
| 其中:义乌市 | YiWu | 13.91 | 7.79 | 1.39 | 12.69 | 6.60 |
| 衢州市 | Quzhou | 56.86 | 30.52 | 4.72 | 54.88 | 39.48 |
| 台州市 | Taizhou | 122.95 | 55.96 | 14.09 | 115.64 | 89.01 |
| 丽水市 | Lishui | 55.38 | 40.00 | 1.62 | 54.99 | 29.99 |

注:全省数为省级计算数,与分市相加不等。 The total is calculated by Provincial Bureau, it is not equal to the sum of regional figures by city.

## 6-9 农业机械年末拥有量(2002-2008年)
Possession of Major Agricultural Machinery (2002-2008)

| 指标 | | Item | | 2002 | 2003 | 2004 | 2005 | 2006 | 2007 | 2008 |
|---|---|---|---|---|---|---|---|---|---|---|
| **农业机械总动力** | **(万千瓦)** | **Total Power of Agricultural Machinery** | **(10000 kw)** | **2053.21** | **2039.68** | **2026.74** | **2111.27** | **2293** | **2331.63** | **2331.38** |
| **耕作机械动力** | **(万千瓦)** | **Mechanical Power of Cultivation** | **(10000 kw)** | **216.91** | **201.88** | **190.10** | **187.59** | **167.90** | **174.34** | **175.12** |
| 大中型拖拉机 | (台) | Large and Medium Sized Tractors | (unit) | 6117 | 4582 | 4376 | 4482 | 5075 | 6036 | 5842 |
| | (万千瓦) | | (10000 kw) | 15.65 | 12.91 | 12.67 | 13.09 | 14.93 | 18.12 | 19.74 |
| 农用小型拖拉机 | (万台) | Mini-tractors for Agriculture | (10000 units) | 22.84 | 21.82 | 19.93 | 19.75 | 16.65 | 17.03 | 16.62 |
| | (万千瓦) | | (10000 kw) | 194.53 | 182.45 | 171.04 | 168.51 | 145.74 | 148.32 | 145.36 |
| **收获机械动力** | **(万千瓦)** | **Mechanical Power of Harvesting** | **(10000 kw)** | **246.96** | **241.06** | **235.07** | **243.52** | **282.56** | **282.85** | **265.42** |
| 联合收割机 | (台) | Combine Harvesters | (unit) | 13325 | 12554 | 12634 | 14173 | 13856 | 14837 | 15165 |
| | (万千瓦) | | (10000 kw) | 24.13 | 23.13 | 25.70 | 32.82 | 33.04 | 41.67 | 44.51 |
| 机动收割机(割晒机) | (台) | Motorized Harvesters | (unit) | 448 | 406 | 373 | 397 | 514 | 349 | 228 |
| 机动脱粒机 | (万台) | Motorized Thresher | (10000 units) | 134.94 | 131.91 | 126.59 | 127.16 | 147.56 | 145.36 | 131.25 |
| **植保机械动力** | **(万千瓦)** | **Mechanical Power of Plant Protection** | **(10000 kw)** | **8.11** | **8.99** | **13.53** | **15.28** | **25.36** | **26.99** | **30.65** |
| 机动喷雾(粉)器 | (万架) | Motorized Sprayer | (10000 units) | 5.62 | 6.06 | 7.77 | 7.68 | 11.66 | 12.58 | 13.27 |
| **排灌机械动力** | **(万千瓦)** | **Mechanical Power of Drainage and Irrigation** | **(10000 kw)** | **205.28** | **207.13** | **212.74** | **220.26** | **280.04** | **280.45** | **281.12** |
| 柴油机 | (万台) | Diesel Engines | (10000 units) | 7.91 | 8.24 | 7.90 | 8.56 | 8.70 | 9.01 | 8.74 |
| | (万千瓦) | | (10000 kw) | 39.84 | 41.50 | 39.45 | 44.60 | 42.40 | 42.98 | 42.07 |
| 电动机 | (万台) | Electric Engines | (10000 units) | 35.96 | 36.51 | 39.95 | 41.63 | 86.60 | 85.77 | 86.98 |
| | (万千瓦) | | (10000 kw) | 165.35 | 165.34 | 171.76 | 173.87 | 231.79 | 231.70 | 232.04 |
| **农副产品加工机械动力** | **(万千瓦)** | **Mechanical Power of Farm Sideline Products Manufacturing** | **(10000 kw)** | **157.77** | **158.60** | **154.03** | **166.21** | **139.89** | **142.05** | **136.66** |
| 粮食加工机械 | (万台) | Mechanical Power for Grain | (10000 units) | 13.80 | 13.61 | 12.87 | 12.87 | 12.56 | 12.66 | 12.80 |
| 棉花加工机械 | (万台) | Mechanical Power for Cotton | (10000 units) | 0.56 | 0.36 | 0.56 | 0.99 | 0.39 | 0.40 | 0.32 |
| 油料加工机械 | (万台) | Mechanical Power for Oil-bearing | (10000 units) | 0.63 | 0.66 | 0.66 | 0.69 | 0.80 | 0.79 | 0.78 |
| **运输机械动力** | **(万千瓦)** | **Mechanical Power of Transportation** | **(10000 kw)** | **597.80** | **629.83** | **617.18** | **635.73** | **551.81** | **558.22** | **542.90** |
| **渔业机械动力** | **(万千瓦)** | **Mechanical Power of Fishery** | **(10000 kw)** | **468.61** | **427.48** | **411.39** | **404.24** | **425.16** | **438.68** | **436.70** |
| 机动船 | (万艘) | Motorized Boats | (10000 units) | 5.52 | 5.56 | 4.97 | 4.83 | 5.05 | 5.03 | 5.02 |
| | (万吨) | | (10000 tons) | 232.85 | 227.21 | 217.35 | 213.11 | 224.73 | 226.59 | 226.52 |
| | (万千瓦) | | (10000 kw) | 430.20 | 427.48 | 411.39 | 404.24 | 425.16 | 438.68 | 436.70 |
| **其他农业机械动力** | **(万千瓦)** | **Other Mechanical Power** | **(10000 kw)** | **151.76** | **164.72** | **192.70** | **238.44** | **420.28** | **428.05** | **462.80** |

## 6-10　各市主要农业机械拥有量(2008 年末)
Possession of Major Agricultural Machinery by City (End of 2008)

| 地区 | Region | 农业机械总动力(万千瓦) Total Power of Agricultural Machinery (10000 kw) | 耕作机械动力(万千瓦) Mechanical Power of Cultivation (10000 kw) | 大中型拖拉机(台) Large and Medium Tractors (unit) | 农用小型拖拉机 Mini-tractors 万台 (10000 units) | 农用小型拖拉机 Mini-tractors 万千瓦 (10000 kw) | 收获机械动力(万千瓦) Mechanical Power of Harvesting (10000 kw) |
|---|---|---|---|---|---|---|---|
| **全省合计** | **Total** | **2331.38** | **175.12** | **5842** | **16.62** | **145.36** | **265.42** |
| **浙东北** | **Eastern & Northern Region** | **1301.79** | **103.52** | **3722** | **9.54** | **85.22** | **154.91** |
| 杭州市 | Hangzhou | 308.10 | 17.47 | 676 | 1.51 | 13.21 | 29.63 |
| 宁波市 | Ningbo | 306.21 | 24.74 | 1487 | 1.93 | 17.59 | 25.42 |
| 嘉兴市 | Jiaxing | 152.29 | 21.96 | 581 | 2.11 | 18.76 | 45.42 |
| 湖州市 | Huzhou | 150.17 | 19.36 | 118 | 2.08 | 18.79 | 23.88 |
| 绍兴市 | Shaoxing | 216.78 | 19.05 | 731 | 1.87 | 16.54 | 29.11 |
| 舟山市 | Zhoushan | 168.24 | 0.94 | 129 | 0.04 | 0.33 | 1.45 |
| **浙西南** | **Western & Southern Region** | **1026.12** | **71.60** | **2120** | **7.08** | **60.14** | **110.51** |
| 温州市 | Wenzhou | 203.26 | 13.71 | 568 | 1.14 | 10.57 | 12.43 |
| 金华市 | Jinhua | 233.01 | 21.02 | 658 | 2.13 | 18.21 | 42.18 |
| 其中:义乌市 | YiWu | 26.53 | 0.24 | 116 | 0.20 | 1.71 | 3.68 |
| 衢州市 | Quzhou | 152.13 | 11.88 | 195 | 1.46 | 10.43 | 17.19 |
| 台州市 | Taizhou | 341.45 | 16.42 | 697 | 1.41 | 12.95 | 34.82 |
| 丽水市 | Lishui | 96.27 | 8.57 | 2 | 0.94 | 7.98 | 3.89 |
| **省直属单位** | **Units Directly under Province** | | | | | | |

注:省直属单位指省属水产渔业公司。
Units Directly Under Province refers to aquatic fishery company attached to the Province.

6－10 续表1 continued

| 地区 | Region | 机动脱粒(打稻)机 Motorized Thresher 万台 (10000 units) | 机动脱粒(打稻)机 Motorized Thresher 万千瓦 (10000 kw) | 植保机械动力(万千瓦) Mechanical Power of Plant Protection (10000 kw) | 机动喷雾(粉)器 Moterized Sprayer 架 (unit) | 机动喷雾(粉)器 Moterized Sprayer 千瓦 (1000 kw) | 排灌机械动力(万千瓦) Mechanical Power of Drainage and Irrigation (1000 kw) |
|---|---|---|---|---|---|---|---|
| **全省合计** | **Total** | **131.25** | **218.22** | **30.65** | **132650** | **233258** | **281.12** |
| **浙东北** | **Eastern & Northern Region** | **86.30** | **127.89** | **11.43** | **65781** | **103442** | **161.58** |
| 杭州市 | Hangzhou | 19.47 | 27.38 | 2.37 | 12518 | 21961 | 42.77 |
| 宁波市 | Ningbo | 9.65 | 17.49 | 5.88 | 35196 | 52504 | 28.51 |
| 嘉兴市 | Jiaxing | 28.41 | 40.93 | 0.89 | 5359 | 8676 | 26.89 |
| 湖州市 | Huzhou | 13.56 | 20.02 | 0.31 | 1532 | 3069 | 36.51 |
| 绍兴市 | Shaoxing | 14.63 | 21.16 | 1.88 | 10654 | 16214 | 24.26 |
| 舟山市 | Zhoushan | 0.58 | 0.91 | 0.10 | 522 | 1018 | 2.64 |
| **浙西南** | **Western & Southern Region** | **44.95** | **90.33** | **19.22** | **66869** | **129816** | **119.54** |
| 温州市 | Wenzhou | 3.23 | 6.17 | 0.55 | 3067 | 4970 | 16.72 |
| 金华市 | Jinhua | 17.01 | 38.01 | 2.27 | 12308 | 20030 | 29.87 |
| 其中:义乌市 | YiWu | 1.54 | 3.27 | 0.19 | 975 | 1866 | 3.53 |
| 衢州市 | Quzhou | 7.35 | 14.48 | 11.47 | 33266 | 65799 | 32.32 |
| 台州市 | Taizhou | 15.69 | 28.12 | 2.77 | 13860 | 26303 | 31.73 |
| 丽水市 | Lishui | 1.67 | 3.55 | 2.16 | 4368 | 12714 | 8.90 |
| **省直属单位** | **Units Directly under Province** | | | | | | |

6－10 续表2 continued

| 地区 | Region | 农副产品加工机械动力（万千瓦）Mechanical Power of Farm Sideline Products Manufacturing (10000 kw) | 运输机械动力（万千瓦）Mechanical Power of Transportation (10000 kw) | 渔业机械动力（万千瓦）Mechanical Power of Fishery (10000 kw) | 其他机械动力（万千瓦）Other Mechanical Power (10000 kw) |
|---|---|---|---|---|---|
| **全省合计** | **Total** | **136.66** | **542.90** | **436.70** | **462.80** |
| **浙东北** | **Eastern & Northern Region** | **65.90** | **294.20** | **237.37** | **274.84** |
| 杭州市 | Hangzhou | 18.16 | 92.19 | 2.67 | 102.83 |
| 宁波市 | Ningbo | 13.44 | 66.53 | 80.56 | 61.12 |
| 嘉兴市 | Jiaxing | 7.59 | 26.78 | 3.13 | 19.64 |
| 湖州市 | Huzhou | 6.95 | 34.41 | 7.84 | 20.90 |
| 绍兴市 | Shaoxing | 18.67 | 60.20 | 1.46 | 62.15 |
| 舟山市 | Zhoushan | 1.09 | 14.09 | 141.71 | 8.20 |
| **浙西南** | **Western & Southern Region** | **70.76** | **248.7** | **195.86** | **187.96** |
| 温州市 | Wenzhou | 14.39 | 48.61 | 55.44 | 41.42 |
| 金华市 | Jinhua | 15.21 | 73.03 | 0.09 | 49.33 |
| 其中:义乌市 | YiWu | 1.46 | 10.41 | | 7.03 |
| 衢州市 | Quzhou | 13.51 | 39.95 | 0.24 | 25.59 |
| 台州市 | Taizhou | 12.90 | 59.45 | 139.74 | 41.65 |
| 丽水市 | Lishui | 14.75 | 27.66 | 0.35 | 29.97 |
| **省直属单位** | **Units Directly under Province** | | | **3.47** | |

## 6-11 农业机械化、电气化及化肥施用量(2002-2008年)
## Agricultural Mechanization, Electrification, Chemical Fertilizer Applied (2002-2008)

| 指标 | Item | 2002 | 2003 | 2004 | 2005 | 2006 | 2007 | 2008 |
|---|---|---|---|---|---|---|---|---|
| **农业机械化** | **Agricultural Mechanization** | | | | | | | |
| 当年机耕地面积 (千公顷) | Area Sown by Machine at Current Year (1000 hectares) | 1042.65 | 980.81 | 990.89 | 990.04 | 997.19 | 1009.07 | 1010.35 |
| 当年机械收割面积 (千公顷) | Mechanical Harvest Area at Current Year (1000 hectares) | 584.75 | 563.34 | 649.30 | 734.61 | 767.09 | 821.55 | 869.05 |
| **农村能源** | **Energy in Rural Areas** | | | | | | | |
| 农村用电量 (亿千瓦时) | Electricity Consumed (100 million kw. h) | 341.10 | 409.04 | 441.20 | 520.57 | 579.58 | 649.97 | 675.41 |
| 乡村办水电站 (个) | Hydropower Stations Run by Township and Village (unit) | 2482 | 2592 | 2546 | 2273 | 2332 | 2434 | 2358 |
| 装机容量 (万千瓦) | Generating Capacity (10000 kw) | 134.96 | 154.90 | 179.90 | 192.00 | 213.00 | 247.35 | 240.60 |
| **农业化肥施用量** | **Agricultural Consumption of Chemical Fertilizers** | | | | | | | |
| 按折纯量计算 (万吨) | Calculated by 100% Effective Component (10000 tons) | 91.91 | 90.38 | 93.34 | 94.27 | 93.98 | 92.82 | 92.98 |
| 每公顷播种面积施用量 (公斤) | Fertilizer Used per Hectare Sown Area (kg) | 300 | 319 | 336 | 332 | 330 | 334 | 374.55 |
| **农用塑料薄膜使用量 (万吨)** | **Plastic Film Used for Agriculture (10000 tons)** | **3.92** | **4.24** | **4.36** | **4.47** | **4.75** | **4.92** | **5.21** |
| **农用柴油使用量 (万吨)** | **Diesel Used for Agriculture (10000 tons)** | **175.79** | **175.76** | **186.16** | **187.23** | **190.23** | **193.58** | **184.28** |
| **农药使用量 (万吨)** | **Pesticide Used (10000 tons)** | **6.39** | **6.17** | **6.34** | **6.56** | **6.62** | **6.49** | **6.58** |

## 6-12 各市农业机械化、农村能源及农业物资消耗情况(2008 年)
Agricultural Mechanization, Energy and Material Consumption by City (2008)

| 地区 | Region | 农业机械化情况(千公顷) Conditions of Agricultural Mechanization(1000 ha) 机耕面积 Area Cultivated by Machine | 机械收获面积 Area Harvested by Machine | 农村用电量(亿千瓦小时) Electricity Consumed in Rural Areas (100 million kw.h) | 农用塑料薄膜使用量(吨) Plastic Film Used for Agriculture (ton) | 农用柴油使用量(吨) Diesel Used for Agriculture (ton) | 农药使用量(吨) Pesticide Used (ton) |
|---|---|---|---|---|---|---|---|
| **全省合计** | **Total** | **1010.35** | **869.05** | **675.41** | **52104** | **1842835** | **65787** |
| **浙东北** | **Eastern & Northern Region** | **633.33** | **570.10** | **503.55** | **28482** | **978941** | **37461** |
| 杭州市 | Hangzhou | 130.29 | 102.52 | 97.07 | 7487 | 25289 | 9132 |
| 宁波市 | Ningbo | 138.31 | 111.67 | 141.94 | 6941 | 301934 | 6799 |
| 嘉兴市 | Jiaxing | 129.89 | 149.26 | 75.84 | 5555 | 14032 | 6713 |
| 湖州市 | Huzhou | 106.58 | 103.05 | 33.37 | 4718 | 27287 | 7920 |
| 绍兴市 | Shaoxing | 120.67 | 99.35 | 144.74 | 3557 | 13019 | 6484 |
| 舟山市 | Zhoushan | 7.59 | 4.24 | 10.59 | 224 | 597380 | 413 |
| **浙西南** | **Western & Southern Region** | **377.02** | **298.95** | **171.86** | **23622** | **863894** | **28326** |
| 温州市 | Wenzhou | 82.63 | 97.17 | 62.45 | 3135 | 289775 | 4111 |
| 金华市 | Jinhua | 104.15 | 67.80 | 33.77 | 5173 | 28282 | 8183 |
| 其中:义乌市 | YiWu | 15.35 | 8.40 | 8.48 | 371 | 2226 | 497 |
| 衢州市 | Quzhou | 55.00 | 52.52 | 8.13 | 2153 | 14467 | 7613 |
| 台州市 | Taizhou | 104.21 | 78.09 | 63.32 | 7775 | 521620 | 5340 |
| 丽水市 | Lishui | 31.03 | 3.37 | 4.19 | 5386 | 9750 | 3079 |

## 6-13 各市农用化肥施用量(2008 年)
Chemical Fertilizer Applied by City(2008)

单位:万吨(10000 tons)

| 地区 | Region | 氮肥 Nitrogenous Fertilizer | | 磷肥 Phosphate Fertilizer | | 钾肥 Potash Fertilizer | | 复合肥 Compound Fertilizer | |
|---|---|---|---|---|---|---|---|---|---|
| | | 2007 | 2008 | 2007 | 2008 | 2007 | 2008 | 2007 | 2008 |
| **全省合计** | **Total** | **53.88** | **53.61** | **11.98** | **11.97** | **7.82** | **7.47** | **19.14** | **19.93** |
| **浙东北** | **Eastern & Northern Region** | **31.01** | **30.48** | **6.12** | **5.99** | **3.56** | **3.49** | **10.26** | **10.1** |
| 杭州市 | Hangzhou | 6.76 | 6.18 | 1.43 | 1.31 | 0.96 | 0.87 | 3.89 | 3.57 |
| 宁波市 | Ningbo | 5.72 | 5.67 | 1.90 | 1.85 | 1.01 | 1.03 | 2.66 | 2.76 |
| 嘉兴市 | Jiaxing | 7.69 | 7.81 | 1.35 | 1.35 | 0.55 | 0.55 | 0.86 | 0.86 |
| 湖州市 | Huzhou | 3.38 | 3.42 | 0.6 | 0.61 | 0.33 | 0.33 | 1.26 | 1.27 |
| 绍兴市 | Shaoxing | 7.20 | 7.19 | 0.78 | 0.81 | 0.70 | 0.70 | 1.45 | 1.50 |
| 舟山市 | Zhoushan | 0.26 | 0.22 | 0.06 | 0.06 | 0.01 | 0.01 | 0.14 | 0.14 |
| **浙西南** | **Western & Southern Region** | **22.85** | **23.13** | **5.87** | **5.98** | **4.27** | **3.98** | **8.88** | **9.83** |
| 温州市 | Wenzhou | 5.06 | 4.99 | 1.44 | 1.41 | 0.87 | 0.85 | 1.20 | 1.19 |
| 金华市 | Jinhua | 5.12 | 5.37 | 1.48 | 1.63 | 1.10 | 1.14 | 2.53 | 2.65 |
| 其中:义乌市 | YiWu | 0.56 | 0.57 | 0.15 | 0.18 | 0.08 | 0.07 | 0.29 | 0.32 |
| 衢州市 | Quzhou | 4.69 | 4.69 | 1.03 | 1.01 | 1.26 | 0.94 | 1.41 | 2.12 |
| 台州市 | Taizhou | 5.13 | 5.19 | 0.97 | 0.98 | 0.45 | 0.45 | 2.16 | 2.21 |
| 丽水市 | Lishui | 2.85 | 2.89 | 0.95 | 0.95 | 0.59 | 0.60 | 1.58 | 1.66 |

注:农用化肥施用量按折纯量计算。 Chemical Fertilizer Applied are Calculated by 100% Effective Component.

## 6－14 农田水利建设(2003－2008 年)
Water Conservancy Facilities of Farmland(2003－2008)

| 指标 | | Item | | 2003 | 2004 | 2005 | 2006 | 2007 | 2008 |
|---|---|---|---|---|---|---|---|---|---|
| **水库年末累计** | **(座)** | **Total Number of Reservoirs** | **(set)** | **3933** | **3977** | **4061** | **4105** | **4151** | **4202** |
| #大、中型水库(1000 万立方米以上) | (座) | Large and Medium－sized Reservoirs(above 10 million cu. m level) | (set) | 154 | 155 | 162 | 171 | 174 | 177 |
| 总库容量 | (亿立方米) | Capacity | (100 million cu. m) | 379.99 | 380.70 | 386.40 | 391.60 | 392.75 | 394.76 |
| **塘坝** | **(处)** | **Small Reservoirs** | **(place)** | **226800** | **224892** | **221931** | **222180** | **222993** | **219864** |
| 蓄水量 | (亿立方米) | Capacity of Retain Water | (100 million cu. m) | 9.09 | 8.88 | 8.78 | 8.86 | 8.92 | 8.91 |
| **堰坝** | **(万处)** | **Weirs** | **(10000 places)** | **4.58** | **4.73** | **4.82** | **4.87** | **4.81** | **5.15** |
| **机电井** | **(眼)** | **Motor－electric－pumped Well** | **(unit)** | **2389** | **2385** | **2577** | **2436** | **2440** | **2139** |
| #已配套机电井 | (眼) | Equiped Motor－electric－pumped Well | (unit) | 2146 | 2154 | 2295 | 2222 | 2245 | 1857 |
| **水闸** | **(座)** | **Sluice** | **(set)** | **4076** | **4149** | **4015** | **4545** | **4593** | **4971** |

## 6-15　农田水利、除涝和治理水土流失情况(2002-2008年)
## Water Conservation, Waterlogging and Soil Erosion under Control (2002-2008)

| 指标 | | Item | | 2002 | 2003 | 2004 | 2005 | 2006 | 2007 | 2008 |
|---|---|---|---|---|---|---|---|---|---|---|
| **有效灌溉面积** | **(千公顷)** | **Effective Irrigated Areas** | **(1000 ha)** | **1405.84** | **1403.80** | **1404.88** | **1411.06** | **1422.32** | **1431.35** | **1435.85** |
| **机电排灌面积** | **(千公顷)** | **Mechanical and Electrical Irrigated Areas** | **(1000 ha)** | **1043.74** | **1038.00** | **1042.22** | **1049.02** | **1057.19** | **1038.18** | **1045.75** |
| **农田旱涝保收面积** | **(千公顷)** | **Farmland Area of Stable Yields Despite Drought or Excessive Rain** | **(1000 ha)** | **1043.52** | **1041.14** | **1051.36** | **1061.05** | **1067.43** | **1075.07** | **1087.47** |
| **抗旱能力在70天以上的水田** | **(千公顷)** | **Fight Drought above 70 Days** | **(1000 ha)** | **918.50** | **912.00** | **915.24** | **902.29** | **910.16** | **878.87** | **869.69** |
| **易涝面积** | **(千公顷)** | **Area Liable to Flooding or Water Logging** | **(1000 ha)** | **526.82** | **528.61** | **529.19** | **530.06** | **534.65** | **536.61** | **535.33** |
| #除涝面积 | (千公顷) | Flooded or Water Logged Areas under Control | (1000 ha) | 477.03 | 479.93 | 482.76 | 489.28 | 491.88 | 495.36 | 496.17 |
| 占易涝面积比重 | (%) | Percentage to Total Area Liable to Flooding or Waterlogging | (1000 ha) | 90.54 | 70.79 | 91.20 | 92.31 | 92.00 | 92.31 | 92.68 |
| **水土流失总面积** | **(千公顷)** | **Total Area of Soil Erosion** | **(1000 ha)** | **2718.38** | **2747.09** | **2758.38** | **2773.05** | **2779** | **2805.90** | **2830.23** |
| #治理水土流失面积 | (千公顷) | Area of Soil Erosion under Control | (1000 ha) | 2072.38 | 2134.01 | 2207.62 | 2227.95 | 2256.03 | 2336.72 | 2334.58 |
| 占水土流失比重 | (%) | Percentage to Total Area of Soil Erosion | (%) | 76.23 | 77.68 | 80.00 | 80.30 | 81.18 | 83.28 | 82.49 |
| **堤塘长度** | **(公里)** | **Total Length of Dikes** | **(km)** | **10475** | **10711** | **11622** | **12077** | **12768** | **13566** | **13269** |

## 6-16 各市水利设施和除涝及旱涝保收面积
Water Conservancy Facilities, Waterlogging under Control by City

| 地区 | Region | 年末水库数(座) Number of Reservoirs (year-end) (set) | | 水库总库容 (亿立方米) Capacity of Reservoirs (100 million cu. m) | | 除涝面积 (千公顷) Waterlogging Area under Control (1000 ha) | | 旱涝保收面积 (千公顷) Area of Stable Yields Despite Drought or Excessive Rain (1000 ha) | |
|---|---|---|---|---|---|---|---|---|---|
| | | 2007 | 2008 | 2007 | 2008 | 2007 | 2008 | 2007 | 2008 |
| **全省合计** | **Total** | **4151** | **4202** | **392.75** | **394.76** | **495.36** | **496.17** | **1075.07** | **1087.47** |
| **浙东北** | **Eastern & Northern Region** | **1936** | **1951** | **274.07** | **275.33** | **370.85** | **371.50** | **682.12** | **691.70** |
| 杭州市 | Hangzhou | 613 | 623 | 236.36 | 236.40 | 53.67 | 53.49 | 131.13 | 131.47 |
| 宁波市 | Ningbo | 410 | 411 | 16.64 | 17.73 | 72.56 | 73.06 | 138.33 | 143.65 |
| 嘉兴市 | Jiaxing | | | | | 107.17 | 107.06 | 176.36 | 176.30 |
| 湖州市 | Huzhou | 155 | 154 | 6.82 | 6.81 | 91.21 | 91.25 | 123.39 | 122.47 |
| 绍兴市 | Shaoxing | 553 | 553 | 12.97 | 12.97 | 41.17 | 41.36 | 105.04 | 107.33 |
| 舟山市 | Zhoushan | 205 | 210 | 1.28 | 1.42 | 5.07 | 5.28 | 7.87 | 10.48 |
| **浙西南** | **Western & Southern Region** | **2215** | **2251** | **118.68** | **119.43** | **124.51** | **124.67** | **392.95** | **395.77** |
| 温州市 | Wenzhou | 302 | 304 | 25.79 | 26.14 | 66.80 | 66.50 | 74.29 | 74.18 |
| 金华市 | Jinhua | 802 | 811 | 18.44 | 18.46 | 11.25 | 11.30 | 117.70 | 118.22 |
| 其中:义乌市 | YiWu | 105 | 107 | 2.37 | 2.36 | 0.36 | 0.36 | 15.17 | 15.13 |
| 衢州市 | Quzhou | 464 | 463 | 33.36 | 33.31 | 2.51 | 2.53 | 67.29 | 68.51 |
| 台州市 | Taizhou | 327 | 324 | 18.27 | 18.27 | 36.78 | 37.31 | 84.89 | 84.94 |
| 丽水市 | Lishui | 320 | 349 | 22.82 | 23.25 | 7.17 | 7.03 | 48.78 | 49.92 |

## 6-17 各市农田灌溉面积情况
Basic Statistics on Farmland Irrigated Areas by City

| 地区 | Region | 有效灌溉面积 (千公顷) Effective Irrigated Areas (1000 ha) | | | 机电排灌面积 (千公顷) Mechanical and Electrical Irrigated Areas (1000 ha) | | |
|---|---|---|---|---|---|---|---|
| | | 2006 | 2007 | 2008 | 2006 | 2007 | 2008 |
| **全省合计** | **Total** | **1422.32** | **1431.35** | **1435.85** | **1057.19** | **1038.18** | **1045.75** |
| **浙东北** | **Eastern and Northern Region** | **840.61** | **847.92** | **845.36** | **716.81** | **714.46** | **718.62** |
| 杭州市 | Hangzhou | 165.27 | 162.98 | 162.38 | 117.84 | 115.89 | 116.84 |
| 宁波市 | Ningbo | 179.37 | 183.16 | 186.59 | 165.70 | 166.30 | 167.73 |
| 嘉兴市 | Jiaxing | 200.80 | 200.75 | 197.64 | 200.80 | 203.16 | 197.64 |
| 湖州市 | Huzhou | 131.31 | 133.21 | 132.47 | 111.65 | 117.30 | 117.39 |
| 绍兴市 | Shaoxing | 151.29 | 155.26 | 153.74 | 111.42 | 102.34 | 109.55 |
| 舟山市 | Zhoushan | 12.57 | 12.56 | 12.54 | 9.40 | 9.47 | 9.47 |
| **浙西南** | **Western and Southern Region** | **581.71** | **583.43** | **590.49** | **340.38** | **323.72** | **327.13** |
| 温州市 | Wenzhou | 127.07 | 127.46 | 128.59 | 96.02 | 96.03 | 96.03 |
| 金华市 | Jinhua | 157.40 | 157.70 | 158.33 | 99.51 | 90.44 | 92.08 |
| 其中:义乌市 | YiWu | 21.02 | 21.05 | 21.12 | 11.06 | 11.09 | 11.11 |
| 衢州市 | Quzhou | 90.63 | 91.79 | 92.63 | 34.42 | 34.62 | 34.66 |
| 台州市 | Taizhou | 127.14 | 125.88 | 127.67 | 98.05 | 89.38 | 91.08 |
| 丽水市 | Lishui | 79.47 | 80.6 | 83.27 | 12.38 | 13.25 | 13.28 |

## 6－18　主要农作物播种面积(2002－2008 年)
## Total Sown Area of Major Farm Crops(2002－2008)

单位:千公顷(1000 hectares)

| 指标 | Item | 2002 | 2003 | 2004 | 2005 | 2006 | 2007 | 2008 |
|---|---|---|---|---|---|---|---|---|
| **农作物播种面积** | **Sown Area of Farm Crops** | **3064.54** | **2834.39** | **2778.41** | **2837.94** | **2686.26** | **2643.23** | **2482.43** |
| **粮食作物** | **Grain Crops** | **1718.39** | **1482.97** | **1505.37** | **1562.56** | **1457.67** | **1428.27** | **1271.63** |
| #春粮 | Spring Grain | 190.81 | 152.46 | 126.18 | 144.48 | 140.40 | 145.89 | 109.24 |
| 秋粮 | Autumn Grain | 1312.53 | 1201.16 | 1225.09 | 1275.08 | 1183.94 | 1161.38 | 1058.06 |
| 谷物 | Cereal | 1364.06 | 1136.24 | 1170.93 | 1191.37 | 1147.89 | 1117.16 | 1050.10 |
| 稻谷 | Rice | 1172.34 | 979.43 | 1028.05 | 1028.54 | 994.51 | 954.29 | 937.50 |
| 早稻及早中稻 | Early Rice & Early Mid-rice | 215.05 | 129.35 | 154.10 | 143.00 | 133.33 | 121.00 | 104.33 |
| 晚稻及迟中稻 | Late Rice & Late Mid-rice | 957.29 | 850.08 | 873.95 | 885.54 | 861.18 | 833.29 | 833.17 |
| #单季晚稻 | Single Season Rice | 684.18 | 671.93 | 677.98 | 699.98 | 693.83 | 688.38 | 691.24 |
| 小麦 | Wheat | 94.24 | 71.48 | 59.53 | 67.13 | 69.40 | 75.22 | 54.34 |
| 大(元)麦 | Barley | 38.30 | 26.31 | 21.53 | 24.42 | 24.05 | 23.75 | 23.64 |
| 玉米 | Corn | 52.19 | 51.93 | 54.50 | 62.87 | 52.00 | 55.76 | 25.92 |
| 其他谷物 | Other Cereal | 7.00 | 7.09 | 7.32 | 8.41 | 7.93 | 8.14 | 8.70 |
| 豆类 | Beans | 192.80 | 193.33 | 184.90 | 209.14 | 187.19 | 188.21 | 129.85 |
| 大豆 | Soybeans | 114.42 | 116.48 | 116.58 | 129.74 | 116.56 | 116.47 | 54.43 |
| 蚕(豌)豆 | Broad Bean | 58.27 | 54.67 | 45.12 | 52.93 | 46.95 | 46.92 | 31.26 |
| 杂豆 | Other Beans | 20.10 | 22.17 | 23.20 | 26.47 | 23.68 | 24.82 | 6.01 |
| 薯类 | Yam | 161.52 | 153.40 | 149.54 | 162.05 | 122.59 | 122.90 | 91.68 |
| 其中:马铃薯 | Potato | 59.29 | 55.19 | 50.84 | 51.77 | 50.27 | 50.10 | 51.19 |
| **油料** | **Oil-bearing Crops** | **289.07** | **250.90** | **237.25** | **249.25** | **175.28** | **151.34** | **190.78** |
| 油菜籽 | Rapeseeds | 268.00 | 229.49 | 215.79 | 227.19 | 153.50 | 128.80 | 167.50 |
| 花生 | Peanuts | 16.99 | 17.52 | 17.54 | 18.13 | 17.90 | 18.48 | 18.67 |
| 芝麻 | Sesame | 4.08 | 3.88 | 3.92 | 3.93 | 3.88 | 4.06 | 4.61 |
| **棉花(皮棉)** | **Cotton** | **18.73** | **17.63** | **18.77** | **17.91** | **18.05** | **18.81** | **20.34** |
| **麻类** | **Fiber Crops** | **0.66** | **0.58** | **0.48** | **0.45** | **0.34** | **0.32** | **0.24** |
| **糖类** | **Sugar Crops** | **18.40** | **19.21** | **18.11** | **15.71** | **14.47** | **14.42** | **13.94** |
| **烟叶** | **Tobacco** | **2.43** | **2.16** | **1.90** | **1.75** | **1.54** | **1.27** | **1.34** |
| **药材类** | **Medicinal Material** | **22.55** | **26.16** | **27.22** | **26.47** | **25.89** | **27.01** | **29.94** |
| **蔬菜** | **Vegetables** | **696.99** | **700.77** | **661.02** | **666.73** | **647.70** | **660.62** | **618.47** |
| **果用瓜** | **Melon as Fruit** | **91.60** | **97.54** | **101.99** | **102.50** | **109.77** | **111.04** | **114.02** |
| #西瓜 | Watermelon | 77.57 | 81.43 | 84.58 | 84.41 | 91.82 | 92.09 | 94.24 |
| **花卉苗木** | **Flowers and Plants Nursery Stock** | **64.17** | **114.27** | **114.10** | **107.48** | **101.93** | **102.15** | **104.37** |
| **其他农作物** | **Other Farm Crops** | **200.86** | **177.40** | **143.04** | **138.90** | **133.67** | **127.98** | **117.36** |
| #绿肥 | Green Manure | 127.03 | 92.08 | 66.62 | 69.80 | 65.53 | 62.17 | 57.66 |

注:1. 粮食播种面积和产量包括马铃薯。　The grain acreage and output include potato.

2. 2006 年及以后年份粮食、油菜籽等主要农作物播种面积和产量已按农普数衔接(下同)。

Data in this table are adjusted according to agricultural Census since 2006. The sarne for next tables.

## 6-19 历年主要农作物播种面积(1978-2008年)
Total Sown Area of Major Farm Crops Over the Years(1978-2008)

单位:千公顷(1000 hectares)

| 年份 Year | 农作物播种面积 Total Sown Area | #粮食作物 Grain Crops | 油料 Oil-bearing Crops | 棉花 Cotton | 蔬菜 Vegetables |
|---|---|---|---|---|---|
| 1978 | 4760.13 | 3472.20 | 207.20 | 85.13 | 126.80 |
| 1979 | 4731.60 | 3456.19 | 221.20 | 90.07 | 122.73 |
| 1980 | 4685.71 | 3424.40 | 245.60 | 107.27 | 129.33 |
| 1981 | 4644.13 | 3375.07 | 298.87 | 107.93 | 116.47 |
| 1982 | 4626.00 | 3437.47 | 253.73 | 106.73 | 124.67 |
| 1983 | 4578.07 | 3480.00 | 237.93 | 105.47 | 132.00 |
| 1984 | 4526.87 | 3482.53 | 223.93 | 104.80 | 148.40 |
| 1985 | 4451.70 | 3271.23 | 286.00 | 93.07 | 180.25 |
| 1986 | 4361.80 | 3166.25 | 294.20 | 80.53 | 199.26 |
| 1987 | 4374.27 | 3235.37 | 276.93 | 70.73 | 214.97 |
| 1988 | 4300.50 | 3209.85 | 273.40 | 69.00 | 226.61 |
| 1989 | 4312.87 | 3222.65 | 280.93 | 60.40 | 236.27 |
| 1990 | 4384.69 | 3266.00 | 302.05 | 68.67 | 248.39 |
| 1991 | 4379.53 | 3267.21 | 306.61 | 68.19 | 249.07 |
| 1992 | 4275.05 | 3164.20 | 304.08 | 71.09 | 250.02 |
| 1993 | 3926.16 | 2844.46 | 235.95 | 60.94 | 283.41 |
| 1994 | 3802.42 | 2741.04 | 235.42 | 61.66 | 298.85 |
| 1995 | 3923.04 | 2814.39 | 309.32 | 64.53 | 297.81 |
| 1996 | 3963.82 | 2877.17 | 295.71 | 66.71 | 313.12 |
| 1997 | 3944.16 | 2873.00 | 275.75 | 61.97 | 329.05 |
| 1998 | 3919.60 | 2799.51 | 281.88 | 62.84 | 368.04 |
| 1999 | 3899.49 | 2751.91 | 289.44 | 37.85 | 412.49 |
| 2000 | 3554.33 | 2300.26 | 315.58 | 26.58 | 568.86 |
| 2001 | 3245.93 | 1939.08 | 306.62 | 27.66 | 627.97 |
| 2002 | 3064.54 | 1718.39 | 289.07 | 18.73 | 696.99 |
| 2003 | 2834.39 | 1482.97 | 250.90 | 17.63 | 700.77 |
| 2004 | 2778.41 | 1505.37 | 237.25 | 18.77 | 661.02 |
| 2005 | 2837.94 | 1562.56 | 249.25 | 17.91 | 666.73 |
| 2006 | 2739.56 | 1457.67 | 175.28 | 18.05 | 647.70 |
| 2007 | 2697.88 | 1428.27 | 151.34 | 18.81 | 660.62 |
| 2008 | 2482.43 | 1271.63 | 190.78 | 20.34 | 618.47 |

注:粮食播种面积和产量包括马铃薯。 The grain acreage and output include potato.

## 6－20　主要农作物产量(1978－2008 年)
Output of Major Farm Crops(1978－2008)

单位:万吨(10000 tons)

| 年份<br>Year | #粮食<br>Grain | 棉花<br>Cotton | 油料<br>Oil－bearing Crops | 蔬菜<br>Vegetables | 茶叶<br>Tea | 水果<br>Fruit | #柑桔<br>Orange |
|---|---|---|---|---|---|---|---|
| 1978 | 1467.20 | 7.26 | 22.06 | | 5.87 | 14.61 | 6.78 |
| 1979 | 1611.30 | 6.69 | 27.03 | | 6.55 | 22.45 | 11.24 |
| 1980 | 1435.50 | 8.29 | 28.86 | | 7.54 | 22.50 | 9.14 |
| 1981 | 1419.20 | 6.81 | 39.99 | | 8.93 | 22.79 | 12.06 |
| 1982 | 1712.10 | 9.76 | 38.62 | | 10.71 | 25.80 | 12.85 |
| 1983 | 1583.70 | 9.37 | 29.76 | | 10.20 | 28.30 | 17.18 |
| 1984 | 1817.15 | 13.29 | 33.89 | | 9.56 | 30.66 | 17.85 |
| 1985 | 1621.29 | 8.13 | 44.19 | 100.26 | 9.31 | 135.38 | 28.54 |
| 1986 | 1605.09 | 7.56 | 42.94 | 753.99 | 10.43 | 52.05 | 36.15 |
| 1987 | 1588.99 | 6.54 | 39.66 | 756.29 | 11.59 | 70.95 | 54.91 |
| 1988 | 1553.64 | 4.37 | 43.06 | 761.63 | 12.82 | 51.60 | 28.60 |
| 1989 | 1554.28 | 4.19 | 38.28 | 776.85 | 11.78 | 98.75 | 72.47 |
| 1990 | 1586.10 | 6.42 | 48.35 | 736.63 | 11.70 | 180.91 | 79.73 |
| 1991 | 1640.00 | 7.53 | 45.56 | 740.15 | 11.41 | 134.49 | 106.42 |
| 1992 | 1553.50 | 5.96 | 50.08 | 689.38 | 11.94 | 102.37 | 73.85 |
| 1993 | 1436.18 | 5.79 | 38.57 | 771.46 | 12.23 | 273.55 | 113.52 |
| 1994 | 1404.00 | 5.54 | 34.59 | 819.60 | 10.69 | 295.40 | 139.27 |
| 1995 | 1430.90 | 6.25 | 50.00 | 823.51 | 10.21 | 335.39 | 170.03 |
| 1996 | 1516.77 | 6.84 | 52.11 | 888.17 | 9.90 | 342.18 | 180.41 |
| 1997 | 1493.53 | 4.76 | 48.88 | 895.04 | 10.17 | 388.95 | 210.51 |
| 1998 | 1435.20 | 6.49 | 35.55 | 1009.52 | 11.32 | 359.93 | 149.69 |
| 1999 | 1392.96 | 4.04 | 54.06 | 1127.45 | 11.77 | 428.55 | 212.01 |
| 2000 | 1217.00 | 2.92 | 57.88 | 1470.04 | 11.64 | 380.67 | 97.19 |
| 2001 | 1075.61 | 3.16 | 58.22 | 1634.13 | 12.06 | 516.64 | 163.81 |
| 2002 | 959.41 | 2.24 | 46.97 | 1765.28 | 13.85 | 500.90 | 164.28 |
| 2003 | 809.23 | 2.10 | 43.77 | 1780.19 | 13.27 | 568.38 | 176.66 |
| 2004 | 850.17 | 2.28 | 48.77 | 1749.76 | 13.87 | 632.07 | 200.99 |
| 2005 | 830.42 | 2.16 | 50.14 | 1741.82 | 14.44 | 577.96 | 148.11 |
| 2006 | 839.52 | 2.35 | 35.61 | 1734.42 | 15.24 | 644.00 | 180.35 |
| 2007 | 801.67 | 2.54 | 32.95 | 1770.98 | 16.02 | 690.28 | 198.56 |
| 2008 | 775.55 | 2.82 | 41.27 | 1725.90 | 16.23 | 747.92 | 238.36 |

## 6-21 主要农作物单位面积产量(1978-2008年)
Output of Major Farm Crops(1978-2008)

单位:公斤/公顷(kg/hectare)

| 年份 Year | 粮食 Grain | 谷物 Cereal | 油料 Oil-bearing Crops | #油菜籽 Rapeseed | 棉花 Cotton | 糖类 Sugar Crops |
|---|---|---|---|---|---|---|
| 1978 | 4226 | 4268 | 1065 | 1050 | | |
| 1979 | 4662 | 4758 | 1222 | 1213 | | |
| 1980 | 4192 | 4239 | 1175 | 1179 | | |
| 1981 | 4205 | 4283 | 1338 | 1346 | | |
| 1982 | 4981 | 5105 | 1522 | 1540 | | |
| 1983 | 4551 | 4618 | 1251 | 1260 | | |
| 1984 | 5218 | 5338 | 1513 | 1529 | | |
| 1985 | 4956 | 5065 | 1545 | 1556 | | |
| 1986 | 5069 | 5221 | 1460 | 1468 | | |
| 1987 | 4911 | 5032 | 1432 | 1430 | | |
| 1988 | 4840 | 4965 | 1575 | 1588 | | |
| 1989 | 4823 | 4952 | 1363 | 1363 | | |
| 1990 | 4856 | 5000 | 1601 | 1608 | 935 | 53796 |
| 1991 | 5020 | 5176 | 1486 | 1485 | 1104 | 55164 |
| 1992 | 4910 | 5062 | 1647 | 1647 | 838 | 52404 |
| 1993 | 5049 | 5253 | 1635 | 1623 | 950 | 54498 |
| 1994 | 5122 | 5369 | 1469 | 1440 | 898 | 52896 |
| 1995 | 5084 | 5299 | 1617 | 1599 | 968 | 55848 |
| 1996 | 5272 | 5517 | 1762 | 1748 | 1025 | 56349 |
| 1997 | 5199 | 5453 | 1772 | 1754 | 768 | 54564 |
| 1998 | 5127 | 5407 | 1261 | 1205 | 1033 | 57824 |
| 1999 | 5062 | 5330 | 1869 | 1844 | 1068 | 59073 |
| 2000 | 5294 | 5735 | 1834 | 1808 | 1100 | 60289 |
| 2001 | 5547 | 6082 | 1899 | 1869 | 1143 | 60956 |
| 2002 | 5583 | 6223 | 1625 | 1565 | 1195 | 61644 |
| 2003 | 5475 | 6166 | 1744 | 1682 | 1193 | 64529 |
| 2004 | 5648 | 6313 | 2056 | 2016 | 1213 | 58703 |
| 2005 | 5314 | 5920 | 2012 | 1967 | 1204 | 57278 |
| 2006 | 5759 | 6451 | 2032 | 1958 | 1300 | 60455 |
| 2007 | 5613 | 6276 | 2177 | 2111 | 1351 | 60352 |
| 2008 | 6099 | 6724 | 2163 | 2110 | 1385 | 61283 |

# 6-22 主要农作物产量
Output of Major Farm Crops

| 指标 | Item | 2006 | | 2007 | | 2008 | |
|---|---|---|---|---|---|---|---|
| | | 公顷产量（公斤）Output per Hectare (kg) | 总产量（万吨）Total Output (10000 tons) | 公顷产量（公斤）Output per Hectare (kg) | 总产量（万吨）Total Output (10000 tons) | 公顷产量（公斤）Output per Hectare (kg) | 总产量（万吨）Total Output (10000 tons) |
| **粮食作物** | **Grain Crops** | **5759** | **839.52** | **5613** | **801.67** | **6099** | **775.55** |
| #春粮 | Spring Grain | 3146 | 44.17 | 3348 | 48.84 | 3522 | 38.47 |
| 秋粮 | Autumn Grain | 6090 | 720.99 | 5899 | 685.09 | 6405 | 677.72 |
| 谷物 | Cereal | 6451 | 740.55 | 6276 | 701.13 | 6724 | 706.04 |
| 稻谷 | Rice | 6862 | 682.40 | 6674 | 636.89 | 7045 | 660.43 |
| 早稻 | Early Rice | 5577 | 74.36 | 5598 | 67.74 | 5690 | 59.36 |
| 晚稻及单季稻 | Late Rice & Single Season Rice | 7061 | 608.04 | 6830 | 569.15 | 7214 | 601.07 |
| #单季晚稻 | Single Season Rice | 7248 | 502.90 | 7056 | 485.70 | 7376 | 509.86 |
| 小麦 | Wheat | 3461 | 24.02 | 3732 | 28.07 | 3903 | 21.21 |
| 大(元)麦 | Barley | 3967 | 9.54 | 4181 | 9.93 | 4251 | 10.05 |
| 玉米 | Corn | 4148 | 21.57 | 4112 | 22.93 | 4290 | 11.12 |
| 其他谷物 | Other Cereal | 3808 | 3.02 | 4066 | 3.31 | 3713 | 3.23 |
| 豆类 | Beans | 2292 | 42.91 | 2329 | 43.84 | 2353 | 30.55 |
| 大豆 | Soybeans | 2293 | 26.73 | 2344 | 27.3 | 2398 | 13.05 |
| 蚕(豌)豆 | Broad Beans | 2260 | 10.61 | 2310 | 10.84 | 2306 | 7.21 |
| 杂豆 | Other Beans | 2352 | 5.57 | 2297 | 5.70 | 1963 | 1.18 |
| 薯类 | Yams | 4573 | 56.06 | 4614 | 56.70 | 4250 | 38.96 |
| 其中:马铃薯 | Potato | 3126 | 15.72 | 3226 | 16.16 | 3180 | 16.28 |
| **油料** | **Oil-bearing Crops** | **2032** | **35.61** | **2177** | **32.95** | **2163** | **41.27** |
| 油菜籽 | Rapeseeds | 1958 | 30.06 | 2111 | 27.19 | 2110 | 35.34 |
| 花生 | Peanuts | 2774 | 4.97 | 2780 | 5.14 | 2787 | 5.20 |
| 芝麻 | Sesame | 1499 | 0.58 | 1525 | 0.62 | 1572 | 0.72 |
| **棉花(皮棉)** | **Cotton** | **1300** | **2.35** | **1351** | **2.54** | **1385** | **2.82** |
| **麻类** | **Fiber Crops** | **4192** | **0.14** | **4111** | **0.13** | **4298** | **0.10** |
| **糖类** | **Sugar Crops** | **60455** | **87.48** | **60352** | **87.00** | **61283** | **85.45** |
| **烟叶** | **Tobacco** | **2377** | **0.36** | **2566** | **0.33** | **2698** | **0.36** |
| **蔬菜** | **Vegetables** | **26778** | **1734.42** | **26808** | **1170.98** | **27906** | **1725.90** |
| **果用瓜** | **Melon as Fruit** | **28958** | **317.87** | **30131** | **334.57** | **29405** | **335.28** |
| #西瓜 | Watermelon | 30347 | 228.64 | 31735 | 292.23 | 30960 | 291.77 |

注:粮食播种面积和产量包括马铃薯。 The grain acreage and output include potato.

## 6-23 各市粮食播种面积和产量
Sown Area and Output of Grain by City

| 地区 | Region | 2006 播种面积(千公顷) Sown Area (1000 ha) | 2006 公顷产(公斤) Output per Hectare (kg) | 2006 总产量(万吨) Total Output (10000 tons) | 2007 播种面积(千公顷) Sown Area (1000 ha) | 2007 公顷产(公斤) Output per Hectare (kg) | 2007 总产量(万吨) Total Output (10000 tons) | 2008 播种面积(千公顷) Sown Area (1000 ha) | 2008 公顷产(公斤) Output per Hectare (kg) | 2008 总产量(万吨) Total Output (10000 tons) |
|---|---|---|---|---|---|---|---|---|---|---|
| **全省合计** | **Total** | **1457.67** | **5759** | **839.52** | **1428.27** | **5613** | **801.67** | **1271.63** | **6099** | **775.55** |
| **浙东北** | **Eastern & Northern Region** | **815.90** | **6343** | **517.57** | **815.98** | **6238** | **508.97** | **866.88** | **6271** | **543.62** |
| 杭州市 | Hangzhou | 185.03 | 5786 | 107.07 | 183.88 | 5815 | 106.93 | 192.42 | 5725 | 110.16 |
| 宁波市 | Ningbo | 141.01 | 5765 | 81.30 | 134.98 | 5539 | 74.77 | 153.80 | 5749 | 88.42 |
| 嘉兴市 | Jiaxing | 186.36 | 6913 | 128.84 | 188.01 | 6776 | 127.40 | 193.36 | 6883 | 133.09 |
| 湖州市 | Huzhou | 128.95 | 7076 | 91.24 | 130.51 | 6660 | 86.91 | 138.36 | 6699 | 92.68 |
| 绍兴市 | Shaoxing | 163.67 | 6348 | 103.90 | 168.35 | 6424 | 108.15 | 177.27 | 6423 | 113.86 |
| 舟山市 | Zhoushan | 10.88 | 4795 | 5.22 | 10.25 | 4693 | 4.81 | 11.66 | 4644 | 5.42 |
| **浙西南** | **Western & Southern Region** | **707.79** | **5468** | **386.98** | **689.78** | **5265** | **363.16** | **730.76** | **5553** | **405.77** |
| 温州市 | Wenzhou | 161.45 | 5468 | 88.28 | 152.00 | 4681 | 71.15 | 157.71 | 5670 | 89.42 |
| 金华市 | Jinhua | 147.92 | 5625 | 83.20 | 144.03 | 5624 | 80.99 | 154.42 | 5677 | 87.66 |
| 其中:义乌市 | YiWu | 17.15 | 6114 | 10.48 | 16.62 | 6046 | 10.05 | 17.80 | 5986 | 10.66 |
| 衢州市 | Quzhou | 120.72 | 5897 | 71.19 | 121.38 | 5950 | 72.22 | 122.53 | 5952 | 72.93 |
| 台州市 | Taizhou | 165.86 | 5396 | 89.50 | 163.08 | 5162 | 84.18 | 173.87 | 5376 | 93.47 |
| 丽水市 | Lishui | 111.84 | 4901 | 54.81 | 109.29 | 4998 | 54.62 | 122.23 | 5096 | 62.28 |

注:全省粮食产量为抽样调查数,与分市相加不相等。
The total output of grain is obtained from the sample survey, total is not equal to the sum of regional figures.

## 6－24　商品粮基地粮食播种面积和产量
Sown Area and Output of Grain in Commodity Grain Bases

| 地区 | Region | 2006 | | | 2007 | | | 2008 | | |
|---|---|---|---|---|---|---|---|---|---|---|
| | | 播种面积（千公顷）Sown Area (1000 ha) | 公顷产（公斤）Output per Hectare (kg) | 总产量（万吨）Total Output (10000 tons) | 播种面积（千公顷）Sown Area (1000 ha) | 公顷产（公斤）Output per Hectare (kg) | 总产量（万吨）Total Output (10000 tons) | 播种面积（千公顷）Sown Area (1000 ha) | 公顷产（公斤）Output per Hectare (kg) | 总产量（万吨）Total Output (10000 tons) |
| **全省合计** | **Total** | **1457.67** | **5759** | **839.52** | **1428.27** | **5613** | **801.67** | **1271.63** | **6099** | **775.55** |
| **国家级小计** | **Country Level** | **485.36** | **6478** | **314.43** | **488.51** | **6363** | **310.86** | **519.48** | **6397** | **332.32** |
| 萧山区 | Xiaoshan | 50.05 | 5497 | 27.51 | 50.14 | 5356 | 26.89 | 50.24 | 5425 | 27.26 |
| 富阳市 | Fuyang | 23.66 | 6396 | 15.13 | 24.04 | 6455 | 15.52 | 25.90 | 6299 | 16.31 |
| 余杭区 | Yuhang | 29.48 | 7178 | 21.16 | 29.16 | 6900 | 20.12 | 30.31 | 6792 | 20.58 |
| 余姚市 | Yuyao | 30.01 | 6670 | 20.01 | 28.05 | 6388 | 17.92 | 32.17 | 6408 | 20.61 |
| 奉化市 | Fenghua | 12.80 | 6166 | 7.89 | 12.83 | 4910 | 6.30 | 13.76 | 6087 | 8.38 |
| 宁海县 | Ninghai | 18.00 | 4981 | 8.97 | 17.57 | 4559 | 8.01 | 22.43 | 4834 | 10.84 |
| 鄞州区 | Yinzhou | 26.49 | 6704 | 17.76 | 26.27 | 6763 | 17.77 | 28.76 | 6871 | 19.76 |
| 嘉兴市秀洲区 | Xiuzhou, Jiaxing | 25.18 | 7029 | 17.70 | 25.84 | 6899 | 17.83 | 27.21 | 7053 | 19.19 |
| 嘉善县 | Jiashan | 27.56 | 6583 | 18.14 | 26.00 | 6578 | 17.10 | 28.06 | 6663 | 18.70 |
| 海盐县 | Haiyan | 27.03 | 7035 | 19.01 | 28.80 | 6718 | 19.35 | 29.22 | 6711 | 19.61 |
| 桐乡市 | Tongxiang | 24.12 | 7365 | 17.77 | 24.00 | 7279 | 17.47 | 25.71 | 7201 | 18.51 |
| 德清县 | Deqing | 14.39 | 7270 | 10.46 | 13.92 | 7234 | 10.07 | 14.34 | 7219 | 10.35 |
| 长兴县 | Changxing | 41.61 | 6791 | 28.25 | 44.45 | 6423 | 28.55 | 47.68 | 6365 | 30.35 |
| 诸暨市 | Zhuji | 47.99 | 6772 | 32.50 | 50.36 | 6858 | 34.54 | 53.05 | 6874 | 36.47 |
| 绍兴县 | Shaoxing | 24.94 | 6798 | 16.96 | 26.36 | 6925 | 18.25 | 28.11 | 6957 | 19.56 |
| 金东区 | Jindong | 5.25 | 5936 | 3.12 | 4.63 | 5858 | 2.71 | 5.51 | 5695 | 3.14 |
| 衢江区 | Qujiang | 27.06 | 5678 | 15.36 | 26.87 | 5756 | 15.47 | 28.24 | 5706 | 16.13 |
| 龙游县 | Longyou | 28.73 | 5771 | 16.58 | 29.22 | 5814 | 16.99 | 28.78 | 5759 | 16.57 |
| **省级小计** | **Province Level** | **221.72** | **5951** | **131.93** | **131.95** | **5813** | **126.23** | **220.40** | **5974** | **131.67** |
| 桐庐县 | Tonglu | 17.19 | 6027 | 10.36 | 16.81 | 6248 | 10.50 | 17.81 | 6177 | 11.00 |
| 瑞安市 | Ruian | 24.05 | 5722 | 13.76 | 23.24 | 4925 | 11.45 | 22.73 | 6183 | 14.06 |
| 海宁市 | Haining | 28.74 | 6456 | 18.55 | 28.82 | 6487 | 18.70 | 28.97 | 6533 | 18.93 |
| 安吉县 | Anji | 25.05 | 6528 | 16.35 | 25.05 | 5908 | 14.80 | 26.20 | 5845 | 15.31 |
| 嵊州市 | Shengzhou | 28.66 | 5789 | 16.59 | 28.10 | 5894 | 16.56 | 28.58 | 5926 | 16.93 |
| 武义县 | Wuyi | 17.38 | 5202 | 9.04 | 16.44 | 5407 | 8.89 | 18.48 | 5545 | 10.25 |
| 江山市 | Jiangshan | 33.06 | 6263 | 20.70 | 32.85 | 6327 | 20.78 | 33.54 | 6188 | 20.75 |
| 温岭市 | Wenling | 29.25 | 5867 | 17.16 | 29.02 | 5422 | 15.73 | 30.42 | 5826 | 17.72 |
| 松阳县 | Songyang | 12.51 | 4624 | 5.79 | 11.48 | 4728 | 5.43 | 13.67 | 4916 | 6.72 |

## 6-25 各市油菜籽播种面积和产量
Sown Area and Output of Repeseeds by City

| 地区 | Region | 2006 | | | 2007 | | | 2008 | | |
|---|---|---|---|---|---|---|---|---|---|---|
| | | 播种面积（千公顷）Sown Area (1000 ha) | 公顷产（公斤）Output per Hectare (kg) | 总产量（万吨）Total Output (10000 tons) | 播种面积（千公顷）Sown Area (1000 ha) | 公顷产（公斤）Output per Hectare (kg) | 总产量（万吨）Total Output (10000 tons) | 播种面积（千公顷）Sown Area (1000 ha) | 公顷产（公斤）Output per Hectare (kg) | 总产量（万吨）Total Output (10000 tons) |
| **全省合计** | **Total** | **153.50** | **1958** | **30.06** | **128.80** | **2111** | **27.19** | **167.50** | **2110** | **35.34** |
| **浙东北** | **Eastern & Northern Region** | **154.94** | **2104** | **32.6** | **133.39** | **2230** | **29.74** | **133.98** | **2254** | **30.20** |
| 杭州市 | Hangzhou | 34.98 | 1927 | 6.74 | 33.82 | 2055 | 6.95 | 36.79 | 2122 | 7.81 |
| 宁波市 | Ningbo | 10.02 | 2000 | 2.00 | 9.66 | 2051 | 1.98 | 9.60 | 2170 | 2.08 |
| 嘉兴市 | Jiaxing | 50.54 | 2363 | 11.94 | 38.14 | 2507 | 9.56 | 36.11 | 2524 | 9.11 |
| 湖州市 | Huzhou | 40.72 | 2049 | 8.34 | 33.57 | 2235 | 7.50 | 31.47 | 2254 | 7.09 |
| 绍兴市 | Shaoxing | 16.90 | 1905 | 3.22 | 16.60 | 2055 | 3.41 | 18.58 | 2053 | 3.81 |
| 舟山市 | Zhoushan | 1.78 | 2022 | 0.36 | 1.60 | 2105 | 0.34 | 1.43 | 2053 | 0.29 |
| **浙西南** | **Western & Southern Region** | **51.86** | **1556** | **8.07** | **50.07** | **1650** | **8.26** | **70.83** | **1630** | **11.54** |
| 温州市 | Wenzhou | 3.16 | 1479 | 0.47 | 3.27 | 1488 | 0.49 | 6.25 | 1553 | 0.97 |
| 金华市 | Jinhua | 17.28 | 1619 | 2.80 | 15.54 | 1663 | 2.59 | 20.40 | 1697 | 3.46 |
| 其中:义乌市 | YiWu | 1.02 | 2174 | 0.22 | 0.93 | 2105 | 0.20 | 0.90 | 2102 | 0.19 |
| 衢州市 | Quzhou | 20.84 | 1479 | 3.08 | 20.91 | 1624 | 3.40 | 29.27 | 1590 | 4.65 |
| 台州市 | Taizhou | 3.94 | 1682 | 0.66 | 3.97 | 1753 | 0.70 | 8.05 | 1646 | 1.32 |
| 丽水市 | Lishui | 6.64 | 1602 | 1.06 | 6.38 | 1689 | 1.08 | 6.87 | 1651 | 1.13 |

## 6－26　主要茶叶产区茶园面积和茶叶产量
Area of Tea Plantation and Output of Tea in Major Producing Regions

| 地区 | Region | 2006 | | 2007 | | 2008 | |
|---|---|---|---|---|---|---|---|
| | | 茶园面积（公顷）Area of Tea Plantations (ha) | 茶叶总产量（吨）Output of Tea (ton) | 茶园面积（公顷）Area of Tea Plantations (ha) | 茶叶总产量（吨）Output of Tea (ton) | 茶园面积（公顷）Area of Tea Plantations (ha) | 茶叶总产量（吨）Output of Tea (ton) |
| **全省合计** | **Total** | **158671** | **152361** | **168922** | **160229** | **174094** | **162345** |
| **25 个主产区小计** | **26 Producing Regions** | **111825** | **124941** | **117205** | **129700** | **120748** | **130176** |
| 杭州市区 | Hangzhou District | 5686 | 10730 | 5912 | 10756 | 5939 | 10930 |
| 建德市 | Jiande | 3955 | 3676 | 3601 | 3736 | 3681 | 3744 |
| 桐庐县 | Tonglu | 3400 | 1455 | 3417 | 1571 | 3466 | 1593 |
| 富阳市 | Fuyang | 2649 | 3340 | 3159 | 3890 | 3279 | 4808 |
| 临安市 | Linan | 3508 | 2056 | 3508 | 2132 | 3542 | 2101 |
| 淳安县 | Chunan | 11437 | 5682 | 11603 | 6122 | 12243 | 6447 |
| 宁波市区 | Ningbo District | 3801 | 8458 | 3763 | 9253 | 3669 | 7301 |
| 余姚市 | Yuyao | 3876 | 6859 | 3841 | 6259 | 4073 | 5979 |
| 奉化市 | Fenghua | 1055 | 2369 | 1056 | 2332 | 1046 | 2137 |
| 安吉县 | Anji | 6857 | 4479 | 7857 | 4310 | 8404 | 4691 |
| 诸暨市 | Zhuji | 6808 | 10694 | 6566 | 11777 | 6571 | 11903 |
| 上虞市 | Shangyu | 2577 | 3511 | 2619 | 3305 | 2561 | 3376 |
| 嵊州市 | Shengzhou | 11890 | 16991 | 11749 | 17406 | 11947 | 17904 |
| 绍兴县 | Shaoxing | 5494 | 9173 | 5461 | 9244 | 5419 | 8589 |
| 新昌县 | Xinchang | 6172 | 5670 | 6353 | 5898 | 6424 | 6016 |
| 金华市区 | Jinhua District | 2591 | 3186 | 2245 | 2915 | 2254 | 3034 |
| 东阳市 | Dongyang | 2436 | 2217 | 2587 | 2351 | 2760 | 2087 |
| 武义县 | Wuyi | 4780 | 6532 | 7043 | 6580 | 6854 | 7084 |
| 浦江县 | Pujiang | 2216 | 1258 | 2242 | 1285 | 2845 | 1278 |
| 衢州市区 | Quzhou District | 1337 | 1152 | 1280 | 1455 | 1528 | 1244 |
| 开化县 | Kaihua | 5279 | 1446 | 5942 | 1699 | 5915 | 1623 |
| 龙游县 | Longyou | 1403 | 2803 | 1458 | 2867 | 1430 | 2478 |
| 临海市 | Linhai | 1272 | 701 | 1604 | 705 | 1632 | 725 |
| 松阳县 | Songyang | 5981 | 5688 | 6703 | 6388 | 6993 | 7285 |
| 遂昌县 | Suichang | 5365 | 4815 | 5636 | 5464 | 6273 | 5819 |

## 6-27 主要蚕茧产区桑园面积和蚕茧产量
Area of Mulberry Field and Output of Silk-worm Cocoons in Major Producing Regions

| 地区 | Region | 2006 | | 2007 | | 2008 | |
|---|---|---|---|---|---|---|---|
| | | 桑园面积(公顷) Area of Mulberry Field (ha) | 蚕茧总产量(吨) Output of Silk-worm Cocoons (ton) | 桑园面积(公顷) Area of Mulberry Field (ha) | 蚕茧总产量(吨) Output of Silk-worm Cocoons (ton) | 桑园面积(公顷) Area of Mulberry Field (ha) | 蚕茧总产量(吨) Output of Silk-worm Cocoons (ton) |
| **全省合计** | **Total** | **77458** | **96416** | **77520** | **96262** | **75107** | **82159** |
| **22个主产区小计** | **22 Producing Regions** | **72621** | **92987** | **72599** | **92875** | **70344** | **78399** |
| 杭州市区 | HangZhou Distict | 2511 | 887 | 2404 | 787 | 2038 | 545 |
| 建德市 | Jiande | 1530 | 1261 | 1542 | 1241 | 1339 | 962 |
| 桐庐市 | Tonglu | 1930 | 3942 | 2016 | 4189 | 2032 | 3750 |
| 富阳市 | Fuyang | 894 | 1338 | 1136 | 1711 | 1053 | 1813 |
| 临安市 | Linan | 2819 | 4111 | 2812 | 3808 | 2557 | 3136 |
| 淳安县 | Chunan | 6847 | 6845 | 7729 | 8653 | 8404 | 8781 |
| 嘉兴市区 | Jiaxing District | 5267 | 6375 | 5117 | 5919 | 4699 | 4354 |
| 海宁市 | Haining | 6136 | 12737 | 6056 | 12365 | 5901 | 10272 |
| 海盐县 | Haiyan | 3256 | 5427 | 3196 | 5389 | 3115 | 4470 |
| 桐乡市 | Tongxiang | 10684 | 18085 | 10670 | 17636 | 10324 | 14794 |
| 湖州市区 | Huzhou District | 11211 | 12445 | 11188 | 11505 | 11160 | 9420 |
| 德清县 | Deqing | 4468 | 6024 | 4417 | 5404 | 4362 | 4456 |
| 长兴县 | Changxing | 1896 | 1537 | 1829 | 1640 | 1683 | 1388 |
| 安吉县 | Anji | 1944 | 2043 | 2006 | 2010 | 1851 | 2109 |
| 诸暨市 | Zhuji | 1048 | 727 | 859 | 711 | 810 | 620 |
| 上虞市 | Shangyu | 1618 | 1541 | 1585 | 1720 | 1457 | 1308 |
| 嵊州市 | Shengzhou | 2678 | 1723 | 1998 | 1731 | 1940 | 1333 |
| 新昌县 | Xinchang | 1252 | 1429 | 1235 | 1460 | 1160 | 1072 |
| 兰溪市 | Lanxi | 1969 | 1916 | 1880 | 1856 | 1617 | 1120 |
| 浦江县 | Pujiang | 247 | 127 | 255 | 114 | 227 | 115 |
| 临海市 | Linhai | 91 | 299 | 116 | 298 | 116 | 224 |
| 缙云县 | Jinyun | 2325 | 2168 | 2553 | 2728 | 2499 | 2357 |

## 6－28　林业生产(2002－2008年)
Basic Indicators on Forestry(2002－2008)

| 指标 | | Item | | 2002 | 2003 | 2004 | 2005 | 2006 | 2007 | 2008 |
|---|---|---|---|---|---|---|---|---|---|---|
| 造林面积 | (千公顷) | Afforestation Area | (1000 ha) | 21.21 | 22.11 | 20.95 | 20.34 | 11.37 | 11.58 | 8.52 |
| 用材林 | | Timber Forest | | 0.87 | 1.77 | 1.82 | 3.63 | 2.26 | 3.61 | 0.49 |
| 经济林 | | Economic Forest | | 6.36 | 4.53 | 4.31 | 4.30 | 2.98 | 1.60 | 1.14 |
| 防护林 | | Shelter Forest | | 13.64 | 14.75 | 14.68 | 12.23 | 6.12 | 6 | 6.85 |
| 薪炭林 | | Fuel Forest | | 0.17 | 0.97 | 0.10 | 0.09 | | | |
| 特种用途林 | | Forest for Special Use | | 0.17 | 0.09 | 0.04 | 0.09 | 0.01 | 0.38 | 0.04 |
| 零星(四旁)植树 | (万株) | Planting Trees Piecemeal | (10000 trees) | 2940 | 2448 | 2348 | 2105 | 2535.5 | 2421.92 | 2417.73 |
| 幼林抚育实际面积 | (千公顷) | Area of Tending Seedings | (1000 ha) | 91.86 | 95.50 | 65.99 | 65.21 | 61.72 | 50.31 | 56.35 |
| 育苗面积 | (千公顷) | Area of Growing Seedings | (1000 ha) | 21.77 | 45.10 | 56.39 | 56 | 60.94 | 46.72 | 87.02 |
| 迹地更新面积 | (千公顷) | Area of Forest Updating | (1000 ha) | 10.06 | 5.32 | 4.46 | 17.60 | 18.57 | 14.32 | 16.02 |
| 主要林产品产量 | (吨) | Output of Major Forest Products | (ton) | | | | | | | |
| 油茶籽 | | Tea-oil Seeds | | 32800 | 33035 | 34179 | 43361 | 38234 | 43833 | 49634 |
| 竹笋干 | | Tallow-seeds | | 141533 | 147701 | 160677 | 142267 | 148800 | 158441 | 124383 |
| 山核桃 | | Walnuts | | 3630 | 7363 | 10633 | 11784 | 13525 | 16046 | 18189 |
| 板　栗 | | Chestnut | | 44848 | 45884 | 55436 | 60428 | 61782 | 65402 | 66713 |

## 6－29　水果生产
Basic Indicators on Fruit

| 指标 | Item | 2006 | | 2007 | | 2008 | |
|---|---|---|---|---|---|---|---|
| | | 果园面积(千公顷) Area of Orchards (1000 Hectares) | 产量(万吨) Total Output (10000 tons) | 果园面积(千公顷) Area of Orchards (1000 Hectares) | 产量(万吨) Total Output (10000 tons) | 果园面积(千公顷) Area of Orchards (1000 Hectares) | 产量(万吨) Total Output (10000 tons) |
| **合计** | **Total** | **300.45** | **644** | **314.03** | **690.28** | **317.13** | **747.92** |
| 柑桔 | Orange | 119.97 | 180.35 | 122.23 | 198.56 | 122.13 | 238.36 |
| 梨 | Pear | 26.45 | 32.98 | 27.93 | 36.05 | 27.45 | 37.56 |
| 桃子 | Peach | 24.45 | 31.16 | 25.45 | 31.62 | 25.86 | 34.62 |
| 柿子 | Persimmon | 7.21 | 3.62 | 7.80 | 4.26 | 7.73 | 4.61 |
| 枇杷 | Loquat | 10.27 | 5.33 | 10.37 | 5.41 | 10.60 | 5.51 |
| 杨梅 | Red Bayberry | 67.09 | 31.36 | 74.98 | 34.63 | 76.18 | 38.77 |
| 果用瓜 | Melon as Fruit | | 330.30 | | 334.57 | | 335.28 |
| 其他 | Others | 45.01 | 41.33 | 45.26 | 45.18 | 47.18 | 53.21 |

## 6-30 农产品人均产量(1978-2008年)
Per Capital Output of Agricultural Products(1978-2008)

单位:公斤(kg)

| 年份<br>Year | 粮食<br>Grain | 棉花<br>Cotton | 油料<br>Oil-bearing Crops | 糖料<br>Sugar Crops | 茶叶<br>Tea | 水果<br>Fruit | 猪牛羊肉<br>Pork, Beef and Mutton | 水产品<br>Aquatic Products |
|---|---|---|---|---|---|---|---|---|
| 1978 | 393.44 | 1.95 | 5.92 | 17.20 | 1.57 | 3.92 | 11.33 | 23.47 |
| 1980 | 376.81 | 2.18 | 7.58 | 15.43 | 1.98 | 5.91 | 18.52 | 21.46 |
| 1985 | 404.18 | 2.03 | 11.02 | 27.43 | 2.32 | 11.12 | 19.10 | 26.13 |
| 1986 | 396.34 | 1.87 | 10.60 | 32.63 | 2.58 | 12.85 | 20.03 | 28.94 |
| 1987 | 387.97 | 1.60 | 9.68 | 26.56 | 2.83 | 17.32 | 18.60 | 30.52 |
| 1988 | 374.78 | 1.05 | 10.39 | 20.01 | 3.09 | 12.45 | 19.56 | 30.92 |
| 1989 | 371.01 | 1.00 | 9.14 | 16.74 | 2.81 | 23.57 | 19.67 | 30.84 |
| 1990 | 375.68 | 1.52 | 11.45 | 14.87 | 2.77 | 25.35 | 20.28 | 32.92 |
| 1991 | 386.05 | 1.77 | 10.72 | 16.19 | 2.69 | 31.66 | 20.13 | 35.57 |
| 1992 | 363.51 | 1.39 | 11.72 | 17.55 | 2.79 | 23.95 | 22.73 | 39.72 |
| 1993 | 334.03 | 1.35 | 8.97 | 18.43 | 2.84 | 34.63 | 22.74 | 44.02 |
| 1994 | 324.46 | 1.28 | 7.99 | 16.21 | 2.47 | 40.64 | 22.68 | 59.62 |
| 1995 | 328.53 | 1.43 | 11.48 | 15.11 | 2.34 | 49.28 | 23.61 | 73.03 |
| 1996 | 345.91 | 1.56 | 11.88 | 14.57 | 2.26 | 51.91 | 16.85 | 78.03 |
| 1997 | 338.58 | 1.08 | 11.08 | 13.61 | 2.31 | 61.07 | 18.44 | 90.61 |
| 1998 | 323.64 | 1.46 | 8.02 | 13.97 | 2.55 | 46.55 | 19.05 | 95.33 |
| 1999 | 312.52 | 0.91 | 12.14 | 15.94 | 2.64 | 62.64 | 19.27 | 99.33 |
| 2000 | 266.91 | 0.65 | 12.91 | 21.97 | 2.60 | 84.89 | 22.65 | 104.70 |
| 2001 | 238.47 | 0.70 | 12.91 | 23.49 | 2.67 | 114.54 | 24.67 | 104.83 |
| 2002 | 211.89 | 0.49 | 10.37 | 25.05 | 3.06 | 110.62 | 26.37 | 106.16 |
| 2003 | 178.10 | 0.46 | 9.63 | 27.27 | 2.92 | 125.09 | 26.90 | 106.26 |
| 2004 | 185.74 | 0.50 | 10.65 | 23.22 | 3.03 | 138.09 | 28.78 | 107.82 |
| 2005 | 180.45 | 0.47 | 10.90 | 19.55 | 3.14 | 125.59 | 28.34 | 105.12 |
| 2006 | 181.34 | 0.51 | 7.69 | 19.04 | 3.29 | 141.83 | 23.53 | 106.14 |
| 2007 | 172.06 | 0.55 | 7.07 | 18.75 | 3.44 | 150.55 | 24.57 | 91.86 |
| 2008 | 165.44 | 0.60 | 8.80 | 18.23 | 3.46 | 159.54 | 27.67 | 107.54 |

## 6－31　牲畜饲养和畜产品产量(1978－2008年)
Number of Livestock and Output of Livestock Products(1978－2008)

| 年份 Year | 大牲畜年底头数(万头) Large Animals (Year-end) (10000 heads) | #牛(万头) Cattle and Buffaloes (10000 heads) | 生猪年末存栏头数(万头) Number of Hogs (10000 heads) | 羊年末存栏头数(万只) Number of Sheep and Goats (10000 heads) | 猪、牛、羊肉产量(万吨) Output of Pork, Beef and Mutton (10000 tons) | #猪肉产量(万吨) Pork (10000 tons) |
|---|---|---|---|---|---|---|
| 1978 | 82.60 | 82.60 | 1334.70 | 294.90 | 42.27 | 41.59 |
| 1979 | 84.80 | 84.80 | 1550.00 | 345.60 | 56.87 | 55.95 |
| 1980 | 83.00 | 83.00 | 1403.80 | 324.00 | 70.55 | 69.48 |
| 1981 | 82.70 | 82.70 | 1344.60 | 288.60 | 62.78 | 62.00 |
| 1982 | 82.70 | 82.70 | 1383.20 | 262.60 | 67.11 | 66.24 |
| 1983 | 80.60 | 80.60 | 1387.30 | 229.30 | 68.53 | 67.59 |
| 1984 | 78.40 | 78.40 | 1326.20 | 197.90 | 68.88 | 67.80 |
| 1985 | 76.10 | 76.10 | 1368.80 | 176.20 | 76.60 | 75.57 |
| 1986 | 75.81 | 75.81 | 1403.31 | 172.21 | 81.11 | 80.00 |
| 1987 | 74.73 | 74.73 | 1278.69 | 175.98 | 76.19 | 75.01 |
| 1988 | 71.11 | 71.11 | 1228.05 | 180.02 | 78.47 | 77.12 |
| 1989 | 69.29 | 69.29 | 1213.19 | 187.47 | 77.24 | 75.87 |
| 1990 | 68.01 | 68.01 | 1170.00 | 185.07 | 77.88 | 76.33 |
| 1991 | 65.05 | 65.05 | 1135.49 | 181.36 | 78.05 | 76.41 |
| 1992 | 60.50 | 60.50 | 1188.97 | 183.26 | 83.08 | 80.97 |
| 1993 | 54.07 | 54.07 | 1061.04 | 191.38 | 80.64 | 78.94 |
| 1994 | 50.72 | 50.72 | 989.84 | 205.98 | 78.95 | 76.46 |
| 1995 | 50.32 | 50.32 | 964.30 | 218.63 | 80.17 | 77.38 |
| 1996 | 49.48 | 49.48 | 892.68 | 221.31 | 76.31 | 73.47 |
| 1997 | 46.36 | 46.36 | 1010.06 | 214.55 | 81.33 | 78.40 |
| 1998 | 43.52 | 43.52 | 1040.56 | 207.58 | 84.48 | 81.38 |
| 1999 | 40.64 | 40.64 | 1024.36 | 218.95 | 85.87 | 82.55 |
| 2000 | 38.95 | 38.95 | 1146.88 | 233.51 | 101.57 | 98.03 |
| 2001 | 39.25 | 39.25 | 1175.10 | 245.02 | 111.28 | 107.39 |
| 2002 | 39.63 | 39.63 | 1139.17 | 258.61 | 119.40 | 115.09 |
| 2003 | 38.90 | 38.90 | 1132.38 | 262.90 | 122.22 | 117.24 |
| 2004 | 39.25 | 39.25 | 1125.27 | 256.72 | 131.72 | 126.43 |
| 2005 | 35.54 | 35.54 | 1213.15 | 222.35 | 130.44 | 125.14 |
| 2006 | 23.00 | 23.00 | 1003.00 | 123.90 | 108.91 | 105.61 |
| 2007 | 20.70 | 20.70 | 1039.10 | 111.90 | 114.50 | 111.40 |
| 2008 | 20.66 | 20.66 | 1161.85 | 111.35 | 129.70 | 126.90 |

## 6-32 畜牧业生产(2002-2008 年)
Basic Indicators on Animal Husbandry(2002-2008)

| 指标 | | Item | | 2002 | 2003 | 2004 | 2005 | 2006 | 2007 | 2008 |
|---|---|---|---|---|---|---|---|---|---|---|
| **生猪年末存栏头数(含未断奶小猪)** | **(万头)** | **Pigs(year-end)** | **(10000 heads)** | **1139.17** | **1132.38** | **1125.27** | **1213.15** | **1003.00** | **1039.10** | **1161.85** |
| #能繁殖的母猪 | (万头) | Reproducable | (10000 heads) | 91.03 | 92.66 | 93.20 | 89.03 | 77.95 | 100.31 | 108.67 |
| 年内肥猪出栏头数 | (万头) | Slaughtered Fattened Hogs | (10000 heads) | 1719.15 | 1792.01 | 1893.08 | 1867.07 | 1617.28 | 1658.90 | 1888.98 |
| 生猪出栏率 | (%) | Rate of Slaughtered Fattened Hogs | (%) | 146.37 | 157.30 | 167.18 | 165.92 | | 165.39 | 181.79 |
| 全年饲养量 | (万头) | Number of Hogs Raised | (10000 heads) | 2859.12 | 2924.39 | 3018.35 | 3080.22 | 2620.28 | 2698.00 | 3050.83 |
| **牛年末存栏头数** | **(万头)** | **Cattles(year-end)** | **(10000 heads)** | **39.63** | **38.90** | **39.25** | **35.54** | **23.00** | **20.70** | **20.66** |
| 良种及改良种乳牛 | (万头) | Milch Cows of Fine Breed and Improved Varieties | (10000 heads) | 6.65 | 7.70 | 7.96 | 8.04 | 5.58 | 5.25 | 7.10 |
| **牛年内出栏头数** | **(万只)** | **Slaughtered Cattles** | **(10000 heads)** | **8.97** | **9.56** | **9.94** | **9.25** | **6.40** | **7.10** | **6.92** |
| 牛奶产量 | (万吨) | Milk | (10000 tons) | 22.15 | 24.73 | 25.95 | 26.67 | 25.48 | 23.71 | 22.51 |
| **羊年末存栏只数** | **(万只)** | **Sheep and Goats (year-end)** | **(10000 heads)** | **258.61** | **262.9** | **256.72** | **222.35** | **123.9** | **111.90** | **111.35** |
| **羊年内出栏只数** | **(万只)** | **Slaughtered Sheep** | **(10000 heads)** | **181.08** | **200.21** | **212.22** | **218.03** | **134.4** | **122.80** | **107.07** |
| **猪、牛、羊肉产量** | **(万吨)** | **Output of Pork, Beef and Mutton** | **(10000 tons)** | **119.40** | **122.22** | **131.72** | **130.44** | **108.91** | **114.50** | **129.70** |
| #猪肉产量 | | Pork | | 115.09 | 117.24 | 126.43 | 125.14 | 105.61 | 111.40 | 126.90 |
| **兔年末存栏只数** | **(万只)** | **Rabbits(year-end)** | **(10000 heads)** | **530.02** | **532.65** | **581.63** | **602.03** | **470.37** | **489.67** | **427.63** |
| **兔年内出栏只数** | **(万只)** | **Slaughtered Rabbits** | **(10000 heads)** | **703.02** | **683.71** | **703.58** | **759.62** | **474.62** | **511.72** | **517.37** |
| **家禽年末存栏只数** | **(万只)** | **Poultry(year-end)** | **(10000 heads)** | **11481.51** | **11036.92** | **10028.90** | **11910.64** | **10110.80** | **11374.70** | **11849.54** |
| **家禽年内出栏只数** | **(万只)** | **Slaughtered Poultry** | **(10000 heads)** | **18693.32** | **20761.32** | **19174.84** | **21624.47** | **21232.80** | **21806.00** | **27340.15** |
| 全年饲养量 | (万只) | Poultry Raised | (10000 heads) | 30174.83 | 31798.24 | 29203.74 | 33535.11 | 31343.60 | 33180.70 | 39189.69 |
| 禽蛋产量 | (万吨) | Poultry Eggs | (10000 tons) | 43.49 | 42.20 | 43.07 | 44.52 | 34.50 | 37.90 | 41.40 |
| **养蜂年末箱数** | **(万箱)** | **Number of Beehives** | **(10000 boxes)** | **107.13** | **94.38** | **102.25** | **117.97** | **101.43** | **103.34** | **95.55** |
| 蜂蜜产量 | (万吨) | Honey | (10000 tons) | 6.97 | 8.14 | 7.39 | 7.93 | 8.60 | 8.96 | 8.53 |
| 蜂皇浆产量 | (吨) | Royal Jelly | (ton) | 1644 | 1652 | 1976 | 1928 | 2884 | 2209 | 2055 |
| **蚕茧产量** | **(万吨)** | **Output of Silkworm Cocoon** | **(10000 tons)** | **9.88** | **7.91** | **8.41** | **8.54** | **9.64** | **9.63** | **8.22** |
| 全年饲养蚕种张数 | (万张) | Number of Silkworm Cocoon | (10000 pieces) | 249.16 | 190.97 | 195.81 | 203.63 | 226.45 | 230.59 | 191.89 |

## 6-33　水产品产量(1978-2008年)
## Output of Aquatic Products(1978-2008)

单位:万吨(10000 tons)

| 年份<br>Year | 水产品产量<br>Total Aquatic Products | 海水产品产量<br>Seawater Aquatic Products | #养殖<br>Artificially Cultured | 淡水产品产量<br>Freshwater Aquatic Products | #养殖<br>Artificially Cultured | 远洋渔业产量<br>Deepsen Fishing Products |
|---|---|---|---|---|---|---|
| 1978 | 87.52 | 81.69 | 3.56 | 5.83 | 4.90 | |
| 1979 | 81.13 | 74.77 | 3.90 | 6.36 | 5.19 | |
| 1980 | 81.79 | 75.03 | 6.60 | 6.76 | 6.67 | |
| 1981 | 84.28 | 76.85 | 4.13 | 7.43 | 6.17 | |
| 1982 | 87.69 | 78.91 | 4.82 | 8.78 | 7.43 | |
| 1983 | 83.25 | 73.46 | 6.21 | 9.79 | 8.32 | |
| 1984 | 95.28 | 83.26 | 7.86 | 12.02 | 10.29 | |
| 1985 | 104.82 | 89.04 | 9.60 | 15.78 | 13.73 | |
| 1986 | 117.21 | 97.36 | 10.57 | 19.85 | 17.74 | |
| 1987 | 124.98 | 102.84 | 11.86 | 22.14 | 19.65 | |
| 1988 | 128.20 | 104.31 | 12.33 | 23.89 | 21.28 | |
| 1989 | 129.20 | 104.50 | 13.13 | 24.70 | 22.08 | |
| 1990 | 138.98 | 113.17 | 13.81 | 25.80 | 23.00 | |
| 1991 | 151.09 | 123.53 | 15.20 | 27.56 | 24.75 | |
| 1992 | 169.75 | 140.20 | 17.34 | 29.54 | 26.68 | |
| 1993 | 189.29 | 156.06 | 19.05 | 33.23 | 29.92 | |
| 1994 | 258.02 | 222.30 | 24.68 | 35.72 | 32.07 | |
| 1995 | 318.07 | 278.70 | 31.69 | 39.37 | 34.43 | |
| 1996 | 342.14 | 299.23 | 39.51 | 42.91 | 37.00 | |
| 1997 | 377.68 | 331.97 | 38.90 | 45.71 | 38.66 | |
| 1998 | 422.73 | 372.80 | 46.49 | 49.93 | 42.62 | |
| 1999 | 442.73 | 389.41 | 58.17 | 53.32 | 45.61 | |
| 2000 | 469.51 | 410.46 | 70.88 | 59.05 | 51.42 | |
| 2001 | 472.85 | 406.96 | 77.66 | 65.89 | 58.17 | |
| 2002 | 480.68 | 409.33 | 85.15 | 71.35 | 63.21 | |
| 2003 | 482.82 | 406.00 | 91.85 | 76.82 | 68.26 | |
| 2004 | 493.53 | 414.98 | 92.94 | 78.55 | 69.45 | |
| 2005 | 483.77 | 402.37 | 88.11 | 81.40 | 72.07 | |
| 2006 | 491.38 | 406.56 | 88.61 | 84.82 | 75.51 | |
| 2007 | 500.14 | 408.17 | 87.13 | 91.97 | 82.54 | |
| 2008 | 504.13 | 385.13 | 84.05 | 92.86 | 83.99 | 26.15 |

注:水产品产量数据按省海洋与渔业局统计年报数据填列(下同)。
Data in this table are taken from the annual report of the Bureau of Seas and Oceans and Fishery.

## 6－34 渔业生产(2002－2008年) Basic Indicators on Fishery(2002－2008)

单位:万吨(10000 tons)

| 指标 | Item | 2003 | 2004 | 2005 | 2006 | 2007 | 2008 |
|---|---|---|---|---|---|---|---|
| **水产品总产量** | **Total Aquatic Products** | **482.82** | **493.53** | **483.77** | **491.38** | **500.14** | **504.13** |
| **海水产品产量** | **Seawater Aquatic Products** | **406.00** | **414.98** | **402.37** | **406.56** | **408.17** | **385.13** |
| 按生产性质分 | By Production Character | | | | | | |
| 海洋捕捞 | Catching in Ocean | 314.15 | 322.04 | 314.26 | 317.95 | 321.03 | 301.08 |
| 海水养殖 | Seawater Aquiculture | 91.85 | 92.94 | 88.11 | 88.61 | 87.13 | 84.05 |
| 按类别分 | By Category | | | | | | |
| 鱼类 | Fishes | 208.45 | 202.06 | 208.61 | 207.23 | 209.54 | 213.66 |
| 虾蟹类 | Shrimps, Prawns and Crabs | 82.08 | 85.08 | 86.95 | 89.73 | 86.76 | 83.70 |
| 贝类 | Shell-fish | 76.75 | 76.31 | 72.72 | 72.65 | 70.57 | 69.02 |
| 藻类 | Algae | 3.86 | 4.34 | 3.46 | 4.12 | 4.28 | 3.49 |
| 头足类 | Shrimps, Prawns and crabs | | | 28.62 | 30.58 | 34.68 | 13.38 |
| 其他海水产品 | Others | 5.26 | 12.07 | 2.01 | 2.25 | 2.33 | 1.88 |
| **淡水产品产量** | **Freshwater Aquatic Products** | **76.82** | **78.55** | **81.4** | **84.82** | **91.97** | **92.86** |
| 按生产性质分 | By Production Character | | | | | | |
| 天然生产 | Naturally Grown | 8.56 | 9.10 | 9.33 | 9.31 | 9.43 | 8.87 |
| 淡水养殖 | Freshwater Aquiculture | 68.26 | 69.45 | 72.07 | 75.51 | 82.54 | 83.99 |
| 按类别分 | By Category | | | | | | |
| 鱼类 | Fishes | 54.28 | 54.27 | 55.91 | 56.77 | 58.08 | 60.84 |
| 虾蟹类 | Shrimps, Prawns and Crabs | 10.08 | 10.89 | 11.68 | 13.72 | 17.40 | 14.98 |
| 贝类 | Shell-fish | 4.48 | 4.89 | 4.80 | 4.63 | 4.66 | 3.95 |
| 其他类 | Others | 7.98 | 8.50 | 9.00 | 9.69 | 11.83 | 13.09 |
| **远洋渔业产量** | **Deepsea Fishing Products** | | | | | | **26.15** |
| **在海水产品中** | **Among Seawater Aquatic Products** | | | | | | |
| 大黄鱼 | Big Yellow Croaker | 1.05 | 0.82 | 0.21 | 0.45 | 0.36 | 0.39 |
| 小黄鱼 | Small Yellow Croaker | 7.19 | 7.57 | 6.72 | 7.29 | 9.25 | 8.76 |
| 带鱼 | Hairtail | 53.10 | 55.29 | 46.59 | 51.05 | 46.13 | 50.44 |
| 墨鱼 | Cuttle Fish | 4.19 | 5.06 | 3.42 | 3.38 | 3.60 | 2.90 |
| **海水养殖面积　(千公顷)** | **Seawater Aquiculture Area (1000 ha)** | **117.41** | **118.28** | **112.44** | **109.06** | **105.72** | **96.14** |
| **淡水养殖面积　(千公顷)** | **Freshwater Aquiculture Area (1000 ha)** | **215.10** | **205.08** | **205.20** | **211.99** | **214.92** | **212.02** |

## 6-35 各市水产品产量(2008年)
Output of Aquatic Products by City(2008)

单位:万吨(10000 tons)

| 地区 | Region | 水产品总产量 Total Output of Aquatic Products | 海水产品产量 Seawater Aquatic Products | #鱼类 Fishes | 淡水产品产量 Freshwater Aquatic Products | #鱼类 Fishes | 远洋渔业产量 Deepsea Fishing Products |
|---|---|---|---|---|---|---|---|
| **全省合计** | **Total** | **504.13** | **385.13** | **213.66** | **92.86** | **60.84** | **26.15** |
| **浙东北** | **Eastern & Northern Region** | **285.98** | **191.67** | **113.87** | **74.45** | **45.21** | **19.86** |
| 杭州市 | Hangzhou | 18.21 | | | 18.21 | 10.89 | |
| 宁波市 | Ningbo | 93.87 | 82.98 | 44.87 | 7.89 | 4.77 | 3.00 |
| 嘉兴市 | Jiaxing | 16.56 | 0.64 | 0.15 | 15.92 | 7.32 | |
| 湖州市 | Huzhou | 22.76 | | | 22.76 | 16.54 | |
| 绍兴市 | Shaoxing | 9.06 | 0.26 | 0.13 | 8.80 | 4.95 | |
| 舟山市 | Zhoushan | 125.52 | 107.79 | 68.72 | 0.87 | 0.74 | 16.86 |
| **浙西南** | **Western & Southern Region** | **212.54** | **193.46** | **99.79** | **18.43** | **15.64** | **0.65** |
| 温州市 | Wenzhou | 61.79 | 58.53 | 32.59 | 2.61 | 2.04 | 0.65 |
| 金华市 | Jinhua | 5.76 | | | 5.76 | 4.95 | |
| 其中:义乌市 | Yiwu | 0.36 | | | 0.36 | 0.32 | |
| 衢州市 | Quzhou | 4.18 | | | 4.18 | 3.74 | |
| 台州市 | Taizhou | 138.73 | 134.93 | 67.20 | 3.80 | 2.92 | |
| 丽水市 | Lishui | 2.08 | | | 2.08 | 1.99 | |
| **省直属** | **Units Attached to the Province** | **5.63** | | | | | **5.63** |

## 6-36 平均每个农业劳动力提供的主要农产品产量(2002-2008年)
Output of Major Farm Products Provided by Per Rural Labour(2002-2008)

| 指标 | | Item | | 2002 | 2003 | 2004 | 2005 | 2006 | 2007 | 2008 |
|---|---|---|---|---|---|---|---|---|---|---|
| 粮食 | (公斤) | Grain | (kg) | 1032.1 | 927.0 | 1028.5 | 1055.3 | 1002.3 | 1038.3 | 1163.9 |
| 棉花 | (公斤) | Cotton | (kg) | 2.4 | 2.4 | 2.8 | 2.7 | 3.2 | 3.7 | 4.2 |
| 油菜籽 | (公斤) | Rapeseeds | (kg) | 45.1 | 44.2 | 52.6 | 56.8 | 57.0 | 56.6 | 53.0 |
| 蔬菜 | (公斤) | Vegetables | (kg) | 1899.0 | 2039.3 | 2116.7 | 2213.5 | 2451.2 | 2663.0 | 2638.1 |
| 茶叶 | (公斤) | Tea | (kg) | 14.9 | 15.2 | 16.8 | 18.4 | 20.8 | 23.3 | 24.4 |
| 柑桔 | (公斤) | Oranges | (kg) | 176.7 | 202.4 | 243.1 | 188.2 | 246.1 | 288.6 | 357.7 |
| 生猪 | (头) | Hogs | (head) | 1.9 | 2.1 | 2.3 | 2.4 | 2.5 | 2.4 | 2.8 |
| 猪牛羊肉 | (公斤) | Pork, Beef and Mutton | (kg) | 128.4 | 140.0 | 159.3 | 165.8 | 169.7 | 166.4 | 194.6 |
| 禽蛋 | (公斤) | Poultry Eggs | (kg) | 46.8 | 48.3 | 50.9 | 56.6 | 47.1 | 55.1 | 62.1 |
| 水产品 | (公斤) | Aquatic Products | (kg) | 517.1 | 553.1 | 597.0 | 614.8 | 670.4 | 726.9 | 756.6 |

## 6-37 农村自然灾害情况(2002-2008年)
Basic Statistics on Rural Natural Disaster(2002-2008)

| 指标 | | Item | | 2002 | 2003 | 2004 | 2005 | 2006 | 2007 | 2008 |
|---|---|---|---|---|---|---|---|---|---|---|
| **受灾面积** | **(千公顷)** | **Area Covered** | **(1000 ha)** | **519.94** | **795.69** | **809.70** | **1093.30** | **412.32** | **846.3** | **1164.75** |
| #旱灾 | | Drought | | 0.37 | 657.02 | 169.51 | 100.80 | 92.46 | 82.90 | |
| 水灾 | | Flood | | 206.64 | 77.46 | 23.24 | 60.80 | 67.48 | 19.10 | 167.72 |

## 6－38　农村经济收入和分配(2002－2008年)
Income and Distribution of Rural Economy(2002－2008)

单位:亿元(100 million yuan)

| 指标 | Item | 2002 | 2003 | 2004 | 2005 | 2006 | 2007 | 2008 |
|---|---|---|---|---|---|---|---|---|
| **农村经济总收入** | **Total Income of Rural Economy** | **17396.75** | **21138.92** | **25203.96** | **30515.35** | **35724.79** | **42808.39** | **46533.60** |
| #出售产品收入 | Income of Products for Sale | 13436.16 | 16410.47 | 18914.95 | 22997.96 | 26389.78 | 31826.80 | 34765.73 |
| **按经营形式划分** | **By Type** | | | | | | | |
| 乡(镇)办企业收入 | Income of Enterprises Run by Townships | 5561.16 | 7235.73 | 9027.31 | 11361.31 | 13645.76 | 17147.01 | 18454.64 |
| 村组集体经营收入 | Collective Operation Income from Villages and Groups | 1347.48 | 1583.92 | 1393.80 | 1500.27 | 1523.12 | 2100.88 | 2171.39 |
| 农民家庭经营收入 | Income from Rural Household Operation | 6695.18 | 7814.06 | 9133.66 | 10542.64 | 12113.08 | 14347.31 | 15408.88 |
| 其他经营收入 | Others | 3792.93 | 4505.22 | 5649.19 | 7111.12 | 8442.83 | 9213.2 | 10498.69 |
| **按行业划分** | **By Sector** | | | | | | | |
| 农林牧渔业收入 | Farming, Forestry, Animal Husbandry & Fishery | 1058.85 | 1102.63 | 1218.40 | 1287.16 | 1371.68 | 1358.48 | 1465.44 |
| 工业收入 | Industry | 14089.97 | 17382.48 | 20737.71 | 25110.28 | 29364.56 | 35585.47 | 38574.76 |
| 建筑业收入 | Construction | 495.03 | 638.15 | 758.25 | 929.41 | 1181.14 | 1405.12 | 1747.81 |
| 运输业收入 | Transportation | 258.27 | 290.22 | 320.33 | 394.87 | 397.42 | 458.54 | 499.84 |
| 商饮业收入 | Commerce and Catering Service | 1039.31 | 1213.87 | 1491.47 | 1850.17 | 2372.75 | 2662.81 | 2649.51 |
| 服务业收入 | Service | 220.08 | 237.68 | 380.16 | 573.24 | 616.88 | 813.30 | 1061.53 |
| 其他收入 | Others | 235.24 | 273.89 | 297.64 | 370.22 | 420.34 | 524.66 | 534.72 |
| **总费用** | **Total Expenses** | **14711.81** | **18062.75** | **21767.81** | **26494.86** | **30991.94** | **37416.82** | **40566.41** |
| 生产费用 | Production Expense | 13125.87 | 16367.97 | 19597.87 | 23436.75 | 27179.07 | 33462.21 | 36294.85 |
| 管理费用 | Managing Expense | 558.91 | 664.92 | 984.97 | 1414.90 | 1808.77 | 2241.51 | 2529.55 |
| 其他费用 | Others | 1027.03 | 1029.86 | 1184.97 | 1623.21 | 2004.11 | 1713.10 | 1742.01 |
| **净收入** | **Net Income** | **2684.94** | **3076.17** | **3436.15** | **4020.49** | **4732.85** | **5391.57** | **5967.19** |
| **投资收益** | **Investment Profits** | **8.99** | **8.76** | **27.23** | **14.85** | **20.95** | **31.24** | **40.11** |
| **农民外出劳务收入** | **Income of Peasants Transferring out** | **211.52** | **240.24** | **277.65** | **327.08** | **366.79** | **430.54** | **482.82** |
| **可分配净收入总额** | **Total Net Income Distributed** | **2905.45** | **3325.17** | **3740.82** | **4362.42** | **5120.59** | **5853.35** | **6490.13** |
| #国家税收 | National Taxes | 511.12 | 616.24 | 724.58 | 867.83 | 1022.75 | 1218.07 | 1338.39 |
| 乡村集体所得 | Township and Village Collective | 46.09 | 42.91 | 42.27 | 45.87 | 52.48 | 53.17 | 64.08 |
| 农民经营所得 | Operation by Peasants | 1717.28 | 1840.01 | 2018.6 | 2212.63 | 2427.45 | 2656.40 | 2936.59 |
| **农民从集体再分配收入** | **Re-distributed Income from Collective** | **33.83** | **34.38** | **37.38** | **45.60** | **53.62** | **71.15** | **83.73** |
| **农民所得总额** | **Peasants Income** | **1751.11** | **1886.93** | **2057.56** | **2258.23** | **2481.07** | **2727.55** | **3020.33** |

## 6-39 农业事业机构和服务组织(2002-2008年)
## Institutions Rendering Agricultural Services(2002-2008)

| 指标 | | Item | | 2002 | 2003 | 2004 | 2005 | 2006 | 2007 | 2008 |
|---|---|---|---|---|---|---|---|---|---|---|
| **农业事业机构** | (个) | **Institutions Engaged in Agricultural Undertaking** | (unit) | | | | | | | |
| 乡镇农技服务站 | | Agricultural Technical Service Stations | | 1563 | 1530 | 1554 | 1595 | 1546 | 1704 | 1494 |
| 家畜繁育改良站 | | Stations for Improving Domestic Animals Breed | | 13 | 10 | 10 | 10 | 7 | 2 | 2 |
| 乡镇畜牧兽医站 | | Veterinary Stations | | 1413 | 1257 | 1381 | 1201 | 1126 | 905 | 888 |
| **农业服务组织** | | **Agricultural Service Organizations** | | | | | | | | |
| 县(市)农技推广中心 | (个) | Centres for Spreading Agricultural Technique | (unit) | 80 | 81 | 88 | 105 | 110 | 111 | 126 |
| 乡镇农技站农业技术人员 | (人) | Agricultural Technical Persons | (person) | 13135 | 11893 | 13227 | 12011 | 11889 | 11767 | 11080 |
| 配有农技员的村数 | (万个) | Villages with Agricultural Technical Persons | (10000 units) | 3.02 | 2.83 | 2.67 | 2.71 | 2.60 | 2.30 | 2.20 |
| 村不脱产农民技术人员 | (万人) | Technical Peasants Unreleased from Agricultural Production in Village | (10000 persons) | 6.49 | 6.37 | 6.10 | 8.05 | 8.70 | 8.50 | 8.70 |
| 科技户 | (万户) | Scientific and Technological Households | (10000 households) | 13.44 | 12.59 | 11.04 | 10.71 | 7.94 | 6.70 | 6.30 |

浙/江/统/计/年/鉴

# 主要统计指标解释

## ■ 农林牧渔业总产值

是以货币表现的农、林、牧、渔业全部产品的总量，它反映一定时期内农业生产总规模和总成果。

农、林、牧、渔业的统计范围包括国有经济的各种专业农(农、林、牧、渔)场以及国家各级机关团体学校、部队;集体所有制的乡、镇、村各级办农场;工矿企业经营的农、林、牧、渔业,农村各种经济组织和农户经营的农林牧渔业和农民家庭兼营的商品性工业等。

## ■ 粮食产量

指全社会的产量。包括国有经济经营的、集体统一经营的和农民家庭经营的粮食产量，还包括工矿企业办的农场和其他生产单位的产量。粮食除包括稻、小麦、玉米、高粱、谷子及其他杂粮外,还包括薯类和豆类。其产量计算方法，豆类按去豆荚后的干豆计算;薯类(包括马铃薯)1963 年以前按每 4 公斤鲜薯折 1 公斤粮食计算，从 1964 年开始及以后改为按 5 公斤鲜薯折 1 公斤粮食计算。其他粮食一律按脱粒后的原粮计算。

## ■ 油料产量

指全部油料作物的生产量。包括花生、油菜籽、芝麻、向日葵籽、胡麻籽(亚麻籽)和其他油料。不包括大豆,也不包括木本油料和野生油料。花生以带壳干花生计算。

## ■ 水产品产量

指人工养殖的水产品和天然生长的水产品的捕捞量。包括海水的鱼类、虾蟹类、贝类和藻类以及内陆水域的鱼类、虾蟹类和贝类,不包括淡水生植物。

## ■ 猪、牛、羊肉产量

指当年出栏并已屠宰后除去头蹄下水后带骨肉(即胴体重)的重量。

## ■ 谷物

指籽实主要供作粮食的作物。这类作物包括稻谷、小麦、玉米、谷子、高粱和其他谷物,不包括豆类和薯类作物。

ZHEJIANG STATISTICAL YEARBOOK

# Explanatory Notes on Main Statistical Indicators

## □ Gross Output Value of Farming, Forestry, Animal Husbandry and Fishery

refers to the total volume of products of farming, forestry, animal husbandry and fishery in value terms, which reflects the total scale and total result of agricultural production during a given period of time.

The statistical coverage of farming, forestry, animal husbandry and fishery are as follows: In terms of ownership, China' s agriculture includes specialized state farms (farming, forestry, animal husbandry, fishery), farms managed by various government agencies, organazations, schools, research institutions, and army; farms managed by rural collective organizations at levels of township, town, and village; farming, forestry, animal husbandry, fishery run by mining and industrial enterprises; farming, forestry, animal husbandry and fishery and some commodity industries run by various rural collective organizations and individual farmers.

## □ Grain Yield

refers to the yield in the whole country including grains produced by state farms, collective units, industrial enterprises and mines. Grain includes rice, wheat, corn, sorghum, millet and other miscellaneous grains as well as tubers and beans. Output of beans refers to dry beans without pods. The output of tubers was converted into that of grain at the ratio 4∶1, I. e. Four kilograms of fresh tubers was equivalent to one kilogram of grain up to 1963. Since 1964 the ratio for conversion has been 5∶1. Output of all other grains refers to husked grain.

## □ Yield of Oil – bearing Crops

refers to the total yield of oil-bearing crops of various kinds, including peanuts, (dry, in shell) rapeseeds, sesame, sunflower seeds, flax seeds, and other oil-bearing crops. Soybeans, oil-bearing woody plants, and wild oil-bearing crops are not included.

## □ Output of Aquatic Products

refers to catches of both artificially cultured and naturally grown aquatic products, including fish, shrimps, crabs and shellfish in sea and inland water as well as seaweed. Freshwater plants are not included.

## □ Output of Pork, Beef, and Mutton

refers to the meat of slaughtered hogs, cattle, sheep and goats with head, feet, and offal taken away.

## □ Cereals

refer to seeds of various kinds of crops which are used mainly for grain. Cereals include paddy, wheat, maize, millet, Chinese sorghum, etc., except beans and tubers.

浙江统计年鉴

ZHEJIANG STATISTICAL YEARBOOK

2009

CHAPTER 7

# 工业和能源

Industry and Energy

## 7-1 规模以上工业企业单位数(2004-2008年)
## Number of Industrial Enterprises Above Designated Size(2004-2008)

单位:个(unit)

| 指 标 | Item | 2004 | 2005 | 2006 | 2007 | 2008 |
|---|---|---|---|---|---|---|
| **工业企业单位数** | **Number of Industrial Enterprises** | **41357** | **40275** | **45686** | **51604** | **58816** |
| **按轻重工业分** | **by Light and Heavy Industry** | | | | | |
| 轻工业 | Light Industry | 21878 | 21241 | 24153 | 26785 | 29676 |
| 重工业 | Heavy Industry | 19479 | 19034 | 21533 | 24819 | 29140 |
| **按注册登记类型分** | **by Registered Type** | | | | | |
| 国有企业 | State - owned | 573 | 430 | 393 | 295 | 312 |
| 集体企业 | Collective owned | 1077 | 794 | 658 | 571 | 426 |
| 股份合作企业 | Share Cooperative | 2107 | 1937 | 1612 | 1359 | 1423 |
| 联营企业 | Joint - owned | 84 | 59 | 56 | 51 | 22 |
| 外商及港澳台商投资企业 | Foreign Funded Enterprises and Enterprises Funded by Entrepreneurs from Hong Kong, Macao & Taiwan | 6889 | 6807 | 7740 | 8626 | 9553 |
| 私营企业 | Private | 24036 | 24244 | 28715 | 33381 | 40320 |
| 其他企业 | Others | 6591 | 6004 | 6512 | 7321 | 6760 |
| **在总计中:国有及国有控股** | **State - owned and State - holding Industrial Enterprises** | **1109** | **811** | **776** | **694** | **736** |
| **按规模分** | **by Size** | | | | | |
| 大型企业 | Large - sized Enterprises | 84 | 154 | 166 | 192 | 194 |
| 中型企业 | Medium - sized Enterprises | 2959 | 3203 | 3700 | 4150 | 4319 |
| 小型企业 | Small - sized Enterprises | 38314 | 36918 | 41820 | 47262 | 54303 |

注:自2003年大中小型企业划分实行了新标准。
The data by size are calculated at new standard since 2003.

## 7-2 规模以上工业总产值(2004-2008年)
## Gross Output Value of Industrial Enterprises Above Designated Size(2004-2008)

单位:亿元 (100 million yuan)

| 指 标 | Item | 2004 | 2005 | 2006 | 2007 | 2008 |
|---|---|---|---|---|---|---|
| **工业总产值** | **Gross Industrial Output Value** | **18729.06** | **23106.76** | **29129.94** | **36073.93** | **40832.10** |
| **按轻重工业分** | **by Light and Heavy Industry** | | | | | |
| 轻工业 | Light Industry | 8615.93 | 10626.24 | 12756.99 | 15519.12 | 16943.47 |
| 重工业 | Heavy Industry | 10113.12 | 12480.52 | 16372.95 | 20554.82 | 23888.63 |
| **按注册登记类型分** | **by Registered Type** | | | | | |
| 国有企业 | State-owned | 1332.89 | 1800.27 | 2062.04 | 2349.06 | 2609.20 |
| 集体企业 | Collective owned | 345.34 | 314.47 | 306.64 | 254.35 | 141.17 |
| 股份合作企业 | Share Cooperative | 450.22 | 486.61 | 467.13 | 472.77 | 359.90 |
| 联营企业 | Joint-owned | 86.47 | 85.52 | 94.29 | 78.68 | 18.82 |
| 外商及港澳台商投资企业 | Foreign Funded Enterprises and Enterprises Funded by Entrepreneurs from Hong Kong, Macao & Taiwan | 4910.17 | 5517.38 | 7601.05 | 9609.91 | 11075.29 |
| 私营企业 | Private | 6464.53 | 8250.03 | 10592.06 | 13541.69 | 16817.25 |
| 其他企业 | Others | 5139.44 | 6525.02 | 8006.73 | 9767.47 | 9810.47 |
| **在总计中:国有及国有控股** | **State-owned and State-holding Industrial Enterprises** | **2803.43** | **3401.17** | **4024.81** | **4637.2** | **5308.87** |
| **按规模分** | **by Size** | | | | | |
| 大型企业 | Large-sized Industrial Enterprises | 2230.36 | 3803.69 | 4527.34 | 6820.05 | 7399.10 |
| 中型企业 | Medium-sized Industrial Enterprises | 7100.47 | 8289.28 | 10778.96 | 13546.39 | 15117.26 |
| 小型企业 | Small-sized Industrial Enterprises | 9398.23 | 11013.79 | 13823.65 | 15707.49 | 18315.74 |

注:工业总产值按现行价格计算。
Gross industrial output value are calculated at current prices.

## 7-3 按行业分的规模以上工业企业总产值(2005-2008年)
Gross Output Value of Industrial Enterprises by Sector Above Designated Size(2005-2008)

| 行 业 | Sector | 工业总产值(亿元) Gross Industrial Output Value (100 million yuan) | | | |
|---|---|---|---|---|---|
| | | 2005 | 2006 | 2007 | 2008 |
| **总 计** | **Total** | **23106.76** | **29129.94** | **36073.93** | **40832.1** |
| 在总计中:轻工业 | Light Industry | 10626.24 | 12756.99 | 15519.12 | 16943.47 |
| 重工业 | Heavy Industry | 12480.52 | 16372.95 | 20554.82 | 23888.63 |
| **按工业行业分** | **By Sector** | | | | |
| 煤炭采选业 | Coal Mining and Dressing | 9.24 | 7.51 | 7.73 | 7.71 |
| 黑色金属矿采选业 | Ferrous Metals Mining and Dressing | 19.19 | 17.26 | 23.57 | 25.17 |
| 有色金属矿采选业 | Nonferrous Metals Mining and Dressing | 18.5 | 21.76 | 27.62 | 29.61 |
| 非金属矿采选业 | Nonmetal Minerals Mining and Dressing | 51.4 | 63.92 | 74.1 | 81.94 |
| 其他采矿业 | Other Minerals Mining and Dressing | | | | |
| 农副食品加工业 | Non-staple Food Processing | 404.58 | 454.42 | 542.09 | 637.35 |
| 食品制造业 | Food Manufacturing | 166.23 | 192.8 | 244.2 | 298.72 |
| 饮料制造业 | Beverage Manufacturing | 198.7 | 242.43 | 325.5 | 377.73 |
| 烟草制品业 | Tobacco Processing | 148.51 | 171.58 | 199.8 | 216.08 |
| 纺织业 | Textile Industry | 2938.85 | 3473.57 | 4190.08 | 4482.06 |
| 纺织服装、鞋、帽制造业 | Garments, Shoes and Hats Manufacturing | 955.72 | 1106.46 | 1317.04 | 1445.71 |
| 皮革、毛皮、羽毛(绒)及其制品业 | Leather, Furs, Down and Related Products | 835.02 | 974.83 | 1109.24 | 1090.28 |
| 木材加工及木、竹、藤、棕、草制品业 | Timber Processing, Bamboo, Cane Palm Fiber and Straw Products | 215.3 | 248.47 | 327.42 | 372.15 |
| 家具制造业 | Furniture Manufacturing | 209.31 | 289.45 | 379.44 | 449.91 |
| 造纸及纸制品业 | Papermaking and Paper Products | 482.41 | 591.07 | 718.94 | 865.27 |
| 印刷业和记录媒介的复制 | Printing and Record Medium Reproduction | 156.69 | 196.38 | 235 | 256.19 |
| 文教体育用品制造业 | Cultural, Educational and Sports Goods | 248.81 | 288.81 | 354.18 | 386.93 |

注:工业总产值按现行价格计算。
Gross industrial output value are calculated at current prices.

7-3 续表 continued

| 行 业 | Sector | 工业总产值(亿元) Gross Industrial Output Value (100 million yuan) | | | |
| --- | --- | --- | --- | --- | --- |
| | | 2005 | 2006 | 2007 | 2008 |
| 石油加工、炼焦及核燃料加工业 | Petroleum Processing, Cooking and Nuclear Fuel Processing | 701.24 | 838.52 | 885.69 | 1104.41 |
| 化学原料及化学制品制造业 | Raw Chemical Materials and Chemical Products | 1241.6 | 1569.72 | 2143.97 | 2644.82 |
| 医药制造业 | Medical and Pharmaceutical Products | 423.08 | 485.42 | 576.13 | 615.49 |
| 化学纤维制造业 | Chemical Fiber | 964.39 | 1241.08 | 1533.3 | 1546.34 |
| 橡胶制品业 | Rubber Products | 231.65 | 279.57 | 353.51 | 398.18 |
| 塑料制品业 | Plastic Products | 913.51 | 1125.01 | 1382.05 | 1498.65 |
| 非金属矿物制品业 | Nonmetal Mineral Products | 634.12 | 754.52 | 911.2 | 1123.68 |
| 黑色金属冶炼及压延加工业 | Smelting and Pressing of Ferrous Metals | 623.79 | 805.01 | 1158.31 | 1643.93 |
| 有色金属冶炼及压延加工业 | Smelting and Pressing of Nonferrous Metals | 750.76 | 1214.11 | 1403.33 | 1399.08 |
| 金属制品业 | Metal Products | 839.38 | 1099.05 | 1452.7 | 1768.23 |
| 通用设备制造业 | Equipment in Common Use | 1628.37 | 2000.7 | 2584.46 | 2974.16 |
| 专用设备制造业 | Special Purpose Equipment | 504.69 | 664.52 | 875.07 | 941.98 |
| 交通运输设备制造业 | Transport Equipment | 1238.2 | 1659.37 | 2145.07 | 2624.49 |
| 电气机械及器材制造业 | Electric Equipment and Machinery | 1794.87 | 2333.31 | 3074.7 | 3668.19 |
| 通信设备、计算机及其他电子设备制造业 | Telecommunications Equipment, Computer and Other Electronic Equipment | 1044.37 | 1583.6 | 1814.58 | 1705.58 |
| 仪器仪表及文化、办公用机械制造业 | Instruments, Meters, Cultural and Office Machinery | 302.75 | 404.97 | 497.4 | 513.21 |
| 工艺品及其他制造业 | Handicraft Article and Other Manufacturing Indust | 395.24 | 480.54 | 600.91 | 678.02 |
| 废弃资源和废旧材料回收加工业 | Recovery of Resource Discarded and Useless Material | 94.89 | 140.5 | 167.32 | 228.11 |
| 电力、热力的生产和供应业 | Production and Supply of Electricity and Heating Power | 1646.36 | 2005.63 | 2307.79 | 2561.37 |
| 燃气生产和供应业 | Production and Supply of Gas | 27.19 | 44.94 | 60.88 | 87.37 |
| 水的生产和供应业 | Production and Supply of Water | 47.86 | 59.11 | 69.64 | 84.01 |

## 7－4　主要工业产品产量(2004－2008 年)
Output of Major Industrial Products(2004－2008)

| 产品名称 | | Item | | 2004 | 2005 | 2006 | 2007 | 2008 |
|---|---|---|---|---|---|---|---|---|
| 原煤 | (万吨) | Coal | (10000 tons) | 56.31 | 41.29 | 13.46 | 12.33 | 13.10 |
| 原盐 | (万吨) | Salt | (10000 tons) | 10.31 | 4.92 | 2.4 | 4.55 | 3.78 |
| 配混合饲料 | (万吨) | Forage | (10000 tons) | 197.3 | 214.38 | 214.79 | 270.18 | 252.83 |
| 食用植物油 | (万吨) | Edible Vegetable Oil | (10000 tons) | 41.89 | 11.92 | 31.73 | 39.37 | 60.24 |
| 罐头 | (万吨) | Canned Food | (10000 tons) | 53.53 | 53.66 | 59.2 | 70.56 | 94.95 |
| 啤酒 | (万千升) | Beer | (10000 kiloliter) | 223.49 | 239.67 | 277.14 | 300.33 | 269.59 |
| 黄酒 | (万千升) | Millet Wine | (10000 kiloliter) | 42.03 | 42.5 | 41.17 | 49.3 | 56.7 |
| 软饮料 | (万吨) | Soft Drink | (10000 tons) | 314.03 | 331.25 | 336.56 | 537.17 | 827.83 |
| 卷烟 | (万箱) | Cigarettes | (10000 cases) | 686.7 | 657.65 | 671.73 | 732.86 | 760.99 |
| 纱 | (万吨) | Yarn | (10000 tons) | 91.75 | 96.41 | 115.83 | 146.46 | 168.16 |
| 布 | (亿米) | Cloth | (100 million m) | 87.47 | 83.64 | 97.47 | 114.88 | 136.48 |
| 毛线(绒线) | (吨) | Knitting Wool | (ton) | 39968 | 1715 | 16169 | 17089 | 22524.2 |
| 呢绒 | (万米) | Woolen Goods | (10000 m) | 5812.8 | 4587 | 5293 | 4928 | 22058.8 |
| 丝织品 | (亿米) | Silk-knit Goods | (100 million m) | 82.39 | 45.69 | 52.67 | 55.72 | 67.66 |
| 机制纸 | (万吨) | Machine-made Paper and Paperboard | (10000 tons) | 789.71 | 817.22 | 1043.96 | 1209.44 | 1562.4 |
| 汽油 | (万吨) | Gasoline | (10000 tons) | 292.47 | 288.69 | 254.94 | 259.74 | 288.75 |
| 煤油 | (万吨) | Kerosene | (10000 tons) | 130.67 | 130.97 | 127.29 | 153.78 | 129.41 |
| 柴油 | (万吨) | Diesel Oil | (10000 tons) | 688.47 | 728.09 | 749.5 | 758.73 | 862.33 |
| 燃料油 | (万吨) | Fuel Oil | (10000 tons) | 180.35 | 109.76 | 192.42 | 208.57 | 173.94 |
| 焦炭 | (万吨) | Coke | (10000 tons) | 57.77 | 55.2 | 52.29 | 52.53 | 166.21 |
| 硫酸 | (万吨) | Sulphuric Acid | (10000 tons) | 95.98 | 125.55 | 128.53 | 109.54 | 108.76 |
| 烧碱 | (万吨) | Caustic Soda | (10000 tons) | 54.12 | 76.74 | 88.39 | 111.12 | 103.68 |
| 纯碱 | (万吨) | Soda Ash | (10000 tons) | 13.07 | 13.28 | 13.95 | 14.55 | 19.26 |

7－4 续表1 continued

| 产品名称 | | Item | | 2004 | 2005 | 2006 | 2007 | 2008 |
|---|---|---|---|---|---|---|---|---|
| 电石(碳化钙) | (万吨) | Calcium Carbide | (10000 tons) | 9.46 | 9.81 | 11.56 | 11.01 | 11.08 |
| 合成氨 | (万吨) | Synthetic Ammonia | (10000 tons) | 87.59 | 89.09 | 82.77 | 80.45 | 61.73 |
| 农用化肥 | (万吨) | Chemical Fertilizer | (10000 tons) | 60.41 | 59.46 | 55.46 | 54.38 | 47.69 |
| # 氮肥 | | Nitrogen Fertilizer | | 53.50 | 53.44 | 49.57 | 50.80 | 44.87 |
| 磷肥 | | Phosphate Fertilizer | | 6.91 | 6.03 | 5.89 | 3.57 | 2.59 |
| 农药 | (吨) | Chemical Pesticide | (ton) | 123699.00 | 192478.00 | 208854.00 | 255386.00 | 216548.98 |
| 纯苯 | (吨) | Pure Benzene | (ton) | 86381.00 | 159709.00 | 215190.00 | 219920.00 | 238223.00 |
| 肥皂 | (万吨) | Soap | (10000 tons) | 43.20 | 25.81 | 30.19 | 32.62 | 29.38 |
| 合成洗涤剂 | (吨) | Synthetic Detergents | (ton) | 380642.00 | 454843.00 | 475029.00 | 463353.00 | 291832.10 |
| 化学原料药 | (吨) | Chemical Raw Medicine | (ton) | 185962.00 | 210114.00 | 247616.00 | 269572.00 | 191723.19 |
| 中成药 | (吨) | Traditional Chinese Medicine | (ton) | 26174.00 | 15956.00 | 15906.00 | 15568.00 | 18324.38 |
| 化学纤维 | (万吨) | Chemical Fiber | (10000 tons) | 623.40 | 660.33 | 812.69 | 976.93 | 1119.81 |
| #粘胶纤维 | | Glutinous Fiber | | 5.01 | 3.89 | 11.68 | 20.66 | 16.55 |
| 合成纤维 | (万吨) | Synthetic Fiber | (10000 tons) | 616.57 | 656.43 | 801.01 | 956.28 | 1077.18 |
| 轮胎外胎 | (万条) | Outer Cover of Tyre | (10000 units) | 2369.41 | 2722.73 | 4474.16 | 5538.22 | 4661.12 |
| 塑料制品 | (万吨) | Plastic Products | (10000 tons) | 686.68 | 439.68 | 555.40 | 766.12 | 1014.65 |
| 水泥 | (万吨) | Cement | (10000 tons) | 8746.03 | 8829.40 | 9947.08 | 10545.51 | 10162.77 |
| 平板玻璃 | (万重量箱) | Plate Glass | (10000 wt. case) | 2196.29 | 2105.32 | 2257.51 | 2912.67 | 4301.76 |
| 生铁 | (万吨) | Pig Iron | (10000 tons) | 186.77 | 220.56 | 232.89 | 237.78 | 473.65 |
| 钢 | (万吨) | Steel | (10000 tons) | 401.25 | 432.03 | 457.84 | 455.39 | 933.78 |
| 成品钢材 | (万吨) | Steel Products | (10000 tons) | 833.50 | 716.98 | 1143.59 | 1588.70 | 1946.16 |
| 十种有色金属 | (万吨) | 10 Nonferrous Metal | (10000 tons) | 39.75 | 34.99 | 37.03 | 48.69 | 43.45 |
| #铜 | (吨) | Copper | (ton) | 171900.00 | 224260.00 | 249663.00 | 296315.00 | 317692.23 |
| 锌 | (吨) | Zinc | (ton) | 23418.00 | 23781.00 | 26476.00 | 65439.00 | 50376.54 |
| 铝 | (吨) | Aluminium | (ton) | 196760.00 | 83777.00 | 89070.00 | 98034.00 | 60707.86 |

单位:亿元(100 million yuan)

| 合 计 Total | | | | 国有单位 State - owned Units | | | | 集体单位 Collective owned Units | | | |
|---|---|---|---|---|---|---|---|---|---|---|---|
| 2005 | 2006 | 2007 | 2008 | 2005 | 2006 | 2007 | 2008 | 2005 | 2006 | 2007 | 2008 |
| 40275 | 45686 | 51604 | 58816 | 430 | 393 | 295 | 312 | 794 | 658 | 571 | 426 |
| 4229 | 4460 | 4929 | 8918 | 128 | 107 | 63 | 78 | 84 | 83 | 59 | 47 |
| 23106.76 | 29129.94 | 36073.93 | 40832.10 | 1800.72 | 2062.04 | 2349.06 | 2609.20 | 314.47 | 306.64 | 254.35 | 141.17 |
| 4830.97 | 5993 | 7571.32 | | 515.11 | 569.07 | 633.43 | 0.00 | 64.65 | 55.81 | 58.22 | 0.00 |
| 659.12 | 726.94 | 790.93 | 814.55 | 16.63 | 14.01 | 12.92 | 13.78 | 8.86 | 6.94 | 7.12 | 3.93 |
| 10896.23 | 13379.78 | 16994.93 | 19668.12 | 655.11 | 633.28 | 628.29 | 692.51 | 161.84 | 150.6 | 131.36 | 91.99 |
| 7506.14 | 8817.64 | 9938.34 | 11887.99 | 1280.11 | 1384.5 | 1370.43 | 1530.14 | 72.76 | 57.42 | 52.89 | 34.29 |
| 10305.43 | 12653.24 | 15899.57 | 19092.60 | 663.96 | 633.43 | 637.88 | 725.51 | 155.19 | 141.86 | 124.57 | 87.75 |
| 9522.84 | 11465.31 | 13147.32 | 15478.27 | 1722.39 | 1964.11 | 1994.59 | 2271.36 | 106.95 | 89.51 | 79.1 | 53.80 |
| 6518.3 | 7845.94 | 8972.43 | 10438.59 | 1069.12 | 1214.14 | 1267.49 | 1379.56 | 69.28 | 54.86 | 49.56 | 30.47 |
| 20609.3 | 24895.59 | 30581.98 | 35550.76 | 2076.8 | 2196.03 | 2336 | 2544.51 | 259.68 | 231.11 | 203.94 | 139.00 |
| 10136.79 | 12635.46 | 16275.56 | 18996.57 | 627.37 | 678.61 | 723.72 | 780.80 | 141.48 | 119.28 | 107.93 | 76.94 |
| 1944.72 | 2115.65 | 2130.87 | 2778.34 | 409.5 | 404.15 | 348.44 | 689.39 | 9.61 | 7.52 | 3.93 | 3.46 |
| 8315.61 | 9853.51 | 11783.77 | 13524.09 | 925.63 | 956.93 | 1028.68 | 1056.07 | 107.81 | 97.87 | 91.72 | 58.34 |
| 4517.65 | 5254 | 6423.02 | 7520.54 | 312.39 | 324.93 | 327.83 | 326.38 | 42.01 | 35.42 | 31.14 | 19.46 |
| 22704.19 | 28577.9 | 35248.46 | 39630.60 | 1820.77 | 2071.19 | 2349.48 | 2660.91 | 307.16 | 303.71 | 251 | 137.84 |
| 19794.01 | 24988.81 | 30753.86 | 34893.58 | 1556.2 | 1766.61 | 1995.65 | 2351.04 | 269.44 | 270.35 | 219.36 | 120.34 |
| 193.41 | 217.01 | 256.3 | 286.99 | 76.68 | 91.65 | 110.27 | 119.67 | 1.9 | 1.57 | 1.83 | 0.93 |
| 1098.45 | 1375.49 | 1775.47 | 1634.20 | 88.96 | 104.44 | 128.71 | 67.45 | 18.18 | 16.28 | 13.1 | 6.55 |
| 679.47 | 801.37 | 974.15 | 1080.41 | 102.91 | 104.26 | 117.09 | 122.60 | 9.75 | 8.82 | 8.21 | 4.83 |
| 1971.32 | 2393.88 | 3005.92 | 3001.61 | 268.45 | 300.35 | 356.08 | 309.72 | 29.83 | 26.67 | 23.14 | 12.31 |

The data of state-owned units and collective owned units are grouped by registered type.

## 7-6 按行业分的工业企业主要指标(2008年)
Main Indicators of Industrial Enterprises by Sector(2008)

单位:亿元(100 million yuan)

| 行 业 | Sector | 企业单位数(个) Number of Enterprises (unit) | #亏损企业 Loss | 工业总产值 Gross Industrial Output Value |
|---|---|---|---|---|
| **总计** | **Total** | **58816** | **8918** | **40832.10** |
| **按注册登记类型分** | **by Registered Type** | | | |
| #国有 | #State - owned | 312 | 78 | 2609.20 |
| 集体 | Collective owned | 426 | 47 | 141.17 |
| 私营 | Private | 40320 | 5058 | 16817.25 |
| 港澳台商投资 | Enterprises Funded by Entrepreneurs from Hong Kong, Macao & Taiwan | 4296 | 1109 | 4829.04 |
| 外商投资 | Foreign Funded Enterprises | 5057 | 1367 | 6246.25 |
| 在总计中:轻工业 | Light Industry | 29676 | 4834 | 16943.47 |
| 重工业 | Heavy Industry | 29140 | 4084 | 23888.63 |
| **按工业行业分** | **By Sector** | | | |
| 煤炭开采和洗选业 | Coal Mining and Dressing | 1 | 1 | 7.71 |
| 黑色金属矿采选业 | Ferrous Metals Mining and Dressing | 7 | | 25.17 |
| 有色金属矿采选业 | Nonferrous Metals Mining and Dressing | 28 | 8 | 29.61 |
| 非金属矿采选业 | Nonmetal Minerals Mining and Dressing | 268 | 33 | 81.94 |
| 其他采矿业 | Other Minerals Mining and Dressing | | | |
| 农副食品加工业 | Non - staple Food Processing | 1022 | 149 | 637.35 |
| 食品制造业 | Food Manufacturing | 443 | 83 | 298.72 |
| 饮料制造业 | Beverage Manufacturing | 343 | 62 | 377.73 |
| 烟草制品业 | Tobacco Processing | 4 | | 216.08 |
| 纺织业 | Textile Industry | 8613 | 1427 | 4482.06 |
| 纺织服装、鞋、帽制造业 | Garments, Shoes and Hats Manufacturing | 3228 | 652 | 1445.71 |
| 皮革、毛皮、羽毛(绒)及其制品业 | Leather, Furs, Down and Related Products | 2173 | 230 | 1090.28 |
| 木材加工及木、竹、藤、棕、草制品业 | Timber Processing, Bamboo, Cane Palm Fiber and Straw Products | 919 | 111 | 372.15 |
| 家具制造业 | Furniture Manufacturing | 812 | 174 | 449.91 |
| 造纸及纸制品业 | Papermaking and Paper Products | 1522 | 296 | 865.27 |
| 印刷业和记录媒介的复制 | Printing and Record Medium Reproduction | 926 | 106 | 256.19 |
| 文教体育用品制造业 | Cultural, Educational and Sports Goods | 1123 | 207 | 386.93 |

注:本表统计范围为规模以上工业企业。表7-7同。
The data in this table refer to industrial enterprises above designated size. The same for table 7-7.

7-6 续表1 continued

单位:亿元(100 million yuan)

| 工业增加值 Value Added of Industry | | 企业单位数(个) Number of Enterprises (unit) | #亏损企业 Loss | 工业总产值 Gross Industrial Output Value |
|---|---|---|---|---|
| 石油加工、炼焦及核燃料加工业 | Petroleum Processing, Cooking and Nuclear Fuel Processing | 62 | 13 | 1104.41 |
| 化学原料及化学制品制造业 | Raw Chemical Materials and Chemical Products | 2185 | 325 | 2644.82 |
| 医药制造业 | Medical and Pharmaceutical Products | 503 | 99 | 615.49 |
| 化学纤维制造业 | Chemical Fiber | 466 | 123 | 1546.34 |
| 橡胶制品业 | Rubber Products | 664 | 85 | 398.18 |
| 塑料制品业 | Plastic Products | 3470 | 442 | 1498.65 |
| 非金属矿物制品业 | Nonmetal Mineral Products | 1694 | 293 | 1123.68 |
| 黑色金属冶炼及压延加工业 | Smelting and Pressing of Ferrous Metals | 824 | 163 | 1643.93 |
| 有色金属冶炼及压延加工业 | Smelting and Pressing of Nonferrous Metals | 894 | 273 | 1399.08 |
| 金属制品业 | Metal Products | 3709 | 499 | 1768.23 |
| 通用设备制造业 | Equipment in Common Use | 6754 | 702 | 2974.16 |
| 专用设备制造业 | Special Purpose Equipment | 2268 | 340 | 941.98 |
| 交通运输设备制造业 | Transport Equipment | 3196 | 391 | 2624.49 |
| 电气机械及器材制造业 | Electric Equipment and Machinery | 5302 | 658 | 3668.19 |
| 通信设备、计算机及其他电子设备制造业 | Telecommunications Equipment, Computer and Other Electronic Equipment | 1584 | 283 | 1705.58 |
| 仪器仪表及文化、办公用机械制造业 | Instruments, Meters, Cultural and Office Machinery | 1103 | 120 | 513.21 |
| 工艺品及其他制造业 | Handicraft Article and Other Manufacturing Indust | 1932 | 288 | 678.02 |
| 废弃资源和废旧材料回收加工业 | Recovery of Resource Discarded and Useless Material | 198 | 111 | 228.11 |
| 电力、热力的生产和供应业 | Production and Supply of Electricity and Heating Power | 350 | 94 | 2561.37 |
| 燃气生产和供应业 | Production and Supply of Gas | 44 | 10 | 87.37 |
| 水的生产和供应业 | Production and Supply of Water | 182 | 67 | 84.01 |

7-6 续表2 continued 单位:亿元(100 million yuan)

| 行业 | Sector | 资产总计 Total Assets | 流动资产合计 Circulating Funds | 流动资产年平均余额 Annual Average Balance of Circulating Funds | 固定资产合计 Fixed Assets |
|---|---|---|---|---|---|
| **总计** | **Total** | **35550.76** | **19668.12** | **19092.60** | **11887.99** |
| **按注册登记类型分** | **by Registered Type** | | | | |
| #国有 | #State-owned | 2544.51 | 692.51 | 725.51 | 1530.14 |
| 集体 | Collective owned | 139.00 | 91.99 | 87.75 | 34.29 |
| 私营 | Private | 13398.10 | 8236.95 | 7868.36 | 3586.94 |
| 港澳台商投资 | Enterprises Funded by Entrepreneurs from Hong Kong, Macao & Taiwan | 4471.88 | 2698.99 | 2617.62 | 1382.14 |
| 外商投资 | Foreign Funded Enterprises | 5408.87 | 3067.85 | 3003.54 | 1886.88 |
| 在总计中:轻工业 | Light Industry | 14859.77 | 8745.79 | 8401.23 | 4465.12 |
| 重工业 | Heavy Industry | 20691.00 | 10922.32 | 10691.36 | 7422.87 |
| **按工业行业分** | **By Sector** | | | | |
| 煤炭开采和洗选业 | Coal Mining and Dressing | 9.25 | 3.70 | 3.75 | 5.55 |
| 黑色金属矿采选业 | Ferrous Metals Mining and Dressing | 23.93 | 19.18 | 19.19 | 3.34 |
| 有色金属矿采选业 | Nonferrous Metals Mining and Dressing | 22.59 | 12.36 | 11.82 | 4.08 |
| 非金属矿采选业 | Nonmetal Minerals Mining and Dressing | 61.81 | 27.54 | 27.63 | 23.21 |
| 其他采矿业 | Other Minerals Mining and Dressing | | | | |
| 农副食品加工业 | Non-staple Food Processing | 457.16 | 277.10 | 277.06 | 120.84 |
| 食品制造业 | Food Manufacturing | 251.29 | 141.24 | 132.01 | 76.96 |
| 饮料制造业 | Beverage Manufacturing | 390.96 | 213.27 | 207.64 | 128.02 |
| 烟草制品业 | Tobacco Processing | 215.84 | 163.01 | 167.60 | 35.47 |
| 纺织业 | Textile Industry | 4074.20 | 2381.23 | 2287.69 | 1301.91 |
| 纺织服装、鞋、帽制造业 | Garments, Shoes and Hats Manufacturing | 1146.33 | 711.40 | 668.61 | 317.67 |
| 皮革、毛皮、羽毛(绒)及其制品业 | Leather, Furs, Down and Related Products | 767.32 | 506.76 | 470.64 | 174.67 |
| 木材加工及木、竹、藤、棕、草制品业 | Timber Processing, Bamboo, Cane Palm Fiber and Straw Products | 242.60 | 150.18 | 146.52 | 70.78 |
| 家具制造业 | Furniture Manufacturing | 398.05 | 250.91 | 235.98 | 115.13 |
| 造纸及纸制品业 | Papermaking and Paper Products | 915.16 | 491.81 | 475.16 | 329.05 |
| 印刷业和记录媒介的复制 | Printing and Record Medium Reproduction | 315.79 | 169.49 | 160.80 | 107.30 |
| 文教体育用品制造业 | Cultural, Educational and Sports Goods | 326.11 | 192.73 | 181.43 | 90.13 |

7-6 续表3 continued 单位:亿元 (100 million yuan)

| 行业 | Sector | 资产总计 Total Assets | 流动资产合计 Circulating Funds | 流动资产年平均余额 Annual Average Balance of Circulating Funds | 固定资产合计 Fixed Assets |
|---|---|---|---|---|---|
| 石油加工、炼焦及核燃料加工业 | Petroleum Processing, Cooking and Nuclear Fuel Processing | 333.94 | 101.80 | 138.11 | 218.55 |
| 化学原料及化学制品制造业 | Raw Chemical Materials and Chemical Products | 2285.84 | 1207.50 | 1174.32 | 816.75 |
| 医药制造业 | Medical and Pharmaceutical Products | 666.05 | 374.83 | 367.08 | 199.32 |
| 化学纤维制造业 | Chemical Fiber | 1140.63 | 594.21 | 593.57 | 416.67 |
| 橡胶制品业 | Rubber Products | 349.38 | 189.97 | 180.93 | 124.70 |
| 塑料制品业 | Plastic Products | 1210.60 | 735.13 | 709.70 | 355.25 |
| 非金属矿物制品业 | Nonmetal Mineral Products | 1399.88 | 678.26 | 621.89 | 527.80 |
| 黑色金属冶炼及压延加工业 | Smelting and Pressing of Ferrous Metals | 1165.20 | 660.65 | 654.51 | 397.69 |
| 有色金属冶炼及压延加工业 | Smelting and Pressing of Nonferrous Metals | 681.18 | 447.37 | 478.23 | 132.54 |
| 金属制品业 | Metal Products | 1409.23 | 920.31 | 875.14 | 336.59 |
| 通用设备制造业 | Equipment in Common Use | 2589.66 | 1631.24 | 1573.88 | 656.76 |
| 专用设备制造业 | Special Purpose Equipment | 984.79 | 620.08 | 605.34 | 253.30 |
| 交通运输设备制造业 | Transport Equipment | 2611.52 | 1592.66 | 1520.10 | 649.34 |
| 电气机械及器材制造业 | Electric Equipment and Machinery | 2967.47 | 1936.46 | 1866.32 | 614.43 |
| 通信设备、计算机及其他电子设备制造业 | Telecommunications Equipment, Computer and Other Electronic Equipment | 1322.45 | 829.77 | 847.07 | 360.26 |
| 仪器仪表及文化、办公用机械制造业 | Instruments, Meters, Cultural and Office Machinery | 532.10 | 348.00 | 320.22 | 124.53 |
| 工艺品及其他制造业 | Handicraft Article and Other Manufacturing Indust | 564.73 | 355.95 | 340.65 | 148.79 |
| 废弃资源和废旧材料回收加工业 | Recovery of Resource Discarded and Useless Material | 79.11 | 62.90 | 70.34 | 9.74 |
| 电力、热力的生产和供应业 | Production and Supply of Electricity and Heating Power | 3082.85 | 527.12 | 544.37 | 2305.17 |
| 燃气生产和供应业 | Production and Supply of Gas | 104.13 | 29.41 | 26.93 | 61.81 |
| 水的生产和供应业 | Production and Supply of Water | 451.61 | 112.59 | 110.38 | 273.88 |

7－6 续表4 continued 单位:亿元(100 million yuan)

| 行业 | Sector | 固定资产原价 Original Value of Fixed Assets | 固定资产净值年平均余额 Annual Average Balance of Net Value of Fixed Assets | 年末负债合计 Total Liabilities | 流动负债 Circulating Liabilities |
|---|---|---|---|---|---|
| **总计** | **Total** | **15478.27** | **10438.59** | **22014.49** | **18996.57** |
| **按注册登记类型分** | **by Registered Type** | | | | |
| #国有 | #State－owned | 2271.36 | 1379.56 | 1476.45 | 780.80 |
| 集体 | Collective owned | 53.80 | 30.47 | 80.66 | 76.94 |
| 私营 | Private | 4561.59 | 3212.27 | 8759.29 | 8173.81 |
| 港澳台商投资 | Enterprises Funded by Entrepreneurs from Hong Kong, Macao & Taiwan | 1779.63 | 1244.43 | 2657.39 | 2430.28 |
| 外商投资 | Foreign Funded Enterprises | 2404.00 | 1684.03 | 3096.87 | 2723.55 |
| 在总计中:轻工业 | Light Industry | 5901.71 | 4024.96 | 9075.26 | 8341.88 |
| 重工业 | Heavy Industry | 9576.56 | 6413.62 | 12939.23 | 10654.70 |
| **按工业行业分** | **By Sector** | | | | |
| 煤炭开采和洗选业 | Coal Mining and Dressing | 9.44 | 4.72 | 6.73 | 5.06 |
| 黑色金属矿采选业 | Ferrous Metals Mining and Dressing | 4.84 | 3.19 | 11.35 | 10.69 |
| 有色金属矿采选业 | Nonferrous Metals Mining and Dressing | 5.65 | 2.89 | 12.51 | 10.56 |
| 非金属矿采选业 | Nonmetal Minerals Mining and Dressing | 32.66 | 20.83 | 35.91 | 30.02 |
| 其他采矿业 | Other Minerals Mining and Dressing | | | | |
| 农副食品加工业 | Non－staple Food Processing | 154.53 | 107.98 | 308.83 | 276.94 |
| 食品制造业 | Food Manufacturing | 110.23 | 69.82 | 145.45 | 134.07 |
| 饮料制造业 | Beverage Manufacturing | 182.69 | 115.46 | 222.17 | 210.04 |
| 烟草制品业 | Tobacco Processing | 61.06 | 35.95 | 17.09 | 14.27 |
| 纺织业 | Textile Industry | 1768.31 | 1193.09 | 2611.12 | 2431.97 |
| 纺织服装、鞋、帽制造业 | Garments, Shoes and Hats Manufacturing | 398.25 | 279.22 | 686.81 | 651.83 |
| 皮革、毛皮、羽毛(绒)及其制品业 | Leather, Furs, Down and Related Products | 211.14 | 157.66 | 488.32 | 474.75 |
| 木材加工及木、竹、藤、棕、草制品业 | Timber Processing, Bamboo, Cane Palm Fiber and Straw Products | 82.73 | 62.86 | 138.44 | 130.26 |
| 家具制造业 | Furniture Manufacturing | 134.05 | 100.76 | 254.53 | 243.30 |
| 造纸及纸制品业 | Papermaking and Paper Products | 452.16 | 307.82 | 595.10 | 505.11 |
| 印刷业和记录媒介的复制 | Printing and Record Medium Reproduction | 151.47 | 98.50 | 181.36 | 170.66 |
| 文教体育用品制造业 | Cultural, Educational and Sports Goods | 112.40 | 80.78 | 184.75 | 174.87 |

7－6 续表5 continued 单位:亿元(100 million yuan)

| 行 业 | Sector | 固定资产原 价 Original Value of Fixed Assets | 固定资产净 值年平均余额 Annual Average Balance of Net Value of Fixed Assets | 年末负债合 计 Total Liabilities | 流动负债 Circulating Liabilities |
|---|---|---|---|---|---|
| 石油加工、炼焦及核燃料加工业 | Petroleum Processing, Cooking and Nuclear Fuel Processing | 196.33 | 96.10 | 240.22 | 235.41 |
| 化学原料及化学制品制造业 | Raw Chemical Materials and Chemical Products | 1020.79 | 731.86 | 1348.59 | 1119.55 |
| 医药制造业 | Medical and Pharmaceutical Products | 265.88 | 176.19 | 350.12 | 318.69 |
| 化学纤维制造业 | Chemical Fiber | 585.52 | 402.10 | 739.92 | 662.18 |
| 橡胶制品业 | Rubber Products | 163.31 | 110.28 | 224.75 | 201.59 |
| 塑料制品业 | Plastic Products | 465.67 | 317.91 | 750.66 | 703.71 |
| 非金属矿物制品业 | Nonmetal Mineral Products | 682.34 | 463.31 | 861.23 | 736.08 |
| 黑色金属冶炼及压延加工业 | Smelting and Pressing of Ferrous Metals | 470.10 | 327.46 | 822.37 | 722.59 |
| 有色金属冶炼及压延加工业 | Smelting and Pressing of Nonferrous Metals | 166.49 | 114.26 | 438.11 | 411.53 |
| 金属制品业 | Metal Products | 411.15 | 300.17 | 894.13 | 848.66 |
| 通用设备制造业 | Equipment in Common Use | 846.25 | 579.56 | 1527.61 | 1429.31 |
| 专用设备制造业 | Special Purpose Equipment | 325.24 | 223.95 | 571.11 | 535.72 |
| 交通运输设备制造业 | Transport Equipment | 747.94 | 544.09 | 1764.94 | 1605.55 |
| 电气机械及器材制造业 | Electric Equipment and Machinery | 770.43 | 529.13 | 1786.05 | 1687.46 |
| 通信设备、计算机及其他电子设备制造业 | Telecommunications Equipment, Computer and Other Electronic Equipment | 495.15 | 317.83 | 723.50 | 658.84 |
| 仪器仪表及文化、办公用机械制造业 | Instruments, Meters, Cultural and Office Machinery | 155.31 | 110.35 | 308.17 | 282.93 |
| 工艺品及其他制造业 | Handicraft Article and Other Manufacturing Indust | 180.20 | 133.94 | 346.29 | 323.09 |
| 废弃资源和废旧材料回收加工业 | Recovery of Resource Discarded and Useless Material | 11.90 | 8.83 | 63.73 | 60.95 |
| 电力、热力的生产和供应业 | Production and Supply of Electricity and Heating Power | 3231.00 | 2033.52 | 2028.01 | 821.31 |
| 燃气生产和供应业 | Production and Supply of Gas | 70.18 | 52.80 | 56.07 | 27.07 |
| 水的生产和供应业 | Production and Supply of Water | 345.47 | 223.43 | 268.43 | 129.97 |

7-6 续表6 continued 单位:亿元(100 million yuan)

| 行业 | Sector | 长期负债 Long-term Liabilities | 年末所有者权益合计 Creditors' Equity | 实收资本 Total Capital Hold | 主营业务收入 Revenues in Main Business | 主营业务成本 Costs in Main Business |
|---|---|---|---|---|---|---|
| **总计** | **Total** | **2778.34** | **13524.09** | **7520.54** | **39630.60** | **34893.58** |
| **按注册登记类型分** | **by Registered Type** | | | | | |
| #国有 | #State-owned | 689.39 | 1056.08 | 326.38 | 2660.91 | 2351.04 |
| 集体 | Collective owned | 3.46 | 58.34 | 19.46 | 137.84 | 120.34 |
| 私营 | Private | 472.40 | 4638.62 | 2424.35 | 16132.24 | 14219.92 |
| 港澳台商投资 | Enterprises Funded by Entrepreneurs from Hong Kong,Macao & Taiwan | 212.68 | 1814.49 | 1239.73 | 4641.14 | 4008.66 |
| 外商投资 | Foreign Funded Enterprises | 346.05 | 2312.00 | 1656.31 | 6110.79 | 5293.52 |
| 在总计中:轻工业 | Light Industry | 622.74 | 5784.31 | 3123.99 | 16446.14 | 14132.54 |
| 重工业 | Heavy Industry | 2155.60 | 7739.78 | 4396.55 | 23184.46 | 20761.04 |
| **按工业行业分** | **By Sector** | | | | | |
| 煤炭开采和洗选业 | Coal Mining and Dressing | 1.67 | 2.52 | 3.34 | 8.95 | 8.45 |
| 黑色金属矿采选业 | Ferrous Metals Mining and Dressing | 0.66 | 12.58 | 2.25 | 22.09 | 16.06 |
| 有色金属矿采选业 | Nonferrous Metals Mining and Dressing | 1.70 | 10.07 | 4.22 | 26.16 | 21.17 |
| 非金属矿采选业 | Nonmetal Minerals Mining and Dressing | 5.50 | 25.89 | 17.62 | 81.71 | 67.00 |
| 其他采矿业 | Other Minerals Mining and Dressing | | | | | |
| 农副食品加工业 | Non-staple Food Processing | 29.39 | 148.33 | 93.22 | 612.59 | 559.08 |
| 食品制造业 | Food Manufacturing | 8.56 | 105.84 | 63.91 | 284.64 | 226.06 |
| 饮料制造业 | Beverage Manufacturing | 10.90 | 168.79 | 90.19 | 451.31 | 346.55 |
| 烟草制品业 | Tobacco Processing | 2.83 | 198.75 | 10.34 | 215.65 | 49.90 |
| 纺织业 | Textile Industry | 141.85 | 1463.08 | 853.71 | 4339.20 | 3897.30 |
| 纺织服装、鞋、帽制造业 | Garments,Shoes and Hats Manufacturing | 23.05 | 459.33 | 273.47 | 1397.34 | 1171.43 |
| 皮革、毛皮、羽毛(绒)及其制品业 | Leather,Furs,Down and Related Products | 10.52 | 279.00 | 169.60 | 1048.94 | 917.37 |
| 木材加工及木、竹、藤、棕、草制品业 | Timber Processing,Bamboo, Cane Palm Fiber and Straw Products | 6.19 | 104.16 | 55.00 | 369.21 | 326.78 |
| 家具制造业 | Furniture Manufacturing | 7.69 | 143.52 | 106.38 | 436.17 | 374.99 |
| 造纸及纸制品业 | Papermaking and Paper Products | 85.43 | 320.06 | 204.74 | 825.61 | 734.01 |
| 印刷业和记录媒介的复制 | Printing and Record Medium Reproduction | 9.17 | 134.43 | 72.99 | 251.36 | 213.40 |
| 文教体育用品制造业 | Cultural,Educational and Sports Goods | 7.86 | 141.36 | 88.85 | 372.32 | 321.02 |

7－6 续表7 continued

单位:亿元(100 million yuan)

| 行 业 | Sector | 长期负债 Long－term Liabilities | 年末所有者权益合计 Creditors' Equity | 实收资本 Total Capital Hold | 主营业务收入 Revenues in Main Business | 主营业务成本 Costs in Main Business |
|---|---|---|---|---|---|---|
| 石油加工、炼焦及核燃料加工业 | Petroleum Processing, Cooking and Nuclear Fuel Processing | 4.81 | 93.72 | 122.51 | 1101.40 | 1153.67 |
| 化学原料及化学制品制造业 | Raw Chemical Materials and Chemical Products | 220.25 | 925.27 | 525.90 | 2629.08 | 2293.41 |
| 医药制造业 | Medical and Pharmaceutical Products | 27.60 | 315.92 | 132.74 | 576.09 | 394.34 |
| 化学纤维制造业 | Chemical Fiber | 64.93 | 400.71 | 230.83 | 1495.55 | 1412.02 |
| 橡胶制品业 | Rubber Products | 21.48 | 124.63 | 65.89 | 399.03 | 349.66 |
| 塑料制品业 | Plastic Products | 36.71 | 459.94 | 250.01 | 1452.85 | 1278.74 |
| 非金属矿物制品业 | Nonmetal Mineral Products | 119.11 | 538.66 | 326.37 | 1085.85 | 938.19 |
| 黑色金属冶炼及压延加工业 | Smelting and Pressing of Ferrous Metals | 90.83 | 342.83 | 219.15 | 1571.27 | 1498.34 |
| 有色金属冶炼及压延加工业 | Smelting and Pressing of Nonferrous Metals | 22.32 | 243.07 | 125.60 | 1376.64 | 1318.65 |
| 金属制品业 | Metal Products | 36.57 | 515.10 | 290.58 | 1700.19 | 1493.44 |
| 通用设备制造业 | Equipment in Common Use | 83.95 | 1062.05 | 561.86 | 2884.96 | 2457.77 |
| 专用设备制造业 | Special Purpose Equipment | 29.04 | 413.68 | 222.77 | 895.53 | 741.06 |
| 交通运输设备制造业 | Transport Equipment | 150.09 | 846.59 | 480.04 | 2447.15 | 2132.69 |
| 电气机械及器材制造业 | Electric Equipment and Machinery | 85.87 | 1181.42 | 613.54 | 3536.23 | 3039.13 |
| 通信设备、计算机及其他电子设备制造业 | Telecommunications Equipment, Computer and Other Electronic Equipment | 58.03 | 598.96 | 347.89 | 1658.90 | 1442.33 |
| 仪器仪表及文化、办公用机械制造业 | Instruments, Meters, Cultural and Office Machinery | 22.28 | 223.93 | 110.95 | 488.62 | 398.82 |
| 工艺品及其他制造业 | Handicraft Article and Other Manufacturing Indust | 14.42 | 218.44 | 113.42 | 638.26 | 552.05 |
| 废弃资源和废旧材料回收加工业 | Recovery of Resource Discarded and Useless Material | 2.72 | 15.38 | 15.30 | 225.31 | 221.38 |
| 电力、热力的生产和供应业 | Production and Supply of Electricity and Heating Power | 1168.15 | 1054.84 | 527.80 | 2551.96 | 2382.97 |
| 燃气生产和供应业 | Production and Supply of Gas | 29.00 | 48.06 | 31.56 | 89.66 | 80.55 |
| 水的生产和供应业 | Production and Supply of Water | 137.23 | 183.18 | 95.98 | 82.81 | 63.83 |

7-6 续表8 continued 单位:亿元(100 million yuan)

| 行业 | Sector | 主营业务税金及附加 Sales Taxes and Extra Charges in Main Business | 利润总额 Total Profits | 利税总额 Total Profits and Taxes | 本年应交增值税 Value Added Taxes Payable |
|---|---|---|---|---|---|
| **总计** | **Total** | **286.99** | **1634.20** | **3001.61** | **1080.41** |
| **按注册登记类型分** | **by Registered Type** | | | | |
| #国有 | #State-owned | 119.67 | 67.45 | 309.72 | 122.60 |
| 集体 | Collective owned | 0.93 | 6.55 | 12.31 | 4.83 |
| 私营 | Private | 80.31 | 663.40 | 1172.09 | 428.38 |
| 港澳台商投资 | Enterprises Funded by Entrepreneurs from Hong Kong, Macao & Taiwan | 9.42 | 240.17 | 372.48 | 122.89 |
| 外商投资 | Foreign Funded Enterprises | 12.06 | 295.36 | 443.62 | 136.21 |
| 在总计中:轻工业 | Light Industry | 173.62 | 748.06 | 1398.50 | 476.82 |
| 重工业 | Heavy Industry | 113.37 | 886.15 | 1603.11 | 603.59 |
| **按工业行业分** | **By Sector** | | | | |
| 煤炭开采和洗选业 | Coal Mining and Dressing | 0.05 | -0.43 | 0.01 | 0.39 |
| 黑色金属矿采选业 | Ferrous Metals Mining and Dressing | 0.14 | 4.66 | 5.42 | 0.62 |
| 有色金属矿采选业 | Nonferrous Metals Mining and Dressing | 0.30 | 2.60 | 4.25 | 1.35 |
| 非金属矿采选业 | Nonmetal Minerals Mining and Dressing | 2.54 | 3.99 | 10.14 | 3.61 |
| 其他采矿业 | Other Minerals Mining and Dressing | | | | |
| 农副食品加工业 | Non-staple Food Processing | 1.28 | 15.24 | 24.25 | 7.74 |
| 食品制造业 | Food Manufacturing | 0.91 | 18.66 | 30.47 | 10.90 |
| 饮料制造业 | Beverage Manufacturing | 9.08 | 34.46 | 62.46 | 18.93 |
| 烟草制品业 | Tobacco Processing | 107.21 | 42.58 | 176.67 | 26.87 |
| 纺织业 | Textile Industry | 16.09 | 149.07 | 275.56 | 110.40 |
| 纺织服装、鞋、帽制造业 | Garments, Shoes and Hats Manufacturing | 5.29 | 71.37 | 124.83 | 48.17 |
| 皮革、毛皮、羽毛(绒)及其制品业 | Leather, Furs, Down and Related Products | 3.64 | 42.31 | 77.38 | 31.43 |
| 木材加工及木、竹、藤、棕、草制品业 | Timber Processing, Bamboo, Cane Palm Fiber and Straw Products | 3.07 | 16.94 | 29.23 | 9.22 |
| 家具制造业 | Furniture Manufacturing | 1.46 | 13.18 | 25.53 | 10.89 |
| 造纸及纸制品业 | Papermaking and Paper Products | 2.97 | 29.70 | 59.02 | 26.35 |
| 印刷业和记录媒介的复制 | Printing and Record Medium Reproduction | 1.22 | 16.18 | 26.35 | 8.95 |
| 文教体育用品制造业 | Cultural, Educational and Sports Goods | 1.30 | 14.47 | 23.33 | 7.56 |

7-6 续表9 continued

单位:亿元(100 million yuan)

| 行 业 | Sector | 主营业务税金及附加 Sales Taxes and Extra Charges in Main Business | 利润总额 Total Profits | 利税总额 Total Profits and Taxes | 本年应交增值税 Value Added Taxes Payable |
|---|---|---|---|---|---|
| 石油加工、炼焦及核燃料加工业 | Petroleum Processing, Cooking and Nuclear Fuel Processing | 23.75 | -36.90 | 2.48 | 15.62 |
| 化学原料及化学制品制造业 | Raw Chemical Materials and Chemical Products | 9.43 | 136.43 | 213.82 | 67.96 |
| 医药制造业 | Medical and Pharmaceutical Products | 3.09 | 66.56 | 101.33 | 31.69 |
| 化学纤维制造业 | Chemical Fiber | 2.31 | 24.90 | 44.58 | 17.37 |
| 橡胶制品业 | Rubber Products | 1.54 | 13.21 | 25.77 | 11.02 |
| 塑料制品业 | Plastic Products | 5.00 | 66.73 | 108.12 | 36.39 |
| 非金属矿物制品业 | Nonmetal Mineral Products | 5.76 | 54.06 | 105.04 | 45.21 |
| 黑色金属冶炼及压延加工业 | Smelting and Pressing of Ferrous Metals | 5.68 | 17.00 | 58.82 | 36.14 |
| 有色金属冶炼及压延加工业 | Smelting and Pressing of Nonferrous Metals | 3.77 | 14.84 | 42.91 | 24.30 |
| 金属制品业 | Metal Products | 8.40 | 74.52 | 123.03 | 40.11 |
| 通用设备制造业 | Equipment in Common Use | 11.19 | 163.67 | 257.22 | 82.36 |
| 专用设备制造业 | Special Purpose Equipment | 4.14 | 56.51 | 85.75 | 25.10 |
| 交通运输设备制造业 | Transport Equipment | 11.82 | 131.09 | 191.51 | 48.60 |
| 电气机械及器材制造业 | Electric Equipment and Machinery | 11.33 | 189.98 | 288.83 | 87.52 |
| 通信设备、计算机及其他电子设备制造业 | Telecommunications Equipment, Computer and Other Electronic Equipment | 3.52 | 88.49 | 119.64 | 27.64 |
| 仪器仪表及文化、办公用机械制造业 | Instruments, Meters, Cultural and Office Machinery | 2.09 | 31.16 | 50.05 | 16.80 |
| 工艺品及其他制造业 | Handicraft Article and Other Manufacturing Indust | 3.50 | 28.38 | 48.63 | 16.75 |
| 废弃资源和废旧材料回收加工业 | Recovery of Resource Discarded and Useless Material | 0.30 | -4.98 | -1.37 | 3.31 |
| 电力、热力的生产和供应业 | Production and Supply of Electricity and Heating Power | 13.08 | 40.95 | 171.97 | 117.94 |
| 燃气生产和供应业 | Production and Supply of Gas | 0.27 | 2.63 | 4.89 | 1.98 |
| 水的生产和供应业 | Production and Supply of Water | 0.50 | | 3.71 | 3.20 |

## 7-7 按行业分的工业企业主要经济效益指标(2008年)
## Main Economic Beneficial Indicators of Industrial Enterprises by Sector(2008)

| 行业 | Sector | 每百元资金实现利税(元) Pre-tax Profits per 100 Yuan Funds(yuan) | 每百元固定资产原值实现利税(元) Pre-tax Profits per 100 Yuan Original Value of Fixed Assets(yuan) | 每百元主营业务收入实现利税(元) Pre-tax Profits per 100 Yuan Revenues in Main Business (yuan) | 产品销售率(%) Rate of Products Sold(%) | 流动资金周转次数(次) Times of Turnover Circulating Funds (time) |
|---|---|---|---|---|---|---|
| **总计** | **Total** | **10.16** | **19.39** | **7.57** | **97.27** | **2.08** |
| **按注册登记类型分** | **by Registered Type** | | | | | |
| #国有 | #State - owned | 14.71 | 13.64 | 11.64 | 99.86 | 3.67 |
| 集体 | Collective owned | 10.41 | 22.88 | 8.93 | 97.56 | 1.57 |
| 私营 | Private | 10.58 | 25.69 | 7.27 | 97.03 | 2.05 |
| 港澳台商投资 | Enterprises Funded by Entrepreneurs from Hong Kong, Macao & Taiwan | 9.64 | 20.93 | 8.03 | 96.76 | 1.77 |
| 外商投资 | Foreign Funded Enterprises | 9.46 | 18.45 | 7.26 | 96.83 | 2.03 |
| 在总计中:轻工业 | Light Industry | 11.25 | 23.70 | 8.50 | 97.12 | 1.96 |
| 重工业 | Heavy Industry | 9.37 | 16.74 | 6.91 | 97.38 | 2.17 |
| **按工业行业分** | **By Sector** | | | | | |
| 煤炭开采和洗选业 | Coal Mining and Dressing | 0.12 | 0.10 | 0.11 | 99.89 | 2.39 |
| 黑色金属矿采选业 | Ferrous Metals Mining and Dressing | 24.21 | 111.94 | 24.53 | 88.81 | 1.15 |
| 有色金属矿采选业 | Nonferrous Metals Mining and Dressing | 28.88 | 75.25 | 16.24 | 91.54 | 2.21 |
| 非金属矿采选业 | Nonmetal Minerals Mining and Dressing | 20.92 | 31.04 | 12.41 | 99.27 | 2.96 |
| 其他采矿业 | Other Minerals Mining and Dressing | | | | | |
| 农副食品加工业 | Non - staple Food Processing | 6.30 | 15.70 | 3.96 | 96.09 | 2.21 |
| 食品制造业 | Food Manufacturing | 15.10 | 27.64 | 10.71 | 95.52 | 2.16 |
| 饮料制造业 | Beverage Manufacturing | 19.33 | 34.19 | 13.84 | 99.18 | 2.17 |
| 烟草制品业 | Tobacco Processing | 86.79 | 289.34 | 81.92 | 99.92 | 1.29 |
| 纺织业 | Textile Industry | 7.92 | 15.58 | 6.35 | 97.42 | 1.90 |
| 纺织服装、鞋、帽制造业 | Garments, Shoes and Hats Manufacturing | 13.17 | 31.34 | 8.93 | 96.93 | 2.09 |
| 皮革、毛皮、羽毛(绒)及其制品业 | Leather, Furs, Down and Related Products | 12.32 | 36.65 | 7.38 | 97.73 | 2.23 |
| 木材加工及木、竹、藤、棕、草制品业 | Timber Processing, Bamboo, Cane Palm Fiber and Straw Products | 13.96 | 35.33 | 7.92 | 96.76 | 2.52 |
| 家具制造业 | Furniture Manufacturing | 7.58 | 19.04 | 5.85 | 96.70 | 1.85 |
| 造纸及纸制品业 | Papermaking and Paper Products | 7.54 | 13.05 | 7.15 | 96.59 | 1.74 |
| 印刷业和记录媒介的复制 | Printing and Record Medium Reproduction | 10.16 | 17.39 | 10.48 | 98.66 | 1.56 |
| 文教体育用品制造业 | Cultural, Educational and Sports Goods | 8.90 | 20.75 | 6.27 | 96.98 | 2.05 |

7-7 续表 continued

| 行　业 | Sector | 每百元资金实现利税（元）Pre-tax Profits per 100 Yuan Funds(yuan) | 每百元固定资产原值实现利税（元）Pre-tax Profits per 100 Yuan Original Value of Fixed Assets(yuan) | 每百元主营业务收入实现利税（元）Pre-tax Profits per 100 Yuan Revenues in Main Business (yuan) | 产品销售率(%) Rate of Products Sold(%) | 流动资金周转次数（次）Times of Turnover Circulating Funds (time) |
|---|---|---|---|---|---|---|
| 石油加工、炼焦及核燃料加工业 | Petroleum Processing, Cooking and Nuclear Fuel Processing | 1.06 | 1.26 | 0.23 | 99.23 | 7.97 |
| 化学原料及化学制品制造业 | Raw Chemical Materials and Chemical Products | 11.22 | 20.95 | 8.13 | 96.78 | 2.24 |
| 医药制造业 | Medical and Pharmaceutical Products | 18.65 | 38.11 | 17.59 | 94.12 | 1.57 |
| 化学纤维制造业 | Chemical Fiber | 4.48 | 7.61 | 2.98 | 97.45 | 2.52 |
| 橡胶制品业 | Rubber Products | 8.85 | 15.78 | 6.46 | 99.51 | 2.21 |
| 塑料制品业 | Plastic Products | 10.52 | 23.22 | 7.44 | 97.60 | 2.05 |
| 非金属矿物制品业 | Nonmetal Mineral Products | 9.68 | 15.39 | 9.67 | 96.57 | 1.75 |
| 黑色金属冶炼及压延加工业 | Smelting and Pressing of Ferrous Metals | 5.99 | 12.51 | 3.74 | 96.18 | 2.40 |
| 有色金属冶炼及压延加工业 | Smelting and Pressing of Nonferrous Metals | 7.24 | 25.77 | 3.12 | 98.29 | 2.88 |
| 金属制品业 | Metal Products | 10.47 | 29.92 | 7.24 | 96.81 | 1.94 |
| 通用设备制造业 | Equipment in Common Use | 11.94 | 30.40 | 8.92 | 96.77 | 1.83 |
| 专用设备制造业 | Special Purpose Equipment | 10.34 | 26.37 | 9.58 | 96.18 | 1.48 |
| 交通运输设备制造业 | Transport Equipment | 9.28 | 25.61 | 7.83 | 96.65 | 1.61 |
| 电气机械及器材制造业 | Electric Equipment and Machinery | 12.06 | 37.49 | 8.17 | 97.11 | 1.89 |
| 通信设备、计算机及其他电子设备制造业 | Telecommunications Equipment, Computer and Other Electronic Equipment | 10.27 | 24.16 | 7.21 | 97.93 | 1.96 |
| 仪器仪表及文化、办公用机械制造业 | Instruments, Meters, Cultural and Office Machinery | 11.62 | 32.23 | 10.24 | 95.35 | 1.53 |
| 工艺品及其他制造业 | Handicraft Article and Other Manufacturing Indust | 10.25 | 26.99 | 7.62 | 96.02 | 1.87 |
| 废弃资源和废旧材料回收加工业 | Recovery of Resource Discarded and Useless Material | -1.73 | -11.52 | -0.61 | 98.42 | 3.20 |
| 电力、热力的生产和供应业 | Production and Supply of Electricity and Heating Power | 6.67 | 5.32 | 6.74 | 99.81 | 4.69 |
| 燃气生产和供应业 | Production and Supply of Gas | 6.13 | 6.97 | 5.45 | 99.95 | 3.33 |
| 水的生产和供应业 | Production and Supply of Water | 1.11 | 1.07 | 4.47 | 98.71 | 0.75 |

## 7-8 按行业分的国有及国有控股工业企业主要指标(2008年)
## Main Indicators of State-owned and State Holding Industrial Enterprises by Sector (2008)

单位:亿元(100 million yuan)

| 行业 | Sector | 企业单位数(个) Number of Enterprises (unit) | #亏损企业 Loss | 工业总产值 Gross Industrial Output Value |
|---|---|---|---|---|
| **总计** | **Total** | **736** | **190** | **5308.87** |
| **按注册登记类型分** | **by Registered Type** | | | |
| #国有 | #State - owned | 312 | 78 | 2609.20 |
| 集体 | Collective owned | | | |
| 私营 | Private | 1 | | 0.18 |
| 港澳台商投资 | Enterprises Funded by Entrepreneurs from Hong Kong, Macao & Taiwan | 26 | 3 | 151.65 |
| 外商投资 | Foreign Funded Enterprises | 40 | 8 | 339.40 |
| 在总计中:轻工业 | Light Industry | 246 | 76 | 569.45 |
| 重工业 | Heavy Industry | 490 | 114 | 4739.42 |
| **按工业行业分** | **By Sector** | | | |
| 煤炭开采和洗选业 | Coal Mining and Dressing | 1 | 1 | 7.71 |
| 黑色金属矿采选业 | Ferrous Metals Mining and Dressing | 1 | | 11.06 |
| 有色金属矿采选业 | Nonferrous Metals Mining and Dressing | 2 | | 10.40 |
| 非金属矿采选业 | Nonmetal Minerals Mining and Dressing | 6 | 3 | 2.78 |
| 其他采矿业 | Other Minerals Mining and Dressing | | | |
| 农副食品加工业 | Non - staple Food Processing | 15 | 7 | 10.44 |
| 食品制造业 | Food Manufacturing | 14 | 6 | 8.64 |
| 饮料制造业 | Beverage Manufacturing | 14 | 4 | 20.53 |
| 烟草制品业 | Tobacco Processing | 2 | | 214.84 |
| 纺织业 | Textile Industry | 26 | 7 | 34.28 |
| 纺织服装、鞋、帽制造业 | Garments, Shoes and Hats Manufacturing | 10 | | 4.84 |
| 皮革、毛皮、羽毛(绒)及其制品业 | Leather, Furs, Down and Related Products | 2 | | 3.08 |
| 木材加工及木、竹、藤、棕、草制品业 | Timber Processing, Bamboo, Cane Palm Fiber and Straw Products | 3 | 1 | 1.74 |
| 家具制造业 | Furniture Manufacturing | | | |
| 造纸及纸制品业 | Papermaking and Paper Products | 2 | 1 | 13.60 |
| 印刷业和记录媒介的复制 | Printing and Record Medium Reproduction | 21 | 1 | 12.19 |
| 文教体育用品制造业 | Cultural, Educational and Sports Goods | 3 | | 1.16 |

7－8 续表1 continued 单位:亿元(100 million yuan)

| 行 业 | Sector | 企业单位数(个) Number of Enterprises (unit) | #亏损企业 Loss | 工业总产值 Gross Industrial Output Value |
|---|---|---|---|---|
| 石油加工、炼焦及核燃料加工业 | Petroleum Processing,Cooking and Nuclear Fuel Processing | 4 | 3 | 1057.30 |
| 化学原料及化学制品制造业 | Raw Chemical Materials and Chemical Products | 47 | 13 | 197.41 |
| 医药制造业 | Medical and Pharmaceutical Products | 14 | 4 | 71.26 |
| 化学纤维制造业 | Chemical Fiber | 4 | 2 | 36.88 |
| 橡胶制品业 | Rubber Products | 5 | 1 | 137.24 |
| 塑料制品业 | Plastic Products | 7 | 3 | 5.68 |
| 非金属矿物制品业 | Nonmetal Mineral Products | 54 | 10 | 135.38 |
| 黑色金属冶炼及压延加工业 | Smelting and Pressing of Ferrous Metals | 7 | 2 | 389.96 |
| 有色金属冶炼及压延加工业 | Smelting and Pressing of Nonferrous Metals | 4 | 1 | 5.37 |
| 金属制品业 | Metal Products | 14 | 3 | 31.27 |
| 通用设备制造业 | Equipment in Common Use | 48 | 6 | 125.13 |
| 专用设备制造业 | Special Purpose Equipment | 17 | 5 | 28.44 |
| 交通运输设备制造业 | Transport Equipment | 25 | 1 | 145.21 |
| 电气机械及器材制造业 | Electric Equipment and Machinery | 28 | 7 | 40.75 |
| 通信设备、计算机及其他电子设备制造业 | Telecommunications Equipment,Computer and Other Electronic Equipment | 26 | 4 | 47.87 |
| 仪器仪表及文化、办公用机械制造业 | Instruments,Meters,Cultural and Office Machinery | 7 | 2 | 3.10 |
| 工艺品及其他制造业 | Handicraft Article and Other Manufacturing Indust | 5 | | 1.49 |
| 废弃资源和废旧材料回收加工业 | Recovery of Resource Discarded and Useless Material | 2 | 1 | 8.54 |
| 电力、热力的生产和供应业 | Production and Supply of Electricity and Heating Power | 173 | 40 | 2354.87 |
| 燃气生产和供应业 | Production and Supply of Gas | 11 | 1 | 56.64 |
| 水的生产和供应业 | Production and Supply of Water | 112 | 50 | 71.80 |

7－8 续表2 continued 单位:亿元(100 million yuan)

| 行　业 | Sector | 资产总计 Total Assets | 流动资产合计 Circulating Funds | 流动资产年平均余额 Annual Average Balance of Circulating Funds | 固定资产合计 Fixed Assets |
|---|---|---|---|---|---|
| **总计** | **Total** | **5557.97** | **1691.66** | **1740.42** | **3297.95** |
| **按注册登记类型分** | **by Registered Type** | | | | |
| #国有 | #State－owned | 2544.51 | 692.51 | 725.51 | 1530.14 |
| 集体 | Collective owned | | | | |
| 私营 | Private | 0.45 | 0.19 | 0.19 | 0.24 |
| 港澳台商投资 | Enterprises Funded by Entrepreneurs from Hong Kong, Macao & Taiwan | 80.84 | 42.05 | 48.59 | 26.05 |
| 外商投资 | Foreign Funded Enterprises | 279.63 | 122.37 | 135.71 | 139.21 |
| 在总计中:轻工业 | Light Industry | 950.14 | 475.47 | 473.67 | 350.99 |
| 重工业 | Heavy Industry | 4607.82 | 1216.19 | 1266.74 | 2946.97 |
| **按工业行业分** | **By Sector** | | | | |
| 煤炭开采和洗选业 | Coal Mining and Dressing | 9.25 | 3.70 | 3.75 | 5.55 |
| 黑色金属矿采选业 | Ferrous Metals Mining and Dressing | 9.19 | 5.71 | 4.94 | 2.75 |
| 有色金属矿采选业 | Nonferrous Metals Mining and Dressing | 4.72 | 2.37 | 2.29 | 2.09 |
| 非金属矿采选业 | Nonmetal Minerals Mining and Dressing | 5.51 | 3.11 | 3.17 | 2.13 |
| 其他采矿业 | Other Minerals Mining and Dressing | | | | |
| 农副食品加工业 | Non－staple Food Processing | 41.90 | 25.51 | 24.59 | 5.45 |
| 食品制造业 | Food Manufacturing | 6.35 | 3.85 | 3.96 | 2.16 |
| 饮料制造业 | Beverage Manufacturing | 43.20 | 21.54 | 22.13 | 15.22 |
| 烟草制品业 | Tobacco Processing | 214.29 | 162.42 | 167.03 | 34.77 |
| 纺织业 | Textile Industry | 46.68 | 25.15 | 25.71 | 14.91 |
| 纺织服装、鞋、帽制造业 | Garments, Shoes and Hats Manufacturing | 5.41 | 3.44 | 3.33 | 1.82 |
| 皮革、毛皮、羽毛(绒)及其制品业 | Leather, Furs, Down and Related Products | 7.77 | 6.80 | 6.82 | 0.94 |
| 木材加工及木、竹、藤、棕、草制品业 | Timber Processing, Bamboo, Cane Palm Fiber and Straw Products | 11.03 | 9.48 | 9.02 | 1.37 |
| 家具制造业 | Furniture Manufacturing | | | | |
| 造纸及纸制品业 | Papermaking and Paper Products | 21.48 | 6.71 | 6.14 | 13.85 |
| 印刷业和记录媒介的复制 | Printing and Record Medium Reproduction | 21.60 | 8.48 | 8.11 | 9.86 |
| 文教体育用品制造业 | Cultural, Educational and Sports Goods | 0.77 | 0.60 | 0.56 | 0.08 |

7－8　续表3　continued　单位:亿元（100 million yuan）

| 行　业 | Sector | 资产总计 Total Assets | 流动资产合　计 Circulating Funds | 流动资产年平均余额 Annual Average Balance of Circulating Funds | 固定资产合　计 Fixed Assets |
|---|---|---|---|---|---|
| 石油加工、炼焦及核燃料加工业 | Petroleum Processing,Cooking and Nuclear Fuel Processing | 307.87 | 83.17 | 120.26 | 213.32 |
| 化学原料及化学制品制造业 | Raw Chemical Materials and Chemical Products | 269.10 | 102.08 | 100.62 | 119.45 |
| 医药制造业 | Medical and Pharmaceutical Products | 77.40 | 34.61 | 34.58 | 34.65 |
| 化学纤维制造业 | Chemical Fiber | 33.81 | 15.46 | 16.37 | 14.32 |
| 橡胶制品业 | Rubber Products | 87.33 | 46.25 | 44.75 | 36.50 |
| 塑料制品业 | Plastic Products | 4.02 | 1.84 | 2.01 | 2.06 |
| 非金属矿物制品业 | Nonmetal Mineral Products | 188.33 | 66.25 | 60.17 | 95.98 |
| 黑色金属冶炼及压延加工业 | Smelting and Pressing of Ferrous Metals | 418.04 | 179.77 | 184.44 | 194.08 |
| 有色金属冶炼及压延加工业 | Smelting and Pressing of Nonferrous Metals | 4.76 | 2.39 | 2.53 | 2.27 |
| 金属制品业 | Metal Products | 22.90 | 12.55 | 16.91 | 6.74 |
| 通用设备制造业 | Equipment in Common Use | 144.35 | 95.29 | 92.74 | 29.51 |
| 专用设备制造业 | Special Purpose Equipment | 43.37 | 31.90 | 32.72 | 4.28 |
| 交通运输设备制造业 | Transport Equipment | 184.45 | 121.31 | 116.96 | 41.61 |
| 电气机械及器材制造业 | Electric Equipment and Machinery | 39.56 | 24.61 | 20.71 | 7.52 |
| 通信设备、计算机及其他电子设备制造业 | Telecommunications Equipment,Computer and Other Electronic Equipment | 116.24 | 69.62 | 68.70 | 13.73 |
| 仪器仪表及文化、办公用机械制造业 | Instruments,Meters,Cultural and Office Machinery | 4.32 | 2.33 | 2.22 | 1.44 |
| 工艺品及其他制造业 | Handicraft Article and Other Manufacturing Indust | 1.28 | 1.04 | 0.84 | 0.24 |
| 废弃资源和废旧材料回收加工业 | Recovery of Resource Discarded and Useless Material | 2.78 | 1.41 | 1.36 | 0.24 |
| 电力、热力的生产和供应业 | Production and Supply of Electricity and Heating Power | 2678.74 | 389.46 | 412.61 | 2073.49 |
| 燃气生产和供应业 | Production and Supply of Gas | 76.15 | 19.65 | 17.12 | 47.38 |
| 水的生产和供应业 | Production and Supply of Water | 404.03 | 101.79 | 100.27 | 246.20 |

7-8 续表4 continued 单位:亿元(100 million yuan)

| 行 业 | Sector | 固定资产原价 Original Value of Fixed Assets | 固定资产净值年平均余额 Annual Average Balance of Net Value of Fixed Assets | 年末负债合计 Total Liabilities | 流动负债 Circulating Liabilities |
|---|---|---|---|---|---|
| **总计** | **Total** | **4492.03** | **2792.39** | **3482.15** | **2044.31** |
| **按注册登记类型分** | **by Registered Type** | | | | |
| #国有 | #State-owned | 2271.36 | 1379.56 | 1476.45 | 780.80 |
| 集体 | Collective owned | | | | |
| 私营 | Private | 0.26 | 0.25 | 0.06 | 0.06 |
| 港澳台商投资 | Enterprises Funded by Entrepreneurs from Hong Kong, Macao & Taiwan | 45.78 | 24.56 | 37.17 | 28.99 |
| 外商投资 | Foreign Funded Enterprises | 194.76 | 125.37 | 184.50 | 156.22 |
| 在总计中:轻工业 | Light Industry | 507.46 | 307.33 | 438.52 | 323.94 |
| 重工业 | Heavy Industry | 3984.57 | 2485.06 | 3043.63 | 1720.37 |
| **按工业行业分** | **By Sector** | | | | |
| 煤炭开采和洗选业 | Coal Mining and Dressing | 9.44 | 4.72 | 6.73 | 5.06 |
| 黑色金属矿采选业 | Ferrous Metals Mining and Dressing | 4.03 | 2.58 | 1.38 | 1.17 |
| 有色金属矿采选业 | Nonferrous Metals Mining and Dressing | 2.14 | 1.10 | 2.12 | 1.15 |
| 非金属矿采选业 | Nonmetal Minerals Mining and Dressing | 3.27 | 1.66 | 3.14 | 2.90 |
| 其他采矿业 | Other Minerals Mining and Dressing | | | | |
| 农副食品加工业 | Non-staple Food Processing | 9.99 | 5.60 | 38.64 | 31.61 |
| 食品制造业 | Food Manufacturing | 4.57 | 2.13 | 3.58 | 3.11 |
| 饮料制造业 | Beverage Manufacturing | 21.86 | 13.13 | 16.02 | 15.59 |
| 烟草制品业 | Tobacco Processing | 60.21 | 35.33 | 16.80 | 14.05 |
| 纺织业 | Textile Industry | 23.52 | 13.53 | 27.21 | 24.43 |
| 纺织服装、鞋、帽制造业 | Garments, Shoes and Hats Manufacturing | 2.83 | 1.75 | 2.19 | 2.05 |
| 皮革、毛皮、羽毛(绒)及其制品业 | Leather, Furs, Down and Related Products | 1.34 | 0.75 | 3.60 | 3.51 |
| 木材加工及木、竹、藤、棕、草制品业 | Timber Processing, Bamboo, Cane Palm Fiber and Straw Products | 1.73 | 1.33 | 9.42 | 8.56 |
| 家具制造业 | Furniture Manufacturing | | | | |
| 造纸及纸制品业 | Papermaking and Paper Products | 20.85 | 14.04 | 11.41 | 11.25 |
| 印刷业和记录媒介的复制 | Printing and Record Medium Reproduction | 14.30 | 8.64 | 10.44 | 9.84 |
| 文教体育用品制造业 | Cultural, Educational and Sports Goods | 0.17 | 0.08 | 0.30 | 0.28 |

7-8 续表5 continued 单位:亿元 (100 million yuan)

| 行 业 | Sector | 固定资产原价 Original Value of Fixed Assets | 固定资产净值年平均余额 Annual Average Balance of Net Value of Fixed Assets | 年末负债合计 Total Liabilities | 流动负债 Circulating Liabilities |
|---|---|---|---|---|---|
| 石油加工、炼焦及核燃料加工业 | Petroleum Processing, Cooking and Nuclear Fuel Processing | 187.77 | 91.36 | 222.09 | 218.14 |
| 化学原料及化学制品制造业 | Raw Chemical Materials and Chemical Products | 167.26 | 110.16 | 160.44 | 132.29 |
| 医药制造业 | Medical and Pharmaceutical Products | 49.43 | 32.54 | 30.94 | 27.75 |
| 化学纤维制造业 | Chemical Fiber | 32.78 | 17.25 | 27.83 | 25.62 |
| 橡胶制品业 | Rubber Products | 47.02 | 27.58 | 66.40 | 57.21 |
| 塑料制品业 | Plastic Products | 3.83 | 2.01 | 1.73 | 1.71 |
| 非金属矿物制品业 | Nonmetal Mineral Products | 119.63 | 83.99 | 128.33 | 112.03 |
| 黑色金属冶炼及压延加工业 | Smelting and Pressing of Ferrous Metals | 254.86 | 166.97 | 298.38 | 238.14 |
| 有色金属冶炼及压延加工业 | Smelting and Pressing of Nonferrous Metals | 3.58 | 1.89 | 1.82 | 0.89 |
| 金属制品业 | Metal Products | 8.85 | 6.61 | 13.88 | 13.44 |
| 通用设备制造业 | Equipment in Common Use | 41.03 | 22.92 | 87.62 | 78.50 |
| 专用设备制造业 | Special Purpose Equipment | 6.25 | 3.87 | 28.51 | 26.60 |
| 交通运输设备制造业 | Transport Equipment | 56.07 | 40.89 | 142.74 | 133.05 |
| 电气机械及器材制造业 | Electric Equipment and Machinery | 10.28 | 7.11 | 21.15 | 19.01 |
| 通信设备、计算机及其他电子设备制造业 | Telecommunications Equipment, Computer and Other Electronic Equipment | 28.92 | 11.62 | 46.68 | 41.10 |
| 仪器仪表及文化、办公用机械制造业 | Instruments, Meters, Cultural and Office Machinery | 2.24 | 1.22 | 2.20 | 1.95 |
| 工艺品及其他制造业 | Handicraft Article and Other Manufacturing Indust | 0.36 | 0.23 | 0.36 | 0.32 |
| 废弃资源和废旧材料回收加工业 | Recovery of Resource Discarded and Useless Material | 0.48 | 0.24 | 1.52 | 1.52 |
| 电力、热力的生产和供应业 | Production and Supply of Electricity and Heating Power | 2921.99 | 1816.76 | 1769.17 | 652.46 |
| 燃气生产和供应业 | Production and Supply of Gas | 57.28 | 42.46 | 40.22 | 17.81 |
| 水的生产和供应业 | Production and Supply of Water | 311.86 | 198.35 | 237.13 | 110.19 |

7－8 续表6 continued 单位:亿元(100 million yuan)

| 行 业 | Sector | 长期负债 Long－term Liabilities | 年末所有者权益合计 Creditors' Equity | 实收资本 Total Capital Hold | 主营业务收入 Revenues in Main Business | 主营业务成本 Costs in Main Business |
|---|---|---|---|---|---|---|
| **总计** | **Total** | **1393.03** | **2063.84** | **1026.77** | **5357.21** | **4893.36** |
| **按注册登记类型分** | **by Registered Type** | | | | | |
| #国有 | #State－owned | 689.39 | 1056.08 | 326.38 | 2660.91 | 2351.04 |
| 集体 | Collective owned | | | | | |
| 私营 | Private | 0.00 | 0.39 | 0.01 | 0.17 | 0.11 |
| 港澳台商投资 | Enterprises Funded by Entrepreneurs from Hong Kong, Macao & Taiwan | 8.15 | 43.67 | 26.15 | 155.54 | 137.59 |
| 外商投资 | Foreign Funded Enterprises | 27.77 | 95.13 | 65.30 | 335.58 | 301.96 |
| 在总计中:轻工业 | Light Industry | 113.38 | 511.62 | 152.56 | 596.12 | 351.22 |
| 重工业 | Heavy Industry | 1279.64 | 1552.22 | 874.21 | 4761.09 | 4542.14 |
| **按工业行业分** | **By Sector** | | | | | |
| 煤炭开采和洗选业 | Coal Mining and Dressing | 1.67 | 2.52 | 3.34 | 8.95 | 8.45 |
| 黑色金属矿采选业 | Ferrous Metals Mining and Dressing | 0.21 | 7.81 | 1.53 | 10.87 | 7.53 |
| 有色金属矿采选业 | Nonferrous Metals Mining and Dressing | 0.80 | 2.60 | 1.12 | 10.09 | 8.78 |
| 非金属矿采选业 | Nonmetal Minerals Mining and Dressing | 0.23 | 2.38 | 2.59 | 3.33 | 2.04 |
| 其他采矿业 | Other Minerals Mining and Dressing | | | | | |
| 农副食品加工业 | Non－staple Food Processing | 7.03 | 3.25 | 6.51 | 11.39 | 10.40 |
| 食品制造业 | Food Manufacturing | 0.46 | 2.78 | 1.69 | 8.32 | 7.06 |
| 饮料制造业 | Beverage Manufacturing | 0.12 | 27.18 | 8.17 | 24.58 | 17.41 |
| 烟草制品业 | Tobacco Processing | 2.75 | 197.49 | 9.76 | 214.39 | 49.25 |
| 纺织业 | Textile Industry | 2.76 | 19.47 | 11.07 | 34.50 | 30.75 |
| 纺织服装、鞋、帽制造业 | Garments, Shoes and Hats Manufacturing | 0.13 | 3.22 | 1.08 | 5.25 | 3.11 |
| 皮革、毛皮、羽毛(绒)及其制品业 | Leather, Furs, Down and Related Products | 0.07 | 4.17 | 0.25 | 2.89 | 1.66 |
| 木材加工及木、竹、藤、棕、草制品业 | Timber Processing, Bamboo, Cane Palm Fiber and Straw Products | 0.86 | 1.61 | 0.24 | 13.52 | 12.89 |
| 家具制造业 | Furniture Manufacturing | | | | | |
| 造纸及纸制品业 | Papermaking and Paper Products | 0.17 | 10.06 | 4.04 | 13.03 | 10.91 |
| 印刷业和记录媒介的复制 | Printing and Record Medium Reproduction | 0.61 | 11.16 | 5.22 | 15.46 | 12.27 |
| 文教体育用品制造业 | Cultural, Educational and Sports Goods | 0.02 | 0.48 | 0.17 | 1.08 | 0.88 |

7－8 **续表7** continued 单位:亿元（100 million yuan）

| 行 业 | Sector | 长期负债 Long－term Liabilities | 年末所有者权益合计 Creditors' Equity | 实收资本 Total Capital Hold | 主营业务收入 Revenues in Main Business | 主营业务成本 Costs in Main Business |
|---|---|---|---|---|---|---|
| 石油加工、炼焦及核燃料加工业 | Petroleum Processing,Cooking and Nuclear Fuel Processing | 3.95 | 85.78 | 114.67 | 1055.78 | 1112.68 |
| 化学原料及化学制品制造业 | Raw Chemical Materials and Chemical Products | 28.11 | 96.68 | 51.00 | 235.92 | 202.98 |
| 医药制造业 | Medical and Pharmaceutical Products | 3.16 | 46.45 | 9.07 | 67.51 | 35.59 |
| 化学纤维制造业 | Chemical Fiber | 2.22 | 5.97 | 13.50 | 53.25 | 52.84 |
| 橡胶制品业 | Rubber Products | 9.18 | 20.93 | 9.01 | 140.66 | 127.80 |
| 塑料制品业 | Plastic Products | 0.02 | 2.29 | 2.04 | 5.98 | 5.51 |
| 非金属矿物制品业 | Nonmetal Mineral Products | 14.51 | 60.01 | 49.30 | 131.02 | 117.59 |
| 黑色金属冶炼及压延加工业 | Smelting and Pressing of Ferrous Metals | 59.86 | 119.66 | 78.27 | 380.75 | 383.74 |
| 有色金属冶炼及压延加工业 | Smelting and Pressing of Nonferrous Metals | 0.93 | 2.94 | 1.07 | 5.58 | 4.84 |
| 金属制品业 | Metal Products | 0.12 | 9.02 | 4.45 | 28.68 | 26.57 |
| 通用设备制造业 | Equipment in Common Use | 6.60 | 56.73 | 23.94 | 121.12 | 94.45 |
| 专用设备制造业 | Special Purpose Equipment | 1.91 | 14.86 | 6.18 | 30.45 | 26.77 |
| 交通运输设备制造业 | Transport Equipment | 9.26 | 41.72 | 22.60 | 139.95 | 123.08 |
| 电气机械及器材制造业 | Electric Equipment and Machinery | 2.13 | 18.41 | 6.25 | 38.40 | 32.32 |
| 通信设备、计算机及其他电子设备制造业 | Telecommunications Equipment,Computer and Other Electronic Equipment | 5.43 | 69.55 | 39.63 | 52.88 | 36.32 |
| 仪器仪表及文化、办公用机械制造业 | Instruments,Meters,Cultural and Office Machinery | 0.26 | 2.12 | 1.13 | 3.12 | 2.30 |
| 工艺品及其他制造业 | Handicraft Article and Other Manufacturing Indust | 0.03 | 0.92 | 0.40 | 1.57 | 1.05 |
| 废弃资源和废旧材料回收加工业 | Recovery of Resource Discarded and Useless Material | . | 1.25 | 0.90 | 8.54 | 8.31 |
| 电力、热力的生产和供应业 | Production and Supply of Electricity and Heating Power | 1079.21 | 909.56 | 427.42 | 2349.02 | 2206.78 |
| 燃气生产和供应业 | Production and Supply of Gas | 22.41 | 35.92 | 22.20 | 58.68 | 53.58 |
| 水的生产和供应业 | Production and Supply of Water | 125.86 | 166.90 | 86.99 | 70.70 | 54.88 |

7-8 续表8 continued 单位:亿元(100 million yuan)

| 行业 | Sector | 主营业务税金及附加 Sales Taxes and Extra Charges in Main Business | 利润总额 Total Profits | 利税总额 Total Profits and Taxes | 本年应交增值税 Value Added Taxes Payable |
|---|---|---|---|---|---|
| **总计** | **Total** | **153.12** | **89.33** | **448.46** | **206.01** |
| **按注册登记类型分** | **by Registered Type** | | | | |
| #国有 | #State-owned | 119.67 | 67.45 | 309.72 | 122.60 |
| 集体 | Collective owned | | | | |
| 私营 | Private | | 0.04 | 0.05 | 0.01 |
| 港澳台商投资 | Enterprises Funded by Entrepreneurs from Hong Kong, Macao & Taiwan | 2.66 | 11.50 | 27.75 | 13.59 |
| 外商投资 | Foreign Funded Enterprises | 0.84 | 8.83 | 19.40 | 9.74 |
| 在总计中:轻工业 | Light Industry | 112.22 | 63.30 | 217.79 | 42.27 |
| 重工业 | Heavy Industry | 40.90 | 26.04 | 230.68 | 163.74 |
| **按工业行业分** | **By Sector** | | | | |
| 煤炭开采和洗选业 | Coal Mining and Dressing | 0.05 | -0.43 | 0.01 | 0.39 |
| 黑色金属矿采选业 | Ferrous Metals Mining and Dressing | 0.13 | 2.16 | 2.82 | 0.52 |
| 有色金属矿采选业 | Nonferrous Metals Mining and Dressing | 0.03 | 0.35 | 0.58 | 0.19 |
| 非金属矿采选业 | Nonmetal Minerals Mining and Dressing | 0.20 | 0.02 | 0.44 | 0.22 |
| 其他采矿业 | Other Minerals Mining and Dressing | | | | |
| 农副食品加工业 | Non-staple Food Processing | 0.03 | 0.11 | 0.22 | 0.09 |
| 食品制造业 | Food Manufacturing | 0.03 | 0.24 | 0.60 | 0.33 |
| 饮料制造业 | Beverage Manufacturing | 1.84 | 1.29 | 4.66 | 1.54 |
| 烟草制品业 | Tobacco Processing | 107.20 | 42.23 | 176.18 | 26.74 |
| 纺织业 | Textile Industry | 0.15 | 1.80 | 3.42 | 1.48 |
| 纺织服装、鞋、帽制造业 | Garments, Shoes and Hats Manufacturing | 0.09 | 0.56 | 1.30 | 0.65 |
| 皮革、毛皮、羽毛(绒)及其制品业 | Leather, Furs, Down and Related Products | 0.04 | 0.53 | 0.90 | 0.34 |
| 木材加工及木、竹、藤、棕、草制品业 | Timber Processing, Bamboo, Cane Palm Fiber and Straw Products | 0.02 | 0.15 | 0.21 | 0.04 |
| 家具制造业 | Furniture Manufacturing | | | | |
| 造纸及纸制品业 | Papermaking and Paper Products | 0.08 | 0.30 | 1.15 | 0.77 |
| 印刷业和记录媒介的复制 | Printing and Record Medium Reproduction | 0.22 | 1.64 | 2.16 | 0.31 |
| 文教体育用品制造业 | Cultural, Educational and Sports Goods | | 0.09 | 0.14 | 0.04 |

7-8 续表9 continued 单位:亿元(100 million yuan)

| 行 业 | Sector | 主营业务税金及附加 Sales Taxes and Extra Charges in Main Business | 利润总额 Total Profits | 利税总额 Total Profits and Taxes | 本年应交增值税 Value Added Taxes Payable |
|---|---|---|---|---|---|
| 石油加工、炼焦及核燃料加工业 | Petroleum Processing, Cooking and Nuclear Fuel Processing | 23.37 | -38.70 | -0.36 | 14.97 |
| 化学原料及化学制品制造业 | Raw Chemical Materials and Chemical Products | 1.13 | 15.40 | 25.32 | 8.78 |
| 医药制造业 | Medical and Pharmaceutical Products | 0.44 | 15.55 | 20.71 | 4.72 |
| 化学纤维制造业 | Chemical Fiber | 0.03 | -6.11 | -5.83 | 0.25 |
| 橡胶制品业 | Rubber Products | 0.51 | 3.60 | 7.31 | 3.21 |
| 塑料制品业 | Plastic Products | 0.01 | -0.12 | 0.05 | 0.16 |
| 非金属矿物制品业 | Nonmetal Mineral Products | 0.53 | 5.26 | 12.24 | 6.45 |
| 黑色金属冶炼及压延加工业 | Smelting and Pressing of Ferrous Metals | 1.28 | -18.61 | -7.02 | 10.31 |
| 有色金属冶炼及压延加工业 | Smelting and Pressing of Nonferrous Metals | 0.02 | 0.16 | 0.33 | 0.16 |
| 金属制品业 | Metal Products | 0.08 | 1.31 | 2.18 | 0.78 |
| 通用设备制造业 | Equipment in Common Use | 0.42 | 11.94 | 15.51 | 3.14 |
| 专用设备制造业 | Special Purpose Equipment | 0.10 | 0.62 | 1.17 | 0.45 |
| 交通运输设备制造业 | Transport Equipment | 1.33 | 2.00 | 5.66 | 2.33 |
| 电气机械及器材制造业 | Electric Equipment and Machinery | 0.16 | 4.50 | 5.54 | 0.88 |
| 通信设备、计算机及其他电子设备制造业 | Telecommunications Equipment, Computer and Other Electronic Equipment | 0.57 | 9.97 | 12.53 | 1.99 |
| 仪器仪表及文化、办公用机械制造业 | Instruments, Meters, Cultural and Office Machinery | 0.02 | 0.07 | 0.13 | 0.04 |
| 工艺品及其他制造业 | Handicraft Article and Other Manufacturing Indust | 0.01 | 0.04 | 0.17 | 0.11 |
| 废弃资源和废旧材料回收加工业 | Recovery of Resource Discarded and Useless Material | 0.05 | 0.01 | 0.43 | 0.38 |
| 电力、热力的生产和供应业 | Production and Supply of Electricity and Heating Power | 12.33 | 30.70 | 151.92 | 108.90 |
| 燃气生产和供应业 | Production and Supply of Gas | 0.19 | 1.15 | 2.90 | 1.57 |
| 水的生产和供应业 | Production and Supply of Water | 0.43 | -0.44 | 2.76 | 2.77 |

## 7-9 按行业分的国有及国有控股工业企业主要经济效益指标(2008年)
Main Economic Beneficial Indicators of State-owned Industrial Enterprises by Sector (Including Enterprises with Controlling Share Hold by the State)(2008)

| 行业 | Sector | 每百元资金实现利税(元) Pre-tax Profits per 100 Yuan Funds(yuan) | 每百元固定资产原值实现利税(元) Pre-tax Profits per 100 Yuan Original Value of Fixed Assets(yuan) | 每百元主营业务收入实现利税(元) Pre-tax Profits per 100 Yuan Revenues in Main Business (yuan) | 产品销售率(%) Rate of Products Sold(%) | 流动资金周转次数(次) Times of Turnover Circulating Funds (time) |
|---|---|---|---|---|---|---|
| **总计** | **Total** | **9.89** | **9.98** | **8.37** | **99.25** | **3.08** |
| **按注册登记类型分** | **by Registered Type** | | | | | |
| #国有 | #State - owned | 14.71 | 13.64 | 11.64 | 99.86 | 3.67 |
| 集体 | Collective owned | 11.46 | 19.46 | 29.65 | 100.00 | 0.89 |
| 私营 | Private | | | | | |
| 港澳台商投资 | Enterprises Funded by Entrepreneurs from Hong Kong, Macao & Taiwan | 37.93 | 60.61 | 17.84 | 97.76 | 3.20 |
| 外商投资 | Foreign Funded Enterprises | 7.43 | 9.96 | 5.78 | 100.82 | 2.47 |
| 在总计中:轻工业 | Light Industry | 27.89 | 42.92 | 36.53 | 99.41 | 1.26 |
| 重工业 | Heavy Industry | 6.15 | 5.79 | 4.85 | 99.23 | 3.76 |
| **按工业行业分** | **By Sector** | | | | | |
| 煤炭开采和洗选业 | Coal Mining and Dressing | 0.12 | 0.10 | 0.11 | 99.89 | 2.39 |
| 黑色金属矿采选业 | Ferrous Metals Mining and Dressing | 37.47 | 69.94 | 25.93 | 99.66 | 2.20 |
| 有色金属矿采选业 | Nonferrous Metals Mining and Dressing | 17.05 | 26.93 | 5.72 | 98.88 | 4.41 |
| 非金属矿采选业 | Nonmetal Minerals Mining and Dressing | 9.07 | 13.41 | 13.17 | 98.48 | 1.05 |
| 其他采矿业 | Other Minerals Mining and Dressing | | | | | |
| 农副食品加工业 | Non-staple Food Processing | 0.73 | 2.20 | 1.93 | 98.45 | 0.46 |
| 食品制造业 | Food Manufacturing | 9.92 | 13.19 | 7.25 | 96.21 | 2.10 |
| 饮料制造业 | Beverage Manufacturing | 13.23 | 21.33 | 18.97 | 108.89 | 1.11 |
| 烟草制品业 | Tobacco Processing | 87.06 | 292.61 | 82.18 | 99.91 | 1.28 |
| 纺织业 | Textile Industry | 8.71 | 14.54 | 9.91 | 100.19 | 1.34 |
| 纺织服装、鞋、帽制造业 | Garments, Shoes and Hats Manufacturing | 25.66 | 46.06 | 24.86 | 98.68 | 1.57 |
| 皮革、毛皮、羽毛(绒)及其制品业 | Leather, Furs, Down and Related Products | 11.93 | 67.33 | 31.20 | 97.47 | 0.42 |
| 木材加工及木、竹、藤、棕、草制品业 | Timber Processing, Bamboo, Cane Palm Fiber and Straw Products | 2.07 | 12.34 | 1.58 | 96.80 | 1.50 |
| 家具制造业 | Furniture Manufacturing | | | | | |
| 造纸及纸制品业 | Papermaking and Paper Products | 5.70 | 5.52 | 8.83 | 98.24 | 2.12 |
| 印刷业和记录媒介的复制 | Printing and Record Medium Reproduction | 12.92 | 15.13 | 14.00 | 101.71 | 1.91 |
| 文教体育用品制造业 | Cultural, Educational and Sports Goods | 21.83 | 82.17 | 13.07 | 98.04 | 1.91 |

7-9 续表 continued

| 行 业 | Sector | 每百元资金实现利税(元) Pre-tax Profits per 100 Yuan Funds(yuan) | 每百元固定资产原值实现利税(元) Pre-tax Profits per 100 Yuan Original Value of Fixed Assets(yuan) | 每百元主营业务收入实现利税(元) Pre-tax Profits per 100 Yuan Revenues in Main Business (yuan) | 产品销售率(%) Rate of Products Sold(%) | 流动资金周转次数(次) Times of Turnover Circulating Funds (time) |
|---|---|---|---|---|---|---|
| 石油加工、炼焦及核燃料加工业 | Petroleum Processing, Cooking and Nuclear Fuel Processing | -0.17 | -0.19 | -0.03 | 99.33 | 8.78 |
| 化学原料及化学制品制造业 | Raw Chemical Materials and Chemical Products | 12.01 | 15.14 | 10.73 | 98.96 | 2.34 |
| 医药制造业 | Medical and Pharmaceutical Products | 30.86 | 41.91 | 30.68 | 94.88 | 1.95 |
| 化学纤维制造业 | Chemical Fiber | -17.34 | -17.78 | -10.95 | 99.08 | 3.25 |
| 橡胶制品业 | Rubber Products | 10.11 | 15.56 | 5.20 | 103.54 | 3.14 |
| 塑料制品业 | Plastic Products | 1.32 | 1.38 | 0.88 | 100.95 | 2.98 |
| 非金属矿物制品业 | Nonmetal Mineral Products | 8.49 | 10.23 | 9.34 | 98.64 | 2.18 |
| 黑色金属冶炼及压延加工业 | Smelting and Pressing of Ferrous Metals | -2.00 | -2.76 | -1.84 | 95.22 | 2.06 |
| 有色金属冶炼及压延加工业 | Smelting and Pressing of Nonferrous Metals | 7.54 | 9.30 | 5.97 | 104.02 | 2.20 |
| 金属制品业 | Metal Products | 9.25 | 24.59 | 7.59 | 98.34 | 1.70 |
| 通用设备制造业 | Equipment in Common Use | 13.41 | 37.79 | 12.80 | 97.22 | 1.31 |
| 专用设备制造业 | Special Purpose Equipment | 3.19 | 18.70 | 3.84 | 98.03 | 0.93 |
| 交通运输设备制造业 | Transport Equipment | 3.58 | 10.09 | 4.04 | 99.68 | 1.20 |
| 电气机械及器材制造业 | Electric Equipment and Machinery | 19.91 | 53.87 | 14.43 | 91.32 | 1.85 |
| 通信设备、计算机及其他电子设备制造业 | Telecommunications Equipment, Computer and Other Electronic Equipment | 15.60 | 43.33 | 23.70 | 95.98 | 0.77 |
| 仪器仪表及文化、办公用机械制造业 | Instruments, Meters, Cultural and Office Machinery | 3.86 | 5.92 | 4.25 | 93.02 | 1.41 |
| 工艺品及其他制造业 | Handicraft Article and Other Manufacturing Indust | 15.97 | 47.91 | 10.95 | 96.55 | 1.87 |
| 废弃资源和废旧材料回收加工业 | Recovery of Resource Discarded and Useless Material | 27.09 | 89.25 | 5.06 | 100.00 | 6.29 |
| 电力、热力的生产和供应业 | Production and Supply of Electricity and Heating Power | 6.81 | 5.20 | 6.47 | 99.99 | 5.69 |
| 燃气生产和供应业 | Production and Supply of Gas | 4.87 | 5.07 | 4.94 | 99.64 | 3.43 |
| 水的生产和供应业 | Production and Supply of Water | 0.92 | 0.89 | 3.90 | 98.94 | 0.71 |

## 7-10 按行业分的规模以上集体工业企业主要指标(2008年)
## Main Indicators of Collective-owned Industrial Enterprises Above Designated Size by Sector(2008)

单位:亿元(100 million yuan)

| 行　业 | Sector | 企业单位数(个) Number of Enterprises (unit) | #亏损企业 Loss | 工业总产值 Gross Industrial Output Value |
|---|---|---|---|---|
| **总计** | **Total** | **426** | **47** | **141.17** |
| 按登记注册类型分 | | | | |
| 在总计中:轻工业 | Light Industry | 159 | 25 | 48.12 |
| 重工业 | Heavy Industry | 267 | 22 | 93.05 |
| **按工业行业分** | **By Sector** | | | |
| 煤炭开采和洗选业 | Coal Mining and Dressing | | | |
| 黑色金属矿采选业 | Ferrous Metals Mining and Dressing | | | |
| 有色金属矿采选业 | Nonferrous Metals Mining and Dressing | | | |
| 非金属矿采选业 | Nonmetal Minerals Mining and Dressing | 44 | 1 | 15.79 |
| 其他采矿业 | Other Minerals Mining and Dressing | | | |
| 农副食品加工业 | Non-staple Food Processing | 5 | | 1.10 |
| 食品制造业 | Food Manufacturing | 3 | 1 | 0.71 |
| 饮料制造业 | Beverage Manufacturing | 5 | | 1.80 |
| 烟草制品业 | Tobacco Processing | | | |
| 纺织业 | Textile Industry | 32 | 4 | 11.72 |
| 纺织服装、鞋、帽制造业 | Garments, Shoes and Hats Manufacturing | 11 | 1 | 5.11 |
| 皮革、毛皮、羽毛(绒)及其制品业 | Leather, Furs, Down and Related Products | 3 | | 0.31 |
| 木材加工及木、竹、藤、棕、草制品业 | Timber Processing, Bamboo, Cane Palm Fiber and Straw Products | 9 | 1 | 1.72 |
| 家具制造业 | Furniture Manufacturing | 2 | | 0.39 |
| 造纸及纸制品业 | Papermaking and Paper Products | 14 | 4 | 1.86 |
| 印刷业和记录媒介的复制 | Printing and Record Medium Reproduction | 5 | | 0.60 |
| 文教体育用品制造业 | Cultural, Educational and Sports Goods | 3 | 2 | 0.30 |

注:本表按注册登记类型划分。表7-11同。

The data in this table are grouped by registered type. The Same for table 7-11.

7－10　续表1　continued　　单位:亿元(100 million yuan)

| 行　业 | Sector | 企业单位数(个) Number of Enterprises (unit) | #亏损企业 Loss | 工业总产值 Gross Industrial Output Value |
|---|---|---|---|---|
| 石油加工、炼焦及核燃料加工业 | Petroleum Processing, Cooking and Nuclear Fuel Processing | 1 | | 0.10 |
| 化学原料及化学制品制造业 | Raw Chemical Materials and Chemical Products | 27 | 2 | 9.51 |
| 医药制造业 | Medical and Pharmaceutical Products | 3 | | 1.03 |
| 化学纤维制造业 | Chemical Fiber | 1 | | 7.31 |
| 橡胶制品业 | Rubber Products | 8 | | 1.09 |
| 塑料制品业 | Plastic Products | 14 | 3 | 3.78 |
| 非金属矿物制品业 | Nonmetal Mineral Products | 27 | 3 | 5.11 |
| 黑色金属冶炼及压延加工业 | Smelting and Pressing of Ferrous Metals | 8 | 1 | 3.88 |
| 有色金属冶炼及压延加工业 | Smelting and Pressing of Nonferrous Metals | 7 | 2 | 7.29 |
| 金属制品业 | Metal Products | 23 | 1 | 5.63 |
| 通用设备制造业 | Equipment in Common Use | 49 | 3 | 7.86 |
| 专用设备制造业 | Special Purpose Equipment | 9 | | 1.42 |
| 交通运输设备制造业 | Transport Equipment | 11 | 2 | 2.47 |
| 电气机械及器材制造业 | Electric Equipment and Machinery | 44 | 4 | 15.18 |
| 通信设备、计算机及其他电子设备制造业 | Telecommunications Equipment, Computer and Other Electronic Equipment | 7 | 1 | 8.16 |
| 仪器仪表及文化、办公用机械制造业 | Instruments, Meters, Cultural and Office Machinery | 5 | 1 | 1.08 |
| 工艺品及其他制造业 | Handicraft Article and Other Manufacturing Indust | 4 | 2 | 0.57 |
| 废弃资源和废旧材料回收加工业 | Recovery of Resource Discarded and Useless Material | | | |
| 电力、热力的生产和供应业 | Production and Supply of Electricity and Heating Power | 8 | 1 | 13.97 |
| 燃气生产和供应业 | Production and Supply of Gas | 1 | | 0.16 |
| 水的生产和供应业 | Production and Supply of Water | 33 | 7 | 4.17 |

7－10 续表2 continued 单位:亿元（100 million yuan）

| 行 业 | Sector | 资产总计 Total Assets | 流动资产合 计 Circulating Funds | 流动资产年平均余额 Annual Average Balance of Circulating Funds | 固定资产合 计 Fixed Assets |
|---|---|---|---|---|---|
| **总计** | **Total** | **139.00** | **91.99** | **87.75** | **34.29** |
| 按登记注册类型分 | | | | | |
| 在总计中:轻工业 | Light Industry | 57.19 | 37.84 | 36.09 | 14.83 |
| 重工业 | Heavy Industry | 81.81 | 54.15 | 51.66 | 19.46 |
| **按工业行业分** | **By Sector** | | | | |
| 煤炭开采和洗选业 | Coal Mining and Dressing | | | | |
| 黑色金属矿采选业 | Ferrous Metals Mining and Dressing | | | | |
| 有色金属矿采选业 | Nonferrous Metals Mining and Dressing | | | | |
| 非金属矿采选业 | Nonmetal Minerals Mining and Dressing | 5.72 | 2.10 | 2.25 | 2.81 |
| 其他采矿业 | Other Minerals Mining and Dressing | | | | |
| 农副食品加工业 | Non－staple Food Processing | 0.69 | 0.50 | 0.44 | 0.16 |
| 食品制造业 | Food Manufacturing | 0.76 | 0.42 | 0.42 | 0.13 |
| 饮料制造业 | Beverage Manufacturing | 1.52 | 1.11 | 1.03 | 0.34 |
| 烟草制品业 | Tobacco Processing | | | | |
| 纺织业 | Textile Industry | 14.56 | 9.48 | 8.55 | 3.98 |
| 纺织服装、鞋、帽制造业 | Garments,Shoes and Hats Manufacturing | 8.35 | 7.53 | 7.45 | 0.60 |
| 皮革、毛皮、羽毛(绒)及其制品业 | Leather,Furs,Down and Related Products | 0.15 | 0.10 | 0.09 | 0.05 |
| 木材加工及木、竹、藤、棕、草制品业 | Timber Processing,Bamboo, Cane Palm Fiber and Straw Products | 2.74 | 1.92 | 1.78 | 0.77 |
| 家具制造业 | Furniture Manufacturing | 0.28 | 0.24 | 0.24 | 0.04 |
| 造纸及纸制品业 | Papermaking and Paper Products | 1.46 | 1.09 | 1.05 | 0.36 |
| 印刷业和记录媒介的复制 | Printing and Record Medium Reproduction | 0.48 | 0.37 | 0.35 | 0.09 |
| 文教体育用品制造业 | Cultural,Educational and Sports Goods | 0.34 | 0.23 | 0.24 | 0.11 |

7－10　续表 3　continued　　单位:亿元（100 million yuan）

| 行　业 | Sector | 资产总计 Total Assets | 流动资产合　计 Circulating Funds | 流动资产年平均余额 Annual Average Balance of Circulating Funds | 固定资产合　计 Fixed Assets |
|---|---|---|---|---|---|
| 石油加工、炼焦及核燃料加工业 | Petroleum Processing, Cooking and Nuclear Fuel Processing | 0.02 | 0.02 | 0.02 | 0.01 |
| 化学原料及化学制品制造业 | Raw Chemical Materials and Chemical Products | 11.59 | 8.48 | 7.91 | 1.95 |
| 医药制造业 | Medical and Pharmaceutical Products | 1.03 | 0.53 | 0.46 | 0.42 |
| 化学纤维制造业 | Chemical Fiber | 3.85 | 0.96 | 1.13 | 1.67 |
| 橡胶制品业 | Rubber Products | 1.13 | 0.89 | 0.90 | 0.20 |
| 塑料制品业 | Plastic Products | 5.13 | 4.31 | 4.52 | 0.55 |
| 非金属矿物制品业 | Nonmetal Mineral Products | 4.30 | 2.85 | 2.62 | 1.21 |
| 黑色金属冶炼及压延加工业 | Smelting and Pressing of Ferrous Metals | 3.28 | 2.57 | 1.95 | 0.42 |
| 有色金属冶炼及压延加工业 | Smelting and Pressing of Nonferrous Metals | 2.70 | 2.32 | 2.31 | 0.30 |
| 金属制品业 | Metal Products | 3.64 | 2.79 | 2.57 | 0.73 |
| 通用设备制造业 | Equipment in Common Use | 7.75 | 6.25 | 6.09 | 1.31 |
| 专用设备制造业 | Special Purpose Equipment | 1.60 | 1.10 | 1.16 | 0.49 |
| 交通运输设备制造业 | Transport Equipment | 1.78 | 1.44 | 1.51 | 0.30 |
| 电气机械及器材制造业 | Electric Equipment and Machinery | 14.50 | 10.88 | 11.34 | 1.98 |
| 通信设备、计算机及其他电子设备制造业 | Telecommunications Equipment, Computer and Other Electronic Equipment | 12.57 | 9.32 | 8.35 | 1.49 |
| 仪器仪表及文化、办公用机械制造业 | Instruments, Meters, Cultural and Office Machinery | 1.03 | 0.76 | 0.78 | 0.10 |
| 工艺品及其他制造业 | Handicraft Article and Other Manufacturing Indust | 0.32 | 0.27 | 0.25 | 0.05 |
| 废弃资源和废旧材料回收加工业 | Recovery of Resource Discarded and Useless Material | | | | |
| 电力、热力的生产和供应业 | Production and Supply of Electricity and Heating Power | 14.97 | 6.73 | 6.02 | 5.85 |
| 燃气生产和供应业 | Production and Supply of Gas | 0.30 | 0.02 | 0.01 | 0.27 |
| 水的生产和供应业 | Production and Supply of Water | 10.46 | 4.41 | 3.95 | 5.56 |

7－10 续表4 continued 单位:亿元（100 million yuan）

| 行 业 | Sector | 固定资产原 价 Original Value of Fixed Assets | 固定资产净 值年平均余额 Annual Average Balance of Net Value of Fixed Assets | 年末负债合 计 Total Liabilities | 流动负债 Circulating Liabilities |
|---|---|---|---|---|---|
| **总计** | **Total** | **53.80** | **30.47** | **80.66** | **76.94** |
| 按登记注册类型分 | | | | | |
| 在总计中:轻工业 | Light Industry | 22.30 | 12.75 | 32.05 | 30.82 |
| 重工业 | Heavy Industry | 31.50 | 17.72 | 48.61 | 46.12 |
| **按工业行业分** | **By Sector** | | | | |
| 煤炭开采和洗选业 | Coal Mining and Dressing | | | | |
| 黑色金属矿采选业 | Ferrous Metals Mining and Dressing | | | | |
| 有色金属矿采选业 | Nonferrous Metals Mining and Dressing | | | | |
| 非金属矿采选业 | Nonmetal Minerals Mining and Dressing | 4.21 | 2.54 | 3.21 | 2.48 |
| 其他采矿业 | Other Minerals Mining and Dressing | | | | |
| 农副食品加工业 | Non－staple Food Processing | 0.18 | 0.15 | 0.42 | 0.37 |
| 食品制造业 | Food Manufacturing | 0.30 | 0.12 | 0.28 | 0.20 |
| 饮料制造业 | Beverage Manufacturing | 0.49 | 0.36 | 1.10 | 1.10 |
| 烟草制品业 | Tobacco Processing | | | | |
| 纺织业 | Textile Industry | 5.03 | 2.59 | 8.85 | 8.31 |
| 纺织服装、鞋、帽制造业 | Garments, Shoes and Hats Manufacturing | 1.53 | 0.70 | 6.07 | 6.06 |
| 皮革、毛皮、羽毛(绒)及其制品业 | Leather, Furs, Down and Related Products | 0.07 | 0.05 | 0.10 | 0.10 |
| 木材加工及木、竹、藤、棕、草制品业 | Timber Processing, Bamboo, Cane Palm Fiber and Straw Products | 0.84 | 0.35 | 2.14 | 2.14 |
| 家具制造业 | Furniture Manufacturing | 0.06 | 0.04 | 0.22 | 0.22 |
| 造纸及纸制品业 | Papermaking and Paper Products | 0.66 | 0.35 | 0.82 | 0.73 |
| 印刷业和记录媒介的复制 | Printing and Record Medium Reproduction | 0.25 | 0.10 | 0.17 | 0.17 |
| 文教体育用品制造业 | Cultural, Educational and Sports Goods | 0.22 | 0.12 | 0.20 | 0.18 |

7-10 续表5 continued 单位:亿元 (100 million yuan)

| 行业 | Sector | 固定资产原价 Original Value of Fixed Assets | 固定资产净值年平均余额 Annual Average Balance of Net Value of Fixed Assets | 年末负债合计 Total Liabilities | 流动负债 Circulating Liabilities |
|---|---|---|---|---|---|
| 石油加工、炼焦及核燃料加工业 | Petroleum Processing, Cooking and Nuclear Fuel Processing | 0.01 | | 0.02 | 0.02 |
| 化学原料及化学制品制造业 | Raw Chemical Materials and Chemical Products | 3.75 | 1.86 | 4.73 | 4.56 |
| 医药制造业 | Medical and Pharmaceutical Products | 0.20 | 0.12 | 0.93 | 0.93 |
| 化学纤维制造业 | Chemical Fiber | 2.96 | 1.75 | 1.68 | 1.68 |
| 橡胶制品业 | Rubber Products | 0.23 | 0.17 | 0.56 | 0.56 |
| 塑料制品业 | Plastic Products | 1.13 | 0.53 | 3.32 | 3.00 |
| 非金属矿物制品业 | Nonmetal Mineral Products | 2.18 | 1.25 | 2.17 | 2.01 |
| 黑色金属冶炼及压延加工业 | Smelting and Pressing of Ferrous Metals | 0.99 | 0.44 | 1.91 | 1.66 |
| 有色金属冶炼及压延加工业 | Smelting and Pressing of Nonferrous Metals | 0.99 | 0.29 | 1.23 | 1.13 |
| 金属制品业 | Metal Products | 1.03 | 0.67 | 2.33 | 2.12 |
| 通用设备制造业 | Equipment in Common Use | 2.20 | 1.16 | 3.29 | 3.18 |
| 专用设备制造业 | Special Purpose Equipment | 0.71 | 0.49 | 0.51 | 0.51 |
| 交通运输设备制造业 | Transport Equipment | 0.96 | 0.31 | 0.84 | 0.84 |
| 电气机械及器材制造业 | Electric Equipment and Machinery | 3.35 | 1.94 | 9.03 | 9.00 |
| 通信设备、计算机及其他电子设备制造业 | Telecommunications Equipment, Computer and Other Electronic Equipment | 1.96 | 1.42 | 10.22 | 10.21 |
| 仪器仪表及文化、办公用机械制造业 | Instruments, Meters, Cultural and Office Machinery | 0.24 | 0.10 | 0.59 | 0.56 |
| 工艺品及其他制造业 | Handicraft Article and Other Manufacturing Indust | 0.10 | 0.05 | 0.20 | 0.20 |
| 废弃资源和废旧材料回收加工业 | Recovery of Resource Discarded and Useless Material | | | | |
| 电力、热力的生产和供应业 | Production and Supply of Electricity and Heating Power | 9.22 | 5.61 | 6.42 | 6.41 |
| 燃气生产和供应业 | Production and Supply of Gas | 0.44 | 0.27 | 0.18 | 0.04 |
| 水的生产和供应业 | Production and Supply of Water | 7.33 | 4.54 | 6.92 | 6.25 |

7－10　续表6　continued　　单位:亿元（100 million yuan）

| 行　业 | Sector | 长期负债 Long－term Liabilities | 年末所有者权益合计 Creditors' Equity | 实收资本 Total Capital Hold | 主营业务收入 Revenues in Main Business | 主营业务成本 Costs in Main Business |
|---|---|---|---|---|---|---|
| **总计** | **Total** | **3.46** | **58.34** | **19.46** | **137.84** | **120.34** |
| 按登记注册类型分 | | | | | | |
| 在总计中:轻工业 | Light Industry | 1.09 | 25.14 | 8.58 | 47.39 | 41.04 |
| 重工业 | Heavy Industry | 2.37 | 33.20 | 10.88 | 90.45 | 79.30 |
| **按工业行业分** | **By Sector** | | | | | |
| 煤炭开采和洗选业 | Coal Mining and Dressing | | | | | |
| 黑色金属矿采选业 | Ferrous Metals Mining and Dressing | | | | | |
| 有色金属矿采选业 | Nonferrous Metals Mining and Dressing | | | | | |
| 非金属矿采选业 | Nonmetal Minerals Mining and Dressing | 0.66 | 2.51 | 1.23 | 15.76 | 13.91 |
| 其他采矿业 | Other Minerals Mining and Dressing | | | | | |
| 农副食品加工业 | Non－staple Food Processing | 0.00 | 0.28 | 0.12 | 1.13 | 0.85 |
| 食品制造业 | Food Manufacturing | 0.08 | 0.48 | 0.50 | 0.65 | 0.54 |
| 饮料制造业 | Beverage Manufacturing | 0.00 | 0.42 | 0.14 | 1.79 | 1.47 |
| 烟草制品业 | Tobacco Processing | | | | | |
| 纺织业 | Textile Industry | 0.46 | 5.71 | 2.60 | 12.43 | 11.05 |
| 纺织服装、鞋、帽制造业 | Garments, Shoes and Hats Manufacturing | 0.01 | 2.27 | 0.94 | 4.74 | 3.87 |
| 皮革、毛皮、羽毛(绒)及其制品业 | Leather, Furs, Down and Related Products | | 0.04 | 0.03 | 0.28 | 0.26 |
| 木材加工及木、竹、藤、棕、草制品业 | Timber Processing, Bamboo, Cane Palm Fiber and Straw Products | | 0.59 | 0.08 | 1.93 | 1.82 |
| 家具制造业 | Furniture Manufacturing | | 0.07 | 0.01 | 0.35 | 0.32 |
| 造纸及纸制品业 | Papermaking and Paper Products | 0.09 | 0.64 | 0.28 | 1.79 | 1.63 |
| 印刷业和记录媒介的复制 | Printing and Record Medium Reproduction | | 0.30 | 0.09 | 0.57 | 0.48 |
| 文教体育用品制造业 | Cultural, Educational and Sports Goods | 0.02 | 0.14 | 0.07 | 0.30 | 0.27 |

7-10 续表7 continued 单位:亿元 (100 million yuan)

| 行 业 | Sector | 长期负债 Long-term Liabilities | 年末所有者权益合计 Creditors' Equity | 实收资本 Total Capital Hold | 主营业务收入 Revenues in Main Business | 主营业务成本 Costs in Main Business |
|---|---|---|---|---|---|---|
| 石油加工、炼焦及核燃料加工业 | Petroleum Processing, Cooking and Nuclear Fuel Processing | | 0.01 | 0.01 | 0.09 | 0.09 |
| 化学原料及化学制品制造业 | Raw Chemical Materials and Chemical Products | 0.14 | 6.86 | 0.89 | 9.57 | 8.05 |
| 医药制造业 | Medical and Pharmaceutical Products | | 0.10 | 0.06 | 1.02 | 0.84 |
| 化学纤维制造业 | Chemical Fiber | | 2.17 | 1.60 | 6.73 | 6.47 |
| 橡胶制品业 | Rubber Products | | 0.57 | 0.07 | 1.03 | 0.92 |
| 塑料制品业 | Plastic Products | 0.32 | 1.81 | 0.30 | 3.62 | 3.25 |
| 非金属矿物制品业 | Nonmetal Mineral Products | 0.17 | 2.13 | 0.98 | 4.70 | 4.11 |
| 黑色金属冶炼及压延加工业 | Smelting and Pressing of Ferrous Metals | 0.24 | 1.38 | 0.46 | 3.87 | 3.54 |
| 有色金属冶炼及压延加工业 | Smelting and Pressing of Nonferrous Metals | 0.10 | 1.47 | 0.47 | 6.85 | 6.65 |
| 金属制品业 | Metal Products | 0.21 | 1.31 | 0.31 | 5.41 | 4.74 |
| 通用设备制造业 | Equipment in Common Use | 0.09 | 4.46 | 0.61 | 7.50 | 6.37 |
| 专用设备制造业 | Special Purpose Equipment | | 1.10 | 0.15 | 1.47 | 1.13 |
| 交通运输设备制造业 | Transport Equipment | | 0.94 | 0.25 | 2.44 | 2.25 |
| 电气机械及器材制造业 | Electric Equipment and Machinery | 0.03 | 5.47 | 1.35 | 14.33 | 11.83 |
| 通信设备、计算机及其他电子设备制造业 | Telecommunications Equipment, Computer and Other Electronic Equipment | 0.01 | 2.35 | 0.58 | 7.06 | 6.21 |
| 仪器仪表及文化、办公用机械制造业 | Instruments, Meters, Cultural and Office Machinery | 0.03 | 0.44 | 0.25 | 1.06 | 0.87 |
| 工艺品及其他制造业 | Handicraft Article and Other Manufacturing Indust | | 0.12 | 0.04 | 0.51 | 0.48 |
| 废弃资源和废旧材料回收加工业 | Recovery of Resource Discarded and Useless Material | | | | | |
| 电力、热力的生产和供应业 | Production and Supply of Electricity and Heating Power | 0.02 | 8.55 | 3.80 | 14.62 | 12.75 |
| 燃气生产和供应业 | Production and Supply of Gas | 0.14 | 0.12 | 0.05 | 0.16 | 0.15 |
| 水的生产和供应业 | Production and Supply of Water | 0.67 | 3.54 | 1.14 | 4.07 | 3.15 |

7-10 续表8 continued 单位:亿元(100 million yuan)

| 行 业 | Sector | 主营业务税金及附加 Sales Taxes and Extra Charges in Main Business | 利润总额 Total Profits | 利税总额 Total Profits and Taxes | 本年应交增值税 Value Added Taxes Payable |
|---|---|---|---|---|---|
| **总计** | **Total** | **0.93** | **6.55** | **12.31** | **4.83** |
| 按登记注册类型分 | | | | | |
| 在总计中:轻工业 | Light Industry | 0.24 | 2.77 | 4.62 | 1.61 |
| 重工业 | Heavy Industry | 0.69 | 3.79 | 7.69 | 3.22 |
| **按工业行业分** | **By Sector** | | | | |
| 煤炭开采和洗选业 | Coal Mining and Dressing | | | | |
| 黑色金属矿采选业 | Ferrous Metals Mining and Dressing | | | | |
| 有色金属矿采选业 | Nonferrous Metals Mining and Dressing | | | | |
| 非金属矿采选业 | Nonmetal Minerals Mining and Dressing | 0.33 | 0.92 | 1.80 | 0.55 |
| 其他采矿业 | Other Minerals Mining and Dressing | | | | |
| 农副食品加工业 | Non - staple Food Processing | 0.01 | 0.15 | 0.20 | 0.04 |
| 食品制造业 | Food Manufacturing | 0.00 | 0.01 | 0.02 | 0.01 |
| 饮料制造业 | Beverage Manufacturing | 0.03 | 0.13 | 0.21 | 0.05 |
| 烟草制品业 | Tobacco Processing | | | | |
| 纺织业 | Textile Industry | 0.04 | 0.32 | 0.74 | 0.39 |
| 纺织服装、鞋、帽制造业 | Garments,Shoes and Hats Manufacturing | 0.03 | 0.42 | 0.70 | 0.25 |
| 皮革、毛皮、羽毛(绒)及其制品业 | Leather,Furs,Down and Related Products | | | 0.01 | 0.01 |
| 木材加工及木、竹、藤、棕、草制品业 | Timber Processing,Bamboo, Cane Palm Fiber and Straw Products | 0.01 | -0.08 | -0.01 | 0.06 |
| 家具制造业 | Furniture Manufacturing | | 0.01 | 0.03 | 0.02 |
| 造纸及纸制品业 | Papermaking and Paper Products | 0.01 | 0.23 | 0.31 | 0.07 |
| 印刷业和记录媒介的复制 | Printing and Record Medium Reproduction | | 0.02 | 0.06 | 0.03 |
| 文教体育用品制造业 | Cultural,Educational and Sports Goods | | -0.01 | | 0.01 |

7－10 续表9 continued 单位:亿元 (100 million yuan)

| 行 业 | Sector | 主营业务税金及附加 Sales Taxes and Extra Charges in Main Business | 利润总额 Total Profits | 利税总额 Total Profits and Taxes | 本年应交增值税 Value Added Taxes Payable |
|---|---|---|---|---|---|
| 石油加工、炼焦及核燃料加工业 | Petroleum Processing, Cooking and Nuclear Fuel Processing | | | | |
| 化学原料及化学制品制造业 | Raw Chemical Materials and Chemical Products | 0.06 | 0.87 | 1.38 | 0.45 |
| 医药制造业 | Medical and Pharmaceutical Products | | 0.02 | 0.05 | 0.02 |
| 化学纤维制造业 | Chemical Fiber | 0.02 | 0.14 | 0.20 | 0.04 |
| 橡胶制品业 | Rubber Products | | 0.05 | 0.09 | 0.04 |
| 塑料制品业 | Plastic Products | 0.02 | 0.05 | 0.21 | 0.14 |
| 非金属矿物制品业 | Nonmetal Mineral Products | 0.05 | 0.22 | 0.49 | 0.22 |
| 黑色金属冶炼及压延加工业 | Smelting and Pressing of Ferrous Metals | 0.01 | 0.11 | 0.24 | 0.11 |
| 有色金属冶炼及压延加工业 | Smelting and Pressing of Nonferrous Metals | 0.02 | 0.04 | 0.26 | 0.21 |
| 金属制品业 | Metal Products | 0.03 | 0.24 | 0.47 | 0.20 |
| 通用设备制造业 | Equipment in Common Use | 0.04 | 0.39 | 0.79 | 0.36 |
| 专用设备制造业 | Special Purpose Equipment | 0.01 | 0.19 | 0.27 | 0.06 |
| 交通运输设备制造业 | Transport Equipment | 0.01 | 0.05 | 0.15 | 0.09 |
| 电气机械及器材制造业 | Electric Equipment and Machinery | 0.08 | 1.40 | 1.98 | 0.50 |
| 通信设备、计算机及其他电子设备制造业 | Telecommunications Equipment, Computer and Other Electronic Equipment | 0.03 | -0.09 | 0.24 | 0.29 |
| 仪器仪表及文化、办公用机械制造业 | Instruments, Meters, Cultural and Office Machinery | 0.01 | 0.03 | 0.09 | 0.05 |
| 工艺品及其他制造业 | Handicraft Article and Other Manufacturing Indust | | | 0.01 | 0.01 |
| 废弃资源和废旧材料回收加工业 | Recovery of Resource Discarded and Useless Material | | | | |
| 电力、热力的生产和供应业 | Production and Supply of Electricity and Heating Power | 0.05 | 0.55 | 0.95 | 0.35 |
| 燃气生产和供应业 | Production and Supply of Gas | | 0.02 | 0.03 | 0.01 |
| 水的生产和供应业 | Production and Supply of Water | 0.03 | 0.14 | 0.34 | 0.17 |

## 7-11 按行业分的规模以上集体工业企业主要经济效益指标(2008年)

Main Economic Beneficial Indicators of Collective-owned Industrial Enterprises Above Designated Size by Sector(2008)

| 行业 | Sector | 每百元资金实现利税(元) Pre-tax Profits per 100 Yuan Funds(yuan) | 每百元固定资产原值实现利税(元) Pre-tax Profits per 100 Yuan Original Value of Fixed Assets(yuan) | 每百元主营业务收入实现利税(元) Pre-tax Profits per 100 Yuan Revenues in Main Business (yuan) | 产品销售率(%) Rate of Products Sold(%) | 流动资金周转次数(次) Times of Turnover Circulating Funds (time) |
|---|---|---|---|---|---|---|
| **总计** | **Total** | **10.41** | **22.88** | **8.93** | **97.56** | **1.57** |
| 按登记注册类型分 | | | | | | |
| 在总计中:轻工业 | Light Industry | 9.46 | 20.71 | 9.74 | 96.84 | 1.31 |
| 重工业 | Heavy Industry | 11.09 | 24.42 | 8.51 | 97.94 | 1.75 |
| **按工业行业分** | **By Sector** | | | | | |
| 煤炭开采和洗选业 | Coal Mining and Dressing | | | | | |
| 黑色金属矿采选业 | Ferrous Metals Mining and Dressing | | | | | |
| 有色金属矿采选业 | Nonferrous Metals Mining and Dressing | | | | | |
| 非金属矿采选业 | Nonmetal Minerals Mining and Dressing | 37.50 | 42.71 | 11.42 | 99.89 | 6.99 |
| 其他采矿业 | Other Minerals Mining and Dressing | | | | | |
| 农副食品加工业 | Non-staple Food Processing | 33.59 | 110.28 | 17.57 | 97.79 | 2.57 |
| 食品制造业 | Food Manufacturing | 3.12 | 5.58 | 2.62 | 91.36 | 1.54 |
| 饮料制造业 | Beverage Manufacturing | 15.15 | 43.14 | 11.76 | 99.13 | 1.74 |
| 烟草制品业 | Tobacco Processing | | | | | |
| 纺织业 | Textile Industry | 6.67 | 14.77 | 5.98 | 98.21 | 1.45 |
| 纺织服装、鞋、帽制造业 | Garments, Shoes and Hats Manufacturing | 8.56 | 45.48 | 14.70 | 96.01 | 0.64 |
| 皮革、毛皮、羽毛(绒)及其制品业 | Leather, Furs, Down and Related Products | 10.30 | 22.23 | 5.09 | 95.15 | 3.25 |
| 木材加工及木、竹、藤、棕、草制品业 | Timber Processing, Bamboo, Cane Palm Fiber and Straw Products | -0.39 | -1.00 | -0.43 | 98.42 | 1.08 |
| 家具制造业 | Furniture Manufacturing | 11.25 | 57.23 | 9.03 | 90.06 | 1.46 |
| 造纸及纸制品业 | Papermaking and Paper Products | 21.98 | 46.66 | 17.16 | 97.19 | 1.71 |
| 印刷业和记录媒介的复制 | Printing and Record Medium Reproduction | 12.30 | 21.98 | 9.76 | 99.59 | 1.61 |
| 文教体育用品制造业 | Cultural, Educational and Sports Goods | 0.18 | 0.30 | 0.21 | 98.22 | 1.27 |

7－11 续表 continued

| 行 业 | Sector | 每百元资金实现利税（元）Pre-tax Profits per 100 Yuan Funds(yuan) | 每百元固定资产原值实现利税（元）Pre-tax Profits per 100 Yuan Original Value of Fixed Assets(yuan) | 每百元主营业务收入实现利税（元）Pre-tax Profits per 100 Yuan Revenues in Main Business (yuan) | 产品销售率(%) Rate of Products Sold(%) | 流动资金周转次数（次）Times of Turnover Circulating Funds (time) |
|---|---|---|---|---|---|---|
| 石油加工、炼焦及核燃料加工业 | Petroleum Processing, Cooking and Nuclear Fuel Processing | 11.65 | 24.89 | 3.05 | 89.51 | 4.49 |
| 化学原料及化学制品制造业 | Raw Chemical Materials and Chemical Products | 14.14 | 36.81 | 14.43 | 100.08 | 1.21 |
| 医药制造业 | Medical and Pharmaceutical Products | 8.35 | 24.12 | 4.73 | 99.27 | 2.23 |
| 化学纤维制造业 | Chemical Fiber | 7.06 | 6.87 | 3.02 | 92.08 | 5.97 |
| 橡胶制品业 | Rubber Products | 8.80 | 40.88 | 9.14 | 97.97 | 1.15 |
| 塑料制品业 | Plastic Products | 4.24 | 18.92 | 5.93 | 98.01 | 0.80 |
| 非金属矿物制品业 | Nonmetal Mineral Products | 12.68 | 22.55 | 10.45 | 97.43 | 1.79 |
| 黑色金属冶炼及压延加工业 | Smelting and Pressing of Ferrous Metals | 9.84 | 23.87 | 6.08 | 99.35 | 1.98 |
| 有色金属冶炼及压延加工业 | Smelting and Pressing of Nonferrous Metals | 10.15 | 26.64 | 3.86 | 98.74 | 2.96 |
| 金属制品业 | Metal Products | 14.57 | 46.10 | 8.74 | 97.72 | 2.10 |
| 通用设备制造业 | Equipment in Common Use | 10.90 | 35.98 | 10.53 | 95.76 | 1.23 |
| 专用设备制造业 | Special Purpose Equipment | 16.05 | 37.61 | 18.06 | 98.25 | 1.27 |
| 交通运输设备制造业 | Transport Equipment | 8.16 | 15.53 | 6.09 | 100.29 | 1.62 |
| 电气机械及器材制造业 | Electric Equipment and Machinery | 14.90 | 58.98 | 13.81 | 99.68 | 1.26 |
| 通信设备、计算机及其他电子设备制造业 | Telecommunications Equipment, Computer and Other Electronic Equipment | 2.43 | 12.10 | 3.36 | 85.11 | 0.85 |
| 仪器仪表及文化、办公用机械制造业 | Instruments, Meters, Cultural and Office Machinery | 10.10 | 37.42 | 8.37 | 99.40 | 1.36 |
| 工艺品及其他制造业 | Handicraft Article and Other Manufacturing Indust | 3.78 | 11.41 | 2.19 | 100.33 | 2.06 |
| 废弃资源和废旧材料回收加工业 | Recovery of Resource Discarded and Useless Material | | | | | |
| 电力、热力的生产和供应业 | Production and Supply of Electricity and Heating Power | 8.14 | 10.26 | 6.47 | 99.73 | 2.43 |
| 燃气生产和供应业 | Production and Supply of Gas | 11.85 | 7.57 | 20.96 | 100.00 | 12.35 |
| 水的生产和供应业 | Production and Supply of Water | 3.98 | 4.61 | 8.29 | 98.88 | 1.03 |

## 7-12 按行业分的外商投资和港澳台商投资工业企业主要指标(2008年)
Main Indicators of Foreign Funded Enterprises and Enterprises Funded by Entrepreneurs form Hong Kong, Macao and Taiwan by Sector(2008)

单位:亿元(100 million yuan)

| 行业 | Sector | 企业单位数(个) Number of Enterprises (unit) | #亏损企业 Loss | 工业总产值 Gross Industrial Output Value |
|---|---|---|---|---|
| **总计** | **Total** | **9353** | **2476** | **11075.29** |
| **按注册登记类型分** | **by Registered Type** | | | |
| 港澳台商投资 | Enterprises Funded by Entrepreneurs from Hong Kong, Macao & Taiwan | 4296 | 1109 | 4829.04 |
| 外商投资 | Foreign Funded Enterprises | 5057 | 1367 | 6246.25 |
| 在总计中:轻工业 | Light Industry | 5368 | 1460 | 5173.19 |
| 重工业 | Heavy Industry | 3985 | 1016 | 5902.09 |
| **按工业行业分** | **By Sector** | | | |
| 煤炭开采和洗选业 | Coal Mining and Dressing | | | |
| 黑色金属矿采选业 | Ferrous Metals Mining and Dressing | 1 | | 12.40 |
| 有色金属矿采选业 | Nonferrous Metals Mining and Dressing | | | |
| 非金属矿采选业 | Nonmetal Minerals Mining and Dressing | 14 | 4 | 5.19 |
| 其他采矿业 | Other Minerals Mining and Dressing | | | |
| 农副食品加工业 | Non-staple Food Processing | 124 | 31 | 193.98 |
| 食品制造业 | Food Manufacturing | 100 | 27 | 154.55 |
| 饮料制造业 | Beverage Manufacturing | 61 | 20 | 235.68 |
| 烟草制品业 | Tobacco Processing | 1 | | 1.17 |
| 纺织业 | Textile Industry | 1517 | 400 | 1165.06 |
| 纺织服装、鞋、帽制造业 | Garments, Shoes and Hats Manufacturing | 999 | 283 | 589.07 |
| 皮革、毛皮、羽毛(绒)及其制品业 | Leather, Furs, Down and Related Products | 378 | 91 | 336.41 |
| 木材加工及木、竹、藤、棕、草制品业 | Timber Processing, Bamboo, Cane Palm Fiber and Straw Products | 149 | 37 | 101.10 |
| 家具制造业 | Furniture Manufacturing | 187 | 60 | 194.58 |
| 造纸及纸制品业 | Papermaking and Paper Products | 140 | 31 | 262.46 |
| 印刷业和记录媒介的复制 | Printing and Record Medium Reproduction | 39 | 10 | 48.22 |
| 文教体育用品制造业 | Cultural, Educational and Sports Goods | 253 | 96 | 134.21 |

注:本表统计范围为规模以上的外商投资和港澳台商投资工业企业。表7-13同。
The data in this table refer to Foreign Funded Industrial Enterprises and Enterprises Funded by Entrepreneurs from Hong Kong, Macao and Taiwan above designated size. The Same for table 7-13.

7－12 续表 1 continued 单位:亿元 (100 million yuan)

| 行 业 | Sector | 企业单位数(个) Number of Enterprises (unit) | #亏损企业 Loss | 工业总产值 Gross Industrial Output Value |
|---|---|---|---|---|
| 石油加工、炼焦及核燃料加工业 | Petroleum Processing, Cooking and Nuclear Fuel Processing | 15 | 2 | 124.03 |
| 化学原料及化学制品制造业 | Raw Chemical Materials and Chemical Products | 388 | 94 | 960.56 |
| 医药制造业 | Medical and Pharmaceutical Products | 102 | 30 | 161.34 |
| 化学纤维制造业 | Chemical Fiber | 98 | 37 | 524.89 |
| 橡胶制品业 | Rubber Products | 65 | 15 | 209.83 |
| 塑料制品业 | Plastic Products | 389 | 95 | 330.29 |
| 非金属矿物制品业 | Nonmetal Mineral Products | 197 | 51 | 218.17 |
| 黑色金属冶炼及压延加工业 | Smelting and Pressing of Ferrous Metals | 68 | 17 | 303.76 |
| 有色金属冶炼及压延加工业 | Smelting and Pressing of Nonferrous Metals | 93 | 36 | 216.67 |
| 金属制品业 | Metal Products | 450 | 136 | 380.77 |
| 通用设备制造业 | Equipment in Common Use | 877 | 175 | 737.89 |
| 专用设备制造业 | Special Purpose Equipment | 405 | 100 | 281.22 |
| 交通运输设备制造业 | Transport Equipment | 403 | 104 | 527.00 |
| 电气机械及器材制造业 | Electric Equipment and Machinery | 812 | 173 | 927.23 |
| 通信设备、计算机及其他电子设备制造业 | Telecommunications Equipment, Computer and Other Electronic Equipment | 423 | 124 | 1209.83 |
| 仪器仪表及文化、办公用机械制造业 | Instruments, Meters, Cultural and Office Machinery | 178 | 40 | 127.64 |
| 工艺品及其他制造业 | Handicraft Article and Other Manufacturing Indust | 305 | 93 | 180.96 |
| 废弃资源和废旧材料回收加工业 | Recovery of Resource Discarded and Useless Material | 56 | 45 | 97.36 |
| 电力、热力的生产和供应业 | Production and Supply of Electricity and Heating Power | 49 | 13 | 106.88 |
| 燃气生产和供应业 | Production and Supply of Gas | 13 | 4 | 14.06 |
| 水的生产和供应业 | Production and Supply of Water | 4 | 2 | 0.82 |

7－12 续表2 continued 单位:亿元 (100 million yuan)

| 行业 | Sector | 资产总计 Total Assets | 流动资产合计 Circulating Funds | 流动资产年平均余额 Annual Average Balance of Circulating Funds | 固定资产合计 Fixed Assets |
|---|---|---|---|---|---|
| **总计** | **Total** | **9880.75** | **5766.84** | **5621.16** | **3269.03** |
| **按注册登记类型分** | **by Registered Type** | | | | |
| 港澳台商投资 | Enterprises Funded by Entrepreneurs from Hong Kong, Macao & Taiwan | 4471.88 | 2698.99 | 2617.62 | 1382.14 |
| 外商投资 | Foreign Funded Enterprises | 5408.87 | 3067.85 | 3003.54 | 1886.88 |
| 在总计中:轻工业 | Light Industry | 4732.59 | 2805.56 | 2685.62 | 1488.02 |
| 重工业 | Heavy Industry | 5148.16 | 2961.29 | 2935.54 | 1781.00 |
| **按工业行业分** | **By Sector** | | | | |
| 煤炭开采和洗选业 | Coal Mining and Dressing | | | | |
| 黑色金属矿采选业 | Ferrous Metals Mining and Dressing | 13.60 | 12.53 | 13.35 | 0.45 |
| 有色金属矿采选业 | Nonferrous Metals Mining and Dressing | | | | |
| 非金属矿采选业 | Nonmetal Minerals Mining and Dressing | 7.03 | 1.81 | 1.81 | 3.44 |
| 其他采矿业 | Other Minerals Mining and Dressing | | | | |
| 农副食品加工业 | Non－staple Food Processing | 131.79 | 78.18 | 85.65 | 36.84 |
| 食品制造业 | Food Manufacturing | 110.12 | 63.75 | 58.48 | 30.78 |
| 饮料制造业 | Beverage Manufacturing | 223.34 | 118.59 | 117.77 | 77.13 |
| 烟草制品业 | Tobacco Processing | 1.30 | 0.51 | 0.48 | 0.68 |
| 纺织业 | Textile Industry | 1166.07 | 687.76 | 662.94 | 382.73 |
| 纺织服装、鞋、帽制造业 | Garments, Shoes and Hats Manufacturing | 520.48 | 315.03 | 295.61 | 157.21 |
| 皮革、毛皮、羽毛(绒)及其制品业 | Leather, Furs, Down and Related Products | 307.97 | 208.25 | 183.00 | 61.79 |
| 木材加工及木、竹、藤、棕、草制品业 | Timber Processing, Bamboo, Cane Palm Fiber and Straw Products | 71.39 | 43.19 | 41.90 | 23.49 |
| 家具制造业 | Furniture Manufacturing | 178.98 | 111.20 | 105.30 | 54.30 |
| 造纸及纸制品业 | Papermaking and Paper Products | 321.36 | 149.47 | 146.01 | 136.07 |
| 印刷业和记录媒介的复制 | Printing and Record Medium Reproduction | 50.92 | 28.13 | 27.64 | 15.66 |
| 文教体育用品制造业 | Cultural, Educational and Sports Goods | 113.63 | 70.50 | 68.62 | 36.07 |

7-12 续表3 continued 单位:亿元 (100 million yuan)

| 行业 | Sector | 资产总计 Total Assets | 流动资产合计 Circulating Funds | 流动资产年平均余额 Annual Average Balance of Circulating Funds | 固定资产合计 Fixed Assets |
|---|---|---|---|---|---|
| 石油加工、炼焦及核燃料加工业 | Petroleum Processing, Cooking and Nuclear Fuel Processing | 35.99 | 19.85 | 24.87 | 6.54 |
| 化学原料及化学制品制造业 | Raw Chemical Materials and Chemical Products | 885.59 | 442.06 | 425.14 | 385.92 |
| 医药制造业 | Medical and Pharmaceutical Products | 142.35 | 91.15 | 87.69 | 39.42 |
| 化学纤维制造业 | Chemical Fiber | 482.05 | 258.10 | 260.25 | 194.66 |
| 橡胶制品业 | Rubber Products | 186.90 | 85.69 | 82.68 | 82.09 |
| 塑料制品业 | Plastic Products | 329.31 | 193.61 | 184.18 | 106.38 |
| 非金属矿物制品业 | Nonmetal Mineral Products | 317.16 | 139.00 | 124.97 | 147.50 |
| 黑色金属冶炼及压延加工业 | Smelting and Pressing of Ferrous Metals | 226.05 | 130.25 | 136.97 | 85.95 |
| 有色金属冶炼及压延加工业 | Smelting and Pressing of Nonferrous Metals | 122.93 | 78.29 | 80.58 | 28.74 |
| 金属制品业 | Metal Products | 298.47 | 191.19 | 189.99 | 81.78 |
| 通用设备制造业 | Equipment in Common Use | 695.61 | 445.03 | 434.75 | 193.94 |
| 专用设备制造业 | Special Purpose Equipment | 308.30 | 197.07 | 197.52 | 86.78 |
| 交通运输设备制造业 | Transport Equipment | 607.47 | 364.73 | 343.57 | 175.45 |
| 电气机械及器材制造业 | Electric Equipment and Machinery | 722.89 | 480.40 | 462.39 | 177.16 |
| 通信设备、计算机及其他电子设备制造业 | Telecommunications Equipment, Computer and Other Electronic Equipment | 742.84 | 481.91 | 505.83 | 225.05 |
| 仪器仪表及文化、办公用机械制造业 | Instruments, Meters, Cultural and Office Machinery | 139.57 | 89.68 | 84.50 | 36.26 |
| 工艺品及其他制造业 | Handicraft Article and Other Manufacturing Indust | 153.63 | 94.89 | 89.03 | 45.08 |
| 废弃资源和废旧材料回收加工业 | Recovery of Resource Discarded and Useless Material | 36.64 | 27.97 | 34.87 | 4.38 |
| 电力、热力的生产和供应业 | Production and Supply of Electricity and Heating Power | 207.24 | 62.40 | 58.35 | 135.87 |
| 燃气生产和供应业 | Production and Supply of Gas | 16.41 | 3.97 | 3.77 | 10.73 |
| 水的生产和供应业 | Production and Supply of Water | 5.35 | 0.70 | 0.72 | 2.74 |

7-12 续表4 continued 单位:亿元(100 million yuan)

| 行 业 | Sector | 固定资产原价 Original Value of Fixed Assets | 固定资产净值年平均余额 Annual Average Balance of Net Value of Fixed Assets | 年末负债合计 Total Liabilities | 流动负债 Circulating Liabilities |
|---|---|---|---|---|---|
| **总计** | **Total** | **4183.63** | **2928.46** | **5754.25** | **5153.83** |
| **按注册登记类型分** | **by Registered Type** | | | | |
| 港澳台商投资 | Enterprises Funded by Entrepreneurs from Hong Kong, Macao & Taiwan | 1779.63 | 1244.43 | 2657.39 | 2430.28 |
| 外商投资 | Foreign Funded Enterprises | 2404.00 | 1684.03 | 3096.87 | 2723.55 |
| 在总计中:轻工业 | Light Industry | 1939.01 | 1346.32 | 2748.39 | 2529.34 |
| 重工业 | Heavy Industry | 2244.62 | 1582.14 | 3005.87 | 2624.49 |
| **按工业行业分** | **By Sector** | | | | |
| 煤炭开采和洗选业 | Coal Mining and Dressing | | | | |
| 黑色金属矿采选业 | Ferrous Metals Mining and Dressing | 0.62 | 0.46 | 9.35 | 8.94 |
| 有色金属矿采选业 | Nonferrous Metals Mining and Dressing | | | | |
| 非金属矿采选业 | Nonmetal Minerals Mining and Dressing | 4.77 | 3.28 | 3.22 | 2.52 |
| 其他采矿业 | Other Minerals Mining and Dressing | | | | |
| 农副食品加工业 | Non-staple Food Processing | 51.11 | 33.52 | 87.79 | 77.39 |
| 食品制造业 | Food Manufacturing | 50.48 | 27.46 | 57.39 | 53.65 |
| 饮料制造业 | Beverage Manufacturing | 116.73 | 70.54 | 121.08 | 118.31 |
| 烟草制品业 | Tobacco Processing | 0.82 | 0.60 | 0.20 | 0.20 |
| 纺织业 | Textile Industry | 500.66 | 345.65 | 671.18 | 630.33 |
| 纺织服装、鞋、帽制造业 | Garments, Shoes and Hats Manufacturing | 199.90 | 138.43 | 301.79 | 284.94 |
| 皮革、毛皮、羽毛(绒)及其制品业 | Leather, Furs, Down and Related Products | 76.97 | 56.69 | 191.49 | 188.94 |
| 木材加工及木、竹、藤、棕、草制品业 | Timber Processing, Bamboo, Cane Palm Fiber and Straw Products | 26.22 | 20.08 | 37.74 | 35.91 |
| 家具制造业 | Furniture Manufacturing | 62.62 | 47.73 | 110.96 | 106.64 |
| 造纸及纸制品业 | Papermaking and Paper Products | 190.71 | 129.31 | 210.64 | 163.59 |
| 印刷业和记录媒介的复制 | Printing and Record Medium Reproduction | 22.28 | 13.86 | 22.72 | 22.31 |
| 文教体育用品制造业 | Cultural, Educational and Sports Goods | 45.18 | 33.23 | 59.70 | 56.84 |

7－12 **续表5** continued 单位:亿元 (100 million yuan)

| 行 业 | Sector | 固定资产原价 Original Value of Fixed Assets | 固定资产净值年平均余额 Annual Average Balance of Net Value of Fixed Assets | 年末负债合计 Total Liabilities | 流动负债 Circulating Liabilities |
|---|---|---|---|---|---|
| 石油加工、炼焦及核燃料加工业 | Petroleum Processing, Cooking and Nuclear Fuel Processing | 11.13 | 6.40 | 21.04 | 16.42 |
| 化学原料及化学制品制造业 | Raw Chemical Materials and Chemical Products | 454.41 | 346.25 | 537.66 | 424.06 |
| 医药制造业 | Medical and Pharmaceutical Products | 50.16 | 34.71 | 69.72 | 62.37 |
| 化学纤维制造业 | Chemical Fiber | 252.43 | 188.19 | 294.67 | 250.83 |
| 橡胶制品业 | Rubber Products | 107.72 | 71.70 | 123.81 | 106.40 |
| 塑料制品业 | Plastic Products | 133.55 | 94.13 | 194.62 | 179.92 |
| 非金属矿物制品业 | Nonmetal Mineral Products | 177.29 | 125.90 | 185.45 | 145.71 |
| 黑色金属冶炼及压延加工业 | Smelting and Pressing of Ferrous Metals | 112.10 | 79.14 | 151.84 | 135.21 |
| 有色金属冶炼及压延加工业 | Smelting and Pressing of Nonferrous Metals | 36.92 | 24.41 | 78.51 | 73.68 |
| 金属制品业 | Metal Products | 99.05 | 71.62 | 162.91 | 149.50 |
| 通用设备制造业 | Equipment in Common Use | 251.73 | 175.00 | 368.28 | 348.66 |
| 专用设备制造业 | Special Purpose Equipment | 109.93 | 75.83 | 151.51 | 138.72 |
| 交通运输设备制造业 | Transport Equipment | 204.02 | 147.86 | 372.44 | 334.05 |
| 电气机械及器材制造业 | Electric Equipment and Machinery | 221.13 | 153.11 | 419.33 | 392.53 |
| 通信设备、计算机及其他电子设备制造业 | Telecommunications Equipment, Computer and Other Electronic Equipment | 301.04 | 197.86 | 416.16 | 375.51 |
| 仪器仪表及文化、办公用机械制造业 | Instruments, Meters, Cultural and Office Machinery | 46.93 | 32.28 | 71.44 | 65.43 |
| 工艺品及其他制造业 | Handicraft Article and Other Manufacturing Indust | 53.59 | 40.11 | 90.62 | 82.77 |
| 废弃资源和废旧材料回收加工业 | Recovery of Resource Discarded and Useless Material | 5.78 | 4.08 | 27.90 | 25.91 |
| 电力、热力的生产和供应业 | Production and Supply of Electricity and Heating Power | 191.98 | 127.02 | 122.29 | 91.24 |
| 燃气生产和供应业 | Production and Supply of Gas | 10.55 | 9.25 | 5.76 | 4.06 |
| 水的生产和供应业 | Production and Supply of Water | 3.12 | 2.76 | 3.03 | 0.33 |

7-12 续表6 continued 单位:亿元(100 million yuan)

| 行 业 | Sector | 长期负债 Long-term Liabilities | 年末所有者权益合计 Creditors' Equity | 实收资本 Total Capital Hold | 主营业务收入 Revenues in Main Business | 主营业务成本 Costs in Main Business |
|---|---|---|---|---|---|---|
| **总计** | **Total** | **558.73** | **4126.49** | **2896.04** | **10751.93** | **9302.18** |
| **按注册登记类型分** | **by Registered Type** | | | | | |
| 港澳台商投资 | Enterprises Funded by Entrepreneurs from Hong Kong, Macao & Taiwan | 212.68 | 1814.49 | 1239.73 | 4641.14 | 4008.66 |
| 外商投资 | Foreign Funded Enterprises | 346.05 | 2312.00 | 1656.31 | 6110.79 | 5293.52 |
| 在总计中:轻工业 | Light Industry | 191.07 | 1984.20 | 1380.53 | 5045.10 | 4280.97 |
| 重工业 | Heavy Industry | 367.65 | 2142.30 | 1515.50 | 5706.83 | 5021.21 |
| **按工业行业分** | **By Sector** | | | | | |
| 煤炭开采和洗选业 | Coal Mining and Dressing | | | | | |
| 黑色金属矿采选业 | Ferrous Metals Mining and Dressing | 0.41 | 4.26 | 0.50 | 9.62 | 7.36 |
| 有色金属矿采选业 | Nonferrous Metals Mining and Dressing | | | | | |
| 非金属矿采选业 | Nonmetal Minerals Mining and Dressing | 0.69 | 3.82 | 5.38 | 5.43 | 4.31 |
| 其他采矿业 | Other Minerals Mining and Dressing | | | | | |
| 农副食品加工业 | Non-staple Food Processing | 10.17 | 44.01 | 35.49 | 185.05 | 173.97 |
| 食品制造业 | Food Manufacturing | 1.94 | 52.73 | 34.63 | 145.09 | 110.61 |
| 饮料制造业 | Beverage Manufacturing | 2.77 | 102.26 | 57.53 | 315.72 | 240.91 |
| 烟草制品业 | Tobacco Processing | 0.00 | 1.10 | 0.56 | 1.19 | 0.63 |
| 纺织业 | Textile Industry | 32.34 | 494.88 | 371.08 | 1113.01 | 989.45 |
| 纺织服装、鞋、帽制造业 | Garments, Shoes and Hats Manufacturing | 11.04 | 218.69 | 151.34 | 563.28 | 467.25 |
| 皮革、毛皮、羽毛(绒)及其制品业 | Leather, Furs, Down and Related Products | 1.11 | 116.48 | 78.13 | 315.94 | 279.06 |
| 木材加工及木、竹、藤、棕、草制品业 | Timber Processing, Bamboo, Cane Palm Fiber and Straw Products | 1.82 | 33.65 | 23.66 | 96.83 | 84.82 |
| 家具制造业 | Furniture Manufacturing | 2.56 | 68.02 | 60.38 | 189.50 | 165.09 |
| 造纸及纸制品业 | Papermaking and Paper Products | 46.09 | 110.71 | 93.41 | 250.46 | 215.76 |
| 印刷业和记录媒介的复制 | Printing and Record Medium Reproduction | 0.42 | 28.19 | 14.39 | 46.32 | 37.03 |
| 文教体育用品制造业 | Cultural, Educational and Sports Goods | 2.83 | 53.93 | 47.77 | 130.62 | 114.07 |

7－12 **续表7** continued 单位:亿元（100 million yuan）

| 行　业 | Sector | 长期负债 Long－term Liabilities | 年末所有者权益合计 Creditors' Equity | 实收资本 Total Capital Hold | 主营业务收入 Revenues in Main Business | 主营业务成本 Costs in Main Business |
|---|---|---|---|---|---|---|
| 石油加工、炼焦及核燃料加工业 | Petroleum Processing, Cooking and Nuclear Fuel Processing | 4.62 | 14.95 | 10.11 | 121.29 | 113.32 |
| 化学原料及化学制品制造业 | Raw Chemical Materials and Chemical Products | 110.36 | 347.93 | 271.55 | 908.93 | 790.46 |
| 医药制造业 | Medical and Pharmaceutical Products | 3.87 | 72.62 | 40.24 | 149.62 | 92.64 |
| 化学纤维制造业 | Chemical Fiber | 43.55 | 187.38 | 126.50 | 504.12 | 469.21 |
| 橡胶制品业 | Rubber Products | 16.81 | 63.09 | 34.98 | 211.01 | 188.91 |
| 塑料制品业 | Plastic Products | 12.18 | 134.68 | 94.41 | 323.68 | 279.45 |
| 非金属矿物制品业 | Nonmetal Mineral Products | 39.59 | 131.72 | 93.21 | 198.88 | 160.51 |
| 黑色金属冶炼及压延加工业 | Smelting and Pressing of Ferrous Metals | 16.54 | 74.22 | 71.93 | 297.94 | 291.14 |
| 有色金属冶炼及压延加工业 | Smelting and Pressing of Nonferrous Metals | 4.14 | 44.42 | 34.05 | 202.66 | 190.90 |
| 金属制品业 | Metal Products | 11.25 | 135.56 | 97.57 | 365.38 | 325.52 |
| 通用设备制造业 | Equipment in Common Use | 17.65 | 327.33 | 211.08 | 714.39 | 593.29 |
| 专用设备制造业 | Special Purpose Equipment | 11.61 | 156.79 | 98.65 | 268.82 | 215.01 |
| 交通运输设备制造业 | Transport Equipment | 36.67 | 235.03 | 167.29 | 514.15 | 439.21 |
| 电气机械及器材制造业 | Electric Equipment and Machinery | 25.66 | 303.56 | 194.47 | 922.91 | 780.22 |
| 通信设备、计算机及其他电子设备制造业 | Telecommunications Equipment, Computer and Other Electronic Equipment | 40.51 | 326.68 | 209.98 | 1177.48 | 1040.13 |
| 仪器仪表及文化、办公用机械制造业 | Instruments, Meters, Cultural and Office Machinery | 5.82 | 68.12 | 39.11 | 117.84 | 94.21 |
| 工艺品及其他制造业 | Handicraft Article and Other Manufacturing Indust | 6.31 | 63.01 | 44.31 | 167.60 | 145.42 |
| 废弃资源和废旧材料回收加工业 | Recovery of Resource Discarded and Useless Material | 1.99 | 8.73 | 9.56 | 97.59 | 97.30 |
| 电力、热力的生产和供应业 | Production and Supply of Electricity and Heating Power | 31.02 | 84.95 | 61.04 | 104.91 | 92.60 |
| 燃气生产和供应业 | Production and Supply of Gas | 1.70 | 10.65 | 9.45 | 13.87 | 11.95 |
| 水的生产和供应业 | Production and Supply of Water | 2.70 | 2.32 | 2.29 | 0.81 | 0.47 |

7－12 续表8 continued 单位:亿元(100 million yuan)

| 行 业 | Sector | 主营业务税金及附加 Sales Taxes and Extra Charges in Main Business | 利润总额 Total Profits | 利税总额 Total Profits and Taxes | 本年应交增值税 Value Added Taxes Payable |
|---|---|---|---|---|---|
| **总计** | **Total** | **21.48** | **535.53** | **816.11** | **259.10** |
| **按注册登记类型分** | **by Registered Type** | | | | |
| 港澳台商投资 | Enterprises Funded by Entrepreneurs from Hong Kong, Macao & Taiwan | 9.42 | 240.17 | 372.48 | 122.89 |
| 外商投资 | Foreign Funded Enterprises | 12.06 | 295.36 | 443.62 | 136.21 |
| 在总计中:轻工业 | Light Industry | 11.01 | 250.13 | 403.15 | 142.01 |
| 重工业 | Heavy Industry | 10.47 | 285.40 | 412.96 | 117.09 |
| **按工业行业分** | **By Sector** | | | | |
| 煤炭开采和洗选业 | Coal Mining and Dressing | | | | |
| 黑色金属矿采选业 | Ferrous Metals Mining and Dressing | | 2.11 | 2.11 | |
| 有色金属矿采选业 | Nonferrous Metals Mining and Dressing | | | | |
| 非金属矿采选业 | Nonmetal Minerals Mining and Dressing | 0.25 | 0.11 | 0.57 | 0.21 |
| 其他采矿业 | Other Minerals Mining and Dressing | | | | |
| 农副食品加工业 | Non－staple Food Processing | 0.08 | 0.07 | 1.82 | 1.67 |
| 食品制造业 | Food Manufacturing | 0.10 | 11.77 | 18.94 | 7.07 |
| 饮料制造业 | Beverage Manufacturing | 5.20 | 27.06 | 45.43 | 13.16 |
| 烟草制品业 | Tobacco Processing | 0.00 | 0.35 | 0.47 | 0.12 |
| 纺织业 | Textile Industry | 1.54 | 39.66 | 69.86 | 28.66 |
| 纺织服装、鞋、帽制造业 | Garments, Shoes and Hats Manufacturing | 0.77 | 31.02 | 54.54 | 22.75 |
| 皮革、毛皮、羽毛(绒)及其制品业 | Leather, Furs, Down and Related Products | 0.31 | 8.52 | 17.59 | 8.76 |
| 木材加工及木、竹、藤、棕、草制品业 | Timber Processing, Bamboo, Cane Palm Fiber and Straw Products | 0.72 | 3.57 | 6.69 | 2.41 |
| 家具制造业 | Furniture Manufacturing | 0.19 | 3.28 | 6.94 | 3.47 |
| 造纸及纸制品业 | Papermaking and Paper Products | 0.34 | 11.84 | 19.05 | 6.88 |
| 印刷业和记录媒介的复制 | Printing and Record Medium Reproduction | 0.07 | 6.36 | 8.62 | 2.19 |
| 文教体育用品制造业 | Cultural, Educational and Sports Goods | 0.15 | 2.39 | 4.36 | 1.82 |

7－12　**续表 9**　continued　单位:亿元 (100 million yuan)

| 行　业 | Sector | 主营业务税金及附加 Sales Taxes and Extra Charges in Main Business | 利润总额 Total Profits | 利税总额 Total Profits and Taxes | 本年应交增值税 Value Added Taxes Payable |
|---|---|---|---|---|---|
| 石油加工、炼焦及核燃料加工业 | Petroleum Processing, Cooking and Nuclear Fuel Processing | 2.89 | 4.50 | 18.90 | 11.51 |
| 化学原料及化学制品制造业 | Raw Chemical Materials and Chemical Products | 1.72 | 40.89 | 64.50 | 21.88 |
| 医药制造业 | Medical and Pharmaceutical Products | 0.19 | 18.34 | 28.30 | 9.78 |
| 化学纤维制造业 | Chemical Fiber | 0.31 | 13.56 | 19.21 | 5.34 |
| 橡胶制品业 | Rubber Products | 0.59 | 3.58 | 9.00 | 4.83 |
| 塑料制品业 | Plastic Products | 0.29 | 18.51 | 26.00 | 7.20 |
| 非金属矿物制品业 | Nonmetal Mineral Products | 0.31 | 15.39 | 24.22 | 8.52 |
| 黑色金属冶炼及压延加工业 | Smelting and Pressing of Ferrous Metals | 0.23 | 0.37 | 5.29 | 4.70 |
| 有色金属冶炼及压延加工业 | Smelting and Pressing of Nonferrous Metals | 0.21 | 5.13 | 7.71 | 2.37 |
| 金属制品业 | Metal Products | 0.55 | 14.64 | 21.56 | 6.36 |
| 通用设备制造业 | Equipment in Common Use | 0.79 | 53.24 | 71.49 | 17.46 |
| 专用设备制造业 | Special Purpose Equipment | 0.92 | 21.50 | 28.29 | 5.87 |
| 交通运输设备制造业 | Transport Equipment | 0.40 | 37.28 | 45.65 | 7.97 |
| 电气机械及器材制造业 | Electric Equipment and Machinery | 1.09 | 54.83 | 75.63 | 19.71 |
| 通信设备、计算机及其他电子设备制造业 | Telecommunications Equipment, Computer and Other Electronic Equipment | 0.54 | 64.81 | 78.93 | 13.58 |
| 仪器仪表及文化、办公用机械制造业 | Instruments, Meters, Cultural and Office Machinery | 0.13 | 11.69 | 14.97 | 3.15 |
| 工艺品及其他制造业 | Handicraft Article and Other Manufacturing Indust | 0.45 | 6.00 | 9.86 | 3.41 |
| 废弃资源和废旧材料回收加工业 | Recovery of Resource Discarded and Useless Material | 0.03 | －3.57 | －2.70 | 0.85 |
| 电力、热力的生产和供应业 | Production and Supply of Electricity and Heating Power | 0.10 | 5.44 | 10.62 | 5.08 |
| 燃气生产和供应业 | Production and Supply of Gas | 0.02 | 1.27 | 1.59 | 0.30 |
| 水的生产和供应业 | Production and Supply of Water | | 0.04 | 0.08 | 0.04 |

## 7-13 按行业分的外商投资和港澳台商投资工业企业主要经济效益指标(2008年)
Main Economic Beneficial Indicators of Foreign Funded Enterprises and Enterprises Funded by Entrepreneurs form Hong Kong, Macao and Taiwan by Sector(2008)

| 行业 | Sector | 每百元资金实现利税(元) Pre-tax Profits per 100 Yuan Funds(yuan) | 每百元固定资产原值实现利税(元) Pre-tax Profits per 100 Yuan Original Value of Fixed Assets(yuan) | 每百元主营业务收入实现利税(元) Pre-tax Profits per 100 Yuan Revenues in Main Business (yuan) | 产品销售率(%) Rate of Products Sold(%) | 流动资金周转次数(次) Times of Turnover Circulating Funds (time) |
|---|---|---|---|---|---|---|
| **总计** | **Total** | **9.55** | **19.51** | **7.59** | **96.80** | **1.91** |
| **按注册登记类型分** | **by Registered Type** | | | | | |
| 港澳台商投资 | Enterprises Funded by Entrepreneurs from Hong Kong, Macao & Taiwan | 9.64 | 20.93 | 8.03 | 96.76 | 1.77 |
| 外商投资 | Foreign Funded Enterprises | 9.46 | 18.45 | 7.26 | 96.83 | 2.03 |
| 在总计中:轻工业 | Light Industry | 10.00 | 20.79 | 7.99 | 96.61 | 1.88 |
| 重工业 | Heavy Industry | 9.14 | 18.40 | 7.24 | 96.96 | 1.94 |
| **按工业行业分** | **By Sector** | | | | | |
| 煤炭开采和洗选业 | Coal Mining and Dressing | | | | | |
| 黑色金属矿采选业 | Ferrous Metals Mining and Dressing | 15.29 | 338.46 | 21.96 | 77.59 | 0.72 |
| 有色金属矿采选业 | Nonferrous Metals Mining and Dressing | | | | | |
| 非金属矿采选业 | Nonmetal Minerals Mining and Dressing | 11.29 | 12.03 | 10.58 | 105.45 | 3.00 |
| 其他采矿业 | Other Minerals Mining and Dressing | | | | | |
| 农副食品加工业 | Non-staple Food Processing | 1.53 | 3.56 | 0.98 | 95.42 | 2.16 |
| 食品制造业 | Food Manufacturing | 22.04 | 37.52 | 13.05 | 93.64 | 2.48 |
| 饮料制造业 | Beverage Manufacturing | 24.12 | 38.92 | 14.39 | 99.94 | 2.68 |
| 烟草制品业 | Tobacco Processing | 43.35 | 57.17 | 39.59 | 101.07 | 2.45 |
| 纺织业 | Textile Industry | 6.93 | 13.95 | 6.28 | 97.07 | 1.68 |
| 纺织服装、鞋、帽制造业 | Garments, Shoes and Hats Manufacturing | 12.57 | 27.28 | 9.68 | 95.98 | 1.91 |
| 皮革、毛皮、羽毛(绒)及其制品业 | Leather, Furs, Down and Related Products | 7.34 | 22.86 | 5.57 | 97.82 | 1.73 |
| 木材加工及木、竹、藤、棕、草制品业 | Timber Processing, Bamboo, Cane Palm Fiber and Straw Products | 10.80 | 25.53 | 6.91 | 96.72 | 2.31 |
| 家具制造业 | Furniture Manufacturing | 4.53 | 11.08 | 3.66 | 97.46 | 1.80 |
| 造纸及纸制品业 | Papermaking and Paper Products | 6.92 | 9.99 | 7.61 | 95.74 | 1.72 |
| 印刷业和记录媒介的复制 | Printing and Record Medium Reproduction | 20.78 | 38.71 | 18.62 | 98.71 | 1.68 |
| 文教体育用品制造业 | Cultural, Educational and Sports Goods | 4.28 | 9.65 | 3.34 | 97.82 | 1.90 |

7-13 续表 continued

| 行 业 | Sector | 每百元资金实现利税(元) Pre-tax Profits per 100 Yuan Funds(yuan) | 每百元固定资产原值实现利税(元) Pre-tax Profits per 100 Yuan Original Value of Fixed Assets(yuan) | 每百元主营业务收入实现利税(元) Pre-tax Profits per 100 Yuan Revenues in Main Business (yuan) | 产品销售率(%) Rate of Products Sold(%) | 流动资金周转次数(次) Times of Turnover Circulating Funds (time) |
|---|---|---|---|---|---|---|
| 石油加工、炼焦及核燃料加工业 | Petroleum Processing, Cooking and Nuclear Fuel Processing | 60.44 | 169.85 | 15.58 | 97.61 | 4.88 |
| 化学原料及化学制品制造业 | Raw Chemical Materials and Chemical Products | 8.36 | 14.19 | 7.10 | 95.83 | 2.14 |
| 医药制造业 | Medical and Pharmaceutical Products | 23.12 | 56.42 | 18.92 | 93.43 | 1.71 |
| 化学纤维制造业 | Chemical Fiber | 4.28 | 7.61 | 3.81 | 95.99 | 1.94 |
| 橡胶制品业 | Rubber Products | 5.83 | 8.35 | 4.26 | 101.69 | 2.55 |
| 塑料制品业 | Plastic Products | 9.34 | 19.47 | 8.03 | 97.94 | 1.76 |
| 非金属矿物制品业 | Nonmetal Mineral Products | 9.65 | 13.66 | 12.18 | 91.93 | 1.59 |
| 黑色金属冶炼及压延加工业 | Smelting and Pressing of Ferrous Metals | 2.45 | 4.72 | 1.78 | 96.27 | 2.18 |
| 有色金属冶炼及压延加工业 | Smelting and Pressing of Nonferrous Metals | 7.34 | 20.88 | 3.80 | 94.74 | 2.51 |
| 金属制品业 | Metal Products | 8.24 | 21.77 | 5.90 | 97.59 | 1.92 |
| 通用设备制造业 | Equipment in Common Use | 11.73 | 28.40 | 10.01 | 96.87 | 1.64 |
| 专用设备制造业 | Special Purpose Equipment | 10.35 | 25.74 | 10.53 | 96.45 | 1.36 |
| 交通运输设备制造业 | Transport Equipment | 9.29 | 22.37 | 8.88 | 96.81 | 1.50 |
| 电气机械及器材制造业 | Electric Equipment and Machinery | 12.29 | 34.20 | 8.19 | 97.22 | 2.00 |
| 通信设备、计算机及其他电子设备制造业 | Telecommunications Equipment, Computer and Other Electronic Equipment | 11.22 | 26.22 | 6.70 | 98.32 | 2.33 |
| 仪器仪表及文化、办公用机械制造业 | Instruments, Meters, Cultural and Office Machinery | 12.82 | 31.90 | 12.70 | 93.51 | 1.39 |
| 工艺品及其他制造业 | Handicraft Article and Other Manufacturing Indust | 7.64 | 18.40 | 5.88 | 94.13 | 1.88 |
| 废弃资源和废旧材料回收加工业 | Recovery of Resource Discarded and Useless Material | -6.93 | -46.72 | -2.76 | 99.41 | 2.80 |
| 电力、热力的生产和供应业 | Production and Supply of Electricity and Heating Power | 5.73 | 5.53 | 10.12 | 97.79 | 1.80 |
| 燃气生产和供应业 | Production and Supply of Gas | 12.18 | 15.04 | 11.43 | 99.66 | 3.68 |
| 水的生产和供应业 | Production and Supply of Water | 2.43 | 2.72 | 10.39 | 100.00 | 1.14 |

## 7-14 大中型工业企业主要指标(2008 年)
Main Indicators of Large and Medium-sized Industrial Entrepreneurs(2008)

单位:亿元(100 million yuan)

| 行 业 | Sector | 企业单位数(个) Number of Enterprises (unit) | #亏损企业 Loss | 工业总产值 Gross Industrial Output Value |
|---|---|---|---|---|
| **总计** | **Total** | **4513** | **540** | **22516.36** |
| **按注册登记类型分** | **by Registered Type** | | | |
| #国有 | #State - owned | 84 | 14 | 2184.36 |
| 集体 | Collective owned | 14 | 2 | 44.15 |
| 私营 | Private | 1867 | 166 | 6504.05 |
| 港澳台商投资 | Enterprises Funded by Entrepreneurs from Hong Kong, Macao & Taiwan | 734 | 112 | 2822.18 |
| 外商投资 | Foreign Funded Enterprises | 840 | 150 | 4027.26 |
| 在总计中:轻工业 | Light Industry | 2501 | 324 | 9118.32 |
| 重工业 | Heavy Industry | 2012 | 216 | 13398.04 |
| **按工业行业分** | **By Sector** | | | |
| 煤炭开采和洗选业 | Coal Mining and Dressing | 1 | 1 | 7.71 |
| 黑色金属矿采选业 | Ferrous Metals Mining and Dressing | 1 | | 11.06 |
| 有色金属矿采选业 | Nonferrous Metals Mining and Dressing | 7 | 1 | 24.52 |
| 非金属矿采选业 | Nonmetal Minerals Mining and Dressing | 1 | 1 | 0.58 |
| 其他采矿业 | Other Minerals Mining and Dressing | | | |
| 农副食品加工业 | Non - staple Food Processing | 46 | 6 | 176.40 |
| 食品制造业 | Food Manufacturing | 41 | 6 | 152.66 |
| 饮料制造业 | Beverage Manufacturing | 37 | 8 | 252.65 |
| 烟草制品业 | Tobacco Processing | 2 | | 214.84 |
| 纺织业 | Textile Industry | 730 | 115 | 2176.97 |
| 纺织服装、鞋、帽制造业 | Garments, Shoes and Hats Manufacturing | 329 | 38 | 807.20 |
| 皮革、毛皮、羽毛(绒)及其制品业 | Leather, Furs, Down and Related Products | 227 | 13 | 621.18 |
| 木材加工及木、竹、藤、棕、草制品业 | Timber Processing, Bamboo, Cane Palm Fiber and Straw Products | 33 | 3 | 82.47 |
| 家具制造业 | Furniture Manufacturing | 111 | 19 | 260.22 |
| 造纸及纸制品业 | Papermaking and Paper Products | 89 | 18 | 394.61 |
| 印刷业和记录媒介的复制 | Printing and Record Medium Reproduction | 24 | 2 | 71.21 |
| 文教体育用品制造业 | Cultural, Educational and Sports Goods | 81 | 15 | 166.81 |

7-14 续表1 continued 单位:亿元(100 million yuan)

| 行 业 | Sector | 企业单位数(个) Number of Enterprises (unit) | #亏损企业 Loss | 工业总产值 Gross Industrial Output Value |
|---|---|---|---|---|
| 石油加工、炼焦及核燃料加工业 | Petroleum Processing, Cooking and Nuclear Fuel Processing | 3 | 2 | 1038.35 |
| 化学原料及化学制品制造业 | Raw Chemical Materials and Chemical Products | 136 | 13 | 1416.86 |
| 医药制造业 | Medical and Pharmaceutical Products | 76 | 12 | 406.54 |
| 化学纤维制造业 | Chemical Fiber | 76 | 10 | 1215.85 |
| 橡胶制品业 | Rubber Products | 39 | 2 | 248.44 |
| 塑料制品业 | Plastic Products | 151 | 12 | 549.67 |
| 非金属矿物制品业 | Nonmetal Mineral Products | 117 | 25 | 457.09 |
| 黑色金属冶炼及压延加工业 | Smelting and Pressing of Ferrous Metals | 51 | 9 | 909.24 |
| 有色金属冶炼及压延加工业 | Smelting and Pressing of Nonferrous Metals | 53 | 14 | 708.15 |
| 金属制品业 | Metal Products | 202 | 9 | 765.74 |
| 通用设备制造业 | Equipment in Common Use | 418 | 26 | 1295.25 |
| 专用设备制造业 | Special Purpose Equipment | 124 | 15 | 412.24 |
| 交通运输设备制造业 | Transport Equipment | 290 | 27 | 1753.67 |
| 电气机械及器材制造业 | Electric Equipment and Machinery | 527 | 51 | 2009.15 |
| 通信设备、计算机及其他电子设备制造业 | Telecommunications Equipment, Computer and Other Electronic Equipment | 188 | 26 | 1316.56 |
| 仪器仪表及文化、办公用机械制造业 | Instruments, Meters, Cultural and Office Machinery | 97 | 6 | 281.89 |
| 工艺品及其他制造业 | Handicraft Article and Other Manufacturing Indust | 114 | 9 | 302.95 |
| 废弃资源和废旧材料回收加工业 | Recovery of Resource Discarded and Useless Material | 8 | 6 | 41.54 |
| 电力、热力的生产和供应业 | Production and Supply of Electricity and Heating Power | 69 | 13 | 1917.91 |
| 燃气生产和供应业 | Production and Supply of Gas | 3 | 1 | 15.70 |
| 水的生产和供应业 | Production and Supply of Water | 11 | 6 | 32.49 |

7－14 续表2 continued 单位:亿元(100 million yuan)

| 行　业 | Sector | 资产总计 Total Assets | 流动资产合　计 Circulating Funds | 流动资产年平均余额 Annual Average Balance of Circulating Funds | 固定资产合　计 Fixed Assets |
|---|---|---|---|---|---|
| **总计** | **Total** | **19736.68** | **10444.35** | **10251.40** | **6844.28** |
| **按注册登记类型分** | **by Registered Type** | | | | |
| #国有 | #State－owned | 2059.63 | 573.08 | 606.50 | 1191.41 |
| 集体 | Collective owned | 54.22 | 34.19 | 32.48 | 12.95 |
| 私营 | Private | 5528.07 | 3337.09 | 3212.40 | 1377.21 |
| 港澳台商投资 | Enterprises Funded by Entrepreneurs from Hong Kong, Macao & Taiwan | 2513.84 | 1511.08 | 1466.61 | 784.56 |
| 外商投资 | Foreign Funded Enterprises | 3200.03 | 1842.69 | 1819.27 | 1091.73 |
| 在总计中:轻工业 | Light Industry | 8187.23 | 4774.35 | 4622.11 | 2418.85 |
| 重工业 | Heavy Industry | 11549.46 | 5670.00 | 5629.29 | 4425.43 |
| **按工业行业分** | **By Sector** | | | | |
| 煤炭开采和洗选业 | Coal Mining and Dressing | 9.25 | 3.70 | 3.75 | 5.55 |
| 黑色金属矿采选业 | Ferrous Metals Mining and Dressing | 9.19 | 5.71 | 4.94 | 2.75 |
| 有色金属矿采选业 | Nonferrous Metals Mining and Dressing | 17.46 | 9.35 | 8.86 | 3.17 |
| 非金属矿采选业 | Nonmetal Minerals Mining and Dressing | 1.17 | 0.48 | 0.55 | 0.59 |
| 其他采矿业 | Other Minerals Mining and Dressing | | | | |
| 农副食品加工业 | Non－staple Food Processing | 147.51 | 89.70 | 98.78 | 32.64 |
| 食品制造业 | Food Manufacturing | 114.67 | 69.43 | 64.54 | 30.10 |
| 饮料制造业 | Beverage Manufacturing | 256.56 | 137.72 | 136.67 | 87.12 |
| 烟草制品业 | Tobacco Processing | 214.29 | 162.42 | 167.03 | 34.77 |
| 纺织业 | Textile Industry | 2190.81 | 1268.33 | 1231.09 | 695.85 |
| 纺织服装、鞋、帽制造业 | Garments, Shoes and Hats Manufacturing | 669.52 | 415.84 | 387.10 | 178.22 |
| 皮革、毛皮、羽毛(绒)及其制品业 | Leather, Furs, Down and Related Products | 451.92 | 296.75 | 269.87 | 97.57 |
| 木材加工及木、竹、藤、棕、草制品业 | Timber Processing, Bamboo, Cane Palm Fiber and Straw Products | 76.96 | 49.83 | 50.51 | 19.74 |
| 家具制造业 | Furniture Manufacturing | 232.63 | 148.67 | 139.63 | 66.63 |
| 造纸及纸制品业 | Papermaking and Paper Products | 488.92 | 227.36 | 221.57 | 205.98 |
| 印刷业和记录媒介的复制 | Printing and Record Medium Reproduction | 85.01 | 45.39 | 43.68 | 22.85 |
| 文教体育用品制造业 | Cultural, Educational and Sports Goods | 154.17 | 88.44 | 81.94 | 36.73 |

7－14 续表3 continued 单位:亿元(100 million yuan)

| 行　业 | Sector | 资产总计 Total Assets | 流动资产合　计 Circulating Funds | 流动资产年平均余额 Annual Average Balance of Circulating Funds | 固定资产合　计 Fixed Assets |
|---|---|---|---|---|---|
| 石油加工、炼焦及核燃料加工业 | Petroleum Processing, Cooking and Nuclear Fuel Processing | 301.56 | 78.99 | 114.83 | 211.36 |
| 化学原料及化学制品制造业 | Raw Chemical Materials and Chemical Products | 1214.73 | 626.60 | 608.88 | 424.24 |
| 医药制造业 | Medical and Pharmaceutical Products | 421.60 | 241.99 | 235.51 | 124.03 |
| 化学纤维制造业 | Chemical Fiber | 822.87 | 404.66 | 413.79 | 315.50 |
| 橡胶制品业 | Rubber Products | 229.75 | 111.12 | 106.71 | 94.20 |
| 塑料制品业 | Plastic Products | 431.18 | 263.17 | 255.87 | 118.24 |
| 非金属矿物制品业 | Nonmetal Mineral Products | 682.18 | 276.63 | 249.28 | 289.84 |
| 黑色金属冶炼及压延加工业 | Smelting and Pressing of Ferrous Metals | 714.64 | 355.82 | 359.24 | 290.94 |
| 有色金属冶炼及压延加工业 | Smelting and Pressing of Nonferrous Metals | 348.09 | 208.97 | 235.93 | 67.49 |
| 金属制品业 | Metal Products | 641.20 | 423.62 | 403.89 | 136.56 |
| 通用设备制造业 | Equipment in Common Use | 1192.80 | 738.39 | 718.79 | 282.50 |
| 专用设备制造业 | Special Purpose Equipment | 425.70 | 269.87 | 271.08 | 103.70 |
| 交通运输设备制造业 | Transport Equipment | 1767.52 | 1056.84 | 1018.27 | 428.21 |
| 电气机械及器材制造业 | Electric Equipment and Machinery | 1614.36 | 1038.32 | 1007.50 | 334.67 |
| 通信设备、计算机及其他电子设备制造业 | Telecommunications Equipment, Computer and Other Electronic Equipment | 898.27 | 576.96 | 599.60 | 250.60 |
| 仪器仪表及文化、办公用机械制造业 | Instruments, Meters, Cultural and Office Machinery | 299.71 | 197.44 | 178.58 | 69.41 |
| 工艺品及其他制造业 | Handicraft Article and Other Manufacturing Indust | 264.03 | 174.32 | 167.88 | 58.58 |
| 废弃资源和废旧材料回收加工业 | Recovery of Resource Discarded and Useless Material | 16.56 | 13.47 | 15.50 | 1.71 |
| 电力、热力的生产和供应业 | Production and Supply of Electricity and Heating Power | 2111.06 | 317.53 | 330.49 | 1584.84 |
| 燃气生产和供应业 | Production and Supply of Gas | 36.70 | 12.27 | 8.73 | 20.61 |
| 水的生产和供应业 | Production and Supply of Water | 182.15 | 38.22 | 40.52 | 116.79 |

7－14 续表4 continued 单位:亿元(100 million yuan)

| 行 业 | Sector | 固定资产原价 Original Value of Fixed Assets | 固定资产净值年平均余额 Annual Average Balance of Net Value of Fixed Assets | 年末负债合计 Total Liabilities | 流动负债 Circulating Liabilities |
|---|---|---|---|---|---|
| **总计** | **Total** | **9046.99** | **5900.71** | **12200.42** | **10170.87** |
| **按注册登记类型分** | **by Registered Type** | | | | |
| #国有 | #State－owned | 1836.93 | 1072.64 | 1199.26 | 642.31 |
| 集体 | Collective owned | 19.54 | 11.71 | 31.30 | 30.52 |
| 私营 | Private | 1783.27 | 1213.02 | 3558.30 | 3269.52 |
| 港澳台商投资 | Enterprises Funded by Entrepreneurs from Hong Kong, Macao & Taiwan | 1034.44 | 708.11 | 1544.01 | 1387.49 |
| 外商投资 | Foreign Funded Enterprises | 1418.56 | 956.90 | 1910.21 | 1685.76 |
| 在总计中:轻工业 | Light Industry | 3296.99 | 2180.81 | 4873.89 | 4407.03 |
| 重工业 | Heavy Industry | 5750.01 | 3719.90 | 7326.54 | 5763.84 |
| **按工业行业分** | **By Sector** | | | | |
| 煤炭开采和洗选业 | Coal Mining and Dressing | 9.44 | 4.72 | 6.73 | 5.06 |
| 黑色金属矿采选业 | Ferrous Metals Mining and Dressing | 4.03 | 2.58 | 1.38 | 1.17 |
| 有色金属矿采选业 | Nonferrous Metals Mining and Dressing | 4.16 | 2.04 | 9.49 | 7.68 |
| 非金属矿采选业 | Nonmetal Minerals Mining and Dressing | 1.19 | 0.50 | 1.57 | 1.47 |
| 其他采矿业 | Other Minerals Mining and Dressing | | | | |
| 农副食品加工业 | Non－staple Food Processing | 46.62 | 29.62 | 104.36 | 91.79 |
| 食品制造业 | Food Manufacturing | 49.32 | 26.34 | 68.23 | 64.22 |
| 饮料制造业 | Beverage Manufacturing | 128.34 | 78.38 | 147.71 | 142.51 |
| 烟草制品业 | Tobacco Processing | 60.21 | 35.33 | 16.80 | 14.05 |
| 纺织业 | Textile Industry | 965.37 | 634.29 | 1384.70 | 1264.34 |
| 纺织服装、鞋、帽制造业 | Garments, Shoes and Hats Manufacturing | 228.12 | 156.29 | 389.00 | 367.33 |
| 皮革、毛皮、羽毛(绒)及其制品业 | Leather, Furs, Down and Related Products | 120.18 | 88.93 | 278.26 | 270.41 |
| 木材加工及木、竹、藤、棕、草制品业 | Timber Processing, Bamboo, Cane Palm Fiber and Straw Products | 20.62 | 16.88 | 47.13 | 44.34 |
| 家具制造业 | Furniture Manufacturing | 81.30 | 58.78 | 148.64 | 141.48 |
| 造纸及纸制品业 | Papermaking and Paper Products | 284.45 | 193.77 | 320.94 | 250.91 |
| 印刷业和记录媒介的复制 | Printing and Record Medium Reproduction | 32.37 | 21.36 | 45.03 | 43.79 |
| 文教体育用品制造业 | Cultural, Educational and Sports Goods | 49.18 | 33.35 | 77.64 | 72.27 |

7－14 续表5 continued 单位:亿元(100 million yuan)

| 行 业 | Sector | 固定资产原价 Original Value of Fixed Assets | 固定资产净值年平均余额 Annual Average Balance of Net Value of Fixed Assets | 年末负债合计 Total Liabilities | 流动负债 Circulating Liabilities |
|---|---|---|---|---|---|
| 石油加工、炼焦及核燃料加工业 | Petroleum Processing, Cooking and Nuclear Fuel Processing | 185.00 | 89.36 | 215.18 | 211.22 |
| 化学原料及化学制品制造业 | Raw Chemical Materials and Chemical Products | 543.32 | 371.18 | 696.02 | 564.00 |
| 医药制造业 | Medical and Pharmaceutical Products | 173.83 | 109.57 | 211.99 | 189.76 |
| 化学纤维制造业 | Chemical Fiber | 454.33 | 305.60 | 523.98 | 460.66 |
| 橡胶制品业 | Rubber Products | 122.81 | 81.84 | 152.37 | 132.59 |
| 塑料制品业 | Plastic Products | 158.49 | 102.12 | 266.18 | 251.39 |
| 非金属矿物制品业 | Nonmetal Mineral Products | 356.37 | 240.16 | 418.73 | 330.89 |
| 黑色金属冶炼及压延加工业 | Smelting and Pressing of Ferrous Metals | 346.47 | 237.35 | 499.27 | 419.83 |
| 有色金属冶炼及压延加工业 | Smelting and Pressing of Nonferrous Metals | 85.12 | 54.51 | 209.67 | 194.89 |
| 金属制品业 | Metal Products | 168.96 | 120.76 | 404.56 | 375.94 |
| 通用设备制造业 | Equipment in Common Use | 378.85 | 246.67 | 691.12 | 640.08 |
| 专用设备制造业 | Special Purpose Equipment | 133.85 | 88.54 | 242.99 | 227.50 |
| 交通运输设备制造业 | Transport Equipment | 493.29 | 360.07 | 1237.75 | 1113.27 |
| 电气机械及器材制造业 | Electric Equipment and Machinery | 421.10 | 285.29 | 977.60 | 915.79 |
| 通信设备、计算机及其他电子设备制造业 | Telecommunications Equipment, Computer and Other Electronic Equipment | 352.60 | 216.91 | 489.10 | 438.88 |
| 仪器仪表及文化、办公用机械制造业 | Instruments, Meters, Cultural and Office Machinery | 85.76 | 62.17 | 173.08 | 154.14 |
| 工艺品及其他制造业 | Handicraft Article and Other Manufacturing Indust | 73.23 | 52.94 | 165.95 | 153.78 |
| 废弃资源和废旧材料回收加工业 | Recovery of Resource Discarded and Useless Material | 2.07 | 1.68 | 15.61 | 13.75 |
| 电力、热力的生产和供应业 | Production and Supply of Electricity and Heating Power | 2250.57 | 1389.91 | 1433.68 | 541.69 |
| 燃气生产和供应业 | Production and Supply of Gas | 25.36 | 12.77 | 19.23 | 13.08 |
| 水的生产和供应业 | Production and Supply of Water | 150.69 | 88.17 | 108.76 | 44.89 |

7-14 续表6 continued 单位:亿元(100 million yuan)

| 行业 | Sector | 长期负债 Long-term Liabilities | 年末所有者权益合计 Creditors' Equity | 实收资本 Total Capital Hold | 主营业务收入 Revenues in Main Business | 主营业务成本 Costs in Main Business |
|---|---|---|---|---|---|---|
| **总计** | **Total** | **1954.21** | **7524.28** | **3597.39** | **22024.16** | **19327.33** |
| **按注册登记类型分** | **by Registered Type** | | | | | |
| #国有 | #State-owned | 552.79 | 848.39 | 220.95 | 2235.17 | 1956.31 |
| 集体 | Collective owned | 0.78 | 22.92 | 7.99 | 42.93 | 37.40 |
| 私营 | Private | 263.17 | 1969.77 | 840.11 | 6245.13 | 5465.32 |
| 港澳台商投资 | Enterprises Funded by Entrepreneurs from Hong Kong, Macao & Taiwan | 149.99 | 969.84 | 587.34 | 2706.05 | 2302.11 |
| 外商投资 | Foreign Funded Enterprises | 209.59 | 1289.82 | 813.70 | 3986.28 | 3435.74 |
| 在总计中:轻工业 | Light Industry | 418.59 | 3313.34 | 1493.43 | 8915.24 | 7497.23 |
| 重工业 | Heavy Industry | 1535.62 | 4210.94 | 2103.96 | 13108.91 | 11830.11 |
| **按工业行业分** | **By Sector** | | | | | |
| 煤炭开采和洗选业 | Coal Mining and Dressing | 1.67 | 2.52 | 3.34 | 8.95 | 8.45 |
| 黑色金属矿采选业 | Ferrous Metals Mining and Dressing | 0.21 | 7.81 | 1.53 | 10.87 | 7.53 |
| 有色金属矿采选业 | Nonferrous Metals Mining and Dressing | 1.64 | 7.98 | 3.05 | 21.55 | 17.32 |
| 非金属矿采选业 | Nonmetal Minerals Mining and Dressing | 0.10 | -0.40 | 0.39 | 0.76 | 0.61 |
| 其他采矿业 | Other Minerals Mining and Dressing | | | | | |
| 农副食品加工业 | Non-staple Food Processing | 12.05 | 43.15 | 29.52 | 174.65 | 160.98 |
| 食品制造业 | Food Manufacturing | 2.15 | 46.44 | 21.09 | 141.00 | 105.29 |
| 饮料制造业 | Beverage Manufacturing | 4.52 | 108.85 | 51.96 | 338.41 | 254.07 |
| 烟草制品业 | Tobacco Processing | 2.75 | 197.49 | 9.76 | 214.39 | 49.25 |
| 纺织业 | Textile Industry | 105.29 | 806.11 | 409.58 | 2112.47 | 1885.70 |
| 纺织服装、鞋、帽制造业 | Garments, Shoes and Hats Manufacturing | 16.29 | 280.51 | 143.39 | 774.80 | 626.53 |
| 皮革、毛皮、羽毛(绒)及其制品业 | Leather, Furs, Down and Related Products | 7.65 | 173.66 | 96.02 | 595.54 | 512.86 |
| 木材加工及木、竹、藤、棕、草制品业 | Timber Processing, Bamboo, Cane Palm Fiber and Straw Products | 2.77 | 29.83 | 14.23 | 90.19 | 78.67 |
| 家具制造业 | Furniture Manufacturing | 5.35 | 83.99 | 60.86 | 253.51 | 217.67 |
| 造纸及纸制品业 | Papermaking and Paper Products | 69.72 | 167.99 | 104.48 | 375.85 | 332.06 |
| 印刷业和记录媒介的复制 | Printing and Record Medium Reproduction | 1.23 | 39.98 | 18.46 | 68.96 | 59.13 |
| 文教体育用品制造业 | Cultural, Educational and Sports Goods | 5.35 | 76.52 | 40.90 | 160.52 | 135.56 |

7-14 续表7 continued 单位:亿元(100 million yuan)

| 行 业 | Sector | 长期负债 Long-term Liabilities | 年末所有者权益合计 Creditors' Equity | 实收资本 Total Capital Hold | 主营业务收入 Revenues in Main Business | 主营业务成本 Costs in Main Business |
|---|---|---|---|---|---|---|
| 石油加工、炼焦及核燃料加工业 | Petroleum Processing, Cooking and Nuclear Fuel Processing | 3.95 | 86.39 | 114.27 | 1036.10 | 1091.94 |
| 化学原料及化学制品制造业 | Raw Chemical Materials and Chemical Products | 126.85 | 506.72 | 233.05 | 1449.06 | 1240.48 |
| 医药制造业 | Medical and Pharmaceutical Products | 19.21 | 209.62 | 64.99 | 381.18 | 245.59 |
| 化学纤维制造业 | Chemical Fiber | 51.04 | 298.89 | 148.32 | 1183.48 | 1118.56 |
| 橡胶制品业 | Rubber Products | 19.60 | 77.38 | 39.67 | 247.67 | 218.42 |
| 塑料制品业 | Plastic Products | 14.68 | 165.00 | 68.13 | 533.89 | 466.29 |
| 非金属矿物制品业 | Nonmetal Mineral Products | 87.14 | 263.45 | 150.40 | 447.55 | 384.55 |
| 黑色金属冶炼及压延加工业 | Smelting and Pressing of Ferrous Metals | 75.97 | 215.36 | 125.21 | 866.71 | 834.13 |
| 有色金属冶炼及压延加工业 | Smelting and Pressing of Nonferrous Metals | 14.47 | 138.42 | 62.62 | 710.35 | 680.59 |
| 金属制品业 | Metal Products | 25.75 | 236.64 | 112.87 | 732.06 | 636.28 |
| 通用设备制造业 | Equipment in Common Use | 49.41 | 501.68 | 220.18 | 1268.90 | 1067.71 |
| 专用设备制造业 | Special Purpose Equipment | 15.31 | 182.71 | 80.38 | 392.26 | 324.21 |
| 交通运输设备制造业 | Transport Equipment | 121.75 | 529.77 | 268.54 | 1651.23 | 1449.91 |
| 电气机械及器材制造业 | Electric Equipment and Machinery | 59.69 | 636.76 | 280.45 | 1949.36 | 1659.96 |
| 通信设备、计算机及其他电子设备制造业 | Telecommunications Equipment, Computer and Other Electronic Equipment | 45.90 | 409.17 | 212.79 | 1285.77 | 1128.39 |
| 仪器仪表及文化、办公用机械制造业 | Instruments, Meters, Cultural and Office Machinery | 18.47 | 126.63 | 51.08 | 267.05 | 216.72 |
| 工艺品及其他制造业 | Handicraft Article and Other Manufacturing Indust | 9.09 | 98.07 | 42.62 | 276.40 | 237.13 |
| 废弃资源和废旧材料回收加工业 | Recovery of Resource Discarded and Useless Material | 1.86 | 0.96 | 2.50 | 39.88 | 40.06 |
| 电力、热力的生产和供应业 | Production and Supply of Electricity and Heating Power | 885.34 | 677.37 | 272.57 | 1913.17 | 1792.23 |
| 燃气生产和供应业 | Production and Supply of Gas | 6.14 | 17.47 | 5.80 | 18.31 | 16.46 |
| 水的生产和供应业 | Production and Supply of Water | 63.87 | 73.39 | 32.43 | 31.38 | 26.05 |

7-14 续表8 continued 单位:亿元(100 million yuan)

| 行业 | Sector | 主营业务税金及附加 Sales Taxes and Extra Charges in Main Business | 利润总额 Total Profits | 利税总额 Total Profits and Taxes | 本年应交增值税 Value Added Taxes Payable |
|---|---|---|---|---|---|
| **总计** | **Total** | **208.25** | **1007.09** | **1807.67** | **592.33** |
| **按注册登记类型分** | **by Registered Type** | | | | |
| #国有 | #State-owned | 117.29 | 66.41 | 287.41 | 103.71 |
| 集体 | Collective owned | 0.15 | 2.09 | 3.49 | 1.25 |
| 私营 | Private | 28.72 | 312.96 | 495.50 | 153.83 |
| 港澳台商投资 | Enterprises Funded by Entrepreneurs from Hong Kong, Macao & Taiwan | 5.60 | 166.85 | 249.73 | 77.28 |
| 外商投资 | Foreign Funded Enterprises | 8.03 | 213.59 | 306.97 | 85.35 |
| 在总计中:轻工业 | Light Industry | 141.11 | 482.11 | 900.09 | 276.88 |
| 重工业 | Heavy Industry | 67.14 | 524.98 | 907.58 | 315.45 |
| **按工业行业分** | **By Sector** | | | | |
| 煤炭开采和洗选业 | Coal Mining and Dressing | 0.05 | -0.43 | 0.01 | 0.39 |
| 黑色金属矿采选业 | Ferrous Metals Mining and Dressing | 0.13 | 2.16 | 2.82 | 0.52 |
| 有色金属矿采选业 | Nonferrous Metals Mining and Dressing | 0.24 | 2.51 | 3.83 | 1.08 |
| 非金属矿采选业 | Nonmetal Minerals Mining and Dressing | 0.01 | -0.09 | -0.01 | 0.07 |
| 其他采矿业 | Other Minerals Mining and Dressing | | | | |
| 农副食品加工业 | Non-staple Food Processing | 0.20 | 2.37 | 4.34 | 1.77 |
| 食品制造业 | Food Manufacturing | 0.34 | 10.41 | 17.69 | 6.94 |
| 饮料制造业 | Beverage Manufacturing | 7.52 | 22.20 | 45.11 | 15.39 |
| 烟草制品业 | Tobacco Processing | 107.20 | 42.23 | 176.18 | 26.74 |
| 纺织业 | Textile Industry | 6.74 | 84.46 | 147.67 | 56.47 |
| 纺织服装、鞋、帽制造业 | Garments, Shoes and Hats Manufacturing | 2.72 | 53.42 | 84.97 | 28.83 |
| 皮革、毛皮、羽毛(绒)及其制品业 | Leather, Furs, Down and Related Products | 1.73 | 30.48 | 49.96 | 17.75 |
| 木材加工及木、竹、藤、棕、草制品业 | Timber Processing, Bamboo, Cane Palm Fiber and Straw Products | 0.49 | 3.45 | 5.66 | 1.72 |
| 家具制造业 | Furniture Manufacturing | 0.74 | 8.02 | 14.90 | 6.15 |
| 造纸及纸制品业 | Papermaking and Paper Products | 1.05 | 13.56 | 26.21 | 11.60 |
| 印刷业和记录媒介的复制 | Printing and Record Medium Reproduction | 0.39 | 4.91 | 7.51 | 2.21 |
| 文教体育用品制造业 | Cultural, Educational and Sports Goods | 0.39 | 9.23 | 12.28 | 2.66 |

7-14 续表9 continued 单位:亿元(100 million yuan)

| 行业 | Sector | 主营业务税金及附加 Sales Taxes and Extra Charges in Main Business | 利润总额 Total Profits | 利税总额 Total Profits and Taxes | 本年应交增值税 Value Added Taxes Payable |
|---|---|---|---|---|---|
| 石油加工、炼焦及核燃料加工业 | Petroleum Processing, Cooking and Nuclear Fuel Processing | 23.24 | -37.05 | 0.50 | 14.32 |
| 化学原料及化学制品制造业 | Raw Chemical Materials and Chemical Products | 4.32 | 98.98 | 141.73 | 38.43 |
| 医药制造业 | Medical and Pharmaceutical Products | 2.22 | 53.32 | 79.63 | 24.10 |
| 化学纤维制造业 | Chemical Fiber | 1.52 | 21.00 | 35.25 | 12.73 |
| 橡胶制品业 | Rubber Products | 0.83 | 7.00 | 14.24 | 6.42 |
| 塑料制品业 | Plastic Products | 1.54 | 30.74 | 44.00 | 11.73 |
| 非金属矿物制品业 | Nonmetal Mineral Products | 2.13 | 27.01 | 48.11 | 18.97 |
| 黑色金属冶炼及压延加工业 | Smelting and Pressing of Ferrous Metals | 4.02 | -0.12 | 26.74 | 22.83 |
| 有色金属冶炼及压延加工业 | Smelting and Pressing of Nonferrous Metals | 1.85 | 9.50 | 24.54 | 13.19 |
| 金属制品业 | Metal Products | 3.83 | 39.88 | 59.49 | 15.78 |
| 通用设备制造业 | Equipment in Common Use | 4.42 | 86.54 | 124.04 | 33.08 |
| 专用设备制造业 | Special Purpose Equipment | 0.97 | 30.08 | 40.05 | 9.00 |
| 交通运输设备制造业 | Transport Equipment | 8.02 | 97.83 | 129.13 | 23.28 |
| 电气机械及器材制造业 | Electric Equipment and Machinery | 5.57 | 118.19 | 172.55 | 48.79 |
| 通信设备、计算机及其他电子设备制造业 | Telecommunications Equipment, Computer and Other Electronic Equipment | 2.02 | 70.99 | 89.31 | 16.30 |
| 仪器仪表及文化、办公用机械制造业 | Instruments, Meters, Cultural and Office Machinery | 0.97 | 18.24 | 28.31 | 9.10 |
| 工艺品及其他制造业 | Handicraft Article and Other Manufacturing Indust | 1.13 | 14.83 | 21.92 | 5.96 |
| 废弃资源和废旧材料回收加工业 | Recovery of Resource Discarded and Useless Material | 0.02 | -2.00 | -1.45 | 0.53 |
| 电力、热力的生产和供应业 | Production and Supply of Electricity and Heating Power | 9.50 | 33.43 | 129.10 | 86.17 |
| 燃气生产和供应业 | Production and Supply of Gas | 0.03 | 0.05 | 0.28 | 0.20 |
| 水的生产和供应业 | Production and Supply of Water | 0.17 | -0.25 | 1.06 | 1.14 |

## 7-15 按行业分的大中型工业企业主要经济效益指标(2008年)

Main Economic Beneficial Indicators of Large and Medium-sized Industrial Enterprises by Sector(2008)

| 行业 | Sector | 每百元资金实现利税(元) Pre-tax Profits per 100 Yuan Funds(yuan) | 每百元固定资产原值实现利税(元) Pre-tax Profits per 100 Yuan Original Value of Fixed Assets(yuan) | 每百元主营业务收入实现利税(元) Pre-tax Profits per 100 Yuan Revenues in Main Business (yuan) | 产品销售率(%) Rate of Products Sold(%) | 流动资金周转次数(次) Times of Turnover Circulating Funds (time) |
|---|---|---|---|---|---|---|
| **总计** | **Total** | **11.19** | **19.98** | **8.21** | **97.54** | **2.15** |
| **按注册登记类型分** | **by Registered Type** | | | | | |
| #国有 | #State-owned | 17.12 | 15.65 | 12.86 | 99.89 | 3.69 |
| 集体 | Collective owned | 7.89 | 17.84 | 8.12 | 96.92 | 1.32 |
| 私营 | Private | 11.20 | 27.79 | 7.93 | 97.43 | 1.94 |
| 港澳台商投资 | Enterprises Funded by Entrepreneurs from Hong Kong, Macao & Taiwan | 11.48 | 24.14 | 9.23 | 96.63 | 1.85 |
| 外商投资 | Foreign Funded Enterprises | 11.06 | 21.64 | 7.70 | 96.82 | 2.19 |
| 在总计中:轻工业 | Light Industry | 13.23 | 27.30 | 10.10 | 97.01 | 1.93 |
| 重工业 | Heavy Industry | 9.71 | 15.78 | 6.92 | 97.91 | 2.33 |
| **按工业行业分** | **By Sector** | | | | | |
| 煤炭开采和洗选业 | Coal Mining and Dressing | 0.12 | 0.10 | 0.11 | 99.89 | 2.39 |
| 黑色金属矿采选业 | Ferrous Metals Mining and Dressing | 37.47 | 69.94 | 25.93 | 99.66 | 2.20 |
| 有色金属矿采选业 | Nonferrous Metals Mining and Dressing | 35.14 | 92.03 | 17.77 | 91.34 | 2.43 |
| 非金属矿采选业 | Nonmetal Minerals Mining and Dressing | -1.40 | -1.24 | -1.95 | 93.39 | 1.37 |
| 其他采矿业 | Other Minerals Mining and Dressing | | | | | |
| 农副食品加工业 | Non-staple Food Processing | 3.38 | 9.32 | 2.49 | 97.74 | 1.77 |
| 食品制造业 | Food Manufacturing | 19.46 | 35.86 | 12.54 | 94.11 | 2.18 |
| 饮料制造业 | Beverage Manufacturing | 20.98 | 35.15 | 13.33 | 99.91 | 2.48 |
| 烟草制品业 | Tobacco Processing | 87.06 | 292.61 | 82.18 | 99.91 | 1.28 |
| 纺织业 | Textile Industry | 7.92 | 15.30 | 6.99 | 97.22 | 1.72 |
| 纺织服装、鞋、帽制造业 | Garments, Shoes and Hats Manufacturing | 15.64 | 37.25 | 10.97 | 96.24 | 2.00 |
| 皮革、毛皮、羽毛(绒)及其制品业 | Leather, Furs, Down and Related Products | 13.93 | 41.57 | 8.39 | 97.93 | 2.21 |
| 木材加工及木、竹、藤、棕、草制品业 | Timber Processing, Bamboo, Cane Palm Fiber and Straw Products | 8.40 | 27.46 | 6.28 | 95.50 | 1.79 |
| 家具制造业 | Furniture Manufacturing | 7.51 | 18.33 | 5.88 | 96.74 | 1.82 |
| 造纸及纸制品业 | Papermaking and Paper Products | 6.31 | 9.22 | 6.97 | 96.09 | 1.70 |
| 印刷业和记录媒介的复制 | Printing and Record Medium Reproduction | 11.54 | 23.19 | 10.89 | 99.00 | 1.58 |
| 文教体育用品制造业 | Cultural, Educational and Sports Goods | 10.65 | 24.97 | 7.65 | 96.90 | 1.96 |

7-15 续表1 continued

| 行 业 | Sector | 每百元资金实现利税（元）Pre-tax Profits per 100 Yuan Funds(yuan) | 每百元固定资产原值实现利税（元）Pre-tax Profits per 100 Yuan Original Value of Fixed Assets(yuan) | 每百元主营业务收入实现利税（元）Pre-tax Profits per 100 Yuan Revenues in Main Business (yuan) | 产品销售率（%）Rate of Products Sold(%) | 流动资金周转次数（次）Times of Turnover Circulating Funds (time) |
|---|---|---|---|---|---|---|
| 石油加工、炼焦及核燃料加工业 | Petroleum Processing, Cooking and Nuclear Fuel Processing | 0.25 | 0.27 | 0.05 | 99.25 | 9.02 |
| 化学原料及化学制品制造业 | Raw Chemical Materials and Chemical Products | 14.46 | 26.09 | 9.78 | 97.15 | 2.38 |
| 医药制造业 | Medical and Pharmaceutical Products | 23.08 | 45.81 | 20.89 | 93.84 | 1.62 |
| 化学纤维制造业 | Chemical Fiber | 4.90 | 7.76 | 2.98 | 97.53 | 2.86 |
| 橡胶制品业 | Rubber Products | 7.55 | 11.60 | 5.75 | 100.89 | 2.32 |
| 塑料制品业 | Plastic Products | 12.29 | 27.76 | 8.24 | 98.25 | 2.09 |
| 非金属矿物制品业 | Nonmetal Mineral Products | 9.83 | 13.50 | 10.75 | 95.23 | 1.80 |
| 黑色金属冶炼及压延加工业 | Smelting and Pressing of Ferrous Metals | 4.48 | 7.72 | 3.09 | 96.12 | 2.41 |
| 有色金属冶炼及压延加工业 | Smelting and Pressing of Nonferrous Metals | 8.45 | 28.83 | 3.45 | 99.07 | 3.01 |
| 金属制品业 | Metal Products | 11.34 | 35.21 | 8.13 | 96.98 | 1.81 |
| 通用设备制造业 | Equipment in Common Use | 12.85 | 32.74 | 9.78 | 97.10 | 1.77 |
| 专用设备制造业 | Special Purpose Equipment | 11.14 | 29.92 | 10.21 | 96.43 | 1.45 |
| 交通运输设备制造业 | Transport Equipment | 9.37 | 26.18 | 7.82 | 97.86 | 1.62 |
| 电气机械及器材制造业 | Electric Equipment and Machinery | 13.35 | 40.98 | 8.85 | 97.28 | 1.93 |
| 通信设备、计算机及其他电子设备制造业 | Telecommunications Equipment, Computer and Other Electronic Equipment | 10.94 | 25.33 | 6.95 | 98.21 | 2.14 |
| 仪器仪表及文化、办公用机械制造业 | Instruments, Meters, Cultural and Office Machinery | 11.76 | 33.01 | 10.60 | 94.81 | 1.50 |
| 工艺品及其他制造业 | Handicraft Article and Other Manufacturing Indust | 9.93 | 29.94 | 7.93 | 94.43 | 1.65 |
| 废弃资源和废旧材料回收加工业 | Recovery of Resource Discarded and Useless Material | -8.44 | -70.17 | -3.64 | 95.94 | 2.57 |
| 电力、热力的生产和供应业 | Production and Supply of Electricity and Heating Power | 7.50 | 5.74 | 6.75 | 99.93 | 5.79 |
| 燃气生产和供应业 | Production and Supply of Gas | 1.30 | 1.10 | 1.53 | 98.99 | 2.10 |
| 水的生产和供应业 | Production and Supply of Water | 0.83 | 0.71 | 3.39 | 98.52 | 0.77 |

## 7-16 规模以上工业企业能源购进、消费及库存(2008年)

## Purchasing, Consuming, Stocks of Energy in Industrial Enterprises Above Designated Size(2008)

| 能源名称 | Item | 年初库存 Stock at the Beginning of the Year | 购进量实物量 Number of Purchasing | 消费量 Consumption | #工业生产消费 Industry | 年末库存 Stock at the End of the Year |
|---|---|---|---|---|---|---|
| 原煤 (吨) | Coal (ton) | 4433058 | 120308318 | 118852892 | 118687333 | 5764624 |
| 洗精煤 (吨) | Coal Washing (ton) | 219430 | 1827129 | 2054924 | 2054559 | 167949 |
| 其他洗煤 (吨) | Other Coal Washing (ton) | 1092 | 38461 | 39224 | 37474 | 324 |
| 型煤 (吨) | Forming Coal (ton) | 1192 | 41211 | 41405 | 40001 | 853 |
| 焦炭 (吨) | Coke (ton) | 308403 | 2534875 | 4808495 | 4807749 | 192982 |
| 其他焦化产品 (吨) | Other Coking Products (ton) | | 5139 | 5078 | 5055 | 61 |
| 焦炉煤气 (万立方米) | Coking Coal (10000 cu. m) | | | 47306 | 47306 | |
| 高炉煤气 (万立方米) | Blast Furnace Gas (10000 cu. m) | | | 771463 | 771463 | |
| 其他煤气 (万立方米) | Other Gases (10000 cu. m) | | 534 | 33329 | 33305 | |
| 天然气 (万立方米) | Natural Gas (10000 cu. m) | | 148315 | 148315 | 148036 | |
| 原油 (吨) | Crude Oil (ton) | 736015 | 22956450 | 22873517 | 22873480 | 829601 |
| 汽油 (吨) | Gasoline (ton) | 4445 | 426821 | 427463 | 249762 | 3797 |
| 煤油 (吨) | Kerosene (ton) | 1073 | 41913 | 42193 | 41555 | 774 |
| 柴油 (吨) | Diesel Oil (ton) | 42401 | 1174280 | 1177505 | 1041243 | 41805 |
| 燃料油 (吨) | Fuel Oil (ton) | 61116 | 1855237 | 2076818 | 2074508 | 213713 |
| 液化石油气 (吨) | LPG (ton) | 3527 | 230545 | 222370 | 216697 | 2507 |
| 其他石油制品 (吨) | Other Petroleum Products (ton) | 20793 | 879987 | 1597482 | 1597163 | 89902 |
| 热力 (百万千焦) | Heat (1000 million J) | | 236246370 | 281573640 | 279252914 | |
| 电力 (万千瓦时) | Electricity (10000 kw. h) | | 12758971 | 14499979 | 14305363 | |
| 其他燃料 (吨标准煤) | Other Fuel (tons of SCE) | 10450 | 918913 | 1090135 | 1089162 | 10082 |

## 7-17 能源生产弹性系数(1990-2008年)
Elasticity Ratio of Energy Production(1990-2008)

| 年份 | 全省能源生产量(万吨标准煤) Output of Energy Production | 全省电力生产量(亿千瓦小时) Output of Electricity Production | 能源生产比上年增长(%) Growth Rate of Energy Production Over Preceding year | 电力生产比上年增长(%) Growth Rate of Electricity Production Over Preceding year | 生产总值比上年增长(%) Growth Rate of GDP Over Preceding year | 能源生产弹性系数 Elasticity Ratio of Energy Production | 电力生产弹性系数 Elasticity Ratio of Electricity Production |
|---|---|---|---|---|---|---|---|
| 1990 | 317.18 | 208.58 | | | 3.93 | | |
| 1991 | 324.1 | 242.25 | 2.18 | 16.14 | 17.83 | 0.12 | 0.91 |
| 1992 | 355.57 | 284.13 | 9.71 | 17.29 | 19.02 | 0.51 | 0.91 |
| 1993 | 388.8 | 308.52 | 9.35 | 8.58 | 22.02 | 0.42 | 0.39 |
| 1994 | 402.53 | 340.9 | 3.53 | 10.5 | 19.97 | 0.18 | 0.53 |
| 1995 | 460.7 | 407.11 | 14.45 | 19.42 | 16.78 | 0.86 | 1.16 |
| 1996 | 379.17 | 448.36 | -17.7 | 10.13 | 12.69 | -1.39 | 0.8 |
| 1997 | 392.16 | 485.77 | 3.43 | 8.34 | 11.1 | 0.31 | 0.75 |
| 1998 | 494.04 | 539.16 | 25.98 | 10.99 | 10.17 | 2.55 | 1.08 |
| 1999 | 454.81 | 597.26 | -7.94 | 10.78 | 10.03 | -0.79 | 1.07 |
| 2000 | 439.24 | 696.59 | -3.42 | 16.63 | 11.04 | -0.31 | 1.51 |
| 2001 | 516.41 | 790.35 | 17.57 | 13.46 | 10.65 | 1.65 | 1.26 |
| 2002 | 745.64 | 887.82 | 44.39 | 12.33 | 12.64 | 3.51 | 0.98 |
| 2003 | 945.58 | 1090.86 | 26.81 | 22.87 | 14.7 | 1.82 | 1.56 |
| 2004 | 1091.63 | 1258.81 | 15.45 | 15.4 | 14.48 | 1.07 | 1.06 |
| 2005 | 1273.02 | 1456.42 | 16.62 | 15.7 | 12.78 | 1.3 | 1.23 |
| 2006 | 1216.21 | 1765.93 | -4.46 | 21.25 | 13.9 | -0.32 | 1.53 |
| 2007 | 1169.43 | 2080.41 | -3.85 | 17.81 | 14.71 | -0.26 | 1.21 |
| 2008 | 1228.75 | 2133.87 | 5.07 | 2.57 | 10.06 | 0.5 | 0.26 |

注:2008为初步统计数。 Data in 2008 are preliminary numbers.

## 7-18 能源消费弹性系数(1990-2008年)
Elasticity Ratio of Energy Consumption(1990-2008)

| 年份 | 全省能源消费量(万吨标准煤) Total Energy Consumption | 全省电力消费量(亿千瓦小时) Total Electricity Consumption | 能源消费比上年增长(%) Growth Rate of Energy Consumption Over Preceding year | 电力消费比上年增长(%) Growth Rate of Electricity Consumption Over Preceding year | 生产总值比上年增长(%) Growth Rate of GDP Over Preceding year | 能源消费弹性系数 Elasticity Ratio of Energy Consumption | 电力消费弹性系数 Elasticity Ratio of Electricity Consumption |
|---|---|---|---|---|---|---|---|
| 1990 | 2732.86 | 230.29 | | | 3.93 | | |
| 1991 | 3123.17 | 263.07 | 14.28 | 14.23 | 17.83 | 0.8 | 0.8 |
| 1992 | 3484.22 | 303.28 | 11.56 | 15.28 | 19.02 | 0.61 | 0.8 |
| 1993 | 4044.22 | 346.75 | 16.07 | 14.33 | 22.02 | 0.73 | 0.65 |
| 1994 | 4496.67 | 396.74 | 11.19 | 14.42 | 19.97 | 0.56 | 0.72 |
| 1995 | 4851.26 | 439.59 | 7.89 | 10.8 | 16.78 | 0.47 | 0.64 |
| 1996 | 5165.43 | 479.34 | 6.48 | 9.04 | 12.69 | 0.51 | 0.71 |
| 1997 | 5446.74 | 511.45 | 5.45 | 6.7 | 11.1 | 0.49 | 0.6 |
| 1998 | 5656.96 | 547.78 | 3.86 | 7.1 | 10.17 | 0.38 | 0.7 |
| 1999 | 5960.14 | 611.67 | 5.36 | 11.66 | 10.03 | 0.53 | 1.16 |
| 2000 | 6560.37 | 742.89 | 10.07 | 21.45 | 11.04 | 0.91 | 1.94 |
| 2001 | 7253.11 | 855.29 | 10.56 | 15.13 | 10.65 | 0.99 | 1.42 |
| 2002 | 8279.64 | 1015.84 | 14.15 | 18.77 | 12.64 | 1.12 | 1.49 |
| 2003 | 9522.56 | 1240.35 | 15.01 | 22.1 | 14.7 | 1.02 | 1.5 |
| 2004 | 10824.69 | 1419.53 | 13.67 | 14.45 | 14.48 | 0.94 | 1 |
| 2005 | 12031.67 | 1642.32 | 11.15 | 15.69 | 12.78 | 0.87 | 1.23 |
| 2006 | 13222.53 | 1909.23 | 9.9 | 16.25 | 13.9 | 0.71 | 1.17 |
| 2007 | 14532.91 | 2189.37 | 9.91 | 14.67 | 14.71 | 0.67 | 1 |
| 2008 | 15116.59 | 2322.87 | 4.02 | 6.1 | 10.06 | 0.4 | 0.61 |

注:2008为初步统计数。 Data in 2008 are preliminary numbers.

浙/江/统/计/年/鉴

# 主要统计指标解释

## ■ 工业增加值

是指工业行业在报告期内以货币表现的工业生产活动的最终成果。

## ■ 固定资产原价

固定资产原值指企业在建造、购置、安装、改建、扩建、技术改造某项固定资产时所支出的全部货币总额。它一般包括买价、包装费、运杂费和安装费等。

## ■ 固定资产净值

是指固定资产原价减去历年已提折旧额后的净额。

## ■ 流动资产

流动资产是指可以在一年或者超过一年的一个营业周期内变现或者耗用的资产，包括现金及各种存款、短期投资、应收及预付货款、存货等。

## ■ 利税总额

指企业利润总额、产品销售税金及附加和应交增值税之和。

## ■ 主营业务收入

指企业在销售商品（不一定是本企业生产）、提供劳务及让渡资产使用权等日常活动中所产生的收入。

## ■ 主营业务成本

指企业在销售商品、提供劳务及让渡资产使用权等日常活动而发生的实际成本。

## ■ 主营业务税金及附加

指企业日常活动应负担的税金及附加，包括营业税、消费税、城市维护建设税、资源税、土地增值税和教育费附加等。

## ■ 产品销售利润

指企业销售产品和提供工业性劳务等主要经营业务收入扣除其成本、费用、税金后的利润。

## ■ 利润总额

指企业实现的利润。

## ■ 应交增值税

指企业在报告期内应交纳的增值税额。

## ■ 资本金

指企业在工商行政管理部门登记的注册资金合计。企业资本金按投资主体可分为国家资本金、法人资本金、个人资本金和外商资本金等。资本金合计包括企业各种投资主体注册的全部资本金。

## ■ 总资产

指企业拥有或控制的全部资产。包括流动资产、长期投资、固定资产、无形及递延资产、其他长期资产、递延税项等，即为企业资产负债表的资产总计项。

（1）流动资产　指企业可以在一年内或者超过一年的一个生产周期内变现或耗用的资产合计。包括现金及各种存款、短期投资、应收及预付款项、存货等。

（2）固定资产　指企业固定资产净值、固定资产清理、在建工程、待处理固定资产损失所占用的资金合计。

（3）无形资产　指企业长期使用而没有实物形态的资产。包括专利权、非专利技术、商标权、著作权、土地使用权、商誉等。

## ■ 总负债

指企业承担并需要偿还的全部债务。包括流动负债和长期负债、递延税项等，即为企业资产负债表的负债合计项。

（1）流动负债　指企业在一年内或者超过一年的一个营业周期内需要偿还的债务合计，其中包括短期借款、应付及预收款项、应付工资、应交税金和应交利润等。

## 主要统计指标解释

(2) 长期负债　指企业在一年以上或者超过一年的一个生产周期以上需要偿还的债务合计，其中包括长期借款、应付债务、长期应付款项等。

### ■ 所有者权益

指企业投资人对企业净资产的所有权。企业净资产等于企业全部资产减去全部负债后的余额，其中包括投资者对企业的最初投入，以及资本公积金、盈余公积金和未分配利润，对股份制企业即为股东权益。

### ■ 流动资产周转次数

指在一定时间内流动资产完成的周转次数，反映流动资产的周转速度。计算公式为：

流动资金周转次数 = 产品销售收入/全部流动资产平均余额。

### ■ 全员劳动生产率

指根据产品的价值量指标计算的平均每一从业人员在单位时间内的产品生产量。计算公式为：

全员劳动生产率 = 工业增加值 ÷ 全部从业人员数。

### ■ 能源生产总量

指一定时期内某地区一次能源生产量的总和。该指标是观察全国能源生产水平、规模、构成和发展速度的总量指标。一次能源生产量包括原煤、原油、天然气、水电、核能及其他动力能（如风能、地热能等）发电量，不包括低热值燃料生产值、生物能、太阳能等的利用和由一次能源加工转换而成的二次能源产量。

### ■ 能源消费总量

指一定时期内某地区物质生产部门、非物质生产部门和生活消费的各种能源的总和。该指标是观察能源消费水平、构成和增长速度的总量指标。能源消费总量包括原煤和原油及其制品、天然气、电力，不包括低热值燃料、生物质能和太阳能等的利用。能源消费总量分为终端能源消费量、能源加工转换损失量和能源损失量三部分。

(1)终端能源消费量：指一定时期内生产和生活消费的各种能源在扣除了用于加工转换二次能源消费量和损失量以后的数量。

(2)能源加工转换损失量：指一定时期内投入加工转换的各种能源数量之和与产出各种能源产品之和的差额。该指标是观察能源在加工转换过程中损失量变化的指标。

(3)能源损失量：指一定时期内能源在输送、分配、储存过程中发生的损失和由客观原因造成的各种损失量，不包括各种气体能源放空、放散量。

### ■ 能源生产弹性系数

研究能源生产增长速度与国民经济增长速度之间关系的指标。计算公式为：

$$能源生产弹性系数=\frac{能源生产总量年平均增长速度}{生产总值年平均增长速度}$$

### ■ 电力生产弹性系数

研究电力生产增长速度与国民经济增长速度之间关系的指标。一般来说，电力的发展应当快于国民经济的发展，也就是说电力应超前发展。计算公式为：

$$电力生产弹性系数=\frac{电力生产量年平均增长速度}{生产总值年平均增长速度}$$

### ■ 能源消费弹性系数

反映能源消费增长速度与国民经济增长速度之间比例关系的指标。计算公式为：

$$能源消费弹性系数=\frac{能源消费量年平均增长速度}{生产总值年平均增长速度}$$

### ■ 电力消费弹性系数

反映电力消费增长速度与国民经济增长速度之间比例关系的指标。计算公式为：

$$电力消费弹性系数=\frac{电力消费量年平均增长速度}{生产总值年平均增长速度}$$

ZHEJIANG STATISTICAL YEARBOOK

# Explanatory Notes on Main Statistical Indicators

## □ Value Added of Industry

refers to the final results of industrial production of the industrial trade in money terms during the reference period.

## □ Original Value of Fixed Assets

refers to the original value of all fixed assets owned by industrial enterprises, calculated at the cost paid at the time of purchase, installation, reconstruction, expansion, and technical innovation and transformation of the said assets, which includes expenses on purchase, package, transportation, and installation, etc.

## □ Net Value of Fixed Assets

is obtained by deducting depreciation over years from the original value of fixed assets.

## □ Circulating Assets

refers to assets which can be cashed in or spent or consumed in an operating cycle of one year or over one year, which includes cash, various deposits, short term investment, and receivable payments, and advance payments, stock, etc.

## □ Total Value of Profit and Tax (Pre – tax Profits)

refers to the sum of the total profits, products sales tax and surcharges and the value added tax payable of industrial enterprises. It is also called pre – tax profits.

## □ Revenue on Main Business

refers to revenues from the sales of products, labor services provided, alienation of using asset right and etc.

## □ Cost on Main Business

refers to real costs from the sales of products, labor services provided, alienation of using asset right and etc.

## □ Tax and Extra Charges on Main Business

refer to the tax the business tax, consumption tax, city maintenance and construction, resources tax, land increasing value tax and extra charges for education and etc.

## □ Sales Profit of Products

refers to the profit gained by the enterprises by deducting cost, charges and taxes from the business income of the enterprises obtained in selling products and providing industrial services.

## □ Total Profits

refer to the profits gained by the enterprises.

## □ Value Added Tax Payable

refers to the amount of the value added tax which should be paid by the enterprises in the reporting period.

## □ Capital

refers to the corporation's capital registered in the departments of administration for industry and commerce. According to the different nature of investors, corporations' capital can be divided into state capital, legal person's capital, personal capital, foreign capital, etc. Total capital includes total registered capital of all investors in the corporation.

## □ Total Assets

refer to all assets which are owned or controlled by enterprises, including circulating assets, long – term investment, fixed assets, intangible assets and deferred assets, other long – term assets, and deferred taxes, etc. The summation of above items is equal to total assets shown in the balance sheets of the enterprises.

EXPLANATORY NOTES ON MAIN STATISTICAL INDICATORS

(1) Circulating assets (working capital) refer to assets which can be cashed in or spent or consumed in an operating cycle of one year or over one year, including cash, all kinds of deposits, short term investment, receivables, advance payment, stock, etc.

(2) Fixed assets refer to the net value of fixed assets, clearance of fixed assets, project under construction, fixed assets losses in suspense. These are corporations' fund holdings.

(3) Intangible assets refer to the assets without material form used by enterprises over a long time, such as patents, non – patent technologies, trade marks, copyright, land use right, business reputation, etc.

## □ Total Liabilities

refer to the debts that enterprises are responsible for repayment, including liquid liabilities, long – term liabilities and deferred taxes, etc. Total liabilities correspond to the summation item of liabilities shown in the balance sheets of the enterprises.

(1) Liquid liabilities (also called quick liabilities or immediate liabilities) refer to enterprises total debt payable within an operating cycle of one year or over one year, including short term loans, payables and advance payments, wages payables, taxes payable and profit payable, etc.

(2) Long – term liabilities refers to total debt payable within an operating cycle of one year or over one year, including long – term loans, payable liabilities, long – term payables, etc.

## □ Creditors' Equity

refers to investors' ownership of net assets of the enterprise. It is equal to the total assets of the enterprise minus its total liabilities, including the primary input from investors, capital accumulation fund, surplus accumulation fund and undistributed profit. It is the stock holders' equity in stock companies.

## □ Turnover of Working Capital

refers to the number of times of turnover of working capital in a given period of time, which reflects the speed of the turnover of working capital and is calculated as follows:

Turnover of Working Capital (%) = 100% × (Sales Revenue of Products)/(Average Balance of Total Working Capital)

## □ Overall Labour Productivity of Industrial Enterprises

refers to the average output per employed person in industrial enterprises in value terms. At present, the value added and the average number of staff and worders of an industrial enterprises in a given period are used to calculate the overall labour productivity. The formula used is:

Overall Labour Productivity = Value Added of Industry/Average Number of Staff and Worders

## □ Total Energy Production

refers to the total production of primary energy by all energy producing enterprises in the region in a given period of time. It is a comprehensive indicator to show the capacity, scale, composition and development of energy production of the country. The production of primary energy includes that of coal, crude oil, natural gas, hydro – power and electricity generated by nuclear energy and other means such as wind power and geothermal power. However, it excludes the production of fuels of low calorific value, bio – energy, solar energy and the secondary energy converted from the primary energy.

## □ Total Domestic Energy Consumption

refers to the total consumption of energy of various kinds by material production sectors, non material production sectors and households in the region in a given period of time. It is a comprehensive indicator to show the scale, composition and development of energy consumption. The total energy consumption includes that of coal, crude oil and their products, natural gas and electricity. However, it excludes the consumption of fuel of low calorific value, bioenergy and solar energy. Total domestic energy consumption can be divided into three parts: final energy consumption, loss during the process of energy conversion, and energy loss.

(1) Final Energy Consumption: It refers to the total energy consumption by material production sectors, non

EXPLANATORY NOTES ON MAIN STATISTICAL INDICATORS

material production sectors and households in the region in a given period of time, but excludes the consumption in conversion of the primary energy into the secondary energy and the loss in the process of energy conversion.

(2) Loss During the Process of Energy Conversion: It refers to the total input of various kinds of energy for conversion, minus the total output of various kinds of energy in the region in a given period of time. It is an indicator to show the loss that occurs during the process of energy conversion.

(3) Energy Loss: It refers to the total of the loss of energy during the course of energy transport, distribution and storage and the loss caused by any objective reason in a given period of time. The loss of various kinds of gas due to gas discharges and stocktaking is excluded.

## □ Elasticity Ratio of Energy Production

is an indicator to show the relationship between the growth rate of energy production and the growth rate of the national economy. The formula is:

Elasticity Ratio of the Energy Production = Average Annual Growth Rate of Energy Production/Average Annual Growth Rate of GDP.

## □ Elasticity Ratio of Electricity Production

is an indicator to show the relationship between the growth rate of electricity production and the growth rate of electricity production should be higher than that of the national economy.

Its formula is:

Elasticity Ratio of Electricity Production = Average Annual Growth Rate of Electricity Production/Average Annual Growth Rate of GDP.

## □ Elasticity Ratio of Energy Consumption

is an indicator to show the relationship between the growth rate of energy consumption and the growth rate of the national economy. The formula is:

Elasticity Ratio of Energy Consumption = Average Annual Growth Rate of Energy Consumption/Average Annual Growth Rate of GDP.

## □ Elasticity Ratio of Electricity Consumption

is an indicator to show the relationship between the growth rate of electricity consumption and the growth rate of the national economy. The formula is:

Elasticity Ratio of Electricity Consumption = Average Annual Growth Rate of Electricity Consumption/Average Annual Growth Rate of GDP.

浙江统计年鉴

ZHEJIANG STATISTICAL YEARBOOK

09

8

# CHAPTER 8

# 建筑业

# Construction

## 8-1 建筑业企业单位数(1990-2008年)
Number of Construction Enterprises(1990-2008)

| 年 份<br>Year | 总 计<br>Total | 国有施工企业<br>State-owned Construction Enterprises | 集体施工企业<br>Collective Owned Construction Enterprises | 其他经济类型施工企业<br>Others |
|---|---|---|---|---|
| **企业单位数(个)<br>Enterprises(unit)** | | | | |
| 1990 | 2550 | 109 | 2441 | |
| 1991 | 2503 | 120 | 2383 | |
| 1992 | 2450 | 112 | 2314 | 24 |
| 1993 | 2901 | 160 | 2721 | 20 |
| 1994 | 3538 | 215 | 3273 | 50 |
| 1995 | 3549 | 218 | 3216 | 115 |
| 1996 | 3691 | 354 | 2671 | 666 |
| 1997 | 3937 | 399 | 2569 | 969 |
| 1998 | 3540 | 341 | 1572 | 1627 |
| 1999 | 3657 | 330 | 1333 | 1994 |
| 2000 | 3592 | 283 | 971 | 3238 |
| 2001 | 3370 | 200 | 575 | 2595 |
| 2002 | 3210 | 155 | 254 | 2801 |
| 2003 | 3514 | 156 | 227 | 3131 |
| 2004 | 4053 | 128 | 169 | 3756 |
| 2005 | 4226 | 130 | 154 | 3942 |
| 2006 | 4482 | 115 | 133 | 4234 |
| 2007 | 4688 | 105 | 118 | 4465 |
| 2008 | 5259 | 102 | 115 | 5042 |

注:8-1至8-3表内数据为全部资质以上建筑企业。
The date in the table 8-1 to 8-3 refers to the construction enterprises which having qualification Certificates.

## 8-2 建筑业企业年平均从业人员(1990-2008 年)
Annual Average Employed Persons in Construction Enterprises(1990-2008)

| 年 份<br>Year | 总 计<br>Total | 国有施工企业<br>State-owned Construction Enterprises | 集体施工企业<br>Collective Owned Construction Enterprises | 其他经济类型施工企业<br>Others |
|---|---|---|---|---|
| **平均从业人员(万人)<br>Average Employed Persons (10000 persons)** | | | | |
| 1990 | 67.37 | 10.79 | 56.58 | |
| 1991 | 70.46 | 11.05 | 59.40 | |
| 1992 | 75.25 | 10.67 | 63.90 | 0.68 |
| 1993 | 97.28 | 10.07 | 86.71 | 0.50 |
| 1994 | 127.89 | 14.71 | 112.08 | 1.11 |
| 1995 | 144.21 | 17.24 | 121.80 | 5.17 |
| 1996 | 145.32 | 21.76 | 105.32 | 18.24 |
| 1997 | 141.22 | 19.85 | 97.16 | 24.21 |
| 1998 | 142.51 | 19.89 | 77.45 | 45.17 |
| 1999 | 150.63 | 19.09 | 65.17 | 66.37 |
| 2000 | 165.90 | 15.77 | 52.99 | 97.14 |
| 2001 | 185.17 | 11.32 | 33.24 | 140.61 |
| 2002 | 201.10 | 10.25 | 19.36 | 171.49 |
| 2003 | 247.22 | 10.81 | 17.47 | 218.94 |
| 2004 | 276.87 | 7.68 | 12.80 | 256.39 |
| 2005 | 322.12 | 7.09 | 12.22 | 302.82 |
| 2006 | 370.92 | 7.17 | 10.00 | 353.75 |
| 2007 | 427.52 | 7.70 | 8.24 | 411.58 |
| 2008 | 465.48 | 6.82 | 7.24 | 451.42 |

## 8-3 建筑业总产值(1990-2008年)
Gross Output Value of Construction Enterprises(1990-2008)

| 年 份<br>Year | 总 计<br>Total | 国有施工企业<br>State-owned Construction Enterprises | 集体施工企业<br>Collective Owned Construction Enterprises | 其他经济类型施工企业<br>Others |
|---|---|---|---|---|
| **总产值(亿元)<br>Gross Output Value<br>(100 million yuan)** | | | | |
| 1990 | 78.98 | 20.10 | 58.88 | |
| 1991 | 92.83 | 21.11 | 71.72 | |
| 1992 | 134.00 | 26.01 | 106.25 | 1.80 |
| 1993 | 260.54 | 35.97 | 222.95 | 1.62 |
| 1994 | 470.79 | 73.47 | 392.74 | 4.58 |
| 1995 | 710.23 | 113.69 | 560.75 | 35.79 |
| 1996 | 845.68 | 149.81 | 591.41 | 104.46 |
| 1997 | 883.33 | 157.11 | 572.15 | 154.07 |
| 1998 | 942.53 | 172.12 | 463.79 | 306.62 |
| 1999 | 1128.28 | 181.74 | 446.97 | 499.57 |
| 2000 | 1383.77 | 147.12 | 395.18 | 841.47 |
| 2001 | 1768.45 | 128.98 | 273.87 | 1365.60 |
| 2002 | 2282.99 | 143.49 | 179.78 | 1959.72 |
| 2003 | 3127.28 | 159.06 | 166.20 | 2802.02 |
| 2004 | 3911.30 | 147.60 | 140.40 | 3623.30 |
| 2005 | 4743.30 | 153.10 | 139.70 | 4450.60 |
| 2006 | 5701.0 | 138.7 | 116.6 | 5445.7 |
| 2007 | 7036.8 | 159.4 | 99.1 | 6778.3 |
| 2008 | 8268.6 | 155.6 | 108.5 | 8004.5 |

## 8－4 国有建筑企业主要经济指标(2002－2008 年)
Major Economic Indicators of State-owned Construction Enterprises(2002－2008)

| 指标 | | Item | | 2002 | 2003 | 2004 | 2005 | 2006 | 2007 | 2008 |
|---|---|---|---|---|---|---|---|---|---|---|
| 建筑业总产值 | (亿元) | Gross Output Value of Construction | (100 million yuan) | 143.5 | 159.06 | 147.6 | 153.1 | 138.7 | 159.4 | 155.6 |
| 增加值 | (亿元) | Added Value | (100 million yuan) | 27.4 | 32.6 | 29.1 | 39.2 | 26.3 | 31.6 | 28.1 |
| 实现利润总额 | (亿元) | Total Profits | (100 million yuan) | 2.6 | 3.5 | 3.5 | 11.1 | 2.5 | 3.6 | 3.2 |
| 上缴税金 | (亿元) | Taxes Turned over to State | (100 million yuan) | 3.9 | 4.9 | 4.7 | 5.3 | 4.8 | 4.5 | 4.7 |
| 房屋建筑施工面积 | (万平方米) | Floor Space of Buildings under Construction | (10000 sq. m) | 594.4 | 582.1 | 573.4 | 437.4 | 536.7 | 499.7 | 550.5 |
| 房屋建筑竣工面积 | (万平方米) | Floor Space of Buildings Completed | (10000 sq. m) | 228.8 | 227.6 | 151.4 | 146.6 | 196.5 | 196.5 | 185.5 |
| 房屋竣工率 | (%) | Percentage of Buildings Completed | (%) | 38.9 | 39.1 | 26.4 | 33.5 | 36.6 | 39.3 | 33.7 |
| 计算劳动生产率的平均人数 | (万人) | Average Staff and Workers to Calculate Labor Productivity | (10000 persons) | 10.24 | 10.8 | 7.68 | 7.09 | 7.16 | 7.7 | 6.8 |
| 年末拥有固定资产原值 | (亿元) | Original Value of Fixed Assets Owned (year-end) | (100 million yuan) | 39 | 40 | 30.2 | 34.7 | 27.9 | 30.2 | 26.5 |
| 年末拥有固定资产净值 | (亿元) | Net Value of Fixed Assets Owned (year-end) | (100 million yuan) | 25.5 | 29 | 19.9 | 23 | 22.4 | 18.9 | 25.6 |

注:8－4 至 8－20 各表 2004 年以后数据为资质以上总承包、专业承包建筑业企业,不包括劳务分包企业。
The data in table 8－4 to 8－20 include enterprises of labor contracting which having qualification Certificates since 2004.

8－4 续表 continued

| 指 标 | | Item | | 2002 | 2003 | 2004 | 2005 | 2006 | 2007 | 2008 |
|---|---|---|---|---|---|---|---|---|---|---|
| 年末拥有机械设备总台数 | （万台） | Number of Machinery and Equipment Owned（year-end） | （10000 units） | 3.16 | 2.9 | 2.6 | 2.6 | 2.5 | 2.5 | 2.1 |
| 年末拥有机械设备总功率 | （万千瓦） | Total Power of Machinery and Equipment Owned（year-end） | （10000 kw） | 62.9 | 61.9 | 48.99 | 47.98 | 43.25 | 43.54 | 48.1 |
| 年末拥有机械设备净值 | （亿元） | Net Value of Machinery and Equipment Owned（year-end） | （100 million yuan） | 15.46 | 15.18 | 11.05 | 12.92 | 10.09 | 10.67 | 8.21 |
| 全员劳动生产率 | | Overall Labor Productivity | | | | | | | | |
| 按总产值计算 | （元/人） | Calculated by Gross Output Value | （yuan/person） | 140082 | 147228 | 192215 | 215821 | 193730 | 207121 | 227995 |
| 按增加值计算 | （元/人） | Calculated by Added-value | （yuan/person） | 26787 | 30160 | 37544 | 55259 | 36678 | 41101 | 41396 |
| 技术装备率 | （元/人） | Value of Machines per Labourer | （yuan/person） | 15974 | 14502 | 15547 | 19550 | 15157 | 15058 | 13915 |
| 动力装备率 | （千瓦/人） | Power of Machines per Labourer | （kw/person） | 6.5 | 5.9 | 6.9 | 7.2 | 6.5 | 6.2 | 8.2 |
| 产值利润率 | （%） | Ratio of Profit to Gross Output Value | （%） | 1.8 | 2.2 | 2.3 | 7.3 | 1.8 | 2.3 | 2.1 |

注:2004 年开始机械设备为年末施工机械设备。表 8－5 同。

The number of Machinery and Equipment Owned refers to the machinery and equipment under construction（year-end） since 2004. The table 8－5 was the same.

## 8-5 集体建筑企业主要经济指标(2002-2008)
## Major Economic Indicators of Collective Owned Construction Enterprises(2002-2008)

| 指 标 | | Item | | 2002 | 2003 | 2004 | 2005 | 2006 | 2007 | 2008 |
|---|---|---|---|---|---|---|---|---|---|---|
| 建筑业总产值 | (亿元) | Gross Output Value of Construction | (100 million yuan) | 179.8 | 166.2 | 139.51 | 139.2 | 116.3 | 98.9 | 108.3 |
| 增加值 | (亿元) | Added Value | (100 million yuan) | 40.2 | 38.2 | 31.1 | 31.4 | 26.5 | 22.1 | 22.7 |
| 实现利润总额 | (亿元) | Total Profits | (100 million yuan) | 3.9 | 4.6 | 2.4 | 2.8 | 1.8 | 1.7 | 3 |
| 上缴税金 | (亿元) | Taxes Turned over to State | (100 million yuan) | 5.7 | 5.5 | 4.3 | 4.4 | 3.3 | 3.1 | 3.3 |
| 房屋建筑施工面积 | (万平方米) | Floor Space of Buildings under Construction | (10000 sq. m) | 2506.6 | 2195.1 | 2068.7 | 1801.1 | 1518.1 | 1527.1 | 1566.3 |
| 房屋建筑竣工面积 | (万平方米) | Floor Space of Buildings Completed | (10000 sq. m) | 1174 | 1039.5 | 830.6 | 738 | 693.8 | 648.6 | 693.4 |
| 房屋竣工率 | (%) | Percentage of Buildings Completed | (%) | 46.8 | 47.4 | 40.2 | 41 | 45.7 | 42.5 | 44.3 |
| 计算劳动生产率的平均人数 | (万人) | Average Staff and Workers to Calculate Labor Productivity | (10000 persons) | 19.34 | 17.4 | 12.72 | 12.15 | 9.93 | 8.23 | 7.2 |
| 年末拥有固定资产原值 | (亿元) | Original Value of Fixed Assets Owned (year-end) | (100 million yuan) | 33 | 27.5 | 20.8 | 20.1 | 16.7 | 15.5 | 14.2 |
| 年末拥有固定资产净值 | (亿元) | Net Value of Fixed Assets Owned (year-end) | (100 million yuan) | 25.8 | 24.2 | 15.5 | 15.4 | 12.5 | 11.3 | 9.7 |

8－5 续表 continued

| 指 标 | Item | 2002 | 2003 | 2004 | 2005 | 2006 | 2007 | 2008 |
|---|---|---|---|---|---|---|---|---|
| 年末拥有机械设备总台数 （万台） | Number of Machinery and Equipment Owned(year-end) （10000 units） | 7.22 | 6.36 | 4.29 | 3.58 | 2.9 | 2.4 | 1.9 |
| 年末拥有机械设备总功率 （万千瓦） | Total Power of Machinery and Equipment Owned (year-end) （10000 kw） | 75.7 | 61.4 | 44.7 | 35.7 | 29.7 | 28.4 | 25.8 |
| 年末拥有机械设备净值 （亿元） | Net Value of Machinery and Equipment Owned (year-end) （100 million yuan） | 16 | 13.8 | 9.2 | 8 | 7.3 | 6.8 | 5.52 |
| 全员劳动生产率 | Overall Labor Productivity | | | | | | | |
| 按总产值计算 （元/人） | Calculated by Gross Output Value （yuan/person） | 92948 | 95520 | 109686 | 114649 | 117198 | 120238 | 149763 |
| 按增加值计算 （元/人） | Calculated by Added-value （yuan/person） | 20798 | 21961 | 24482 | 25856 | 26668 | 26822 | 31483 |
| 技术装备率 （元/人） | Value of Machines per Labourer （yuan/person） | 8421 | 7997 | 7052 | 6447 | 7261 | 8416 | 7886 |
| 动力装备率 （千瓦/人） | Power of Machines per Labourer （kw/person） | 4 | 3.5 | 3.4 | 2.9 | 3 | 3.5 | 3.7 |
| 产值利润率 （%） | Ratio of Profit to Gross Output Value （%） | 2.2 | 2.8 | 1.8 | 2.04 | 1.6 | 1.7 | 2.8 |

## 8－6 各地建筑业企业单位数(2002－2008 年)
Number of Construction Enterprises by Region (2002－2008)

单位:个(unit)

| 地 区 | Region | 2002 | 2003 | 2004 | 2005 | 2006 | 2007 | 2008 |
|---|---|---|---|---|---|---|---|---|
| **合 计** | **Total** | **3134** | **3392** | **3795** | **3962** | **4129** | **4333** | **4728** |
| 杭州市 | Hangzhou | 719 | 755 | 805 | 861 | 929 | 972 | 1174 |
| 宁波市 | Ningbo | 482 | 566 | 635 | 655 | 684 | 674 | 687 |
| 温州市 | Wenzhou | 372 | 398 | 477 | 478 | 498 | 530 | 561 |
| 嘉兴市 | Jiaxing | 195 | 189 | 194 | 202 | 214 | 245 | 248 |
| 湖州市 | Huzhou | 141 | 154 | 165 | 185 | 177 | 188 | 148 |
| 绍兴市 | Shaoxing | 340 | 373 | 414 | 451 | 466 | 486 | 530 |
| 金华市 | Jinhua | 326 | 368 | 456 | 465 | 472 | 497 | 543 |
| 衢州市 | Quzhou | 90 | 105 | 113 | 117 | 125 | 129 | 154 |
| 舟山市 | Zhoushan | 81 | 80 | 87 | 96 | 95 | 103 | 112 |
| 台州市 | Taizhou | 261 | 267 | 316 | 321 | 336 | 355 | 398 |
| 丽水市 | Lishui | 127 | 137 | 133 | 131 | 133 | 154 | 173 |

## 8－7 各地建筑业企业年末从业人员(2002－2008 年)
Employed Persons in Construction Enterprises by Region(Year-end,2002－2008)

单位:万人(10000 persons)

| 地 区 | Region | 2002 | 2003 | 2004 | 2005 | 2006 | 2007 | 2008 |
|---|---|---|---|---|---|---|---|---|
| **合 计** | **Total** | **198.84** | **242.94** | **266.08** | **311.94** | **356.83** | **406.53** | **428.62** |
| 杭州市 | Hangzhou | 36.98 | 45.35 | 49.52 | 56.09 | 67.16 | 75.82 | 80.12 |
| 宁波市 | Ningbo | 29.51 | 37.83 | 42.00 | 45.41 | 47.21 | 50.03 | 51.38 |
| 温州市 | Wenzhou | 17.96 | 20.12 | 20.27 | 22.33 | 25.64 | 28.29 | 29.11 |
| 嘉兴市 | Jiaxing | 7.67 | 9.76 | 10.04 | 11.71 | 13.34 | 15.81 | 18.86 |
| 湖州市 | Huzhou | 6.87 | 6.96 | 7.44 | 8.57 | 9.72 | 11.57 | 10.94 |
| 绍兴市 | Shaoxing | 48.71 | 59.81 | 69.65 | 88.43 | 99.54 | 112.27 | 117.86 |
| 金华市 | Jinhua | 21.86 | 28.61 | 30.47 | 37.71 | 43.33 | 54.3 | 56.39 |
| 衢州市 | Quzhou | 4.43 | 4.92 | 4.99 | 5.17 | 6.52 | 7.57 | 8.51 |
| 舟山市 | Zhoushan | 2.65 | 3.28 | 2.92 | 3.06 | 3.34 | 4.03 | 4.76 |
| 台州市 | Taizhou | 18.89 | 22.31 | 24.38 | 28.84 | 35.86 | 41.14 | 45.27 |
| 丽水市 | Lishui | 3.30 | 4.00 | 4.38 | 4.61 | 5.16 | 5.7 | 5.42 |

## 8-8 各地建筑业企业总产值(2002-2008年)
## Gross Output Value of Construction Enterprises by Region(2002-2008)

单位:亿元(100 million yuan)

| 地　区 | Region | 2002 | 2003 | 2004 | 2005 | 2006 | 2007 | 2008 |
|---|---|---|---|---|---|---|---|---|
| **合　计** | **Total** | **2283** | **3127.3** | **3895.6** | **4716.1** | **5655.7** | **6971.7** | **8158.7** |
| 杭州市 | Hangzhou | 526 | 710 | 873 | 1036.2 | 1267.3 | 1484.5 | 1800.5 |
| 宁波市 | Ningbo | 331.9 | 474.6 | 595.9 | 659.9 | 716.9 | 796.4 | 921.5 |
| 温州市 | Wenzhou | 164.2 | 194.5 | 220.2 | 260.9 | 319 | 395.6 | 458.7 |
| 嘉兴市 | Jiaxing | 66.3 | 90.8 | 111.2 | 122.9 | 157 | 237.3 | 315.5 |
| 湖州市 | Huzhou | 66.6 | 85.6 | 105.5 | 142.4 | 170.1 | 208.0 | 215.5 |
| 绍兴市 | Shaoxing | 623.7 | 874.3 | 1136.1 | 1407.1 | 1679 | 2112.6 | 2413.3 |
| 金华市 | Jinhua | 223.8 | 335.3 | 423.9 | 541.2 | 662.8 | 879.4 | 995.3 |
| 衢州市 | Quzhou | 38.4 | 49.3 | 48.6 | 54.6 | 75.8 | 106.8 | 133.8 |
| 舟山市 | Zhoushan | 22 | 28.6 | 37.7 | 41.4 | 49 | 70.6 | 94.1 |
| 台州市 | Taizhou | 186.4 | 242 | 293.5 | 392.1 | 490.3 | 600.5 | 716.8 |
| 丽水市 | Lishui | 33.6 | 42.2 | 50 | 57.3 | 68.6 | 80.2 | 93.8 |

## 8-9 各地区按登记注册类型分的建筑业企业单位数(2008年)
## Number of Construction Enterprises by Registration Status and Region(2008)

单位:个(unit)

| 地　区 Region | 建筑业企业单位数 Number of Construction Enterprises | 内资企业 Domestic Capital Enterprises | #国有企业 State-owned Enterprises | #集体企业 Collective Owned Enterprises | #股份合作企业 Share Holdings Enterprises | #私营企业 Private Enterprises | 港澳台商投资企业 Enterprises Funded by Entrepre-neurs from Hong Kong Macao and Taiwan | 外商投资企业 Foreign Funded Enterprises |
|---|---|---|---|---|---|---|---|---|
| **合　计 Total** | **4728** | **4702** | **101** | **111** | **21** | **3300** | **15** | **11** |
| 杭州市 Hangzhou | 1174 | 1167 | 31 | 15 | 2 | 806 | 3 | 4 |
| 宁波市 Ningbo | 687 | 683 | 15 | 4 | 2 | 584 | 1 | 3 |
| 温州市 Wenzhou | 561 | 561 | 9 | 35 | 9 | 426 | | |
| 嘉兴市 Jiaxing | 248 | 248 | 4 | 1 | 2 | 199 | | |
| 湖州市 Huzhou | 148 | 144 | 9 | 4 | | 54 | 3 | 1 |
| 绍兴市 Shaoxing | 530 | 522 | 9 | 8 | | 279 | 5 | 3 |
| 金华市 Jinhua | 543 | 542 | 7 | 24 | 2 | 412 | 1 | |
| 衢州市 Quzhou | 154 | 154 | 3 | 3 | | 133 | | |
| 舟山市 Zhoushan | 112 | 111 | 6 | 2 | | 76 | 1 | |
| 台州市 Taizhou | 398 | 397 | 6 | 12 | 4 | 194 | 1 | |
| 丽水市 Lishui | 173 | 173 | 2 | 3 | | 137 | | |

## 8－10 各地区按登记注册类型分的建筑业企业年末从业人员(2008 年底)

Number of Employed Persons in Construction Enterprises by Registration Status and Region(End of 2008)

单位:人(person)

| 地 区 | Region | 年末从业人员 Average Number of Employed Persons | 内资企业 Domestic Capital Enterprises | #国有企业 State－owned Enterprises | #集体企业 Collective Owned Enterprises | #股份合作企业 Share Holdings Enterprises | #私营企业 Private Enterprises | 港澳台商投资企业 Enterprises Funded by Entrepre－neurs from Hong Kong Macao and Taiwan | 外商投资企业 Foreign Funded Enterprises |
|---|---|---|---|---|---|---|---|---|---|
| **合 计** | **Total** | **4286210** | **4270089** | **58567** | **70474** | **10470** | **2108568** | **8723** | **7398** |
| 杭州市 | Hangzhou | 801246 | 799705 | 26186 | 2194 | 349 | 345636 | 554 | 987 |
| 宁波市 | Ningbo | 513788 | 513272 | 4389 | 430 | 4820 | 285717 | 32 | 484 |
| 温州市 | Wenzhou | 291128 | 291128 | 7991 | 28946 | 2752 | 190120 | | |
| 嘉兴市 | Jiaxing | 188638 | 188638 | 560 | 799 | 265 | 153050 | | |
| 湖州市 | Huzhou | 109378 | 108925 | 4164 | 1452 | | 18545 | 335 | 118 |
| 绍兴市 | Shaoxing | 1178631 | 1165107 | 2565 | 5018 | | 422952 | 7715 | 5809 |
| 金华市 | Jinhua | 563912 | 563902 | 6078 | 12410 | 528 | 315934 | 10 | |
| 衢州市 | Quzhou | 85072 | 85072 | 1266 | 199 | | 70357 | | |
| 舟山市 | Zhoushan | 47559 | 47542 | 2278 | 441 | | 28957 | 17 | |
| 台州市 | Taizhou | 452659 | 452599 | 2731 | 17737 | 1756 | 233557 | 60 | |
| 丽水市 | Lishui | 54199 | 54199 | 359 | 848 | | 43743 | | |

## 8－11 各地区建筑业总产值构成(2008 年)

Total Construction Output Value by Structure and Region(2008)

单位:万元(10000 yuan)

| 地 区 | Region | 建筑业总产值 Gross output Value of Construction | 建筑工程产值 Output Value of Construction | 安装工程产值 Output Value of Installation | 其他产值 Others |
|---|---|---|---|---|---|
| **合 计** | **Total** | **81586839** | **72320189** | **6872070** | **2394580** |
| 杭州市 | Hangzhou | 18004524 | 15351303 | 2083405 | 569816 |
| 宁波市 | Ningbo | 9214782 | 7877202 | 984915 | 352665 |
| 温州市 | Wenzhou | 4586538 | 4133028 | 335365 | 118146 |
| 嘉兴市 | Jiaxing | 3154840 | 2827171 | 222512 | 105157 |
| 湖州市 | Huzhou | 2155166 | 1854232 | 211515 | 89419 |
| 绍兴市 | Shaoxing | 24133221 | 21454791 | 1837022 | 841407 |
| 金华市 | Jinhua | 9952584 | 9073155 | 708450 | 170979 |
| 衢州市 | Quzhou | 1337729 | 1204187 | 93201 | 40342 |
| 舟山市 | Zhoushan | 941167 | 841224 | 98628 | 1315 |
| 台州市 | Taizhou | 7168173 | 6885288 | 216169 | 66717 |
| 丽水市 | Lishui | 938115 | 818610 | 80888 | 38618 |

## 8－12 各地区按登记注册类型分的建筑业总产值(2008 年)
Total Construction Output Value by Registration Status and Region(2008)

单位:万元(10000 yuan)

| 地 区 Region | | 建筑业总产值 Gross Output Value of Construction | 内资企业 Domestic Capital Enterprises | #国有企业 State－owned Enterprises | #集体企业 Collective Owned Enterprises | #股份合作企业 Share Holdings Enterprises | #私营企业 Private Enterprises | 港澳台商投资企业 Enterprises Funded by Entrepre－neurs from Hong Kong Macao and Taiwan | 外商投资企业 Foreign Funded Enterprises |
|---|---|---|---|---|---|---|---|---|---|
| **合 计** | **Total** | **81586839** | **81067799** | **1555928** | **1083283** | **121705** | **35440251** | **217990** | **301050** |
| 杭州市 | Hangzhou | 18004524 | 17972599 | 796214 | 54559 | 6417 | 6776862 | 8039 | 23887 |
| 宁波市 | Ningbo | 9214782 | 9187786 | 99573 | 8340 | 39623 | 4594678 | 425 | 26571 |
| 温州市 | Wenzhou | 4586538 | 4586538 | 166809 | 426900 | 48375 | 2880533 | | |
| 嘉兴市 | Jiaxing | 3154840 | 3154840 | 36260 | 8863 | 5100 | 2455025 | | |
| 湖州市 | Huzhou | 2155166 | 2141617 | 98622 | 16893 | | 346803 | 10017 | 3532 |
| 绍兴市 | Shaoxing | 24133221 | 23688403 | 38185 | 88820 | | 7680864 | 197756 | 247061 |
| 金华市 | Jinhua | 9952584 | 9952484 | 139061 | 188687 | 9197 | 4712192 | 100 | |
| 衢州市 | Quzhou | 1337729 | 1337729 | 42368 | 1402 | | 1092180 | | |
| 舟山市 | Zhoushan | 941167 | 940961 | 86981 | 9516 | | 536444 | 206 | |
| 台州市 | Taizhou | 7168173 | 7166725 | 47198 | 271774 | 12993 | 3640057 | 1449 | |
| 丽水市 | Lishui | 938115 | 938115 | 4658 | 7529 | | 724613 | | |

## 8－13 各地区按所含专业分的建筑业总产值(2008 年)
Total Construction Output Value by Sector and Region(2008)

单位:万元(10000 yuan)

| 地 区 Region | | 建筑业总产值 Gross Output Value of Construc－tion | 房屋和土木工程建筑业 Housing and Civil Engineering | 房屋工程建筑 Housing | 土木工程建筑 Civil Engineering | #铁路、道路、隧道和桥梁工程建筑 Railways, Tunnels, Roads, and Bridges | 建筑安装业 Installation | 建筑装饰业 Building Decoration | 其他建筑业 Others |
|---|---|---|---|---|---|---|---|---|---|
| **合 计** | **Total** | **81586839** | **75832168** | **60649923** | **15182245** | **10356595** | **2775624** | **2320959** | **658088** |
| 杭州市 | Hangzhou | 18004524 | 16109391 | 11863542 | 4245849 | 2601660 | 931975 | 701350 | 261809 |
| 宁波市 | Ningbo | 9214782 | 8313380 | 6214072 | 2099308 | 1275833 | 528234 | 276544 | 96624 |
| 温州市 | Wenzhou | 4586538 | 4264943 | 2868106 | 1396838 | 807540 | 123987 | 166884 | 30725 |
| 嘉兴市 | Jiaxing | 3154840 | 2919604 | 2348300 | 571304 | 404021 | 139461 | 81106 | 14669 |
| 湖州市 | Huzhou | 2155166 | 2038052 | 1504003 | 534049 | 385713 | 76124 | 30741 | 10249 |
| 绍兴市 | Shaoxing | 24133221 | 22728004 | 20443021 | 2284983 | 1784442 | 589910 | 714073 | 101234 |
| 金华市 | Jinhua | 9952584 | 9578440 | 7999203 | 1579237 | 1128495 | 178206 | 186410 | 9528 |
| 衢州市 | Quzhou | 1337729 | 1280365 | 910360 | 370006 | 276699 | 20377 | 23202 | 13785 |
| 舟山市 | Zhoushan | 941167 | 796573 | 615469 | 181104 | 58550 | 79439 | 23782 | 41372 |
| 台州市 | Taizhou | 7168173 | 6930630 | 5322053 | 1608576 | 1443986 | 85596 | 77066 | 74882 |
| 丽水市 | Lishui | 938115 | 872787 | 561795 | 310992 | 189658 | 22316 | 39801 | 3212 |

## 8－14 各地区建筑业企业房屋建筑面积(2008 年)
Floor Space of Building Construction by Region(2008)

单位:万平方米(10000 sq. m)

| 地 区 Region | | 房屋建筑施工面积 Floor Space Under Construction | | | | 房屋建筑竣工面积 Floor Space Under Construction | | | |
|---|---|---|---|---|---|---|---|---|---|
| | | 合 计 Total | 国有企业 State－owned Construction Enterprises | 集体企业 Collective owned Construction Enterprises | 私营企业 Private Enterprises | 合 计 Total | 国有企业 State－owned Construction Enterprises | 集体企业 Collective owned Construction Enterprises | 私营企业 Private Enterprises |
| **合 计** | **Total** | **92587.9** | **550.5** | **1566.3** | **40813.3** | **37381.2** | **185.5** | **693.4** | **18455.8** |
| 杭州市 | Hangzhou | 16059.2 | 175.0 | 9.8 | 6107.9 | 5800.0 | 65.4 | 4.9 | 2865.0 |
| 宁波市 | Ningbo | 10604.0 | | | 5755.9 | 3975.6 | | | 2456.0 |
| 温州市 | Wenzhou | 5767.1 | 273.6 | 1025.8 | 3451.2 | 1870.6 | 57.2 | 361.9 | 1097.6 |
| 嘉兴市 | Jiaxing | 3857.6 | | | 3242.3 | 1899.6 | | | 1656.9 |
| 湖州市 | Huzhou | 2071.0 | 2.6 | 7.9 | 371.9 | 1031.4 | 0.4 | 3.7 | 185.8 |
| 绍兴市 | Shaoxing | 28889.5 | 0.1 | 124.2 | 9369.3 | 12404.1 | . | 67.5 | 4386.8 |
| 金华市 | Jinhua | 13892.5 | 86.6 | 113.9 | 5668.5 | 5491.1 | 52.2 | 56.9 | 2781.0 |
| 衢州市 | Quzhou | 1477.9 | 9.0 | 0.3 | 1295.5 | 861.1 | 9.0 | 0.3 | 773.5 |
| 舟山市 | Zhoushan | 776.4 | 3.5 | 3.1 | 446.8 | 236.7 | 1.4 | 1.5 | 130.1 |
| 台州市 | Taizhou | 8316.5 | | 274.8 | 4462.4 | 3448.5 | | 195.7 | 1850.3 |
| 丽水市 | Lishui | 876.2 | | 6.5 | 641.5 | 362.5 | | 1.1 | 272.8 |

## 8－15 各地区建筑业企业劳动生产率(2008 年)
Labor Productivity of Construction by Region(2008)

单位:元/人(yuan/person)

| 地 区 Region | | 按建筑业总产值计算的劳动生产率 Overall Labor Productivity Calculated by Gross Output Value of Construction | #国有企业 State-owned Enterprises | #集体企业 Collective Owned Enterprises | 按增加值计算的劳动生产率 Overall Labor Productivity Calculated by Added Value | 国有企业 State-owned Enterprises | 集体企业 Collective Owned Enterprises |
|---|---|---|---|---|---|---|---|
| **合 计** | **Total** | **189224** | **227995** | **149763** | **37226** | **41396** | **31483** |
| 杭州市 | Hangzhou | 208419 | 238637 | 197822 | 34319 | 43469 | 32084 |
| 宁波市 | Ningbo | 181560 | 197957 | 222403 | 37857 | 36697 | 56811 |
| 温州市 | Wenzhou | 160117 | 197384 | 148265 | 34404 | 37079 | 33531 |
| 嘉兴市 | Jiaxing | 154322 | 660464 | 111344 | 34822 | 130490 | 29410 |
| 湖州市 | Huzhou | 198889 | 231182 | 127877 | 32650 | 48414 | 27468 |
| 绍兴市 | Shaoxing | 210494 | 152435 | 164452 | 41147 | 30782 | 34301 |
| 金华市 | Jinhua | 177768 | 200781 | 150637 | 39078 | 25923 | 32633 |
| 衢州市 | Quzhou | 158059 | 249519 | 82941 | 33245 | 15889 | 28882 |
| 舟山市 | Zhoushan | 203742 | 373951 | 125541 | 42866 | 90627 | 38389 |
| 台州市 | Taizhou | 160065 | 170328 | 147479 | 34456 | 33296 | 26735 |
| 丽水市 | Lishui | 167556 | 130476 | 74694 | 33160 | 33277 | 21514 |

## 8－16 各地区建筑业企业技术装备情况(2008 年)
Equipment Owned by Construction Enterprises by Region(2008)

| 地 区 Region | | 自有施工机械设备总台数(台) Number of Machinery and Equipment Owned (unit) | 自有施工机械设备总功率(万千瓦) Total Power of Machinery and Equipment Owned (10000 kw) | 自有施工机械设备净值(万元) Net Value of Machinery and Equipment Owned (10000 yuan) | 技术装备率(元/人) Value of Machines per Labourer (yuan/person) | 动力装备率(千瓦/人) Power of Machines per Labourer (kw/person) |
|---|---|---|---|---|---|---|
| **合 计** | **Total** | **839405** | **1307.12** | **2909651** | **6788** | **3.05** |
| 杭州市 | Hangzhou | 157385 | 243.56 | 559442 | 6982 | 3.04 |
| 宁波市 | Ningbo | 97096 | 131.21 | 357889 | 6966 | 2.55 |
| 温州市 | Wenzhou | 66483 | 111.73 | 258497 | 8879 | 3.84 |
| 嘉兴市 | Jiaxing | 48773 | 64.24 | 109485 | 5804 | 3.41 |
| 湖州市 | Huzhou | 26556 | 44.45 | 112595 | 10294 | 4.06 |
| 绍兴市 | Shaoxing | 187909 | 321.79 | 629881 | 5344 | 2.73 |
| 金华市 | Jinhua | 127836 | 177.15 | 400235 | 7097 | 3.14 |
| 衢州市 | Quzhou | 20860 | 41.58 | 84729 | 9960 | 4.89 |
| 舟山市 | Zhoushan | 11901 | 19.17 | 46022 | 9677 | 4.03 |
| 台州市 | Taizhou | 79423 | 131.63 | 300141 | 6631 | 2.91 |
| 丽水市 | Lishui | 15183 | 20.62 | 50734 | 9361 | 3.8 |

## 8－17 各地区建筑业企业资产与负债(2008 年)
Assets and Liabilities of Construction Enterprises by Region(2008)

单位:万元(10000 yuan)

| 地 区 Region | | 资产合计 Total Assets | #流动资产 Circulating Assets | #固定资产 Fixed Assets | 流动负债 Liquid Liabilities | 长期负债 Long-term Liabilities | 所有者权益 Creditors' Equity |
|---|---|---|---|---|---|---|---|
| **合 计** | **Total** | **41758994** | **33081643** | **5553625** | **25557202** | **695924** | **15505868** |
| 杭州市 | Hangzhou | 10680197 | 8419776 | 1265516 | 6968771 | 215197 | 3496229 |
| 宁波市 | Ningbo | 6513574 | 5280493 | 740823 | 4127529 | 143834 | 2242210 |
| 温州市 | Wenzhou | 3789213 | 3157600 | 437689 | 2584438 | 20510 | 1184265 |
| 嘉兴市 | Jiaxing | 1672664 | 1371584 | 202782 | 1162550 | 21136 | 488978 |
| 湖州市 | Huzhou | 1460904 | 1117163 | 233625 | 956838 | 23175 | 480891 |
| 绍兴市 | Shaoxing | 7441693 | 5696267 | 1164942 | 4052965 | 138753 | 3249975 |
| 金华市 | Jinhua | 4685674 | 3676728 | 699018 | 2469773 | 70311 | 2145590 |
| 衢州市 | Quzhou | 730098 | 556999 | 127541 | 395530 | 2005 | 332563 |
| 舟山市 | Zhoushan | 903258 | 780015 | 72888 | 701366 | 15472 | 186420 |
| 台州市 | Taizhou | 3122367 | 2421444 | 489909 | 1726199 | 37037 | 1359131 |
| 丽水市 | Lishui | 759353 | 603573 | 118892 | 411243 | 8494 | 339616 |

## 8-18 各地区建筑业企业总收入(2008年)
Total Income of Construction Enterprises by Region(2008)

单位:万元(10000 yuan)

| 地区 Region | | 企业总收入 Total Income | 工程结算收入 Revenue of Project Settlement Accounts | #工程结算成本 Costs of Project Settlement Accounts | #工程结算利润 Profits of Project Settlement Accounts | 其他业务收入 Other Revenue from Business | #其他业务利润 Other Profits from Business |
|---|---|---|---|---|---|---|---|
| **合 计** | **Total** | **69975222** | **69464858** | **62935880** | **3881255** | **510364** | **113528** |
| 杭州市 | Hangzhou | 16091050 | 15932628 | 14479116 | 850218 | 158422 | 36223 |
| 宁波市 | Ningbo | 8158266 | 8038175 | 7225188 | 525469 | 120091 | 24052 |
| 温州市 | Wenzhou | 4127052 | 4081748 | 3651902 | 272307 | 45303 | 12697 |
| 嘉兴市 | Jiaxing | 2593421 | 2565036 | 2342633 | 130802 | 28385 | 4929 |
| 湖州市 | Huzhou | 1953181 | 1914966 | 1733090 | 113540 | 38215 | 5689 |
| 绍兴市 | Shaoxing | 19520668 | 19484493 | 17817027 | 916462 | 36175 | 8957 |
| 金华市 | Jinhua | 8653351 | 8638176 | 7746019 | 543286 | 15174 | 7891 |
| 衢州市 | Quzhou | 1207493 | 1182775 | 1064520 | 73307 | 24718 | 2847 |
| 舟山市 | Zhoushan | 908266 | 899051 | 821667 | 46614 | 9216 | 3092 |
| 台州市 | Taizhou | 5924308 | 5892675 | 5330245 | 336111 | 31633 | 5387 |
| 丽水市 | Lishui | 838165 | 835134 | 724474 | 73139 | 3032 | 1764 |

## 8-19 各地区建筑业企业利税总额(2008年)
Profits and Taxes of Construction Enterprises by Region(2008)

| 地区 Region | | 利税总额(万元) Total Pre-tax Profits (10000 yuan) | 利润总额 Total Profits | 工程结算税金及附加 Taxes and Extra Charges on Project Settlement Accounts | 税金 Taxes | 产值利税率(%) Ratio of Pre-tax Profits to Output Value | 资产利税率(%) Ratio of Pre-tax Profits to Assets |
|---|---|---|---|---|---|---|---|
| **合 计** | **Total** | **4647886** | **2147344** | **2418254** | **82288** | **5.7** | **11.13** |
| 杭州市 | Hangzhou | 964688 | 395459 | 552973 | 16256 | 5.36 | 9.03 |
| 宁波市 | Ningbo | 583443 | 316337 | 257703 | 9402 | 6.33 | 8.96 |
| 温州市 | Wenzhou | 274378 | 126032 | 141456 | 6889 | 5.98 | 7.24 |
| 嘉兴市 | Jiaxing | 155404 | 66812 | 85665 | 2927 | 4.93 | 9.29 |
| 湖州市 | Huzhou | 128678 | 62424 | 63502 | 2753 | 5.97 | 8.81 |
| 绍兴市 | Shaoxing | 1267419 | 547328 | 701203 | 18888 | 5.25 | 17.03 |
| 金华市 | Jinhua | 671680 | 344829 | 313212 | 13638 | 6.75 | 14.33 |
| 衢州市 | Quzhou | 75240 | 32429 | 40428 | 2383 | 5.62 | 10.31 |
| 舟山市 | Zhoushan | 42898 | 11912 | 30191 | 795 | 4.56 | 4.75 |
| 台州市 | Taizhou | 407809 | 202600 | 198682 | 6527 | 5.69 | 13.06 |
| 丽水市 | Lishui | 76250 | 41182 | 33238 | 1829 | 8.13 | 10.04 |

## 8-20 建筑业企业财务状况(2008年)
## Financial Indicators of Construction Enterprises(2008)

单位:万元(10000 yuan)

| 指标 | Item | 资产合计 Total Assets | 流动资产小计 Liquid Assets | 长期投资 Long-term Investment | 固定资产小计 Fixed Assets | 无形及递延资产小计 Intangible and Deferred Assets | 流动负债小计 Total Liquid Liabilities |
|---|---|---|---|---|---|---|---|
| **总计** | **Total** | **41758994** | **33081643** | **2394292** | **5553625** | **641907** | **25557202** |
| #特、一、二级企业 | Superfine, The First and Second Grade Construction Enterprises | 33888747 | 26947624 | 2108030 | 4213179 | 546976 | 20982478 |
| #国有及国有控股 | State-owned and State-holding Industrial Enterprises | 3993649 | 3050256 | 266046 | 587644 | 79115 | 2747444 |
| **按登记注册类型分组** | **by Registration** | | | | | | |
| 内资企业 | Domestic Capital Enterprises | 41426539 | 32824183 | 2384672 | 5494380 | 635876 | 25337628 |
| #国有企业 | State-owned | 1249073 | 939944 | 36687 | 255967 | 9647 | 813744 |
| 集体企业 | Collective Owned | 908523 | 795284 | 13234 | 96833 | 2665 | 688297 |
| 股份合作企业 | Share Holding | 125754 | 88112 | 6877 | 30103 | 552 | 84381 |
| 私营企业 | Private | 19320821 | 15313286 | 881850 | 2860519 | 219734 | 11019332 |
| 港、澳、台商投资企业 | Funded by Entrepreneurs from Hong Kong, Macao and Taiwan | 118036 | 89086 | 5770 | 22562 | 608 | 57285 |
| 外商投资企业 | Foreign Funded | 214419 | 168375 | 3850 | 36684 | 5423 | 162290 |
| **按国民经济行业分组** | **by Sector** | | | | | | |
| 房屋和土木工程建筑业 | Housing and Civil Engineering | 37220255 | 29488306 | 2201584 | 4878936 | 568929 | 22742331 |
| 建筑安装业 | Installation | 2535208 | 2021195 | 97638 | 368089 | 44988 | 1698364 |
| 建筑装饰业 | Building Decoration | 1430875 | 1157655 | 64902 | 190087 | 17254 | 797829 |
| 其他建筑业 | Others | 572656 | 414487 | 30168 | 116514 | 10736 | 318678 |

8－20 续表1 continued 单位:万元(10000 yuan)

| 指标 | Item | 长期负债 Long-term Liabilities | 负债合计 Total Liabilities | 所有者权益合计 Creditors' Equity | 工程结算收入 Revenue of Project Settled Accounts | 工程结算成本 Costs of Project Settled Accounts | 工程结算税金及附加 Taxes and Extra Charges on Project Settled Accounts |
|---|---|---|---|---|---|---|---|
| **总计** | **Total** | **695924** | **26253126** | **15505868** | **69464858** | **62935880** | **2418254** |
| #特、一、二级企业 | Superfine, The First and Second Grade Construction Enterprises | 624248 | 21606726 | 12282021 | 60624192 | 55272352 | 2108624 |
| #国有及国有控股 | State-owned and State-holding Industrial Enterprises | 141294 | 2888737 | 1104912 | 5011362 | 4513554 | 174720 |
| **按登记注册类型分组** | **by Registration** | | | | | | |
| 内资企业 | Domestic Capital Enterprises | 678310 | 26015938 | 15410600 | 68989698 | 62508558 | 2409374 |
| #国有企业 | State-owned | 17438 | 831182 | 417891 | 1465435 | 1295622 | 46091 |
| 集体企业 | Collective Owned | 3439 | 691736 | 216787 | 932423 | 849453 | 32244 |
| 股份合作企业 | Share Holding | 94 | 84475 | 41279 | 121431 | 106173 | 4290 |
| 私营企业 | Private | 245886 | 11265217 | 8055603 | 30802344 | 27623335 | 1092943 |
| 港、澳、台商投资企业 | Funded by Entrepreneurs from Hong Kong, Macao and Taiwan | 13761 | 71045 | 46991 | 210026 | 187551 | 4309 |
| 外商投资企业 | Foreign Funded | 3853 | 166142 | 48277 | 265134 | 239771 | 4571 |
| **按国民经济行业分组** | **by Sector** | | | | | | |
| 房屋和土木工程建筑业 | Housing and Civil Engineering | 651198 | 23393530 | 13826725 | 64315638 | 58503312 | 2259724 |
| 建筑安装业 | Installation | 30052 | 1728416 | 806792 | 2597571 | 2219515 | 70643 |
| 建筑装饰业 | Building Decoration | 12073 | 809902 | 620973 | 1925035 | 1663036 | 66261 |
| 其他建筑业 | Others | 2600 | 321278 | 251378 | 626613 | 550017 | 21626 |

8-20 续表2 continued

单位:万元(10000 yuan)

| 指标 | Item | 管理费用 Manage - ment Expenses | 财务费用 Financial Expenses | 营业利润 Business Profits | 利润总额 Total Profits | 应交所得税 Income Tax Payable | 本年应付工资总额 Total Wages Payable |
|---|---|---|---|---|---|---|---|
| **总计** | **Total** | **1546632** | **422685** | **2025465** | **2147344** | **493091** | **10098219** |
| #特、一、二级企业 | Superfine, The First and Second Grade Construction Enterprises | 1158158 | 365716 | 1632132 | 1728831 | 392106 | 8946916 |
| #国有及国有控股 | State-owned and State-holding Industrial Enterprises | 200724 | 12777 | 103841 | 127548 | 29597 | 491852 |
| **按登记注册类型分组** | **by Registration** | | | | | | |
| 内资企业 | Domestic Capital Enterprises | 1532933 | 419095 | 2009368 | 2129061 | 490453 | 10040066 |
| #国有企业 | State-owned | 91710 | 3383 | 28305 | 31918 | 7319 | 167149 |
| 集体企业 | Collective Owned | 26680 | 2331 | 20892 | 29506 | 5792 | 147026 |
| 股份合作企业 | Share Holding | 7056 | 717 | 2970 | 4326 | 939 | 17193 |
| 私营企业 | Private | 757021 | 228342 | 1009240 | 1015276 | 247859 | 4659109 |
| 港、澳、台商投资企业 | Funded by Entrepreneurs from Hong Kong, Macao and Taiwan | 4969 | 783 | 10922 | 13518 | 1175 | 37453 |
| 外商投资企业 | Foreign Funded | 8730 | 2807 | 5175 | 4765 | 1463 | 20700 |
| **按国民经济行业分组** | **by Sector** | | | | | | |
| 房屋和土木工程建筑业 | Housing and Civil Engineering | 1276634 | 385327 | 1796503 | 1898923 | 438735 | 9535219 |
| 建筑安装业 | Installation | 151228 | 16641 | 128179 | 148160 | 27996 | 261608 |
| 建筑装饰业 | Building Decoration | 92829 | 13969 | 79622 | 77928 | 20874 | 239951 |
| 其他建筑业 | Others | 25942 | 6748 | 21160 | 22334 | 5486 | 61442 |

浙/江/统/计/年/鉴

# 主要统计指标解释

## ■ 建筑业增加值

指建筑业企业在报告期内以货币表现的建筑业生产经营活动的最终成果。目前建筑业增加值采用分配法计算，即从收入的角度出发，根据生产要素在生产过程中应得的收入份额计算。具体计算公式为：

建筑业企业增加值＝本年提取的固定资产折旧＋应付工资＋应付福利费＋管理费用中的劳动待业保险金、税金＋工程结算税金及附加＋营业利润－转作奖金的利润。

## ■ 房屋建筑施工面积

指在报告期内施工的全部房屋建筑面积。包括本期内新开工的、上期施工跨入本期继续施工、上期停建本期复工的房屋建筑面积；不包括上期开工后又停工，本期未施工的房屋建筑面积。

## ■ 房屋建筑竣工面积

指在报告期内，按照设计所规定的工程内容全部完成，达到了设计规定的交工条件，经有关部门检查验收鉴定合格的房屋建筑面积。

## ■ 自有施工机械设备年末总台数

指年末本企业（或单位）自有的直接用于工程施工的各种机械设备的台数。但不包括附属辅助生产机械设备、运输机械设备、生产试验机械设备的台数。

## ■ 自有施工机械设备年末总功率

指年末本企业（或单位）自有的直接用于工程施工的各种机械备年末总功率，按设定能力或查定能力计算。包括施工机械本身的动力和为该机械服务的单独动力设备，如电动机等。但不包括附属辅助生产机械设备、运输机械设备、生产试验机械设备的功率。计量单位用千瓦，动力换算可按1马力＝0.735千瓦折合成千瓦数。电焊机、变压器、锅炉不计算动力。

## ■ 工程结算收入

指企业（或单位）按工程的分部分项自行完成的建筑产品价值并已与甲方在报告期内办理结算手续的工程价款收入，以及向甲方收取的除工程价款以外的按规定列作营业收入的各种款项，如临时设施费、劳动保险费、施工机械调迁费等以及向甲方收取的各种索赔款。

## ■ 工程结算利润

指已结算工程实现的利润。如为亏损以“－”号表示。其计算公式为：

工程结算利润＝工程结算收入－工程结算成本－工程结算税金及附加－经营费用

## ■ 企业总收入

指与企业生产经营直接有关的各项收入，包括工程结算收入和其他业务收入，即：

企业总收入＝工程结算收入＋其他业务收入

ZHEJIANG STATISTICAL YEARBOOK

# Explanatory Notes on Main Statistical Indicators

## □ Value Added of Construction

refers to the final result of the activities of production and management of construction in monetary terms in the reference period. At present, the value added of construction is calculated with the method of distribution. In other words, it is the sum of incomes of various production factors in the production process. The formula is as follows:

Value added of construction = depreciation of fixed assets in the year + wages payable + welfare expenses payable + insurance premium and tax for waiting for employment in the administrative expenses + taxes and surcharges on project settlement + profit gained from project settlement – profit used as bonus.

## □ Floor Space of Buildings Under Construction

refers to floor space of buildings under construction during the reference period, including newly started buildings, buildings started earlier and continued during the reference period, and buildings suspended earlier but restarted during the reference period. Excluded are buildings started and then suspended earlier that have not been restarted during the reference time.

## □ Floor Space of Buildings Completed

refers to the floor space of buildings that are completed in the reference period in accordance with the requirements of the design, up to the standard for putting them into use, and have been checked and accepted by concerned departments as qualified ones.

## □ Total Number of Machinery and Equipment Owned by the Construction Enterprises(or Units) by the End of Year

refers to the number of machines and equipment which are used directly in constraction owned by the enterprises (or units) it does not include the number of ancilary machinery and equipment for construction, production and transportation.

## □ Total Power of Machinery and Equipment Owned by the Construction Enterprises (or Units) by the End of Year

refer to the total power of machinery and equipment owned by the enterprises(or units), used directly in construction by the end of the year, including machinery and equipment for construction, production and transportation. The power of the machinery is calculated on basis of the designed or verified capacity, covering the power of the machinery/equipment and the separate power equipment serving the machinery/equipment (such as electric motors), but excluding welders, transformers and boilers. The unit use for the calculation of power is kilowatt, with horsepower converted to kilowatt by 1horsepower = 0.735 kilowatt.

## □ Income from Settlement of Projects

refers to the income received by the construction enterprise/unit from the completed portion of the project through settlement procedures with the contractee during the reference period, and other charges to the contractee as operational costs, such as facility fee, labour insurance premium, moving cost of construction unit, as well as various types of claims to the contractee.

## □ Profit from Settlement of Projects

refers to profit realized through settled projects. It is calculated with the following formula:

Profit from Settlement of Projects = Income from Settlement of projects – Settled Cost – Settled Taxes and Other Cost – Business Expense

## □ Total Revenue of Enterprises

refers to the sum of income from production and operation of enterprises, including income from settlement of projects and other operational incomes, namely:

Total Revenue of Enterprises = Income from settlement of Projects + Other Operational Incomes

# Explanatory Notes on Main Statistical Indicators

## Value Added of Construction

## Floor Space of Buildings under Construction

## Floor Space of Buildings Completed

## Total Number of Machinery ...

浙江统计年鉴

ZHEJIANG STATISTICAL YEARBOOK

2009

CHAPTER 9

# 交通运输和邮电通信业

# Transport, Posts and Telecommunications

## 9－1 运输线路长度(2002－2008 年)
## Length of Transportation Routes(2002－2008)

单位:公里(km)

| 指　标 | Item | 2002 | 2003 | 2004 | 2005 | 2006 | 2007 | 2008 |
|---|---|---|---|---|---|---|---|---|
| **铁路线路长度** | **Length of Railways** | | | | | | | |
| 营业里程 | In Operation | 1212 | 1212 | 1212 | 1255 | 1265 | 1306 | 1306 |
| #复线里程 | Double-tracking Length | 608 | 608 | 631 | 727 | 714 | 714 | 714 |
| **公路通车里程** | **Length of Highways** | **45646** | **46193** | **46935** | **48600** | **95310** | **99812** | **103652** |
| #一级公路 | First Class Highways | 2070 | 2251 | 2487 | 2955 | 3410 | 3617 | 3795 |
| 二级公路 | Second Class Highways | 5777 | 5948 | 6189 | 6569 | 7710 | 8207 | 8596 |
| 高速公路 | Expressway | 1307 | 1438 | 1475 | 1866 | 2383 | 2651 | 3073 |
| **内河通航里程** | **Length of Navigable Inland Waterways** | **10408** | **10539** | **9893** | **9652** | **9652** | **9667** | **9695** |
| **民用航空航线(条)** | **Number of Civil Aviation Routes(line)** | **165** | **174** | **149** | **173** | **203** | **188** | **166** |
| #国内航线 | Domestic Routes | 153 | 158 | 131 | 147 | 171 | 148 | 135 |

注:2006 年起公路通车里程包含村道。

The length of highways is including that of village road since 2006.

## 9－2 主要港口货物吞吐量(2002－2008 年)
## Cargo Handled at Principal Ports(2002－2008)

单位:万吨(10000 tons)

| 港口名称 | Port | 2002 | 2003 | 2004 | 2005 | 2006 | 2007 | 2008 |
|---|---|---|---|---|---|---|---|---|
| **合　计** | **Total** | **25503** | **32216** | **40810** | **47900** | **55238** | **62112** | **69036** |
| 杭 州 港 | Hangzhou | 2131 | 2828 | 4864 | 5094 | 5221 | 5550 | 5299 |
| 宁波－舟山港 | Ningbo－Zhoushan | 15398 | 18543 | 22586 | 26881 | 42387 | 47336 | 52047 |
| 温 州 港 | Wenzhou | 1676 | 2338 | 2630 | 3102 | 3275 | 3496 | 4958 |
| 台 州 港 | Taizhou | 1100 | 1457 | 2022 | 2067 | 2107 | 3312 | 3898 |
| 舟 山 港 | Zhoushan | 4068 | 5722 | 7359 | 9052 | | | |
| 嘉 兴 港 | Jiaxing | 1130 | 1328 | 1349 | 1704 | 2248 | 2418 | 2834 |

注:2006 年起宁波港和舟山港合并为宁波－舟山港。

The two harbors, Ningbo harbor and Zhoushan harbor, have combined to make a large one called Ningbo－Zhoushan harbor since 2006.

## 9-3 民用车辆拥有量
Number of Civil Vehicles Owned

单位:辆(unit)

| 指 标 | Item | 合计 Total | | | #个人 Individual | | |
|---|---|---|---|---|---|---|---|
| | | 2006 | 2007 | 2008 | 2006 | 2007 | 2008 |
| **总计** | **Total** | **7985788** | **8730908** | **9296166** | **7170202** | **7822480** | **8296866** |
| **汽车** | **Vehicles** | **2501118** | **3032672** | **3545050** | **1740522** | **2179734** | **2601279** |
| 载客汽车 | Passenger Vehicles | 1844670 | 2329315 | 2804070 | 1371292 | 1782401 | 2178289 |
| #大型 | Large-Sized | 38756 | 41905 | 46233 | 646 | 709 | 812 |
| 中型 | Medium-Sized | 75553 | 77143 | 76606 | 23726 | 25035 | 25232 |
| 小型 | Small-Sized | 1585484 | 2066100 | 2536029 | 1218832 | 1627227 | 2020282 |
| 微型 | Minicar | 144877 | 144167 | 145202 | 128088 | 129430 | 131963 |
| #轿车 | Cars | 1243294 | 1612120 | 1974152 | 966813 | 1289366 | 1597160 |
| 载货汽车 | Trucks | 597414 | 638139 | 669033 | 348918 | 377451 | 402638 |
| #重型 | Heavy-Sized | 33840 | 34684 | 35681 | 13325 | 12556 | 12371 |
| 中型 | Medium-Sized | 100344 | 100624 | 98705 | 41764 | 41729 | 41314 |
| 轻型 | Light-Sized | 415252 | 458917 | 495846 | 257514 | 289318 | 318877 |
| 微型 | Minicar | 47978 | 43914 | 38801 | 36315 | 33848 | 30076 |
| #普通载货 | Ordinary | 450266 | 472396 | 489550 | 284286 | 304599 | 322328 |
| 其它汽车 | Others | 59034 | 65218 | 71947 | 20312 | 19882 | 20352 |
| **电车** | **Trolleybuses** | **18** | **3** | **3** | | | |
| #无轨 | Trackless | 18 | 3 | 3 | | | |
| **摩托车** | **Motorcycles** | **5103176** | **5310798** | **5373996** | **5064669** | **5274940** | **5340054** |
| 普通 | Ordinary | 4531413 | 4744157 | 4818245 | 4494645 | 4709941 | 4785916 |
| 轻便 | Lightweigh | 571763 | 566641 | 555751 | 570024 | 564999 | 554138 |
| **拖拉机** | **Tractors** | **362781** | **365602** | **353526** | **362781** | **365602** | **353526** |
| #大型 | Large-Sized | 113541 | 112524 | 110423 | 113541 | 112524 | 110423 |
| **挂车** | **Trailers** | **18615** | **21750** | **23503** | **2223** | **2198** | **2000** |
| **其它类型车** | **Others** | **80** | **83** | **88** | **7** | **6** | **7** |
| **机动车驾驶员(人)** | **Motor Drivers(person)** | **7705358** | **8450862** | **9204589** | | | |
| #汽车驾驶员 | Automobile Drivers | 4850394 | 5542299 | 6313744 | | | |

# 9－4 水路运输工具年末实有数
Number of Means of Waterway Transportation(Year-end)

| 指　标 | | Item | | 合计 Total | | | #私人 Individuals | | |
|---|---|---|---|---|---|---|---|---|---|
| | | | | 2006 | 2007 | 2008 | 2006 | 2007 | 2008 |
| 机动船 | (艘) | Motor Vessels | (unit) | 25128 | 23290 | 22384 | 18735 | 16714 | 16048 |
| 净载重量 | (吨位) | Dead Weight Tonnage | (ton) | 11286859 | 11865113 | 12769360 | 2648006 | 2552766 | 2455937 |
| 载客量 | (客位) | Passenger Capacity | (seat) | 70932 | 70690 | 71865 | 468 | 432 | 420 |
| 货船 | (艘) | Cargo Ships | (unit) | 23763 | 21903 | 21022 | 18576 | 16579 | 15925 |
| 净载重量 | (吨位) | Dead Weight Tonnage | (ton) | 11279207 | 11852311 | 12760311 | 2648005 | 2552765 | 2455936 |
| 客货船 | (艘) | Passenger-cargo Vessels | (unit) | 53 | 57 | 12 | | | |
| 净载重量 | (吨位) | Dead Weight Tonnage | (ton) | 6315 | 11866 | 157 | | | |
| 载客量 | (客位) | Passenger Capacity | (seat) | 11721 | 14985 | 2225 | | | |
| 客船 | (艘) | Passenger Ships | (unit) | 1034 | 1090 | 1135 | 39 | 36 | 35 |
| 载客量 | (客位) | Passenger Capacity | (seat) | 59211 | 55705 | 69640 | 468 | 432 | 420 |
| 拖船 | (艘) | Tugboats | (unit) | 278 | 240 | 215 | 120 | 99 | 88 |
| 驳船 | (艘) | Barges | (unit) | 1970 | 1584 | 1311 | 720 | 592 | 518 |
| 净载重量 | (吨位) | Dead Weight Tonnage | (ton) | 209619 | 173095 | 145951 | 40933 | 31573 | 27888 |

## 9-5 客运量和旅客周转量(1978-2008年)
Passenger Traffic and Turnover Volume of Passenger Traffic(1978-2008)

| 年份 Year | 客运量合计(万人) Passenger Traffic Total (10000 persons) | 铁路 Railway | 公路 Highway | 水运 Waterway | 民用航空 Civil Aviation | 旅客周转量合计(亿人公里) Turnover Volume of Passenger Traffic Total (100 million person-km) | 铁路 Railway | 公路 Highway | 水运 Waterway |
|---|---|---|---|---|---|---|---|---|---|
| 1978 | 20535 | 1889 | 12815 | 5828 | 3 | 66.68 | 29.75 | 27.60 | 9.33 |
| 1979 | 23781 | 2068 | 15543 | 6166 | 4 | 68.22 | 24.77 | 33.26 | 10.19 |
| 1980 | 28454 | 2421 | 19326 | 6702 | 5 | 96.74 | 43.55 | 41.70 | 11.49 |
| 1981 | 32458 | 2677 | 22864 | 6909 | 8 | 111.40 | 49.05 | 50.25 | 12.10 |
| 1982 | 35988 | 2735 | 26150 | 7094 | 9 | 120.66 | 50.73 | 57.28 | 12.65 |
| 1983 | 37856 | 2919 | 28468 | 6461 | 8 | 134.73 | 57.46 | 64.54 | 12.73 |
| 1984 | 40827 | 3252 | 30882 | 6683 | 10 | 157.81 | 66.74 | 76.86 | 14.21 |
| 1985 | 52776 | 3225 | 39375 | 10163 | 13 | 201.35 | 75.26 | 107.23 | 18.86 |
| 1986 | 57973 | 3126 | 45759 | 9066 | 22 | 220.38 | 78.43 | 124.91 | 17.04 |
| 1987 | 61403 | 3258 | 49589 | 8526 | 30 | 246.98 | 83.94 | 145.85 | 17.19 |
| 1988 | 64571 | 3595 | 52560 | 8382 | 34 | 269.43 | 93.12 | 158.81 | 17.50 |
| 1989 | 59477 | 3453 | 48726 | 7275 | 23 | 257.28 | 87.63 | 153.87 | 15.78 |
| 1990 | 60347 | 3018 | 51083 | 6214 | 32 | 257.29 | 75.94 | 166.87 | 14.48 |
| 1991 | 64906 | 3040 | 56495 | 5286 | 85 | 285.85 | 80.91 | 190.95 | 13.99 |
| 1992 | 71017 | 3051 | 62767 | 5087 | 112 | 322.40 | 87.83 | 220.68 | 13.89 |
| 1993 | 91553 | 3249 | 83606 | 4560 | 138 | 398.87 | 98.05 | 288.10 | 12.72 |
| 1994 | 100068 | 3559 | 92090 | 4269 | 150 | 435.15 | 108.35 | 314.95 | 11.85 |
| 1995 | 109139 | 3566 | 101370 | 3968 | 235 | 483.06 | 109.80 | 360.09 | 13.17 |
| 1996 | 114098 | 3071 | 107317 | 3446 | 264 | 500.98 | 98.11 | 391.65 | 11.22 |
| 1997 | 115141 | 2990 | 108654 | 3231 | 266 | 529.79 | 101.20 | 417.77 | 10.82 |
| 1998 | 118329 | 3169 | 111847 | 3034 | 279 | 552.35 | 106.57 | 436.34 | 9.44 |
| 1999 | 118819 | 3750 | 111771 | 3034 | 264 | 582.71 | 140.01 | 433.50 | 9.20 |
| 2000 | 124133 | 3909 | 116996 | 2938 | 290 | 606.73 | 148.33 | 449.51 | 8.89 |
| 2001 | 132881 | 4193 | 126008 | 2371 | 309 | 651.79 | 164.48 | 479.53 | 7.78 |
| 2002 | 135995 | 4511 | 128980 | 2122 | 382 | 706.85 | 180.95 | 519.20 | 6.70 |
| 2003 | 140699 | 4338 | 133968 | 1983 | 410 | 718.39 | 181.03 | 531.63 | 5.73 |
| 2004 | 150254 | 5195 | 142177 | 2311 | 571 | 795.32 | 216.41 | 571.50 | 7.41 |
| 2005 | 160669 | 5274 | 152222 | 2510 | 663 | 848.49 | 222.95 | 617.87 | 7.67 |
| 2006 | 174626 | 5588 | 165441 | 2792 | 805 | 929.15 | 241.05 | 681.39 | 6.71 |
| 2007 | 189658 | 5931 | 179501 | 3164 | 1062 | 1026.50 | 258.52 | 761.07 | 6.91 |
| 2008 | 194862 | 6448 | 183764 | 3494 | 1156 | 1071.33 | 289.76 | 774.28 | 7.29 |

注:民用航空客运量指发送量。
Passenger traffic of civil aviation refers to volume of transmitting passenger.

## 9-6 货运量和货物周转量(1978-2008年)
Freight Traffic and Turnover Volume of Freight Traffic(1978-2008)

| 年 份<br>Year | 货运量合计(万吨)<br>Freight Traffic Total<br>(10000 tons) | 铁 路<br>Railway | 公 路<br>Highway | 水 运<br>Waterway | 货物周转量合计(亿吨公里)<br>Turnover Volume of Freight Traffic Total<br>(100 million ton-km) | 铁 路<br>Railway | 公 路<br>Highway | 水 运<br>Waterway |
|---|---|---|---|---|---|---|---|---|
| 1978 | 8460 | 1415 | 2690 | 4355 | 164.19 | 112.77 | 6.69 | 44.73 |
| 1979 | 9202 | 1461 | 2998 | 4743 | 181.29 | 121.50 | 7.62 | 52.17 |
| 1980 | 9577 | 1523 | 3012 | 5042 | 190.76 | 126.23 | 8.25 | 56.28 |
| 1981 | 9608 | 1495 | 3042 | 5071 | 192.29 | 121.27 | 9.25 | 61.77 |
| 1982 | 10746 | 1609 | 3616 | 5521 | 201.83 | 120.49 | 11.49 | 69.85 |
| 1983 | 10877 | 1681 | 3728 | 5468 | 212.49 | 123.02 | 13.58 | 75.89 |
| 1984 | 11781 | 1736 | 3988 | 6057 | 232.67 | 127.59 | 16.67 | 88.41 |
| 1985 | 22385 | 1781 | 9397 | 11207 | 293.54 | 132.54 | 33.45 | 127.55 |
| 1986 | 31775 | 1893 | 17680 | 12202 | 341.20 | 135.18 | 68.14 | 137.88 |
| 1987 | 32346 | 1924 | 19426 | 10996 | 369.21 | 138.07 | 82.52 | 148.62 |
| 1988 | 37502 | 1877 | 24128 | 11497 | 403.96 | 136.50 | 96.25 | 171.21 |
| 1989 | 36358 | 1911 | 24354 | 10093 | 408.99 | 146.51 | 92.75 | 169.73 |
| 1990 | 33474 | 1691 | 22879 | 8904 | 400.65 | 144.43 | 100.75 | 155.47 |
| 1991 | 35198 | 1773 | 24162 | 9263 | 456.00 | 144.95 | 136.25 | 183.80 |
| 1992 | 41115 | 1915 | 28957 | 10243 | 546.81 | 167.52 | 158.83 | 220.46 |
| 1993 | 49867 | 1989 | 36439 | 11439 | 617.69 | 179.58 | 160.48 | 277.63 |
| 1994 | 54765 | 1841 | 40593 | 12331 | 685.41 | 181.55 | 171.63 | 332.23 |
| 1995 | 62287 | 1914 | 45052 | 15321 | 874.29 | 186.75 | 245.16 | 442.38 |
| 1996 | 63875 | 1928 | 47400 | 14547 | 900.80 | 178.92 | 266.22 | 455.66 |
| 1997 | 60956 | 1721 | 45224 | 14011 | 914.54 | 172.22 | 262.32 | 480.00 |
| 1998 | 60369 | 1726 | 45338 | 13305 | 897.88 | 173.28 | 257.11 | 467.49 |
| 1999 | 64004 | 1710 | 45754 | 16540 | 1004.10 | 171.80 | 256.90 | 575.40 |
| 2000 | 74884 | 1955 | 55008 | 17921 | 1199.74 | 187.16 | 280.02 | 732.56 |
| 2001 | 77832 | 2181 | 55706 | 19945 | 1371.60 | 206.48 | 282.53 | 882.59 |
| 2002 | 90507 | 2411 | 63532 | 24564 | 1616.61 | 230.41 | 293.60 | 1092.60 |
| 2003 | 103163 | 2658 | 70907 | 29598 | 2047.48 | 252.92 | 313.70 | 1480.86 |
| 2004 | 117298 | 2887 | 78540 | 35871 | 2701.48 | 288.22 | 353.62 | 2059.64 |
| 2005 | 126176 | 2960 | 81448 | 41768 | 3416.90 | 282.85 | 372.66 | 2761.39 |
| 2006 | 140095 | 3231 | 89342 | 47522 | 4363.71 | 300.74 | 431.07 | 3631.9 |
| 2007 | 153318 | 3447 | 98742 | 51129 | 4962.38 | 336.06 | 493.64 | 4132.68 |
| 2008 | 158770 | 3398 | 103758 | 51614 | 4883.46 | 339.74 | 521.71 | 4022.01 |

## 9-7 邮电业务基本情况(1978-2008年)
## Post and Telecommunications Services(1978-2008)

| 年份 Year | 邮电业务总量(万元) Business Volume of Post and Telecommuni-cations (10000 yuan) | 函件(万件) Number of Letters (10000 cases) | 订销报刊累计份数(万份) Total Number of Newspaper and Magazine Subscribed (10000 copies) | 特快专递(万件) Express Mail Services (10000 pieces) | 长途电话通话时长(万分钟) Communication time by long-distance Telephone Call (10000 minutes) | 市话年末户数(户) Number of Urban Telephone Subscribers at Year-end (Subscriber) | 农话年末户数(户) Number of Rural Telephone Subscribers at Year-end (Subscriber) |
|---|---|---|---|---|---|---|---|
| 1978 | 6851 | 11663 | 52264 | | | 42043 | 32919 |
| 1979 | 7832 | 14236 | 52264 | | | 46141 | 34120 |
| 1980 | 8991 | 16466 | 58538 | | | 51230 | 36838 |
| 1981 | 9970 | 18039 | 64945 | | | 57610 | 38749 |
| 1982 | 10834 | 19123 | 67993 | | | 65931 | 41513 |
| 1983 | 12477 | 23155 | 7373 | | | 75314 | 44677 |
| 1984 | 14879 | 28517 | 89384 | | | 89805 | 50487 |
| 1985 | 18837 | 33742 | 101657 | | | 104430 | 58012 |
| 1986 | 20564 | 34729 | 103759 | | | 121240 | 62935 |
| 1987 | 24878 | 39847 | 116953 | | | 145987 | 72806 |
| 1988 | 31300 | 42035 | 116694 | | | 188547 | 88729 |
| 1989 | 37020 | 36577 | 64557 | | | 234081 | 106895 |
| 1990 | 45396 | 34879 | 67183 | | | 280232 | 125783 |
| 1991 | 114607 | 32219 | 68849 | | | 355000 | 156500 |
| 1992 | 165815 | 33649 | 80349 | | | 486400 | 222100 |
| 1993 | 275148 | 39190 | 77457 | | | 782464 | 346685 |
| 1994 | 429179 | 38617 | 81515 | | | 1188163 | 585589 |
| 1995 | 630167 | 38678 | 85226 | 289 | 168588 | 1666979 | 936297 |
| 1996 | 865336 | 37785 | 90955 | 390 | 212709 | 1997814 | 1219930 |
| 1997 | 1129657 | 34186 | 98207 | 392 | 263562 | 2392544 | 1631650 |
| 1998 | 1577157 | 33133 | 102761 | 436 | 312660 | 2809491 | 2213890 |
| 1999 | 2190000 | 29439 | 107683 | 537 | 497232 | 3409993 | 3249300 |
| 2000 | 3240800 | 30643 | 106807 | 654 | 619793 | 4197800 | 4645000 |
| 2001 | 2799000 | 34839 | 116156 | 824 | 755690 | 5477000 | 5739000 |
| 2002 | 3634295 | 37862 | 114707 | 866 | 965782 | 7153572 | 6664178 |
| 2003 | 5047179 | 74901 | 116953 | 1014 | 1426075 | 9373773 | 7191544 |
| 2004 | 6771657 | 73462 | 110417 | 1164 | 1780713 | 11881841 | 7865948 |
| 2005 | 8303851 | 69844 | 112417 | 1256 | 2144549 | 14215278 | 8101240 |
| 2006 | 9720807 | 73349 | 117573 | 1440 | 2401231 | 15665856 | 8241649 |
| 2007 | 13270593 | 74475 | 124782 | 1737 | 3631284 | 16014157 | 8044271 |
| 2008 | 15457563 | 75528 | 131296 | 2357 | 5427103 | 14823869 | 8152032 |

注:1. 邮电业务总量1978-2000年按1990年不变价计算,2001年开始按2000年不变价计算。
Business volume of post and telecommunications from 1978 to 2000 were calculated at constant price of 1990, at constant price of 2000 since 2001.
2. 按最新统计口径,自2003年函件包括邮送广告。
The letters include advertisements sent by post according to new statistical scope since 2003.
3. 2007年起,长途电话通话时长按新口径统计,后表同。
Since 2007, the statistic scope of communication time by long-distance telephone call has been changed. Following tables are the same.

## 9-8 邮电企业主要指标(2005-2008 年)
## Principal Indicators of Post and Telecommunications Enterprises(2005-2008)

| 指　标 | | Item | | 2005 | 2006 | 2007 | 2008 |
|---|---|---|---|---|---|---|---|
| **邮电线路长度** | | **Length of Postal Routes** | | | | | |
| 邮路总长度 | (公里) | Length of Postal Routes | (km) | 131193 | 174237 | 198935 | 212595 |
| 农村投递路线总长度 | (公里) | Rural Delivery Routes | (km) | 134966 | 143793 | 150651 | 157968 |
| 长途电话电路总数 | (2M) | Total Long-distance Telephone Circuits | (2M) | 11529 | 23088 | 13511 | 13699 |
| **邮运通信工具** | | **Telecommunications Facilities** | | | | | |
| 火车邮厢 | (辆) | Postal Railway Carriage | (unit) | 7 | 7 | 7 | 7 |
| 邮政汽车 | (辆) | Postal Cars | (unit) | 2601 | 2811 | 2995 | 3261 |
| 公用电话 | (万部) | Public Telephone | (10000 units) | 218 | 251 | 244 | 228 |
| 长途自动交换机 | (路端) | Long distance Switchboard | (terminal circuit) | 546115 | 642281 | 812601 | 869294 |
| 本地电话交换机容量 | (万门) | Urban Switchboard | (10000 lines) | 2675 | 3093 | 3246 | 3199 |
| 移动电话交换机 | (万户) | Mobile Switchboard | (10000 users) | 3582 | 4194 | 5903 | 7901 |
| 移动电话 | (万户) | Mobile Telephone | (10000 users) | 2686 | 3012 | 3529 | 3977 |
| DDN 用户 | (户) | User of DDN | (user) | 19794 | 16613 | 16642 | 12025 |
| 帧中继用户 | (户) | User of ChinaFrn | (user) | 5891 | 5256 | 5094 | 4469 |
| 互联网用户 | (万户) | Users of International Computer Network | (10000 users) | 683 | 574 | 681 | 805 |
| #宽带用户 | (万户) | Wide Band | (10000 users) | 338 | 453 | 562 | 692 |
| 长途光缆线路长度 | (公里) | Length of Long Distance Optical Fibre Cable | (km) | 24801 | 25562 | 25790 | 24145 |

## 9-9 邮电通信水平(2005-2008年)
Level of Post and Telecommunications Services(2005-2008)

| 指标 | | Item | | 2005 | 2006 | 2007 | 2008 |
|---|---|---|---|---|---|---|---|
| 邮电通信水平 | | **Level of Postal and Telecommunications Services** | | | | | |
| 每百人平均函件量 | (件/百人) | Average Number of Letters Mailed per 100 Persons | (pieces/100 persons) | 1426.0 | 1496 | 1498.0 | 1505 |
| 每百人平均累计订阅报刊量 | (份/百人) | Average Number of Newspaper Subscribed per 100 Persons | (copies/100 persons) | 2300 | 2360 | 2470 | 2564 |
| 每百人平均包件 | (件/百人) | Average Number of Parcels per 100 Persons | (pieces/100 persons) | 12.0 | 11.8 | 12.2 | 10.3 |
| 每百人平均汇票量 | (张/百人) | Average Number of Money Order per 100 Persons | (pieces/100 persons) | 23.5 | 25.9 | 32.2 | 40.8 |
| 每百人长话量 | (分钟/百人) | Number of Long-distance Telephone per 100 Persons | (minutes/100 persons) | 43784 | 48217 | 31519 | 62243 |
| 固定电话普及率 | (部/百人) | Popularization Rate of Fixed Telephone | (set/100 persons) | 45.6 | 48 | 47.5 | 44.9 |
| 移动电话普及率 | (部/百人) | Popularization Rate of Mobile Telephone | (set/100 persons) | 54.8 | 60.5 | 69.7 | 77.7 |
| 人均邮政、电信费用支出(按合计总量算) | (元/人) | Per Capital Expenditure of Telecommunications | (yuan/person) | 869.0 | 970 | 1107 | 1185 |
| 已通电话的乡镇 | (个) | Number of Townships with Telephone Communication | (unit) | 1217 | 1215 | 1203 | 1193 |
| 已通电话的行政村 | (个) | Number of Villages with Telephone Communication | (unit) | 32255 | 32976 | 31060 | 30068 |
| 移动电话漫游国家和地区 | (个) | Countries (Regions) Connected With The Mobile Telephone Communication Network | (unit) | 206 | | | |
| 移动电话(GSM)网络覆盖县(市) | (个) | Conties (Cities) Connected With GSM | (unit) | 206 | | | |
| 移动电话(CDMA)网络覆盖县(市) | (个) | Conties (Cities) Connected With CDMA | (unit) | 14 | | | |
| 已通邮的行政村 | (个) | Number of Villages with Posal Communication | (unit) | 35018 | 34473 | 31041 | 30065 |
| 设有局所的乡(镇)比重 | (%) | Percentage of Townships with Postal Offices | (%) | 80.3 | 79.8 | 78.9 | 78.1 |
| 按固定班期投递邮件的乡镇 | (个) | Townships with Regularly Delivering Letters | (unit) | 1266 | 1218 | 1201 | 1217 |

注:2004年开始固定电话普及率计算口径已作调整。

The statistical coverage of popularization rate of fixed telephone was adjusted since 2004.

浙/江/统/计/年/鉴

# 主要统计指标解释

## ■ 铁路营业里程

又称营业长度，指办理客货运输业务的铁路正线总长度。凡是全线或部分建成双线及以上的线路，以第一线的实际长度计算；复线、站线、段管线、岔线和特殊用途线以及不计算运费的联络线都不计算营业里程。铁路营业里程是反映铁路运输业基础设施发展水平的重要指标，也是计算客货周转量、运输密度和机车车辆运用效率等指标的基础资料。

## ■ 公路里程

指在一定时期内实际达到《公路工程技术标准JTJ01-88》规定的等级公路，并经公路主管部门正式验收交付使用的公路里程数。其计算单位为：km。它包括大中城市的郊区公路以及通过小城镇街道部分的公路里程，也包括桥梁、渡口的长度，但不包括大中城市的街道、厂矿、林区生产用道和农业生产用道的里程。两条或多条公路共同经由同一路段，只计算一次，不得重复计算里程长度。公路里程是反映公路建设发展规模的重要指标，也是计算运输网密度等指标的基础资料。

## ■ 内河航道里程

也称“内河通航里程”，是反映内河水运网规模、水平和发展情况的主要指标；是指在一定时期内，能通航运输船舶及排筏的天然河流、湖泊水库、运河及通航渠道的长度。包括全年季节性通航累计三个月以上的航道，但不包括仅供零散流放竹、木排的河道。

## ■ 货(客)运量

指在一定时期内，各种运输工具实际运送的货物(旅客)数量。是反映运输业为国民经济和人民生活服务的数量指标，也是制定和检查运输生产计划，研究运输发展规模和速度的重要指标。货运按吨计算，客运按人计算。货物不论运输距离长短，货物类别，均按实际重量统计；旅客不论行程远近或票价多少，均按一人一次作为客运量统计。半价票、小孩票也按一人统计。

## ■ 货物(旅客)周转量

指在一定时期内，由各种运输工具运送的货物(旅客)数量与其相应运输距离的乘积之总和，是反映运输业生产总成果的重要指标，也是编制和检查运输生产计划，计算运输效率、劳动生产率以及核算运输单位成本的主要基础资料。通常以吨公里和人公里为计算单位。计算货物周转量通常按发出站与到达站之间的最短距离，也就是计费距离计算。

## ■ 沿海主要港口货物吞吐量

指由水运进出沿海主要港区范围，并经过装卸的货物数量，包括邮件及办理托运手续的行李、包裹以及补给运输船舶的燃、物料和淡水。其计量单位为吨。货物吞吐量的货种分类及其主要流向流量，反映了港口在国内外物资交流和对外贸易运输中的地位和作用。吞吐量可以分为进口、出口，又可以分为国内贸易和对外贸易。

## ■ 邮电业务总量

指以货币表现的邮电部门用于传递信息和提供其他邮电服务的总数量。它综合反映了一定时期邮电工作的总成果，是研究邮电业务量构成和发展趋势的重要指标。它用各种邮电分类业务量，如函件件数、长途电话业务量、市内电话和农村电话的年均户数、订销报刊累计份数等，分别乘以相应的平均单价(不变价)，加总后再加上出租电路和设备的收入、代用户维护电话交换机和线路等设备的收入、其他业务收入求得。

ZHEJIANG STATISTICAL YEARBOOK

# Explanatory Notes on Main Statistical Indicators

## □ Length of Railways in Operation

refers to the total length of the trunk line under passenger and freight transportation. The calculation is based on the actual length of the first line even if this line has a full or partial double track or more tracks, excluding double tracks, stationsidings, tracks under the charge of stations; branch lines, specialpurpose lines and the non-payable connecting lines. The length of railways in operation is an important indicator to show the development of the intra-structure for the railway transport, and also the essential data to calculate volume of passenger freight transport, traffic density and utilization efficiency of the locomotives and carriages.

## □ Length of Highways

refers to the length of highways which are built in conformity with the grades specified by the highway engineering standard formulated by the Ministry of Communications, and have been formally checked and accepted by the departments of highways and put into use. The length of highways includes that of the suburb highways at large and medium - sized cities, highways passing through streets at small cities and towns, and also the length of bridges and ferries. It does not include the length of streets in big and medium - sized cities and highways built for the production purpose at factories, mines, forest areas and agricultural areas. If two or more highways go the same section of the way, the length of the section is only calculated for once and no duplication is allowed. The length of highways is an important indicator to show the development of the highway construction and to provide essential information to calculate the transport network density.

## □ Length of Navigable Inland Waterways

refers to the length of the natural rivers, lakes, reservoirs, canals, and ditches open to navigation during a given period, which enables the transport by ships and rafts. It includes the channels open to navigation for over 3 months accumulatively in a year, yet this does not include the river courses which are only used to float odd logs and bamboo rafts.

## □ Length of Civil Aviation Routes

refers to the length of all routes for regular civil aviation flights. There are usually two ways to calculate the distance between airports connected by the route length: One is to put the length of all air routes together, called duplicated calculation of the length of the routes; the other is not to allow the duplication in calculation when two or more routes passing the same section. The latter is usually used, as it can precisely show the size of the civil aviation network and indicate the extent of civil aviation serving the national economy and the people.

## □ Freight (Passenger) Traffic

refers to the volume of freight (passenger) transported with various means. Freight transport is calculated in tons and passenger traffic is calculated in the number of persons. Despite the type of freight and travelling distance, the freight transport is calculated by the principle that one person can be counted only once in one travel. The passenger who travel with a half - price ticket or a child ticket is also calculated as one person. The freight (passenger) traffic provides a quantitative measure to show how the transport industry serves the national economy and people, and is also an important indicator for planning the transport industry and for studying the development scale and speed of the transport industry.

## □ Freight Ton-kilometers (Passenger - kilometers)

refer to the sum of the products of the volume of transported cargo (passengers) multiplying by the transport distance, usually using ton - kilometre and passenger - kilometre

EXPLANATORY NOTES ON MAIN STATISTICAL INDICATORS

as units for measurement. Normally, the shortest distance between the departure station and the destination station (i. e., the payable distance) is the basis to calculate the freight ton - kilometres. This is an important indicator to show the total results of the transport industry, to prepare and examine the transport plan and to measure the efficiency, the labour productivity and the unit cost of transport.

## □ Volume of Freight Handled in Major Coastal Ports

refers to the volume of cargo passing in and out the harbor area of the major coastal ports and having been loaded and unloaded. The volume includes that of the postal matters, registered luggages and fuels, materials and fresh water as supplies of the ships. The volume of freight handled may be classfied as import, export, or as domestic trade and foreign trade. The volume of freight handled by type of cargo and by main flow direction reflects the position and function of the ports in the inflow of Chinese and foreign commodities and in the transportation for foreign trade.

## □ Business Volume of Post and Telecommunications

refers to the total amount of the imformation delivered and other post and telecommunications services provided by the post and telecommunications departments for the customers. It is derived by first multiplying the business volume of different types, such as number of letters, telegrams, long distance calls, city and rural telephone subscribers and accumulated number of newspapers and journals subscribed and sold, etc. by their respective average unit price (fixed price) and then adding these products together: plus the income from maintenance of telephone exchanges and lines, and the income from other business operations. The business volume of post and telecommunications indicates the total achievements made by the post and telecommunications department during a given period of time in a comprehensive way, and is an important indicator to study the composition and development of the post and telecommunications business.

浙江统计年鉴

ZHEJIANG STATISTICAL YEARBOOK

2009

# CHAPTER 10

# 批发、零售贸易和餐饮业

# Wholesale and Retail Sale Trade and Catering Trade

## 10-1 社会消费品零售总额(1978-2008年)
## Total Retail Sales of Consumer Goods(1978-2008)

单位: 亿元(100 million yuan)

| 年份 Year | 社会消费品零售总额 Total Retail Sales of Consumer Goods | 按地区分 By Region | | | 按行业分 By Secter | | |
|---|---|---|---|---|---|---|---|
| | | 市 City | 县 County | 县以下 Under County Level | 批发零售贸易业 Wholesale and Retail Sale Trade | 餐饮业 Catering Trade | 其他 Others |
| 1978 | 46.86 | 9.75 | 14.46 | 22.65 | 43.57 | 1.84 | 1.45 |
| 1979 | 58.97 | 11.56 | 17.68 | 29.73 | 55.06 | 2.28 | 1.63 |
| 1980 | 74.87 | 14.99 | 21.68 | 38.20 | 69.62 | 2.86 | 2.39 |
| 1981 | 85.99 | 23.76 | 17.59 | 44.64 | 79.98 | 3.21 | 2.80 |
| 1982 | 93.77 | 25.01 | 19.57 | 49.19 | 86.78 | 3.45 | 3.54 |
| 1983 | 104.24 | 28.06 | 23.10 | 53.08 | 96.93 | 3.87 | 3.44 |
| 1984 | 125.82 | 35.66 | 27.96 | 62.20 | 116.37 | 4.98 | 4.47 |
| 1985 | 172.27 | 55.99 | 40.74 | 75.54 | 157.44 | 6.56 | 8.27 |
| 1986 | 203.49 | 67.15 | 44.71 | 91.63 | 185.26 | 7.90 | 10.33 |
| 1987 | 242.58 | 87.80 | 45.29 | 109.49 | 220.40 | 9.73 | 12.45 |
| 1988 | 325.88 | 132.28 | 51.23 | 142.37 | 298.19 | 12.55 | 15.14 |
| 1989 | 346.01 | 141.80 | 51.91 | 152.30 | 316.71 | 14.06 | 15.24 |
| 1990 | 353.75 | 153.27 | 48.55 | 151.93 | 321.45 | 15.90 | 16.40 |
| 1991 | 404.00 | 184.56 | 55.79 | 163.65 | 366.65 | 19.07 | 18.28 |
| 1992 | 493.87 | 230.23 | 73.72 | 189.92 | 442.64 | 25.04 | 26.19 |
| 1993 | 772.11 | 371.59 | 112.72 | 287.80 | 722.81 | 40.09 | 9.21 |
| 1994 | 1133.18 | 615.40 | 115.15 | 402.63 | 1013.18 | 55.24 | 64.76 |
| 1995 | 1472.66 | 791.45 | 142.73 | 538.48 | 1360.01 | 85.92 | 26.73 |
| 1996 | 1776.67 | 950.80 | 181.68 | 644.19 | 1610.94 | 115.02 | 50.71 |
| 1997 | 1951.96 | 1054.90 | 193.40 | 703.66 | 1759.87 | 129.88 | 62.21 |
| 1998 | 2120.78 | 1150.81 | 203.92 | 766.05 | 1896.93 | 149.33 | 74.52 |
| 1999 | 2305.86 | 1257.49 | 223.54 | 824.83 | 2041.43 | 188.31 | 76.12 |
| 2000 | 2553.59 | 1394.29 | 250.36 | 908.94 | 2235.01 | 237.67 | 80.91 |
| 2001 | 2839.59 | 1594.35 | 275.10 | 970.14 | 2478.04 | 277.97 | 83.57 |
| 2002 | 3166.15 | 1816.22 | 315.53 | 1034.40 | 2736.10 | 340.34 | 89.72 |
| 2003 | 3511.26 | 2224.23 | 366.42 | 920.61 | 2998.92 | 399.14 | 113.20 |
| 2004 | 4055.50 | 2573.23 | 452.89 | 1029.38 | 3525.14 | 452.78 | 77.58 |
| 2005 | 4631.69 | 3046.71 | 460.59 | 1124.39 | 4020.81 | 533.19 | 77.69 |
| 2006 | 5325.35 | 3519.01 | 519.42 | 1286.92 | 4658.76 | 609.85 | 56.73 |
| 2007 | 6214.04 | 4117.23 | 604.73 | 1492.07 | 5437.82 | 717.36 | 58.85 |
| 2008 | 7441.75 | 4960.42 | 727.05 | 1754.28 | 6521.50 | 869.40 | 50.85 |

注:2004年数据按经济普查资料测算,1993-2003年数据根据经济普查数据调整。
The data in 2004 are calculated from Economic Census, while the data are adjusted by Economic Census from 1993 to 2003.

## 10-2 按登记注册类型分限额以上批发零售贸易业基本情况
## Basic Conditions of Enterprises Above Designated Size in Wholesale and Retail Trade by Types of Registration

| 指标 | Item | 法人企业（个） Number of Corporation (unit) 2007 | 2008 | 从业人员（人） Persons Employed (person) 2007 | 2008 |
|---|---|---|---|---|---|
| **总计** | **Total** | **4716** | **9320** | **363920** | **430850** |
| **批发业合计** | **Wholesale Trade** | **3207** | **6768** | **174689** | **214302** |
| #国有及国有控股 | State - owend and State Holding Enterprises | 427 | 445 | 62630 | 41683 |
| 内资企业 | Domestic Funded Enterprises | 3190 | 6712 | 171198 | 210964 |
| 国有企业 | State - owned Enterprises | 171 | 222 | 19436 | 21282 |
| 集体企业 | Collective Owned Enterprises | 48 | 65 | 2037 | 1964 |
| 股份合作企业 | Cooperative Enterprises | 33 | 30 | 995 | 1297 |
| 联营企业 | Joint Ownership Enterprises | 8 | 13 | 243 | 548 |
| 国有联营企业 | State Joint Ownership Enterprises | 3 | 5 | 84 | 410 |
| 集体联营企业 | Collective Joint Ownership Enterprises | 1 | 2 | 19 | 45 |
| 国有与集体联营企业 | State - collective Joint Enterprises | 4 | 3 | 140 | 58 |
| 有限责任公司 | Limited Liability Corporations | 1052 | 1613 | 59975 | 68671 |
| 国有独资公司 | State Sole Funded Corporations | 57 | 43 | 7906 | 4579 |
| 其他有限责任公司 | Other Limited Liability Corporations | 995 | 1570 | 52069 | 64092 |
| 股份有限公司 | Share - holding Corporations Ltd. | 59 | 164 | 29591 | 16026 |
| 私营企业 | Private Enterprises | 1819 | 4581 | 58921 | 99571 |
| 私营独资企业 | Private Funded Enterprises | 27 | 125 | 586 | 2487 |
| 私营合伙企业 | Private Partnership Corporations | 16 | 79 | 463 | 1047 |
| 私营有限责任公司 | Private Limited Liability Corporations | 1751 | 4239 | 56873 | 91647 |
| 私营股份有限公司 | Private Share - holding Corporations Ltd. | 25 | 138 | 999 | 4390 |
| 港澳台商投资企业 | Enterprises With Funds From Hong Kong, Macao and Taiwan | 8 | 16 | 1137 | 1488 |
| 合资经营企业 | Joint - venture Enterprises | 4 | 6 | 307 | 915 |
| 独资经营企业 | Enterprises with Sole Investment | 4 | 8 | 830 | 357 |
| 外商投资企业 | Foreign Funded Enterprises | 9 | 40 | 2354 | 1850 |
| 中外合资经营企业 | Joint - venture Enterprises | 4 | 14 | 1094 | 408 |
| 中外合作经营企业 | Cooperation Enterprises | | | 106 | |
| 外资企业 | Enterprises With Sole Foreign Investment | 5 | 22 | 1154 | 1366 |
| 外商投资股份有限公司 | Foreign Invesment Share - holding Corporations Ltd. | | 4 | | 76 |

10－2 续表 continued

| 指 标 | Item | 法人企业（个）Number of Corporation (unit) 2007 | 2008 | 从业人员（人）Persons Employed (person) 2007 | 2008 |
|---|---|---|---|---|---|
| **零售业合计** | **Retail Sale Trade** | **1509** | **2552** | **189231** | **216548** |
| #国有及国有控股 | State－owend and State Holding Enterprises | 242 | 278 | 29958 | 23488 |
| 内资企业 | Domestic Funded Enterprises | 1478 | 2482 | 165642 | 197118 |
| 国有企业 | State－owned Enterprises | 51 | 82 | 5734 | 5453 |
| 集体企业 | Collective Owned Enterprises | 45 | 62 | 3588 | 3156 |
| 股份合作企业 | Cooperative Enterprises | 19 | 19 | 3700 | 461 |
| 联营企业 | Joint Ownership Enterprises | 14 | 24 | 366 | 381 |
| 国有联营企业 | State Joint Ownership Enterprises | 3 | 10 | 179 | 180 |
| 国有与集体联营企业 | Joint State－collective Enterprises | 7 | 10 | 126 | 151 |
| 其他联营企业 | Other Joint Ownership Enterprises | 4 | 2 | 61 | 29 |
| 有限责任公司 | Limited Liability Corporations | 513 | 784 | 77684 | 86642 |
| 国有独资公司 | State Sole Funded Corporations | 62 | 42 | 3681 | 2378 |
| 其他有限责任公司 | Other Limited Liability Corporations | 451 | 742 | 74003 | 84264 |
| 股份有限公司 | Share－holding Corporations Ltd. | 28 | 72 | 15171 | 20118 |
| 私营企业 | Private Enterprises | 808 | 1423 | 59399 | 79936 |
| 私营独资企业 | Private Funded Enterprises | 38 | 77 | 1296 | 2555 |
| 私营合伙企业 | Private Partnership Corporations | 13 | 30 | 3336 | 3832 |
| 私营有限责任公司 | Private Limited Liability Corporations | 735 | 1260 | 52452 | 69997 |
| 私营股份有限公司 | Private Share－holding Corporations Ltd. | 22 | 56 | 2315 | 3552 |
| 港澳台商投资企业 | Enterprises With Funds From Hong Kong, Macao and Taiwan | 13 | 25 | 9993 | 6245 |
| 合资经营企业 | Joint－venture Enterprises | 6 | 8 | 6377 | 1202 |
| 合作经营企业 | Cooperation Enterprises | 1 | 1 | 372 | 495 |
| 港澳台独资企业 | Enterprises with Sole Hong Kong, Macao and Taiwan | 6 | 14 | 3094 | 4454 |
| 港、澳、台商投资股份有限公司 | Share－holding Corporations Ltd. with Funds From Hong Kong, Macao and Taiwan | | 2 | 150 | 94 |
| 外商投资企业 | Foreign Funded Enterprises | 18 | 45 | 13596 | 13185 |
| 中外合资经营企业 | Joint－venture Enterprises | 10 | 18 | 6811 | 8470 |
| 中外合作经营企业 | Cooperation Enterprises | 2 | 3 | 1303 | 481 |
| 外资企业 | Enterprises With Sole Foreign Investment | 6 | 23 | 5482 | 4147 |

## 10－3 分行业限额以上批发零售贸易基本情况
Basic Conditions of Enterprises Above Designated Size in Wholesale and Retail Trade by Types of Registration

| 指 标 | Item | 法人企业（个）Number of Corporation (unit) 2007 | 2008 | 从业人员（人）Persons Employed (person) 2007 | 2008 |
|---|---|---|---|---|---|
| **总计** | **Total** | **4716** | **9320** | **363920** | **430850** |
| **批发业** | **Wholesale** | **3207** | **6768** | **174689** | **214302** |
| 农畜产品批发 | Agricultural and Animal Products | 48 | 80 | 2589 | 3243 |
| 食品、饮料及烟草制品批发 | Food, Beverages, Tobacoo and Its Products | 252 | 425 | 27066 | 33802 |
| #米、面制品及食用油批发 | Rice, Flour and Its Products, Edible Oil | 40 | 67 | 3344 | 4341 |
| 烟草制品批发 | Tobacoo and Its Products | 73 | 77 | 11388 | 11341 |
| 纺织、服装及日用品批发 | Textile, Garments and Articles for Daily Use | 584 | 1446 | 33355 | 49732 |
| #服装批发 | Garments | 195 | 416 | 11627 | 20349 |
| 文化、体育用品及器材批发 | Culture, Sports Articles and Equipment | 81 | 182 | 5468 | 6609 |
| 医疗及医疗器材批发 | Medicines and Medical Appliances | 120 | 189 | 13987 | 15052 |
| 矿产品、建材及化工产品批发 | Mineral Products, Building Materials and Chemical Products | 1407 | 3064 | 59886 | 60723 |
| #煤炭及制品 | Coal and Related Products | 135 | 305 | 2756 | 4616 |
| 石油及制品批发 | Petroleurn and Related Products | 183 | 289 | 31152 | 13347 |
| 金属及金属矿批发 | Metal Materials and Mineral | 605 | 1392 | 12801 | 21071 |
| 建材批发 | Building Materials | 100 | 178 | 3174 | 4825 |
| 化肥批发 | Fertilizer | 37 | 58 | 1243 | 1929 |
| 机械设备、五金交电及电子产品批发 | Machinery Equipment, Hardware and Electric Products | 543 | 1075 | 28191 | 39102 |
| #汽车、摩托车及零配件批发 | Motor Vehicles, Motorcycles and Parts | 119 | 173 | 4776 | 6128 |
| 家用电器批发 | Household Appliances | 80 | 141 | 6789 | 7260 |
| 计算机、软件及辅助设备批发 | Computers, Software and Auxiliary Equipment | 46 | 91 | 2122 | 2452 |
| 贸易经纪与代理 | Manage and Agencies in Trade | 3 | 1 | 70 | 34 |
| 其他批发业 | Others | 169 | 306 | 4077 | 6005 |

10－4 续表 continued

单位：亿元(100 million yuan)

| 指　标 | Item | 合计 Total 2007 | 合计 Total 2008 | 批发 Wholesale 2007 | 批发 Wholesale 2008 | 零售 Retail Sale 2007 | 零售 Retail Sale 2008 |
|---|---|---|---|---|---|---|---|
| **零售业合计** | **Retail Trade** | **2302.92** | **2837.52** | **387.06** | **355.24** | **1915.86** | **2482.27** |
| #国有及国有控股 | State－owend and State Holding Enterprises | 351.18 | 614.39 | 66.13 | 156.37 | 285.05 | 458.01 |
| 内资企业 | Domestic Funded Enterprises | 2042.31 | 2537.50 | 363.24 | 328.12 | 1679.06 | 2209.38 |
| 国有企业 | State－owned Enterprises | 73.73 | 75.30 | 23.96 | 7.32 | 49.76 | 67.98 |
| 集体企业 | Collective Owned Enterprises | 27.62 | 41.14 | 8.49 | 9.86 | 19.13 | 31.28 |
| 股份合作企业 | Cooperative Enterprises | 65.18 | 4.75 | 14.66 | 0.82 | 50.53 | 3.92 |
| 联营企业 | Joint Ownership Enterprises | 8.10 | 12.36 | 1.21 | 1.13 | 6.89 | 11.23 |
| 国有联营企业 | State Joint Ownership Enterprises | 2.61 | 5.79 | | 0.72 | 2.61 | 5.07 |
| 国有与集体联营企业 | Joint State－collective Enterprises | 4.71 | 5.15 | 0.79 | 0.36 | 3.92 | 4.79 |
| 其他联营企业 | Other Joint Ownership Enterprises | 0.78 | 0.78 | 0.42 | | 0.36 | 0.78 |
| 有限责任公司 | Limited Liability Corporations | 764.72 | 966.11 | 70.11 | 93.52 | 694.61 | 872.58 |
| 国有独资公司 | State Sole Funded Corporations | 23.27 | 21.09 | 2.21 | 2.68 | 21.06 | 18.41 |
| 其他有限责任公司 | Other Limited Liability Corporations | 741.45 | 945.02 | 67.90 | 90.85 | 673.54 | 854.17 |
| 股份有限公司 | Share－holding Corporations Ltd. | 421.73 | 521.68 | 184.25 | 156.90 | 237.48 | 364.78 |
| 私营企业 | Private Enterprises | 681.22 | 901.42 | 60.56 | 56.87 | 620.66 | 844.56 |
| 私营独资企业 | Private Funded Enterprises | 12.01 | 26.72 | 1.01 | 2.04 | 11.00 | 24.68 |
| 私营合伙企业 | Private Partnership Corporations | 15.30 | 18.58 | 1.37 | 1.53 | 13.93 | 17.05 |
| 私营有限责任公司 | Private Limited Liability Corporations | 621.57 | 799.54 | 57.48 | 50.78 | 564.09 | 748.76 |
| 私营股份有限公司 | Private Share－holding Corporations Ltd. | 32.35 | 56.58 | 0.70 | 2.51 | 31.64 | 54.07 |
| 港澳台商投资企业 | Enterprises With Funds From Hong Kong, Macao and Taiwan | 86.11 | 81.61 | 2.16 | 2.30 | 83.95 | 79.31 |
| 合资经营企业 | Joint－venture Enterprises | 55.31 | 21.86 | 1.97 | 1.37 | 53.33 | 20.49 |
| 合作经营企业 | Cooperation Enterprises | 6.59 | 6.27 | | | 6.59 | 6.27 |
| 独资经营企业 | Enterprises with Sole Investment | 24.10 | 52.84 | 0.18 | 0.93 | 23.92 | 51.91 |
| 港、澳、台商投资股份有限公司 | Share－holding Corporations Ltd. with Funds From Hong Kong, Macao and Taiwan | 0.11 | 0.64 | | | 0.11 | 0.64 |
| 外商投资企业 | Foreign Funded Enterprises | 174.50 | 218.41 | 21.66 | 24.82 | 152.84 | 193.59 |
| 中外合资经营企业 | Joint－venture Enterprises | 105.01 | 141.02 | 21.66 | 23.10 | 83.35 | 117.92 |
| 中外合作经营企业 | Cooperation Enterprises | 19.40 | 2.47 | | | 19.40 | 2.47 |
| 外资企业 | Enterprises With Sole Foreign Investment | 50.09 | 72.10 | | 1.73 | 50.09 | 70.37 |

## 10－5 分行业限额以上批发零售贸易业销售总额
Total Sales of Enterprises Above Designated Size in Wholesale and Retail Sale Trade by Sector

单位：亿元(100 million yuan)

| 指标 | Item | 销售总额 Sales | | | | | |
|---|---|---|---|---|---|---|---|
| | | 合计 Total | | 批发 Wholesale | | 零售 Retail Sale | |
| | | 2007 | 2008 | 2007 | 2008 | 2007 | 2008 |
| **总计** | **Total** | **13141.54** | **18270.03** | **10869.11** | **15469.73** | **2272.43** | **2800.30** |
| **批发业** | **Wholesale** | **10838.62** | **15432.52** | **10482.04** | **15114.49** | **356.58** | **318.03** |
| 农畜产品批发 | Agricultural and Animal Products | 48.16 | 122.86 | 47.91 | 122.59 | 0.25 | 0.27 |
| 食品、饮料及烟草制品批发 | Food, Beverages, Tobacoo and Its Products | 1204.88 | 1413.04 | 1193.58 | 1402.21 | 11.31 | 10.83 |
| #米、面制品及食用油批发 | Rice, Flour and Its Products, Edible Oil | 103.60 | 129.71 | 101.75 | 126.62 | 1.86 | 3.09 |
| 烟草制品批发 | Tobacoo and Its Products | 761.74 | 823.00 | 756.70 | 820.18 | 5.04 | 2.82 |
| 纺织、服装及日用品批发 | Textile Garments and Articles for Daily Use | 1849.50 | 2425.53 | 1839.75 | 2418.91 | 9.75 | 6.62 |
| #服装批发 | Garments | 769.07 | 748.29 | 764.77 | 743.88 | 4.30 | 4.41 |
| 文化、体育用品及器材批发 | Culture Sports Articles and Equipment | 240.86 | 243.05 | 238.67 | 240.74 | 2.19 | 2.31 |
| 医疗及医疗器材批发 | Medicines and Medical Appliances | 369.27 | 445.16 | 234.45 | 352.93 | 134.82 | 92.24 |
| 矿产品、建材及化工产品批发 | Mineral Products, Building Materials and Chemical Products | 5206.55 | 8238.25 | 5086.87 | 8067.25 | 119.69 | 171.00 |
| #煤炭及制品 | Coal and Related Products | 239.59 | 515.63 | 239.45 | 514.71 | 0.13 | 0.92 |
| 石油及制品批发 | Petroleurn and Related Produets | 1117.15 | 1496.71 | 1016.37 | 1331.34 | 100.78 | 165.36 |
| 金属及金属矿批发 | Metal Materials and Mineral | 2514.40 | 4190.80 | 2499.41 | 4188.21 | 14.99 | 2.58 |
| 建材批发 | Building Materials | 208.53 | 411.09 | 206.88 | 409.30 | 1.65 | 1.79 |
| 化肥批发 | Fertilizer | 75.25 | 101.25 | 74.85 | 101.04 | 0.40 | 0.21 |
| 机械设备、五金交电及电子产品批发 | Machinery Equipment Hardware and Electric Produets | 1482.29 | 1840.03 | 1413.41 | 1806.39 | 68.88 | 33.64 |
| #汽车、摩托车及零配件批发 | Motor Vehicles Motorcycles and Parts | 243.53 | 287.91 | 206.65 | 271.24 | 36.88 | 16.67 |
| 家用电器批发 | Household Appliances | 286.84 | 259.21 | 270.26 | 252.27 | 16.58 | 6.94 |
| 计算机、软件及辅助设备批发 | Computers, Software and Auxiliary Equipment | 78.67 | 99.46 | 74.88 | 94.92 | 3.79 | 4.53 |
| 贸易经纪与代理 | Manage and Agencies in Trade | 1.88 | | 1.88 | | | |
| 其他批发 | Others | 435.23 | 704.60 | 425.53 | 703.48 | 9.70 | 1.12 |

10-5 续表 continued　单位：亿元(100 million yuan)

| 指 标 | Item | 销售总额 Sales 合计 Total 2007 | 2008 | 批发 Wholesale 2007 | 2008 | 零售 Retail Sale 2007 | 2008 |
|---|---|---|---|---|---|---|---|
| **零售业** | **Retail Sale** | **2302.92** | **2837.52** | **387.06** | **355.24** | **1915.86** | **2482.27** |
| 综合零售 | Synthesizs | 679.14 | 670.53 | 47.66 | 58.29 | 631.48 | 612.24 |
| #百货零售 | Consumer Goods | 329.97 | 269.77 | 32.27 | 22.15 | 297.70 | 247.63 |
| 超级市场零售 | Supermarkets | 327.89 | 383.70 | 11.08 | 32.53 | 316.81 | 351.17 |
| 食品、饮料及烟草制品专门零售 | Food, Beverages, Tobacoos and Its Products | 43.60 | 41.50 | 4.71 | 4.13 | 38.89 | 37.37 |
| 纺织服装及日用品专门零售 | Textile Garments and Articles for Daily Use | 43.94 | 61.47 | 13.34 | 13.10 | 30.60 | 48.36 |
| #服装零售 | Garments Articles | 34.76 | 45.28 | 12.89 | 8.67 | 21.86 | 36.60 |
| 文化、体育用品及器材专门零售 | Calture Sports Articles and Equipments | 39.35 | 59.33 | 3.65 | 3.41 | 35.70 | 55.93 |
| #体育用品零售 | Sports Articles | 3.53 | 2.03 | 1.25 | 0.03 | 2.28 | 2.00 |
| 图书零售 | Books | 28.81 | 32.07 | 2.09 | 1.09 | 26.72 | 30.99 |
| 医药及医疗器材专门零售 | Medicines and Medical Appliances | 104.38 | 184.34 | 29.39 | 37.15 | 74.99 | 147.19 |
| #药品零售 | Medicines | 102.19 | 183.34 | 29.06 | 37.15 | 73.13 | 146.19 |
| 汽车、摩托车、燃料及零配件零售 | Motor Vehicles Motorcycles Fuel | 1181.06 | 1548.03 | 260.05 | 215.09 | 921.02 | 1332.94 |
| #汽车零售 | Motor Vehicles | 753.34 | 1044.98 | 64.45 | 59.29 | 688.89 | 985.69 |
| 机动车燃料零售 | Fuel for Motor Vehicles Use | 411.29 | 490.81 | 195.20 | 154.52 | 216.09 | 336.29 |
| 家用电器及电子产品专门零售 | Household Appliance lectric Products | 176.61 | 220.30 | 22.87 | 19.76 | 153.74 | 200.54 |
| #家用电器零售 | Household Appliance | 131.08 | 158.12 | 11.24 | 10.62 | 119.84 | 147.50 |
| 计算机、软件及辅助设备零售 | Computer Software and Auxiliary Equipment | 25.52 | 40.64 | 8.31 | 7.93 | 17.21 | 32.71 |
| 通信设备零售 | Communication Equipment | 18.07 | 19.36 | 3.32 | 1.06 | 14.76 | 18.30 |
| 五金、家具及室内装饰材料专门零售 | Hardware Furniture Deceration Indoors | 7.89 | 14.12 | 0.77 | 1.16 | 7.12 | 12.96 |
| 无店铺及其他零售 | Non-shop and Other Retail Sale | 26.96 | 37.88 | 4.64 | 3.14 | 22.32 | 34.74 |
| #邮购及电子销售业 | Mail Order and Electron Vendition | 3.19 | 6.10 | | 0.27 | 3.19 | 5.83 |

## 10-6 限额以上批发零售贸易业商品分类销售额
Total Sales in Wholesale and Retail Sale Trade Above Designated Size by Commodity

单位：亿元(100 million yuan)

| 商品分类 | Commodity | 总计 Total 2005 | 2006 | 2007 | 2008 |
|---|---|---|---|---|---|
| 食品、饮料、烟酒类 | Food, Beverage, Tobacco and Liquor | 969.77 | 1174.89 | 1344.41 | 1783.24 |
| 肉禽蛋类 | Meat, Poultry and Eggs | 45.27 | 45.51 | 55.98 | 65.62 |
| 其他食品类 | Other Food | 277.63 | 314.97 | 372.28 | 506.71 |
| 饮料类 | Beverages | 46.57 | 58.65 | 75.64 | 297.77 |
| 烟酒类 | Tobacco and Liquor | 600.30 | 755.76 | 840.52 | 913.14 |
| 服装鞋帽、针、纺织品类 | Garments, Shoes, Hats, Knit and Textile Goods | 1040.00 | 1161.27 | 1268.06 | 2013.01 |
| 服装类 | Garments | 482.38 | 544.73 | 580.00 | 802.38 |
| 鞋帽类 | Shoes and Hats | 108.64 | 130.36 | 146.89 | 187.01 |
| 针、纺织品类 | Knit and Textile Goods | 448.99 | 486.19 | 541.17 | 1023.62 |
| 化妆品类 | Cosmetics | 35.39 | 41.67 | 47.60 | 40.71 |
| 金银珠宝类 | Jewelry | 15.27 | 19.38 | 26.34 | 53.43 |
| 日用品类 | Articles For Daily Use | 260.78 | 314.43 | 390.87 | 607.57 |
| 洗涤用品类 | Washing | 30.52 | 36.36 | 43.97 | 131.51 |
| 儿童玩具类 | Toy For Children | 10.61 | 9.86 | 14.86 | 19.61 |
| 五金、电料类 | Hardware & Electric Materials | 194.47 | 219.29 | 247.44 | 391.69 |
| 体育、娱乐用品类 | Sports and Recreation | 28.11 | 27.32 | 29.62 | 39.66 |
| 书报杂志类 | Newspapers and Magazines | 45.10 | 44.03 | 50.45 | 56.87 |
| 电子出版物及音像制品类 | Electronic Publication and Audiovisual Products | 5.19 | 4.76 | 4.61 | 11.38 |
| 家用电器及音像器材类 | Household Appliances and Audiovisual Equipment | 276.04 | 366.87 | 441.64 | 500.24 |
| 中西药品类 | Traditional Chinese & Western Medicines | 355.32 | 369.16 | 428.75 | 552.55 |
| 西药 | Western Medicines | 267.66 | 276.16 | 319.57 | 403.28 |
| 中草药及中成药 | Chinese Herbal Medicine and Other Traditional Chinese Medicine | 75.60 | 79.20 | 89.73 | 106.11 |
| 文化办公用品类 | Culture and Official Articles | 156.03 | 178.16 | 195.97 | 287.64 |
| 家具类 | Furniture | 19.56 | 25.54 | 33.48 | 43.24 |
| 通讯器材类 | Communication Appliances | 145.24 | 164.47 | 145.15 | 148.90 |
| 煤炭及制品类 | Coal and Related Products | 152.34 | 180.77 | 223.62 | 515.35 |
| 木材及制品类 | Timber and Related Products | 25.78 | 31.38 | 42.69 | 53.18 |
| 石油及制品类 | Oil and Related Products | 1191.21 | 1403.76 | 1539.13 | 2125.86 |
| 化工材料及制品类 | Chemical Materials and Related Products | 686.36 | 736.60 | 893.71 | 1629.70 |
| 化肥类 | Fertilizer | 75.82 | 64.23 | 69.19 | 110.19 |
| 金属材料类 | Metal Materials | 1517.41 | 1835.30 | 2405.40 | 4179.73 |
| 建筑及装潢材料类 | Building and Decoration Materials | 67.48 | 65.38 | 84.20 | 200.49 |
| 机电成品及设备类 | Mechanical and Electrical Products and Appliances | 345.94 | 370.75 | 435.82 | 660.20 |
| 农机类 | Agricutural Mechanical Products | 4.61 | 3.16 | 4.38 | 12.21 |
| 汽车类 | Motor Vehicles | 580.93 | 637.77 | 790.72 | 1333.90 |
| 种子饲料类 | Seed and Forage | 26.30 | 11.95 | 12.34 | 21.68 |
| 棉麻类 | Cotton & Ambery | 50.68 | 53.59 | 65.52 | 41.30 |
| 其他类 | Others | 460.77 | 546.84 | 580.94 | 978.53 |

## 10－7 限额以上批发零售贸易企业财务状况
Financial Conditions of Wholesale and Retail Sale Trade Above Designated Size

单位：亿元(100 million yuan)

| 指　标 | Item | 2001 | 2002 | 2003 | 2004 | 2005 | 2006 | 2007 | 2008 |
|---|---|---|---|---|---|---|---|---|---|
| 法人企业数(个) | Corporation Units(unit) | 2204 | 2110 | 2244 | 4134 | 3852 | 4249 | 4716 | 9320 |
| 从业人员(人) | Employed Persons(person) | 195125 | 200965 | 196689 | 268351 | 276276 | 295790 | 363920 | 422939 |
| 流动资产合计 | Total Circulating Assets | 863.92 | 1035.12 | 1409.26 | 2042.94 | 2368.70 | 2674.21 | 3519.98 | 5138.28 |
| 固定资产合计 | Total Fixed Assets | 256.45 | 262.20 | 281.26 | 301.10 | 452.50 | 495.56 | 580.61 | 550.13 |
| 资产总计 | Total Assets | 1290.57 | 1476.42 | 1905.46 | 2762.60 | 3126.63 | 3556.37 | 4546.42 | 6609.39 |
| 负债合计 | Total Liabilities | 878.74 | 1011.58 | 1352.74 | 1896.43 | 2170.05 | 2592.47 | 3423.31 | 4927.73 |
| 商品销售收入净额 | Net Value of Sales Revenue | 3021.10 | 3475.75 | 4593.29 | 7389.69 | 7923.82 | 9266.07 | 11419.86 | 16250.59 |
| 商品销售成本 | Cost of Sales | 2817.44 | 3225.72 | 4282.44 | 6955.13 | 7466.22 | 8741.58 | 10765.73 | 15341.40 |
| 经营费用 | Business Expenses | 87.47 | 100.21 | 125.02 | 187.28 | 193.53 | 227.8 | 276.74 | 411.53 |
| 商品销售税金及附加费 | Tax and Extra Charges on Goods Sales | 4.07 | 5.58 | 5.81 | 11.99 | 9.48 | 10.33 | 13.35 | 21.70 |
| 主营业务利润 | Profits of Major Management | 113.12 | 145.14 | 180.02 | 422.56 | 429.90 | 514.17 | 640.77 | 887.47 |
| 管理费用 | Management Expenses | 66.23 | 73.00 | 84.30 | 112.62 | 122.24 | 135.27 | 164.59 | 223.52 |
| 财务费用 | Financial Expenses | 16.25 | 15.75 | 19.01 | 23.43 | 26.69 | 31.65 | 48.92 | 87.21 |
| 利润总额 | Total Profits | 62.63 | 84.10 | 113.14 | 156.16 | 146.98 | 191.22 | 238.93 | 274.75 |
| 本年应付工资总额 | Total Wages Payable in the Year | 37.52 | 38.55 | 46.00 | 59.29 | 64.69 | 74.89 | 113.82 | 130.12 |
| 本年应付福利费总额 | Total Welfare Expenses Payable in the Year | 4.81 | 6.19 | 7.24 | 8.29 | 10.19 | 11.04 | 8.39 | 8.73 |

## 10-8 按登记注册类型分限额以上批发零售贸易企业资产及负债情况(2008年)
## Assets and Liabilities of Enterprises Above Designated Size in Wholesale and Retail Trade by Types of Registration(2008)

单位：亿元(100 million yuan)

| 指标 | Item | 资产合计 Total Assets | 固定资产 Fixed | 流动资产 Circulating | 负债合计 Total Liabilities | 所有者权益合计 Total Creditor's Equity |
|---|---|---|---|---|---|---|
| **批发和零售贸易业合计** | **Total** | **6609.39** | **550.13** | **5138.28** | **4927.73** | **1681.67** |
| **批发企业合计** | **Wholesale Trade** | **5402.17** | **330.43** | **4326.11** | **4024.36** | **1377.81** |
| #国有及国有控股 | State - owend and State Holding Enterprises | 1100.00 | 114.62 | 801.38 | 613.13 | 486.87 |
| 内资企业 | Domestic Funded Enterprises | 5337.08 | 317.49 | 4281.97 | 3976.00 | 1361.09 |
| 国有企业 | State - owned Enterprises | 548.23 | 52.88 | 420.24 | 245.56 | 302.67 |
| 集体企业 | Collective Owned Enterprises | 75.56 | 2.81 | 57.92 | 53.07 | 22.49 |
| 股份合作企业 | Cooperative Enterprises | 9.83 | 1.56 | 7.40 | 6.47 | 3.36 |
| 联营企业 | Joint Ownership Enterprises | 17.61 | 1.50 | 15.18 | 12.17 | 5.44 |
| #国有联营企业 | State Joint Ownership Enterprises | 5.95 | 1.30 | 4.62 | 2.29 | 3.66 |
| 集体联营 | Collective Joint Ownership Enterprises | 9.59 | 0.03 | 8.66 | 8.77 | 0.82 |
| 国有与集体联营企业 | Joint State - collective Enterprises | 0.26 | 0.02 | 0.25 | 0.15 | 0.11 |
| 有限责任公司 | Limited Liability Corporations | 1829.51 | 93.97 | 1471.15 | 1423.96 | 405.55 |
| 国有独资公司 | State Sole Funded Corporations | 64.89 | 8.65 | 46.61 | 41.60 | 23.29 |
| 其他有限责任公司 | Other Limited Liability Corporations | 1764.62 | 85.32 | 1424.54 | 1382.36 | 382.26 |
| 股份有限公司 | Share - holding Corporations Ltd. | 476.13 | 65.28 | 269.85 | 306.07 | 170.06 |
| 私营企业 | Private Enterprises | 2362.59 | 98.67 | 2027.43 | 1916.21 | 446.38 |
| #私营独资企业 | Private Funded Enterprises | 58.94 | 1.83 | 47.27 | 42.24 | 16.71 |
| 私营合伙企业 | Private Partnership Corporations | 12.66 | 0.46 | 10.62 | 10.00 | 2.66 |
| 私营有限责任公司 | Private Limited Liability Corporations | 2200.47 | 90.79 | 1896.38 | 1792.14 | 408.33 |
| 私营股份有限公司 | Private Share - holding Corporations Ltd. | 90.52 | 5.59 | 73.16 | 71.83 | 18.69 |
| 港、澳、台商投资企业 | Enterprises With Funds From Hong Kong, Macao and Taiwan | 32.43 | 5.95 | 21.44 | 23.45 | 8.98 |
| 与港澳台合资经营企业 | Joint - venture | 7.94 | 0.35 | 5.57 | 2.27 | 5.67 |
| 港、澳、台商独资企业 | Enterprises With Sole Investment From Hong Kong, Macao and Taiwan | 5.32 | 0.19 | 5.06 | 3.66 | 1.67 |
| 港、澳、台股份有限公司 | | 19.17 | 5.41 | 10.81 | 17.52 | 1.65 |
| 外商投资企业 | Foreign Funded Enterprises | 32.65 | 6.99 | 22.70 | 24.91 | 7.74 |
| 中外合资经营企业 | Joint - venture Enterprises | 14.10 | 0.10 | 11.80 | 10.11 | 3.98 |
| 外资企业 | Foreign Sole Funded Enterprises | 15.82 | 6.77 | 8.38 | 12.65 | 3.17 |
| 外商投资股份有限公司 | | 2.74 | 0.12 | 2.52 | 2.15 | 0.59 |

10－8 **续表** continued 单位：亿元(100 million yuan)

| 指 标 | Item | 资产合计 Total Assets | 固定资产 Fixed | 流动资产 Circulating | 负债合计 Total Liabilities | 所有者权益合计 Total Creditor's Equity |
|---|---|---|---|---|---|---|
| **零售企业总计** | **Retail Trade** | **1207.22** | **219.70** | **812.17** | **903.37** | **303.86** |
| #国有及国有控股 | State－owend and State Holding Enterprises | 168.56 | 44.51 | 93.06 | 91.54 | 77.02 |
| 内资企业 | Domestic Funded Enterprises | 1086.66 | 190.31 | 742.89 | 816.19 | 270.47 |
| 国有企业 | State－owned Enterprises | 36.73 | 7.51 | 22.77 | 23.22 | 13.51 |
| 集体企业 | Collective Owned Enterprises | 14.08 | 3.52 | 9.23 | 10.37 | 3.72 |
| 股份合作企业 | Cooperative Enterprises | 1.17 | 0.14 | 0.82 | 0.88 | 0.29 |
| 联营企业 | Joint Ownership Enterprises | 1.04 | 0.28 | 0.46 | 0.34 | 0.70 |
| 国有联营企业 | State Joint Ownership Enterprises | 0.41 | 0.17 | 0.22 | 0.08 | 0.34 |
| 集体联营 | | 0.09 | 0.01 | 0.03 | 0.10 | －0.01 |
| 国有与集体联营企业 | Joint State－collective Enterprises | 0.40 | 0.08 | 0.11 | 0.05 | 0.35 |
| 其他联营 | Other Joint Ownership Enterprises | 0.14 | 0.01 | 0.11 | 0.11 | 0.03 |
| 有限责任公司 | Limited Liability Corporations | 440.32 | 80.02 | 302.69 | 335.93 | 104.39 |
| 国有独资公司 | State Sole Funded Corporations | 21.03 | 5.78 | 11.10 | 9.44 | 11.59 |
| 其他有限责任公司 | Other Limited Liability Corporations | 419.29 | 74.24 | 291.59 | 326.50 | 92.80 |
| 股份有限公司 | Share－holding Corporations Ltd. | 176.52 | 37.06 | 102.04 | 110.92 | 65.60 |
| 私营企业 | Private Enterprises | 411.07 | 61.17 | 300.38 | 330.10 | 80.98 |
| #私营独资企业 | Private Funded Enterprises | 8.76 | 1.61 | 5.98 | 6.77 | 1.99 |
| 私营合伙企业 | Private Partnership Corporations | 9.35 | 1.70 | 5.48 | 7.75 | 1.60 |
| 私营有限责任公司 | Private Limited Liability Corporations | 373.22 | 55.30 | 275.66 | 300.71 | 72.51 |
| 私营股份有限公司 | Private Share-holding Corporations Ltd. | 19.74 | 2.56 | 13.26 | 14.86 | 4.88 |
| 港、澳、台商投资企业 | Enterprises With Funds From Hong Kong, Macao and Taiwan | 26.72 | 7.79 | 13.56 | 18.80 | 7.92 |
| 与港澳台合资经营企业 | Joint－venture Enterprises From Hong Kong, Macao and Taiwan | 5.03 | 0.73 | 3.54 | 3.89 | 1.15 |
| 与港澳台合作经营企业 | Cooperation Enterprises From Hong Kong, Macao and Taiwan | 2.02 | 0.46 | 0.77 | 0.14 | 1.87 |
| 港、澳、台商独资企业 | Enterprises with Sole Hong Kong, Macao and Taiwan | 19.48 | 6.52 | 9.14 | 14.71 | 4.77 |
| 港、澳、台股份有限公司 | | 0.19 | 0.08 | 0.10 | 0.06 | 0.13 |
| 外商投资企业 | Foreign Funded Enterprises | 93.84 | 21.59 | 55.72 | 68.37 | 25.47 |
| 中外合资经营企业 | Joint-venture Enterprises | 36.78 | 13.08 | 18.32 | 26.81 | 9.96 |
| 中外合作经营企业 | Cooperation Enterprises | 1.46 | 0.66 | 0.34 | 0.57 | 0.89 |
| 外资企业 | Foreign Sole Funded Enterprises | 54.85 | 7.79 | 36.38 | 40.39 | 14.45 |
| 外商投资股份有限公司 | | 0.75 | 0.06 | 0.69 | 0.60 | 0.16 |

## 10-9 分行业限额以上批发零售贸易企业资产及负债情况(2008年)
## Assets and Liabilities of Enterprises Above Designated Size in Wholesale and Retail Sale Trade by Sector(2008)

单位：亿元(100 million yuan)

| 指 标 | Item | 资产合计 Total Assets | 固定资产 Fixed | 流动资产 Circulating | 负债合计 Total Liabilities | 所有者权益合计 Total Creditor's Equity |
|---|---|---|---|---|---|---|
| **批发企业合计** | **Wholesale Trade** | **5402.17** | **330.43** | **4326.11** | **4024.36** | **1377.81** |
| 农畜产品批发 | Agricultural and Animal Products | 82.97 | 6.82 | 55.82 | 62.33 | 20.64 |
| 食品、饮料及烟草制品批发 | Food, Beverages, Tobacoo and Its Products | 569.02 | 70.97 | 440.56 | 289.56 | 279.46 |
| #米、面制品及食用油批发 | Rice, Flour and Its Products, Edible Oil | 99.55 | 11.65 | 64.73 | 74.70 | 24.85 |
| 烟草制品批发 | Tobacoo and Its Products | 251.03 | 33.65 | 211.46 | 47.23 | 203.80 |
| 纺织、服装及日用品批发 | Textile, Garments and Articles for Daily Use | 949.41 | 53.66 | 783.40 | 753.55 | 195.86 |
| #服装批发 | Garments | 271.53 | 14.67 | 227.79 | 216.70 | 54.83 |
| 文化、体育用品及器材批发 | Culture, Sports Articles and Equipment | 134.37 | 11.21 | 90.86 | 82.61 | 51.75 |
| 医疗及医疗器材批发 | Medicines and Medical Appliances | 167.51 | 10.22 | 140.02 | 128.98 | 38.53 |
| 矿产品、建材及化工产品批发 | Mineral Products, Building Materials and Chemical Products | 2699.94 | 137.72 | 2156.08 | 2081.74 | 618.20 |
| #煤炭及制品 | Coal and Related Products | 271.36 | 10.57 | 210.87 | 191.83 | 79.53 |
| 石油及制品批发 | Petroleurn and Related Produets | 378.92 | 57.69 | 244.58 | 256.49 | 122.43 |
| 金属及金属矿批发 | Metal Materials and Mineral | 1403.01 | 43.40 | 1160.07 | 1128.92 | 274.09 |
| 建材批发 | Building Materials | 136.31 | 4.48 | 120.99 | 109.86 | 26.46 |
| 化肥批发 | Fertilizer | 61.91 | 3.42 | 43.17 | 39.57 | 22.34 |
| 机械设备、五金交电及电子产品批发 | Machinery Equipment, Hardware and Elecric Produets | 685.11 | 34.35 | 562.75 | 542.00 | 143.10 |
| #汽车、摩托车及零配件批发 | Motor Vehicles, Motorcycles and Parts | 115.90 | 5.31 | 88.60 | 86.50 | 29.40 |
| 家用电器批发 | Household Appliances | 107.09 | 3.25 | 97.89 | 90.55 | 16.55 |
| 计算机、软件及辅助设备批发 | Computers, Software and Auxiliary Equipment | 23.96 | 0.36 | 22.17 | 19.55 | 4.41 |
| 贸易经纪与代理 | Manage and Agencies in Trade | 0.83 |  | 0.82 | 0.39 | 0.43 |
| 其他批发 | Others | 113.02 | 5.47 | 95.79 | 83.20 | 29.82 |

10-9 续表 continued　单位：亿元(100 million yuan)

| 指 标 | Item | 资产合计 Total Assets | 固定资产 Fixed | 流动资产 Circulating | 负债合计 Total Liabilities | 所有者权益合计 Total Creditor's Equity |
|---|---|---|---|---|---|---|
| **零售企业合计** | **Retail Trade** | **1207.22** | **219.70** | **812.17** | **903.37** | **303.86** |
| 综合零售 | Synthesis | 405.63 | 93.70 | 242.69 | 322.55 | 83.08 |
| #百货零售 | Consumer Goods | 195.50 | 47.68 | 106.84 | 146.81 | 48.69 |
| 超级市场零售 | Supermarkets | 203.55 | 44.35 | 131.76 | 170.07 | 33.48 |
| 食品、饮料及烟草制品专门零售 | Food, Beverages, Tobacoos and Its Products | 18.35 | 4.25 | 10.50 | 9.44 | 8.91 |
| 纺织服装及日用品专门零售 | Textile, Garments and Articles for Daily Use | 48.99 | 12.55 | 33.30 | 40.40 | 8.59 |
| #服装零售 | Garments Articles | 36.98 | 11.75 | 22.60 | 30.30 | 6.69 |
| 文化、体育用品及器材专门零售 | Calture, Sports Articles and Equipments | 61.56 | 15.88 | 35.79 | 33.04 | 28.53 |
| #体育用品零售业 | Sports Articles | 1.39 | 0.11 | 1.04 | 1.35 | 0.04 |
| 图书零售 | Books | 45.24 | 13.95 | 22.57 | 20.74 | 24.51 |
| 医疗及医疗器材专门零售 | Medicines and Medical Appliances | 73.96 | 7.73 | 59.84 | 58.46 | 15.49 |
| #药品零售 | Medicines | 73.22 | 7.73 | 59.13 | 58.03 | 15.19 |
| 汽车、摩托车、燃料及零售 | Motor Vehicles, Motorcycles Fuel | 478.94 | 70.94 | 339.41 | 349.44 | 129.50 |
| #汽车零售 | Motor Vehicles | 373.33 | 47.30 | 284.48 | 294.59 | 78.75 |
| 机动车燃料零售 | Fuel for Motor Vehicles Use | 99.08 | 23.10 | 49.70 | 49.57 | 49.52 |
| 家用电器及电子产品专门零售 | Household Appliance and Electric Products | 86.39 | 6.29 | 74.39 | 67.46 | 18.93 |
| #家用电器零售 | Household Appliance | 66.93 | 4.47 | 58.57 | 54.15 | 12.78 |
| 计算机、软件及辅助设备零售 | Computer, Software and Auxiliary Equipment | 11.27 | 0.52 | 9.42 | 7.43 | 3.84 |
| 通信设备零售 | Communication Equipment | 7.47 | 1.18 | 5.83 | 5.29 | 2.18 |
| 五金、家具及室内装饰材料专门零售 | Hardware, Furniture Decoration Indoors | 13.96 | 3.07 | 6.91 | 9.90 | 4.06 |
| 无店铺及其他零售 | Non-shop and Other Retail Sale | 19.45 | 5.28 | 9.35 | 12.68 | 6.77 |
| #邮购及电子销售业 | Mail Order and Electron Vendition | 2.01 | 0.19 | 1.79 | 1.36 | 0.65 |

## 10－10 按登记注册类型分限额以上批发零售贸易企业主要财务指标情况(2008年)
Main Financial Indicators of Enterprises Above Designated Size in Wholesale and Retail Trade by Types of Registration(2008)

单位：亿元(100 million yuan)

| 指　标 | Item | 主营业务收入 Revenue in Main Business | 主营业务成本 Cost in Main Business | 主营业务税金及附加 Tax and Extra Changes in Main Business | 主营业务利润 Profits in Main Business | 营业费用 Management Cost |
|---|---|---|---|---|---|---|
| **批发和零售贸易业合计** | **Total** | **16250.59** | **15341.40** | **21.70** | **887.47** | **411.53** |
| **批发企业合计** | **Wholesale Trade** | **13810.25** | **13112.17** | **15.49** | **682.58** | **289.97** |
| #国有及国有控股 | State－owend and State Holding Enterprises | 3534.68 | 3277.65 | 5.43 | 251.60 | 54.56 |
| 内资企业 | Domestic Funded Enterprises | 13689.14 | 13000.32 | 15.42 | 673.40 | 284.51 |
| 国有企业 | State－owned Enterprises | 1434.20 | 1259.06 | 3.47 | 171.67 | 22.80 |
| 集体企业 | Collective Owned Enterprises | 143.88 | 138.00 | 0.11 | 5.77 | 2.70 |
| 股份合作企业 | Cooperative Enterprises | 41.63 | 39.60 | 0.04 | 1.99 | 0.82 |
| 联营企业 | Joint Ownership Enterprises | 55.58 | 50.17 | 0.12 | 5.29 | 0.91 |
| 国有联营企业 | State Joint Ownership Enterprises | 35.06 | 30.84 | 0.11 | 4.11 | 0.60 |
| 集体联营企业 | Collective Joint Ownership Enterprises | 10.43 | 10.12 | | 0.31 | 0.08 |
| 国有与集体联营企业 | Joint State－collective Enterprises | 1.43 | 1.38 | | 0.05 | 0.03 |
| 有限责任公司 | Limited Liability Corporations | 4939.72 | 4741.10 | 4.89 | 193.73 | 102.85 |
| 国有独资公司 | State Sole Funded Corporations | 99.44 | 90.75 | 0.23 | 8.46 | 1.98 |
| 其他有限责任公司 | Other Limited Liability Corporations | 4840.28 | 4650.35 | 4.66 | 185.27 | 100.87 |
| 股份有限公司 | Share－holding Corporations Ltd. | 1281.11 | 1214.63 | 1.45 | 65.03 | 34.92 |
| 私营企业 | Private Enterprises | 5760.74 | 5527.32 | 5.31 | 228.11 | 118.60 |
| #私营独资企业 | Private Funded Enterprises | 134.30 | 127.10 | 0.10 | 7.09 | 2.61 |
| 私营合伙企业 | Private Partnership Corporations | 44.77 | 42.73 | 0.06 | 1.97 | 0.98 |
| 私营有限责任公司 | Private Limited Liability Corporations | 5376.07 | 5160.96 | 5.01 | 210.09 | 109.63 |
| 私营股份有限公司 | Private Share－holding Corporations Ltd. | 205.60 | 196.53 | 0.13 | 8.95 | 5.38 |
| 港澳台商投资企业 | Enterprises With Funds From Hong Kong, Macao and Taiwan | 48.16 | 45.65 | 0.06 | 2.45 | 1.91 |
| 合资经营企业(港或澳、台资) | Joint－venture Enterprises From Hong Kong,Macao and Taiwan | 8.24 | 7.19 | 0.03 | 1.01 | 0.32 |
| 港、澳、台商独资经营企业 | Enterprises With Sole Investment From Hong Kong, Macao and Taiwan | 23.07 | 22.22 | 0.01 | 0.83 | 0.57 |
| 港、澳、台商投资股份有限公司 | | 16.86 | 16.23 | 0.01 | 0.61 | 1.01 |
| 外商投资企业 | Foreign Funded Enterprises | 72.95 | 66.20 | 0.01 | 6.74 | 3.56 |
| 中外合资经营企业 | Joint－venture Enterprises | 27.68 | 26.08 | 0.01 | 1.60 | 0.77 |
| 外资企业 | Foreign Sole Funded Enterprises | 36.32 | 31.91 | 0.01 | 4.40 | 2.57 |
| 外商投资股份有限公司 | | 8.95 | 8.22 | | 0.74 | 0.21 |

10－10 续表 continued 单位：亿元(100 million yuan)

| 指 标 | Item | 主营业务收入 Revenue in Main Business | 主营业务成本 Cost in Main Business | 主营业务税金及附加 Tax and Extra Changes in Main Business | 主营业务利润 Profits in Main Business | 营业费用 Management Cost |
|---|---|---|---|---|---|---|
| **零售企业总计** | **Retail Trade** | **2440.34** | **2229.23** | **6.21** | **204.88** | **121.56** |
| #国有及国有控股 | State－owend and State Holding Enterprises | 525.34 | 483.58 | 0.99 | 40.76 | 16.46 |
| 内资企业 | Domestic Funded Enterprises | 2188.20 | 2002.90 | 5.80 | 179.48 | 104.99 |
| 国有企业 | State－owned Enterprises | 65.06 | 59.07 | 0.12 | 5.88 | 2.49 |
| 集体企业 | Collective Owned Enterprises | 35.65 | 33.16 | 0.07 | 2.42 | 0.80 |
| 股份合作企业 | Cooperative Enterprises | 4.14 | 3.88 | 0.01 | 0.26 | 0.14 |
| 联营企业 | Joint Ownership Enterprises | 10.57 | 9.92 | 0.01 | 0.64 | 0.23 |
| 国有联营企业 | State Joint Ownership Enterprises | 4.95 | 4.61 | 0.01 | 0.33 | 0.11 |
| 集体联营企业 | | 0.54 | 0.50 | | 0.04 | 0.02 |
| 国有与集体联营企业 | Joint State－collective Enterprises | 4.42 | 4.19 | | 0.23 | 0.09 |
| 其他联营企业 | Other Joint Ownership Enterprises | 0.67 | 0.62 | | 0.05 | 0.01 |
| 有限责任公司 | Limited Liability Corporations | 836.43 | 756.58 | 2.54 | 77.29 | 51.72 |
| 国有独资公司 | State Sole Funded Corporations | 17.78 | 15.06 | 0.02 | 2.70 | 1.32 |
| 其他有限责任公司 | Other Limited Liability Corporations | 818.65 | 741.52 | 2.52 | 74.60 | 50.40 |
| 股份有限公司 | Share－holding Corporations Ltd. | 450.58 | 414.78 | 1.07 | 34.72 | 14.56 |
| 私营企业 | Private Enterprises | 773.08 | 714.04 | 1.96 | 57.09 | 34.59 |
| 私营独资企业 | Private Funded Enterprises | 23.06 | 21.36 | 0.05 | 1.65 | 1.20 |
| 私营合伙企业 | Private Partnership Corporations | 16.40 | 14.93 | 0.07 | 1.40 | 1.41 |
| 私营有限责任公司 | Private Limited Liability Corporations | 686.94 | 634.01 | 1.77 | 51.16 | 30.42 |
| 私营股份有限公司 | Private Share-holding Corporations Ltd. | 46.69 | 43.74 | 0.07 | 2.88 | 1.56 |
| 其他企业 | | 12.69 | 11.48 | 0.03 | 1.18 | 0.45 |
| 港澳台商投资企业 | Enterprises With Funds From Hong Kong,Macao and Taiwan | 67.37 | 61.45 | 0.06 | 5.86 | 3.32 |
| 与港澳台商合资经营 | Joint－venture Enterprises From Hong Kong,Macao and Taiwan | 16.24 | 14.91 | 0.01 | 1.32 | 0.72 |
| 与港澳台商合作经营 | Cooperation Enterprises From Hong Kong,Macao and Taiwan | 5.36 | 4.79 | | 0.56 | 0.20 |
| 港澳台商独资企业 | Enterprises with Sole Hong Kong, Macao and Taiwan | 45.23 | 41.36 | 0.04 | 3.83 | 2.39 |
| 港、澳、台商投资股份有限公司 | | 0.54 | 0.38 | 0.01 | 0.15 | 0.01 |
| 外商投资企业 | Foreign Funded Enterprises | 184.78 | 164.88 | 0.35 | 19.54 | 13.26 |
| 中外合资经营企业 | Joint－venture Enterprises | 117.36 | 106.71 | 0.20 | 10.45 | 8.69 |
| 中外合作经营企业 | Cooperation Enterprises | 2.23 | 1.59 | | 0.64 | 0.60 |
| 外商独资企业 | Foreign Sole Funded Enterprises | 62.78 | 54.27 | 0.15 | 8.35 | 3.93 |
| 外商投资股份有限公司 | | 2.41 | 2.30 | | 0.10 | 0.04 |

## 10－11 分行业限额以上批发零售贸易企业主要财务指标情况(2008 年)
## Main Financial Indicators of Enterprises Designated Size in Wholesale and Retail Trade by Sector(2008)

单位：亿元(100 million yuan)

| 指 标 | Item | 主营业务收入 Revenue in Main Business | 主营业务成本 Cost in Main Business | 主营业务税金及附加 Tax and Extra Changes in Main Business | 主营业务利润 Profits in Main Business | 营业费用 Management Cost |
|---|---|---|---|---|---|---|
| **批发企业合计** | **Wholesale Trade** | **13810.25** | **13112.17** | **15.49** | **682.58** | **289.97** |
| 农畜产品批发 | Agricultural and Animal Products | 114.76 | 109.34 | 0.04 | 5.38 | 2.06 |
| 食品、饮料及烟草制品批发 | Food, Beverages, Tobacoo and Its Products | 1236.74 | 1033.44 | 4.10 | 199.21 | 41.20 |
| #米、面制品及食用油批发 | Rice, Flour and Its Products, Edible Oil | 118.52 | 113.36 | 0.06 | 5.09 | 2.62 |
| 烟草制品批发 | Tobacoo and Its Products | 705.73 | 551.07 | 3.08 | 151.58 | 13.16 |
| 纺织、服装及日用品批发 | Textile, Garments and Articles for Daily Use | 2267.41 | 2140.65 | 2.14 | 124.62 | 60.92 |
| #服装批发 | Garments | 719.57 | 675.36 | 0.35 | 43.86 | 22.33 |
| 文化、体育用品及器材批发 | Culture, Sports Articles and Equipment | 217.79 | 205.42 | 0.21 | 12.16 | 6.02 |
| 医疗及医疗器材批发 | Medicines and Medical Appliances | 395.37 | 365.55 | 0.58 | 29.24 | 14.42 |
| 矿产品、建材及化工产品批发 | Mineral Products, Building Materials and Chemical Products | 7204.14 | 6982.29 | 6.11 | 215.74 | 119.01 |
| #煤炭及制品 | Coal and Related Products | 456.50 | 415.53 | 0.78 | 40.20 | 26.66 |
| 石油及制品批发 | Petroleurn and Related Produets | 1292.55 | 1244.16 | 1.23 | 47.17 | 22.79 |
| 金属及金属矿批发 | Metal Materials and Mineral | 3621.07 | 3547.57 | 1.98 | 71.52 | 38.01 |
| 建材批发 | Building Materials | 362.58 | 351.23 | 0.24 | 11.12 | 7.73 |
| 化肥批发 | Fertilizer | 100.18 | 95.46 | 0.33 | 4.40 | 1.89 |
| 机械设备、五金交电及电子产品批发 | Machinery Equipment, Hardware and Electric Products | 1678.00 | 1591.59 | 1.39 | 85.02 | 43.08 |
| #汽车、摩托车及零配件批发 | Motor Vehicles, Motorcycles and Parts | 254.94 | 243.30 | 0.19 | 11.45 | 6.48 |
| 家用电器批发 | Household Appliances | 227.15 | 212.39 | 0.19 | 14.58 | 8.52 |
| 计算机、软件及辅助设备批发 | Computers, Software and Auxiliary Equipment | 85.28 | 82.73 | 0.07 | 2.47 | 0.95 |
| 贸易经纪与代理 | Manage and Agencies in Trade | 0.40 | 0.03 | 0.03 | 0.37 | 0.02 |
| 其他批发 | Others | 695.64 | 683.89 | 0.90 | 10.85 | 3.24 |

10－11 续表 continued 单位：亿元(100 million yuan)

| 指 标 | Item | 主营业务收入 Revenue in Main Business | 主营业务成本 Cost in Main Business | 主营业务税金及附加 Tax and Extra Changes in Main Business | 主营业务利润 Profits in Main Business | 营业费用 Management Cost |
|---|---|---|---|---|---|---|
| **零售企业合计** | **Retail Trade** | **2440.34** | **2229.23** | **6.21** | **204.88** | **121.56** |
| 综合零售 | Synthesis | 581.18 | 507.69 | 2.71 | 70.79 | 52.40 |
| #百货零售 | Consumer Goods | 227.36 | 195.54 | 1.57 | 30.25 | 13.08 |
| 超级市场零售 | Supermarkets | 338.96 | 299.82 | 1.09 | 38.05 | 37.55 |
| 食品、饮料及烟草制品专门零售 | Food, Beverages, Tobacoos and Its Products | 36.35 | 31.23 | 0.07 | 5.04 | 2.35 |
| 纺织服装及日用品专门零售 | Textile, Garments and Articles for Daily Use | 52.23 | 42.03 | 0.20 | 10.00 | 5.12 |
| #服装零售 | Garments Articles | 38.62 | 31.07 | 0.16 | 7.39 | 3.77 |
| 文化、体育用品及器材专门零售 | Calture, Sports Articles and Equipments | 50.33 | 39.44 | 0.75 | 10.14 | 4.38 |
| #体育用品零售业 | Sports Articles | 1.73 | 1.48 | 0.00 | 0.25 | 0.10 |
| 图书零售 | Books | 26.90 | 20.81 | 0.07 | 6.03 | 2.82 |
| 医疗及医疗器材专门零售 | Medicines and Medical Appliances | 158.07 | 144.28 | 0.32 | 13.47 | 6.81 |
| #药品零售 | Medicines | 157.21 | 143.54 | 0.32 | 13.36 | 6.78 |
| 汽车、摩托车、燃料及零售 | Motor Vehicles, Motorcycles Fuel | 1326.82 | 1255.25 | 1.45 | 70.09 | 29.31 |
| #汽车零售 | Motor Vehicles | 902.18 | 857.30 | 0.98 | 43.87 | 19.03 |
| 机动车燃料零售 | Fuel for Motor Vehicles Use | 414.11 | 388.22 | 0.45 | 25.44 | 9.98 |
| 家用电器及电子产品专门零售 | Household Appliance and Electric Products | 189.62 | 169.44 | 0.58 | 19.60 | 17.53 |
| #家用电器零售 | Household Appliance | 136.16 | 120.81 | 0.41 | 14.94 | 14.11 |
| 计算机、软件及辅助设备零售 | Computer, Software and Auxiliary Equipment | 34.83 | 32.43 | 0.08 | 2.32 | 1.48 |
| 通信设备零售 | Communication Equipment | 16.66 | 14.53 | 0.08 | 2.04 | 1.79 |
| 五金、家具及室内装饰材料专门零售 | Hardware, Furniture Decoration Indoors | 12.58 | 10.79 | 0.04 | 1.75 | 1.30 |
| 无店铺及其他零售 | Non－shop and Other Retail Sales | 33.16 | 29.08 | 0.08 | 4.00 | 2.35 |
| #邮购及电子销售业 | Mail Order and Electron Vendition | 5.32 | 4.11 | 0.03 | 1.18 | 1.01 |

## 10－12 按登记注册类型分限额以上批发零售贸易企业主要指标情况(2008 年)
## Main Financial Indicators of Enterprises Above Designated Size in Wholesale and Retail Trade by Types of Registration(2008)

单位：亿元(100 million yuan)

| 指　标 | Item | 管理费用 Manag－ement Expenses | 财务费用 Financial Expenses | 利润总额 Profits | 本年应付工资总额 Total Wages Pagable in the year | 本年应付福利费总额 Total Welfare Funds in the year | 本年应交增值税 Value Added Taxes Payable in the year |
|---|---|---|---|---|---|---|---|
| **批发和零售贸易业合计** | **Total** | **223.52** | **87.21** | **274.75** | **130.12** | **8.73** | **121.99** |
| **批发企业合计** | **Wholesale Trade** | **155.60** | **70.98** | **233.54** | **80.17** | **5.49** | **89.66** |
| #国有及国有控股 | State－owend and State Holding Enterprises | 45.88 | 5.07 | 161.46 | 29.53 | 2.39 | 37.75 |
| 内资企业 | Domestic Funded Enterprises | 152.74 | 70.43 | 232.60 | 78.62 | 5.42 | 88.89 |
| 国有企业 | State－owned Enterprises | 28.04 | －0.40 | 127.60 | 17.96 | 1.60 | 27.64 |
| 集体企业 | Collective Owned Enterprises | 1.80 | 1.30 | 1.74 | 0.84 | 0.04 | 0.57 |
| 股份合作企业 | Cooperative Enterprises | 0.56 | 0.32 | 0.56 | 0.31 | 0.03 | 0.24 |
| 联营企业 | Joint Ownership Enterprises | 0.64 | 0.34 | 3.44 | 0.36 | 0.02 | 0.78 |
| #国有联营企业 | State Joint Ownership Enterprises | 0.44 | 0.08 | 3.01 | 0.33 | 0.02 | 0.76 |
| 集体联营企业 | Collective Joint Ownership Enterprises | 0.03 | 0.15 | 0.05 | 0.01 | | |
| 国有与集体联营企业 | Joint State－collective Enterprises | 0.01 | | 0.01 | 0.01 | | 0.01 |
| 有限责任公司 | Limited Liability Corporations | 47.00 | 23.04 | 50.43 | 28.30 | 1.42 | 22.08 |
| 国有独资公司 | State Sole Funded Corporations | 3.50 | 0.63 | 4.68 | 1.70 | 0.15 | 1.22 |
| 其他有限责任公司 | Other Limited Liability Corporations | 43.50 | 22.41 | 45.75 | 26.61 | 1.27 | 20.85 |
| 股份有限公司 | Share－holding Corporations Ltd. | 13.26 | 7.94 | 24.72 | 6.71 | 0.60 | 5.95 |
| 私营企业 | Private Enterprises | 61.10 | 37.62 | 23.89 | 23.82 | 1.70 | 31.34 |
| #私营独资企业 | Private Funded Enterprises | 1.44 | 1.43 | 1.63 | 0.61 | 0.04 | 1.20 |
| 私营合伙企业 | Private Partnership Corporations | 0.42 | 0.20 | 0.52 | 0.22 | 0.01 | 0.54 |
| 私营有限责任公司 | Private Limited Liability Corporations | 56.27 | 34.88 | 21.54 | 21.93 | 1.56 | 28.40 |
| 私营股份有限公司 | Private Share-holding Corporations Ltd. | 2.97 | 1.10 | 0.21 | 1.06 | 0.09 | 1.20 |
| 港澳台商投资企业 | Enterprises With Funds From Hong Kong, Macao and Taiwan | 0.66 | 0.31 | －0.15 | 0.58 | 0.01 | 0.26 |
| 合资经营企业(港或澳、台资) | Joint－venture Enterprises From Hong Kong,Macao and Taiwan | 0.43 | 0.03 | 0.49 | 0.33 | | －0.02 |
| 港、澳、台商独资经营企业 | Enterprises With Sole Investment From Hong Kong, Macao and Taiwan | 0.16 | 0.05 | 0.05 | 0.20 | 0.01 | 0.20 |
| 港、澳、台商投资股份有限公司 | | 0.07 | 0.23 | －0.68 | 0.05 | | 0.08 |
| 外商投资企业 | Foreign Funded Enterprises | 2.20 | 0.25 | 1.10 | 0.97 | 0.06 | 0.51 |
| 中外合资经营企业 | Joint－venture Enterprises | 0.29 | 0.22 | 0.36 | 0.17 | | 0.12 |
| 外资企业 | Foreign Sole Funded Enterprises | 1.49 | －0.06 | 0.74 | 0.76 | 0.05 | 0.39 |
| 外商投资股份有限公司 | | 0.42 | 0.09 | －0.01 | 0.04 | | |

10－12 续表 continued 单位：亿元(100 million yuan)

| 指 标 | Item | 管理费用 Manag－ement Expenses | 财务费用 Financial Expenses | 利润总额 Profits | 本年应付工资总额 Total Wages Pagable in the year | 本年应付福利费总额 Total Welfare Funds in the year | 本年应交增值税 Value Added Taxes Payable in the year |
|---|---|---|---|---|---|---|---|
| **零售企业总计** | **Retail Trade** | **67.92** | **16.23** | **41.21** | **49.95** | **3.24** | **32.33** |
| #国有及国有控股 | State－owend and State Holding Enterprises | 10.77 | 0.85 | 15.03 | 7.05 | 0.67 | 5.84 |
| 内资企业 | Domestic Funded Enterprises | 59.30 | 15.25 | 35.38 | 44.59 | 2.83 | 28.32 |
| 国有企业 | State－owned Enterprises | 2.07 | 0.27 | 1.93 | 1.67 | 0.10 | 0.66 |
| 集体企业 | Collective Owned Enterprises | 1.27 | 0.15 | 0.49 | 0.80 | 0.05 | 0.57 |
| 股份合作企业 | Cooperative Enterprises | 0.07 | 0.01 | 0.05 | 0.10 | 0.01 | 0.04 |
| 联营企业 | Joint Ownership Enterprises | 0.05 | | 0.35 | 0.09 | 0.01 | 0.11 |
| #国有联营企业 | State Joint Ownership Enterprises | 0.02 | | 0.21 | 0.05 | | 0.07 |
| 集体联营企业 | | | | －0.01 | 0.01 | | |
| 国有与集体联营企业 | Joint State－collective Enterprises | 0.02 | | 0.11 | 0.03 | | 0.03 |
| 有限责任公司 | Limited Liability Corporations | 24.23 | 5.48 | 15.60 | 20.03 | 1.13 | 12.79 |
| 国有独资公司 | State Sole Funded Corporations | 0.99 | 0.03 | 0.74 | 0.73 | 0.08 | 0.19 |
| 其他有限责任公司 | Other Limited Liability Corporations | 23.24 | 5.45 | 14.86 | 19.29 | 1.06 | 12.60 |
| 股份有限公司 | Share－holding Corporations Ltd. | 9.02 | 2.12 | 12.79 | 5.96 | 0.52 | 4.80 |
| 私营企业 | Private Enterprises | 22.32 | 7.13 | 3.70 | 15.72 | 0.97 | 9.24 |
| #私营独资企业 | Private Funded Enterprises | 0.62 | 0.13 | 0.13 | 0.49 | 0.03 | 0.26 |
| 私营合伙企业 | Private Partnership Corporations | 0.50 | 0.18 | 0.05 | 0.45 | | 0.16 |
| 私营有限责任公司 | Private Limited Liability Corporations | 19.89 | 6.46 | 3.30 | 14.13 | 0.89 | 8.36 |
| 私营股份有限公司 | Private Share-holding Corporations Ltd. | 1.31 | 0.36 | 0.22 | 0.66 | 0.05 | 0.46 |
| 港澳台商投资企业 | Enterprises With Funds From Hong Kong, Macao and Taiwan | 3.33 | 0.33 | 0.17 | 1.63 | 0.07 | 0.69 |
| #合资经营企业(港或澳、台资) | Joint－venture Enterprises From Hong Kong, Macao and Taiwan | 0.42 | 0.09 | 0.13 | 0.38 | 0.01 | 0.13 |
| 港、澳、台商独资经营企业 | Enterprises with Sole Hong Kong, Macao and Taiwan | 2.32 | 0.22 | －0.07 | 1.07 | 0.03 | 0.44 |
| 港、澳、台商投资股份有限公司 | | 0.13 | | | 0.02 | 0.01 | 0.03 |
| 外商投资企业 | Foreign Funded Enterprises | 5.30 | 0.66 | 5.66 | 3.73 | 0.35 | 3.32 |
| #中外合资经营企业 | Joint－venture Enterprises | 2.77 | 0.14 | 1.76 | 2.25 | 0.22 | 1.77 |
| 外资企业 | Foreign Sole Funded Enterprises | 2.39 | 0.49 | 3.85 | 1.32 | 0.10 | 1.45 |
| 外商投资股份有限公司 | | 0.04 | 0.02 | 0.01 | 0.03 | | 0.01 |

## 10－13 分行业限额以上批发零售贸易企业主要财务指标情况(2008 年)
## Main Financial Indicators of Enterprises Designated Size in Wholesale and Retail Trade by Sector(2008)

单位：亿元(100 million yuan)

| 指标 | Item | 管理费用 Manag－ement Expenses | 财务费用 Financial Expenses | 利润总额 Profits | 本年应付工资总额 Total Wages Pagable in the year | 本年应付福利费总额 Total Welfare Funds in the year | 本年应交增值税 Value Added Taxes Payable in the year |
|---|---|---|---|---|---|---|---|
| **批发企业合计** | **Wholesale Trade** | **155.60** | **70.98** | **233.54** | **80.17** | **5.49** | **89.66** |
| 农畜产品批发 | Agricultural and Animal Products | 2.39 | 2.19 | 1.34 | 1.21 | 0.09 | 0.28 |
| 食品、饮料及烟草制品批发 | Food, Beverages, Tobacoo and Its Products | 29.59 | 1.93 | 135.71 | 20.30 | 1.53 | 30.39 |
| #米、面制品及食用油批发 | Rice, Flour and Its Products. Edible Oil | 2.52 | 1.63 | 2.80 | 1.32 | 0.11 | 0.54 |
| 烟草制品批发 | Tobacoo and Its Products | 18.99 | －2.27 | 123.41 | 13.37 | 1.13 | 26.10 |
| 纺织、服装及日用品批发 | Textile, Garments and Articles for Daily Use | 31.44 | 14.20 | 24.84 | 16.84 | 1.03 | 12.72 |
| #服装批发 | Garments | 12.00 | 3.29 | 8.98 | 6.92 | 0.41 | 2.19 |
| 文化、体育用品及器材批发 | Culture, Sports Articles and Equipment | 3.98 | 0.72 | 2.26 | 2.06 | 0.13 | 1.18 |
| 医疗及医疗器材批发 | Medicines and Medical Appliances | 8.35 | 1.55 | 5.99 | 4.90 | 0.31 | 4.30 |
| 矿产品、建材及化工产品批发 | Mineral Products, Building Materials and Chemical Products | 51.07 | 39.21 | 44.11 | 20.51 | 1.42 | 31.37 |
| #煤炭及制品 | Coal and Related Products | 5.89 | 6.48 | 5.83 | 1.80 | 0.11 | 4.88 |
| 石油及制品批发 | Petroleum and Related Products | 8.50 | 5.13 | 13.95 | 4.60 | 0.49 | 6.77 |
| 金属及金属矿批发 | Metal Materials and Mineral | 19.94 | 19.47 | 9.78 | 6.91 | 0.35 | 11.59 |
| 建材批发 | Building Materials | 2.64 | 1.17 | 4.91 | 1.26 | 0.09 | 1.99 |
| 化肥批发 | Fertilizer | 1.33 | 0.91 | 2.95 | 0.82 | 0.05 | 0.07 |
| 机械设备、五金交电及电子产品批发 | Machinery Equipment, Hardware and Electric Products | 25.53 | 7.88 | 16.83 | 12.83 | 0.90 | 8.42 |
| #汽车、摩托车及零配件批发 | Motor Vehicles, Motorcycles and Parts | 3.39 | 1.06 | 0.91 | 1.69 | 0.13 | 1.28 |
| 家用电器批发 | Household Appliances | 2.71 | 1.77 | 2.49 | 1.93 | 0.13 | 1.45 |
| 计算机、软件及辅助设备批发 | Computers, Software and Auxiliary Equipment | 1.18 | 0.17 | 0.24 | 0.57 | 0.04 | 0.40 |
| 贸易经纪与代理 | Manage and Agencies in Trade | 0.10 | | 0.30 | 0.01 | | |
| 其他批发 | Others | 3.15 | 3.30 | 2.17 | 1.51 | 0.08 | 0.99 |

10－13 续表 continued 单位：亿元(100 million yuan)

| 指 标 | Item | 管理费用 Manag－ement Expenses | 财务费用 Financial Expenses | 利润总额 Profits | 本年应付工资总额 Total Wages Pagable in the year | 本年应付福利费总额 Total Welfare Funds in the year | 本年应交增值税 Value Added Taxes Payable in the year |
|---|---|---|---|---|---|---|---|
| **零售企业合计** | **Retail Trade** | **67.92** | **16.23** | **41.21** | **49.95** | **3.24** | **32.33** |
| 综合零售 | Synthesis | 26.40 | 4.28 | 13.89 | 20.13 | 1.15 | 12.01 |
| #百货零售 | Consumer Goods | 14.94 | 2.84 | 8.00 | 6.80 | 0.51 | 5.23 |
| 超级市场零售 | Supermarkets | 10.74 | 1.33 | 5.73 | 12.53 | 0.60 | 6.47 |
| 食品、饮料及烟草制品专门零售 | Food, Beverages, Tobacoos and Its Products | 1.77 | 0.21 | 1.33 | 1.43 | 0.06 | 0.68 |
| 纺织服装及日用品专门零售 | Textile, Garments and Articles for Daily Use | 2.99 | 1.11 | 1.38 | 2.00 | 0.07 | 1.18 |
| #服装零售 | Garments Articles | 2.19 | 0.92 | 1.02 | 1.56 | 0.06 | 0.87 |
| 文化、体育用品及器材专门零售 | Calture, Sports Articles and Equipments | 4.46 | 0.38 | 1.74 | 2.51 | 0.18 | 1.02 |
| #体育用品零售业 | Sports Articles | 0.21 | 0.02 | －0.07 | 0.05 | 0.01 | 0.06 |
| 图书零售 | Books | 2.40 | 0.04 | 1.40 | 1.70 | 0.14 | 0.40 |
| 医疗及医疗器材专门零售 | Medicines and Medical Appliances | 4.82 | 1.20 | 3.27 | 4.05 | 0.34 | 1.91 |
| #药品零售 | Medicines | 4.80 | 1.17 | 3.23 | 4.03 | 0.34 | 1.89 |
| 汽车、摩托车、燃料及零售 | Motor Vehicles, Motorcycles Fuel | 20.92 | 8.01 | 15.96 | 13.76 | 1.05 | 11.79 |
| #汽车零售 | Motor Vehicles | 16.78 | 7.44 | 4.57 | 10.76 | 0.75 | 8.24 |
| 机动车燃料零售 | Fuel for Motor Vehicles Use | 3.70 | 0.47 | 11.42 | 2.74 | 0.28 | 3.46 |
| 家用电器及电子产品专门零售 | Household Appliance and Electric Products | 4.83 | 0.54 | 3.02 | 4.97 | 0.29 | 3.00 |
| #家用电器零售 | Household Appliance | 3.18 | 0.39 | 2.43 | 3.17 | 0.22 | 2.34 |
| 计算机、软件及辅助设备零售 | Computer, Software and Auxiliary Equipment | 0.77 | 0.04 | 0.52 | 0.89 | 0.04 | 0.21 |
| 通信设备零售 | Communication Equipment | 0.75 | 0.09 | 0.06 | 0.83 | 0.02 | 0.42 |
| 五金、家具及室内装饰材料专门零售 | Hardware, Furniture Decoration Indoors | 0.60 | 0.23 | －0.19 | 0.41 | 0.05 | 0.23 |
| 无店铺及其他零售 | Non－shop and Other Retail Sale | 1.14 | 0.27 | 0.80 | 0.69 | 0.05 | 0.50 |
| #邮购及电子销售业 | Mail Order and Electron Vendition | 0.23 | －0.03 | 0.04 | 0.06 | 0.01 | 0.18 |

## 10-14 限额以上住宿餐饮业基本情况(2008 年)
## Main Indicators in Hotels and Catering Services Above Designated Size(2008)

单位: 亿元(100 million yuan)

| 指 标 | Item | 法人企业(个) Number of Corporation (unit) | 从业人数(人) Persons Employed (person) | 营业额 Business Volume |
|---|---|---|---|---|
| **总计** | **Total** | **2104** | **256736** | **356.76** |
| **住宿业** | **Hotels** | **1158** | **156414** | **206.33** |
| #国有及国有控股 | State - owend and State Holding Enterprises | 202 | 33489 | 47.43 |
| **按登记注册类型分组** | **by Registration** | | | |
| 内资企业 | Domestic Funded Enterprises | 1099 | 138284 | 178.14 |
| 国有企业 | State - owned Enterprises | 137 | 19386 | 26.82 |
| 集体企业 | Collective Owned Enterprises | 61 | 6500 | 7.80 |
| 股份合作企业 | Cooperative Enterprises | 11 | 1072 | 1.50 |
| 联营企业 | Joint Ownership Enterprises | 3 | 356 | 0.41 |
| 国有联营企业 | State Joint Ownership Enterprises | | | |
| 集体联营企业 | Collective Joint Ownership Enterprises | 1 | 108 | 0.11 |
| 国有与集体联营企业 | Joint State - collective Enterprises | 2 | 248 | 0.30 |
| 有限责任公司 | Limited Liability Corporations | 287 | 42797 | 55.78 |
| 国有独资公司 | State Sole Funded Corporations | 15 | 2379 | 3.30 |
| 其他有限责任公司 | Other Limited Liability Corporations | 272 | 40418 | 52.48 |
| 股份有限公司 | Share - holding Corporations Ltd. | 32 | 8185 | 10.96 |
| 私营企业 | Private Enterprises | 562 | 59705 | 74.59 |
| 私营独资企业 | Private Funded Enterprises | 89 | 5874 | 6.51 |
| 私营合伙企业 | Private Partnership Corporations | 50 | 4178 | 6.30 |
| 私营有限责任公司 | Private Limited Liability Corporations | 405 | 48192 | 60.05 |
| 私营股份有限公司 | Private Share - holding Corporations Ltd. | 18 | 1461 | 1.73 |
| 其他企业 | Others | 6 | 283 | 0.28 |
| 港澳台商投资企业 | Enterprises With Funds From Hong Kong,Macao and Taiwan | 31 | 11472 | 19.51 |
| 合资经营企业 | Joint - venture Enterprises | 19 | 7915 | 14.96 |
| 合作经营企业 | Cooperative Enterprises | 1 | 46 | 0.03 |
| 独资经营企业 | Enterprises with Sole Investment | 9 | 2794 | 3.45 |
| 外商投资企业 | Foreign Funded Enterprises | 28 | 6658 | 8.68 |
| 中外合资经营企业 | Joint - venture Enterprises | 14 | 4393 | 6.29 |
| 外资企业 | Enterprises With Sole Foreign Investment | 11 | 2006 | 1.94 |
| 外商投资股份有限公司 | Foreign Investment Share - holding Corporations Ltd. | 1 | 20 | 0.04 |
| **按住宿行业中类分组** | **by Category** | | | |
| 旅游饭店 | Restaurant for Tourism | 909 | 141455 | 190.15 |
| 一般旅馆 | Ordinary Hotels | 244 | 14367 | 15.61 |
| 其他住宿服务 | Others | 5 | 592 | 0.57 |

10－14 续表 continued 单位：亿元(100 million yuan)

| 指 标 | Item | 法人企业(个) Number of Corporation (unit) | 从业人数(人) Persons Employed (person) | 营业额 Business Volume |
|---|---|---|---|---|
| **餐饮业** | **Catering Services** | **946** | **100322** | **150.43** |
| #国有及国有控股 | State－owend and State Holding Enterprises | 23 | 5187 | 5.57 |
| **按登记注册类型分组** | **by Registration** | | | |
| 内资企业 | Domestic Funded Enterprises | 908 | 78580 | 115.37 |
| 国有企业 | State－owned Enterprises | 15 | 2400 | 2.39 |
| 集体企业 | Collective Owned Enterprises | 10 | 816 | 0.76 |
| 股份合作企业 | Cooperative Enterprises | 5 | 510 | 0.47 |
| 有限责任公司 | Limited Liability Corporations | 123 | 12674 | 19.26 |
| 国有独资公司 | State Sole Funded Corporations | 2 | 225 | 0.37 |
| 其他有限责任公司 | Other Limited Liability Corporations | 121 | 12449 | 18.89 |
| 股份有限公司 | Share－holding Corporations Ltd. | 13 | 3487 | 4.43 |
| 私营企业 | Private Enterprises | 730 | 57646 | 86.32 |
| 私营独资企业 | Private Funded Enterprises | 150 | 9500 | 11.21 |
| 私营合伙企业 | Private Partnership Corporations | 68 | 4540 | 5.67 |
| 私营有限责任公司 | Private Limited Liability Corporations | 474 | 37199 | 59.30 |
| 私营股份有限公司 | Private Share－holding Corporations Ltd. | 38 | 6407 | 10.14 |
| 其他 | Others | 12 | 1047 | 1.74 |
| 港澳台商投资企业 | Enterprises With Funds From Hong Kong, Macao and Taiwan | 17 | 1409 | 1.85 |
| 合资经营企业 | Joint－venture Enterprises | 9 | 914 | 1.22 |
| 合作经营企业 | Cooperative Enterprises | | | |
| 独资经营企业 | Enterprises with Sole Investment | 8 | 495 | 0.63 |
| 外商投资企业 | Foreign Funded Enterprises | 21 | 20333 | 33.21 |
| 中外合资经营企业 | Joint－venture Enterprises | 9 | 18264 | 28.63 |
| 中外合作经营企业 | Cooperation Enterprises | 2 | 1346 | 3.33 |
| 外资企业 | Enterprises With Sole Foreign Investment | 9 | 608 | 0.83 |
| **按餐饮行业中类分组** | **by Category** | | | |
| 正餐服务 | Dinner Services | 847 | 76905 | 113.25 |
| 快餐服务 | Snack Services | 43 | 20015 | 32.34 |
| 饮料及冷饮服务 | Beverages and Cold Drink Services | 27 | 991 | 1.43 |
| 其他餐饮服务 | Others | 29 | 2411 | 3.41 |

## 10－15 限额以上餐饮企业财务状况(2002－2008 年)
Financial Conditions of Catering Trade Above Designated Size(2002－2008)

单位：亿元(100 million yuan)

| 指 标 | Item | 2002 | 2003 | 2004 | 2005 | 2006 | 2007 | 2008 |
|---|---|---|---|---|---|---|---|---|
| 法人企业数(个) | Corporation Unit(unit) | 319 | 401 | 518 | 492 | 541 | 595 | 946 |
| 从业人员(人) | Employed Persons(person) | 70275 | 82637 | 113075 | 81287 | 79531 | 90643 | 99629 |
| 流动资产合计 | Total Circulating Assets | 17.98 | 21.83 | 23.96 | 27.56 | 29.66 | 45.99 | 54.89 |
| 固定资产合计 | Total Fixed Assets | 31.35 | 40.97 | 33.22 | 44.13 | 50.37 | 62.51 | 42.20 |
| 资产总计 | Total Assets | 56.83 | 76.98 | 74.9 | 81.8 | 91.96 | 118.93 | 123.15 |
| 负债合计 | Total Liabilities | 39.26 | 49.45 | 50.83 | 56.26 | 65.22 | 82.83 | 85.65 |
| 主营业务收入 | Businese Income | 43.45 | 57.72 | 79.05 | 82.98 | 94.05 | 112.47 | 150.22 |
| 主营业务成本 | Business Cost | 21.49 | 28.46 | 41.73 | 43.22 | 48.07 | 56.33 | 79.44 |
| 营业费用 | Business Expenses | 12.67 | 17.11 | 22.58 | 24.28 | 29.06 | 32.41 | 42.15 |
| 主营业务税金及附加 | Sale Tax and Extra Charges of Major Management | 2.49 | 2.86 | 4.26 | 4.51 | 5.06 | 6.04 | 8.08 |
| 主营业务利润 | Profits of Major Management | 6.81 | 9.29 | 33.06 | 34.86 | 40.92 | 50.09 | 62.71 |
| 管理费用 | Management Expenses | 5.11 | 5.96 | 7.26 | 8.82 | 9.45 | 12.37 | 14.55 |
| 财务费用 | Financial Expenses | 0.96 | 1.12 | 1.12 | 1.23 | 1.39 | 1.95 | 2.27 |
| 利润总额 | Total Profits | 1.36 | 2.73 | 3.4 | 2.33 | 2.22 | 4.62 | 6.49 |
| 本年应付工资总额 | Total Wages Payable in this year | 4.83 | 5.87 | 8.62 | 8.89 | 10.2 | 12.39 | 16.76 |
| 本年应付福利费总额 | Total Welfare Expenses Payable in this year | 0.55 | 0.78 | 0.94 | 1.25 | 1.6 | 1.07 | 0.91 |

## 10-16 限额以上住宿餐饮企业资产负债情况(2008年)
Main Financial Indicators of Enterprises Above Designated Size in Hotels and Catering Services(2008)

单位：亿元(100 million yuan)

| 指　标 | Item | 资产合计 Total Assets | 固定资产 Fixed | 流动资产 Circulating | 负债合计 Total Liabilities | 所有者权益合计 Total Creditor's Equity |
|---|---|---|---|---|---|---|
| **总计** | **Total** | **691.30** | **317.15** | **242.16** | **490.28** | **201.02** |
| **住宿业** | **Hotels** | **568.15** | **274.95** | **187.27** | **404.63** | **163.52** |
| #国有及国有控股 | State - owend and State Holding Enterprises | 131.72 | 67.57 | 47.31 | 77.88 | 53.84 |
| **按登记注册类型分组** | **by Registration** | | | | | |
| 内资企业 | Domestic Funded Enterprises | 460.00 | 222.04 | 144.16 | 326.83 | 133.16 |
| 国有企业 | State - owned Enterprises | 54.19 | 34.75 | 13.86 | 26.16 | 28.03 |
| 集体企业 | Collective Owned Enterprises | 18.21 | 11.74 | 4.30 | 10.96 | 7.25 |
| 股份合作企业 | Cooperative Enterprises | 2.02 | 1.20 | 0.35 | 1.49 | 0.53 |
| 联营企业 | Joint Ownership Enterprises | 0.99 | 0.69 | 0.27 | 0.47 | 0.52 |
| 国有联营企业 | State Joint Ownership Enterprises | | | | | |
| 集体联营企业 | Collective Joint Ownership Enterprises | 0.37 | 0.34 | 0.02 | 0.40 | -0.03 |
| 国有与集体联营企业 | Joint State - collective Enterprises | 0.62 | 0.34 | 0.25 | 0.07 | 0.54 |
| 有限责任公司 | Limited Liability Corporations | 167.38 | 78.01 | 48.07 | 118.42 | 48.96 |
| 国有独资公司 | State Sole Funded Corporations | 11.55 | 3.26 | 1.99 | 5.08 | 6.47 |
| 其他有限责任公司 | Other Limited Liability Corporations | 155.82 | 74.75 | 46.08 | 113.33 | 42.49 |
| 股份有限公司 | Share - holding Corporations Ltd. | 23.72 | 10.20 | 7.83 | 15.81 | 7.91 |
| 私营企业 | Private Enterprises | 192.53 | 84.98 | 69.27 | 152.48 | 40.05 |
| 私营独资企业 | Private Funded Enterprises | 16.05 | 8.12 | 5.05 | 10.99 | 5.06 |
| 私营合伙企业 | Private Partnership Corporations | 12.27 | 7.30 | 4.03 | 10.25 | 2.02 |
| 私营有限责任公司 | Private Limited Liability Corporations | 159.25 | 65.81 | 59.48 | 126.67 | 32.58 |
| 私营股份有限公司 | Private Share - holding Corporations Ltd. | 4.97 | 3.75 | 0.72 | 4.57 | 0.40 |
| 其他企业 | Other Enterprises | 0.95 | 0.47 | 0.20 | 1.04 | -0.09 |
| 港澳台商投资企业 | Enterprises With Funds From Hong Kong, Macao and Taiwan | 77.41 | 38.93 | 33.02 | 51.87 | 25.53 |
| 合资经营企业 | Joint - venture Enterprises | 59.20 | 27.44 | 28.41 | 41.14 | 18.06 |
| 合作经营企业 | Cooperative Enterprises | 0.18 | 0.14 | 0.02 | 0.07 | 0.11 |
| 独资经营企业 | Enterprises with Sole Investment | 14.72 | 9.21 | 3.46 | 9.90 | 4.82 |
| 外商投资企业 | Foreign Funded Enterprises | 30.75 | 13.98 | 10.10 | 25.92 | 4.83 |
| 中外合资经营企业 | Joint - venture Enterprises | 22.33 | 12.02 | 8.43 | 20.67 | 1.66 |
| 外资企业 | Enterprises With Sole Foreign Investment | 7.06 | 1.62 | 0.80 | 4.24 | 2.83 |
| 外商投资股份有限公司 | Foreign Investment Share - holding Corporations Ltd. | 0.08 | 0.01 | 0.07 | 0.01 | 0.08 |

10－16 续表1 continued 单位：亿元(100 million yuan)

| 指 标 | Item | 资产合计 Total Assets | 固定资产 Fixed | 流动资产 Circulating | 负债合计 Total Liabilities | 所有者权益合计 Total Creditor's Equity |
|---|---|---|---|---|---|---|
| **按住宿行业中类分组** | **by Category** | | | | | |
| 旅游饭店 | Restaurant for Tourism | 524.05 | 257.86 | 169.50 | 371.32 | 152.73 |
| 一般旅馆 | Ordinary Hotels | 43.78 | 16.97 | 17.68 | 32.99 | 10.78 |
| 其他住宿服务 | Others | 0.32 | 0.11 | 0.09 | 0.31 | 0.01 |
| **餐饮业** | **Catering Services** | **123.15** | **42.20** | **54.89** | **85.65** | **37.49** |
| #国有及国有控股 | State－owend and State Holding Enterprises | 8.93 | 2.84 | 2.65 | 3.59 | 5.35 |
| **按登记注册类型分组** | **by Registration** | | | | | |
| 内资企业 | Domestic Funded Enterprises | 106.50 | 34.81 | 49.65 | 74.99 | 31.51 |
| 国有企业 | State－owned Enterprises | 2.58 | 1.11 | 0.80 | 1.16 | 1.42 |
| 集体企业 | Collective Owned Enterprises | 0.20 | 0.03 | 0.16 | 0.15 | 0.05 |
| 股份合作企业 | Cooperative Enterprises | 0.18 | 0.11 | 0.08 | 0.14 | 0.04 |
| 有限责任公司 | Limited Liability Corporations | 25.91 | 10.03 | 11.37 | 18.90 | 7.01 |
| 国有独资公司 | State Sole Funded Corporations | 0.30 | 0.02 | 0.16 | 0.12 | 0.19 |
| 其他有限责任公司 | Other Limited Liability Corporations | 25.61 | 10.01 | 11.21 | 18.79 | 6.82 |
| 股份有限公司 | Share－holding Corporations Ltd. | 7.10 | 1.93 | 2.36 | 2.86 | 4.24 |
| 私营企业 | Private Enterprises | 68.73 | 20.92 | 33.93 | 50.67 | 18.05 |
| 私营独资企业 | Private Funded Enterprises | 7.16 | 2.89 | 3.33 | 4.49 | 2.67 |
| 私营合伙企业 | Private Partnership Corporations | 2.59 | 0.83 | 1.44 | 1.65 | 0.94 |
| 私营有限责任公司 | Private Limited Liability Corporations | 52.11 | 14.59 | 26.14 | 39.91 | 12.20 |
| 私营股份有限公司 | Private Share－holding Corporations Ltd. | 6.87 | 2.62 | 3.03 | 4.63 | 2.24 |
| 其他 | Others | 1.79 | 0.69 | 0.96 | 1.10 | 0.69 |
| 港澳台商投资企业 | Enterprises With Funds From Hong Kong, Macao and Taiwan | 1.83 | 0.28 | 1.21 | 1.59 | 0.24 |
| 合资经营企业 | Joint－venture Enterprises | 1.37 | 0.23 | 0.96 | 1.20 | 0.18 |
| 独资经营企业 | Enterprises with Sole Investment | 0.46 | 0.05 | 0.25 | 0.40 | 0.06 |
| 外商投资企业 | Foreign Funded Enterprises | 14.81 | 7.11 | 4.04 | 9.07 | 5.74 |
| 中外合资经营企业 | Joint－venture Enterprises | 11.97 | 6.35 | 3.37 | 4.80 | 7.17 |
| 中外合作经营企业 | Cooperation Enterprises | 2.02 | 0.51 | 0.22 | 3.69 | -1.67 |
| 外商独资企业 | Foreign Sole Funded Enterprises | 0.64 | 0.25 | 0.29 | 0.52 | 0.12 |
| **按餐饮行业中类分组** | **by Category** | | | | | |
| 正餐服务 | Dinner Services | 107.73 | 34.65 | 49.84 | 75.97 | 31.76 |
| 快餐服务 | Snack Services | 12.44 | 6.65 | 3.29 | 8.19 | 4.25 |
| 饮料及冷饮服务 | Beverages and Cold Drink Services | 0.93 | 0.38 | 0.44 | 0.52 | 0.41 |
| 其他餐饮服务 | Others | 2.05 | 0.53 | 1.32 | 0.97 | 1.08 |

10－16 续表2 continued 单位：亿元(100 million yuan)

| 指 标 | Item | 主营业务收入 Revenue in Main Business | 主营业务成本 Cost in Main Business | 主营业务税金及附加 Tax and Extra Changes in Main Business | 营业费用 Management Cost |
|---|---|---|---|---|---|
| **总计** | **Total** | **389.24** | **173.36** | **19.70** | **110.34** |
| **住宿业** | **Hotels** | **239.02** | **93.92** | **11.62** | **68.19** |
| #国有及国有控股 | State－owend and State Holding Enterprises | 79.29 | 38.76 | 2.69 | 17.48 |
| **按登记注册类型分组** | **by Registration** | | | | |
| 内资企业 | Domestic Funded Enterprises | 179.58 | 62.05 | 10.04 | 58.88 |
| 国有企业 | State－owned Enterprises | 27.44 | 8.12 | 1.41 | 9.19 |
| 集体企业 | Collective Owned Enterprises | 7.84 | 2.60 | 0.46 | 2.76 |
| 股份合作企业 | Cooperative Enterprises | 1.50 | 0.50 | 0.09 | 0.52 |
| 联营企业 | Joint Ownership Enterprises | 0.47 | 0.19 | 0.03 | 0.14 |
| 国有联营企业 | State Joint Ownership Enterprises | | | | |
| 集体联营企业 | Collective Joint Ownership Enterprises | 0.11 | 0.06 | 0.01 | 0.04 |
| 国有与集体联营企业 | Joint State－collective Enterprises | 0.36 | 0.13 | 0.02 | 0.10 |
| 有限责任公司 | Limited Liability Corporations | 56.51 | 18.72 | 3.16 | 18.96 |
| 国有独资公司 | State Sole Funded Corporations | 3.35 | 1.18 | 0.18 | 1.06 |
| 其他有限责任公司 | Other Limited Liability Corporations | 53.16 | 17.54 | 2.98 | 17.90 |
| 股份有限公司 | Share－holding Corporations Ltd. | 10.85 | 3.55 | 0.61 | 4.91 |
| 私营企业 | Private Enterprises | 74.70 | 28.30 | 4.25 | 22.27 |
| 私营独资企业 | Private Funded Enterprises | 6.46 | 2.85 | 0.38 | 1.79 |
| 私营合伙企业 | Private Partnership Corporations | 6.29 | 2.70 | 0.35 | 1.60 |
| 私营有限责任公司 | Private Limited Liability Corporations | 60.19 | 22.10 | 3.42 | 18.25 |
| 私营股份有限公司 | Private Share－holding Corporations Ltd. | 1.76 | 0.65 | 0.10 | 0.63 |
| 其他企业 | Other Enterprises | 0.27 | 0.08 | 0.02 | 0.11 |
| 港澳台商投资企业 | Enterprises With Funds From Hong Kong, Macao and Taiwan | 50.65 | 28.91 | 1.14 | 6.42 |
| 合资经营企业 | Joint－venture Enterprises | 45.79 | 27.38 | 0.89 | 5.19 |
| 合作经营企业 | Cooperative Enterprises | 0.03 | 0.01 | | 0.01 |
| 独资经营企业 | Enterprises with Sole Investment | 3.60 | 1.14 | 0.19 | 0.94 |
| 外商投资企业 | Foreign Funded Enterprises | 8.79 | 2.95 | 0.45 | 2.90 |
| 中外合资经营企业 | Joint－venture Enterprises | 6.28 | 2.09 | 0.32 | 2.20 |
| 外资企业 | Enterprises With Sole Foreign Investment | 2.05 | 0.72 | 0.10 | 0.59 |
| 外商投资股份有限公司 | Foreign Investment Share－holding Corporations Ltd. | 0.04 | | | 0.03 |

10－16 续表3 continued 单位：亿元(100 million yuan)

| 指 标 | Item | 主营业务收入 Revenue in Main Business | 主营业务成本 Cost in Main Business | 主营业务税金及附加 Tax and Extra Changes in Main Business | 营业费用 Management Cost |
|---|---|---|---|---|---|
| **按住宿行业中类分组** | **by Category** | | | | |
| 旅游饭店 | Restaurant for Tourism | 222.97 | 89.34 | 10.73 | 61.53 |
| 一般旅馆 | Ordinary Hotels | 15.48 | 4.44 | 0.87 | 6.33 |
| 其他住宿服务 | Others | 0.57 | 0.14 | 0.03 | 0.33 |
| **餐饮业** | **Catering Services** | **150.22** | **79.44** | **8.08** | **42.15** |
| #国有及国有控股 | State－owend and State Holding Enterprises | 6.26 | 3.29 | 0.27 | 1.80 |
| **按登记注册类型分组** | **by Registration** | | | | |
| 内资企业 | Domestic Funded Enterprises | 115.36 | 66.23 | 6.29 | 27.41 |
| 国有企业 | State－owned Enterprises | 2.45 | 1.27 | 0.13 | 0.63 |
| 集体企业 | Collective Owned Enterprises | 0.76 | 0.46 | 0.04 | 0.15 |
| 股份合作企业 | Cooperative Enterprises | 0.43 | 0.34 | 0.02 | 0.05 |
| 有限责任公司 | Limited Liability Corporations | 19.28 | 10.13 | 1.10 | 4.92 |
| 国有独资公司 | State Sole Funded Corporations | 0.37 | 0.20 | 0.01 | 0.08 |
| 其他有限责任公司 | Other Limited Liability Corporations | 18.91 | 9.93 | 1.09 | 4.84 |
| 股份有限公司 | Share－holding Corporations Ltd. | 5.03 | 2.80 | 0.22 | 1.37 |
| 私营企业 | Private Enterprises | 85.67 | 50.22 | 4.68 | 20.06 |
| 私营独资企业 | Private Funded Enterprises | 11.05 | 6.57 | 0.62 | 2.35 |
| 私营合伙企业 | Private Partnership Corporations | 5.63 | 3.44 | 0.29 | 1.21 |
| 私营有限责任公司 | Private Limited Liability Corporations | 58.85 | 33.74 | 3.29 | 14.35 |
| 私营股份有限公司 | Private Share－holding Corporations Ltd. | 10.14 | 6.46 | 0.47 | 2.14 |
| 其他 | Others | 1.74 | 1.02 | 0.10 | 0.23 |
| 港澳台商投资企业 | Enterprises With Funds From Hong Kong, Macao and Taiwan | 1.85 | 0.85 | 0.10 | 0.73 |
| 合资经营企业 | Joint－venture Enterprises | 1.22 | 0.57 | 0.06 | 0.41 |
| 独资经营企业 | Enterprises with Sole Investment | 0.63 | 0.29 | 0.03 | 0.32 |
| 外商投资企业 | Foreign Funded Enterprises | 33.01 | 12.35 | 1.70 | 14.01 |
| 中外合资经营企业 | Joint－venture Enterprises | 28.63 | 10.44 | 1.48 | 12.04 |
| 中外合作经营企业 | Cooperation Enterprises | 3.20 | 1.29 | 0.16 | 1.68 |
| 外商独资企业 | Foreign Sole Funded Enterprises | 0.77 | 0.36 | 0.04 | 0.29 |
| **按餐饮行业中类分组** | **by Category** | | | | |
| 正餐服务 | Dinner Services | 113.30 | 64.39 | 6.20 | 27.80 |
| 快餐服务 | Snack Services | 32.14 | 12.36 | 1.65 | 13.29 |
| 饮料及冷饮服务 | Beverages and Cold Drink Services | 1.44 | 0.63 | 0.08 | 0.42 |
| 其他餐饮服务 | Others | 3.34 | 2.06 | 0.14 | 0.64 |

10－16 续表4 continued 单位：亿元(100 million yuan)

| 指 标 | Item | 管理费用 Management Expenses | 财务费用 Financial Expenses | 利润总额 Profits | 本年应付工资总额 Total Wages Pagable in the year | 本年应付福利费总额 Total Welfare Funds in the year |
|---|---|---|---|---|---|---|
| **总计** | **Total** | **71.26** | **14.64** | **7.14** | **49.01** | **3.38** |
| **住宿业** | **Hotels** | **56.71** | **12.37** | **0.66** | **32.25** | **2.47** |
| #国有及国有控股 | State－owend and State Holding Enterprises | 15.60 | 2.02 | 4.13 | 8.92 | 0.70 |
| **按登记注册类型分组** | **by Registration** | | | | | |
| 内资企业 | Domestic Funded Enterprises | 45.94 | 9.81 | －3.95 | 27.06 | 2.15 |
| 国有企业 | State－owned Enterprises | 8.14 | 0.76 | 0.40 | 4.65 | 0.39 |
| 集体企业 | Collective Owned Enterprises | 2.29 | 0.19 | －0.41 | 1.29 | 0.12 |
| 股份合作企业 | Cooperative Enterprises | 0.40 | 0.04 | 0.01 | 0.22 | 0.01 |
| 联营企业 | Joint Ownership Enterprises | 0.13 | | －0.01 | 0.06 | 0.01 |
| 国有联营企业 | State Joint Ownership Enterprises | | | | | |
| 集体联营企业 | Collective Joint Ownership Enterprises | 0.02 | | －0.01 | 0.01 | |
| 国有与集体联营企业 | Joint State－collective Enterprises | 0.11 | | | 0.05 | 0.01 |
| 有限责任公司 | Limited Liability Corporations | 14.48 | 3.47 | －1.33 | 8.56 | 0.69 |
| 国有独资公司 | State Sole Funded Corporations | 0.95 | 0.09 | －0.07 | 0.57 | 0.06 |
| 其他有限责任公司 | Other Limited Liability Corporations | 13.54 | 3.38 | －1.26 | 7.99 | 0.63 |
| 股份有限公司 | Share－holding Corporations Ltd. | 1.65 | 0.42 | 0.06 | 1.67 | 0.14 |
| 私营企业 | Private Enterprises | 18.81 | 4.91 | －2.70 | 10.58 | 0.79 |
| 私营独资企业 | Private Funded Enterprises | 1.38 | 0.32 | －0.13 | 0.92 | 0.05 |
| 私营合伙企业 | Private Partnership Corporations | 1.30 | 0.57 | －0.18 | 0.75 | 0.03 |
| 私营有限责任公司 | Private Limited Liability Corporations | 15.56 | 3.94 | －2.15 | 8.65 | 0.70 |
| 私营股份有限公司 | Private Share－holding Corporations Ltd. | 0.56 | 0.09 | －0.25 | 0.26 | 0.02 |
| 其他企业 | Other Enterprises | 0.03 | | 0.03 | 0.04 | |
| 港澳台商投资企业 | Enterprises With Funds From Hong Kong, Macao and Taiwan | 8.32 | 2.02 | 4.78 | 3.85 | 0.24 |
| 合资经营企业 | Joint－venture Enterprises | 6.48 | 1.57 | 5.09 | 3.13 | 0.22 |
| 合作经营企业 | Cooperative Enterprises | 0.03 | | －0.02 | 0.01 | |
| 独资经营企业 | Enterprises with Sole Investment | 1.54 | 0.46 | －0.56 | 0.57 | 0.02 |
| 外商投资企业 | Foreign Funded Enterprises | 2.46 | 0.54 | －0.17 | 1.34 | 0.08 |
| 中外合资经营企业 | Joint－venture Enterprises | 1.61 | 0.35 | －0.05 | 0.95 | 0.04 |
| 外资企业 | Enterprises With Sole Foreign Investment | 0.75 | 0.11 | －0.13 | 0.34 | 0.04 |
| 外商投资股份有限公司 | Foreign Investment Share－holding Corporations Ltd. | 0.01 | | 0.01 | | |

10－16 续表5 continued　　单位：亿元(100 million yuan)

| 指 标 | Item | 管理费用 Management Expenses | 财务费用 Financial Expenses | 利润总额 Profits | 本年应付工资总额 Total Wages Pagable in the Year | 本年应付福利费总额 Total Welfare Funds in the Year |
|---|---|---|---|---|---|---|
| **按住宿行业中类分组** | **by Category** | | | | | |
| 旅游饭店 | Restaurant for Tourism | 52.45 | 11.36 | 1.50 | 29.64 | 2.28 |
| 一般旅馆 | Ordinary Hotels | 4.19 | 0.99 | −0.84 | 2.51 | 0.18 |
| 其他住宿服务 | Others | 0.06 | 0.02 | −0.01 | 0.10 | 0.01 |
| **餐饮业** | **Catering Services** | **14.55** | **2.27** | **6.49** | **16.76** | **0.91** |
| #国有及国有控股 | State－owend and State Holding Enterprises | 1.07 | 0.07 | 1.28 | 1.13 | 0.03 |
| **按登记注册类型分组** | **by Registration** | | | | | |
| 内资企业 | Domestic Funded Enterprises | 13.23 | 1.94 | 3.09 | 13.33 | 0.64 |
| 国有企业 | State－owned Enterprises | 0.50 | | 0.06 | 0.42 | 0.02 |
| 集体企业 | Collective Owned Enterprises | 0.11 | | 0.01 | 0.16 | 0.01 |
| 股份合作企业 | Cooperative Enterprises | 0.02 | 0.01 | 0.02 | 0.08 | |
| 有限责任公司 | Limited Liability Corporations | 2.90 | 0.31 | 0.63 | 2.43 | 0.12 |
| 国有独资公司 | State Sole Funded Corporations | 0.02 | | 0.05 | 0.06 | |
| 其他有限责任公司 | Other Limited Liability Corporations | 2.88 | 0.31 | 0.57 | 2.37 | 0.12 |
| 股份有限公司 | Share－holding Corporations Ltd. | 0.68 | 0.09 | 1.23 | 0.82 | 0.02 |
| 私营企业 | Private Enterprises | 8.76 | 1.48 | 1.06 | 9.29 | 0.46 |
| 私营独资企业 | Private Funded Enterprises | 1.11 | 0.12 | 0.31 | 1.50 | 0.07 |
| 私营合伙企业 | Private Partnership Corporations | 0.53 | 0.05 | 0.14 | 0.67 | 0.03 |
| 私营有限责任公司 | Private Limited Liability Corporations | 6.28 | 1.19 | 0.36 | 5.94 | 0.35 |
| 私营股份有限公司 | Private Share－holding Corporations Ltd. | 0.84 | 0.11 | 0.26 | 1.18 | 0.02 |
| 其他 | Others | 0.26 | 0.05 | 0.08 | 0.14 | 0.01 |
| 港澳台商投资企业 | Enterprises With Funds From Hong Kong, Macao and Taiwan | 0.19 | 0.04 | −0.04 | 0.28 | 0.02 |
| 合资经营企业 | Joint－venture Enterprises | 0.10 | 0.03 | 0.05 | 0.17 | 0.01 |
| 独资经营企业 | Enterprises with Sole Investment | 0.09 | | −0.08 | 0.12 | 0.01 |
| 外商投资企业 | Foreign Funded Enterprises | 1.13 | 0.30 | 3.43 | 3.14 | 0.26 |
| 中外合资经营企业 | Joint－venture Enterprises | 0.78 | 0.06 | 3.68 | 2.80 | 0.23 |
| 中外合作经营企业 | Cooperation Enterprises | 0.14 | 0.23 | −0.29 | 0.10 | 0.02 |
| 外商独资企业 | Foreign Sole Funded Enterprises | 0.16 | | −0.03 | 0.20 | |
| **按餐饮行业中类分组** | **by Category** | | | | | |
| 正餐服务 | Dinner Services | 13.02 | 1.96 | 2.70 | 13.29 | 0.67 |
| 快餐服务 | Snack Services | 0.92 | 0.29 | 3.55 | 2.83 | 0.21 |
| 饮料及冷饮服务 | Beverages and Cold Drink Services | 0.29 | 0.02 | 0.01 | 0.22 | 0.01 |
| 其他餐饮服务 | Others | 0.33 | 0.01 | 0.24 | 0.42 | 0.02 |

## 10－19 个体经济发展情况
Developments on Individual Economy

| 项目 | Item | 2006 | 2007 | 2008 |
|---|---|---|---|---|
| **户数(户)** | **Number of Households(household)** | **1797911** | **1807377** | **1899705** |
| 农林牧渔业 | Farming, Forestry, Animal Husbandry and Fishery | 11776 | 12463 | 14057 |
| 采矿业 | Mining and Quarrying | 1480 | 1178 | 1077 |
| 制造业 | Manufacturing | 314920 | 322063 | 337818 |
| 电力、燃气及水的生产和供应业 | Electricity, Gas and Water Production and Supply | 717 | 810 | 832 |
| 建筑业 | Construction | 2586 | 3227 | 4259 |
| 交通运输、仓储及邮政业 | Transport, Storage and Post | 117960 | 106733 | 97900 |
| 信息传输、计算机服务和软件业 | Information Transmissing, Computer Services and Software | 5035 | 4719 | 5234 |
| 批发和零售业 | Wholesale and Retail Sale Trade | 978263 | 1034187 | 1110160 |
| 住宿餐饮业 | Hotels and Catering Services | 128346 | 111498 | 118055 |
| 房地产业 | Real Estate | 2112 | 2894 | 3298 |
| 租赁与商务服务业 | Leasing and Commercial Services | 21593 | 19601 | 20603 |
| 居民服务及其他服务业 | Resident Services and Other Services | 163491 | 162264 | 165301 |
| 卫生、社会保障和社会福利业 | Health Care, Social Security and Social Welfare | 1781 | 1933 | 2002 |
| 文化、体育与娱乐业 | Culture, Sports and Recreation | 11719 | 12029 | 12699 |
| 其他行业 | Others | 36132 | 11778 | 4157 |
| **从业人员(人)** | **Number of Employed Persons(person)** | **3598628** | **3912991** | **3966174** |
| 农林牧渔业 | Farming, Forestry, Animal Husbandry and Fishery | 39376 | 37523 | 38476 |
| 采矿业 | Mining and Quarrying | 6205 | 5948 | 4869 |
| 制造业 | Manufacturing | 1027064 | 1075749 | 1115239 |
| 电力、燃气及水的生产和供应业 | Electricity, Gas and Water Production and Supply | 1563 | 1885 | 1641 |
| 建筑业 | Construction | 23019 | 26597 | 12613 |
| 交通运输、仓储及邮政业 | Transport, Storage and Post | 150596 | 135619 | 120860 |
| 信息传输、计算机服务和软件业 | Information Transmissing, Computer Services and Software | 9367 | 9159 | 9160 |
| 批发和零售业 | Wholesale and Retail Sale Trade | 1607794 | 1833603 | 1902396 |
| 住宿餐饮业 | Hotels and Catering Services | 298050 | 349089 | 325177 |
| 房地产业 | Real Estate | 4076 | 5881 | 5652 |
| 租赁与商务服务业 | Leasing and Commercial Services | 36633 | 38120 | 37405 |
| 居民服务及其他服务业 | Resident Services and Other Services | 302874 | 333690 | 339704 |
| 卫生、社会保障和社会福利业 | Health Care, Social Security and Social Welfare | 3284 | 4885 | 4372 |
| 文化、体育与娱乐业 | Culture, Sports and Recreation | 26565 | 29019 | 30801 |
| 其他行业 | Others | 62162 | 26224 | 12946 |

# 10－20 私营经济发展情况
## Developments of Private-owned Economy

| 项 目 | Item | 2006 | 2007 | 2008 |
|---|---|---|---|---|
| **户数(户)** | **Number of Households(household)** | **406382** | **450304** | **517852** |
| 农林牧渔业 | Farming,Forestry,Animal Husbandry and Fishery | 5586 | 6086 | 6658 |
| 采矿业 | Mining and Quarrying | 1244 | 1231 | 1134 |
| 制造业 | Manufacturing | 206770 | 228414 | 242572 |
| 电力、燃气及水的生产和供应业 | Electricity,Gas and Water Production and Supply | 1458 | 1544 | 1915 |
| 建筑业 | Construction | 10789 | 12967 | 17414 |
| 交通运输、仓储及邮政业 | Transport,Storage and Post | 7434 | 8347 | 10082 |
| 信息传输、计算机服务和软件业 | Information Transmissing, Computer Services and Software | 12522 | 14374 | 15510 |
| 批发和零售业 | Wholesale and Retail Sale Trade | 100758 | 111809 | 138898 |
| 住宿餐饮业 | Hotels and Catering Services | 4696 | 4902 | 5918 |
| 房地产业 | Real Estate | 5828 | 7413 | 10252 |
| 租赁与商务服务业 | Leasing and Commercial Services | 21803 | 26916 | 35303 |
| 居民服务及其他服务业 | Resident Services and Other Services | 14327 | 13167 | 14631 |
| 卫生、社会保障和社会福利业 | Health Care,Social Security and Social Welfare | 620 | 665 | 711 |
| 文化、体育与娱乐业 | Culture,Sports and Recreation | 2135 | 2169 | 2397 |
| 其他行业 | Others | 10412 | 10300 | 1461 |
| **从业人员(人)** | **Number of Employed Persons(person)** | **6012507** | **7590869** | **7574798** |
| 农林牧渔业 | Farming,Forestry,Animal Husbandry and Fishery | 71108 | 80430 | 66748 |
| 采矿业 | Mining and Quarrying | 21796 | 21682 | 18590 |
| 制造业 | Manufacturing | 3828374 | 4732103 | 4423332 |
| 电力、燃气及水的生产和供应业 | Electricity,Gas and Water Production and Supply | 22675 | 25810 | 28071 |
| 建筑业 | Construction | 217464 | 367526 | 463567 |
| 交通运输、仓储及邮政业 | Transport,Storage and Post | 92159 | 110315 | 118363 |
| 信息传输、计算机服务和软件业 | Information Transmissing, Computer Services and Software | 120287 | 457451 | 122999 |
| 批发和零售业 | Wholesale and Retail Sale Trade | 977631 | 1058752 | 1429807 |
| 住宿餐饮业 | Hotels and Catering Services | 80142 | 87567 | 92926 |
| 房地产业 | Real Estate | 84534 | 102257 | 118579 |
| 租赁与商务服务业 | Leasing and Commercial Services | 206723 | 259688 | 390339 |
| 居民服务及其他服务业 | Resident Services and Other Services | 142048 | 127645 | 124747 |
| 卫生、社会保障和社会福利业 | Health Care,Social Security and Social Welfare | 7824 | 8194 | 7887 |
| 文化、体育与娱乐业 | Culture,Sports and Recreation | 19887 | 21338 | 23540 |
| 其他行业 | Others | 119855 | 130111 | 22152 |

## 10－21 个体和私营经济发展情况(2008 年)
Developments on Individual and Private-owned Economy(2008)

| 项 目 | Item | 个体 Individuals | #城镇 Urban Areas | 私营 Privates | #城镇 Urban Areas |
|---|---|---|---|---|---|
| **户数(户)** | **Number of Households(household)** | **1899705** | **1186123** | **517852** | **295725** |
| 农林牧渔业 | Farming,Forestry,Animal Husbandry and Fishery | 14057 | 5207 | 6658 | 2231 |
| 采矿业 | Mining and Quarrying | 1077 | 379 | 1134 | 273 |
| 制造业 | Manufacturing | 337818 | 141853 | 242572 | 95000 |
| 电力、燃气及水的生产和供应业 | Electricity,Gas and Water Production and Supply | 832 | 355 | 1915 | 617 |
| 建筑业 | Construction | 4259 | 2343 | 17414 | 12077 |
| 交通运输、仓储及邮政业 | Transport,Storage and Post | 97900 | 48635 | 10082 | 6614 |
| 信息传输、计算机服务和软件业 | Information Transmissing, Computer Services and Software | 5234 | 3940 | 15510 | 12850 |
| 批发和零售业 | Wholesale and Retail Sale Trade | 1110160 | 750631 | 138898 | 99244 |
| 住宿餐饮业 | Hotels and Catering Services | 118055 | 82119 | 5918 | 4585 |
| 房地产业 | Real Estate | 3298 | 3031 | 10252 | 7755 |
| 租赁与商务服务业 | Leasing and Commercial Services | 20603 | 15327 | 35303 | 29969 |
| 居民服务及其他服务业 | Resident Services and Other Services | 165301 | 116544 | 14631 | 10814 |
| 卫生、社会保障和社会福利业 | Health Care,Social Security and Social Welfare | 2002 | 1606 | 711 | 549 |
| 文化、体育与娱乐业 | Culture,Sports and Recreation | 12699 | 9575 | 2397 | 1808 |
| 其他行业 | Others | 4157 | 2871 | 1461 | 927 |
| **从业人员(人)** | **Number of Employed Persons(person)** | **3966174** | **2399431** | **7574798** | **4063851** |
| 农林牧渔业 | Farming,Forestry,Animal Husbandry and Fishery | 38476 | 13640 | 66748 | 22883 |
| 采矿业 | Mining and Quarrying | 4869 | 1666 | 18590 | 4991 |
| 制造业 | Manufacturing | 1115239 | 492927 | 4423332 | 1681828 |
| 电力、燃气及水的生产和供应业 | Electricity,Gas and Water Production and Supply | 1641 | 691 | 28071 | 10968 |
| 建筑业 | Construction | 12613 | 6874 | 463567 | 291058 |
| 交通运输、仓储及邮政业 | Transport,Storage and Post | 120860 | 67542 | 118363 | 83082 |
| 信息传输、计算机服务和软件业 | Information Transmissing, Computer Services and Software | 9160 | 6960 | 122999 | 106157 |
| 批发和零售业 | Wholesale and Retail Sale Trade | 1902396 | 1238325 | 1429807 | 1162847 |
| 住宿餐饮业 | Hotels and Catering Services | 325177 | 247389 | 92926 | 75592 |
| 房地产业 | Real Estate | 5652 | 5135 | 118579 | 97843 |
| 租赁与商务服务业 | Leasing and Commercial Services | 37405 | 28800 | 390339 | 292204 |
| 居民服务及其他服务业 | Resident Services and Other Services | 339704 | 249347 | 124747 | 98524 |
| 卫生、社会保障和社会福利业 | Health Care,Social Security and Social Welfare | 4372 | 3630 | 7887 | 6379 |
| 文化、体育与娱乐业 | Culture,Sports and Entertainment | 30801 | 23952 | 23540 | 17244 |
| 其他行业 | Others | 12946 | 8829 | 22152 | 9686 |

浙/江/统/计/年/鉴

# 主要统计指标解释

## ■ 社会消费品零售总额

指各种经济类型的批发零售贸易业、餐饮业和除制造业和农业外的其他行业对城乡居民和社会集团的消费品零售额。这个指标反映通过各种商品流通渠道向居民和社会集团供应的生活消费品来满足他们生活需要，是研究人民生活，社会消费品购买力、货币流通等问题的重要指标。社会消费品零售总额包括：(1)售给城乡居民作为生活用的商品和修建房屋用的建筑材料；(2)售给社会集团的各种办公用品和公用消费品；(3)售给机关、团体、学校、部队、企业、事业单位的职工食堂和旅店(招待所)附设专门供本店旅客食用，不对外营业的食堂的各种食品、燃料；企业、单位和国营农场直接售给本单位职工和职工食堂的自己生产的产品；(4)售给部队干部、战士生活用的粮食、副食品、衣着品、日用品、燃料；(5)售给来华的外国人、华侨、港澳(台)同胞的消费品；(6)居民自费购买的中、西药品、中药材及医疗用品；(7)报社、出版社直接售给居民和社会集团的报纸、图书、杂志、集邮公司出售的新、旧纪念邮票、特种邮票、首日封、集邮册、集邮工具等；(8)旧货寄售商店自购、自销部分的商品；(9)煤气公司、液化石油气站售给居民和社会集团的煤气灶具和罐装液化石油气。不包括售给国民经济各部门企业、事业单位(包括国有经济的农场)生产经营用的各种原材料、燃料、设备、工具等和售给批发零售贸易业、餐饮业作为转卖用的商品、旧货寄售商店受托寄售卖出的商品、服务业的营业收入、邮局出售邮票的收入、自来水、电力、煤气生产(供应)单位的产品供应收入。

## ■ 商品销售总额

指对本企业(单位)以外的单位和个人出售(包括对国(境)外直接出口)的商品。这个指标反映批发零售贸易业在国内市场上销售商品以及出口商品的总量。商品销售总额包括：(1)售给城乡居民和社会集团消费用的商品；(2)售给工业、农业、建筑业、运输邮电业、批发零售贸易业、餐饮业、服务业等作为生产、经营使用的商品；(3)售给批发零售贸易业作为转卖或加工后转卖的商品；(4)对国(境)外直接出口的商品。不包括：出售本企业(单位)自用的废旧包装用品，未通过买卖行为付出的商品，经本单位介绍，由买卖双方直接结算，本单位只收取手续费的业务，购货退回的商品以及商品损耗和损失等。

## ■ 消费品市场成交额

指在全国消费品交易市场成交的全部商品金额。消费品市场包括农副产品市场和工业消费品市场。

## ■ 亿元商品交易市场成交额

年成交额达到亿元以上，经工商部门批准，专门从事商品批发、零售业务活动的市场，其市场所有摊位销售总额称为亿元商品交易市场成交额。

## ■ 连锁企业(或称连锁店、连锁公司)

指在核心企业或总店的领导下，由分散的、经营同类商品或服务的企业或活动单位，采取共同方针，实行集中采购和分散销售的有机结合，通过规范化经营，实行集中采购和分散销售的有机结合，通过规范化经营，实现规模效益的经济联合组织形式。一般连锁店应由若干个分店组成。其经营特征：(1)经营同类商品；(2)使用统一商号；(3)统一采购配送，采购与销售相分离(部分商品可根据物流合理和保质保鲜原则，由供应商直接送货到门店，其余均由总部统一配送)。

连锁门店包括下列两种形式：

直营连锁：指正规连锁。连锁门店均由总部独资或控股开设，在总部的直接领导下统一经营。

加盟连锁：指特许连锁。各连锁门店(被特许人)通过合同形式，取得使用总部(特许人)商标、商号、经营技术和销售总部开发的商品的特许权，各加盟连锁门店为独立法人，在总部指导下统一经营。

ZHEJIANG STATISTICAL YEARBOOK

# Explanatory Notes on Main Statistical Indicators

## □ Total Retail Sales of Consumer Goods

refer to the sum of retail sales of consumer goods by the establishments in wholesale trade, retail sale trade, catering trade and other industries except manufacturing and agriculture of different types of ownership, to urban and rural residents and social groups. This indicator is used to show the supply of consumers goods through various channels to households and institutions to meet their demands, and is therefore very important for the study of the issues on people's livelihood, on the purchasing power of consumer goods and on the circulation of money. The retail sales of consumer goods include: (1) commodities sold to urban and rural residents for residential use and building materials sold to them for the construction or repair of houses; (2) food and fuels sold to canteens of institutions, enterprises, schools, military units and to canteens of hotels and hostels that only serve their guests, and commodities produced by enterprises, institutions or state farms and sold directly to their employees or their canteens; (3) grain and non-staple food, clothing, daily articles and fuels sold to military personnel; (4) consumer goods sold to foreigners, overseas Chinese, and Chinese compatriots from Taiwan, Hong Kong and Macao during their stay in the mainland of China; (5) Chinese and western medicines, herbs and medical facilities purchased by residents; (6) newspapers, books and magazines directly sold to residents and social groups by publishers, new and old commemorative stamps, special stamps, first-day covers, stamp albums and other stamp-collection articles sold by stamp companies; (7) consumer goods purchased and then sold by second-hand shops; (8) stoves and other heating facilities and liquified gas sold by gas companies to households and institutions. Excluded under this heading are: raw materials, fuels, equipment, tools sold to enterprises, institutions and state farms for production purpose; commodities sold to trade establishments for re-selling; commissioned sales at second-hand shops; operational income of urban public utilities; stamps sold at post offices; income of water, power, gas production and supply establishments from the supply of their products.

## □ Total Sales of Commodities

refer to selling of commodities by the establishments to other establishments and individuals (including direct export). This indicator is used to show the total value of sales of commodities at domestic markets and export. The total sales include: (1) commodities sold to urban and rural residents and social groups for their consumption; (2) commodities sold to establishments in industry, agriculture, construction, transportation, post and telecommunications, wholesale and retail trades, catering trade and public utility for their production and operation; (3) commodities sold to wholesale and retail establishments for re-selling, with or without further processing; and (4) commodities for direct export to other countries. Excluded are selling of waste packaging materials used by the establishments (units) themselves, commodities transferred without buying or selling procedures, commission income from brokerage in transactions whose settlement is directly handled by buyers and sellers, rejected commodities in the purchase, loss in commodities, etc.

## □ Volume of Transaction at Consumer Goods Markets

refers to the value of transaction of all goods at consumer goods markets in the country, including both markets for farm and sideline products and for industrial consumption goods.

## □ Volume of Transaction at Large Commodity Markets (with transaction value over 100 million yuan)

refers to markets approved by the industrial and commercial administration departments, which specialize in

EXPLANATORY NOTES ON
MAIN STATISTICAL INDICATORS

wholesale and retail of modities with transaction value over 100 million yuan. The stall of sales of all sellers in the markets makes up the transaction value of the markets.

## □ Chain Enterprises (also called chain stores or called corporations)

refer to a form of joint economic entities unit which scattered enterprises or establishments engaged in pithing homogeneous commodities or services, with the central leadership of core enterprise or headquarters and guided by policies, conduct centralized purchase and distributed selling commodities, in order to gain better efficiency through standardized operation. Consisting of a number of branch stores the chain stores have in general following features: (1) homogeneous commodities, (2) unique name of stores, (3) centralized purchase and delivery which is separated from the headquarters cept some items which, from logistics, quality or considerations, might be delivered by the suppliers directy.

Chain stores have two categories:

(a) Chain stores under direct management: These are chain stores invested or controlled by the headquarters operate under the direct and unified management from the headquarters.

(b) Chain stores through license arrangement: These are contracts, chain stores (their owners) obtain licenses from the headquarters to use designated trade marks, names, operates know – how, and to sell the commodity developed by the headquarters. Under this arrangement. Each store in the chairs an independent legal entity and operates under the guidance the headquarters.

浙江统计年鉴
ZHEJIANG STATISTICAL YEARBOOK
2009

# CHAPTER 11

# 对外经济贸易和旅游

Foreign Economy and Trade, Tourism

## 11-1 进出口总值(1986-2008 年)
Total Value of Imports and Exports (1986-2008, Custom Statistics)

单位：万美元(USD 10000)

| 年份<br>Year | 进出口总值<br>Total Value of Imports and Exports | 出口<br>Export | #一般贸易<br>Ordinary Trade | 进口<br>Import | #一般贸易<br>Ordinary Trade |
|---|---|---|---|---|---|
| 1986 | 129291 | 109128 | | 20163 | |
| 1987 | 149984 | 123406 | | 26578 | |
| 1988 | 198628 | 149004 | | 49624 | |
| 1989 | 251387 | 187222 | | 64165 | |
| 1990 | 277342 | 218881 | | 58461 | |
| 1991 | 385052 | 290628 | | 94424 | |
| 1992 | 499907 | 357127 | 258763 | 142780 | 48230 |
| 1993 | 673269 | 432313 | 326388 | 240956 | 78690 |
| 1994 | 899144 | 608657 | 474070 | 290487 | 75292 |
| 1995 | 1151230 | 769782 | 593336 | 381448 | 92160 |
| 1996 | 1254126 | 804147 | 572545 | 449979 | 102558 |
| 1997 | 1427732 | 1011113 | 739172 | 416619 | 106496 |
| 1998 | 1485382 | 1086623 | 820244 | 398759 | 148712 |
| 1999 | 1830540 | 1287125 | 1001423 | 543415 | 314525 |
| 2000 | 2783265 | 1944279 | 1540108 | 838986 | 528135 |
| 2001 | 3279969 | 2297747 | 1825752 | 982222 | 635302 |
| 2002 | 4195650 | 2941102 | 2426940 | 1254548 | 859007 |
| 2003 | 6141083 | 4159499 | 3418932 | 1981584 | 1361717 |
| 2004 | 8521312 | 5814638 | 4674761 | 2706674 | 1665622 |
| 2005 | 10739123 | 7680353 | 6023916 | 3058770 | 1858590 |
| 2006 | 13914686 | 10089427 | 7731170 | 3825259 | 2143288 |
| 2007 | 17685633 | 12827293 | 9935900 | 4858341 | 2922772 |
| 2008 | 21110927 | 15426700 | 12185303 | 5684227 | 3440144 |

## 11－2 出口总值分类表(2002－2008 年)
Total Value of Exports by Category(2002－2008)

单位: 万美元(USD 10000)

| 项目 | Item | 2002 | 2003 | 2004 | 2005 | 2006 | 2007 | 2008 |
|---|---|---|---|---|---|---|---|---|
| **总值** | **Total** | **2941102** | **4159499** | **5814638** | **7680353** | **10089427** | **12827293** | **15426700** |
| #机电产品 | Mechanical and Electrical Products | 968386 | 1431975 | 2170159 | 3026157 | 4236303 | 5557980 | 6804800 |
| **总值中:** | **Among Total** | | | | | | | |
| 国有企业 | State－owned Enterprises | 1128977 | 1329950 | 1466064 | 1629362 | 1767742 | 1896622 | 1993053 |
| 三资企业 | Foreign Funded Enterprises | 919969 | 1304773 | 1964667 | 2726282 | 3795210 | 4725567 | 5426543 |
| 集体企业 | Collective Owned Enterprises | 518882 | 726222 | 887728 | 993168 | 1058855 | 1178304 | 1238192 |
| 私营企业 | Private Enterprises | 367536 | 793444 | 1493303 | 2328331 | 3459464 | 5009210 | 6738201 |
| 其他 | Others | 5738 | 5110 | 2876 | 3210 | 8156 | 17589 | 30712 |
| **总值中:** | **Among Total** | | | | | | | |
| 工业制成品 | Manufactured Goods | 2735698 | 3914504 | 5493975 | 7299176 | 9643687 | 12342087 | 14868136 |
| 初级产品 | Primary Goods | 205404 | 244995 | 320663 | 381177 | 445740 | 485206 | 558564 |

## 11－3 进口总值分类表(2002－2008 年)
Total Value of Imports by Category(2002－2008)

单位: 万美元(USD 10000)

| 项目 | Item | 2002 | 2003 | 2004 | 2005 | 2006 | 2007 | 2008 |
|---|---|---|---|---|---|---|---|---|
| **总值** | **Total** | **1254548** | **1981584** | **2706674** | **3058770** | **3825259** | **4858341** | **5684227** |
| #机电产品 | Mechanical and Electrical Products | 506340 | 797903 | 1002151 | 921646 | 1237456 | 1379370 | 1502351 |
| **总值中:** | **Among Total** | | | | | | | |
| 国有企业 | State－owned Enterprises | 452039 | 629195 | 695255 | 671497 | 785943 | 852194 | 846188 |
| 三资企业 | Foreign Funded Enterprises | 538283 | 887827 | 1297388 | 1512129 | 1931689 | 2389784 | 2933865 |
| 集体企业 | Collective Owned Enterprises | 164345 | 253098 | 350723 | 369722 | 331969 | 389369 | 397254 |
| 私营企业 | Private Enterprises | 90692 | 210802 | 357233 | 505364 | 774810 | 1221395 | 1495030 |
| 其他 | Others | 9189 | 662 | 6075 | 58 | 848 | 5599 | 11889 |
| **总值中:** | **Among Total** | | | | | | | |
| 工业制成品 | Manufactured Goods | 1029312 | 1665903 | 2190694 | 2457096 | 3025605 | 3832578 | 4221124 |
| 初级产品 | Primary Goods | 225236 | 315681 | 515980 | 601674 | 799654 | 1025762 | 1463103 |

## 11－4 浙江省与各国(地区)的进出口总额
Zhejiang's Foreign Trade with Relate Countries (Regions)

单位：万美元(USD 10000)

| 国别(地区) | Country(Region) | 出口 Exports | | | 进口 Imports | | |
|---|---|---|---|---|---|---|---|
| | | 2006 | 2007 | 2008 | 2006 | 2007 | 2008 |
| **总值** | **Total** | **10089427** | **12827293** | **15426700** | **3825259** | **4858341** | **5684227** |
| #亚太经济合作组织 | APEC | 5197022 | 6218954 | 7062182 | 2842465 | 3583793 | 4119906 |
| **亚洲** | **Asia** | **3329689** | **4243984** | **4967863** | **2591101** | **3165041** | **3637609** |
| #中国香港 | Hong Kong, China | 359521 | 511460 | 520528 | 33240 | 38312 | 29184 |
| 日本 | Japan | 819196 | 882306 | 996067 | 642263 | 777302 | 894307 |
| 中国台湾 | Taiwan, China | 129366 | 157439 | 173115 | 467018 | 732836 | 902859 |
| 韩国 | Korea Rep | 320483 | 404129 | 449650 | 532064 | 604226 | 686238 |
| 东南亚联盟 | The Association of Southeast Asian Nations | 549578 | 708666 | 873587 | 386893 | 484392 | 508497 |
| **非洲** | **Africa** | **543954** | **714156** | **883210** | **124032** | **104350** | **172047** |
| **欧洲** | **Europe** | **3000138** | **4042365** | **5082080** | **517923** | **689898** | **785229** |
| #欧洲联盟 | EU | 2553518 | 3406956 | 4264754 | 447711 | 593325 | 656355 |
| #英国 | United Kingdom | 328954 | 431836 | 500153 | 35561 | 50909 | 55848 |
| 德国 | Germany | 542225 | 722081 | 893499 | 161210 | 213344 | 243048 |
| 意大利 | Italy | 326005 | 418400 | 521431 | 59967 | 71344 | 75759 |
| 法国 | France | 240570 | 304625 | 363465 | 44892 | 55190 | 62597 |
| 比利时 | Belgium | 121738 | 164008 | 212629 | 39891 | 44891 | 46548 |
| #俄罗斯 | Russia | 214013 | 313219 | 426641 | 39063 | 44650 | 65750 |
| **拉丁美洲** | **Latin America** | **605265** | **830820** | **1177982** | **125102** | **233421** | **329437** |
| **北美洲** | **North America** | **2392708** | **2720033** | **2954200** | **365012** | **515908** | **555052** |
| #美国 | United States | 2193307 | 2463691 | 2654181 | 283730 | 393061 | 430741 |
| 加拿大 | Canada | 199369 | 256314 | 299902 | 80986 | 122683 | 124311 |
| **大洋洲** | **Oceania** | **217672** | **275934** | **361366** | **102018** | **149533** | **204695** |
| #澳大利亚 | Australia | 188970 | 234873 | 295126 | 76937 | 100643 | 163923 |

## 11－5 进出口货物分贸易方式总值表
Total Value of Imports and Exports by Type

单位：万美元(USD 10000)

| 贸易方式 | Type | 出口 Exports | | | | 进口 Imports | | | |
|---|---|---|---|---|---|---|---|---|---|
| | | 2005 | 2006 | 2007 | 2008 | 2005 | 2006 | 2007 | 2008 |
| **总值** | **Total** | **7680353** | **10089427** | **12827293** | **15426700** | **3058770** | **3825259** | **4858341** | **5684227** |
| 一般贸易 | Ordinary Trade | 6023916 | 7731170 | 9935900 | 12185303 | 1858590 | 2143288 | 2922772 | 3440144 |
| 补偿贸易 | Compensation Trade | | | | | | | | |
| 来料加工装配贸易 | Processing and Assembling Raw Material Supplied by Foreign Firms | 166312 | 185628 | 201022 | 228043 | 136049 | 156294 | 125481 | 165771 |
| 进料加工贸易 | Processing Imported Raw Materials | 1455159 | 2077128 | 2529704 | 2856500 | 673474 | 862159 | 1112696 | 1336141 |
| 外商投资企业作为投资进口的设备 | Imported Equipment as Investment of Foreign Enterprises | | | | | 193699 | 167268 | 143748 | 149113 |
| 出料加工贸易 | Processing Exported Raw Materials | 20 | 195 | 53 | 192 | 56 | 205 | 179 | 207 |
| 保税仓库进出境货物 | Import & Export Commodities in Protective Tariff Zone | 18056 | 49969 | 79826 | 108107 | 114754 | 373405 | 384597 | 414374 |
| 保税区仓储转口货物 | Transit Goods in Protective Tariff Zone | 8889 | 13279 | 22725 | 19862 | 62725 | 85331 | 140185 | 133075 |
| 国家间、国际组织无偿援助和赠送物资 | Assistant Goods From International Organization | 456 | 193 | 277 | 287 | 12 | 1 | | 198 |
| 华侨、港澳台同胞、外籍华人捐赠物资 | Assistant Goods From Overseas Chinese Compatriots from Hong Kong, Macao and Taiwan | | | | | 41 | 4 | 1 | 13 |
| 来料加工装配进口的设备 | Assembling Imported Equipment | | | | | 3685 | 2876 | 2176 | 1743 |
| 对外承包工程出口货物 | Exported Commodities for Contracted Projects | 119 | 231 | 723 | 6045 | | | | |
| 其他 | Others | 7426 | 31634 | 57061 | 22361 | 15685 | 34428 | 26506 | 43448 |

## 11-6 出口主要商品情况
Statistics on Export of Commodities

单位：万美元（USD 10000）

| 项目名称 | Item | 2005 | 2006 | 2007 | 2008 |
|---|---|---|---|---|---|
| 机电产品 | Electrical and Mechanical Products | 3023752 | 4236303 | 5557980 | 6804800 |
| 高新技术产品 | High - tech Products | 602036 | 1016226 | 1017360 | 1371880 |
| 农副产品 | Farm Products | 533934 | 667890 | 722936 | 768496 |
| 服装及衣着附件 | Garments and Related Products | 1331815 | 1592516 | 1859328 | 2157999 |
| 纺织纱线、织物及制品 | Spinning, Textile and Related Products | 1111110 | 1381340 | 1700570 | 2066532 |
| 鞋类 | Shoes | 265635 | 321311 | 383975 | 430475 |
| 家具及其零件 | Furniture and Related Parts | 217501 | 306771 | 428998 | 532036 |
| 塑料制品 | Plastic Articles | 156266 | 194582 | 194183 | 204849 |
| 自动数据处理设备及其部件 | Automatic Data Processing Equipment and Related Parts | 142742 | 173314 | 172954 | 144620 |
| 灯具、照明装置及类似品 | Lamps & Lanterns and Lighting Installation | 116348 | 137086 | 173954 | 197926 |
| 旅行用品及箱包 | Travelling Articles and Bags | 106287 | 127189 | 166472 | 205288 |
| 汽车零件 | Parts of Moter Vehicles | 121769 | 165914 | 239266 | 307348 |
| 电话机 | Telephone | 180387 | 437487 | 318092 | 157891 |
| 床垫、寝具及类似品 | Mattress and Bedding | 92133 | 120221 | 154161 | 153864 |
| 船舶 | Boats and Ships | 45334 | 81082 | 175039 | 324575 |
| 医药品 | Medical and Pharmaceutical Products | 62795 | 84849 | 109820 | 173650 |
| 电线和电缆 | Electric Wire and Cables | 79862 | 122012 | 162613 | 191263 |
| 摩托车 | Motorcycle | 56962 | 59372 | 64869 | 83647 |
| 通断及保护电路装置 | Equipment for Switching or Protecting Electrical Circuits | 69499 | 98565 | 130477 | 150626 |
| 钢铁或铜制标准紧固件 | Standard Parts Made by Iron & Steel or Copper | 72284 | 105283 | 152434 | 217990 |

注：2008 年高新技术产品口径调整　High-tech products are adjusted in 2008.

## 11－7 进口主要商品情况
### Statistics on Import of Commodities

单位：万美元(USD 10000)

| 商品名称 | Item | 2005 | 2006 | 2007 | 2008 |
|---|---|---|---|---|---|
| 机电产品 | Electrical and Mechanical Products | 921500 | 1237456 | 1379370 | 1502351 |
| 高新技术产品 | High－tech Products | 463973 | 674404 | 534856 | 865412 |
| 农副产品 | Farm Products | 226769 | 267682 | 384388 | 475013 |
| 钢材 | Steel Products | 220139 | 96821 | 110558 | 143008 |
| 初级形状的塑料 | Plastics of Primary Forms | 199187 | 246056 | 308917 | 361898 |
| 对苯二甲酸 | Telephthatic Acid | 191549 | 272766 | 286769 | 255477 |
| 集成电路及微电子组件 | Integrated Circuits and Microelectric Module | 134904 | 246674 | 275576 | 234710 |
| 纺织机械及零件 | Textile Machinery and Related Parts | 65305 | 79021 | 113369 | 80201 |
| 废铜 | Waste Copper | 148808 | 200757 | 311639 | 281873 |
| 自动数据处理设备及其部件 | Automatic Data Processing Equipment and Related Parts | 80715 | 49820 | 19977 | 22786 |
| 电视、收音机及无线电讯设备的零附件 | Parts of TV sets, Radio Sets and Radio Communications Equipment | 64111 | 168473 | 11273 | 10297 |
| 原油 | Crude Oil | 60969 | 142292 | 98619 | 118404 |
| 液化石油气及其他烃类气 | Liquefied Petroleum Gas and Other Hydrocarbon Gases | 49876 | 49802 | 30410 | 24140 |
| 苯乙烯 | Styrene | 46152 | 51223 | 81699 | 84734 |
| 铁矿砂及其精矿 | Iron ore in Sand Form and Refined ore | 75480 | 73603 | 110256 | 310919 |
| 橡胶或塑料机械零件 | Machinery Parts for Processing Rubber and Plastics | 19628 | 19313 | 21911 | 27630 |
| 金属加工机床 | Processing Machine Tools | 35078 | 29401 | 37758 | 41614 |
| 纸浆 | Paper Pulp | 39204 | 55040 | 75346 | 97100 |
| 通断及保护电路装置 | Electrical Apparatus for Switching or Protecting Electrical Circuits | 35251 | 42799 | 42928 | 47640 |
| 原木 | Log | 35674 | 45790 | 65568 | 63847 |
| 计量检测分析自控仪器及器具 | Automatic Instruments for Measurement Examination Analysis | 30253 | 32422 | 35072 | 44277 |
| 成品油 | Processed Oil | 6534 | 18660 | 43466 | 69466 |

注：2008 年高新技术产品口径调整　High-tech products are adjusted in 2008.

## 11-8 利用外资协议合同(项目)和金额(1979-2008年)
Total Amount of Foreign Capital Utilized Through the Signed Agreements and Contracts(1979-2008)

| 年份 Year | 协议合同(项目)(个) Projects(unit) | | | 协议金额(万美元) Value(USD 10000) | | |
|---|---|---|---|---|---|---|
| | 合计 Total | 对外借款 Foreign Loans | 外商直接投资 Direct Foreign Investment | 合计 Total | 对外借款 Foreign Loans | 外商直接投资 Direct Foreign Investment |
| 1979 | | | | 1120 | | |
| 1980 | 4 | | 4 | 620 | | 138 |
| 1981 | 1 | 1 | | 749 | 385 | |
| 1982 | 1 | | 1 | 552 | | 1 |
| 1983 | 2 | | 2 | 440 | | 94 |
| 1984 | 25 | 2 | 23 | 8506 | 4005 | 3955 |
| 1985 | 58 | 3 | 55 | 9154 | 4352 | 3650 |
| 1986 | 33 | 3 | 30 | 5224 | 2414 | 2307 |
| 1987 | 68 | 29 | 39 | 14291 | 7745 | 4525 |
| 1988 | 185 | 33 | 152 | 26815 | 14865 | 11326 |
| 1989 | 226 | 41 | 185 | 37107 | 23910 | 12212 |
| 1990 | 296 | 2 | 294 | 24792 | 11274 | 13313 |
| 1991 | 592 | 7 | 585 | 37480 | 5634 | 31728 |
| 1992 | 2343 | 5 | 2338 | 324084 | 32076 | 290922 |
| 1993 | 4497 | 10 | 4487 | 404330 | 29274 | 374562 |
| 1994 | 2537 | 9 | 2528 | 321573 | 27839 | 289317 |
| 1995 | 1861 | 25 | 1836 | 422153 | 92950 | 325031 |
| 1996 | 1243 | 35 | 1208 | 429083 | 107750 | 312866 |
| 1997 | 888 | 36 | 852 | 486522 | 294123 | 121008 |
| 1998 | 1013 | 48 | 965 | 225795 | 41999 | 183390 |
| 1999 | 1154 | 41 | 1113 | 302839 | 85528 | 214793 |
| 2000 | 1742 | 100 | 1642 | 306977 | 56029 | 250948 |
| 2001 | 2311 | 1 | 2310 | 717502 | 209462 | 501588 |
| 2002 | 3364 | | 3364 | 720846 | 38453 | 678912 |
| 2003 | 4442 | | 4442 | 1317478 | 108301 | 1205014 |
| 2004 | 3824 | | 3824 | 1567591 | 106407 | 1456066 |
| 2005 | 3396 | | 3396 | 1858137 | 209649 | 1612667 |
| 2006 | 3583 | | 3583 | 2175249 | 192344 | 1910261 |
| 2007 | 2919 | | 2919 | 2585485 | 271271 | 2040043 |
| 2008 | 1858 | | 1858 | 2115422 | 290101 | 1781995 |

## 11－9 实际利用外资金额(1984－2008年)
## Amount of Foreign Capital Actually Used(1984－2008)

单位：万美元(USD 10000)

| 年份 Year | 合计 Total | 对外借款 Foreign Loans | 外商直接投资 Direct Foreign Investment | 其他投资 Others |
|---|---|---|---|---|
| 1984 | 4887 | 4005 | 252 | 630 |
| 1985 | 6452 | 4352 | 1634 | 466 |
| 1986 | 4891 | 2414 | 1853 | 624 |
| 1987 | 11360 | 7745 | 2337 | 1278 |
| 1988 | 18124 | 14419 | 2957 | 748 |
| 1989 | 26918 | 21503 | 5181 | 234 |
| 1990 | 16235 | 11305 | 4844 | 86 |
| 1991 | 17186 | 7947 | 9162 | 77 |
| 1992 | 40971 | 10496 | 29398 | 1077 |
| 1993 | 121991 | 18226 | 103271 | 494 |
| 1994 | 137073 | 22038 | 114449 | 586 |
| 1995 | 153965 | 27692 | 125775 | 498 |
| 1996 | 238313 | 77825 | 152021 | 8467 |
| 1997 | 306641 | 84905 | 150345 | 71391 |
| 1998 | 241656 | 109448 | 131802 | 406 |
| 1999 | 252499 | 97036 | 153262 | 2201 |
| 2000 | 248919 | 87022 | 161266 | 631 |
| 2001 | 451934 | 223301 | 221162 | 7471 |
| 2002 | 469547 | 148515 | 316002 | 5030 |
| 2003 | 757824 | 207160 | 544936 | 5728 |
| 2004 | 974631 | 298657 | 668128 | 7846 |
| 2005 | 1393826 | 582049 | 772271 | 39506 |
| 2006 | 1450582 | 486127 | 888935 | 75520 |
| 2007 | 1432049 | 119126 | 1036576 | 276347 |
| 2008 | 1243605 | 192632 | 1007294 | 43679 |

## 11－10　利用外资情况
Utilization of Foreign Capital

| 项　目<br>Item | 利用外资协议（合同）Signed Contracts(Agreements) for Utilization of Foreign Capital<br>项　目(个) Projects (unit)<br>2007 | 2008 | 2008年止累计<br>Accumu－lation up to 2008 | 金　额(万美元) Value (USD 10000)<br>2007 | 2008 | 2008年止累计<br>Accumu－lation up to 2008 | 实际利用外资金额(万美元) Amount of Foreign Capital Actually Used (USD 10000)<br>2007 | 2008 | 2008年止累计<br>Accumu－lation up to 2008 |
|---|---|---|---|---|---|---|---|---|---|
| **总计 Total** | **2919** | **1858** | **44466** | **2585485** | **2115422** | **16447916** | **1432049** | **1244995** | **10026756** |
| **对外借款 Foreign Loans** | | | **431** | **271271** | **290101** | **2268140** | **119126** | **192632** | **2866330** |
| 外国政府贷款 Foreign Government Loans | | | 66 | | | 92202 | 267 | | 63707 |
| 境外非金融机构贷款 Loans from Overseas Non－Financial Organizations | | | 59 | | | 228613 | 94278 | 138758 | 563923 |
| 境外金融机构贷款 Loans from Overseas Financial Organizations | | | 282 | 80090 | 67669 | 686119 | 23428 | 51770 | 420613 |
| 贸易信贷 Credit in Trade | | | 24 | | | 221781 | | | 1189760 |
| 其　它 Others | | | | 191181 | 222432 | 1039425 | 1153 | 2104 | 628327 |
| **外商直接投资 Foreign Direct Investment** | **2919** | **1858** | **44035** | **2040043** | **1781995** | **13632632** | **1036576** | **1007294** | **6605294** |
| 合资企业 Joint Enterprises | 1049 | 500 | 25327 | 499541 | 273416 | 4168355 | 332459 | 253767 | 2462003 |
| 合作企业 Cooperative Enterprises | 24 | 14 | 1177 | 14351 | 16175 | 424281 | 5244 | 9143 | 187035 |
| 独资企业 Foreign Enterprises | 1846 | 1340 | 17502 | 1521704 | 1472179 | 8999894 | 696393 | 738922 | 3934879 |
| 股份制企业 Share-system Enterprises | | 4 | 29 | 4447 | 20225 | 40102 | 2480 | 5462 | 21377 |
| **外商其他投资 Other Foreign Investment** | | | | **274171** | **43326** | **547144** | **276347** | **45069** | **555132** |
| 补偿贸易 Compensation Trade | | | | | | 12189 | | | 8724 |
| 加工装配 Processing and Assembling | | | | | | 8045 | 2176 | 1743 | 19498 |
| 对外发行股票 Stocks to Foreign Countries | | | | 274171 | 43326 | 526565 | 274171 | 43326 | 526565 |
| 其　它 Others | | | | | | 345 | | | 345 |

## 11－11 按行业分的外商直接投资 Foreign Direct Investment

| 指标 | Item | 项目(个) Number of Projects (unit) | | 合同外资(万美元) Compact of Foreign Capital (USD 10000) | | 实际利用外资(万美元) Foreign Investments Actually Used (USD 10000) | |
|---|---|---|---|---|---|---|---|
| | | 2007 | 2008 | 2007 | 2008 | 2007 | 2008 |
| **总　计** | **Total** | **2919** | **1858** | **2040043** | **1781995** | **1036576** | **1007294** |
| 第一产业 | Primary Industry | 30 | 30 | 17255 | 23918 | 8939 | 4549 |
| 第二产业 | Secondary Industry | 2131 | 1163 | 1336723 | 1223510 | 729207 | 697245 |
| #制造业 | Manufacturing | 2104 | 1141 | 1320433 | 1188810 | 717238 | 682897 |
| 纺织业 | Textile Industry | 193 | 90 | 106367 | 94682 | 70391 | 57993 |
| 化学原料及化学制品制造业 | Raw Chemical Materials and Chemical Products | 54 | 38 | 70937 | 75791 | 30614 | 51029 |
| 医药制造业 | Medical and Pharmaceutical Products | 18 | 15 | 8642 | 27809 | 10645 | 6748 |
| 通用设备制造业 | Ordinary Machinery | 227 | 138 | 136413 | 133665 | 51633 | 53834 |
| 专用设备制造业 | For Special Purpose Equipment Manufacturing | 162 | 93 | 111727 | 84777 | 52166 | 35996 |
| 通信设备、计算机及其他电子设备制造业 | Telecommunications Equipment, Computers and Other Electronic Equipment Manufacturing | 144 | 101 | 134514 | 143833 | 73520 | 64308 |
| #电力、燃气及水的生产和供应业 | Production and Supply of Electricity, Gas and Water | 16 | 17 | 11051 | 26740 | 6723 | 12183 |
| #建筑业 | Construction | 8 | 5 | 2123 | 7022 | 2814 | 1238 |
| 第三产业 | Tertiary Industry | 758 | 665 | 686065 | 534567 | 298430 | 305500 |
| #交通运输、仓储和邮政业 | Transportation, Storage and Post | 37 | 31 | 27150 | 55252 | 30362 | 20800 |
| 信息传输、计算机服务和软件业 | Information Transmission Computer Service and Software | 51 | 72 | 39706 | 91058 | 7350 | 58918 |
| 批发和零售业 | Wholesale & Retail Trade | 296 | 300 | 47791 | 84337 | 18147 | 20979 |
| 住宿和餐饮业 | Accommodations and Catering | 58 | 33 | 45263 | 31810 | 11922 | 10320 |
| 金融业 | Banking | 7 | 1 | 6541 | 2 | 3586 | 336 |
| 房地产业 | Real Estate | 67 | 26 | 266060 | 132525 | 150612 | 115248 |
| 租赁和商务服务业 | Renting and Business Service | 153 | 94 | 214522 | 62841 | 59669 | 61967 |
| 科学研究、技术服务和地质勘查业 | Scientific Research, Technical Service and Geological Prospecting | 64 | 79 | 20840 | 51708 | 5416 | 12482 |
| 水利、环境和公共设施管理业 | Water Conservany, Environment and Public Utility | 6 | 7 | 6388 | 5799 | 881 | 1111 |
| 居民服务和其他服务业 | Service for the Residents and Other | 7 | 9 | 1908 | 7772 | 6094 | 1661 |
| 教育 | Education | 2 | 3 | 3292 | 107 | 1503 | 429 |
| 卫生、社会保障和社会福利业 | Health Care, Sports and Social Welfare | 2 | 1 | 676 | 2500 | 147 | 183 |
| 文化、体育和娱乐业 | Culture, Sports and Entertainment | 8 | 8 | 5928 | 8855 | 2741 | 1066 |

## 11－12 按国别(地区)分的外商直接投资
Foreign Direct Investment by Country(Region)

| 国别(地区) | Country (Region) | 2008年末实有企业 Number of Enterprises at the End of 2008 个数 Number | 外方注册资本(万美元) Foreign Registered Capital (USD 10000) | 项目(个) Number of Projects (unit) 2007 | 2008 | 合同外资金额(万美元) Agreements of Foreign Capital (USD 10000) 2007 | 2008 | 实际利用外资(万美元) Foreign Capital Actually Used (USD 10000) 2007 | 2008 |
|---|---|---|---|---|---|---|---|---|---|
| **总计** | **Total** | **28533** | **6860396** | **2919** | **1858** | **2040043** | **1781995** | **1036576** | **1007294** |
| #中国香港 | Hong Kong,China | 11523 | 1049726 | 1329 | 793 | 1169754 | 1135279 | 425967 | 479564 |
| 中国台湾 | Taiwan,China | 2542 | 208867 | 229 | 133 | 68244 | 84800 | 26068 | 17757 |
| 日本 | Japan | 1905 | 375955 | 102 | 85 | 19651 | 46704 | 24771 | 28523 |
| 新加坡 | Singapore | 625 | 172592 | 60 | 43 | 44364 | 42709 | 20372 | 31302 |
| 韩国 | Korea Rep | 826 | 133817 | 114 | 87 | 11860 | 40454 | 17786 | 14063 |
| 英国 | United Kingdom | 684 | 147571 | 51 | 48 | 31249 | 23674 | 12839 | 8865 |
| 法国 | France | 336 | 84071 | 31 | 16 | 16314 | 11014 | 10812 | 8066 |
| 德国 | Germany | 451 | 67660 | 45 | 38 | 11138 | 11128 | 9096 | 9078 |
| 意大利 | Italy | 520 | 99907 | 64 | 51 | 22980 | 12880 | 12504 | 9624 |
| 美国 | United States | 2981 | 450428 | 235 | 159 | 69792 | 91581 | 47418 | 41189 |
| 加拿大 | Canada | 421 | 49601 | 61 | 24 | 24671 | 11525 | 8642 | 7138 |
| 澳大利亚 | Australia | 523 | 67152 | 57 | 44 | 27851 | 20828 | 8452 | 7267 |
| 维尔京群岛 | Virgin Islands | 1372 | 841510 | 165 | 61 | 266851 | 68357 | 251039 | 172322 |

注:年末实有企业指在工商行政管理部门登记注册的企业。
The number of enterprises at year－end refer to the enterprises registered at Industry and Commerce Administrative Department.

## 11－13 对外经济合作情况(2002－2008年)
Economic Cooperation with Foreign Countries and Regions(2002－2008)

| 项目 | Item | 2002 | 2003 | 2004 | 2005 | 2006 | 2007 | 2008 |
|---|---|---|---|---|---|---|---|---|
| 新签对外承包工程和劳务合作合同额 (万美元) | Amount of Newly Signed Contracts (USD 10000) | 127900 | 122250 | 168000 | 173433 | 181163 | 174753 | 336265 |
| 对外承包工程和劳务合作营业额 (万美元) | Business Income (USD 10000) | 105483 | 125056 | 152510 | 176000 | 203847 | 208451 | 209313 |
| 对外承包工程和劳务合作年底在外人数 (人) | Population in Foreign Countries and Regions (person) | 28325 | 25228 | 26387 | 27728 | 26978 | 24462 | 25054 |
| 境外投资企业数 (个) | Number of Enterprises Investing Abroad (unit) | 226 | 301 | 378 | 435 | 425 | 420 | 427 |
| 境外企业中方投资额 (万美元) | Amount of Investing Abroad (USD 10000) | 5132 | 8513 | 15175 | 16776 | 30044 | 60606 | 86088 |

## 11－14 国际旅游发展情况(1979－2008 年)
Development of International Tourism(1979－2008)

单位：万美元(USD 10000)

| 年份<br>Year | 入境旅游者人数(人)<br>International Tourists | #外国人<br>Foreigners | #港澳台同胞<br>Compatriots from Hong Kong, Macao and Taiwan, China | 旅游创汇收入(万美元)<br>Foreign Exchange Earnings (USD 10000) |
|---|---|---|---|---|
| 1979 | 93094 | 49021 | 42901 | |
| 1980 | 138877 | 68583 | 68218 | |
| 1981 | 171710 | 102088 | 67005 | |
| 1982 | 180271 | 109309 | 67972 | |
| 1983 | 184287 | 114524 | 64618 | 1458 |
| 1984 | 213098 | 131977 | 73916 | 1900 |
| 1985 | 272870 | 178282 | 84621 | 2519 |
| 1986 | 293968 | 190695 | 90501 | 4175 |
| 1987 | 330062 | 206192 | 104005 | 4289 |
| 1988 | 392672 | 169782 | 182901 | 5624 |
| 1989 | 294062 | 84800 | 187607 | 3568 |
| 1990 | 496218 | 116429 | 342248 | 5440 |
| 1991 | 554091 | 176605 | 351881 | 7489 |
| 1992 | 685367 | 234282 | 403458 | 10210 |
| 1993 | 728408 | 289559 | 393251 | 11679 |
| 1994 | 612689 | 329529 | 261226 | 18055 |
| 1995 | 672717 | 366491 | 283353 | 23591 |
| 1996 | 729012 | 412970 | 293000 | 29184 |
| 1997 | 811468 | 453449 | 328430 | 34495 |
| 1998 | 819615 | 414273 | 364074 | 36122 |
| 1999 | 947788 | 506650 | 408454 | 41009 |
| 2000 | 1125898 | 643840 | 482058 | 51397 |
| 2001 | 1469502 | 818686 | 650816 | 70693 |
| 2002 | 2041761 | 1214635 | 827126 | 92763 |
| 2003 | 1817986 | 1069318 | 748668 | 87249 |
| 2004 | 2766680 | 1776392 | 990288 | 130047 |
| 2005 | 3480089 | 2329202 | 1150887 | 171623 |
| 2006 | 4268328 | 2813700 | 1454628 | 213270 |
| 2007 | 5111789 | 3436358 | 1675431 | 270821 |
| 2008 | 5396682 | 3661293 | 1735389 | 302408 |

注：1979－1999 年旅游者人数中包括华侨。
Total Tourists number from 1979－1999 in this table included Overseas Chinese.

## 11 - 15　旅游事业发展情况(2002 - 2008 年)
## Development of Tourism(2002 - 2008)

| 项　目 | Item | 2002 | 2003 | 2004 | 2005 | 2006 | 2007 | 2008 |
|---|---|---|---|---|---|---|---|---|
| **国内旅游** | **Domestic Tourism** | | | | | | | |
| 人数(万人次) | Number of Tourism(10000 Person - times) | 8020 | 8429 | 10600 | 12758 | 16149.1 | 19100 | 20900 |
| 收入(亿元) | Earnings(100 million yuan) | 633.8 | 695.3 | 1012.5 | 1239.7 | 1519.6 | 1820 | 2040 |
| **入境旅游** | **International Tourism** | | | | | | | |
| 人数合计(人次) | Total (person - times) | 2041761 | 1817986 | 2766680 | 3480089 | 4268328 | 5111789 | 5396682 |
| #外国人 | Foreigners | 1214635 | 1069318 | 1776392 | 2329202 | 2813700 | 3436358 | 3661293 |
| 港澳同胞 | Compatriots from Hong Kong and Macao, China | 302949 | 321491 | 456517 | 510490 | 695118 | 785905 | 820554 |
| 台湾同胞 | Compatriots from Taiwan, China | 524177 | 427177 | 533771 | 640397 | 759510 | 889526 | 914835 |
| **创汇收入(万美元)** | **Foreign Exchange Earnings (USD 10000)** | **92763** | **87249** | **130047** | **171623** | **213270** | **270821** | **302408** |

## 11-16 接待入境旅游者人数(2002-2008 年)
## Number of International Tourists(2002-2008)

单位:人次(person-time)

| 国别(地区) | Country(Region) | 2002 | 2003 | 2004 | 2005 | 2006 | 2007 | 2008 |
|---|---|---|---|---|---|---|---|---|
| 日本 | Japan | 262991 | 223193 | 348246 | 422076 | 529579 | 655671 | 661465 |
| 韩国 | Korea Rep | 216004 | 202786 | 297199 | 454544 | 508447 | 614454 | 661668 |
| 马来西亚 | Malaysia | 99033 | 81371 | 151475 | 177855 | 163041 | 175444 | 177103 |
| 美国 | United States | 90745 | 75062 | 129821 | 176730 | 214944 | 271406 | 272776 |
| 新加坡 | Singapore | 69848 | 57257 | 99754 | 108603 | 112612 | 129356 | 135770 |
| 泰国 | Thailand | 48875 | 32983 | 67780 | 78977 | 89080 | 100585 | 103423 |
| 德国 | Germany | 30067 | 27608 | 55083 | 71959 | 84217 | 100991 | 111433 |
| 意大利 | Italy | 25830 | 26982 | 44095 | 62354 | 74959 | 97688 | 96407 |
| 法国 | France | 28507 | 22383 | 41136 | 55926 | 66371 | 86619 | 94438 |
| 印度尼西亚 | Indonesia | 22339 | 24009 | 37798 | 42598 | 48610 | 58673 | 62860 |
| 澳大利亚 | Australia | 19628 | 20190 | 34590 | 45936 | 61168 | 75528 | 77793 |
| 英国 | United Kingdom | 20867 | 19927 | 30685 | 43622 | 57902 | 68323 | 81024 |
| 印度 | India | 13569 | 16738 | 30656 | 35691 | 45222 | 60830 | 61419 |
| 菲律宾 | Philippines | 19817 | 14345 | 28946 | 29125 | 30491 | 38019 | 42903 |
| 加拿大 | Canada | 22908 | 19716 | 28742 | 40741 | 56790 | 71301 | 78835 |
| 西班牙 | Spain | 15377 | 11801 | 21970 | 42064 | 55409 | 68525 | 69117 |
| 荷兰 | Netherlands | 11618 | 11371 | 20498 | 25742 | 31915 | 44003 | 49240 |
| 俄罗斯 | Russia | 9776 | 9686 | 18712 | 28136 | 40300 | 50790 | 61761 |
| 瑞典 | Sweden | 5862 | 5785 | 8761 | 10907 | 15032 | 21018 | 25380 |
| 瑞士 | Switzerland | 3750 | 4378 | 6975 | 8989 | 11483 | 18544 | 22486 |
| 新西兰 | New Zealand | 3612 | 4289 | 6074 | 8081 | 12675 | 15359 | 19165 |
| 中国香港 | Hong Kong, China | 265651 | 289378 | 409385 | 451130 | 608233 | 687738 | 700548 |
| 中国澳门 | Macao, China | 37298 | 32113 | 47132 | 59360 | 86885 | 98167 | 120006 |
| 中国台湾 | Taiwan, China | 524177 | 427177 | 533771 | 640397 | 759510 | 889526 | 914835 |

浙/江/统/计/年/鉴

# 主要统计指标解释

## ■ 利用外资

指我国各级政府、部门、企业和其他经济组织通过对外借款、吸收外商直接投资以及用其他方式筹措的境外现汇、设备、技术等。

## ■ 对外借款

指通过对外正式签订借款协议,从境外筹措的资金,包括外国政府贷款、国际金融组织贷款、外国银行商业贷款、出口信贷以及对外发行债券等。1996 年及以前还包括对外发行股票。

## ■ 外商直接投资

是指外国企业和经济组织或个人(包括华侨、港澳台胞以及我国在境外注册的企业)按我国有关政策、法规,用现汇、实物、技术等在我国境内开办外商独资企业、与我国境内的企业或经济组织共同举办中外合资经营企业、合作经营企业或作合作开发资源的投资(包括外商投资收益的再投资)。

## ■ 外商其他投资

指除对外借款和外商直接投资以外的各种利用外资的形式。包括企业在境内外股票市场公开发行的以外币计价的股票(目前主要是在香港证券市场发行的 H 股和在境内证券市场发行的 B 股)发行价总额,国际租赁进口设备的应付款,补偿贸易中外商提供的进口设备、技术、物料的价款,加工装配贸易中外商提供的进口设备、物料的价款。

## ■ 对外劳承包工程及劳务合作

包括对外承包工程、对外劳务合作及对外设计咨询。其中对外承包工作指各对外承包公司以招标议标承包方式承揽的下列业务:(1)承包国外工程建设项目,(2)承包我国对外经授项目,(3)承包我国驻外机构的工程建设项目,(4)承包我国境内利用外资进行建设的工程项目,(5)与外国承包公司合营或联合承包工程项目时我国公司分包部分,(6)对外承包兼营的房屋开发业务。对外承包工程的营业额是以货币表现的本期内完成的对外承包工程的工作量,包括以前年度签订的合同和本年度新签订的合同在报告期内完成的工作量。对外劳务合作指以收取工资的形式向业主或承包商提供技术和劳动服务的活动。我国对外承包公司在境外开办的合营企业,中国公司同时又提供劳务的,其劳务部分也纳入劳务合作统计。劳务合作营业额按报告期内向雇主提交的结算数(包括工资、加班费和奖金等)统计。对外设计咨询指以服务成果向业主收费的技术服务项目。包括承担地形地貌测绘,地质资源勘探与普查,建设区域规划,提供设计文件、图纸、生产工艺技术资料和工程技术经济咨询,工程项目的可行性考察、研究和评估,进行技术指导和培训人员等;也包括承担国(境)内利用外资进行建设的工程项目的上述规定的设计咨询项目的收取外币部分。

## ■ 旅游人数

指来我国参观、访问、旅行、探亲、访友、休养、考察、参加会议和从事经济、科技、文化、教育、体育、宗教等活动的外国人、华侨、港澳和台湾同胞的人数。不包括外国在我国的常住机构,如领使馆、通讯社、企业办事处的工作人员;来我国常驻的外国专家、留学生以及在岸逗留不过夜人员。

## ■ 国际旅游(外汇)收入

指入境旅游的外国人、华侨、港澳台同胞在中国大陆旅游过程中发生的一切旅游支出。

ZHEJIANG STATISTICAL YEARBOOK

# Explanatory Notes on Main Statistical Indicators

## □ Utilization of Foreign Capital

refers to remittance, equipment and technology financed from abroad, by loans, foreign direct investment and other forms undertaken by the Chinese governments at all levels, by various departments, enterprises and other economic units.

## □ Foreign Borrowings

refer to funds borrowed from abroad through formal signing of borrowing agreements with foreign institutions, including loans of foreign governments, loans of international financial institutions, commercial loans of foreign banks, export credit, and funds raised by Chinese bonds (and shares before 1996) issued abroad.

## □ Foreign Direct Investment

refers to the investments inside China by foreign enterprises and economic organizations or individuals (including overseas Chinese, compatriots from Hong Kong and Macao, and Chinese enterprises registered abroad), following the relevant policies and laws of China, for the establishment of ventures exclusively with foreign own investment, si no - foreign joint ventures and cooperative enterprises or for co - operative exploration of resources with enterprises or economic organizations in China. It includes the re - investment of the foreign entrepreneurs with the profits gained from the investment.

## □ Other Foreign Investment

refers to all forms of utilization of foreign capitals other than foreign borrowings and foreign direct investment. It includes the total value of stock shares in foreign currencies issued by enterprises at domestic or foreign stock exchanges (now mainly consisting of H shares issued at Hong Kong Security Market and B shares issued at domestic security markets), rent payable for the imported equipment through international leasing arrangement, cost of imported equipment, technology and materials provided by foreign counterparts in compensation trade and processing and assembly trade.

## □ Overseas Contracted Project and Overseas Labour Services

It includes Overseas Contracted Project 、Overseas Labour Services and Overseas Design and Consultation Services. Overseas Contracted Project refers to projects undertaken by Chinese contractors (project contracting companies) through bidding process. They include: (1) overseas civil engineering construction projects financed by foreign investors; (2) overseas projects financed by the Chinese government through its foreign aid programs; (3) construction projects of Chinese diplomatic missions, trade offices and other institutions stationed abroad; (4) construction projects in China financed by foreign investment; (5) sub - contracted projects to be taken by Chinese contractors through a joint umbrella project with foreign contractor(s); (6) housing development projects. The business income from international contracted projects is the work volume of contracted projects completed during the reference period, expressed in monetary terms, including completed work on projects signed in previous years. Overseas Labour Services refer to the activities of providing technology and labour services to employers or contractors in the forms of receiving salaries and wages. Labour services providing by contractual joint ventures of Chinese international contracting corporations should be included in the statistics of service co - operation with foreign countries. The business income of labour service cooperation is the income in the form of wages and salaries, overtime pay, bonuses and other remuneration received from the employers during the reference period. Overseas Design and Consultation Services refer to projects with income for technical services provided to overseas operators. It includes geographic and topographic mapping, geological resource prospecting and survey, planning of construction areas, provision of design documents, blueprints, materials on production process and techniques, as well as engineering, technical and economic consultation, and feasibility study, research and evaluation of projects. Also included under this category are the above - mentioned services of foreign - financed projects in China that are paid in foreign currencies.

EXPLANATORY NOTES ON
MAIN STATISTICAL INDICATORS

## □ Number of Tourists

refers to the number of foreigners, overseas Chinese, and compatriots from Hong Kong, Macao and Taiwan coming to China for sightseeing, visits, tours, family reunions, vacations, study tours and other activities of an economic, scientific and technological, cultural, physical culture and religious nature. This does not include the number of employees of foreign organizations stationed in China such as embassies, consulates, news agencies, the offices of corporations and enterprises and foreign experts and students residing in China and the persons staying briefly in China but not for passing the night .

## □ Foreign Exchange Earnings from International Tourism

refer to the total expenditures of the foreigners, overseas Chinese, compatriots from Hong Kong, Macao and Taiwan in the process of their tourism in the mainland of China.

# CHAPTER 12

# 财政、金融和保险

## Public Finance, Banking and Insurance

## 12-1　一般预算总收入和总支出(1978-2008年)
Total Financial Budgetary Revenue and Expenditure(1978-2008)

单位：亿元(100 million yuan)

| 年份 Year | 总收入 Total Revenue | #地方 The Local | 总支出 Total Expenditure | #一般公共服务支出 Expenditure on Public Service | #教育支出 Expenditure on Education | #城乡社区事务支出 Expenditure Urban and Lural Community Affairs | #农林水事务支出 Expenditure on Agriculture, Forestry and Land Reclamation, and Water Conservancy Affairs |
|---|---|---|---|---|---|---|---|
| 1978 | 27.45 | | 17.43 | | | | |
| 1979 | 25.87 | | 17.74 | | | | |
| 1980 | 31.13 | | 17.34 | | | | |
| 1981 | 34.34 | | 17.12 | | | | |
| 1982 | 36.64 | | 18.88 | | | | |
| 1983 | 41.79 | | 21.94 | | | | |
| 1984 | 46.67 | | 28.80 | | | | |
| 1985 | 58.25 | | 37.40 | | | | |
| 1986 | 68.61 | | 50.96 | | | | |
| 1987 | 76.36 | | 51.24 | | | | |
| 1988 | 85.55 | | 63.14 | | | | |
| 1989 | 98.21 | | 74.77 | | | | |
| 1990 | 101.59 | | 80.23 | | | | |
| 1991 | 108.94 | | 88.43 | | | | |
| 1992 | 118.36 | | 95.31 | | | | |
| 1993 | 166.64 | | 125.04 | | | | |
| 1994 | 209.39 | 94.63 | 153.03 | | | | |
| 1995 | 248.50 | 116.82 | 180.29 | | | | |
| 1996 | 291.75 | 139.63 | 213.71 | | | | |
| 1997 | 340.52 | 157.33 | 240.16 | | | | |
| 1998 | 401.80 | 198.10 | 286.81 | | | | |
| 1999 | 477.40 | 245.47 | 344.04 | | | | |
| 2000 | 658.42 | 342.77 | 431.30 | | | | |
| 2001 | 917.76 | 418.00 | 597.30 | | | | |
| 2002 | 1166.58 | 566.85 | 749.90 | | | | |
| 2003 | 1468.89 | 706.56 | 896.77 | | | | |
| 2004 | 1805.16 | 900.99 | 1062.94 | | | | |
| 2005 | 2115.36 | 1066.60 | 1265.53 | | | | |
| 2006 | 2567.66 | 1298.2 | 1471.86 | 272.88 | 310.77 | 127.37 | 114.03 |
| 2007 | 3239.89 | 1649.5 | 1806.79 | 328.91 | 383.89 | 154.63 | 142.15 |
| 2008 | 3730.06 | 1933.39 | 2208.58 | 372.46 | 453.99 | 193.95 | 177.42 |

注：本表2004年财政收入考虑出口退税因素，区别于12-2表。
The Revenue in 2004 was taken the factor of rebate into account, differing from table 12-2.

## 12－2 地方一般预算收入(2001－2006年)
## The Local Budgetary Financial Revenue(2001－2006)

单位：亿元(100 million yuan)

| 项目 | Item | 2001 | 2002 | 2003 | 2004 | 2005 | 2006 |
|---|---|---|---|---|---|---|---|
| **地方一般预算收入** | **The Local Budgetary Financial Revenue** | **418.00** | **566.85** | **706.56** | **805.95** | **1066.60** | **1298.2** |
| #增值税 | Value Added Taxes | 102.41 | 129.72 | 155.01 | 176.62 | 204.23 | 248.63 |
| 营业税 | Business Taxes | 124.89 | 171.69 | 220.07 | 286.27 | 324.33 | 386.87 |
| 企业所得税 | Enterprises Income Tax | 110.66 | 108.14 | 106.52 | 147.79 | 167.90 | 204.25 |
| 个人所得税 | Individual Income Tax | 33.98 | 43.55 | 45.79 | 56.21 | 66.12 | 80.98 |
| 城市维护建设税 | City Maintenance Taxes | 28.49 | 36.33 | 42.17 | 51.75 | 61.64 | 77.09 |
| 房产税 | Tax on Real Estates | 11.30 | 15.12 | 17.26 | 21.94 | 30.60 | 39.95 |
| 印花税 | Stamp Tax | 3.03 | 4.19 | 6.48 | 9.29 | 11.99 | 17.51 |
| 国有企业计划亏损补贴 | Subsidies to Loss-making State-owned Enterprises | -76.62 | -59.05 | -47.21 | -46.20 | -42.47 | -43.29 |
| 行政性收费收入 | Income from Adiministrative Fees | 7.58 | 13.56 | 20.32 | 25.30 | 26.55 | 38.39 |
| 罚没收入 | Penalty and Confiscatory Income | 18.59 | 27.75 | 31.29 | 42.87 | 58.44 | 59.08 |
| 专项收入 | Income of Special Projects | 17.70 | 21.72 | 25.90 | 34.45 | 41.84 | 52.72 |

注:12－1表与12－2表2004年地方一般预创收入的差额95.04亿元为地方承担的出口退税数。
The 9504 million yuan, which is the margin of local budgetary financial revenue in 2004 between table 12－1 and table 12－2, is the export tax rebated by the local government.

## 12－3 地方一般预算支出(2001－2006年)
## The Local Financial Budgetary Expenditure(2001－2006)

单位：亿元(100 million yuan)

| 项目 | Item | 2001 | 2002 | 2003 | 2004 | 2005 | 2006 |
|---|---|---|---|---|---|---|---|
| **地方一般预算支出** | **Financial Expenditure of the Local Government** | **597.30** | **749.90** | **896.77** | **1062.94** | **1265.53** | **1471.86** |
| #基本建设支出 | Expenditure for Capital Construction | 44.64 | 55.97 | 63.30 | 73.29 | 92.41 | 100.12 |
| 企业挖潜改造资金 | Enterprises' Innovation Funds | 43.43 | 46.92 | 48.90 | 53.76 | 57.29 | 55.22 |
| 科技三项费用 | Science and Technology Promotion Funds | 12.40 | 16.08 | 19.53 | 25.24 | 34.08 | 41.52 |
| 支农支出 | Supporting Agricultural Production | 40.22 | 50.50 | 59.86 | 75.10 | 86.15 | 101.87 |
| 文体广播事业费 | Culture, Sports and Broadcasting | 17.45 | 22.24 | 27.65 | 32.11 | 37.45 | 45.98 |
| 教育支出 | Education | 108.30 | 136.94 | 164.21 | 200.08 | 231.55 | 269.04 |
| 科学支出 | Science | 5.12 | 6.12 | 7.17 | 9.15 | 10.57 | 12.81 |
| 医疗卫生支出 | Public Health | 32.76 | 37.23 | 45.38 | 52.77 | 64.88 | 83.53 |
| 抚恤和社会福利救济费 | Pensions and Relief Funds of Social Welfare | 9.71 | 13.87 | 18.07 | 23.72 | 30.91 | 37.12 |
| 社会保障补助支出 | Subsidies for Social Security | 9.15 | 15.28 | 22.03 | 25.55 | 28.94 | 36.19 |
| 行政管理费 | Government Administration | 64.92 | 77.47 | 95.22 | 117.68 | 141.90 | 160.89 |
| 公检法司支出 | Expenditure of Public Security, Procuratorial Work, Law Court and Justice | 47.79 | 61.05 | 78.16 | 98.27 | 115.75 | 131.73 |
| 城市维护费 | City Maintenance | 43.82 | 51.43 | 59.61 | 62.19 | 76.41 | 84.36 |
| 政策性补贴支出 | Price Subsidies | 7.28 | 5.73 | 5.18 | 5.29 | 6.37 | 16.3 |
| 专项支出 | Special Projects | 16.62 | 19.14 | 22.50 | 25.15 | 37.47 | 44.87 |

## 12-4 地方一般预算收入和支出
The Local Financial Budgetary Revenue and Expenditure

单位：亿元(100 million yuan)

| 项目 | Item | 2006 | 2007 | 2008 |
|---|---|---|---|---|
| **一般预算收入合计** | **The Local Financial Budgetary Revenue** | **1298.20** | **1649.50** | **1933.39** |
| 税收收入小计 | The Amount of Tax Revenue | 1184.24 | 1535.35 | 1792.09 |
| 国内增值税(25%部分) | Value - added Taxe(25%) | 248.63 | 306.22 | 348.92 |
| 营业税 | Business Taxe | 386.87 | 495.05 | 574.3 |
| 企业所得税 | Company Income Tax | 204.23 | 274.56 | 303.10 |
| 个人所得税 | Personal Income Tax | 80.98 | 102.50 | 115.71 |
| 城市维护建设税 | Urban Maintenance and Construction Tax | 77.09 | 98.37 | 110.47 |
| 房产税 | Tax on Real Estates | 39.95 | 49.49 | 60.12 |
| 契税 | Contract Tax | 78.14 | 108.12 | 117.1 |
| 其他地方各税 | Others | 68.35 | 101.04 | 162.37 |
| 非税收入小计 | The Amount of Non Tax Revenue | 113.96 | 114.14 | 141.3 |
| 排污费收入 | Fee on Sewage Treatment | 9.30 | 9.81 | 10.72 |
| 教育费附加收入 | Extra Charge for Education | 36.35 | 45.87 | 52.19 |
| 行政事业性收费收入 | Administrative Fess Income | 38.39 | 29.37 | 33.1 |
| 罚没收入 | Penalty and Confiscatory Income | 59.08 | 63.84 | 71.01 |
| 其他收入 | Others | 14.13 | 16.56 | 22.7 |
| 国有企业计划亏损补贴 | Subsidies for the Loss of State - owned Enterprises | -43.29 | -51.31 | -48.42 |
| **一般预算支出合计** | **The Local Financial Budgetary Expenditure** | **1471.86** | **1806.79** | **2208.58** |
| 一般公共服务 | Public Service | 272.88 | 328.91 | 372.46 |
| 公共安全 | Pubic Safe | 146.53 | 173.79 | 199.62 |
| 教育 | Education | 310.77 | 383.89 | 453.99 |
| 科学技术 | Science and Technology | 54.93 | 71.54 | 86.79 |
| 文化体育与传媒 | Culture, Physical Culture and the Media | 39.47 | 49.35 | 63.76 |
| 社会保障和就业 | Social Security and Employment | 88.30 | 107.98 | 141.52 |
| 医疗卫生 | Medical and Health Service | 88.23 | 112.28 | 142.87 |
| 环境保护 | Environment Protect | 20.32 | 29.75 | 46.52 |
| 城乡社区事务 | Urban and Rural Community Affairs | 127.37 | 154.63 | 193.95 |
| 农林水事务 | Agriculture, Forestry and Land Reclamation, and Water Conservancy Affairs | 114.03 | 142.15 | 177.42 |
| 交通运输 | Transportation | 38.15 | 45.07 | 59.42 |
| 工业商业等事务 | Industrial and Business Affairs | 103.91 | 132.63 | 172.03 |
| 其他支出 | Others | 66.98 | 74.81 | 98.23 |

## 12－5 金融机构存贷款年末余额(1978－2008 年)
Deposits and Loans of Financial Institutions(year-end,RMB,1978－2008)

单位：亿元(100 million yuan)

| 年份<br>Year | 全部金融机构本外币存款余额<br>Deposits | 全部金融机构人民币存款余额<br>RMB Deposits | 城乡居民本外币储蓄存款年末余额<br>Savings Deposits | 城乡居民人民币储蓄存款年末余额<br>RMB Savings Deposits | 全部金融机构本外币贷款余额<br>Loans | 全部金融机构人民币贷款余额<br>RMB Loans |
|---|---|---|---|---|---|---|
| 1978 | | 35.79 | | 7.73 | | 48.90 |
| 1979 | | 44.92 | | 11.79 | | 54.91 |
| 1980 | | 60.74 | | 16.95 | | 73.30 |
| 1981 | | 74.26 | | 21.47 | | 85.85 |
| 1982 | | 88.20 | | 28.52 | | 97.88 |
| 1983 | | 108.14 | | 37.34 | | 109.42 |
| 1984 | | 143.17 | | 49.58 | | 161.39 |
| 1985 | | 185.66 | | 67.73 | | 210.81 |
| 1986 | | 248.68 | | 97.92 | | 288.97 |
| 1987 | | 306.44 | | 129.12 | | 365.87 |
| 1988 | | 354.26 | | 144.03 | | 433.41 |
| 1989 | | 441.13 | | 214.98 | | 505.48 |
| 1990 | | 606.01 | | 306.74 | | 618.14 |
| 1991 | | 789.64 | | 402.09 | | 749.93 |
| 1992 | | 1036.72 | | 514.44 | | 972.09 |
| 1993 | | 1316.53 | | 664.64 | | 1247.76 |
| 1994 | | 1910.98 | | 990.26 | | 1627.87 |
| 1995 | | 2623.60 | | 1377.22 | | 2103.65 |
| 1996 | | 3400.19 | | 1844.74 | | 2584.09 |
| 1997 | | 4297.07 | | 2293.55 | | 3273.73 |
| 1998 | | 5264.21 | | 2847.29 | | 3897.12 |
| 1999 | | 6273.15 | | 3261.34 | | 4650.50 |
| 2000 | | 7299.57 | | 3594.65 | | 5423.52 |
| 2001 | | 8823.12 | | 4262.38 | | 6482.22 |
| 2002 | 11899.34 | 11242.84 | 5700.77 | 5233.73 | 8791.38 | 8612.81 |
| 2003 | 15415.67 | 14758.15 | 6889.28 | 6452.21 | 12418.6 | 12014.28 |
| 2004 | 17855.05 | 17236.62 | 7741.65 | 7364.06 | 14982.54 | 14350.75 |
| 2005 | 21117.94 | 20494.16 | 9123.12 | 8746.02 | 17122.14 | 16557.67 |
| 2006 | 25005.92 | 24413.94 | 10801.7 | 10473.47 | 20757.83 | 20153.94 |
| 2007 | 29030.34 | 28504.46 | 11381.16 | 11160.73 | 24939.89 | 24144.42 |
| 2008 | 35481.2 | 34806.43 | 14804.54 | 14501.49 | 29658.67 | 28967.81 |

## 12-6 金融机构人民币信贷收支表(资金来源,2002-2008年)
Credit Funds Balance Sheet of Financial Institution (RMB, Sources of Funds, 2002-2008)

(年末余额) 单位:亿元(year-end)(100 million yuan)

| 项目 | Item | 2002 | 2003 | 2004 | 2005 | 2006 | 2007 | 2008 |
|---|---|---|---|---|---|---|---|---|
| **资金来源合计** | **All Sources** | **9387.89** | **13112.52** | **15565.89** | **21523.8** | **24975.06** | **28823.18** | **34845.46** |
| **各项存款** | **Deposits** | **11242.84** | **14758.15** | **17236.62** | **20494.16** | **24413.94** | **28504.46** | **34762.63** |
| 企业存款 | Deposits of Enterprise | 4314.47 | 5714.55 | 6558.11 | 7088.27 | 8376.87 | 10184.09 | 11121.41 |
| 财政存款 | Deposits of Finance | 165 | 214.95 | 316.75 | 375.3 | 442.45 | 716.27 | 775.67 |
| 机关团体存款 | Deposits of Government Department & Organizations | 316.65 | 483.54 | 541.04 | 759.45 | 1054.97 | 1201.96 | 1390.31 |
| 储蓄存款 | Savings Deposits | 5233.73 | 6452.21 | 7364.06 | 8746.02 | 10473.47 | 11160.73 | 14489.82 |
| 农业存款 | Agricultural Deposits | 445.73 | 637.76 | 678.3 | 699.77 | 826.79 | 1031.27 | 986.14 |
| 信托存款 | Trusted Deposits | 12.97 | 39.85 | 106.2 | 120.81 | | | |
| 委托存款 | Commission Deposits | 92.24 | 102.65 | 96.26 | 115.36 | 114.09 | 130.77 | 206.75 |
| 其他存款 | Other Deposits | 662.05 | 1112.64 | 1575.9 | 2589.18 | 3125.3 | 4079.37 | 5792.53 |
| **金融债券** | **Bonds** | **0.02** | **-88.43** | **-159.52** | | **15.08** | **23.63** | **38.73** |
| **应付及暂收款** | **Account Payable and Collecting of Money for the Time Being** | **173.88** | **224.26** | **275.17** | **407.49** | **472.27** | **909.12** | **1123.57** |
| **同业往来** | **Interbank Fund Transfer** | | **146.16** | **107.14** | **92.64** | **186.84** | **595.82** | **399.75** |
| **各项准备** | **All Reserves** | **60.12** | **91.89** | **175.91** | **170.33** | **217.97** | **265.54** | **400.28** |
| **所有者权益** | **Creditor's Equity** | **171.56** | **253.67** | **447.95** | **606.04** | **713.57** | **1034.83** | **1248.19** |
| **其他** | **Others** | **-2260.53** | **-2273.18** | **-2517.38** | **-246.86** | **-1044.61** | **-2510.22** | **-3127.69** |

注:金融机构包括人民银行、政策性银行、国有独资商业银行、邮政储蓄机构、其他商业银行、城市合作银行、农村信用社、城市信用社、信托投资公司、租赁公司、财务公司等。

Financial Institutions include the peoples banks, the state policy banks, the state-owned commercial banks, savings deposit agencies of postal office, other commercial banks, unban cooperative banks, rural credit cooperatives, urban credit banks, financial trust investment agencies, leasing corporations and financial companies etc.

## 12－7　金融机构人民币信贷收支表(资金运用,2002－2008年)
Credit Funds Balance Sheet of Financial Institution (RMB, Use of Funds, 2002－2008)

(年末余额) 单位：亿元(year－end)(100 million yuan)

| 项　目 | Item | 2002 | 2003 | 2004 | 2005 | 2006 | 2007 | 2008 |
|---|---|---|---|---|---|---|---|---|
| **资金运用合计** | **All Uses** | **9387.89** | **13112.52** | **15565.89** | **21523.8** | **24975.06** | **28823.18** | **34845.46** |
| **各项贷款** | **Loans** | **8612.81** | **12014.28** | **14350.75** | **16557.67** | **20153.94** | **24144.42** | **28921.78** |
| 短期贷款 | Short－term Loans | 5320.92 | 7036.28 | 8118.14 | 9283.91 | 11808.26 | 14600.36 | 17038.66 |
| 工业贷款 | Industrial Loans | 1150.92 | 1620.47 | 2079.64 | 2795.09 | 4206.54 | 5424.71 | 6333.41 |
| 商业贷款 | Commercial Loans | 778.72 | 932.51 | 843.39 | 816.5 | 968.12 | 1156.8 | 1340.95 |
| 建筑业贷款 | Construction Loans | 326.44 | 264.45 | 310.5 | 363.78 | 444.39 | 438.97 | 534.45 |
| 农业贷款 | Agricultural Loans | 343.83 | 586.55 | 692.15 | 842.11 | 1008.88 | 1275.59 | 1512.64 |
| 乡镇企业贷款 | Loans to Township Enterprises | 914.44 | 1125.59 | 1240.47 | 1366.13 | 1387.31 | 1621.42 | 1835.18 |
| 三资企业贷款 | Loans to Sino－foreign Joint Venture and Cooperative Enterprises and Foreign－funded Enterprises | 199.51 | 206.79 | 227.42 | 260.92 | 256.23 | 325.12 | 377.15 |
| 私营企业及个体贷款 | Loans to Private Enterprises and Individuals | 284.7 | 423.74 | 623.75 | 645.68 | 885.29 | 1239.77 | 1423.26 |
| 其他短期贷款 | Other Short－term Loans | 1321.59 | 1876.18 | 2100.82 | 2193.7 | 2651.5 | 3117.98 | 3681.62 |
| 中期流动资金贷款 | Medium－term Circulating Funds Loans | 226.5 | 279.58 | 293.36 | | | | |
| 中长期贷款 | Medium－term & Long－term Loans | 2522.02 | 4031.4 | 5202.22 | 6237.66 | 7420.18 | 8886.43 | 10595.5 |
| 基本建设贷款 | Capital Construction | 1348.51 | 2200.63 | 2806.44 | 3285.75 | 3851.89 | 4173.76 | 4863.51 |
| 技术改造贷款 | Technical Innovation | 65.01 | 89.33 | 107.71 | 106.35 | 89.68 | 85.89 | 98.2 |
| 其他中长期贷款 | Other Medium－term & Long－term Loans | 1108.5 | 1741.44 | 2291.07 | 2845.56 | 3478.61 | 4626.78 | 5633.79 |
| 信托贷款 | Trusted Loans | 10.92 | 21.27 | 93.16 | 107.63 | | | |
| 融资租赁 | Circulating Funds Tenancy | 24.16 | 44.56 | 39.39 | 16.33 | 32.98 | 81.12 | 141.57 |
| 委托贷款 | Commission Loans | 85.17 | 102.61 | 95.81 | 109.38 | 94.86 | 75.36 | 78.83 |
| 票据融资 | Circulating Funds of Bills | 416.71 | 493.31 | 502.35 | 798.61 | 794.6 | 495.97 | 1044.72 |
| 其他类贷款 | Other Loans | | | | | | | |
| 各项垫款 | Paying in Advance | 8.75 | 7.18 | 5.27 | 3.32 | 4.15 | 5.18 | 22.5 |
| **有价证券及投资** | **Securities & Investment** | **551.91** | **563.45** | **598.51** | **735.09** | **932.56** | **998.57** | **1074.64** |
| **应收及预付款** | **Collectable Account and Advance Payment** | **117.42** | **97.61** | **106.14** | **85.02** | **118.66** | **462.53** | **576.03** |
| **同业往来** | **Interbank Fund Transfer** | | **11.06** | **9.16** | **12.26** | **19.33** | **26.76** | **59.18** |
| **系统内资金往来** | **Current of bankroll in system** | | | | | | **2529.14** | |
| **二级准备金** | **Secondary Reserve Against Deposits** | | | | **1896.19** | **1761.32** | | |
| **行内资金往来** | **Inside－bank Transaction** | | | | **1607.82** | **1327.7** | | **3475.39** |
| **证券业务占款** | **Funding of Securities Purchase** | | | | | | | |
| **委托投资** | **Consigned Investments** | **11.24** | **12.89** | **18.59** | **10.57** | | | |
| **金银占款** | **Purchase of Gold & Silver** | **0.05** | **0.06** | | | | | |
| **固定资产** | **Fitness Assets** | | **260.52** | **318.37** | **394.34** | **413.7** | **375.55** | **432.47** |
| **外汇占款** | **Purchase of Foreign Excharges** | **9.79** | **13.86** | **20.59** | **17.06** | **28.05** | **33.32** | **57.1** |
| **库存现金** | **Storage Cash** | **104.48** | **130.26** | **164.9** | **174.14** | **203.78** | **252.89** | **248.87** |

## 12-8 金融机构现金收入(2002-2008年)
## Cash Income of Financial Institutions(2002-2008)

单位：亿元(100 million yuan)

| 项 目 | Item | 2002 | 2003 | 2004 | 2005 | 2006 | 2007 | 2008 |
|---|---|---|---|---|---|---|---|---|
| **收入合计** | **Total Income** | **37623.14** | **49898.58** | **63695.26** | **70701.64** | **81174.43** | **94491.16** | **89150.79** |
| 商品销售收入 | Commodity Sales | 4169.16 | 5136.7 | 6468.18 | 6846.86 | 7583.65 | 8268.26 | 8094.27 |
| 服务业收入 | Service Trade | 1246.51 | 1473 | 1738.37 | 1807.58 | 1984.99 | 2239.82 | 2141.68 |
| 税款收入 | Taxes | 171.71 | 224.01 | 268.3 | 283.01 | 296.27 | 397.92 | 399.37 |
| 城乡个体经营收入 | Urban and Rural Individual Business | 2805.18 | 3535.45 | 4363.61 | 4549.39 | 4630.66 | 4517.64 | 4264.62 |
| 储蓄存款收入 | Savings Deposits | 24601.39 | 33736.06 | 43581.51 | 49265.18 | 58205.86 | 68502.54 | 64561.94 |
| 其他金融机构收入 | Other Financial Institutions | 150.19 | 91.2 | 129.34 | 134.16 | 122.73 | 126 | 94.14 |
| 居民归还贷款收入 | Repayment of Loans by Residents | 828.57 | 1055.58 | 1371.43 | 1491.19 | 1642.74 | 1092.41 | 712.43 |
| 汇兑收入 | Remittances | 483.31 | 419.81 | 501.64 | 520.91 | 550.97 | 689.88 | 575.4 |
| 有价证券收入 | Securities | 75.75 | 78.74 | 76.04 | 83.09 | 74.51 | 86.34 | 54.85 |
| 其他收入 | Other Income | 3091.37 | 4148.03 | 5196.84 | 2720.27 | 7072.85 | 8570.35 | 8252.09 |

## 12-9 金融机构现金支出(2002-2008年)
## Cash Expenditures of Financial Institutions(2002-2008)

单位：亿元(100 million yuan)

| 项 目 | Item | 2002 | 2003 | 2004 | 2005 | 2006 | 2007 | 2008 |
|---|---|---|---|---|---|---|---|---|
| **支出合计** | **Total Expenditure** | **37881.02** | **50282.05** | **64098.42** | **71199.54** | **81730.24** | **95131.9** | **89792.74** |
| 工资性支出 | Wages | 1424.03 | 1919.53 | 2530.29 | 2843.45 | 3380.37 | 3899.11 | 3899.3 |
| 农副产品采购支出 | Purchases of Agricultural and Sideline Products | 919.67 | 1165.29 | 1426.32 | 1582.19 | 1485.5 | 1365.09 | 1145.79 |
| 工矿及其他产品采购支出 | Purchases of Industrial and Mineral Products | 1216.22 | 1632.57 | 2002.44 | 2156.99 | 2351.68 | 2065.81 | 1559.3 |
| 行政企事业管理费支出 | Government and Enterprises Management Funds | 1376.12 | 1582.24 | 1887.8 | 1937.22 | 2117.57 | 2406.6 | 2299.28 |
| 城乡个体经营支出 | Individual Business | 3665.53 | 4640.02 | 5356.4 | 5508.25 | 5823.27 | 5538.92 | 4860.7 |
| 储蓄存款支出 | Savings Deposits | 24970.95 | 33849.91 | 44388.4 | 50198.78 | 59141.01 | 71687.36 | 69192.58 |
| 其他金融机构支出 | Other Financial Institutions | 141.16 | 99.81 | 92.88 | 108.67 | 121.82 | 108.13 | 77.72 |
| 居民提取贷款支出 | Loans by Residents | 624.47 | 773.11 | 707.81 | 621.24 | 620.58 | 399.12 | 299.71 |
| 汇兑支出 | Remittances | 249.41 | 210.97 | 253.81 | 277.1 | 317.05 | 304.72 | 228.91 |
| 有价证券支出 | Securities | 77.07 | 70.98 | 68.83 | 59.62 | 52.96 | 82.45 | 56.33 |
| 其他支出 | Other Expenditure | 3216.39 | 4337.62 | 5383.44 | 5906.03 | 6854.27 | 7274.59 | 6173.12 |
| **投放(+)回笼(-)** | **Monetary Issues(+)Cash Withdrawn(-)** | **257.88** | **383.47** | **403.16** | **497.9** | **555.79** | **640.74** | **641.95** |

## 12-10 农村合作机构人民币存贷款年末余额(2002-2008年)
## Deposits and Loans of Rural Credit Cooperatives(RMB, year-end, 2002-2008)

单位：亿元(100 million yuan)

| 项 目 | Item | 2002 | 2003 | 2004 | 2005 | 2006 | 2007 | 2008 |
|---|---|---|---|---|---|---|---|---|
| **各项存款** | **Deposits** | **11847.52** | **2399.62** | **2731.7** | **3170.6** | **3761.56** | **4335.26** | **5182.75** |
| #企业存款 | Deposits of Enterprises | 111.7 | 160.63 | 206.49 | 235.14 | 261.25 | 328.11 | 359.67 |
| 储蓄存款 | Savings Deposits | 1277.3 | 1573.63 | 1806.04 | 2121.81 | 2487.57 | 2708.02 | 3498.09 |
| 活期储蓄存款 | Current Deposits | 332.21 | 459.7 | 577.39 | 745.94 | 908.57 | 1026.25 | 1252.16 |
| 定期储蓄存款 | Fixed Deposits | 945.09 | 1113.93 | 1228.65 | 1375.87 | 1579 | 1681.77 | 2245.93 |
| 农业存款 | Agricultural Deposits | 421.27 | 609.18 | 653.29 | 675.92 | 819.61 | 1021.99 | 977.81 |
| 其他存款 | Other Deposits | 25.9 | 39.52 | 37.29 | 98.1 | 147.04 | 228.04 | 304.29 |
| **各项贷款** | **Loans** | **1338.86** | **1802.87** | **1998.31** | **2310.36** | **2764.94** | **3195.91** | **3674.53** |
| #短期贷款 | Short-term Loans | 1248.38 | 1679.35 | 1879.82 | 2205 | 2616.96 | 3054.44 | 3460.5 |
| #农业贷款 | Agricultural Loans | 306.71 | 548.57 | 665.85 | 820.67 | 977.38 | 1248.82 | 1480.87 |
| 乡镇企业贷款 | Loans to Township Enterprises | 704.45 | 876.04 | 967.78 | 1141 | 1364.37 | 1601.25 | 1810.55 |
| 其他短期贷款 | Other Short-term Loans | 237.22 | 254.74 | 246.19 | 243.21 | 275.21 | 204.37 | 169.08 |
| 中长期贷款 | Medium-term & Long-term Loans | 48.67 | 65.03 | 72.58 | 64.25 | 82.48 | 90.75 | 110.37 |

注：2005年起农村信用社是指农村合作机构，具体包括农村信用社和农村合作银行两部分。
The Rural Credit Cooperatives include Rural Credit Cooperatives and Rural Cooperative Bank Since 2005.

## 12－11 保险公司分支机构情况(2008 年底)
## Basic Statistics on Institution of Insurance Corporations(End of 2008)

单位：个(unit)

| 城市 | City | 人寿保险 Life Insurance | | | | | 财产保险 Property Insurance | | | | |
|---|---|---|---|---|---|---|---|---|---|---|---|
| | | 分公司 Companies at City Level | 中心支公司 Centers | 支公司 Business Branches | 营业部 Business Division | 营销服务部 Service Division of Business | 分公司 Companies at City Level | 中心支公司 Centers | 支公司 Business Branches | 营业部 Business Division | 营销服务部 Service Division of Business |
| **合计** | **Total** | **41** | **111** | **175** | **126** | **1195** | **40** | **153** | **523** | **147** | **1469** |
| 杭州市 | Hangzhou | 30 | 2 | 24 | 23 | 216 | 24 | 1 | 80 | 36 | 295 |
| 宁波市 | Ningbo | 11 | 2 | 28 | | 130 | 16 | 9 | 105 | | 284 |
| 温州市 | Wenzhou | | 14 | 20 | 15 | 119 | | 18 | 64 | 18 | 190 |
| 嘉兴市 | Jiaxing | | 15 | 21 | 2 | 134 | | 20 | 48 | 3 | 108 |
| 绍兴市 | Shaoxing | | 13 | 10 | 21 | 99 | | 21 | 44 | 21 | 116 |
| 湖州市 | Huzhou | | 14 | 14 | 13 | 91 | | 15 | 21 | 14 | 90 |
| 金华市 | Jinhua | | 13 | 14 | 14 | 128 | | 22 | 56 | 17 | 123 |
| 台州市 | Taizhou | | 14 | 19 | 24 | 93 | | 19 | 49 | 15 | 121 |
| 衢州市 | Quzhou | | 11 | 8 | 14 | 67 | | 9 | 18 | 16 | 32 |
| 丽水市 | Lishui | | 6 | 8 | | 69 | | 10 | 28 | 7 | 51 |
| 舟山市 | Zhoushan | | 7 | 9 | | 49 | | 9 | 10 | | 59 |

## 12-12 保险公司主要业务经济技术指标(2002-2008年)
## Economic Technical Indicators of Insurance Companies (2002-2008)

单位：亿元(100 million yuan)

| 项 目 | Item | 2002 | 2003 | 2004 | 2005 | 2006 | 2007 | 2008 |
|---|---|---|---|---|---|---|---|---|
| **保费收入** | **Premium** | **210.35** | **260.33** | **291.08** | **313.33** | **363.02** | **441.94** | **576.35** |
| 财产险 | Property Insurance | 61.46 | 71.85 | 93.1 | 110.91 | 135.69 | 175.48 | 203.39 |
| #机动车辆保险 | Motor Vehicle Insurance | 38.29 | 46.25 | 64.54 | 78.37 | 102.33 | 136.16 | 156.56 |
| 人身意外伤害险 | Unforeseen Human Injury Insurance | 6.05 | 7.83 | 9.16 | 10.81 | 12.85 | 14.57 | 14.74 |
| 健康险 | Health Insurance | 7.25 | 13.87 | 16.46 | 17.12 | 19.7 | 18.63 | 29.09 |
| 寿险 | Life Insurance | 135.59 | 166.79 | 172.37 | 174.49 | 194.77 | 233.27 | 329.13 |
| **各项赔款和给付** | **Settled Claim and Payment** | **46.02** | **60** | **88.54** | **94.53** | **105.05** | **173.66** | **212.99** |
| 财产险 | Property Insurance | 29.41 | 36.58 | 60.15 | 68.25 | 72.66 | 90.19 | 128.74 |
| #机动车辆保险 | Motor Vehicle Insurance | 18.95 | 27.31 | 38.49 | 43.04 | 51.74 | 69.71 | 96.1 |
| 人身意外伤害险 | Unforeseen Human Injury Insurance | 1.66 | 2.19 | 3.09 | 3.31 | 3.68 | 4.49 | 3.75 |
| 健康险 | Health Insurance | 3.7 | 4.27 | 5.29 | 5.59 | 6.32 | 5.82 | 8.92 |
| 寿险 | Life Insurance | 11.25 | 16.95 | 20.01 | 17.38 | 22.39 | 73.16 | 71.58 |
| **退保金** | **Insurance Withdrawn** | **7.92** | **13.58** | **23.95** | **45.99** | **38.95** | **48.88** | **73.78** |
| **手续费及佣金支出** | **Service Charges and Expenditure for Commission** | **19.09** | **18.18** | **19.78** | **21.45** | **28.93** | **37.22** | **50.94** |

浙/江/统/计/年/鉴

# 主要统计指标解释

## ■ 财政收入

包括:(1) 各项税收　包括增值税、营业税、消费税、土地增值税、城市维护建设税、资源税、城市土地使用税、印花税、固定资产投资方向调节税、个人所得税、企业所得税、农牧业税和耕地占用税等。

(2)专项收入　包括征收排污费、征收城市水资源费收入、教育费附加收入等。

(3) 其他收入　包括基本建设贷款归还收入、国家能源交通重点建设基金收入、国家预算调节基金等。

(4) 国有企业计划亏损补贴　这项为负收入,冲减财政收入。

## ■ 财政支出

国家财政将筹集起来的资金进行分配使用,以满足经济建设和各项事业的需要,主要包括:

(1) 一般公共服务
(2) 公共安全
(3) 教育
(4) 科学技术
(5) 文化体育传媒
(6) 社会保障和就业
(7) 医疗卫生
(8) 环境保护
(9) 城乡社区事务
(10)农林水事务
(11)交通运输
(12)工业商业等事务

## ■ 信贷资金

指金融机构以信用方式积聚和分配的货币资金。金融机构信贷资金的来源有各项存款、金融债券发行、应付及暂收款、对国际金融机构负债、流通中货币、各项准备、所有者权益和其他项目等;信贷资金的运用有各项贷款、有价证券及投资、应收入预付款、委托投资、金银占款、外汇占款、库存现金、财政借款及在国际金融机构中的资产等。

## ■ 存款

指企业、机关、团体或居民根据资金必须收回的原则,把货币资金存入银行或其他信贷机构保管并取得一定利息的一种信用活动形式。根据存款对象或性质的不同可划分为企业存款、财政存款、机关团体存款、基本建设存款、储蓄存款、农村存款、委托存款、其他存款等科目。它是银行信贷资金的主要来源。

## ■ 贷款

指银行或其他信贷机构根据资金必须归还的原则,按一定利率,为企业、个人等提供资金的一种信用活动形式。我国银行贷款分为短期贷款、中期流动资金贷款、中长期贷款、信托贷款、融资租赁,委托贷款、票据融资、各项垫款等。

## ■ 保险公司

在中国境内的、经过保险监督管理部门批准设立,并依法登记注册的各类商业保险公司。

## ■ 保险金额

指保险人承担赔偿或者给付保险责任的最高限额。

## ■ 保费

指投保人为取得保险人在约定范围内所承担赔偿责任而支付给保险人的费用。

## ■ 赔款

指保险人根据保险合同的规定,向被保险人支付的赔偿保险责任损失的金额。

## ■ 给付

包括死伤医疗给付和满期给付。死伤医疗给付是指保险人根据人寿保险及长期健康保险合同的规定,因被保险人在保险期内发生保险责任范围内的保险事故支付给被保险人(或受益人)的金额。满期给付是指被保险人生存期满,保险人按人寿保险合同规定支付给被保险人的满期保险金额。

ZHEJIANG STATISTICAL YEARBOOK

# Explanatory Notes on Main Statistical Indicators

## □ Financial Revenue

It includes the following main items:

(1) Various tax revenues, including value added tax, business tax, consumption tax, land value added tax, tax on city maintenance and construction, resources tax, tax on use of urban land, stamp tax, tax on adjustment of the orientation of investment in fixed assets, personal income tax, enterprise income tax, tax on agriculture and animal husbandry and tax on occupancy of cultivated land, etc.

(2) Special revenues, including revenue collected from imposing fee on sewage treatment, revenue collected from imposing fee on urban water resources, and extra – charges for education, etc.

(3) Other revenues, including revenue from the repayment of capital construction loan, the funds for the state key construction projects in energy industry and transportation, and the funds for state budget adjustment, etc.

(4) Planned subsidies for the losses of the state – owned enterprises. This is an item of negative revenue, used to eat up part of the government revenue.

## □ Financial Expenditure

refers to the distribution and use of the funds the government finance has raised, so as to meet the needs of economic construction and various causes. It includes the following main items:

(1) Public Service

(2) Pubic Safe

(3) Education

(4) Science and Technology

(5) Culture, Physical Culture and the Media

(6) Social Security and Employment

(7) Medical and Health Service

(8) Environment Protect

(9) Urban and Rural Community Affairs

(10) Agriculture, Forestry and Land Reclamation, and Water Conservancy Affairs

(11) Transportation

(12) Industrial and Business Affairs

## □ Credit Funds

refer to the funds issued as loans by banking institutions. The sources of credit funds of the banking institutions included deposits, issue of financial bonds , account – pay – able and temporary gathering, liabilities to international financial institutions, currency in circulation, various reserves, owners' rights and interests and other items. The credit funds can be used in forms of loans, securities and investment, account receivable and advance payment, entrusted investment, gold, foreign exchange, cash on hand, government debt and assets in the international financial institutions.

## □ Deposit

is a form of credit by which enterprises, institutions, organizations or households can put money into banks and other credit institutions for safekeeping and interest earning under the principle of free withdrawal. According to different depositors, deposits are divided into enterprise deposits, treasury deposits, deposits of government agencies and organizations, capital construction deposits, savings deposits, rural saving deposits, entrusted deposits and other deposits. Deposits are major sources of the credit funds of banks.

## □ Loan

is a form of credit by which banks and other creditinstitutions provide funds at certain interest rate to enterprises and individuals in the light of the principle of unconditional repayment. Loans from Chinese banks include circulating capital loans, fixed assets loans, loans to urban and rural individuals engaged in industrial and commercial

EXPLANATORY NOTES ON MAIN STATISTICAL INDICATORS

business and agricultural loans.

### □ Insurance Companies

refer to commercial insurance companies of various forms registered by law and established in China with the approval of insurance regulatory agencies.

### □ Amount Insured

refers to the maximum that the insurant will get for the claim of the case insured.

### □ Premium

is the fee paid by the insurant to the insurer to obtain the obligation of compensation from the insurance within the agreed terms.

### □ Settled Claim

is the compensation paid by the insurer to the insurant in accordance with the insurance contract.

### □ Payment

includes payment fordeath, injury or medical teatment and mature payment. Payment for death, injury or medical treatment refers to the money paid to the insurant (or the beneficiary) in accordance with the life or health insurance contract when the insurant encounters accidents within the insured period covered in the contract. Mature payment refers to the mature payment to the insurant in accordance with the life insurance contract at the end of the insured period.

浙江统计年鉴 2009

ZHEJIANG STATISTICAL YEARBOOK

13

# CHAPTER 13

# 城市建设和生态环境

# City Construction and Environment

## 13－1 城市公用事业(2002－2008 年)
Urban Public Utilities(2002－2008)

| 项 目 | | Item | | 2002 | 2003 | 2004 | 2005 | 2006 | 2007 | 2008 |
|---|---|---|---|---|---|---|---|---|---|---|
| **自来水全年供水总量** | **(万吨)** | **Annual Supply of Tap Water** | **(10000 tons)** | **221756** | **237136** | **242488** | **261613** | **265807** | **265542** | **267864** |
| #生活用水量 | | Water Consumption for Residential Use | | 106810 | 111291 | 110032 | 119831 | 117597 | 120314 | 124350 |
| 人均日生活用水量 | (升) | Daily Water Consumption for Residential Use Per Capita | (Litres) | 239.85 | 236.32 | 228.06 | 243.93 | 230.68 | 189.28 | 194.22 |
| 用水普及率 | (%) | Percentage of Population with Access to Tap Water | (%) | 96.64 | 98.24 | 98.86 | 99.1 | 99.4 | 99.58 | 99.7 |
| **公共车辆总数** | **(辆)** | **Number of Public Transportation Vehicles** | **(unit)** | **12098** | **13244** | **15115** | **15981** | **17173** | **18712** | **21836** |
| 平均每万人拥有量 | (标台) | Number of Public Transportation Vehicles Owned Per 10000 Population | | 8.85 | 9.91 | 11.09 | 11.71 | 13.08 | 11.34 | 13.24 |
| **城市道路面积** | **(万平方米)** | **Area of Paved Roads** | **(10000 sq. m)** | **13716** | **16743** | **18777** | **21774** | **24040** | **25534** | **26736** |
| 人均拥有道路面积 | (平方米) | Areas of Paved Roads Per Capita | (sq. m) | 10.86 | 12.75 | 14.04 | 16.03 | 17.11 | 14.60 | 15.2 |
| **排水管道长度** | **(公里)** | **Length of Sewer Pipelines** | **(km)** | **12183** | **15331** | **16942** | **18607** | **21217** | **22064** | **23522** |
| **液化石油气供气总量** | **(万吨)** | **LPG** | **(10000 tons)** | **92.33** | **118.52** | **105.07** | **106.06** | **105.76** | **93.83** | **93.7** |
| 液化石油气家庭用量 | (万吨) | Consumption of LPG for Residential Use | (10000 tons) | 62.73 | 65.87 | 65.66 | 67.13 | 56.07 | 68.46 | 59.22 |
| 用气普及率 | (%) | Percentage of Population with Access to LPG | (%) | 94.43 | 96.85 | 98.22 | 98.47 | 98.3 | 97.78 | 97.72 |
| **城市绿化覆盖面积** | **(公顷)** | **Afforestation in Cities** | **(hectare)** | **45876** | **51174** | **56563** | **64892** | **69732** | **75090** | **81007** |
| 园林绿地面积 | (公顷) | Green Areas in Gardens | (hectare) | 36206 | 42846 | 47976 | 54980 | 57759 | 63303 | 69621 |
| #公园绿地面积 | | Public Green Areas | | 8213 | 9836 | 11252 | 12648 | 13751 | 15379 | 16882 |
| 人均公园绿地 | (平方米) | Public Green Areas Per Capita | (sq. m) | 6.51 | 7.49 | 8.42 | 9.31 | 9.79 | 8.79 | 9.6 |
| 公园个数 | (个) | Number of Parks | (unit) | 459 | 525 | 626 | 748 | 711 | 764 | 842 |
| 公园面积 | (公顷) | Areas of Parks | (hectare) | 3351 | 4113 | 4869 | 5943 | 10155 | 11378 | 12291 |
| **环境卫生** | | **Environmental Sanitation** | | | | | | | | |
| **污水处理率(%)** | | **Sewage Treatment Rate(%)** | | **40.33** | **45.9** | **53.44** | **59.46** | **61.5** | **70.08** | **75.1** |
| 生活垃圾清运量 | (万吨) | Volume of Living Garbage Disposal | (10000 tons) | 576 | 675 | 705 | 763 | 688 | 772.04 | 806.78 |

## 13－2 自然资源
Natural Resources

| 项　　目 | | Item | | 2006 | 2007 | 2008 |
|---|---|---|---|---|---|---|
| **人口** | | **Population** | | | | |
| 年末人口总数 | （万人） | Year-end Population | （10000 persons） | 4629.4 | 4659.34 | 4687.85 |
| 人口密度 | （人/平方公里） | Density of Population | （person/sq. km） | 455 | 458 | 460 |
| **土地** | | **Land** | | | | |
| 土地面积 | （万平方公里） | Land Area | （10000 sq. km） | 10.18 | 10.18 | 10.18 |
| 山区面积 | （%） | Mountains Area | （%） | 70.4 | 70.4 | 70.4 |
| 平原面积 | （%） | Plains Area | （%） | 23.2 | 23.2 | 23.2 |
| 河流湖泊面积 | （%） | Rivers Area | （%） | 6.4 | 6.4 | 6.4 |
| **气候（主要城市）** | | **Climate（Main Cities）** | | | | |
| 年平均降雨量 | （毫米） | Total Precipitation | （millimeters） | 1339.1 | 1374.3 | 1353.5 |
| 年平均气温 | （摄氏度） | Average Temperature | （℃） | 18.3 | 18.6 | 17.8 |
| **森林** | | **Forest** | | | | |
| 林地面积 | （万公顷） | Area of Afforestated Land | （10000 hectares） | 668.86 | 668.86 | 668.86 |
| 森林覆盖率 | （%） | Forest-coverage Rate | （%） | 60.65 | 60.65 | 60.65 |
| 林木蓄积量 | （万立方米） | Total Standing Stock Volume | （10000 cu. m） | 20500 | 20500 | 20500 |
| **水资源** | | **Water Resources** | | | | |
| 水资源总量 | （亿立方米） | Hydropower Resources | （100 million cu. m） | 903.59 | 892.15 | 855.23 |
| 总供水量 | （亿立方米） | Total Amount of Water Supply | （100 million cu. m） | 208.26 | 210.98 | 216.62 |
| 用水量构成 | （%） | Component of Water Use | （%） | | | |
| 农田灌溉 | | Farmlands Irrigation | | 43.1 | 41.4 | 39.0 |
| 林牧渔畜 | | Forestry, Animal Husbandry and Fishery | | 6.3 | 7.0 | 7.6 |
| 工业 | | Indrstry | | 30.1 | 30.4 | 28.2 |
| 居民生活 | | Consumption for Life | | 10.7 | 10.8 | 10.9 |
| 城镇公共用水 | | Urban Public Consumption | | 4.1 | 4.4 | 4.8 |
| 生态环境补水 | | Supplement for Ecological Environment | | 5.6 | 6.0 | 9.5 |
| 淡水已养殖面积 | （千公顷） | Cultivated Freshwater Area | （1000 hectares） | 211.99 | 214.92 | 212.02 |
| 海水已养殖面积 | （千公顷） | Cultivated Seawater Area | （1000 hectares） | 109.06 | 105.72 | 96.14 |
| 海岸线总长度 | （公里） | Length of Mainland Coastline | （km） | 6486 | 6486 | 6486 |
| **矿产资源（保有储量）** | **（万吨）** | **Mineral Resources（Ensured Reserves）** | **（10000 tons）** | | | |
| 铁矿石 | | Iron Ore | | 3266 | 3255 | 3204 |
| 煤 | | Coal | | 9433 | 9433 | 9433 |
| 沸石（矿石） | | Zeolite | | 12704 | 12704 | 12704 |
| 叶蜡石（矿石） | | Pyrophyllite | | 3297 | 3393 | 3355 |
| 普通萤石 | | Fluorite | | 2068 | 1981 | 1886 |
| 明矾石 | | Alumstone | | 9799 | 9787 | 9798 |
| 水泥用灰岩 | | Cement Limestone | | 265807 | 263675 | 272212 |

## 13-3 各市水资源总量(2002-2008年)
Total Amount of Water Resource by City(2002-2008)

单位:亿立方米(100 million cu. m)

| 城市 | City | 2002 | 2003 | 2004 | 2005 | 2006 | 2007 | 2008 |
|---|---|---|---|---|---|---|---|---|
| **合 计** | **Total** | **1230.48** | **574.48** | **675.67** | **1014.35** | **903.59** | **892.15** | **855.23** |
| 杭州市 | Hangzhou | 213.07 | 102.65 | 85.28 | 90.64 | 109.82 | 104.13 | 154.38 |
| 宁波市 | Ningbo | 100.47 | 29.31 | 67.96 | 92.6 | 55.31 | 83.2 | 71.6 |
| 温州市 | Wenzhou | 141.1 | 80.76 | 111.31 | 196.69 | 173.97 | 179.92 | 111.7 |
| 嘉兴市 | Jiaxing | 28.78 | 4.69 | 9.01 | 12.23 | 13.45 | 17.86 | 27.31 |
| 湖州市 | Huzhou | 46.7 | 21.35 | 23.41 | 29.63 | 28.63 | 33.64 | 46.85 |
| 绍兴市 | Shaoxing | 93.79 | 30.82 | 44.25 | 52.8 | 42.18 | 58.94 | 56.55 |
| 金华市 | Jinhua | 130.16 | 57.37 | 54.25 | 84.3 | 75.99 | 72.31 | 79.14 |
| 衢州市 | Quzhou | 146.18 | 81.5 | 64.84 | 87.05 | 89.64 | 62.71 | 86.54 |
| 舟山市 | Zhoushan | 12.55 | 1.7 | 5.86 | 8.53 | 5.5 | 5.33 | 8.08 |
| 台州市 | Taizhou | 101.02 | 36.3 | 80.23 | 141 | 86.63 | 102.25 | 67.75 |
| 丽水市 | Lishui | 216.66 | 128.03 | 129.27 | 218.88 | 222.45 | 171.86 | 145.34 |

## 13-4 各市供水总量(2002-2008年)
Total Amount of Water Supply by City(2002-2008)

单位:亿立方米(100 million cu. m)

| 城市 | City | 2002 | 2003 | 2004 | 2005 | 2006 | 2007 | 2008 |
|---|---|---|---|---|---|---|---|---|
| **合 计** | **Total** | **208.01** | **205.98** | **207.78** | **209.91** | **208.26** | **210.98** | **216.62** |
| 杭州市 | Hangzhou | 39.92 | 44.72 | 48.95 | 49.29 | 48.73 | 49.36 | 56.7 |
| 宁波市 | Ningbo | 18.25 | 18.08 | 19.56 | 20.17 | 20.33 | 20.82 | 21.12 |
| 温州市 | Wenzhou | 18.27 | 17.87 | 17.3 | 16.62 | 17.28 | 18.08 | 19 |
| 嘉兴市 | Jiaxing | 23.19 | 28.36 | 26.21 | 26.77 | 23.57 | 22.98 | 20.05 |
| 湖州市 | Huzhou | 18.04 | 17.64 | 18.41 | 17.76 | 18.8 | 18.38 | 17.67 |
| 绍兴市 | Shaoxing | 18.61 | 20.26 | 19.41 | 19.59 | 20.25 | 21.9 | 21.34 |
| 金华市 | Jinhua | 27.25 | 18.83 | 17.94 | 19.11 | 19.19 | 19.02 | 19.63 |
| 衢州市 | Quzhou | 16.26 | 15.94 | 14.86 | 15.45 | 14.95 | 14.81 | 14.59 |
| 舟山市 | Zhoushan | 1.54 | 1.46 | 1.4 | 1.41 | 1.35 | 1.39 | 1.28 |
| 台州市 | Taizhou | 17.67 | 15.39 | 16.11 | 15.36 | 15.42 | 15.55 | 16.34 |
| 丽水市 | Lishui | 9.01 | 7.43 | 7.63 | 8.38 | 8.4 | 8.69 | 8.88 |

## 13-5 主要城市平均气温(2008 年)
Average Temperature in Major Cities(2008)

单位:0.1 摄氏度(0.1℃)

| 城市名称 | City | 1月 Jan. | 2月 Feb. | 3月 Mar. | 4月 Apr. | 5月 May | 6月 June | 7月 July | 8月 Aug. | 9月 Sep. | 10月 Oct. | 11月 Nov. | 12月 Dec. | 年平均 Annual Average |
|---|---|---|---|---|---|---|---|---|---|---|---|---|---|---|
| 杭州 | Hangzhou | 37 | 38 | 127 | 170 | 230 | 245 | 299 | 282 | 256 | 202 | 127 | 75 | 174 |
| 宁波 | Ningbo | 48 | 41 | 119 | 163 | 218 | 249 | 301 | 281 | 258 | 206 | 134 | 80 | 175 |
| 温州 | Wenzhou | 82 | 68 | 133 | 179 | 223 | 260 | 287 | 282 | 270 | 225 | 161 | 110 | 190 |
| 嘉兴 | Jiaxing | 34 | 33 | 112 | 157 | 213 | 241 | 299 | 281 | 254 | 201 | 123 | 67 | 168 |
| 湖州 | Huzhou | 25 | 27 | 116 | 160 | 222 | 240 | 296 | 277 | 252 | 196 | 119 | 62 | 166 |
| 绍兴 | Shaoxing | 39 | 39 | 127 | 173 | 233 | 251 | 308 | 287 | 259 | 207 | 132 | 77 | 178 |
| 金华 | Jinhua | 49 | 48 | 140 | 185 | 241 | 257 | 305 | 294 | 268 | 213 | 137 | 81 | 185 |
| 衢州 | Quzhou | 44 | 44 | 132 | 178 | 235 | 251 | 295 | 284 | 262 | 209 | 130 | 74 | 178 |
| 舟山 | Zhoushan | 56 | 42 | 107 | 148 | 198 | 236 | 282 | 274 | 253 | 206 | 140 | 85 | 169 |
| 丽水 | Lishui | 61 | 63 | 148 | 192 | 241 | 269 | 303 | 294 | 268 | 217 | 143 | 87 | 191 |
| 临海 | Linhai | 63 | 55 | 132 | 172 | 224 | 256 | 295 | 286 | 265 | 215 | 145 | 88 | 183 |

注:本表由省气象局整理提供。表 13-6 至 13-7 同。
The data on this table are provided by Provincial Meteorological Bureau. Table from 13-6 to 13-7 are the same.

## 13-6 主要城市降水量(2008 年)
Precipitation in Major Cities(2008)

单位:0.1 毫米(0.1millimeters)

| 城市名称 | City | 1月 Jan. | 2月 Feb. | 3月 Mar. | 4月 Apr. | 5月 May | 6月 June | 7月 July | 8月 Aug. | 9月 Sep. | 10月 Oct. | 11月 Nov. | 12月 Dec. | 全年 Annual Total |
|---|---|---|---|---|---|---|---|---|---|---|---|---|---|---|
| 杭州 | Hangzhou | 917 | 614 | 377 | 1019 | 1177 | 3610 | 1144 | 1375 | 442 | 674 | 1185 | 205 | 12739 |
| 宁波 | Ningbo | 646 | 595 | 371 | 1147 | 957 | 3025 | 1054 | 1731 | 2181 | 870 | 873 | 235 | 13685 |
| 温州 | Wenzhou | 645 | 843 | 836 | 1536 | 1735 | 2332 | 2900 | 1446 | 910 | 374 | 400 | 69 | 14026 |
| 嘉兴 | Jiaxing | 991 | 435 | 327 | 791 | 1451 | 3504 | 1513 | 1003 | 1237 | 527 | 1115 | 290 | 13184 |
| 湖州 | Huzhou | 1164 | 507 | 291 | 645 | 1697 | 3975 | 1196 | 1680 | 1692 | 779 | 817 | 207 | 14650 |
| 绍兴 | Shaoxing | 904 | 566 | 479 | 956 | 1269 | 2744 | 1090 | 2659 | 787 | 759 | 976 | 233 | 13422 |
| 金华 | Jinhua | 719 | 655 | 486 | 1344 | 2481 | 3379 | 1565 | 1040 | 474 | 608 | 848 | 140 | 13739 |
| 衢州 | Quzhou | 854 | 627 | 602 | 1771 | 1529 | 2745 | 1455 | 1255 | 512 | 681 | 1065 | 166 | 13262 |
| 舟山 | Zhoushan | 700 | 548 | 460 | 1477 | 1629 | 2385 | 656 | 1623 | 3569 | 982 | 788 | 167 | 14984 |
| 丽水 | Lishui | 539 | 720 | 535 | 1308 | 1102 | 1607 | 1431 | 1240 | 1705 | 522 | 705 | 56 | 11470 |
| 临海 | Linhai | 553 | 639 | 414 | 1575 | 803 | 1603 | 2710 | 1849 | 1857 | 281 | 1360 | 77 | 13721 |

## 13-7　主要城市日照时数(2008 年)
Sunshine Hours in Major Cities(2008)

单位:0.1 小时(0.1hours)

| 城市名称 City | | 1月 Jan. | 2月 Feb. | 3月 Mar. | 4月 Apr. | 5月 May | 6月 June | 7月 July | 8月 Aug. | 9月 Sep. | 10月 Oct. | 11月 Nov. | 12月 Dec. | 全年 Annual Total |
|---|---|---|---|---|---|---|---|---|---|---|---|---|---|---|
| 杭州 | Hangzhou | 563 | 1327 | 1549 | 1150 | 2111 | 756 | 2254 | 1742 | 1308 | 1101 | 1207 | 1344 | 16412 |
| 宁波 | Ningbo | 733 | 1554 | 1794 | 1239 | 2117 | 656 | 2729 | 2131 | 1233 | 1502 | 1153 | 1556 | 18397 |
| 温州 | Wenzhou | 706 | 1082 | 1327 | 1151 | 1524 | 977 | 1897 | 1655 | 1347 | 1096 | 1291 | 1274 | 15327 |
| 嘉兴 | Jiaxing | 610 | 1594 | 1747 | 1199 | 2397 | 855 | 2581 | 1966 | 1521 | 1250 | 1294 | 1701 | 18715 |
| 湖州 | Huzhou | 632 | 1657 | 1754 | 1225 | 2395 | 805 | 2566 | 1825 | 1522 | 1298 | 1327 | 1650 | 18656 |
| 绍兴 | Shaoxing | 653 | 1651 | 1764 | 1351 | 2514 | 1114 | 2681 | 2193 | 1741 | 1598 | 1402 | 1546 | 20208 |
| 金华 | Jinhua | 674 | 1220 | 1638 | 1133 | 2115 | 997 | 2427 | 2142 | 1524 | 1304 | 1225 | 1509 | 17908 |
| 衢州 | Quzhou | 726 | 1345 | 1709 | 1255 | 2345 | 1046 | 2587 | 2325 | 2043 | 1609 | 1516 | 1731 | 20237 |
| 舟山 | Zhoushan | 703 | 1480 | 1763 | 1275 | 1997 | 781 | 2676 | 2121 | 1773 | 1440 | 1326 | 1583 | 18918 |
| 丽水 | Lishui | 635 | 937 | 1420 | 858 | 1696 | 1026 | 2208 | 1767 | 1423 | 1066 | 1238 | 1336 | 15610 |
| 临海 | Linhai | 614 | 1275 | 1577 | 1115 | 1431 | 695 | 2127 | 1761 | 1393 | 1300 | 1073 | 1320 | 15681 |

## 13－8 环境保护机构和人员情况(2008 年)
Institutions and Personnel on Environmental Protection(2008)

| 项 目 | Item | 合计 Total | 环保局 Environment Protection Bureau | 监测站 Monitoring Station | 监理所 Control Station | 科研所 Research Institutions | 其他 Others |
|---|---|---|---|---|---|---|---|
| **机构数(个)** | **Number of Institutions(unit)** | **534** | **109** | **83** | **89** | **7** | **246** |
| 年末实有人数(人) | Number of Personnel (person) | 6075 | 1402 | 2008 | 1428 | 199 | 1038 |
| 科技人员 | Scientific and Technical Personnel | 3209 | 130 | 1612 | 784 | 165 | 518 |
| #高级职称 | Senior Titles | 601 | 30 | 370 | 88 | 76 | 37 |
| 中级职称 | Medium Titles | 1201 | 52 | 615 | 293 | 69 | 172 |

## 13－9 废水排放及处理利用情况(2002－2008 年)
Discharging and Using of Industrial Waste Water(2002－2008)

单位:万吨(10000 tons)

| 项 目 | Item | 2002 | 2003 | 2004 | 2005 | 2006 | 2007 | 2008 |
|---|---|---|---|---|---|---|---|---|
| **废水排放总量** | **Waste Water Discharged** | **259099** | **270262** | **281326** | **313196** | **330694** | **338101** | **350393** |
| 生活及其他 | For Living and Others | 91051 | 102174 | 116052 | 120770 | 131101 | 136890 | 149815 |
| 工业 | Industry | 168048 | 168088 | 165274 | 192426 | 199593 | 201211 | 200578 |
| **工业废水排放达标量** | **Volume of Industrial Waste Water up to the Dischange Standards** | **161873** | **163387** | **158556** | **185978** | **172414** | **173220** | **182379** |
| **工业重复用水率 (%)** | **Rate of Water Utilized Repeatedly in Industry (%)** | **33.2** | **36.38** | **37.92** | **37.95** | **48.36** | **63** | **62.2** |

## 13－10 工业废气排放及处理利用情况(2002－2008 年)
Discharging and Using of Industrial Waste Gas(2002－2008)

| 项　目 | | Item | | 2002 | 2003 | 2004 | 2005 | 2006 | 2007 | 2008 |
|---|---|---|---|---|---|---|---|---|---|---|
| **工业废气排放总量** | **(亿标立方米)** | **Total Volume of Industrial Waste Gas Discharged** | **(100 million cu. m)** | **8532** | **10432** | **11749** | **13025** | **14702** | **17467** | **17620** |
| 燃料燃烧废气排放总量 | (万吨) | Waste Gas in the Process of Fuel Burning | (10000 tons) | 5921 | 7208 | 8223 | 8148 | 9216 | 11542 | 11397 |
| 生产工艺废气排放量 | (万吨) | Volume of Waste Gas from the Process of Production | (10000 tons) | 2611 | 3224 | 3526 | 4877 | 5486 | 5925 | 6223 |
| **二氧化硫排放量** | **(万吨)** | **Volume of Industrial $SO_2$ Discharged** | **(10000 tons)** | **59** | **71** | **78.9** | **83.1** | **82.9** | **77.5** | **71.5** |
| **烟尘排放量** | **(万吨)** | **Volume of Industrial Soot Discharged** | **(10000 tons)** | **19** | **18** | **20.8** | **19.9** | **19.5** | **17.2** | **16.7** |
| **粉尘排放量** | **(万吨)** | **Volume of Industrial dust Discharged** | **(10000 tons)** | **33** | **28** | **33.3** | **23.1** | **22** | **20.3** | **17.1** |

## 13－11 工业固体废物排放及处理利用情况(2002－2008 年)
Discharging and Treatment of Industrial Solid Wastes(2002－2008)

单位:万吨(10000 tons)

| 项　目 | Item | 2002 | 2003 | 2004 | 2005 | 2006 | 2007 | 2008 |
|---|---|---|---|---|---|---|---|---|
| **工业固体废物生产量** | **Volume of Industrial Solid Wastes Produced** | **1778** | **1976** | **2318** | **2514** | **3096** | **3613** | **3786** |
| 工业固体废物排放量 | Volume of Industrial Solid Wastes Discharged | 5 | 4 | 4.43 | 5.64 | 5.18 | 1.44 | 1.67 |
| 工业固体废物综合利用量 | Volume of Industrial Solid Wastes Utilized | 1506 | 1722 | 2037 | 2336 | 2855 | 3334 | 3495 |
| 工业固体废物贮存总量 | Volume of Industrial Solid Wastes Accumulated | 132 | 34 | 15.5 | 24.6 | 90.1 | 101.1 | 222.4 |

浙/江/统/计/年/鉴

# 主要统计指标解释

## ■ 工业废水排放量

指经过企业厂区所有排放口排到企业外部的工业废水量 。包括生产废水、外排的直接冷却水、超标排放的矿井地下水和与工业废水混排的厂区生活污水，不包括外排的间接冷却水（清污不分流的间按冷却水应计算在内）。

## ■ 工业废水排放达标量

指各项指标都达到国家或地方排放标准的外排工业废水量，包括未经处理外排达标的和经过处理后外排达标的两部分。国家排放标准见 GB8978-88。

## ■ 工业废气排放量

指企业厂区内燃料燃烧和生产工艺过程中产生的各种排入空气的含有污染物的气体的总量，以标准状态（273K，101325Pa）计。

## ■ 工业固体废物产生量

指企业在生产过程中产生的固体状、半固体状和高浓度液体状废弃物的总量，包括危险废物、冶炼废渣、粉煤灰、炉渣、煤矸石、尾矿、放射性废物和其他废物等；不包括矿山开采的剥离废石和掘进废石（煤矸石和呈酸性或碱性的废石除外）。酸性或碱性废石是指采掘的废石其流经水、雨淋水的 pH 值小于 4 或 pH 值大于 10.5 者 。

## ■ 工业固体废物综合利用量

指通过回收、加工、循环、交换等方式，从固体废物中提取或者使其转化为可以利用的资源、能源和其他原材料的固体废物量（包括当年利用往年的工业固体废物累计贮存量）。如用作农业肥料、生产建筑材料、筑路等。综合利用量由原产生固体废物的单位统计。

ZHEJIANG STATISTICAL YEARBOOK

# Explanatory Notes on Main Statistical Indicators

## □ Volume of Industrial Waste Water Discharged

refers to the volume of industrial waste water discharged, through all outlets, to the outside of industrial enterprises, including waste water produced, direct – cooling water, underground water from mines that does not meet the standard of discharge, and the domestic sewage mixed up with industrial waste water when discharged, but excluding discharged indirect – cooling water.

## □ Volume of Waste Water up to the Standard for Discharge

refers to the volume of discharged industrial waste water that, with or without treatment, has come up to the national or local standards for discharge.

## □ Volume of Waste Gas Emission

refers to waste gas emitted from burning of fuels and from production process in the area of the factory, and is measured by 10000 standard cubic metres each year under normal condition.

## □ Volume of Industrial Solid Wastes Produced

refers to the total volume of solid, semi – solid or highconcentration liquid residue produced by industrial enterprises in their production process, including dangerous wastes, residues from melting, slag, powdered coal ash, gangue, chemical residues, tailings, radioactive residues and other residues, but excluding stripped or dug stones in mining (except gangue and acid or alkali stones which are stones washed or soaked by water with a pH value smaller than 4 or larger than 10.5.)

## □ Volume of Industrial Solid Wastes Utilized in a Comprehensive Way

refers to the volume of solid wastes from which useful materials can be extracted or which can be changed to be utilizable resources, energy or other materials, including the volume of industrial solid wastes stored up in the previous years and utilized in the current year, such as the solid wastes utilized as fertilizers, building materials, for making roads or for other purpose. Statistical data on utilization of industrial solid wastes are collected by solid wastes producing units.

浙江统计年鉴 2009

ZHEJIANG STATISTICAL YEARBOOK

CHAPTER 14

# 教育、科技、专利、测绘和标准计量

Education, Science, Patent, Surveying and Mapping and Standard Calculating

## 14－1　高等学校基本情况(1978－2008年)
Basic Statistics on Institutions of Higher Education(1978－2008)

| 年份 Year | 学校数（所） Number of Schools (unit) | 招生数（人） New Students Enrollment (person) 本专科 Regular College Course and Specialized Subject | 招生数 研究生 Postgraduates | 在校学生数（人） Students Enrollment (person) 本专科 Regular College Course and Specialized Subject | 在校学生数 研究生 Postgraduates | 毕业生数（人） Graduates (person) 本专科 Regular College Course and Specialized Subject | 毕业生数 研究生 Postgraduates | 教职员工数（人） Number of School Staff and Workers (person) | #专任教师 Teachers |
|---|---|---|---|---|---|---|---|---|---|
| 1978 | 20 | 14241 | | 24223 | | 3743 | | 11961 | 5389 |
| 1979 | 20 | 9498 | | 32227 | | 1013 | | 13889 | 6275 |
| 1980 | 22 | 9387 | | 37815 | | 3710 | | 15619 | 6886 |
| 1981 | 22 | 9208 | | 41020 | | 5852 | | 16365 | 6933 |
| 1982 | 22 | 10162 | | 36088 | | 14968 | | 18181 | 7701 |
| 1983 | 24 | 12750 | | 39008 | | 10411 | | 19274 | 8219 |
| 1984 | 27 | 15030 | | 44883 | | 9002 | | 20431 | 8690 |
| 1985 | 35 | 19026 | | 52688 | | 11044 | | 22497 | 9908 |
| 1986 | 37 | 17877 | | 57352 | | 13027 | | 24723 | 10804 |
| 1987 | 37 | 18190 | | 60072 | | 15017 | | 25620 | 11223 |
| 1988 | 37 | 19364 | | 60419 | | 18712 | | 26472 | 11578 |
| 1989 | 37 | 18270 | | 61045 | | 17323 | | 26772 | 11574 |
| 1990 | 37 | 18264 | | 60327 | | 18417 | | 26787 | 11578 |
| 1991 | 36 | 18651 | | 59822 | | 18175 | | 27004 | 11208 |
| 1992 | 35 | 21217 | | 62226 | | 18267 | | 27821 | 11105 |
| 1993 | 36 | 27716 | | 73586 | | 15971 | | 27898 | 11148 |
| 1994 | 37 | 30482 | | 87428 | | 17895 | | 28212 | 11345 |
| 1995 | 37 | 28094 | | 92857 | | 22443 | | 28194 | 11491 |
| 1996 | 36 | 30541 | | 96480 | | 27133 | | 28107 | 11530 |
| 1997 | 35 | 33145 | | 102302 | | 26386 | | 28123 | 11595 |
| 1998 | 32 | 36668 | 2155 | 113543 | 5991 | 24296 | | 28327 | 11816 |
| 1999 | 36 | 59300 | 3216 | 151318 | 7460 | 30561 | 1578 | 30532 | 13140 |
| 2000 | 35 | 93516 | 4130 | 212375 | 9895 | 32477 | 1600 | 40037 | 18981 |
| 2001 | 38 | 120195 | 5577 | 293078 | 13237 | 37230 | 1882 | 44347 | 22168 |
| 2002 | 60 | 152470 | 6111 | 393145 | 16297 | 48431 | 2645 | 48481 | 25993 |
| 2003 | 64 | 173519 | 6863 | 484639 | 19269 | 78685 | 3514 | 48691 | 29945 |
| 2004 | 68 | 195617 | 8029 | 572759 | 22062 | 103123 | 4858 | 60833 | 35766 |
| 2005 | 67 | 215362 | 9577 | 651307 | 25637 | 133051 | 5558 | 58924 | 38402 |
| 2006 | 68 | 237157 | 10996 | 719869 | 27125 | 162531 | 8731 | 69730 | 42143 |
| 2007 | 77 | 249749 | 12326 | 777982 | 31409 | 183863 | 7387 | 73704 | 45622 |
| 2008 | 77 | 265696 | 13691 | 832224 | 35812 | 203203 | 8944 | 75986 | 47795 |

## 14-2 普通高等教育分类情况(2008 年)
Institutions of Higher Education by Type(2008)

| 分 类 | Item | 学校数(所) Number of Schools (unit) | 本、专科学生(人) Regular College Course and Specialized Subject (person) | | | 教职员工数(人) Number of School Staff and Workers (person) | |
|---|---|---|---|---|---|---|---|
| | | | 毕业生数 Graduates | 招生数 New Students Enrollment | 在校学生数 Students Enrollment | | #专任教师 Teachers |
| **总计** | **Total** | **77** | **203203** | **265696** | **832224** | **75986** | **47795** |
| **普通本科** | **Institutions of Higher Education** | **30** | **89838** | **129863** | **466909** | **53270** | **32925** |
| #民办本科 | Private Schools of Higher Education | 3 | 36002 | 55082 | 200634 | 13966 | 10558 |
| #独立学院 | Indenpendency Institutions | 22 | 30104 | 43473 | 165065 | 10270 | 7922 |
| **普通专科学校** | **Technological Academies** | **4** | **19586** | **16166** | **49596** | **2345** | **1480** |
| #民办 | Private Schools of Technological Academies | | 3406 | 1993 | 7748 | | |
| **高等职业学院** | **Higher Professional Institutions** | **43** | **88584** | **119667** | **315719** | **20371** | **13390** |
| #民办 | Private Schools of Higher Professional Institutions | 9 | 16083 | 25690 | 65849 | 3280 | 2421 |
| **广播电大举办普专班** | **The Regular Junior College Classes of Radio and TV Universities** | | **5195** | | | | |

## 14-3 中等职业学校基本情况(1978-2008年) Basic Statistics on Secondary Professional Schools(1978-2008)

| 年份 Year | 学校数(所) Number of Schools (unit) | 招生数(万人) New Students Enrollment (10000 persons) | 在校学生数(万人) Students Enrollment (10000 persons) | 毕业生数(万人) Graduates (10000 persons) | 教职员工数(万人) Staff and Workers (10000 persons) | #专任教师 Teachers |
|---|---|---|---|---|---|---|
| 1978 | 73 | 1.29 | 2.79 | 0.14 | 0.54 | 0.24 |
| 1979 | 75 | 1.24 | 3.42 | 0.61 | 0.55 | 0.30 |
| 1980 | 81 | 1.13 | 3.10 | 1.44 | 0.67 | 0.33 |
| 1981 | 83 | 1.16 | 2.67 | 1.59 | 0.75 | 0.35 |
| 1982 | 92 | 1.19 | 2.77 | 1.08 | 0.85 | 0.39 |
| 1983 | 96 | 1.30 | 3.07 | 0.98 | 0.87 | 0.41 |
| 1984 | 104 | 1.64 | 3.66 | 1.16 | 0.96 | 0.44 |
| 1985 | 119 | 1.99 | 4.36 | 1.29 | 1.12 | 0.49 |
| 1986 | 130 | 2.14 | 5.22 | 1.27 | 1.25 | 0.58 |
| 1987 | 134 | 2.26 | 5.79 | 1.66 | 1.34 | 0.65 |
| 1988 | 136 | 2.31 | 6.31 | 1.81 | 1.40 | 0.70 |
| 1989 | 140 | 2.31 | 6.61 | 2.02 | 1.49 | 0.72 |
| 1990 | 141 | 2.23 | 6.67 | 2.12 | 1.50 | 0.73 |
| 1991 | 141 | 2.41 | 6.77 | 2.29 | 1.52 | 0.72 |
| 1992 | 142 | 2.72 | 7.20 | 2.27 | 1.54 | 0.72 |
| 1993 | 144 | 3.59 | 8.48 | 2.28 | 1.55 | 0.72 |
| 1994 | 155 | 4.92 | 10.87 | 2.32 | 1.58 | 0.74 |
| 1995 | 158 | 6.00 | 13.91 | 2.9 | 1.61 | 0.78 |
| 1996 | 161 | 7.30 | 17.72 | 3.44 | 1.63 | 0.80 |
| 1997 | 151 | 5.68 | 15.74 | 3.99 | 1.64 | 0.81 |
| 1998 | 150 | 5.65 | 16.70 | 4.58 | 1.60 | 0.79 |
| 1999 | 149 | 5.16 | 16.52 | 5.08 | 1.49 | 0.78 |
| 2000 | 86 | 3.54 | 14.80 | 5.08 | 0.97 | 0.53 |
| 2001 | 82 | 3.10 | 12.93 | 4.77 | 0.57 | 0.31 |
| 2002 | 62 | 4.22 | 12.25 | 4.67 | 0.59 | 0.34 |
| 2003 | 57 | 4.67 | 12.07 | 4.12 | 0.60 | 0.36 |
| 2004 | 53 | 4.33 | 12.81 | 3.22 | 0.57 | 0.37 |
| 2005 | 51 | 4.36 | 12.94 | 3.83 | 0.55 | 0.37 |
| 2006 | 49 | 3.39 | 11.36 | 4.1 | 0.5 | 0.37 |
| 2007 | 402 | 21.38 | 63.13 | 20.56 | 3.36 | 2.69 |
| 2008 | 392 | 21.09 | 59.36 | 20.84 | 3.32 | 2.69 |

注:2007年起数据口径调整为职业高中和普通中等专业学校。

The data scope has been adjusted since 2007, including the vocational high schools and the general secondary specialized schools.

## 14-4 各级成人教育基本情况
Adult Education by Level

| 类别 | Item | 学校数（所）Schools (unit) 2006 | 2007 | 2008 | 毕（结）业生数（万人）Graduates (10000 persons) 2006 | 2007 | 2008 | 在校学生数（万人）Students Enrollment (1000 persons) 2006 | 2007 | 2008 |
|---|---|---|---|---|---|---|---|---|---|---|
| **成人高等学历教育** | **Adult Higher Education** | **14** | **11** | **11** | **2.38** | **8.37** | **10.26** | **28.9** | **30.92** | **30.79** |
| 广播电视大学 | Radio and TV Universities | 2 | 2 | 2 | 0.12 | 0.19 | 0.31 | 0.87 | 1.17 | 1.43 |
| 职工高等学校 | Schools of Higher Education for Staff and Workers | 8 | 5 | 5 | 0.14 | 0.41 | 0.43 | 1.59 | 1.54 | 1.55 |
| 教育学院 | Pedagogical Colleges | 4 | 4 | 4 | 0.02 | 0.49 | 0.74 | 1.48 | 1.27 | 0.72 |
| 普通高校 | Institutions of Higher Education | 68 | 67 | 68 | 2.1 | 7.28 | 8.78 | 24.96 | 26.94 | 27.08 |
| **成人中等学历教育** | **Secondary Education for Adults** | **74** | **70** | **66** | **1.54** | **1.34** | **1.44** | **3.71** | **3.76** | **3.81** |
| **成人中学** | **Secondary Schools for Adults** | **386** | **349** | **335** | **15.72** | **14.92** | **15.43** | **13.29** | **11.46** | **11.22** |
| **成人技术培训学校** | **Technical Training Schools for Adults** | **6677** | **6139** | **6788** | **407.27** | **428.61** | **460.49** | **376.54** | **398.66** | **428.42** |
| **成人初等学校** | **Primary Schools for Adults** | **215** | **141** | **101** | **1.95** | **1.69** | **0.62** | **1.96** | **11.46** | **0.69** |

## 14 - 5 技工学校基本情况(1980 - 2008 年)
Basic Statistics on Technical Schools(1980 - 2008)

| 年份<br>Year | 学校数<br>(所)<br>Number of Schools<br>(unit) | 在校学生数<br>(人)<br>Students Enrollment<br>(person) | 毕业生数<br>(人)<br>Graduates<br>(person) | 招生数<br>(人)<br>New Students Enrollment<br>(person) | 教职员工数<br>(人)<br>Staff and Workers<br>(person) |
|---|---|---|---|---|---|
| 1980 | 140 | 17093 | 5895 | 5139 | 2709 |
| 1981 | 139 | 12180 | 8718 | 4115 | 4462 |
| 1982 | 141 | 9386 | 5798 | 3813 | 3987 |
| 1983 | 142 | 8536 | 3935 | 4260 | 4266 |
| 1984 | 101 | 11152 | 2696 | 6110 | 4673 |
| 1985 | 94 | 14065 | 4138 | 6790 | 5146 |
| 1986 | 94 | 17122 | 3529 | 6717 | 5936 |
| 1987 | 92 | 19006 | 4663 | 6907 | 5960 |
| 1988 | 91 | 18243 | 6121 | 6125 | 5881 |
| 1989 | 94 | 17323 | 6377 | 6060 | 4464 |
| 1990 | 96 | 16365 | 5815 | 6176 | 5826 |
| 1991 | 94 | 18230 | 5083 | 7489 | 6131 |
| 1992 | 98 | 21663 | 5414 | 9480 | 6373 |
| 1993 | 99 | 31998 | 7523 | 14204 | 6541 |
| 1994 | 102 | 38658 | 10523 | 17603 | 6993 |
| 1995 | 104 | 15149 | 12140 | 20852 | 7273 |
| 1996 | 107 | 49246 | 15415 | 20438 | 7335 |
| 1997 | 107 | 56633 | 13709 | 24026 | 6758 |
| 1998 | 106 | 62052 | 17268 | 23916 | 6560 |
| 1999 | 99 | 63128 | 18081 | 22681 | 6197 |
| 2000 | 95 | 60968 | 21029 | 22630 | 7204 |
| 2001 | 97 | 59068 | 20410 | 23983 | 5914 |
| 2002 | 96 | 62572 | 17684 | 27123 | 5774 |
| 2003 | 87 | 70650 | 15933 | 33494 | 5616 |
| 2004 | 83 | 88652 | 19062 | 40536 | 6335 |
| 2005 | 79 | 97783 | 21954 | 39406 | 5441 |
| 2006 | 76 | 101968 | 25444 | 39318 | 7128 |
| 2007 | 72 | 95295 | 22940 | 35323 | 6348 |
| 2008 | 71 | 97072 | 23944 | 35621 | 6316 |

## 14－6 特殊教育情况(1980－2008 年)
Basic Statistics on Special Education(1980－2008)

| 年份 Year | 学校数（所） Number of Schools (unit) | 在校学生数（人） Students Enrollment (person) | 毕业生数（人） Graduates (person) | 招生数（人） New Students Enrollment (person) | 教职员工数（人） Staff and Workers (person) | #专任教师 Teachers |
|---|---|---|---|---|---|---|
| 1980 | 7 | 1293 | 73 | 203 | 174 | 116 |
| 1981 | 7 | 1347 | 109 | 204 | 177 | 117 |
| 1982 | 7 | 1407 | 118 | 224 | 186 | 136 |
| 1983 | 8 | 1478 | 129 | 271 | 225 | 162 |
| 1984 | 11 | 1668 | 81 | 340 | 258 | 186 |
| 1985 | 13 | 1784 | 150 | 380 | 311 | 231 |
| 1986 | 15 | 1979 | 125 | 412 | 334 | 242 |
| 1987 | 18 | 2303 | 128 | 553 | 410 | 294 |
| 1988 | 24 | 2621 | 201 | 641 | 507 | 370 |
| 1989 | 32 | 2985 | 135 | 594 | 600 | 435 |
| 1990 | 43 | 3443 | 222 | 832 | 729 | 555 |
| 1991 | 46 | 3963 | 142 | 784 | 847 | 639 |
| 1992 | 47 | 6907 | 346 | 918 | 963 | 735 |
| 1993 | 53 | 13202 | 548 | 4288 | 1081 | 824 |
| 1994 | 55 | 18038 | 1172 | 2774 | 1291 | 1003 |
| 1995 | 56 | 23690 | 1791 | 2831 | 1433 | 1130 |
| 1996 | 60 | 22691 | 1778 | 2261 | 1462 | 1169 |
| 1997 | 61 | 23919 | 2190 | 2306 | 1419 | 1154 |
| 1998 | 63 | 22812 | 3086 | 2486 | 1453 | 1172 |
| 1999 | 62 | 21840 | 3315 | 2437 | 1382 | 1120 |
| 2000 | 62 | 19749 | 3701 | 2445 | 1396 | 1139 |
| 2001 | 64 | 19358 | 2783 | 2593 | 1385 | 1068 |
| 2002 | 64 | 16484 | 2603 | 2158 | 1424 | 1122 |
| 2003 | 63 | 15357 | 2561 | 1947 | 1445 | 1133 |
| 2004 | 62 | 14195 | 2124 | 1663 | 1475 | 1194 |
| 2005 | 62 | 12889 | 1782 | 1465 | 1531 | 1233 |
| 2006 | 63 | 12160 | 1717 | 1535 | 1576 | 1281 |
| 2007 | 63 | 12993 | 1567 | 1612 | 1603 | 1326 |
| 2008 | 64 | 12924 | 1603 | 1864 | 1680 | 1413 |

## 14-7 普通中学基本情况(1978-2008年)
Basic Statistics on Regular Secondary Schools (1978-2008)

| 年份 Year | 学校数(所) Number of Schools (unit) | 招生数(万人) New Students Enrollment (10000 persons) | 在校学生数(万人) Students Enrollment (10000 persons) | 毕业生数(万人) Graduates (10000 persons) | 教职员工数(万人) Staff and Workers (10000 persons) | #专任教师 Teachers |
|---|---|---|---|---|---|---|
| 1978 | 4097 | 83.92 | 214.65 | 83.59 | 12.29 | 9.94 |
| 1979 | 3680 | 72.29 | 181.12 | 80.45 | 11.04 | 9.04 |
| 1980 | 3391 | 64.67 | 170.04 | 49.05 | 11.45 | 8.53 |
| 1981 | 3243 | 61.03 | 155.75 | 50.75 | 10.88 | 8.07 |
| 1982 | 3115 | 59.93 | 151.08 | 44.01 | 10.34 | 7.89 |
| 1983 | 3161 | 61.28 | 154.91 | 39.43 | 10.44 | 7.90 |
| 1984 | 3199 | 61.95 | 166.13 | 39.50 | 10.56 | 7.87 |
| 1985 | 3235 | 63.29 | 177.46 | 41.84 | 10.94 | 8.24 |
| 1986 | 3296 | 65.09 | 184.04 | 47.49 | 11.14 | 8.41 |
| 1987 | 3346 | 62.41 | 182.95 | 50.19 | 11.26 | 8.56 |
| 1988 | 3389 | 54.34 | 169.74 | 52.04 | 11.53 | 8.83 |
| 1989 | 3384 | 58.19 | 163.34 | 52.09 | 11.76 | 8.95 |
| 1990 | 3353 | 64.78 | 169.62 | 49.92 | 11.59 | 8.98 |
| 1991 | 3381 | 66.01 | 180.75 | 46.02 | 11.87 | 9.24 |
| 1992 | 3283 | 66.14 | 188.38 | 49.55 | 12.17 | 9.53 |
| 1993 | 3259 | 63.08 | 185.02 | 55.67 | 12.36 | 9.73 |
| 1994 | 3315 | 72.82 | 194.02 | 56.88 | 12.72 | 10.12 |
| 1995 | 3255 | 80.67 | 210.54 | 58.84 | 13.37 | 10.77 |
| 1996 | 3240 | 75.03 | 223.64 | 57.41 | 14.15 | 11.55 |
| 1997 | 3186 | 71.92 | 222.74 | 68.10 | 14.74 | 12.19 |
| 1998 | 3128 | 76.23 | 217.67 | 75.49 | 15.11 | 12.52 |
| 1999 | 2995 | 85.72 | 228.15 | 69.91 | 15.78 | 13.14 |
| 2000 | 2940 | 92.51 | 249.55 | 66.83 | 16.52 | 13.93 |
| 2001 | 2900 | 89.34 | 263.00 | 71.57 | 17.70 | 14.73 |
| 2002 | 2781 | 92.10 | 270.30 | 81.36 | 18.25 | 15.33 |
| 2003 | 2695 | 90.99 | 270.07 | 88.09 | 18.78 | 15.83 |
| 2004 | 2609 | 84.72 | 266.14 | 86.48 | 19.17 | 16.29 |
| 2005 | 2524 | 86.45 | 261.08 | 89.71 | 19.49 | 16.69 |
| 2006 | 2459 | 91.93 | 262.32 | 88.6 | 19.82 | 17.01 |
| 2007 | 2404 | 90.14 | 266.55 | 82.99 | 20.05 | 17.34 |
| 2008 | 2377 | 90.4 | 269.8 | 83.4 | 20.36 | 17.76 |

## 14－8 小学基本情况(1978－2008 年)
Basic Statistics on Primary Schools(1978－2008)

| 年份 Year | 学校数 (万所) Number of Schools (10000 unit) | 招生数 (万人) New Students Enrollment (10000 persons) | 在校学生数 (万人) Students Enrollment (10000 persons) | 毕业生数 (万人) Graduates (10000 persons) | 教职员工数 (万人) Staff and Workers (10000 persons) | #专任教师 Teachers | 小学学龄儿童入学率 (%) Percentage of School-age Children Enrolled |
|---|---|---|---|---|---|---|---|
| 1978 | 4.45 | 104.85 | 501.43 | 81.56 | 18.07 | 17.35 | 97.60 |
| 1979 | 4.26 | 86.44 | 486.77 | 72.47 | 18.38 | 17.54 | 97.40 |
| 1980 | 4.17 | 83.58 | 482.42 | 71.07 | 18.45 | 17.26 | 97.00 |
| 1981 | 4.10 | 74.19 | 459.83 | 78.66 | 17.66 | 16.50 | 97.20 |
| 1982 | 3.94 | 70.63 | 430.59 | 81.06 | 17.09 | 15.94 | 97.00 |
| 1983 | 3.82 | 70.20 | 407.20 | 83.03 | 16.44 | 15.25 | 97.40 |
| 1984 | 3.75 | 70.10 | 395.46 | 76.47 | 16.08 | 14.82 | 97.80 |
| 1985 | 3.65 | 67.78 | 384.91 | 75.34 | 16.09 | 14.62 | 98.10 |
| 1986 | 3.56 | 69.38 | 378.09 | 72.15 | 15.84 | 14.42 | 98.30 |
| 1987 | 3.45 | 57.33 | 365.15 | 67.32 | 15.55 | 14.16 | 98.60 |
| 1988 | 3.36 | 63.19 | 366.04 | 58.54 | 15.78 | 14.39 | 98.90 |
| 1989 | 3.27 | 72.30 | 375.73 | 60.16 | 16.11 | 14.65 | 99.10 |
| 1990 | 3.18 | 64.60 | 372.43 | 65.81 | 14.88 | 13.46 | 99.30 |
| 1991 | 2.97 | 57.85 | 362.64 | 65.64 | 14.97 | 13.50 | 99.30 |
| 1992 | 2.73 | 57.90 | 355.21 | 63.74 | 15.10 | 13.63 | 99.40 |
| 1993 | 2.53 | 64.74 | 359.23 | 59.33 | 15.23 | 13.77 | 99.50 |
| 1994 | 2.37 | 72.71 | 366.15 | 66.20 | 15.46 | 13.98 | 99.70 |
| 1995 | 2.26 | 66.19 | 362.98 | 70.01 | 15.84 | 14.34 | 99.70 |
| 1996 | 2.14 | 63.84 | 363.80 | 63.90 | 16.30 | 14.85 | 99.80 |
| 1997 | 1.97 | 61.39 | 368.57 | 57.72 | 16.84 | 15.40 | 99.88 |
| 1998 | 1.69 | 56.19 | 365.23 | 59.59 | 17.17 | 15.69 | 99.92 |
| 1999 | 1.38 | 65.46 | 363.31 | 67.83 | 17.53 | 16.00 | 99.95 |
| 2000 | 1.18 | 61.58 | 353.76 | 71.58 | 17.57 | 16.04 | 99.93 |
| 2001 | 1.00 | 58.45 | 346.28 | 66.66 | 17.64 | 15.99 | 99.97 |
| 2002 | 0.90 | 57.78 | 343.75 | 64.48 | 17.65 | 16.01 | 99.99 |
| 2003 | 0.77 | 52.45 | 340.29 | 59.78 | 17.54 | 15.91 | 99.98 |
| 2004 | 0.67 | 51.42 | 344.31 | 53.24 | 17.61 | 16.01 | 99.99 |
| 2005 | 0.61 | 48.96 | 342.40 | 55.25 | 17.79 | 16.22 | 99.99 |
| 2006 | 0.55 | 52.99 | 339.43 | 62.04 | 17.98 | 16.38 | 99.99 |
| 2007 | 0.48 | 54.85 | 335.46 | 62.81 | 18.12 | 16.56 | 99.99 |
| 2008 | 0.44 | 55.78 | 332.28 | 62.48 | 18.28 | 16.78 | 99.99 |

## 14-9　幼儿园基本情况(1979-2008年)
## Basic Statistics on Kindergartens(1979-2008)

| 年份<br>Year | 园数<br>(所)<br>Number of Kindergartens<br>(unit) | 班数<br>(个)<br>Number of Classes<br>(unit) | 在园幼儿数<br>(万人)<br>Number of Children Enrollment<br>(10000 persons) | 教职员工数<br>(人)<br>Staff and Workers<br>(person) | #专任教师<br>Teachers |
|---|---|---|---|---|---|
| 1979 | 3100 | 8908 | 28.34 | 13400 | 10095 |
| 1980 | 7067 | 14951 | 43.39 | 20601 | 17473 |
| 1981 | 5235 | 14605 | 41.97 | 20737 | 17473 |
| 1982 | 6409 | 14916 | 44.52 | 22209 | 18212 |
| 1983 | 6120 | 15440 | 47.19 | 23198 | 18839 |
| 1984 | 11511 | 20043 | 60.65 | 28735 | 24074 |
| 1985 | 12468 | 21902 | 65.41 | 30801 | 26180 |
| 1986 | 12375 | 24286 | 71.90 | 34210 | 29012 |
| 1987 | 13366 | 25980 | 81.25 | 37548 | 31680 |
| 1988 | 12590 | 26048 | 80.32 | 38205 | 32261 |
| 1989 | 12153 | 26277 | 74.85 | 38955 | 32703 |
| 1990 | 11824 | 26684 | 75.16 | 39859 | 33556 |
| 1991 | 11242 | 28308 | 85.72 | 41706 | 34425 |
| 1992 | 9860 | 29035 | 94.30 | 41052 | 34024 |
| 1993 | 9179 | 29396 | 97.63 | 43522 | 35887 |
| 1994 | 11705 | 31178 | 99.33 | 48006 | 39453 |
| 1995 | 11794 | 31530 | 99.43 | 49377 | 40220 |
| 1996 | 11915 | 32654 | 98.95 | 50389 | 40678 |
| 1997 | 12920 | 34637 | 100.21 | 54459 | 43503 |
| 1998 | 14068 | 37270 | 105.90 | 58867 | 46500 |
| 1999 | 14864 | 38637 | 108.38 | 61549 | 47902 |
| 2000 | 15073 | 41271 | 112.45 | 67773 | 51168 |
| 2001 | 12501 | 43167 | 115.13 | 72593 | 48195 |
| 2002 | 11920 | 44483 | 117.61 | 75000 | 49442 |
| 2003 | 11560 | 44651 | 117.96 | 83022 | 54056 |
| 2004 | 11367 | 46490 | 127.85 | 91772 | 58732 |
| 2005 | 11472 | 47153 | 132.22 | 98629 | 62679 |
| 2006 | 11437 | 48666 | 138.91 | 106202 | 67046 |
| 2007 | 10411 | 51048 | 147.78 | 115965 | 73164 |
| 2008 | 10212 | 53755 | 159.34 | 127635 | 79741 |

## 14－10 各级学校女学生和女教师数(2003－2008 年)
## Female Students and Teachers by Level of Schools(2003－2008)

| 类 别 | Item | 2003 | 2004 | 2005 | 2006 | 2007 | 2008 |
|---|---|---|---|---|---|---|---|
| **女学生数 (万人)** | **Number of Female Students (10000 persons)** | **344.93** | **350.25** | **352** | **352.13** | **353.63** | **354.29** |
| 普通高等学校 | Institutions of Higher Education | 22.92 | 27.69 | 33.15 | 37.21 | 40.4 | 43.15 |
| 中等职业学校 | Specialized Secondary Schools | 35.55 | 37.05 | 36.98 | 34.45 | 32.62 | 30.42 |
| 普通中学 | Regular Secondary Schools | 126.96 | 125.08 | 123.13 | 124.04 | 126.55 | 128.52 |
| 小学 | Primary Schools | 159.5 | 160.43 | 158.74 | 156.43 | 154.06 | 152.21 |
| **女学生占学生总数 %** | **Percentage of Female Students to Total Students** | **47.41** | **47.39** | **47.56** | **47.36** | **47.36** | **47.34** |
| 普通高等学校 | Institutions of Higher Education | 48.75 | 49.67 | 52.38 | 51.69 | 51.93 | 51.85 |
| 中等职业学校 | Specialized Secondary Schools | 51.08 | 50.85 | 50.46 | 49.43 | 48.77 | 48.16 |
| 普通中学 | Regular Secondary Schools | 46.91 | 47 | 47.16 | 47.29 | 47.48 | 47.63 |
| 小学 | Primary Schools | 46.87 | 46.59 | 46.36 | 46.09 | 45.92 | 45.81 |
| **女教师数 (万人)** | **Number of Female Teachers (10000 persons)** | **19.8** | **20.78** | **21.58** | **22.36** | **23.08** | **23.83** |
| 普通高等学校 | Institutions of Higher Education | 1.24 | 1.5 | 1.62 | 1.79 | 1.97 | 2.08 |
| 中等职业学校 | Specialized Secondary Schools | 1.36 | 1.51 | 1.6 | 1.63 | 1.61 | 1.59 |
| 普通中学 | Regular Secondary Schools | 7.44 | 7.8 | 8.12 | 8.43 | 8.73 | 9.11 |
| 小学 | Primary Schools | 9.77 | 9.97 | 10.24 | 10.51 | 10.77 | 11.06 |
| **女教师占教师总数 %** | **Percentage of Female Teachers to Total Teachers** | **52.59** | **53.25** | **53.96** | **54.72** | **55.43** | **56.16** |
| 普通高等学校 | Institutions of Higher Education | 41.43 | 41.9 | 42.22 | 42.47 | 43.2 | 43.53 |
| 中等职业学校 | Specialized Secondary Schools | 46.68 | 48.09 | 49.23 | 50.24 | 50.63 | 51.16 |
| 普通中学 | Regular Secondary Schools | 46.97 | 47.88 | 48.65 | 49.57 | 50.35 | 51.27 |
| 小学 | Primary Schools | 61.37 | 62.27 | 63.14 | 64.15 | 65.04 | 65.86 |

## 14-11 每万人口中在校学生数和构成(1979-2008年)
Students Enrollment Per 10 Thousand Population and Its Composition(1979-2008)

| 年份 Year | 各级学校在校学生占全省人口(%) Students Enrollment as Percentage of Total Population(%) | 平均每万人口中 Number of Students Per 10000 Population | | | 大、中、小学生占学生总数(%) Students of Different Level as Percentage of Total Students(%) | | |
|---|---|---|---|---|---|---|---|
| | | 大学生(人) University and College Students (person) | 中学生(人) Secondary School Students (person) | 小学生(人) Primary School Students (person) | 大学生(人) University and College Students (person) | 中学生(人) Secondary School Students (person) | 小学生(人) Primary School Students (person) |
| 1979 | 17.79 | 8.50 | 486.60 | 1283.56 | 0.5 | 27.4 | 72.2 |
| 1980 | 17.27 | 9.88 | 456.50 | 1260.71 | 0.6 | 26.4 | 73.0 |
| 1981 | 16.11 | 10.60 | 412.65 | 1187.73 | 0.7 | 25.6 | 73.7 |
| 1982 | 15.01 | 9.20 | 394.84 | 1097.23 | 0.6 | 26.3 | 73.1 |
| 1983 | 14.43 | 9.84 | 405.18 | 1027.48 | 0.7 | 28.1 | 71.2 |
| 1984 | 14.38 | 11.24 | 436.36 | 990.36 | 0.8 | 30.3 | 68.9 |
| 1985 | 14.37 | 13.08 | 469.11 | 955.22 | 0.9 | 32.6 | 66.5 |
| 1986 | 14.29 | 14.09 | 486.19 | 928.95 | 1.0 | 34.0 | 65.0 |
| 1987 | 13.80 | 14.58 | 479.78 | 886.03 | 1.1 | 34.8 | 64.2 |
| 1988 | 13.36 | 14.49 | 443.83 | 877.83 | 1.1 | 33.2 | 65.7 |
| 1989 | 13.32 | 14.50 | 424.92 | 892.71 | 1.1 | 31.9 | 67.0 |
| 1990 | 13.33 | 14.25 | 439.14 | 879.43 | 1.1 | 32.9 | 66.0 |
| 1991 | 13.29 | 14.04 | 463.63 | 850.99 | 1.1 | 34.9 | 64.0 |
| 1992 | 13.25 | 14.52 | 481.58 | 828.79 | 1.1 | 36.3 | 62.6 |
| 1993 | 13.28 | 17.06 | 477.71 | 832.84 | 1.3 | 36.0 | 62.7 |
| 1994 | 13.72 | 20.14 | 508.46 | 843.42 | 1.5 | 37.0 | 61.5 |
| 1995 | 14.07 | 21.25 | 554.97 | 830.70 | 1.5 | 39.5 | 59.0 |
| 1996 | 14.37 | 21.93 | 588.29 | 826.80 | 1.5 | 41.0 | 57.5 |
| 1997 | 14.48 | 23.13 | 591.39 | 833.44 | 1.6 | 40.8 | 57.6 |
| 1998 | 14.34 | 25.52 | 587.47 | 821.32 | 1.8 | 41.0 | 57.2 |
| 1999 | 14.58 | 33.87 | 611.26 | 813.24 | 2.3 | 41.9 | 55.8 |
| 2000 | 14.86 | 47.19 | 554.41 | 785.92 | 3.2 | 43.9 | 52.9 |
| 2001 | 14.71 | 62.39 | 671.88 | 737.19 | 4.3 | 45.2 | 50.5 |
| 2002 | 15.08 | 83.10 | 698.64 | 726.63 | 5.5 | 46.3 | 48.2 |
| 2003 | 15.30 | 101.74 | 712.76 | 714.38 | 6.7 | 46.6 | 46.7 |
| 2004 | 15.49 | 119.24 | 713.13 | 716.79 | 7.7 | 46.0 | 46.3 |
| 2005 | 15.26 | 132.97 | 681.65 | 699.06 | 9.1 | 44.6 | 46.3 |
| 2006 | 15.13 | 144.55 | 687.18 | 681.59 | 9.6 | 45.4 | 45.0 |
| 2007 | 14.93 | 159.96 | 670.37 | 662.96 | 10.7 | 44.9 | 44.4 |
| 2008 | 14.8 | 169.54 | 661.84 | 648.98 | 11.5 | 44.7 | 43.8 |

注:从2001年起按常住人口算。 The data in this table were calculated by resident population.

## 14－12 学校教师负担学生数(1979－2008 年)
Student-teachers Ratio by Level of Schools(1979－2008)

| 年份 Year | 高等学校 Institutions of Higher Education | | 中等学校 Secondary Schools | | 小学 Primary Schools | |
|---|---|---|---|---|---|---|
| | 教师数(万人) Number of Teachers (10000 persons) | 平均每个教师负担学生(人) Student-Teacher Ratio (person) | 教师数(万人) Number of Teachers (10000 persons) | 平均每个教师负担学生(人) Student-Teacher Ratio (person) | 教师数(万人) Number of Teachers (10000 persons) | 平均每个教师负担学生(人) Student-Teacher Ratio (person) |
| 1979 | 0.63 | 5.10 | 9.34 | 19.80 | 17.54 | 27.80 |
| 1980 | 0.69 | 5.50 | 8.95 | 19.50 | 17.26 | 28.00 |
| 1981 | 0.69 | 5.90 | 8.51 | 18.80 | 16.50 | 27.90 |
| 1982 | 0.77 | 4.70 | 8.35 | 18.60 | 15.94 | 27.00 |
| 1983 | 0.82 | 4.70 | 8.45 | 19.00 | 15.25 | 26.70 |
| 1984 | 0.87 | 5.20 | 8.54 | 20.40 | 14.82 | 26.70 |
| 1985 | 0.99 | 5.30 | 9.12 | 20.70 | 14.62 | 26.30 |
| 1986 | 1.08 | 5.30 | 9.45 | 20.90 | 14.42 | 26.20 |
| 1987 | 1.12 | 5.40 | 9.71 | 20.40 | 14.16 | 25.80 |
| 1988 | 1.16 | 5.20 | 10.12 | 18.30 | 14.39 | 25.40 |
| 1989 | 1.16 | 5.30 | 10.28 | 17.40 | 14.65 | 25.60 |
| 1990 | 1.16 | 5.20 | 10.36 | 18.00 | 13.46 | 27.70 |
| 1991 | 1.12 | 5.30 | 10.62 | 18.60 | 13.50 | 26.90 |
| 1992 | 1.11 | 5.60 | 10.97 | 18.80 | 13.63 | 26.10 |
| 1993 | 1.11 | 6.60 | 11.27 | 18.30 | 13.77 | 26.10 |
| 1994 | 1.13 | 7.70 | 11.75 | 18.80 | 13.98 | 26.20 |
| 1995 | 1.15 | 8.10 | 12.57 | 19.30 | 14.34 | 25.30 |
| 1996 | 1.15 | 8.40 | 13.43 | 19.30 | 14.85 | 24.50 |
| 1997 | 1.16 | 8.80 | 13.46 | 19.40 | 15.40 | 23.93 |
| 1998 | 1.18 | 9.60 | 14.66 | 17.80 | 15.69 | 23.28 |
| 1999 | 1.31 | 11.55 | 15.40 | 17.73 | 16.00 | 22.71 |
| 2000 | 1.90 | 11.17 | 14.83 | 18.24 | 16.04 | 22.05 |
| 2001 | 2.22 | 13.20 | 17.08 | 18.48 | 15.99 | 21.66 |
| 2002 | 2.60 | 15.12 | 18.01 | 18.35 | 16.01 | 21.47 |
| 2003 | 2.99 | 16.21 | 18.82 | 18.04 | 15.91 | 21.39 |
| 2004 | 3.58 | 16.00 | 19.57 | 17.50 | 16.01 | 21.51 |
| 2005 | 3.84 | 17.60 | 19.36 | 17.04 | 16.22 | 21.11 |
| 2006 | 4.21 | 17.10 | 20.26 | 16.40 | 16.38 | 20.70 |
| 2007 | 4.56 | 17.74 | 20.02 | 16.47 | 16.56 | 20.26 |
| 2008 | 4.78 | 18.16 | 20.82 | 16.28 | 16.78 | 19.8 |

## 14－13 科技活动经费投入情况(1990－2008 年)

Basic Statistics on Scientific and Technoligical Activities Funds(1990－2008)

单位:亿元(100 million yuan)

| 年份<br>Year | 科技活动经费<br>Scientific and Technoligical Activities Funds | 研究与试验发展经费支出<br>Expenditure on R&D | 按执行部门分<br>By Sector | | | | 按经费来源分<br>By Source | | | |
|---|---|---|---|---|---|---|---|---|---|---|
| | | | 研究机构<br>Research and Development Institutions | 高等院校<br>Colleges and Universities | 工业企业<br>Enterprises | 其他部门<br>Others | 政府资金<br>Government Appropriation Funds | 企业资金<br>Self－raised Funds by Enterprises | 国外资金<br>Overseas Capital | 其他资金<br>Other |
| 1990 | 8.60 | 2.04 | 0.96 | 0.51 | 0.52 | 0.05 | | | | |
| 1991 | 9.86 | 2.27 | 0.87 | 0.69 | 0.64 | 0.06 | | | | |
| 1992 | 14.12 | 3.46 | 1.21 | 1.25 | 0.90 | 0.09 | | | | |
| 1993 | 17.93 | 4.43 | 1.48 | 1.77 | 1.04 | 0.13 | | | | |
| 1994 | 23.21 | 7.88 | 1.33 | 1.82 | 4.52 | 0.21 | | | | |
| 1995 | 32.57 | 9.14 | 1.85 | 2.42 | 4.63 | 0.24 | | | | |
| 1996 | 37.96 | 10.50 | 2.23 | 2.43 | 5.56 | 0.29 | | | | |
| 1997 | 51.33 | 15.19 | 2.96 | 3.04 | 7.85 | 1.34 | | | | |
| 1998 | 60.89 | 19.70 | 3.10 | 3.00 | 11.80 | 1.80 | | | | |
| 1999 | 76.78 | 27.05 | 3.04 | 3.71 | 17.80 | 2.50 | | | | |
| 2000 | 104.89 | 36.59 | 3.21 | 3.33 | 26.54 | 3.51 | 5.73 | 26.93 | 0.53 | 3.40 |
| 2001 | 124.29 | 44.74 | 3.32 | 5.09 | 32.04 | 4.29 | 6.59 | 32.73 | 0.64 | 4.78 |
| 2002 | 150.03 | 57.65 | 2.97 | 6.58 | 42.58 | 5.52 | 6.77 | 42.20 | 0.17 | 8.51 |
| 2003 | 185.20 | 77.76 | 4.35 | 7.88 | 59.62 | 5.91 | 9.46 | 57.70 | 0.32 | 10.28 |
| 2004 | 243.85 | 115.55 | 4.62 | 13.33 | 91.10 | 6.50 | 13.78 | 97.42 | 0.63 | 3.72 |
| 2005 | 321.42 | 163.29 | 11.58 | 13.90 | 130.41 | 7.40 | 24.12 | 134.74 | 0.55 | 3.88 |
| 2006 | 407.85 | 224.03 | 12.38 | 15.99 | 183.39 | 12.27 | 28.00 | 190.28 | 1.12 | 4.63 |
| 2007 | 516.78 | 286.32 | 13.63 | 18.18 | 235.55 | 18.96 | 30.94 | 246.39 | 2.50 | 6.49 |
| 2008 | 619.52 | 345.76 | 13.89 | 19.15 | 283.73 | 28.99 | 37.08 | 296.46 | 4.39 | 7.83 |

## 14－14 县级以上政府部门属研究与开发机构情况（1986－2008年）
Basic Statistics on Research and Development Organizations Attached to Government at County Level and Above (1986－2008)

| 年份 Year | 机构数（个）Institutions (unit) | 从事科技活动人员数（人）Specialized Technical Persons (person) | #科学家工程师 Scientists and Engineers | 经费收入（万元）Income (10000 yuan) | 政府拨款 Government Appropriations | 经费支出（万元）Expenditures (10000 yuan) | #人员费用 Charge for Person |
|---|---|---|---|---|---|---|---|
| 1986 | 153 | | | 14015 | 8877 | 12580 | 3067 |
| 1987 | 152 | | | 17721 | 10431 | 15234 | 3001 |
| 1988 | 156 | | | 18920 | 14073 | 27715 | 4065 |
| 1989 | 161 | | | 24889 | 11974 | 25070 | 4026 |
| 1990 | 163 | | | 33801 | 15801 | 29169 | 5123 |
| 1991 | 164 | | | 29623 | 9330 | 26494 | 5001 |
| 1992 | 165 | | | 40512 | 14410 | 37017 | 6156 |
| 1993 | 162 | | | 47139 | 14289 | 45206 | 9001 |
| 1994 | 161 | | | 53069 | 18251 | 48025 | 13993 |
| 1995 | 161 | | | 62021 | 11784 | 59248 | 15589 |
| 1996 | 161 | | | 72172 | 25110 | 63407 | 18189 |
| 1997 | 162 | | | 91503 | 31795 | 83434 | 20806 |
| 1998 | 164 | | | 126704 | 47919 | 107580 | 23018 |
| 1999 | 160 | | | 126740 | 50194 | 113565 | 28392 |
| 2000 | 146 | | | 120587 | 54365 | 108129 | 27263 |
| 2001 | 127 | | | 89248 | 51719 | 82109 | 26341 |
| 2002 | 110 | 5470 | 3756 | 89540 | 54571 | 80771 | 28286 |
| 2003 | 104 | 5095 | 3746 | 115029 | 65770 | 97981 | 38157 |
| 2004 | 92 | 4792 | 3681 | 116542 | 80373 | 102949 | 34213 |
| 2005 | 99 | 5798 | 4543 | 144821 | 109676 | 120907 | 31646 |
| 2006 | 99 | 6178 | 4917 | 176610 | 128341 | 142664 | 38853 |
| 2007 | 100 | 6677 | 5491 | 211682 | 155461 | 167207 | 44752 |
| 2008 | 98 | 7123 | 5887 | 247818 | 177210 | 203732 | 51972 |

## 14－15 县级以上政府部门属研究与开发机构课题情况(2008 年)
Basic Statistics on Topics in Research and Development Organizations Attached to Government at County Level and Above(2008)

| 分类 | Item | 课题数(项) Topics (unit) | | 投入人员(人年) Persons (person-year) | | #科学家工程师 Scientists and Engineers | | 投入经费(万元) Funds (10000 yuan) | |
|---|---|---|---|---|---|---|---|---|---|
| | | 2007 | 2008 | 2007 | 2008 | 2007 | 2008 | 2007 | 2008 |
| **总计** | **Total** | **3539** | **3151** | **4372** | **4542** | **3458** | **3823** | **82918** | **92146** |
| **按活动类型分** | **By Type** | | | | | | | | |
| 基础研究 | Fundational Research | 121 | 116 | 133 | 134 | 130 | 129 | 2673 | 3545 |
| 应用研究 | Applied Research | 237 | 313 | 504 | 564 | 440 | 492 | 14473 | 15633 |
| 试验发展 | Experimental Development | 834 | 972 | 1225 | 1304 | 1024 | 1115 | 21772 | 28324 |
| R&D 成果应用 | Applying in R&D Results | 837 | 901 | 1232 | 1342 | 921 | 1107 | 17603 | 17605 |
| 科技服务 | Service in Science and Technology | 1510 | 849 | 1279 | 1199 | 944 | 980 | 26397 | 27040 |

## 14－16 县级以上政府部门属研究与机构科学论文与科技著作
Basic Statistics on Papers in Research and Development Organizations Attached to Government at County Level and Above

单位：篇(paper)

| 项 目 | Item | 科学论文 Papers of Science | | | #国外发表 Publishing Abroad | | | 科技著作 Works of Science and Technology | | |
|---|---|---|---|---|---|---|---|---|---|---|
| | | 2006 | 2007 | 2008 | 2006 | 2007 | 2008 | 2006 | 2007 | 2008 |
| **合计** | **Total** | **2657** | **2868** | **3270** | **168** | **191** | **307** | **80** | **86** | **107** |
| 国务院部门属 | Attaching to the State Council | 494 | 489 | 734 | 63 | 62 | 163 | 11 | 14 | 22 |
| 省属 | Attaching to Province | 1447 | 1849 | 1881 | 97 | 121 | 115 | 51 | 57 | 64 |
| 市属 | Attaching to City | 716 | 530 | 655 | 8 | 8 | 29 | 18 | 15 | 21 |

## 14－17 县级以上政府部门属研究与开发机构情况(2008 年)
Basic Statistics on Research and Development Organizations Attached to Government at County Level and Above(2008)

| 项目 | Item | 机构数（个）Institutions (unit) | 从事科技活动人员数（人）Specialized Technical Persons (person) | #科学家工程师 Scientists and Engineers | 经费收入（万元）Income (10000 yuan) | #政府拨款 Government Appropria-tions | 经费支出（万元）Expendi-tures (10000 yuan) | #科技费用 Charge of science |
|---|---|---|---|---|---|---|---|---|
| **总计** | **Total** | **98** | **7123** | **5887** | **247818** | **177210** | **213781** | **203732** |
| **按隶属关系分** | **By Relationship of Subordination** | | | | | | | |
| 中央 | State Council | 9 | 1583 | 1438 | 75622 | 66118 | 70134 | 60978 |
| 地方 | Local | 89 | 5540 | 4449 | 172196 | 111093 | 143647 | 142754 |
| **按机构地域分** | **By Region** | | | | | | | |
| 杭州市 | Hangzhou | 39 | 4669 | 3926 | 197960 | 138679 | 171221 | 161703 |
| 宁波市 | Ningbo | 10 | 582 | 525 | 16232 | 11830 | 15200 | 14830 |
| 温州市 | Wenzhou | 15 | 953 | 768 | 13800 | 10748 | 10973 | 10904 |
| 嘉兴市 | Jiaxing | 2 | 142 | 111 | 4524 | 2817 | 3350 | 3350 |
| 湖州市 | Huzhou | 4 | 157 | 129 | 3753 | 3538 | 2986 | 2986 |
| 绍兴市 | Shaoxing | 2 | 56 | 39 | 1064 | 1025 | 1122 | 1122 |
| 金华市 | Jinhua | 7 | 151 | 113 | 2709 | 2247 | 2339 | 2339 |
| 衢州市 | Quzhou | 5 | 37 | 33 | 679 | 679 | 594 | 594 |
| 舟山市 | Zhoushan | 7 | 151 | 78 | 1877 | 1619 | 2114 | 2114 |
| 台州市 | Taizhou | 4 | 125 | 91 | 3614 | 2430 | 2548 | 2548 |
| 丽水市 | Lishui | 3 | 100 | 74 | 1607 | 1598 | 1334 | 1243 |

## 14-18 县级以上政府部门属研究与开发机构课题情况(1986-2008年)
Basic Statistics on Research and Development Organizations Attached to Government at County Level and Above(1986-2008)

| 年份 Year | 课题数(项) Number of Topics (topic) | 投入人员(人年) Persons (person-year) | #科学家工程师 Scientists and Engineers | 投入经费(万元) Funds (10000 yuan) | 人均经费(元/人年) Funds per Capital (yuan/person-year) | 课题平均经费(元/项) Funds per Topic (yuan/topic) |
|---|---|---|---|---|---|---|
| 1986 | 2568 | 6506 | | 3590 | 5518 | 13980 |
| 1987 | 3272 | 6892 | | 4467 | 6481 | 13652 |
| 1988 | 3066 | 7053 | 5232 | 5180 | 7344 | 16895 |
| 1989 | 3134 | 7405 | 5765 | 5644 | 7622 | 18009 |
| 1990 | 3120 | 6276 | 4669 | 5551 | 8845 | 17792 |
| 1991 | 3457 | 5506 | 4256 | 4720 | 8572 | 13653 |
| 1992 | 3452 | 5533 | 4274 | 6772 | 12239 | 19618 |
| 1993 | 2941 | 4948 | 3955 | 7418 | 14992 | 25223 |
| 1994 | 2540 | 4401 | 3623 | 9262 | 21045 | 36465 |
| 1995 | 2453 | 4301 | 3414 | 10058 | 23385 | 41003 |
| 1996 | 2315 | 4331 | 3451 | 12792 | 29536 | 55257 |
| 1997 | 2440 | 4390 | 3475 | 17798 | 40542 | 72943 |
| 1998 | 2534 | 5568 | 4106 | 25194 | 45248 | 99424 |
| 1999 | 2558 | 5070 | 3870 | 26927 | 53110 | 105266 |
| 2000 | 1989 | 4040 | 3293 | 29664 | 73426 | 149140 |
| 2001 | 1790 | 2818 | 2240 | 21663 | 76874 | 121022 |
| 2002 | 1746 | 2812 | 2323 | 23329 | 89262 | 133614 |
| 2003 | 1700 | 2944 | 2338 | 30816 | 104674 | 181271 |
| 2004 | 1540 | 2769 | 2026 | 42463 | 153351 | 275734 |
| 2005 | 2121 | 3383 | 2441 | 58242 | 172161 | 274597 |
| 2006 | 2834 | 3787 | 2998 | 65945 | 174135 | 232392 |
| 2007 | 3539 | 4372 | 3458 | 82918 | 189657 | 234298 |
| 2008 | 3151 | 4542 | 3823 | 92146 | 202875 | 292434 |

## 14-19 高等学校自然科学领域研究与发展课题情况(1986-2008年)
Basic Statistics on Topics of Natural Scientific Research and Development in Institutions of Higher Education(1986-2008)

| 年份 Year | 课题数(项) Number of Topics (topic) | 投入人员(人年) Persons (person-year) | #科学家工程师 Scientists and Engineers | 投入经费(万元) Funds (10000 yuan) | 课题平均经费(元/项) Funds per Topic (yuan/topic) |
|---|---|---|---|---|---|
| 1986 | 1684 | | | 2295 | 13569 |
| 1987 | 1849 | | | 2681 | 14500 |
| 1988 | 2163 | | | 2616 | 12094 |
| 1989 | 2285 | | | 3848 | 16840 |
| 1990 | 2925 | | | 4667 | 15956 |
| 1991 | 3400 | | | 5053 | 14862 |
| 1992 | 4083 | | | 7905 | 19361 |
| 1993 | 4263 | | | 12961 | 30403 |
| 1994 | 4398 | | | 17082 | 38840 |
| 1995 | 4264 | | | 16211 | 38018 |
| 1996 | 4415 | | | 17900 | 40544 |
| 1997 | 4713 | | | 23901 | 50713 |
| 1998 | 5173 | | | 24912 | 48158 |
| 1999 | 5412 | | | 25385 | 46905 |
| 2000 | 5268 | | | 29482 | 55964 |
| 2001 | 6375 | 3821 | 3421 | 40110 | 62918 |
| 2002 | 8736 | 4295 | 3974 | 37511 | 42938 |
| 2003 | 13385 | 6363 | 6191 | 90175 | 67370 |
| 2004 | 16003 | 8354 | 7913 | 154804 | 96734 |
| 2005 | 18789 | 8676 | 8340 | 133346 | 70970 |
| 2006 | 19896 | 8844 | 8479 | 126763 | 63713 |
| 2007 | 19945 | 8966 | 8565 | 150157 | 75286 |
| 2008 | 21657 | 9687 | 9338 | 192980 | 89107 |

## 14－20　高等学校科技活动情况(1986－2008年)
Basic Statistics on Scientific Technological Activities on Higher Education(1986－2008)

| 年份 Year | 科技活动机构数(个) Institutions (unit) | 科技活动人员(人) Persons Engaged in Scientific and Technological Activities (person) | #科学家工程师 Scientists and Engineers | 经费拨入总额(万元) Funds (10000 yuan) | #政府拨款 Government Appropriations | 经费支出总额(万元) Expenditures (10000 yuan) | #仪器设备费 Expenditures for Instrument and Equipment |
|---|---|---|---|---|---|---|---|
| 1986 | 31 | 16086 | 11910 | 2760 | 2061 | 2191 | 943 |
| 1987 | 32 | 15363 | 12803 | 2954 | 1836 | 2557 | 823 |
| 1988 | 45 | 19874 | 16864 | 3167 | 1789 | 2757 | 639 |
| 1989 | 44 | 20166 | 17087 | 4514 | 2039 | 3926 | 884 |
| 1990 | 45 | 20267 | 17278 | 5320 | 2773 | 4068 | 881 |
| 1991 | 43 | 20251 | 17397 | 6442 | 3234 | 5505 | 1101 |
| 1992 | 58 | 20597 | 17468 | 11083 | 5250 | 9996 | 2128 |
| 1993 | 234 | 20940 | 17769 | 26974 | 9129 | 26563 | 4917 |
| 1994 | 262 | 20933 | 17179 | 25766 | 8965 | 24830 | 3449 |
| 1995 | 259 | 21098 | 18584 | 28731 | 7522 | 24805 | 3067 |
| 1996 | 259 | 22111 | 19026 | 32341 | 7404 | 29516 | 3417 |
| 1997 | 295 | 22247 | 20129 | 38327 | 10791 | 34538 | 4497 |
| 1998 | 433 | 23092 | 20848 | 45677 | 11598 | 45008 | 4592 |
| 1999 | 365 | 23869 | 21441 | 58749 | 13654 | 51850 | 3035 |
| 2000 | 430 | 28555 | 26870 | 81153 | 23554 | 74714 | 8225 |
| 2001 | 534 | 34716 | 32503 | 108576 | 37059 | 90486 | 11448 |
| 2002 | 405 | 19659 | 18258 | 150651 | 61506 | 112630 | 17339 |
| 2003 | 421 | 21763 | 21289 | 178362 | 67396 | 136090 | 19425 |
| 2004 | 203 | 29031 | 26979 | 209249 | 90951 | 178960 | 27796 |
| 2005 | 191 | 25077 | 21629 | 271011 | 136055 | 203204 | 37122 |
| 2006 | 160 | 25436 | 21941 | 314684 | 170843 | 257099 | 53033 |
| 2007 | 161 | 26496 | 22909 | 350014 | 178132 | 261104 | 41679 |
| 2008 | 169 | 28594 | 24348 | 398755 | 225555 | 297278 | 51504 |

## 14－21 高等学校自然科学领域研究与发展课题情况(2008 年)
Basic Statistics on Topics of Natural Scientific Research and Development in Institutions of Higher Education(2008)

| 项目 | Item | 课题数(项) Number of Topics (topic) | 投入人员(人年) Persons (person) | #科学家工程师 Scientists and Engineers | 投入经费(万元) Funds (10000 yuan) | 课题平均经费(元) Funds per Topic (yuan) |
|---|---|---|---|---|---|---|
| **总计** | **Total** | **21657** | **9687** | **9338** | **192980** | **89107** |
| **按活动类型分** | **By type of Activities** | | | | | |
| 基础研究 | Fundational Research | 6251 | 2624 | 2486 | 42000 | 67189 |
| 应用研究 | Applied Research | 9277 | 4369 | 4205 | 83582 | 90096 |
| 试验发展 | Experimental Development | 1904 | 921 | 895 | 19099 | 100310 |
| 研究与试验发展成果应用 | Applying in R&D Results | 1788 | 802 | 791 | 25541 | 142847 |
| 科技服务 | Technology Senices | 2437 | 972 | 961 | 22758 | 93385 |

## 14－22 高等学校自然科学领域研究与发展机构科技著作(2008 年)
Scientific and Technical Works of Research and Development Organizations in Institutions of Higher Education(2008)

| 项目 | Item | 出版科技专著(部) Science and Technology Workers Published (work) | | | 发表学术论文(篇) Academic Papers Published (paper) | | | #国外及全国性学术刊物 Published in Foreign Academic Publications | | |
|---|---|---|---|---|---|---|---|---|---|---|
| | | 2006 | 2007 | 2008 | 2006 | 2007 | 2008 | 2006 | 2007 | 2008 |
| **合计** | **Total** | **76** | **87** | **110** | **26993** | **30438** | **29906** | **6278** | **6739** | **7806** |
| 自然科学 | Natural Sciences | 9 | 14 | 24 | 5317 | 5846 | 5816 | 1782 | 1941 | 2061 |
| 工程与技术 | Engineering and Technology | 31 | 32 | 31 | 11406 | 13077 | 12545 | 2799 | 3157 | 3397 |
| 农业科学 | Agricultural Sciences | 11 | 13 | 9 | 2795 | 2836 | 2382 | 894 | 803 | 887 |
| 医学科学 | Medical Sciences | 25 | 28 | 46 | 7475 | 8679 | 9163 | 803 | 838 | 1461 |

## 14－23 规模以上工业企业科技活动情况(2003－2008 年)
Basic Statistics on Scientific and Technological Activities of Enterprises above Designated Size By Industrial Sector (2003－2008)

单位:亿元(100 million yuan)

| 项目 | Item | 2003 | 2004 | 2005 | 2006 | 2007 | 2008 |
|---|---|---|---|---|---|---|---|
| 企业数 (个) | Number of Enterprises (unit) | 5916 | 8129 | 9690 | 11489 | 13039 | 58816 |
| #有科技活动企业数 (个) | Number of Enterprises with Scientific and Technoligical Activities (unit) | 4807 | 6419 | 7434 | 8961 | 10700 | 12975 |
| 企业有科技机构 (个) | Number of Research Institutions (unit) | 1686 | 2492 | 3171 | 4094 | 4881 | 5768 |
| 从业人员年平均人数 (万人) | Average Number of Employed Person (10000 persons) | 238.15 | 293.66 | 370.05 | 412.7 | 457.95 | 815.19 |
| 生产经营用机器设备原价 | The Total Cost Price of Machines | 2684.10 | 3560.93 | 4444.08 | 5437.93 | 6048.14 | 8894.64 |
| #微电子控制 | Micro－electronics Apparatus | 317.27 | 463.02 | 954.81 | 1021.41 | 1052.6 | 1347.35 |
| 科技活动人员 (万人) | Persons with Scientific and Technoligical Activities (10000 persons) | 12.80 | 14.26 | 19.15 | 23.53 | 26.75 | 31.25 |
| #高中级职称人员 (万人) | Persons with Senior or Middle Titles (10000 persons) | 3.91 | 3.74 | 5.33 | 6.08 | 6.78 | 7.28 |
| 无高中级职称的大本以上人员 (万人) | Bachelors or the Above with Non Senior or Middle Titles (10000 persons) | 3.63 | 3.92 | 5.94 | 7.09 | 8.62 | 10.35 |
| 科技活动经费筹集额 | Funding for S&T Activities | 151.70 | 202.29 | 296.96 | 376.59 | 471.69 | 553.14 |
| #来自政府部门的资金 | Government Appropriation Funds | 3.98 | 6.50 | 8.02 | 10.76 | 11.52 | 11.90 |
| 企业资金 | Self－raised Funds by Enterprises | 126.13 | 171.38 | 256.66 | 329.26 | 413.88 | 494.63 |
| 金融机构贷款 | Loans From Finance Institutions | 17.56 | 21.05 | 28.85 | 31.13 | 39.82 | 40.26 |
| 科技活动经费内部支出 | Internal Expenditures on S&T Activities | 116.22 | 166.5 | 240.41 | 308.48 | 396.95 | 468.11 |
| #劳务费 | Service Fees | 30.48 | 44.03 | 61.68 | 81.65 | 103.12 | 132.22 |
| 原材料费 | Material Costs | 37.59 | 55.77 | 87.72 | 106.27 | 136.24 | 159.64 |
| #新产品开发经费支出 | Expenditure on New Product Development | 75.90 | 104.04 | 208.12 | 266.97 | 353.00 | 408.46 |
| 用于科研的基建经费支出 | Expenditure on Infrastructure Developments for R&D | 10.25 | 15.58 | 18.46 | 19.59 | 22.86 | 24.67 |
| 委托外单位开发经费支出 | Expenditure on Entrustment | 13.83 | 12.81 | 24.58 | 20.31 | 27.51 | 34.01 |
| 研究与试验发展人员 (万人) | Persons Engaged in R&D (10000 persons) | 5.48 | 5.84 | 7.68 | 10.50 | 13.29 | 16.05 |
| 研究与试验发展经费支出 | Expenditure on R&D | 55.49 | 87.25 | 127.34 | 180.08 | 231.19 | 274.31 |
| 新产品产值 | Output of New Product | 1365.95 | 2125.21 | 3057.73 | 4016.1 | 5406.18 | 6754.67 |
| 新产品销售收入 | Sales income of New Porduct | 1299.49 | 2052.61 | 2871.83 | 3783.92 | 5147.00 | 6409.30 |
| #出口 | Export | 295.72 | 596.14 | 782.32 | 1120.91 | 1548.6 | 1971.03 |
| 专利申请数 (项) | Patent Application (item) | 5639 | 8275 | 10528 | 17285 | 24148 | 33777 |
| #发明专利 (项) | Patent of Invention (item) | 1239 | 2115 | 2548 | 3436 | 4413 | 6167 |
| 拥有发明专利数 (项) | Owning Invention Patent (item) | 1925 | 4032 | 4405 | 5876 | 7456 | 11186 |
| 技术改造经费支出 | Expenditure for Technology Transform | 206.03 | 281.87 | 304.41 | 302.44 | 344.36 | 389.77 |
| 技术引进经费支出 | Expenditure for Acquisition of Foreign Technology | 49.63 | 20.54 | 21.11 | 22.72 | 20.28 | 22.67 |
| #引进设计、图纸、工艺配方、专利的支出 | Expenditure for Acquisition of Foreign Design, Technics and Patent | 3.23 | 3.61 | 5.60 | 6.66 | 9.37 | 9.13 |
| 消化吸收经费支出 | Expenditure for Assimilation of Technology | 2.51 | 4.56 | 6.13 | 10.67 | 12.43 | 10.96 |
| 购买国内技术经费支出 | Expenditure for Purchasing of Domestic Technology | 4.44 | 6.07 | 12.01 | 11.68 | 12.22 | 16.69 |

注:2008 年统计范围为全部规模以上工业企业,其余年份统计范围为全部大中型工业企业及有科技投入的规模以上小型工业企业。
The data in 2008 refer to industrial enterprises above designated size, others refer to Large-sized, medium-sized industrial enterprises, as well as small-sized industrial enterprises which expended on technological activities.

## 14－24 大中型工业企业科技活动情况(2003－2008 年)
## Basic Statistics on Science and Technology Activities of Large and Medium-sized Industrial Enterprises(2003－2008)

单位:亿元(100 million yuan)

| 项目 | | Item | | 2003 | 2004 | 2005 | 2006 | 2007 | 2008 |
|---|---|---|---|---|---|---|---|---|---|
| 企业数 | (个) | Number of Enterprises | (unit) | 1939 | 3043 | 3220 | 3851 | 4295 | 4516 |
| #有科技活动企业数 | (个) | Number of Enterprises with Scientific and Technoligical Activities | (unit) | 1192 | 1349 | 1734 | 2085 | 2468 | 2602 |
| 企业有科技机构 | (个) | Number of Research Institutions | (unit) | 660 | 947 | 1261 | 1603 | 1861 | 2102 |
| 从业人员年平均人数 | (万人) | Average Number of Employed Person | (10000 persons) | 178.24 | 224.66 | 270.26 | 311.49 | 347.82 | 353.30 |
| 生产经营用机器设备原价 | | The Total Cost Price of Machines | | 1999.44 | 3102.89 | 3545.14 | 4398.01 | 4876.74 | 5380.05 |
| #微电子控制 | | Micro－electronics Apparatus | | 274.14 | 381.54 | 825.54 | 885.15 | 917.6 | 993.70 |
| 科技活动人员 | (万人) | Persons with Scientific and Technoligical Activities | (10000 persons) | 7.82 | 7.95 | 11.35 | 13.96 | 15.47 | 17.86 |
| #高中级职称人员 | (万人) | Persons with Senior or Middle Titles | (10000 persons) | 2.32 | 2.13 | 3.22 | 3.68 | 4.01 | 4.31 |
| 无高中级职称的大本以上人员 | (万人) | Bachelors or the Above with Non Senior or Middle Titles | (10000 persons) | 2.23 | 2.39 | 3.79 | 4.37 | 5.24 | 6.10 |
| 科技活动经费筹集额 | | Funding for S&T Activities | | 99.45 | 123.92 | 197.76 | 253.41 | 320.12 | 366.37 |
| #来自政府部门的资金 | | Government Appropriation Funds | | 1.92 | 3.84 | 4.79 | 7.16 | 7.01 | 6.98 |
| 企业资金 | | Self－raised Funds by Enterprises | | 83.89 | 108.36 | 174.13 | 224.9 | 282.25 | 332.78 |
| 金融机构贷款 | | Loans From Finance Institutions | | 11.40 | 10.67 | 17.34 | 18.19 | 26.66 | 22.71 |
| 科技活动经费内部支出 | | Internal Expenditures on S&T Activities | | 74.97 | 106.17 | 161.24 | 207.82 | 266.82 | 311.47 |
| #劳务费 | | Service Fees | | 19.64 | 28.67 | 42.69 | 56.97 | 70.18 | 89.78 |
| 原材料费 | | Material Costs | | 23.57 | 35.64 | 58.97 | 71.22 | 90.31 | 105.49 |
| #新产品开发经费支出 | | Expenditure on New Product Development | | 48.79 | 65.20 | 140.90 | 180.59 | 239.09 | 273.89 |
| 用于科研的基建经费支出 | | Expenditure on Infrastructure Developments for R&D | | 6.30 | 8.81 | 11.05 | 11.97 | 13.35 | 13.94 |
| 委托外单位开发经费支出 | | Expenditure on Entrustment | | 10.20 | 9.51 | 18.75 | 14.41 | 20.69 | 25.85 |
| 研究与试验发展人员 | (万人) | Persons Engaged in R&D | (10000 persons) | 3.45 | 3.66 | 4.88 | 6.63 | 8.16 | 9.84 |
| 研究与试验发展经费支出 | | Expenditure on R&D | | 36.93 | 61.72 | 91.74 | 125.85 | 161.76 | 192.52 |
| 新产品产值 | | Output of New Product | | 1076.92 | 1580.12 | 2277.59 | 3122.75 | 4190.21 | 4958.88 |
| 新产品销售收入 | | Sales income of New Porduct | | 1014.60 | 1529.78 | 2149.78 | 2946.83 | 4016.58 | 4767.36 |
| #出口 | | Export | | 232.12 | 456.12 | 598.19 | 904.12 | 1265.22 | 1521.87 |
| 专利申请数 | (项) | Patent Application | (item) | 3201 | 4078 | 5479 | 8752 | 13669 | 15897 |
| #发明专利 | (项) | Patent of Invention | (item) | 600 | 1049 | 1206 | 1761 | 2154 | 2643 |
| 拥有发明专利数 | (项) | Owning Invention Patent | (item) | 753 | 1953 | 1967 | 3032 | 3661 | 4756 |
| 技术改造经费支出 | | Expenditure for Technology Transform | | 221.45 | 232.82 | 245.47 | 253.53 | 296.06 | 306.62 |
| 技术引进经费支出 | | Expenditure for Acquisition of Foreign Technology | | 41.00 | 15.17 | 16.00 | 17.52 | 15.76 | 16.16 |
| #引进设计、图纸、工艺配方、专利的支出 | | Expenditure for Acquisition of Foreign Design, Technics and Patent | | 2.72 | 3.12 | 4.76 | 5.21 | 7.53 | 6.66 |
| 消化吸收经费支出 | | Expenditure for Assimilation of Technology | | 1.97 | 3.51 | 4.60 | 7.65 | 9.71 | 7.35 |
| 购买国内技术经费支出 | | Expenditure for Purchasing of Domestic Technology | | 3.52 | 4.07 | 9.52 | 8.64 | 9.61 | 12.10 |

## 14－25 大中型工业企业科技活动情况(2008年)

Basic Statistics on Scientific and Technological Activities in Large and Medium-sized Industrial Enterprises(2008)

| 项目 | Item | 企业办科技机构(个) Institutions Found by Enterprises (unit) | 企业科技活动人员数(人) Persons Engaged in S&T Activities (person) | #科学家工程师 Engineering | #R&D人员 Persons Engaged in R&D | 科技活动经费筹集总额(万元) Funding for S&T Activities (10000 yuan) | #政府资金 Government Appropriation Funds |
|---|---|---|---|---|---|---|---|
| **总计** | **Total** | **2102** | **178640** | **104189** | **98402** | **3663687** | **69757** |
| **按企业规模分** | **By Scale** | | | | | | |
| 大型企业 | Large－sized Enterprises | 252 | 46859 | 27997 | 27484 | 1220660 | 20678 |
| 中型企业 | Medium－sized Enterprises | 1850 | 131781 | 76192 | 70918 | 2443027 | 49079 |
| **按登记注册类型分** | **By Status of Registration** | | | | | | |
| 国有 | State－owned Enterprises | 24 | 4247 | 2864 | 1705 | 99744 | 1200 |
| 集体 | Collective－owned Enterprises | 6 | 339 | 201 | 61 | 4463 | 16 |
| 股份合作 | Cooperative Enterprises | 19 | 1019 | 560 | 646 | 14908 | 766 |
| 国有联营 | State Joint Ownership Enterprises | | 26 | 26 | 26 | 811 | 100 |
| 国有与集体联营 | Joint State－Collective Enterprises | 1 | 46 | 17 | 15 | | |
| 其他联营 | Other Joint Ownership Enterprises | 20 | 1531 | 1192 | 909 | 41556 | 2083 |
| 国有独资公司 | State Sole Funded Corporations | 437 | 35588 | 21446 | 19312 | 705743 | 13692 |
| 其他有限责任公司 | Other Limited Liability Corporations | 245 | 30351 | 18499 | 18342 | 594087 | 17984 |
| 股份有限公司 | Share－holding Corporations Limited | 15 | 741 | 391 | 491 | 12824 | 79 |
| 私营独资 | Private Funded Enterprises | 3 | 188 | 140 | 98 | 3768 | |
| 私营合伙 | Private Partnership Enterprises | 682 | 44128 | 23996 | 23891 | 805964 | 10751 |
| 私营有限责任公司 | Private Limited Liability Corporations | 49 | 5758 | 2930 | 3179 | 205895 | 7375 |
| 私营股份有限公司 | Private Shrae－holding Corporations Ltd. | 14 | 759 | 303 | 487 | 13780 | 81 |
| 与港澳台商合资经营 | Joint Ventures with Hong Kong, Macao and Taiwan | 176 | 12499 | 6835 | 6048 | 256704 | 3079 |
| 与港澳台商合作经营 | Cooperative with Hong Kong, Macao and Taiwan | 5 | 527 | 314 | 385 | 3801 | 60 |
| 港澳台商独资 | Enterprises with Sole Fund From Hong Kong, Macao and Taiwan | 78 | 10245 | 6913 | 6406 | 225244 | 1852 |
| 港澳台商投资股份有限公司 | Share－holding Corporations Ltd. with Fund From Hong Kong, Macao and Taiwan | 6 | 1103 | 1055 | 1044 | 65252 | 20 |
| 中外合资经营 | Sino－foreign Joint Ventures | 200 | 18843 | 10790 | 8987 | 423690 | 7970 |
| 中外合作经营 | Sino－foreign Cooperation Enterprises | 8 | 482 | 178 | 252 | 7062 | 33 |
| 外商独资 | Foreign Sole Funded Corporations | 92 | 7936 | 4344 | 4938 | 131046 | 1028 |
| 外商投资股份有限公司 | Share－holding Corporations Ltd. | 22 | 2284 | 1195 | 1180 | 47347 | 1589 |
| **按隶属关系分** | **By Relationship** | | | | | | |
| 中央企业 | Central Enterprises | 21 | 3122 | 2398 | 1489 | 77956 | 1260 |
| 省属企业 | Provincial Enterprises | 27 | 3260 | 2166 | 1573 | 70543 | 2311 |
| 地属企业 | Municipal Enterprises | 55 | 6045 | 3572 | 4239 | 94212 | 3784 |
| 县及县以下 | County and Below County Level | 1999 | 166213 | 96053 | 91101 | 3420976 | 62403 |

14－25 续表 continued 单位:万元(10000 yuan)

| 项目 | Item | 科技活动经费内部支出 Internal Expenditures on S&T Activities | #R&D 支出 Expenditure on R&D | #新产品开发经费支出 Expenditure on New Product Development | 委托外单位开发经费支出 Expenditure on Entrustment | 用于科研的基建经费支出 Expenditure on Infrastructure Developments for R&D | 发明专利申请数(项) Patent Applications Accepted (Item) |
|---|---|---|---|---|---|---|---|
| **总计** | **Total** | **3114717** | **1925197** | **2738907** | **258487** | **139366** | **2643** |
| **按企业规模分** | **By Scale** | | | | | | |
| 大型企业 | Large－sized Enterprises | 990411 | 695559 | 903168 | 151529 | 31702 | 904 |
| 中型企业 | Medium－sized Enterprises | 2124306 | 1229639 | 1835740 | 106959 | 107664 | 1739 |
| **按登记注册类型分** | **By Status of Registration** | | | | | | |
| 国有 | State－owned Enterprises | 57512 | 35361 | 33145 | 33825 | 9591 | 37 |
| 集体 | Collective－owned Enterprises | 3863 | 824 | 3735 | 28 | | 5 |
| 股份合作 | Cooperative Enterprises | 12931 | 8306 | 9112 | 966 | 592 | 17 |
| 国有联营 | State Joint Ownership Enterprises | 811 | 811 | 811 | | | |
| 国有与集体联营 | Joint State－Collective Enterprises | 325 | 149 | 320 | 25 | | |
| 其他联营 | Other Joint Ownership Enterprises | 31758 | 22463 | 27131 | 4137 | 1137 | 17 |
| 国有独资公司 | State Sole Funded Corporations | 573149 | 337385 | 502797 | 34076 | 34755 | 420 |
| 其他有限责任公司 | Other Limited Liability Corporations | 542440 | 376437 | 493277 | 33822 | 16373 | 436 |
| 股份有限公司 | Share－holding Corporations Limited | 12285 | 9221 | 11689 | 500 | 1431 | 27 |
| 私营独资 | Private Funded Enterprises | 2553 | 1740 | 2553 | 1207 | | |
| 私营合伙 | Private Partnership Enterprises | 694967 | 393537 | 611195 | 42744 | 32914 | 653 |
| 私营有限责任公司 | Private Limited Liability Corporations | 135712 | 83448 | 126710 | 52046 | 2231 | 50 |
| 私营股份有限公司 | Private Shrae－holding Corporations Ltd. | 14629 | 11759 | 13695 | 232 | 279 | 3 |
| 与港澳台商合资经营 | Joint Venture with Hong Kong, Macao and Taiwan | 226655 | 129801 | 191412 | 6857 | 7550 | 177 |
| 与港澳台商合作经营 | Cooperative with Hong Kong, Macao and Taiwan | 4092 | 3061 | 3968 | 50 | 150 | 3 |
| 港澳台商独资 | Enterprises with Sole Fund From Hong Kong, Macao and Taiwan | 191317 | 141561 | 177244 | 21797 | 8738 | 470 |
| 港澳台商投资股份有限公司 | Share－holding Corporations Ltd. with Fund From Hong Kong, Macao and Taiwan | 65024 | 64998 | 64666 | 245 | 95 | 20 |
| 中外合资经营 | Sino－foreign Joint Ventures | 378767 | 196474 | 334725 | 22573 | 15090 | 198 |
| 中外合作经营 | Sino－foreign Cooperation Enterprises | 6827 | 4931 | 6560 | 139 | 250 | 8 |
| 外商独资 | Foreign Sole Funded Corporations | 120114 | 75906 | 87387 | 2483 | 3290 | 79 |
| 外商投资股份有限公司 | Share－holding Corporations Ltd. | 38986 | 27025 | 36777 | 735 | 4902 | 23 |
| **按隶属关系分** | **By Relationship** | | | | | | |
| 中央企业 | Central Enterprises | 33546 | 17493 | 19415 | 34218 | 7808 | 30 |
| 省属企业 | Provincial Enterprises | 61370 | 45137 | 43424 | 3757 | 4058 | 49 |
| 地属企业 | Municipal Enterprises | 88372 | 63886 | 77140 | 4066 | 3708 | 57 |
| 县及县以下 | County and Below County Level | 2931429 | 1798681 | 2598928 | 216446 | 123793 | 2507 |

## 14－26 “星火”计划项目情况
Basic Statistics on “Sparkle Plan” Programmes

| 项目 | Item | 验收项目数（项）Programmes (item) | | | 新增经济效益(万元) Newly Added Economic Efficiency (10000 yuan) | | | | | |
|---|---|---|---|---|---|---|---|---|---|---|
| | | | | | 新增产值 Newly Added Output Value | | | 新增利税 Newly Added Profits and Taxes | | |
| | | 2006 | 2007 | 2008 | 2006 | 2007 | 2008 | 2006 | 2007 | 2008 |
| **合计** | **Total** | **430** | **412** | **269** | **355503** | **629174** | **639644** | **68211** | **97933** | **99938** |
| 国家级 | Country Level | 55 | 48 | 59 | 227333 | 288457 | 470662 | 44847 | 49478 | 69696 |
| 省级 | Province Level | 36 | 44 | 33 | 77189 | 137370 | 50747 | 15849 | 18955 | 7246 |
| 市县级 | City and County Level | 339 | 320 | 177 | 50981 | 203347 | 118235 | 7515 | | 22996 |

## 14－27 “星火”计划项目情况(1986－2008 年)
Basic Statistics on “Sparkle Plan” Programmes(1986－2008)

单位:项(item)

| 年份 Year | 国家级 Country Level | | 省级 Province Level | | 市县级 City and County Level | |
|---|---|---|---|---|---|---|
| | 立项 Programmmes | 验收 Checked and Accepted | 立项 Programmes | 验收 Checked and Accepted | 立项 Programmes | 验收 Checked and Accepted |
| 1986 | 29 | 7 | 70 | 188 | 203 | 44 |
| 1987 | 33 | 3 | 71 | 11 | 191 | 21 |
| 1988 | 38 | | 66 | 2 | 185 | 2 |
| 1989 | 10 | | 71 | 3 | 208 | 6 |
| 1990 | 28 | 8 | 79 | 44 | 298 | 102 |
| 1991 | 37 | 9 | 81 | 66 | 343 | 159 |
| 1992 | 37 | 26 | 89 | 65 | 413 | 161 |
| 1993 | 44 | 40 | 149 | 78 | 246 | 124 |
| 1994 | 43 | 14 | 152 | 34 | 302 | 100 |
| 1995 | 45 | 19 | 165 | 54 | 379 | 175 |
| 1996 | 58 | 17 | 119 | 38 | 509 | 165 |
| 1997 | 74 | 26 | 144 | 37 | 587 | 193 |
| 1998 | 82 | 35 | 144 | 35 | 636 | 200 |
| 1999 | 79 | 42 | 143 | 75 | 656 | 285 |
| 2000 | 80 | 54 | 171 | 83 | 540 | 261 |
| 2001 | 88 | 39 | 156 | 61 | 665 | 303 |
| 2002 | 100 | 35 | 84 | 45 | 785 | 535 |
| 2003 | 115 | 58 | 138 | 65 | 831 | 498 |
| 2004 | 118 | 65 | 116 | 51 | 493 | 330 |
| 2005 | 107 | 40 | 131 | 49 | 591 | 244 |
| 2006 | 147 | 55 | 132 | 36 | 495 | 339 |
| 2007 | 165 | 48 | 23 | 44 | 537 | 320 |
| 2008 | 177 | 59 | 13 | 33 | 491 | 177 |

注:从 2007 年起,我省“星火”计划项目管理口径发生变化。
The data of “Sparkle Plan” Programmes by province level are adjusted since 2007.

## 14－28 科协系统科技活动情况
Basic Statistics on Scientific and Technological Activities

| 项目 | Item | 科协合计 Total Associations for Science and Technology System | | 省科协 Associations at province Level | | 市科协 Associations at City level | | 县级科协 Associations at County Level | |
|---|---|---|---|---|---|---|---|---|---|
| | | 2007 | 2008 | 2007 | 2008 | 2007 | 2008 | 2007 | 2008 |
| **机构数 （个）** | **Institutions (unit)** | **102** | **102** | **1** | **1** | **11** | **11** | **90** | **90** |
| **人员数 （人）** | **Personnel (person)** | **1158** | **1175** | **142** | **140** | **348** | **352** | **668** | **683** |
| **学术活动** | **Academic Activities** | | | | | | | | |
| 学术会议 | Academic Meetings | | | | | | | | |
| 次数 （次） | Number (time) | 1059 | 1679 | 5 | 41 | 581 | 592 | 473 | 1046 |
| 参加人数 （人） | Participants (person) | 205800 | 214803 | 2030 | 10850 | 128370 | 85140 | 75428 | 118813 |
| 科技培训 | Training | | | | | | | | |
| 办培训班 （个） | Training Classes (class) | 9519 | 8175 | 63 | 76 | 1343 | 646 | 8113 | 7453 |
| 培训人次 （人次） | Persons Trained (person－time) | 775724 | 724009 | 3272 | 4500 | 166240 | 49368 | 606212 | 670141 |
| 科普活动 | Activities for Popular Science | | | | | | | | |
| 讲座次数 （次） | Lectures (time) | 6245 | 8167 | 13 | 35 | 1256 | 1464 | 4976 | 6668 |
| 听讲人数 （人次） | Participants (person-time) | 1684822 | 2204749 | 5200 | 14500 | 211690 | 773390 | 1467932 | 1416859 |
| 展览次数 （次） | Exhibitions (time) | 2241 | 3246 | 40 | 14 | 170 | 221 | 2031 | 3011 |
| 参观人数 （人次） | Participants (person-time) | 3927521 | 5209441 | 310500 | 47000 | 935700 | 739554 | 2681321 | 4422887 |
| 咨询活动 | Consultative Activities | | | | | | | | |
| 完成合同 （项） | Consultative Contracts Completed (kind) | 2687 | 2305 | 1178 | 1165 | 1066 | 747 | 443 | 393 |
| 合同实现金额 （千元） | Funds of Contracts Completed (1000 yuan) | 303951 | 313663 | 141000 | 129000 | 106098 | 83896 | 56853 | 100767 |
| 技术交易额 （千元） | Transaction Value of Technology (1000 yuan) | 290233 | 280192 | 141000 | 121000 | 101210 | 83896 | 48023 | 75296 |
| **出版** | **Publications** | | | | | | | | |
| 编著科技图书 （种） | Books Edited (kind) | 145 | 104 | | | 16 | 27 | 129 | 77 |
| 年发行总量 （册） | Number of Annual Published (copy) | 1063580 | 935970 | | | 100100 | 289200 | 963480 | 646770 |

## 14－29 科协系统省级学会情况(2002－2008年)
Basic Statistics on Academy in Science System(2002－2008)

| 项目 | | Item | | 2002 | 2003 | 2004 | 2005 | 2006 | 2007 | 2008 |
|---|---|---|---|---|---|---|---|---|---|---|
| **机构数** | **(个)** | **Institutions** | **(unit)** | **138** | **144** | **147** | **149** | **149** | **153** | **156** |
| **会员数** | **(人)** | **Personnel** | **(person)** | **158487** | **135243** | **132062** | **148298** | **158427** | **155008** | **156523** |
| **学术活动** | | **Academic Activities** | | | | | | | | |
| 学术会议 | | Domestic Academic Meetings | | | | | | | | |
| 次数 | (次) | Number | (time) | 468 | 486 | 517 | 567 | 634 | 652 | 621 |
| 参加人数 | (人) | Participants | (person) | 46336 | 48904 | 58954 | 66100 | 76158 | 70349 | 82543 |
| 交流论文数 | (篇) | Papers Presented | (paper) | 12378 | 16904 | 14092 | 22988 | 2115 | 33617 | 26074 |
| 科技培训 | | Training | | | | | | | | |
| 办培训班 | (个) | Training Class | (class) | 282 | 326 | 350 | 286 | 460 | 440 | 435 |
| 培训人次 | (人次) | Persons Trained | (person－time) | 20744 | 24910 | 25754 | 20625 | 45929 | 56007 | 46892 |
| 继续教育 | (人次) | Continuing Education | (person－time) | 4203 | 9208 | 4821 | 7354 | 11263 | 14929 | |
| 科普活动 | | Activities for Popular Science | | | | | | | | |
| 讲座次数 | (次) | Lectures | (time) | 321 | 328 | 588 | 696 | 668 | 674 | 588 |
| 听讲人数 | (人次) | Participants | (person-time) | 37053 | 65740 | 77955 | 117214 | 322887 | 208156 | 153174 |
| 展览次数 | (次) | Exhibitions | (time) | 48 | 105 | 88 | 118 | 71 | 72 | 66 |
| 参观人数 | (人次) | Participants | (person-time) | 110317 | 307790 | 326814 | 445843 | 153108 | 268860 | 220432 |
| 青少年科技竞赛次数 | (次) | Teenagers Participating in Science-technology Competitions | (unit) | 23 | 30 | 30 | 33 | 41 | 50 | 20 |
| 咨询活动 | | Consultative Activities | | | | | | | | |
| 完成合同 | (项) | Consultative Contracts Completed | (kind) | 268 | 283 | 309 | 319 | 245 | 211 | 289 |
| 合同实现金额 | (千元) | Funds of Fulfillment Contracts | (1000 yuan) | 8426 | 11549 | 12591 | 38009 | 8057 | 52289 | 10793 |
| 技术交易额 | (千元) | Transaction Value of Technology | (1000 yuan) | 3009 | 7437 | 2573 | 2682 | 3178 | 51024 | 1160 |
| **出版** | | **Publications** | | | | | | | | |
| 主办科技期刊 | (种) | Journals by held | (kind) | 14 | 51 | 51 | 42 | 46 | 42 | 46 |
| 年发行总数 | (册) | Number of Copies Distributed | (copy) | 236600 | 1712535 | 999100 | 1052500 | 1382500 | 1448900 | 817295 |
| 编著科技图书 | (种) | Academic Newspaper | (kind) | 78 | 178 | 21 | 24 | 36 | 32 | 36 |
| 年发行总量 | (册) | Number of Copies Distributed | (copy) | 259300 | 306800 | 95000 | 160500 | 91500 | 130800 | 121001 |

## 14-30 专利申请量和授权量(2003-2008年)
## Patent Applications Accepted and Approved (2003-2008)

| 项 目 | Item | 2003 | 2004 | 2005 | 2006 | 2007 | 2008 |
|---|---|---|---|---|---|---|---|
| **申请量合计(项)** | **Number of Patent Applications Accepted (item)** | **21463** | **25294** | **43221** | **52975** | **68933** | **89965** |
| 发明 | Inventions | 2750 | 3578 | 6776 | 8328 | 9532 | 12063 |
| 实用新型 | Utility Models | 7758 | 9021 | 12723 | 15929 | 19270 | 25168 |
| 外观设计 | Outward Designs | 10955 | 12695 | 23722 | 28718 | 40131 | 52737 |
| **授权量合计(项)** | **Number of Patent Applications Approved (item)** | **14402** | **15249** | **19056** | **30968** | **42069** | **52955** |
| 发明 | Inventions | 398 | 785 | 1110 | 1423 | 2213 | 3269 |
| 实用新型 | Utility Models | 4928 | 5492 | 6778 | 10489 | 16108 | 20002 |
| 外观设计 | Outward Designs | 9076 | 8972 | 11168 | 19056 | 23748 | 29684 |

## 14-31 测绘部门主要指标完成情况(2002-2008年)
## Major Indicators of Surveying and Mapping Departments (2002-2008)

| 项 目 | | Item | | 2002 | 2003 | 2004 | 2005 | 2006 | 2007 | 2008 |
|---|---|---|---|---|---|---|---|---|---|---|
| 测绘工作产值 | (万元) | Gross Output Value | (10000 yuan) | 42126 | 55357 | 73011 | 78758 | 91092 | 98634 | 114235 |
| 年末测绘人数 | (人) | Personnel | (person) | 5398 | 5637 | 6616 | 7324 | 7741 | 7796 | 8682 |
| 劳动生产率 | (元/人) | Overall Labor Productivity | (yuan/person) | 78041 | 98202 | 110355 | 107534 | 117675 | 126500 | 131577 |
| 地形图测图 | (幅) | Mapping | (map) | 57309 | 54061 | 65111 | 68210 | 54628 | 57855 | 72328 |
| 各等级三角导线, GPS测量 | (点) | Trigonometrical Survey | (point) | 13159 | 14747 | 11811 | 11801 | 12155 | 11915 | 11766 |
| 各等级水准测量 | (公里) | Level Survey | (km) | 8918 | 18719 | 13736 | 14712 | 21611 | 15065 | 11142 |
| 编制各种专题图 | (幅) | Maps of Special Subject | (map) | 467 | 396 | 2028 | 3001 | 9334 | 7602 | 10685 |
| 提供各种比例尺地形图 | (张) | Topographic Maps of All Kinds | (piece) | 17295 | 20392 | 17362 | 20721 | 33564 | 68443 | 86603 |
| 提供大地控制点成果 | (点) | Geodesic Results | (point) | 3727 | 3562 | 1525 | 1455 | 3011 | 14368 | 3195 |

## 14-32 标准计量、质量监督机构和人员数(2002-2008年)
Institutions and Personnel Engaged in Standard Measuring and Quality Supervising(2002-2008)

| 项目 | | Item | | 2002 | 2003 | 2004 | 2005 | 2006 | 2007 | 2008 |
|---|---|---|---|---|---|---|---|---|---|---|
| 质量技术监督行政部门及其技术机构 | (个) | Number of Institutions Engaged in Standard Measuring | (unit) | 166 | 186 | 190 | 186 | 192 | 190 | 191 |
| 省级机构数 | (个) | Institutions at Province Level | (unit) | 11 | 14 | 14 | 14 | 15 | 15 | 15 |
| 市级机构数 | (个) | Institutions at City Level | (unit) | 48 | 56 | 55 | 52 | 51 | 51 | 52 |
| 县(市、区)级机构数 | (个) | Institutions at County Level | (unit) | 107 | 116 | 121 | 120 | 126 | 124 | 124 |
| 产品质量监督检验机构数 | (个) | Number of Institutions Engaged in Quality Supervising | (unit) | 166 | 176 | 810 | 943 | 987 | 1024 | 1116 |
| 省级院 | (所) | Institutions at Province Level | (unit) | 60 | 68 | 144 | 151 | 121 | 125 | 132 |
| 市级院 | (所) | Institutions at City Level | (unit) | 39 | 44 | 418 | 507 | 392 | 406 | 410 |
| 县级院 | (所) | Institutions at County Level | (unit) | 67 | 64 | 248 | 285 | 474 | 493 | 574 |
| 年末职工总数 | (人) | Number of Staff anf Workers year-end | (person) | 4551 | 4552 | 4761 | 4903 | 5133 | 5295 | 5747 |
| 专业技术人员 | (人) | Specialized Technological Personnel | (person) | 2123 | 2190 | 2224 | 2330 | 2433 | 2545 | 2777 |
| 业务管理人员 | (人) | Professional Management Personnel | (person) | 597 | 587 | 655 | 668 | 774 | 701 | 884 |
| 行政人员 | (人) | Administrative Porsonnel | (person) | 1408 | 1429 | 1515 | 1471 | 1544 | 1621 | 1761 |
| 工人 | (人) | Workers | (person) | 429 | 346 | 367 | 434 | 382 | 428 | 325 |
| 已建省级社会公用计量标准 | (大类) | Social Public Measurement Standard Established at Province Level | (kind) | 10 | 10 | 10 | 10 | 10 | 10 | 10 |
| 已建市级社会公用计量标准 | (大类) | Social Public Measurement Standard Establishcd at City Level | (kind) | 10 | 10 | 10 | 10 | 10 | 10 | 10 |
| 已开展强制检定工作计量器具 | (项) | Measurement Implement Tested Compulsively | (kind) | 49 | 48 | 683 | 41 | 43 | 42 | 41 |

14－32 续表 continued

| 项　目 | | Item | | 2002 | 2003 | 2004 | 2005 | 2006 | 2007 | 2008 |
|---|---|---|---|---|---|---|---|---|---|---|
| 强制检定计量器具实际检出数 | （万台件） | Actual Quantity Checked by Measurement Implement Tested Compulsively | （10000 units） | 134 | 76 | 58 | 61 | 96 | 140.77 | 216.07 |
| 计量仪器检定 | （万台件） | Quantity Checked by Measurement Implement | （10000 units） | 268 | 107 | 143 | 135 | 135 | 150.2 | 217.09 |
| 产品质量监督检验受检企业数 | （个） | Number of Enterprises Passed Quality Check | （unit） | 22819 | 22780 | 17113 | 19999 | 25612 | 25101 | 22844 |
| 本年度财政拨款 | （万元） | Financial Allocations | （10000 yuan） | 21194 | 26134 | 43060 | 51823 | 59348 | 85812 | 94233 |
| #省级机构拨款 | | Province Level | | 3911 | 3578 | 8154 | 9353 | 11118 | 22704 | 19809 |
| 市级机构拨款 | | City Level | | 6146 | 9306 | 13985 | 16967 | 19605 | 25263 | 32541 |
| 县级机构拨款 | | County Level | | 11137 | 13250 | 20920 | 25502 | 28625 | 37845 | 41883 |
| 固定资产总值 | （万元） | Total Value of Fixed Assets | （10000 yuan） | 48250 | 68268 | 74754 | 87220 | 116160 | 138284 | 166794 |
| 省级固定资产 | | Province Level | | 10010 | 13979 | 15263 | 19049 | 18729 | 24988 | 29247 |
| 市级固定资产 | | City Level | | 17456 | 21473 | 24213 | 27863 | 43790 | 53829 | 64919 |
| 县级固定资产 | | County Level | | 20784 | 32816 | 35278 | 40308 | 53641 | 59466 | 72628 |
| 现有工作用房 | （万平方米） | Floor Space of Working Houses | （sq. m） | 21.63 | 26.99 | 35.37 | 31.32 | 34.48 | 33.44 | 34.41 |
| 标准馆藏总量 | （万件） | Volume of Standard Measurement Implement Collected | （10000 pieces） | 9.5 | 20 | 20 | 20 | 20 | 25 | 35 |
| 国内标准 | | Domestic Standard | | 5 | 12.4 | 16 | 15 | 13 | 13.5 | 13 |
| 国外标准 | | Foreign Standard | | 4.5 | 7.6 | 4 | 5 | 7 | 11.5 | 22 |
| 打击假冒伪劣案件立案数 | （个） | Cases of Imitions and Poor Guantity Products Registered | （case） | 11989 | 11085 | 10667 | 9889 | 11000 | 10310 | 8778 |

## 14－33 按行业分的事业单位专业技术人员(2008 年)
## Specialized Technical Personnel in Enterprises by Sector(2008)

单位:人(person)

| 项目 | Item | 总数 Total | 按职务分 By Post | | | | |
|---|---|---|---|---|---|---|---|
| | | | 高级职务 Senior | #正高级职务 Chief Senior | 中级职务 Medium | 初级职务 Junior | 未聘任专业技术职务 Not Appointed |
| **总数** | **Total** | **753989** | **82536** | **7775** | **316098** | **314828** | **40527** |
| 农林牧渔业 | Farming, Forestry, Animal Husbandry and Fishery | 28379 | 1852 | 71 | 10965 | 14405 | 1157 |
| 交通运输仓储及邮电通讯业 | Transport, Storage, Post and Telecommunications | 8703 | 839 | | 3419 | 4226 | 219 |
| 信息传输、计算机服务和软件业 | Information Transfer, Computer Services and Software | 1073 | 96 | 1 | 384 | 470 | 123 |
| 批发和零售业 | Wholesale and Retail Sale Trade | 57 | 6 | | 28 | 23 | |
| 住宿与餐饮业 | Hotels and Catering Services | 479 | 11 | | 138 | 271 | 59 |
| 金融保险业 | Banking and Insurance | 548 | 15 | | 230 | 300 | 3 |
| 房地产业 | Real Estate | 1934 | 92 | | 806 | 1006 | 30 |
| 租赁和商务服务业 | Leasing and Commercial | 1422 | 61 | 1 | 554 | 660 | 147 |
| 科学研究技术服务和地质勘查业 | Scientific Research and Technic Services and Geological Prospecting | 15267 | 3377 | 242 | 6246 | 4989 | 655 |
| 水利环境和公共设施管理业 | Water Conservancy, Environment and Public Facilities Management | 18214 | 1663 | 18 | 7063 | 8585 | 903 |
| 居民服务和其他服务业 | Resident Services and Other Services | 4778 | 255 | 5 | 1114 | 3258 | 151 |
| 教育 | Education | 441420 | 53832 | 3839 | 205881 | 161202 | 20505 |
| 卫生、社会保障和社会福利业 | Health Care, Social Securities and Social Welfare | 176334 | 15784 | 3035 | 58523 | 89709 | 12318 |
| 文化体育和娱乐业 | Culture, Sports and Recreation | 29212 | 3497 | 558 | 11133 | 12772 | 1810 |
| 公共管理和社会组织 | Public Administration and Social Organization | 26169 | 1156 | 5 | 9614 | 12952 | 2447 |

14－33 续表 continued

| 项目 | Item | 按专业分 By Occupation | | | | | |
|---|---|---|---|---|---|---|---|
| | | #工程技术人员 Engineering | #农业技术人员 Agriculture | #科学技术人员 Scientific Research | #卫生技术人员 Medical Professionals | #教学人员 Teaching | #其他专技人员 Others |
| **总数** | **Total** | **57619** | **18043** | **6218** | **163327** | **427030** | **81752** |
| 农林牧渔业 | Farming, Forestry, Animal Husbandry and Fishery | 7731 | 15731 | 11 | 144 | 50 | 4712 |
| 交通运输仓储及邮电通讯业 | Transport, Storage, Post and Telecommunications | 4185 | 8 | | 12 | 67 | 4431 |
| 信息传输、计算机服务和软件业 | Information Transfer, Computer Services and Software | 757 | | 1 | 3 | | 312 |
| 批发和零售业 | Wholesale and Retail Sale Trade | 4 | | | | | 53 |
| 住宿与餐饮业 | Hotels and Catering Services | 220 | 1 | | 8 | | 250 |
| 金融保险业 | Banking and Insurance | 20 | | | 2 | | 526 |
| 房地产业 | Real Estate | 674 | 4 | | 4 | | 1252 |
| 租赁和商务服务业 | Leasing and Commercial | 265 | 4 | 2 | 18 | 19 | 1114 |
| 科学研究技术服务和地质勘查业 | Scientific Research and Technic Services and Geological Prospecting | 10087 | 593 | 1926 | 219 | 78 | 2364 |
| 水利环境和公共设施管理业 | Water Conservancy, Environment and Public Facilities Management | 13597 | 280 | 21 | 70 | 43 | 4203 |
| 居民服务和其他服务业 | Resident Services and Other Services | 1106 | 112 | 3 | 45 | 19 | 3493 |
| 教育 | Education | 2682 | 82 | 4054 | 1806 | 424982 | 7814 |
| 卫生、社会保障和社会福利业 | Health Care, Social Securities and Social Welfare | 2566 | 77 | 137 | 160129 | 668 | 12757 |
| 文化体育和娱乐业 | Culture, Sports and Recreation | 4804 | 20 | 41 | 201 | 694 | 23452 |
| 公共管理和社会组织 | Public Administration and Social Organization | 8921 | 1131 | 22 | 666 | 410 | 15019 |

## 14－34 按行业分的企业单位专业技术人员(2008 年)
Specialized Technical Personnel in Enterprises by Sector(2008)

单位:人(person)

| 项目 | Item | 总数 Total | 按职务分 By Post 高级职务 Senior | #正高级职务 Cheif Senior | 中级职务 Medium | 初级职务 Junior | 未聘任专业技术职务 Not Appointed |
|---|---|---|---|---|---|---|---|
| **总数** | **Total** | **99949** | **5371** | **95** | **27841** | **51473** | **15264** |
| 农林牧渔业 | Farming, Forestry, Animal Husbandry and Fishery | 2052 | 34 | 2 | 280 | 758 | 980 |
| 采矿业 | Minerals Mining and Dressing | 1075 | 72 | | 380 | 601 | 22 |
| 制造业 | Manufacturing | 22314 | 1496 | 20 | 6516 | 10913 | 3389 |
| 电力煤气及水的生产和供应业 | Production and Supply of Electricity, Gas and Water. | 11075 | 676 | 6 | 3342 | 5926 | 1131 |
| 建筑业 | Construction | 10429 | 752 | 1 | 3247 | 5563 | 867 |
| 交通运输仓储及邮电通讯业 | Transport, Storage, Post and Telecommunications | 14836 | 643 | | 4352 | 8571 | 1270 |
| 信息传输、计算机服务和软件业 | Information Transfer, Computer Services and Software | 823 | 43 | | 116 | 262 | 402 |
| 批发和零售业 | Wholesale and Retail Sale Trade | 15545 | 409 | 2 | 3085 | 7862 | 4189 |
| 住宿与餐饮业 | Hotels and Catering Services | 1291 | 18 | | 250 | 738 | 285 |
| 金融保险业 | Banking and Insurance | 4595 | 106 | | 1335 | 2774 | 380 |
| 房地产业 | Real Estate | 3351 | 252 | 2 | 1329 | 1210 | 560 |
| 租赁和商务服务业 | Leasing and Commercial | 2602 | 105 | 1 | 882 | 1471 | 144 |
| 科学研究技术服务和地质勘查业 | Scientific Research and Technic Services and Geological Prospecting | 2063 | 292 | 3 | 658 | 844 | 269 |
| 水利环境和公共设施管理业 | Water Conservancy, Environment and Public Facilities Management | 3257 | 184 | 5 | 936 | 1829 | 308 |
| 居民服务和其他服务业 | Resident Services and Other Services | 2403 | 43 | 1 | 453 | 1191 | 716 |
| 教育 | Education | 359 | 43 | 5 | 106 | 189 | 21 |
| 卫生、社会保障和社会福利业 | Health Care, Social Securities and Social Welfare | 43 | | | 10 | 33 | |
| 文化体育和娱乐业 | Culture, Sports and Recreation | 1836 | 203 | 47 | 564 | 738 | 331 |

14－34 续表 continued

| 项目 | Item | 按专业分 By Occupation | | | | | |
|---|---|---|---|---|---|---|---|
| | | #工程技术人员 Engineering | #农业技术人员 Agriculture | #科学技术人员 Scientific Research | #卫生技术人员 Medical Professionals | #教学人员 Teaching | #其他专技人员 Others |
| **总数** | **Total** | **45359** | **690** | **145** | **2937** | **773** | **50045** |
| 农林牧渔业 | Farming, Forestry, Animal Husbandry and Fishery | 305 | 605 | | 19 | 2 | 1121 |
| 采矿业 | Minerals Mining and Dressing | 376 | | | 179 | 1 | 519 |
| 制造业 | Manufacturing | 11645 | 3 | 90 | 1238 | 209 | 9129 |
| 电力煤气及水的生产和供应业 | Production and Supply of Electricity, Gas and Water. | 7073 | 6 | | 32 | 12 | 3952 |
| 建筑业 | Construction | 8132 | | | 70 | 10 | 2217 |
| 交通运输仓储及邮电通讯业 | Transport, Storage, Post and Telecommunications | 6353 | 8 | | 132 | 78 | 8265 |
| 信息传输、计算机服务和软件业 | Information Transfer, Computer Services and Software | 467 | | 25 | 1 | 12 | 318 |
| 批发和零售业 | Wholesale and Retail Sale Trade | 2087 | 38 | 5 | 1180 | 26 | 12209 |
| 住宿与餐饮业 | Hotels and Catering Services | 186 | | | 7 | 52 | 1046 |
| 金融保险业 | Banking and Insurance | 228 | | | 1 | 4 | 4362 |
| 房地产业 | Real Estate | 1579 | 3 | 1 | 2 | 11 | 1755 |
| 租赁和商务服务业 | Leasing and Commercial | 1281 | 9 | 1 | 16 | 17 | 1278 |
| 科学研究技术服务和地质勘查业 | Scientific Research and Technic Services and Geological Prospecting | 1870 | | 15 | 1 | 1 | 176 |
| 水利环境和公共设施管理业 | Water Conservancy, Environment and Public Facilities Management | 1963 | 15 | 7 | 5 | 5 | 1262 |
| 居民服务和其他服务业 | Resident Services and Other Services | 1483 | 3 | | 9 | 13 | 895 |
| 教育 | Education | 7 | | | 3 | 315 | 34 |
| 卫生、社会保障和社会福利业 | Health Care, Social Securities and Social Welfare | | | | 40 | 0 | 383 |
| 文化体育和娱乐业 | Culture, Sports and Recreation | 324 | | 1 | 2 | 5 | 1504 |

浙/江/统/计/年/鉴

# 主要统计指标解释

## ■ 普通高等学校

指按照国家规定的设置标准和审批程序批准举办,通过国家统一招生考试,招收高中毕业生为主要培养对象,实施高等教育的全日制大学、独立设置的学院和高等专科学校、短期职业大学。

## ■ 成人高等学校

指按照国家有关规定审批,招收通过全国成人高教统一招生考试的具有高中毕业或同等学历的在职从业人员利用脱产、半脱产、业余或函授等多种形式对其实施高等学历教育,培养高等教育专科或本科毕业水平的专门人才,修业年限、课程设置和总学时数均按高等学历教育要求付诸实施的学校。包括广播电视大学、职工高等学校、农民高等学校、管理干部学院、教育学院、独立设置的函授学院等。

## ■ 小学学龄儿童入学率

指调查范围内已入小学学习的学龄儿童占校内外学龄儿童总数(包括弱智儿童在内,但不包括盲聋哑儿童)的比重。计算公式

$$\text{小学学龄儿童入学率}=\frac{\text{已入学的小学学龄儿童数}}{\text{校内外小学学龄儿童总数}}\times 100\%$$

## ■ 独立研究与开发机构

指有明确的任务和研究方向,有一定学术水平的业务骨干和一定数量的研究人员,具有研究、开发、开展学术工作的基本条件,主要进行科学研究与技术开发活动,并且在行政上有独立的组织形式,财务上独立核算盈亏,有权与其他单位签订合同,在银行有单独户头的单位。包括国务院各部门、中国科学院、中国社会科学院和各省、自治区、直辖市以及地(市)以上(含地,市)各部门所属的国有独立的科学研究与技术开发机构。

## ■ 科学家和工程师

指具有大学本科及以上学历的和不具备上述学历但有高、中级职称的人员。

ZHEJIANG STATISTICAL YEARBOOK

# Explanatory Notes on Main Statistical Indicators

## □ Regular Institutions of Higher Education

refer to educational establishments set up according to the government evaluation and approval procedures, enrolling graduates from senior secondary schools and providing higher education courses and training for senior professionals. They include full-time universities, colleges, high professional schools and short-term professional universities.

## □ Institutions of Higher Education for Adults

refer to educational establishments, set up in line with relevant rules approved by the government, enrolling staff and workers with senior secondary school or equivalent education, and providing higher education courses in many forms of full-time, part-time, spare-time, or correspondence for adults. Professionals thus trained receive a qualification equivalent to graduates studying regular courses at regular universities, colleges and professional colleges. Institutions of higher learning for adults include Radio and TV universities, schools of high education for staff and workers and peasants, colleges for management cadres, pedagogical colleges, independent correspondence colleges.

## □ Enrollment Rate of Primary School-age Children

refers to the proportion of school-age children enrolled at schools to the total number of school-age children both in and outside schools (including retarded children, but excluding blind, deaf and mute children). The formula is:

$$\text{Enrollment Rate of Primary School-age Children} = \frac{\text{Total Primary School-age Children at Schools}}{\text{Total Primary School-age Children Both at and Outside Schools}} \times 100\%$$

## □ Independent Research and Development Institutions

refer to the state-owned insitutions which have direct mission and research purpose, a certain number of core member with higher research level and a certain number of research personnel, favorable conditions for R&D and engaging in scientific rese arch and technological development. The institutions also have their own indepen dent organization and finance, authority to sign contracts with other units, with their own accounts in banks. Independent research and development institutions include the institutions attached to central government agencies, Chinese Acade my of Sciences. Chinese Academy of Social Sciences and the institutions attached to local governments.

## □ Scientists and Engineers

refer to persons who have completed university or higher education or obtained titles of senior and middle-level professional positions.

浙江统计年鉴 2009

ZHEJIANG STATISTICAL YEARBOOK

15

# CHAPTER 15

# 文化、体育和卫生

Culture, Sports and Public Health

## 15-1 文化、艺术、文物事业单位数(1978-2008年)
## Number of Institutions for Culture, Art and Cultural Relic (1978-2008)

单位:个(unit)

| 年份 Year | 电影放映单位 Film Projection Units | 艺术表演团体 Art Performance Troupes | 文化馆、站 Cultural Centers, Stations | #文化馆 Cultural Centers | 公共图书馆 Public Libraries | 博物馆 Museums |
|---|---|---|---|---|---|---|
| 1978 | 4375 | 128 | 1125 | 76 | 63 | 19 |
| 1979 | 4320 | 161 | 1332 | 79 | 69 | 17 |
| 1980 | 4218 | 170 | 1659 | 79 | 69 | 19 |
| 1981 | 4126 | 147 | 1753 | 79 | 70 | 20 |
| 1982 | 4095 | 135 | 2124 | 82 | 73 | 20 |
| 1983 | 4625 | 131 | 2954 | 86 | 73 | 20 |
| 1984 | 5242 | 133 | 3607 | 91 | 74 | 21 |
| 1985 | 5592 | 126 | 3598 | 93 | 76 | 21 |
| 1986 | 5375 | 122 | 3617 | 95 | 78 | 35 |
| 1987 | 5089 | 112 | 3619 | 93 | 80 | 40 |
| 1988 | 4896 | 98 | 3501 | 87 | 80 | 45 |
| 1989 | 4673 | 90 | 3547 | 87 | 80 | 47 |
| 1990 | 4580 | 90 | 3554 | 85 | 80 | 51 |
| 1991 | 4436 | 91 | 3695 | 85 | 80 | 55 |
| 1992 | 4050 | 89 | 2065 | 84 | 80 | 55 |
| 1993 | 3600 | 89 | 2033 | 84 | 81 | 58 |
| 1994 | 3327 | 87 | 2010 | 84 | 82 | 58 |
| 1995 | 3029 | 83 | 1974 | 83 | 81 | 59 |
| 1996 | 2817 | 85 | 2114 | 83 | 81 | 61 |
| 1997 | 2766 | 86 | 2014 | 83 | 81 | 63 |
| 1998 | 2723 | 82 | 2016 | 83 | 82 | 68 |
| 1999 | 2381 | 82 | 1956 | 84 | 83 | 69 |
| 2000 | 2129 | 79 | 1932 | 84 | 83 | 65 |
| 2001 | 1868 | 80 | 1640 | 86 | 83 | 69 |
| 2002 | 1984 | 80 | 1676 | 86 | 83 | 70 |
| 2003 | 83 | 77 | 1650 | 87 | 83 | 70 |
| 2004 | 1758 | 71 | 1634 | 87 | 84 | 73 |
| 2005 | 1505 | 68 | 1592 | 87 | 90 | 73 |
| 2006 | 1829 | 68 | 1593 | 87 | 92 | 72 |
| 2007 | 1626 | 71 | 1582 | 87 | 93 | 75 |
| 2008 | | 71 | 1593 | 87 | 94 | 81 |

注:2003年电影放映单位为发行机构数。
The film projection units in 2003 had been changed to publishing institutions.

## 15－2 文化事业机构和人员数(2008 年)
## Number of Cultural Institutions and Persons(2008)

单位：个、人(unit, person)

| 类别 | Category | 总计 Total | | #文化部门 Cultural Department | | | |
|---|---|---|---|---|---|---|---|
| | | | | 国有单位 State－owned Units | | 集体单位 Collective－owned Units | |
| | | 机构数 Institutions | 人数 Persons | 机构数 Institutions | 人数 Persons | 机构数 Institutions | 人数 Persons |
| **总计** | **Total** | 2182 | 19889 | 2157 | 19453 | 3 | 40 |
| 艺术事业 | Art Institutions | 140 | 5036 | 131 | 4835 | 2 | 37 |
| 公共图书馆 | Public Libraries | 94 | 2526 | 94 | 2526 | | |
| 群众文化事业 | Mass Culture | 1593 | 5242 | 1593 | 5242 | | |
| 艺术教育事业 | Art and Education | 6 | 649 | 6 | 649 | | |
| 文艺科研 | Culture, Art and Science Research | 7 | 201 | 7 | 201 | | |
| 其他文化事业 | Other Cultural Institutions | 143 | 2148 | 140 | 2139 | 1 | 3 |
| 文物业 | Cultural Relic | 199 | 4087 | 186 | 3861 | | |

## 15－3 电影放映情况(2002－2008 年)
## Conditions of Film Projection(2002－2008)

| 项目 | Item | 2002 | 2003 | 2004 | 2005 | 2006 | 2007 | 2008 |
|---|---|---|---|---|---|---|---|---|
| **放映单位 (个)** | **Projection Units (unit)** | **1984** | **83** | **1758** | **1505** | **1829** | **1626** | |
| 放映场次 (万场) | Number of Projection (10000 shows) | 17 | 19 | 24 | 25 | 27 | 33 | 38 |
| 观众人数 (万人次) | Number of Audiences (10000 person－times) | 602 | 496 | 557 | 588 | 600 | 871 | 915 |
| 放映收入 (万元) | Projection Income (10000 yuan) | 8382 | 8832 | 12166 | 13115 | 14000 | 21000 | 27300 |

## 15－4 群众艺术馆、文化馆(站)业务活动和经费情况
Basic Statistics on Activities and Expenditures of Mass Art Centers and Cultural Centers

单位：亿元(100 million yuan)

| 项目 | | Item | | 总计 Total 2006 | 总计 Total 2007 | 总计 Total 2008 | 群众艺术馆 Mass Art Centers 2006 | 群众艺术馆 Mass Art Centers 2007 | 群众艺术馆 Mass Art Centers 2008 |
|---|---|---|---|---|---|---|---|---|---|
| **单位数** | **(个)** | **Number of Units** | **(unit)** | **1593** | **1582** | **1593** | **12** | **12** | **12** |
| 举办展览 | (个) | Number of Exhibitions | (unit) | 12121 | 6160 | 6510 | 187 | 171 | 168 |
| 组织文艺活动 | (次) | Entertainment Activities | (time) | 25657 | 40427 | 27235 | 751 | 539 | 705 |
| 举办训练班班次 | (次) | Number of Training Classes | (time) | 13869 | 19129 | 21965 | 361 | 850 | 1347 |
| 结业人次 | (千人次) | Persons Completing Courses | (1000 person-times) | 550 | 861 | 1141 | 8 | 14 | 55 |
| **群众艺术馆、文化馆负责指导单位** | | **Units Responsible for Guiding Mass Art Centers and Cultural Centers** | | | | | | | |
| 农村集镇文化中心 | (个) | Cultural Centers in Towns | (unit) | 843 | 1012 | 1023 | 47 | 118 | 117 |
| 基层文化示范点文化俱乐部(室) | (个) | Cultural Clubs | (unit) | 1316 | | | 49 | | |
| 文化户 | (户) | Households Specializing in Cultural Activities | (household) | 38882 | 26301 | 30115 | 71 | 220 | 223 |
| 群众业余演出团队 | (个) | Part-time Art Groups | (unit) | 3700 | 5817 | 7736 | 462 | 153 | 595 |
| **总支出** | **(万元)** | **Total Expenditures** | **(10000 yuan)** | **45336** | **60163** | **664124** | **5730** | **6460** | **7868** |
| #事业支出 | | Operating Expenditures | | 44899 | 56431 | 64638 | 5721 | 6389 | 7816 |

15－4 续表 continued 单位：亿元(100 million yuan)

| 项目 | Item | 文化馆 Cultural Centers 2006 | 2007 | 2008 | 国办文化站 Cultural Stations Run by State－Owned 2006 | 2007 | 2008 |
|---|---|---|---|---|---|---|---|
| **单位数 (个)** | **Number of Units (unit)** | **87** | **87** | **87** | **1494** | **1483** | **1494** |
| 举办展览 (个) | Number of Exhibitions (unit) | 860 | 676 | 677 | 11074 | 5313 | 5665 |
| 组织文艺活动 (次) | Entertainment Activities (time) | 4708 | 6728 | 5258 | 20198 | 33160 | 21272 |
| 举办训练班班次 (次) | Number of Training Classes (time) | 3463 | 3352 | 3312 | 10045 | 14927 | 17306 |
| 结业人次 (千人次) | Persons Completing Courses (1000 person-times) | 79 | 98 | 148 | 463 | 749 | 937 |
| **群众艺术馆、文化馆负责指导单位** | **Units Responsible for Guiding Mass Art Centers and Cultural Centers** | | | | | | |
| 农村集镇文化中心 (个) | Cultural Centers in Towns (unit) | 796 | 894 | 906 | | | |
| 基层文化示范点文化俱乐部(室) (个) | Cultural Clubs (unit) | 1267 | | | | | |
| 文化户 (户) | Households Specializing in Cultural Activities (household) | 3869 | 4499 | 5168 | 34942 | 21582 | 24724 |
| 群众业余演出团队 (个) | Part-time Art Groups (unit) | 3238 | 5664 | 7141 | | 824 | |
| **总支出 (万元)** | **Total Expenditures (10000 yuan)** | **14542** | **18575** | **21516** | **25065** | **35128** | **37029** |
| #事业支出 | Operating Expenditures | 14257 | 17647 | 21058 | 24921 | 32396 | 35764 |

## 15－5 博物馆、文物保护管理单位基本情况
Basic Statistics on Museums and Cultural Relic Protection & Management Agencies

| 项 目 | | Item | | 博物馆 Museums | | | 文物保护管理单位 Protection & Management Agencies | | |
|---|---|---|---|---|---|---|---|---|---|
| | | | | 2006 | 2007 | 2008 | 2006 | 2007 | 2008 |
| **单位数** | **(个)** | **Number of Units** | **(unit)** | **72** | **75** | **81** | **92** | **91** | **93** |
| **藏 品** | **(件)** | **Number of Collections** | **(case)** | **523515** | **549879** | **630885** | **79280** | **76353** | **75343** |
| #一级品 | | Grade One | | 2609 | 1650 | 1740 | 291 | 271 | 284 |
| **业务活动** | | **Vocational Activities** | | | | | | | |
| 陈列、展览 | (个) | Number of Displays(Exhibitions) | (unit) | 573 | 583 | 656 | 123 | 104 | 131 |
| 参观人数 | (万人次) | Number of Visitors | (10000 person－times) | 981 | 1101 | 1140 | 1180 | 1812 | 787 |
| **本年收入** | **(万元)** | **Total Income** | **(10000 yuan)** | **22209** | **28698** | **37941** | **30377** | **39179** | **43132** |
| **经费支出** | **(万元)** | **Total Expenditure** | **(10000 yuan)** | **20281** | **23432** | **33252** | **23135** | **28811** | **32647** |
| #维修费 | (万元) | Maintenance Expenses | (10000 yuan) | 1077 | 950 | 1337 | 3450 | 3676 | 1401 |
| **固定资产原值** | **(万元)** | **Original Value of Fixed Assets** | **(10000 yuan)** | **57594** | **59414** | **59449** | **23363** | **26591** | **34651** |

## 15－6 公共图书馆基本情况(2002－2008年)
Basic Statistics on Public Libraries(2002－2008)

| 项 目 | | Item | | 2002 | 2003 | 2004 | 2005 | 2006 | 2007 | 2008 |
|---|---|---|---|---|---|---|---|---|---|---|
| **单位数** | **(个)** | **Number of Units** | **(unit)** | **83** | **83** | **84** | **90** | **92** | **93** | **94** |
| 从业人员 | (人) | Staff and Workers | (person) | 1924 | 1932 | 1999 | 2122 | 2433 | 2332 | 2526 |
| **藏 书** | **(万册)** | **Total Collections** | **(10000 volumes)** | **1848** | **1918** | **2087** | **2324** | **2497** | **2699** | **3180** |
| 发放借书证数 | (万个) | Number of Library Cards Distributed | (10000 units) | 45 | 48 | 59 | 63 | 83 | 97 | 129 |
| 书刊外借人次 | (万人次) | Number of Persons Borrowing Books | (10000 person－times) | 582 | 614 | 641 | 672 | 815 | 981 | 1180 |
| 书刊外借册次 | (万册次) | Number of Books Bo－rrowed by the Readers | (10000 volume－times) | 1156 | 1087 | 1099 | 1233 | 1612 | 1919 | 2303 |
| **经费总支出** | **(万元)** | **Total Expenditure** | **(10000 yuan)** | **12229** | **16506** | **18951** | **22905** | **25951** | **31151** | **38113** |
| 本年新购图书 | (万册) | Number of Books Purchased During the Year | (10000 volumes) | 78 | 76 | 102 | 142 | 191 | 202 | 448 |
| **固定资产原值** | **(万元)** | **Original Value of Fixed Assets** | **(10000 yuan)** | **51564** | **59006** | **69211** | **70028** | **82918** | **93057** | **105130** |
| **建筑面积** | **(万平方米)** | **Floor Space of Buildings** | **(10000 sq. m)** | **28** | **30** | **36** | **41** | **45** | **47** | **55** |
| **阅览室座席数** | **(千个)** | **Seating Capacity of Reading Rooms** | **(1000 seats)** | **2** | **20** | **21** | **25** | **28** | **28** | **31** |

## 15-7　报纸和杂志出版数量
Number of Newspapers and Magazines Published

| 项　目 | Item | 种数(种) Number of Publications (kind) | | | 总印量(万册、万份) Total Printed Copies (10000 Copies) | | | 总印张(千印张) Total Printed Sheets (1000 sheets) | | |
|---|---|---|---|---|---|---|---|---|---|---|
| | | 2006 | 2007 | 2008 | 2006 | 2007 | 2008 | 2006 | 2007 | 2008 |
| **报　纸** | **Newspaper** | **70** | **70** | **70** | **280261** | **291048** | **298677** | **12441926** | **12917060** | **11977337** |
| 综合报 | Synthetical Newspapers | 45 | 47 | 47 | 228093 | 247279 | 250871 | 10615249 | 11308617 | 10558279 |
| 专业报 | Special Newspapers | 25 | 23 | 23 | 52168 | 43769 | 47806 | 1826677 | 1608443 | 1419058 |
| **杂　志** | **Magazines** | **218** | **218** | **219** | **8009** | **8082** | **7407** | **304191** | **327935** | **299882** |
| 综　合 | Synthesis | 47 | 49 | 23 | 710 | 1402 | 16 | 59582 | 102602 | 1576 |
| 哲学、社会科学 | Philosophy and Social Science | 36 | 32 | 46 | 2240 | 908 | 1641 | 79990 | 34083 | 72942 |
| 自然科学技术 | Natural Science and Technology | 100 | 104 | 106 | 576 | 462 | 531 | 29246 | 25010 | 29487 |
| 文化教育 | Culture and Education | 13 | 13 | 29 | 1401 | 940 | 4140 | 38472 | 33250 | 118427 |
| 文学艺术 | Literature and Arts | 12 | 11 | 15 | 411 | 567 | 1079 | 18450 | 36130 | 77450 |
| 画　刊 | Pictorial | 2 | 2 | | 22 | 398 | | 988 | 7992 | |
| #少年儿童读物 | Books for Children | 8 | 6 | | 2649 | 3405 | | 77463 | 88868 | |

## 15-8　图书出版数量
Number of Books Published

| 项　目 | Item | 本版图书种数(种) Number of Publications (kind) | | 租型图书种数(种) Number of Publications for Lease (kind) | | 总印数(万册、万份) Total Printed Copies (10000 Copies) | | 总印张(千印张) Total Printed Sheets (1000 sheets) | |
|---|---|---|---|---|---|---|---|---|---|
| | | 2007 | 2008 | 2007 | 2008 | 2007 | 2008 | 2007 | 2008 |
| **图书总计** | **Total** | **6986** | **7282** | **289** | **289** | **25656** | **29564** | **1633112** | **1818335** |
| 使用《中国标准书号》部分合计 | Publications with "China Standard Book Number" | 6326 | 6718 | 289 | 286 | 24775 | 28923 | 1600063 | 1784110 |
| #哲学 | Philosophy | 91 | 78 | | | 47 | 85 | 6224 | 8735 |
| 社会科学总论 | General Social Science | 57 | 102 | | | 28 | 55 | 4801 | 6762 |
| 文化、科学、教育、体育 | Culture, Science, Education and Sports | 3588 | 3385 | 225 | 235 | 20809 | 24496 | 1214269 | 1425058 |
| 文学 | Literature | 545 | 708 | | | 804 | 1083 | 74528 | 92655 |
| 艺术 | Arts | 581 | 645 | 54 | 49 | 1453 | 1629 | 68990 | 83056 |
| 自然科学总论 | General Natural Science | 27 | 11 | | | 18 | 4 | 1409 | 523 |
| 不使用《中国标准书号》部分合计 | Publications without "China Standard Book Number" | 660 | 564 | | 3 | 881 | 641 | 33049 | 29377 |

## 15－9 电视节目制作情况(2002－2008 年)
Production of Television Programs(2002－2008)

| 项 目 | | Item | | 2002 | 2003 | 2004 | 2005 | 2006 | 2007 | 2008 |
|---|---|---|---|---|---|---|---|---|---|---|
| **基本情况** | | **Basic Statistics** | | | | | | | | |
| 省市级电视台 | (座) | Television Station | (set) | 12 | 12 | 12 | 12 | 12 | 12 | 12 |
| 电视节目套数 | (套) | Sets of Television Programs | (set) | 104 | 104 | 108 | 111 | 111 | 114 | 114 |
| 电视发射台及转播台 | (座) | Number of TV Transmission Stations and Relaying Stations at 1 kw and Higher Level | (set) | 45 | 42 | 624 | 526 | 128 | 117 | 110 |
| 播出时间 | (小时) | Broadcasting Hours (Hour/per week) | (hour) | 9697 | 10157 | 531526 | 593373 | 608806 | 659073 | 679332 |
| 新闻资讯节目 | | News and Information Programs | | | | | 64183 | 64457 | 74528 | 75456 |
| 专题服务节目 | | Special Subject Service Programs | | | | | 61198 | 53100 | 58954 | 63925 |
| 综艺益智节目 | | Programs of General Entertainment | | | | | 36392 | 31509 | 32278 | 33734 |
| 影视剧节目 | | Movie and Teleplay Programs | | | | | 292007 | 299631 | 302255 | 302801 |
| 广告节目 | | Advertisement | | | | | 83309 | 92017 | 101530 | 109865 |
| 其他节目 | | Others | | | | | 56283 | 68088 | 89526 | 93551 |
| 电视人口覆盖率 | (%) | Viewer Rating | (%) | 97.31 | 98.14 | 98.69 | 98.84 | 98.95 | 99.07 | 99.13 |
| 中央电视台(一套节目) | (%) | CCTV－1 | (%) | 95.3 | 95.88 | 97.18 | 96.6 | 97.24 | 97.53 | 98.34 |
| 浙江电视台(一套节目) | (%) | ZJTV－1 | (%) | 96.25 | 97.03 | 97.94 | 95.28 | 98.12 | 97.53 | 98.47 |
| 有线电视入户率 | (%) | Rate of Households with Cable Television | | 51 | 52.55 | 56.37 | 58.97 | 63.72 | 66.69 | 66.93 |

## 15－10 广播节目制作情况(2002－2008 年)
## Production of Broadcasting Programs(2002－2008)

| 项目 | | Item | | 2002 | 2003 | 2004 | 2005 | 2006 | 2007 | 2008 |
|---|---|---|---|---|---|---|---|---|---|---|
| 基本情况 | | **Basic Statistics** | | | | | | | | |
| 省市级广播电台 | (座) | Broadcasting Stations | (set) | 12 | 12 | 12 | 12 | 12 | 12 | 12 |
| 广播节目套数 | (套) | Sets of Broadcasting Programs | (set) | 92 | 98 | 103 | 104 | 104 | 106 | 106 |
| 中短波广播发射台和转播台 | (座) | Number of Broadcasting Transmi－ssion Stations and Relaying Stations | (set) | 36 | 36 | 36 | 36 | 36 | 36 | 36 |
| 县级广播电视台 | (个) | Number of Broadcast Stations at County and Higher Level | (unit) | 62 | 62 | 66 | 66 | 66 | 66 | 66 |
| 广播人口综合覆盖率 | (%) | Listener Rating | (%) | 96.25 | 97.34 | 98.18 | 98.37 | 98.56 | 98.73 | 98.92 |
| 中央人民广播电台第一套节目 | (%) | Channel 1,Central People Broadcasting Station | (%) | 94.67 | 95.71 | 96 | 97.3 | 97.64 | 97.84 | 98.05 |
| 浙江电台第一套节目 | (%) | Zhejiang Channel 1 | (%) | 92.39 | 95.84 | 95.88 | 94.11 | 98.17 | 97.73 | 98.31 |
| 全年公共广播节目播出时间 | (小时) | Broadcasting Hours Per Day | (hour) | | | 622907 | 637577 | 657249 | 672587 | 687024 |
| 新闻咨讯类节目 | | News Programs | | | | 108455 | 105668 | 118522 | 130482 | 127897 |
| 专题服务类节目 | | Special Subject Programs | | | | 139588 | 156482 | 143389 | 153390 | 147620 |
| 综艺类节目 | | Programs of Entertainment | | | | 168823 | 174263 | 177122 | 162042 | 161767 |
| 广播剧类节目 | | Educational Programs | | | | 21803 | 22372 | 20235 | 21285 | 23859 |
| 广告类 | | Advertisement | | | | 69163 | 63072 | 77989 | 71196 | 78723 |
| 其他类节目 | | Service Programs | | | | 115073 | 115719 | 119992 | 134188 | 147158 |

## 15－11 体委系统职工人数(2008 年)
Number of Staff and Workers in Sports Commissions(2008)

单位:人(person)

| 类别 | Category | 总计 Total | 体育行政机关 Sports Commis－sion Or－ganizations | 优 秀 运动队 Excellent Sports Teams | 体育运动学校 Physical Education and Sports Schools | 业余体校 Sparetime Sports Schools | 体育场馆 Public Sports Places | 训练基地 | 其他事业单位 Others |
|---|---|---|---|---|---|---|---|---|---|
| **总计** | **Total** | **5994** | **1196** | **1196** | **551** | **516** | **933** | **924** | **678** |
| 公务员 | Government Office Worker | 709 | 706 | | | | | | 3 |
| 运动员 | Athletes | 890 | | 875 | 15 | | | | |
| 专职教练员(教练员) | Full-time Coaches | 884 | 13 | 196 | 9 | 187 | 423 | 25 | 31 |
| 专职教师(文化教师) | Full-time Teachers | 356 | | 1 | 42 | 133 | 151 | | 29 |
| 科研人员 | Scientific and Technical Personnel | 28 | | 2 | 3 | 6 | 5 | | 12 |
| 医务人员 | Medical Personnel | 70 | | 2 | 55 | 9 | 3 | | 1 |
| 管理人员 | Administrative Personnel | 1383 | 270 | 103 | 138 | 96 | 151 | 384 | 241 |
| 工勤人员 | Workers | 857 | 82 | 9 | 289 | 59 | 90 | 225 | 103 |
| 其他人员 | Others | 817 | 125 | 8 | | 26 | 110 | 290 | 258 |

注:业余体校包括重点业余体校和普通业余体校。
Sparetime sports schools included key and ordinary sparetime schools.

## 15－12 等级运动员、裁判员人数
Number of Athletes and Referees in Grades

单位:人(person)

| 项目 | Item | 2006 | 2007 | 2008 | 项目 | Item | 2006 | 2007 | 2008 |
|---|---|---|---|---|---|---|---|---|---|
| **等级运动员** | **Number of Athletes in Grades** | **1811** | **1874** | **2469** | **等级裁判员** | **Number of Referees in Grades** | **1580** | **1733** | **1510** |
| 国际级健将 | International Master of Sports | 11 | 13 | 4 | 国际裁判 | International Referees | 2 | | 10 |
| 国家级健将 | National Master of Sports | 56 | 71 | 45 | 国家级 | National Referees | 31 | 17 | 8 |
| 一级 | First Grade Sportsmen | 247 | 166 | 251 | 一级 | First Grade Referees | 417 | 371 | 337 |
| 二级 | Second Grade Sportsmen | 1497 | 1624 | 2169 | 二级 | Second Grade Referees | 1130 | 1345 | 1155 |

## 15－13 运动员分项获奖情况
### Awards Won by Athletes by Item

单位:项(item)

| 项　目 | Item | 世界冠军 World Championships | | | | 亚洲冠军 Asia Championships | | | | 全国冠军 National Championships | | | |
|---|---|---|---|---|---|---|---|---|---|---|---|---|---|
| | | 2005 | 2006 | 2007 | 2008 | 2005 | 2006 | 2007 | 2008 | 2005 | 2006 | 2007 | 2008 |
| **合计** | **Total** | **12** | **13** | **2** | **12** | **19** | **29** | **12** | **12** | **87** | **99** | **96** | **101** |
| 举重 | Weightlifting | | | | | | | | | | 1 | | 6 |
| 游泳 | Swimming | 2 | 2 | | | | | | | 28 | 13 | | 14 |
| 田径 | Track and Field | | | | | 4 | 13 | | 2 | 10 | 6 | 10 | 12 |
| 棋类 | Chess | | 1 | | 2 | 1 | | | | 2 | | 3 | 3 |
| 羽毛球 | Badminton | | 1 | | | | | | | | 3 | | |
| 射击 | Shooting | 2 | 1 | 1 | | | 3 | | 4 | 4 | 1 | 3 | 12 |
| 拳击 | Boxing | | | | | | | | | 3 | | 1 | 5 |
| 体操 | | | | | 5 | | | | | | | | 6 |
| 皮划艇 | | | | | 5 | | | | 2 | | | | 8 |
| 其他 | Others | 8 | 8 | 1 | | 14 | 13 | 12 | 4 | 40 | 75 | 79 | 35 |

## 15－14 群众体育活动和场地情况
### Basic Statistics on Activities of Mass Sports and Sports Ground

| 项　目 | Item | 2008 | 项　目 | Item | 2008 |
|---|---|---|---|---|---|
| **群众体育活动** | **Activities of Mass Sports** | | **体育俱乐部** | **Sport Club** | |
| #省级（次） | Provincial Level (unit) | 71 | 个数（个） | Number of Sport Club (unit) | 976 |
| 参加人数（万人） | Number of active persons (10000 persons) | 170 | #国家级（个） | National level (unit) | 101 |
| #市级（次） | City level (item) | 2126 | #省级（个） | Provincial Level (unit) | 423 |
| 参加人数（万人） | Number of active persons (10000 persons) | 120.8 | 教练员（人） | Coach (person) | 1090 |
| #县级（次） | County level (item) | 5102 | 会员数（万人） | Club members (10000 persons) | 8.2 |
| 参加人数（万人） | Number of active persons (10000 persons) | 169.6 | 年组织活动参加人数（万人） | Number of active persons (10000 persons) | 37.4 |
| **国民体质监测** | **Monitor Wational constitution** | | **政府命名群众体育场地** | **Sports Ground** | |
| 站点数（个） | Sites (unit) | 700 | 数量（个） | Number of Sports Ground (unit) | 661 |
| 累计受测人员数（万人） | Accumulative persons involved monitoring (10000 persons) | 31.9 | 占地面积（千平方米） | Area of Sports Ground (1000 sq·m) | 1052.8 |
| 本年受测人员数（万人） | Persons involved monitoring this year (10000 persons) | 7.8 | 场地面积（千平方米） | Space of sports Ground (1000 sq·m) | 663.2 |
| 测试达标人员数（万人） | Number of persons reached the Standards (10000 persons) | 6.8 | | | |
| 测试达标率（%） | Attainment rate (%) | 87.4 | | | |

## 15－15　卫生事业情况(2003－2008 年)
## Statistics on Health Undertakings(2003－2008)

| 项　目 | Item | 2003 | 2004 | 2005 | 2006 | 2007 | 2008 |
|---|---|---|---|---|---|---|---|
| **卫生机构数合计(个)** | **Total Number of Health Institutions (unit)** | **11177** | **11937** | **12555** | **14230** | **15870** | **15291** |
| 医院 | Hospital | 480 | 519 | 555 | 606 | 636 | 635 |
| 疗养院 | Sanatoriam | 17 | 17 | 16 | 18 | 17 | 15 |
| 社区服务中心(站) | Centers of Community Service | 1274 | 1880 | 2345 | 3484 | 5113 | 5191 |
| 卫生院 | Commune Hospital | 2506 | 2400 | 2339 | 2188 | 2031 | 1849 |
| 门诊部 | Clinics | 494 | 450 | 446 | 549 | 620 | 632 |
| 诊所医务室卫生所 | Consulting Room | 5650 | 5934 | 6135 | 6773 | 6831 | 6357 |
| 专科防治所站 | Specialized Prevention Station | 30 | 27 | 27 | 28 | 29 | 27 |
| 疾控中心防疫站 | Sanitation and Antiepidemic Institutions | 104 | 97 | 98 | 97 | 98 | 100 |
| #卫生防疫站 | Sanitation Station | 4 | 3 | 3 | 1 | 2 | 2 |
| 妇幼保健机构 | Maternity and Child Care Institutions | 88 | 88 | 87 | 87 | 87 | 87 |
| 卫生监督所 | Sanitation Supervisory Station | 93 | 100 | 102 | 95 | 97 | 98 |
| 医学科学研究机构 | Research Institutions of Medical Science | 8 | 9 | 9 | 9 | 10 | 9 |
| 医学在职培训机构 | Training Institutions | 51 | 50 | 45 | 47 | 44 | 48 |
| 其他卫生机构 | Others | 382 | 366 | 351 | 249 | 257 | 243 |
| **床位合计数(张)** | **Total Beds(bed)** | **126678** | **135139** | **141221** | **148584** | **155622** | **161203** |
| #医院 | Hospital | 94866 | 102295 | 108958 | 116666 | 123355 | 129844 |
| 社区服务中心(站) | Centers of Community Service | 1549 | 1637 | 1862 | 1772 | 2216 | 3690 |
| 卫生院 | Commune Hospital | 23058 | 22936 | 22154 | 21636 | 21206 | 19784 |
| 门诊部 | Clinics | 261 | 400 | 373 | 435 | 519 | 471 |
| 妇幼保健机构 | Maternity and Child Care Institutions | 3575 | 4136 | 4259 | 4372 | 4597 | 4640 |
| 专科防治所站 | Specialized Prevention Station | 527 | 462 | 607 | 727 | 724 | 732 |
| 其他卫生机构 | Others | 2842 | 3273 | 3008 | 2976 | 3005 | 2042 |
| **卫生人员合计(人)** | **Persons Engaged in Health Institutions(person)** | **207937** | **221539** | **236197** | **255057** | **275047** | **288344** |
| 卫生技术人员 | Medical Technical Personnel | 173010 | 185376 | 198148 | 214622 | 230452 | 242912 |
| 医生 | Doctors | 79310 | 83052 | 88050 | 94524 | 100423 | 101897 |
| 其他技术人员 | Others | 8284 | 9008 | 10719 | 10555 | 11204 | 11927 |
| 管理人员 | Management Personnel | 11313 | 12277 | 12181 | 12781 | 13531 | 13127 |
| 工勤人员 | Logistics Workers | 15330 | 14878 | 15149 | 17099 | 19860 | 20378 |
| 在卫生技术人员中 | Among them | | | | | | |
| 执业医师 | Licenced Doctors | 62781 | 65213 | 69549 | 75169 | 81293 | 83387 |
| 执业助理医师 | Licenced Assistant Doctors | 16529 | 17839 | 18501 | 19355 | 19130 | 18510 |
| 注册护士 | Registered Nurses | 49298 | 54874 | 60259 | 66615 | 72008 | 78284 |
| 药剂人员 | Medical Pharmacists | 15233 | 15748 | 16359 | 17236 | 17311 | 17212 |
| 检验人员 | Laboratory Technicians | 8602 | 9077 | 9478 | 10277 | 10691 | 13887 |
| 其他 | Others | 20567 | 22625 | 24002 | 25970 | 30019 | 31682 |
| 平均每千人口拥有卫生技术人员 | Number of Medical Technical Personnel Per 1000 Population | 3.63 | 3.86 | 4.05 | 4.31 | 4.55 | 4.74 |
| #医生 | Doctors | 1.66 | 1.74 | 1.8 | 1.9 | 1.98 | 1.99 |

注:平均每千人口拥有卫生技术人员、医生按常住人口计算。
Number of Medical Technical Personnel and Doctors Per 1000 population are calculated at permanent residence.

## 15－16 医院诊疗次数和入院人数(2008 年)
Number of Hospital Patients(2008)

| 类 别 | Type | 机构数(个) Number of Institutions (unit) | 诊疗人次数(万人次) Total Number of Patients Treated (10000 person-times) | #门、急诊 Out-Patients and Emergency Patients | 入院人数(万人) Hospital Admissions (10000 persons) | 每百门急诊次入院人数(人) Hospital Admissions Per 100 Patient-times (person) |
|---|---|---|---|---|---|---|
| **医院合计** | **Hospitals** | **635** | **13012.5** | **12908.5** | **359.1** | **2.78** |
| **综合医院** | **General Hospitals** | **355** | **9337.0** | **9264.2** | **278.0** | **2.99** |
| **中医医院** | **Hospitals of Chinese Medicine** | **101** | **2409.4** | **2387.6** | **46.0** | **1.93** |
| **中西医结合医院** | **Hospitals which Integrate Traditional Chinese Therapeutics with Western Therapeutics** | **12** | **218.6** | **218.6** | **3.7** | **1.71** |
| **专科医院** | **Specialized Hospitals** | **164** | **1047.5** | **1038.2** | **31.3** | **3.06** |
| 传染病院 | Hospitals for Infectious Diseases | 4 | 37.4 | 37.1 | 2.1 | 5.60 |
| 精神病院 | Mental Hospitals | 32 | 183.2 | 177.7 | 4.1 | 2.40 |
| 肿瘤医院 | Tumor Hospitals | 3 | 18.8 | 18.8 | 3.3 | 17.70 |
| 眼科病院 | Ophthalmology Hospitals | 10 | 53.9 | 53.9 | 1.4 | 2.70 |
| **妇幼保健院** | **Hospitals for Maternity and Children Care** | **55** | **829.4** | **809.3** | **22.3** | **2.80** |
| **社区卫生服务中心** | **Center of Community Service** | **169** | **2669.8** | **2059.5** | **2.9** | **0.10** |
| **卫生院** | **Rural Hospitals** | **1846** | **7072.2** | **6751.5** | **32.4** | **0.50** |
| **门诊部** | **Clinics** | **632** | **486.1** | **485.8** | **0.9** | **0.20** |

## 15－17 医疗机构病床使用情况(2008 年)
Utilization of Hospital Beds (2008)

| 类 别 | Type | 入院人数(人) Hospital Admissions (person) | 治愈率(%) Care Rate (%) | 病床使用率(%) Utilization Rate of Beds (%) | 病床周转次数(次) Turnover of Beds (time) | 出院者平均住院日(日) Average Hospitalization Period (day) |
|---|---|---|---|---|---|---|
| **合计** | **Total** | **4207967** | **56.35** | **82.33** | **27.3** | **10.7** |
| 医院 | Health Departments | 3590921 | 52.87 | 89.82 | 28.3 | 11.3 |
| 社区卫生服务中心 | Center of Community Service | 28923 | 56.33 | 55.8 | 9.7 | 18.3 |
| 卫生院 | Rural Hospitals | 323867 | 72.3 | 37.58 | 18.3 | 6.9 |
| 门诊部 | Clinics | 9171 | 82.97 | 28.08 | 26 | 4.1 |

## 15－18　城市和农村前十位疾病死亡原因和构成(2008 年)
Main 10 Diseases of Death in Urban and Rural Areas(2008)

| 2007 | | | | 2008 | | | |
|---|---|---|---|---|---|---|---|
| 位次 No. | 城市死因 | Cause of Death in Urban Area | 占死亡总数(%) As % of Total Death | 位次 No. | 城市死因 | Cause of Death in Urban Area | 占死亡总数(%) As % of Total Death |
| 1 | 恶性肿瘤 | Malignant Tumour | 29.55 | 1 | 恶性肿瘤 | Malignant Tumour | 26.58 |
| 2 | 脑血管病 | Cerebrovasular Disease | 17.61 | 2 | 脑血管病 | Cerebrovasular Disease | 18.04 |
| 3 | 呼吸系统疾病 | Respiratory Disease | 15.68 | 3 | 呼吸系统疾病 | Respiratory Disease | 17.86 |
| 4 | 心脏病 | Heart Trouble | 10.24 | 4 | 损伤和中毒外部原因 | Trauma and Toxicosis | 11.09 |
| 5 | 损伤和中毒外部原因 | Trauma and Toxicosis | 9.09 | 5 | 心脏病 | Heart Trouble | 9.69 |
| 6 | 内分泌、营养和代谢的其他疾病 | Other Diseases of Endocrine, Nutrilion and Supersession | 2.93 | 6 | 消化系统疾病 | Disease of Digestion System | 2.32 |
| 7 | 消化系统疾病 | Disease of Digestion System | 2.25 | 7 | 内分泌、营养和代谢的其他疾病 | Other Diseases of Endocrine, Nutrilion and Supersession | 1.75 |
| 8 | 传染病(不包括呼吸道结核) | Infections and Paraise Disease | 1.59 | 8 | 神经系统疾病 | Mental Disease | 1.59 |
| 9 | 泌尿生殖系统疾病 | Urinary Disease | 1.16 | 9 | 传染病(不包括呼吸道结核) | Infections and Paraise Disease | 1.44 |
| 10 | 神经系统疾病 | Mental Disease | 1.12 | 10 | 泌尿生殖系统疾病 | Urinary Disease | 1.35 |
| | 合计 | Total | 91.22 | | 合计 | Total | 91.71 |
| 位次 No. | 农村死因 | Cause of Death in Rural Area | 占死亡总数(%) As % of Total Death | 位次 No. | 农村死因 | Cause of Death in Rural Area | 占死亡总数(%) As % of Total Death |
| 1 | 恶性肿瘤 | Malignant Tumour | 27.68 | 1 | 恶性肿瘤 | Malignant Tumour | 27.43 |
| 2 | 呼吸系统疾病 | Respiratory Disease | 18.01 | 2 | 脑血管病 | Cerebrovasular Disease | 17.97 |
| 3 | 脑血管病 | Cerebrovasular Disease | 17.87 | 3 | 呼吸系统疾病 | Respiratory Disease | 17.06 |
| 4 | 损伤和中毒外部原因 | Trauma and Toxicosis | 11.62 | 4 | 损伤和中毒外部原因 | Trauma and Toxicosis | 10.46 |
| 5 | 心脏病 | Heart Trouble | 8.92 | 5 | 心脏病 | Heart Trouble | 9.89 |
| 6 | 消化系统疾病 | Disease of Digestion System | 2.39 | 6 | 消化系统疾病 | Disease of Digestion System | 2.33 |
| 7 | 传染病(不包括呼吸道结核) | Infections and Paraise Disease | 1.74 | 7 | 内分泌、营养和代谢的其他疾病 | Other Diseases of Endocrine, Nutrilion and Supersession | 2.2 |
| 8 | 内分泌、营养和代谢的其他疾病 | Other Diseases of Endocrine, Nutrilion and Supersession | 1.54 | 8 | 神经系统疾病 | Mental Disease | 1.44 |
| 9 | 神经系统疾病 | Mental Disease | 1.32 | 9 | 传染病(不包括呼吸道结核) | Infections and Paraise Disease | 1.44 |
| 10 | 泌尿生殖系统疾病 | Urinary Disease | 1.3 | 10 | 泌尿生殖系统疾病 | Urinary Disease | 1.31 |
| | 合计 | Total | 92.39 | | 合计 | Totao | 91.53 |

## 15-19 县(区)村卫生室基本情况
Basic Conditions of Rural Clinics on County

| 项 目 | | Item | | 总计 Total 2007 | 总计 Total 2008 | 村办 Villiage-run 2007 | 村办 Villiage-run 2008 |
|---|---|---|---|---|---|---|---|
| 机构数 | (个) | Number of Institutions | (unit) | 14991 | 14207 | 11636 | 10755 |
| 执业(助理)医师 | (个) | Licensed (Assistant) Doctors | (unit) | 5330 | 5827 | 4177 | 4452 |
| 乡村医生和卫生员 | (人) | Rural Doctors and Health Workers | (person) | 12341 | 10835 | 9496 | 8172 |
| 乡村医生数 | (人) | Rural Doctors | (person) | 11889 | 10640 | 9171 | 8014 |
| #大专及以上学历 | | College and Above | | 589 | 591 | 422 | 379 |
| 中专学历及中专水平 | | The Level on Special Secondary School | | 5986 | 5190 | 4644 | 3927 |
| 在职培训合格者 | | Persons Passed Training | | 5231 | 4122 | 4042 | 3106 |
| 卫生员 | (人) | Health Workers | (person) | 452 | 195 | 325 | 158 |
| 年总收入 | (千元) | Total Income | (1000 yuan) | 844873 | 2229073 | 582302 | 2074013.4 |
| #上级补助收入 | | Subsidies of the Higher Level | | 1812 | 22217 | 1383 | 22139 |
| 村或集体补助收入 | | Subsidies of Villiage | | 3072 | 5182 | 1174 | 4969 |
| 业务收入 | | Business Income | | 786913 | 2193782 | 552726 | 2040351.3 |
| 年总支出 | (千元) | Total Expenditure | (1000 yuan) | 786243 | 2064352 | 556528 | 1891467.1 |
| #人员经费 | | Persons Expenditure | | 272708 | 699976 | 214008 | 635777 |
| 药品支出 | | Medicines Expenditure | | 452399 | 1342040 | 314433 | 1235191.6 |
| 诊疗人次数 | (万人) | Patients Treated | (10000 person-times) | 3090.0 | 3015.0 | 2383.2 | 2353.6 |
| 孕产妇检查人次数 | (人) | Pregnant Women Being Heen Physical Examination | (person) | 22033 | | 17327 | |
| 儿童疫苗接种人次数 | (人) | Children Inoculated | (person) | 15122 | | 8441 | |

| 按设置/主办单位分 by Ownership | | | | | | | | 按行医方式分 by Type | | | | | |
|---|---|---|---|---|---|---|---|---|---|---|---|---|---|
| 乡卫生院设点 Township - run | | 联合办 Combination | | 私人办 Private - run | | 其他 Others | | 西医为主 Taking Western Medicine as The Dominant Type | | 中医为主 Taking Chinese Medicine The Dominant Type | | 中西医结合 Combining Chinese Medicine With Western Medicine | |
| 2007 | 2008 | 2007 | 2008 | 2007 | 2008 | 2007 | 2008 | 2007 | 2008 | 2007 | 2008 | 2007 | 2008 |
| 321 | 380 | 239 | 215 | 2532 | 2524 | 263 | 333 | 14203 | 13307 | 259 | 159 | 529 | 741 |
| 98 | 107 | 211 | 190 | 777 | 959 | 67 | 119 | 4843 | 5419 | 218 | 114 | 269 | 294 |
| 304 | 311 | 62 | 22 | 2239 | 2071 | 240 | 259 | 11865 | 10152 | 77 | 69 | 399 | 614 |
| 292 | 298 | 60 | 22 | 2187 | 2052 | 179 | 254 | 11419 | 9966 | 75 | 68 | 395 | 606 |
| 6 | 4 | 10 | 6 | 149 | 168 | 2 | 34 | 556 | 547 | 6 | 10 | 27 | 34 |
| 135 | 227 | 22 | 12 | 1074 | 908 | 111 | 116 | 5725 | 4849 | 29 | 35 | 232 | 306 |
| 149 | 55 | 27 | 4 | 952 | 868 | 61 | 89 | 5064 | 3935 | 33 | 20 | 134 | 167 |
| 12 | 13 | 2 | | 52 | 19 | 61 | 5 | 446 | 186 | 2 | 1 | 4 | 8 |
| 27223 | 2653.4 | 29706 | 2014 | 194650 | 146175 | 10992 | 4217 | 800562 | 2106020 | 16221 | 2911 | 28090 | 120143 |
| 27 | 1.8 | 9 | | 304 | 71 | 89 | 6 | 1770 | 21902 | 27 | 6 | 15 | 310 |
| 20 | 0.4 | 4 | | 954 | 20 | 920 | 194 | 2934 | 5177 | 61 | | 77 | 6 |
| 24774 | 2541.7 | 27497 | 1919 | 173529 | 145016 | 8387 | 3955 | 745868 | 2071386 | 15018 | 2754 | 26027 | 119643 |
| 26131 | 2569.2 | 29197 | 2471 | 166005 | 163643 | 8382 | 4201 | 744747 | 1951443 | 15131 | 2821 | 26365 | 110088 |
| 10121 | 1075 | 9946 | 609 | 35845 | 60134 | 2788 | 2382 | 256755 | 656216 | 6065 | 1265 | 9888 | 42495 |
| 15316 | 1434.3 | 18306 | 1279 | 99084 | 102534 | 5260 | 1601 | 429352 | 1275468 | 8196 | 1404 | 14851 | 65168 |
| 90.9 | 85.6 | 81.1 | 43.7 | 491.0 | 480.5 | 43.7 | 51.6 | 2923.8 | 2825.1 | 53.8 | 31.5 | 112.5 | 158.4 |
| 1124 | | | | 3582 | | | | 21933 | | | | 100 | |
| | | | | 6681 | | | | 15122 | | | | | |

浙/江/统/计/年/鉴

# 主要统计指标解释

## ■ 文化事业机构

指从事专业文化工作和为专业文化工作服务的独立建制的单独核算的单位。不包括这些单位另外举办独立核算的其他机构和各部门的业余文化组织。

## ■ 艺术表演团体

指从事戏曲、音乐、舞蹈、杂技等专业艺术表演，有独立帐户，实行单独核算的团体。不包括半工半艺、半农半艺和民间职业剧团。

## ■ 电影放映单位

指具有放映机器设备、固定或不固定的放映场所与专职或兼职的放映技术人员，经有关部门登记批准，经常为一定的观众对象放映电影的机构。包括经批准对外开放进行营业，并与电影发行放映管理机构分帐的专用放映单位和军委系统租片单位。

## ■ 等级运动员人数

指经考核正式批准授予等级运动员称号的人数。运动员等级分为国际级运动健将、运动健将、一级运动员、二级运动员、三级运动员、少年级运动员 。

## ■ 等级裁判员人数

指经考核正式批准授予等级裁判员称号的人数。裁判员等级分为国际裁判、国家级裁判、一级裁判、二级裁判、三级裁判。

## ■ 医院

指名称为医院，设有固定床位能收容病人住院并能为病人提供医疗、护理服务的医疗机构。包括县及县以上医院、农村乡卫生院、其他医院三部分。按所属性质分为卫生部门、工业及其他部门，集体经济单位三类。其中县及县以上医院按业务性质分为综合医院和专科医院。

## ■ 卫生技术人员

指卫生事业机构支付工资的全部固定职工和合同制职工中现任职务为卫生技术工作的专业人员。包括中医师、西医师、中西医结合高级医师、护师、中药师、西药师、检验师、其他技师、中医士、西医士、护士、助产士、中药剂士、西药剂士 、检验士、其他技士、其他中医、护理员、中药剂员、西药剂员、检验员，其他初级卫生技术人员。

## ■ 医生

指领取职业医生证书，从事医疗工作的专业人员。分为中医医生、西医医生和助理中西医医生。

ZHEJIANG STATISTICAL YEARBOOK

# Explanatory Notes on Main Statistical Indicators

## □ Cultural Institutions

refer to units which have their own organizational system and independent accounting system and specialize in or serve cultural development. They exclude other establishments run by these cultural institutions and amateur cultural groups established by various departments.

## □ Art Troupe

refers to the troupe which is engaged in drama, opera, music, dance, acrobatics or other art performance, opens independent accounts with banks and has self – supporting accounting system; excluding the troupes which are engaged partly in industrial or agricultural activities, partly in art performance and the professional troupes organized by the people.

## □ Film Projection Units

refer to units with film projection equipment, full or part – time projectionists, permanent or non – permanent places, approved by related administrative departments to show films regularly for certain groups of audience, including those film projection units which have been approved to give commercial shows and run business with independent accounting system as well as those film – renting units of the military system.

## □ Number of Athletes in Grades

refers to the number of at athletes who have been given titles through examination. The titles of athletes include international masters of sports, masters of sports, first – grade, second – grade and third – grade sportsmen and young athletes.

## □ Number of Referees in Grades

refers to the number of referees who have been given titles after examination. They are classified as international referees, national referees and referees of the first, second and third grades.

## □ Hospitals

refer to medical institutions named as "hospital" with permanent hospital beds, which are able to take in patients and provide them with medical and nursing services. Hospitals are classified into three categories: hospitals at or above the county level, hospitals of rural townships, and other hospitals. According to their ownership, hospitals can be classified into three categories: hospitals under the public health departments, hospitals under industrial and other departments and Collective Owned hospitals. Hospitals at or above county level are divided into comprehensive and specialized hospitals.

## □ Medical Technical Personnel

refers to all permanent medical staff and workers employed by medical institutions, including doctors of Chinese and Western medicine, senior doctors who integrate traditional Chinese thrapeutics with Western thrapeutics in practice, senior nurses, pharmacists of Chinese and Western medicine, laboratory specialists, other specialists, paramedics of Chinese and Western medicine, nurses, midwives, druggists in Chinese and Western medicine, laboratory technicians, other technicians, other practitioners of Chinese medicine, nursing attendants, pharmacological workers of Chinese and Western medicine, laboratory workers, and other primary medical personnel.

## □ Doctors

refer to qualified professional medical workers approved to practice by public health departments. They are classified into doctors of Chinese medicine, doctors of Western medicine, Assistant Doctors.

浙江统计年鉴

ZHEJIANG STATISTICAL YEARBOOK

2009

16

# CHAPTER 16

# 档案、司法、社会福利和工会组织

Archives, Judicature, Social Welfare and Labour Union

## 16-1 档案事业机构和人员数
Number of Persons and Institutions of Archives

| 项目 | Item | 机构数（个）Number of Institutions (unit) | | 专职人员数（人）Full-time Persons (person) | | #女性 Female | | #大专以上文化程度 College and Higher Level | |
|---|---|---|---|---|---|---|---|---|---|
| | | 2007 | 2008 | 2007 | 2008 | 2007 | 2008 | 2007 | 2008 |
| **总计** | **Total** | **506** | **512** | **1966** | **1922** | **1100** | **1043** | **1719** | **1715** |
| 档案行政管理部门 | Administrative Department of Archives | 99 | 99 | 1027 | 1061 | 463 | 485 | 899 | 940 |
| 档案馆 | Archives | 113 | 114 | 439 | 397 | 222 | 193 | 391 | 357 |
| 档案室（处、科） | Archive Offices (Sections) | 294 | 299 | 500 | 464 | 415 | 365 | 429 | 418 |

## 16-2 档案馆档案资料馆藏和利用情况（2002-2008年）
Conditions of Files Stored and Used in the Archives (2002-2008)

| 项目 | Item | 2002 | 2003 | 2004 | 2005 | 2006 | 2007 | 2008 |
|---|---|---|---|---|---|---|---|---|
| **馆藏档案** | **Archives Stored** | | | | | | | |
| 全宗（个） | Whole Volume (unit) | 15405 | 16366 | 16446 | 16954 | 17377 | 17772 | 17888 |
| 案卷（万卷） | Files (10000 volumes) | 610 | 681 | 709 | 825 | 915 | 1065.53 | 1117.58 |
| 录音录像影片（盘） | Records, Films on Videotape (copy) | 16690 | 17198 | 13195 | 14568 | 14020 | 16824 | 17801 |
| 照片（万张） | Pictures (10000 pieces) | 48 | 47 | 45 | 53 | 103 | 134.99 | 144.94 |
| **馆藏资料（万册）** | **Number of Material Stored (10000 volumes)** | **94** | **100** | **101** | **102** | **107** | **114.08** | **116.53** |
| **档案馆面积（平方米）** | **Areas of Archives (sq. m)** | **151520** | **164637** | **165096** | **202277** | **222319** | **268856** | **298709** |
| #库房建筑面积 | Areas of Storerooms | 81402 | 90537 | 88185 | 98140 | 99403 | 120018 | 126447 |
| **档案资料利用** | **Use of Archive Material** | | | | | | | |
| 利用人次（万人次） | Number of Persons Using Material (10000 person-times) | 8 | 10 | 14 | 16 | 20 | 20.41 | 21.85 |
| 利用档案（万卷、次） | Number of Archives Used (10000 volume-times) | 22 | 31 | 50 | 51 | 56 | 63.36 | 74.75 |
| 利用资料（万册、次） | Number of Material Used (10000 volume-times) | 2 | 3 | 3 | 1.1 | 2.9 | 3.59 | 2.69 |
| 复制（万页） | Copies (10000 pages) | 41 | 63 | 51 | 57 | 126 | 79.63 | 90.66 |
| **开放档案** | **Opening Archives** | | | | | | | |
| 全宗（个） | Whole Volume (unit) | 8339 | 9045 | 9572 | 9756 | 9961 | 10240 | 10517 |
| 案卷（万卷） | Files (10000 volumes) | 132 | 153 | 154 | 193 | 227 | 233.21 | 256.22 |

## 16－3 律师、公证及调解工作基本情况（2002－2008年）
## Basic Statistics on Lawyers, Notarization and Mediation (2002－2008)

| 项 目 | | Item | | 2002 | 2003 | 2004 | 2005 | 2006 | 2007 | 2008 |
|---|---|---|---|---|---|---|---|---|---|---|
| **律师工作** | | **Lawyers** | | | | | | | | |
| 律师事务所 | （个） | Number of Law Offices | (unit) | 469 | 499 | 530 | 547 | 585 | 609 | 700 |
| 律师工作人员 | （人） | Number of Lawyers | (person) | 6931 | 7137 | 7851 | 8285 | 8688 | 9575 | 10441 |
| 聘请担任常年法律顾问单位 | （处） | Number of Units with Permanent Legal Advisors | (unit) | 19552 | 20186 | 21398 | 23218 | 25122 | 26589 | 27727 |
| 民事诉讼代理 | （件） | Agent of Civil Cases | (case) | 58696 | 65020 | 75706 | 83372 | 90353 | 150701 | 140515 |
| 刑事辩护及代理 | （件） | Defending and Agent of Criminal Cases | (case) | 29881 | 24059 | 28488 | 28132 | 26480 | 45662 | 44836 |
| 非诉讼法律事务 | （件） | Agent of Non-litigious Legal Affairs | (case) | 26373 | 39052 | 30398 | 26217 | 30892 | 21949 | 18212 |
| 解答法律咨询 | （人次） | Legal Advisory Services | (person-times) | 250780 | 225211 | 210090 | 271562 | 244914 | 219773 | 203023 |
| 代写法律事务文书 | （件） | Agent of Legal Document Written on Behalf of Clients | (case) | 45499 | 45663 | 47393 | 56887 | 48054 | 25515 | 34102 |
| **公证工作** | | **Notarization** | | | | | | | | |
| 公证处 | （个） | Number of Notary Offices | (unit) | 97 | 97 | 97 | 97 | 90 | 92 | 93 |
| 公证人员 | （人） | Notarial Personnel | (person) | 640 | 757 | 830 | 860 | 915 | 916 | 940 |
| #公证员 | | Notaries | | 288 | 300 | 296 | 313 | 347 | 346 | 346 |
| 公证员助理 | | Assistant Notaries | | 86 | 129 | 534 | 255 | 273 | 291 | 321 |
| 办理国内公证文书 | （件） | Number of Domestic Notarized Documents | (case) | 390518 | 491120 | 458630 | 402627 | 369093 | 387855 | 360655 |
| #经济合同公证 | （件） | Notarized Business Contracts | (case) | 203860 | 271151 | 241123 | 199176 | 168964 | 164283 | 134058 |
| **人民调解工作** | | **People's Mediation** | | | | | | | | |
| 专职司法助理员 | （人） | Number of Full-time Judicial Assistants | (person) | 1969 | 1953 | 1927 | 2384 | 2378 | 2875 | 3051 |
| 人民调解委员会 | （个） | Number of People's Mediation Committees | (unit) | 49225 | 49195 | 48316 | 46989 | 47077 | 46636 | 47779 |
| 调解人员 | （人） | Number of Mediators | (person) | 199945 | 166576 | 171351 | 166264 | 172722 | 168914 | 175616 |
| 调解民事纠纷 | （件） | Number of Civil Disputes Mediated | (case) | 169533 | 161419 | 178127 | 190274 | 198738 | 238795 | 295042 |
| 法律援助机构 | （个） | Assistance Institution of Law | (unit) | | 100 | 100 | 102 | 102 | 102 | 102 |
| 工作人员 | （人） | Staff and Workers | (person) | | 384 | 401 | 449 | 454 | 454 | 461 |
| 承办案件总数 | （件） | Number of Cases Accepted | (case) | | | 12365 | 17244 | 20861 | 24125 | 28408 |
| 受援人总数 | （人） | Number of Persons Being Assisted | (person) | | | 17399 | 21412 | 31100 | 34422 | 45263 |

## 16-4　涉外公证文书分类(2002-2008 年)
Foreign-related Notarial Documents by Type(2002-2008)

单位:件(case)

| 分类 | Item | 2002 | 2003 | 2004 | 2005 | 2006 | 2007 | 2008 |
|---|---|---|---|---|---|---|---|---|
| **合计** | **Total** | **206813** | **178765** | **184389** | **212931** | **203417** | **220712** | **211895** |
| 收养子女 | Children Adoption | 188 | 64 | 87 | 110 | 90 | 61 | 51 |
| 遗嘱 | Testaments | 5836 | 6 | 4 | 2 | 7 | 3 | 8 |
| 出生 | Births | 40278 | 29977 | 33832 | 40832 | 38671 | 42665 | 38897 |
| 死亡 | Deaths | 323 | 386 | 455 | 740 | 541 | 490 | 683 |
| 生存、居住 | Survival and Residence | 921 | 623 | 745 | 738 | 840 | 1195 | 618 |
| 学历 | Schooling | 9889 | 8530 | 5984 | 5615 | 6494 | 7904 | 6750 |
| 经历 | Personal Histories | 2566 | 2066 | 1716 | 1404 | 1521 | 1158 | 1177 |
| 婚姻状况 | Marriages | 24761 | 19496 | 19912 | 19167 | 15266 | 13435 | 13779 |
| 亲属关系 | Kinship | 17688 | 17679 | 21399 | 22883 | 19233 | 20340 | 19122 |
| 继承权 | Rights of Inheritance | 5562 | 9 | 94 | 114 | 558 | 250 | 769 |
| 受、未受刑事处分 | Criminal Records & Uncriminal Records | 33302 | 34236 | 32864 | 39301 | 28916 | 32189 | 27131 |
| 声明书 | Declarations | 4161 | 3718 | 8108 | 9292 | 6357 | 5095 | 5540 |
| 委托书 | Trust Deeds | 1561 | 1184 | 1669 | 2265 | 2811 | 3011 | 2976 |
| 文本相符 | Confirmation of Copies and Photo-offset Copies to Originals | 12263 | 11899 | 14244 | 20710 | 24720 | 25400 | 29910 |
| 签名印鉴属实 | Confirmation of Signatures and Seals | | | | | | | 32726 |
| 其他 | Others | 47514 | 48892 | 43276 | 49758 | 57302 | 67516 | 31758 |

## 16-5　调解民间纠纷分类(2002-2008 年)
Civil Disputes Mediated by Type(2002-2008)

单位:件(case)

| 分类 | Item | 2002 | 2003 | 2004 | 2005 | 2006 | 2007 | 2008 |
|---|---|---|---|---|---|---|---|---|
| **合计** | **Total** | **169533** | **161419** | **74655** | **190274** | **198738** | **238795** | **295042** |
| 婚姻 | Marriages | 25708 | 23820 | 9558 | 28232 | 28986 | 31767 | 32962 |
| 邻里 | Neighbor Disputes | 31928 | 27793 | 13376 | 41829 | 42165 | 51827 | 64030 |
| 合同 | Contracts | | | | 8132 | 10229 | 9956 | 11631 |
| 损害赔偿 | Compensation for Damages | 20345 | 20983 | 11389 | 28246 | 33032 | 39192 | 69230 |
| 劳动 | Labour Dispates | | | | 18796 | 21579 | 26017 | 29201 |
| 村务管理 | Management of Rural Business | | | | 3040 | 3032 | 3360 | 4659 |
| 土地承包 | Contracts of Land | | | | 7553 | 7486 | 9034 | 9634 |
| 征地拆迁 | Land Expropriating and Rehouse | | | | 8174 | 8125 | 10350 | 10556 |
| 计划生育 | Family Planning | | | | 1068 | 853 | 1177 | 1321 |
| 施工扰民 | Fazing Civilian with Construction | | | | 2668 | 2274 | 2518 | 3010 |
| 房屋、宅基地 | Housing and Housing Sites | 16671 | 14821 | 7327 | 13676 | 13042 | 14586 | 15877 |
| 其他 | Others | 74881 | 74002 | 33005 | 28860 | 27935 | 39011 | 42931 |

## 16－6　国内公证文书分类(2002－2008 年)
Domestic Notarial Documents by Type(2002－2008)

单位:件(case)

| 分　类 | Item | 2002 | 2003 | 2004 | 2005 | 2006 | 2007 | 2008 |
|---|---|---|---|---|---|---|---|---|
| **总计** | **Total** | **390518** | **484490** | **458630** | **402627** | **369093** | **387855** | **360655** |
| **经济公证** | **Notarized Documents on Economic Affairs** | **203860** | **271151** | **241123** | **199176** | **168964** | **164283** | **134058** |
| 购　销 | Purchases and Sales of Products | 1080 | 1079 | 920 | 961 | 746 | 235 | 274 |
| 联　营 | Joint Business | 205 | 328 | 207 | 141 | 83 | 116 | 296 |
| 拍　卖 | Auctions | 1010 | 5686 | 10949 | 1973 | 4545 | 3234 | 2768 |
| 贷　款 | Loans | 139718 | 190875 | 168643 | 124692 | 100157 | 98029 | 78866 |
| 担　保 | Guarantees | 5809 | 1883 | 947 | 1314 | 1799 | 1443 | 691 |
| 招标、投标 | Bidding | 9293 | 20426 | 10410 | 10748 | 20493 | 17312 | 8728 |
| 科技协作 | Coordination of Science and Technology | 40 | 7 | 1 | 171 | 1 | 8 | 1 |
| 供用电 | Supply and Use of Electric Power | 2 | 137 | | 1 | 31 | | |
| 劳务合同 | Labor Contracts | 1057 | 2468 | 2453 | 1150 | 632 | 559 | 316 |
| 建筑工程承包 | Construction Project Contracts | 2826 | 3027 | 2830 | 1738 | 1355 | 1522 | 1300 |
| 工商服务业承包 | Industrial and Commercial Service Contracts | 415 | 739 | 356 | 157 | 75 | 108 | 697 |
| 农林牧副渔业承包 | Farming, Forestry, Animal Husbandry, Sideline Production and Fishery Contracts | 678 | 645 | 445 | 753 | 517 | 725 | 260 |
| 财产租赁 | Property Leases | 2127 | 2128 | 819 | 1398 | 290 | 461 | 312 |
| 企业租赁 | Enterprise Leases | 67 | 87 | 37 | 15 | 19 | 7 | 12 |
| 资产经营责任制 | System of Asset Business Responsibility | 19 | 1499 | 38 | 6 | 12 | 2 | |
| 还款协议 | Repayment Agreement | | | | | | 866 | 673 |
| 土地使用权出让转让 | Transferring or Renting the Use Right of Land | | | | | | 5272 | 4059 |
| 其他经济合同 | Other Business Contracts | 7190 | 9158 | 8557 | 5086 | 4882 | 4544 | 5207 |
| 法人(代表人)资格 | Legal Person (Agent) Identification | 578 | 734 | 783 | 1049 | 456 | 464 | 311 |
| 法人委托书 | Legal Person Trust Deeds | 2318 | 4199 | 5919 | 7004 | 8322 | 9642 | 10430 |
| 公司章程 | Corporation Constitutions | 204 | 185 | 229 | 86 | 153 | 268 | 86 |
| 执行许可证明 | Operating Permits | 689 | 1829 | 2301 | 3839 | 1751 | 777 | 810 |
| 其　他 | Others | 28535 | 24032 | 24279 | 36894 | 22645 | 18689 | 17961 |

16－6 续表 continued 单位:件(case)

| 分 类 | Item | 2002 | 2003 | 2004 | 2005 | 2006 | 2007 | 2008 |
|---|---|---|---|---|---|---|---|---|
| **民事公证** | **Notarized Documents on Civil Relations** | **186658** | **213339** | **217507** | **203451** | **200129** | **223572** | **226597** |
| 收 养 | Child Adoption | 56 | 96 | 97 | 70 | 62 | 57 | 58 |
| 解除收养 | Adoption Renouncements | 19 | 39 | 12 | 5 | 2 | 8 | 281 |
| 继 承 权 | Rights of Inheritance | 11237 | 13715 | 14107 | 14819 | 17743 | 21809 | 22868 |
| 遗 嘱 | Testaments | 3642 | 4938 | 4619 | 4813 | 4796 | 5001 | 5851 |
| 产 权 | Property Rights | 2988 | 7929 | 7909 | 6458 | 5421 | 6553 | 4251 |
| 亲属关系 | Kinship | 6726 | 4851 | 2347 | 2189 | 1297 | 1390 | 1131 |
| 死 亡 | Death Certificates | 636 | 38 | 47 | 93 | 37 | 54 | 81 |
| 房屋买卖 | Purchases and Sales of Houses | 10263 | 13375 | 15316 | 11890 | 9894 | 9713 | 6103 |
| 房屋租赁 | House Leases | 658 | 1123 | 825 | 872 | 554 | 255 | 343 |
| 留学协议 | Foreign Study Contracts | 470 | 340 | 185 | 236 | 392 | 191 | 143 |
| 遗赠扶养协议 | Donations and Family Fostering | 264 | 373 | 325 | 353 | 277 | 229 | 180 |
| 委 托 书 | Trust Deeds | 13569 | 26511 | 56301 | 49534 | 55963 | 71647 | 60208 |
| 赠 与 书 | Presentation Documents | 4243 | 5507 | 4851 | 4987 | 4488 | 4689 | 4681 |
| 声 明 书 | Declarations | 3304 | 5524 | 8878 | 7461 | 8737 | 8677 | 10002 |
| 现场监督 | Field Supervision | 17599 | 11805 | 15758 | 31894 | 21625 | 14936 | 38285 |
| 文本相符 | Confirmation of Copies and Photo-offset Copies to Originals | | | | | | | 3834 |
| 签名印鉴属实 | Confirmation of Signatures and Seals | 819 | 1697 | 1710 | 2495 | 2487 | 4694 | 5828 |
| 宅基地使用权 | Rights to Housing Site | 3864 | 1425 | 1278 | 1334 | 830 | 1686 | 1137 |
| 证据保全 | Evidence Preservation | 2222 | 3766 | 5074 | 4396 | 4731 | 6969 | 9873 |
| 拆迁协议 | Housing Demolition Agreements | | | | | | | 5243 |
| 计划生育协议 | Birth Control Contracts | 10742 | 7909 | 3902 | 3514 | 2038 | 2215 | 24 |
| 夫妻财产协议 | Property Agreements Between Spouses | | | | | | | 3626 |
| 其他民事协议 | Other Civil Agreements | 28416 | 22856 | 23781 | 13581 | 12651 | 31606 | 12824 |
| 其 他 | Others | 64921 | 79522 | 50185 | 42457 | 46104 | 31193 | 29742 |

## 16-7 社会福利事业单位基本情况(2002-2008年)
Basic Statiatics on Social Welfare Institutions(2002-2008)

| 项 目 | Item | 2002 | 2003 | 2004 | 2005 | 2006 | 2007 | 2008 |
|---|---|---|---|---|---|---|---|---|
| 收养性社会福利单位(个) | **Adoptive Social Welfare Institutions (unit)** | **1937** | **1794** | **1615** | **1636** | **1654** | **1641** | **1591** |
| 床位数(万张) | **Hospital Beds (10000 bed)** | **7** | **7.38** | **9.88** | **11.92** | **12.89** | **14.78** | **15.49** |
| 收养人数(万人) | **Number of Persons Adopted (10000 persons)** | **4.98** | **5.46** | **7.15** | **8.24** | **8.86** | **10.53** | **9.87** |
| 福利企业单位(个) | **Number of Social Welfare Enterprises and Institutions (unit)** | **3644** | **3615** | **3345** | **3251** | **3240** | **2926** | **2771** |
| 福利企业单位全部职工人数(万人) | **Total Number of Staff and Workers Engaged in Welfare Institutions (10000 persons)** | **22.22** | **24.36** | **23.69** | **21.74** | **23.95** | **25.9** | **26.67** |
| #残疾人数 | Number of Disabled Persons | 9.62 | 10.69 | 10.46 | 9.81 | 9.62 | 10.04 | 10.34 |
| 殡葬事业单位(个) | **Funeral and Interment Services Institutions (unit)** | **187** | **185** | **190** | **195** | **204** | **208** | **220** |

## 16-8 享受国家抚恤、补助及救济人员情况(2002-2008年)
Persons Enjoying Subsidy and Commiseration of Country(2002-2008)

单位:人、户(person, household)

| 项 目 | Item | 2002 | 2003 | 2004 | 2005 | 2006 | 2007 | 2008 |
|---|---|---|---|---|---|---|---|---|
| 享受定期抚恤人数 | Number of Persons Receiving Periodical Commiseration | 6235 | 6490 | 6385 | 6114 | 5808 | 5669 | 5486 |
| 革命伤残人员抚恤人数 | Number of Persons Receiving Disability Commiseration | 21874 | 21373 | 21346 | 21300 | 21398 | 22141 | 22458 |
| 享受定期补助优抚对象数 | Number of Persons Receiving Periodical Subsidies | 79887 | 79304 | 77966 | 74783 | 72742 | 95090 | 91379 |
| #在乡复员军人 | Rural Demobilized Soldier | 50154 | 48055 | 44712 | 43577 | 41762 | 39321 | 36447 |
| 在乡退伍军人 | Rural Veteran | 28993 | 30161 | 30831 | 30646 | 30474 | 29507 | 29995 |
| 社会困难户得到国家临时救济人次数 | Number of Persons in Poor Households Receiving Temporary Government Relief Funds | 300103 | 228090 | 420595 | 620592 | 212734 | 163460 | 166894 |
| 精减退职老弱残职工得到救济人数 | Number of Laid-off, Retired, Elderly and Disabled Staff and Workers Receiving Relief Funds | 15753 | 11734 | 10527 | 11588 | 10605 | 10655 | 10243 |
| 享受原工资40%救济人数 | Persons Receiving 40% of Their Original Wages | 3021 | 2964 | 2619 | 2573 | 2433 | 2237 | 2098 |
| 享受定期定量救济人数 | Persons Receiving Periodical and Fixed Relief Funds | 12732 | 14972 | 14091 | 13664 | 9890 | 9472 | 11287 |

## 16－9 最低生活保障和救济情况(2002－2008 年)
Basic Statistics of Lowest Cost－of－Living and Relief(2002－2008)

| 项 目 | Item | | 2002 | 2003 | 2004 | 2005 | 2006 | 2007 | 2008 |
|---|---|---|---|---|---|---|---|---|---|
| 最低生活保障人数(万人) | Number of Persons Receiving Lowest Cost－of－Living | (10000 persons) | 40.61 | 55.24 | 62.8 | 61.5 | 62.9 | 65.16 | 70.08 |
| #城镇 | in Urban Areas | | 5.63 | 8.07 | 8.85 | 8.9 | 8.93 | 9.02 | 9.28 |
| #农村 | in Rural Areas | | 34.99 | 47.17 | 53.96 | 52.6 | 53.97 | 56.14 | 60.8 |
| 保障资金总额 (亿元) | Amount of Security Money | (100 million yuan) | 1.77 | 3.24 | 4.69 | 5.62 | 6.52 | 7.69 | 10.68 |
| #城镇 | in Urban Areas | | 0.62 | 1.08 | 1.35 | 1.61 | 1.6 | 1.97 | 2.73 |
| #农村 | in Rural Areas | | 1.16 | 2.16 | 3.34 | 4.01 | 4.92 | 5.72 | 7.95 |
| 医疗救助支出 (亿元) | Expenditure of Medical Care Relief | (100 milion yuan) | | | | | 2.3 | 3.26 | 4.19 |
| 自然灾害救济支出(亿元) | Expenditure of Natural Disasters Relief | (100 million yuan) | 1.03 | 1.08 | 2.04 | 2.65 | 4.82 | 1.97 | 1.55 |

注:农村最低生活保障人数中包含了农村五保供养人数。
Number of Persons Receiving Lowest Cost-of-Living in Rural Areas include Number of persons with Livelihood Guaranteed in Five Aspects.

## 16－10 内地居民婚姻登记情况(2002－2008 年)
Marriages of Interior Residents(2002－2008)

| 项 目 | | Item | | 2002 | 2003 | 2004 | 2005 | 2006 | 2007 | 2008 |
|---|---|---|---|---|---|---|---|---|---|---|
| **准予登记结婚数** | **(对)** | **Registered Marriages** | **(couple)** | **355987** | **356910** | **399211** | **353040** | **413213** | **381227** | **413774** |
| 初婚数 | (人) | First Marriages | (person) | 655481 | 658873 | 721680 | 641745 | 758086 | 687337 | 750003 |
| 恢复结婚人数 | (人) | Resume Marriages | (person) | 1947 | 2052 | 2792 | 3387 | 3451 | 3550 | 4670 |
| 再婚数 | (人) | Remarriages | (person) | 56493 | 54947 | 67730 | 64335 | 74816 | 75117 | 77545 |
| 男 | (人) | Male | (person) | 22817 | 26368 | 31593 | 35329 | 37517 | 37772 | 36021 |
| 女 | (人) | Female | (person) | 33676 | 28579 | 36137 | 29006 | 37299 | 37345 | 41524 |
| **准予登记离婚数** | **(对)** | **Divorces Approved** | **(couple)** | **24012** | **32248** | **46424** | **52055** | **60306** | **66901** | **73689** |

## 16－11 工会工作情况(2002－2008年)
Basic Statistics on Unions(2002－2008)

| 项 目 | Item | 2002 | 2003 | 2004 | 2005 | 2006 | 2007 | 2008 |
|---|---|---|---|---|---|---|---|---|
| **工会情况** | **Basic Statistics on Unions** | | | | | | | |
| **基层工会组织数 (个)** | **Number of Grass Roots Unions (unit)** | **133067** | **56429** | **63683** | **71168** | **80774** | **91203** | **102339** |
| **全省已建立工会组织的基层单位职工和会员人数** | **Membership and Number of Staff and Workers in Grass Roots Unions** | | | | | | | |
| 在岗职工人数 (万人) | Number of Staff and Workers (10000 persons) | 709.47 | 721.05 | 783.56 | 888.83 | 1050.43 | 1194.84 | 1306.58 |
| #女职工 | Female | 305.1 | 312.36 | 349.41 | 396.15 | 464.95 | 525.16 | 580.08 |
| 会员人数 (万人) | Membership (10000 persons) | 636.27 | 643.06 | 704.09 | 803.77 | 959.27 | 1078.6 | 1190.04 |
| #女会员 | Female | 267.25 | 271.75 | 307.35 | 346.69 | 407.97 | 476.09 | 537.75 |
| 工会专职干部 (万人) | Full-time Cadres (10000 persons) | 0.64 | 0.74 | 0.67 | 0.6 | 1.1 | 1.27 | 1.34 |
| **提出合理化建议 (万件)** | **Advanced Rationalization Proposals (10000 cases)** | **19.44** | **28.5** | **19** | **24.86** | **25.95** | **22.98** | **29.31** |
| **建立劳动保护监督检查委员会 (个)** | **Commissions for Labour protection Supervising and inspecting (unit)** | | | | | | | **38637** |
| **建立了工会劳动法律监督组织 (个)** | **Organization of Labor Law Supervision Established by Grass Roots Unions (unit)** | **7450** | **8179** | **11274** | **14461** | **19118** | **22540** | **29542** |
| **建立劳动争议调解委员会 (个)** | **Labour dispute mediation Committee (unit)** | | | | | | | **35812** |
| **劳动争议调解委员会调解成功劳动争议 (件)** | **Disputes resolved through mediation by the committees (unit)** | | | | | | | **10411** |
| **妇联工作情况** | **Condition of the Women Federation** | | | | | | | |
| 妇联的基层组织数 (个) | Number of Grass Roots Women Federation (unit) | 41284 | 43914 | 43922 | 45410 | 35995 | 34955 | 33604 |
| 接受技术培训人数 (万人) | Number of Women Participating in Technical Training (10000 persons) | 111.52 | 79.56 | 79.56 | 90.14 | 69.9 | 57.8 | 75.3 |
| **巾帼文明示范岗** | **The Demonstration Posts of Women Civilization** | | | | | | | |
| 巾帼文明示范岗数 (个) | Number of Posts (unit) | 4891 | | 4891 | 4423 | 3491 | 2961 | 2891 |
| 评选巾帼建功标兵数 (人) | Number of Persons (person) | 838 | 308 | 970 | 898 | 1036 | 721 | 1078 |
| **来信来访处理情况** | **Treatment of the Letters From the People and the Persons Coming to Visit** | | | | | | | |
| 女职工劳动保护信访案件(件) | Petition Letter and Visit Cases about Women Laber Protection (case) | | | | | 1587 | 1241 | 678 |
| 侵犯妇女财产权利信访案件 (件) | Petition Letter and Visit Cases about Woman's Property Right be Violated (case) | | | | | 2821 | 4351 | 3136 |
| **五好文明家庭 (户)** | **Civilized Families (household)** | **1817227** | **2360108** | **2360108** | **3055408** | **1364448** | **1568083** | **1507932** |

浙/江/统/计/年/鉴

# 主要统计指标解释

## ■ 社会福利事业单位

指集中收养社会孤老,残,幼的机构。包括由民政部门管理的社会福利院、儿童福利院、精神病人福利院和城镇集体办的福利院,以及农村集体举办的敬老院。

## ■ 社会福利事业单位收养人数

包括民政部门管理和城镇及农村集体举办的社会福利事业单位中收养的老人,少年儿童,缺乏生活自理能力的残疾人员和精神病人。

## ■ 社会福利企业单位

指以安置城镇有一定劳动能力的盲,聋,哑和肢体残疾人员就业为目的,享受国家减免税待遇的国有或集体经济性质的企业。包括福利工厂、福利商业服务业、假肢厂和安置农场等单位。

## ■ 律师

指受聘参加法律顾问处工作,提任法律顾问、刑(民)事代理人、刑事辩护人、办理非诉讼事件、解答法律询问、代定法律事务文书等主要从事律师业务的专职法律工作者和兼职律师。

## ■ 公证人员

指在国家公证机关依法办理公证事务的司法人员。包括公证员、助理公证员和在公证员和在公证处工作的其他人员。

## ■ 办理公证文书

指公证处在一定时期内办结的公证文书件数。公证文书系按司法部规定或批准的格式制作。包括国内公证和涉外公证两部分。其中国内公证分为经济合同公证和民事法律关系公证两大类。

## ■ 调解人员

在人民调解委员会担负调解民间一般民事纠纷和轻微违法行为所引起和纠纷的工作人员。包括调解委员会的委员和调解小组的调解员。

## ■ 调解民间纠纷

指调解委员会依照法律规定,根据自愿原则,用说服教育的方法调解民间发生的有关民事权利和义务的争执,促成当事双方达到协议和谅解,解决纠纷。包括婚姻家庭纠纷,财产权益纠纷等。不包括法院受理调解的民事案件数。

## ■ 受理劳动争议案件数

是指劳动争议仲裁委员会根据国家有关规定,对劳动争议当事人的申请予以审查,符合受理条件而正式立案,准备处理的劳动争议案件数。

## ■ 离休、退休、通职人员

指正式办理了离休、退休、退职手续,并享受相应的离休、退休、退职待遇的人员。

## ■ 保险福利费用

指企业、事业、机关单位在工资以外实际支付给职工和离休、退休、退职人员个人以及用于集体的劳动保险和福利费用。

ZHEJIANG STATISTICAL YEARBOOK

# Explanatory Notes on Main Statistical Indicators

## □ Social Welfare Institutions

refer to institutions taking care of old people without children, handicapped people and orphans. They include social welfare institutions run by civil affairs departments, children's welfare institutions social welfare institutions for mental patients, and Collective Owned old people's homes in tual areas.

## □ Number of People Taken in by Social Welfare Institutions

refers to the number of old people, children, totally dependent handicapped people and mental patiens taken in by scoial welfare institutions run by civil affairs departments and those run by collective units in urban and rural aress.

## □ Social Welfare Enterprises

are Collective Owned enterprises which employ the blind, deaf-mute, and other handicapped people who are able to work in cities and towns and enjoy exemption from state taxes, including welfare plants, welfare commercial services, artificial limb plants and farms, etc.

## □ Lawyers

are legal workers who are employed full-time by legal counseling firms to act as legal advisres, agents in criminal or civil lawsuits, or defenders in criminal lawsuits, or to handle non-litigious legal affairs, to advise on matters of law or to write legal papers for others. Both full-time and part-time lawyers are included.

## □ Notary Personnel

refers to judicial workers of the state notary offices handing notarization work according to law. They include notaries, assistant notaries, and other people working for notary offices.

## □ Notarized Documents

refer to the documents settled by notary offices in a year. The notarial documents are drawn up in accordance with the regulations of the Ministry of Justice, including domestic documents and foreign-related documents. Domestic documents are divided into two major categoriees, documents on economic contracts and documents on civil legal relations.

## □ Mediators

refer to workers on people's mediation committees responsible for mediating in civil dispites and cases of slight infraction of the law. They include members of the mediation committees and mediators of mediation groups.

## □ Mediation of Civil Disputes

refers to mediation committees' work in mediating in civi ldisputes concerning civil rights and duties through persuasion and education in accordance with the provisions of law on a voluntary basis, so as to solve disputes by helping the parties involved come to an agreement and understanding. These disputes include divorce cases and disputes over property ownership, but exclude the civil cases to be handled by the court.

## □ Number of Labour Dispute Cases Accepted

refers to the number of cases of labour dispute submitted that, after being reviewed by the labour dispute arbitration committees in line with the relevant state regulations, are accepted and registered for trearment.

## □ Retired or Resigned Personnel

refers to the persons who have formally gone through the formalities for their retorement or quitting work and enjoy the corresponding treatments.

## □ Insurance and welfare funds

refers to labour insurance and welfare fund paid by enterprises, organizations and institutions to their staff and workers as well as retired and resigned in addition to their wages and salaries.

17

# CHAPTER 17

# 各市、县国民经济主要指标

# Major Indicators of National Economy by City and County

## 17－1 各市土地面积和行政区划(2008 年)
Land Area and Administrative Divisions by City(2008)

| 城市 | City | 土地面积（平方公里）Land Area (sq. km) | 市辖区（个）Districts Under City Administration (unit) | 县（县级市）（个）Counties (Cities) (unit) | 建制镇（个）Towns (unit) | 乡（个）Townships (unit) | 村（个）Villages (unit) |
|---|---|---|---|---|---|---|---|
| **浙东北** | **Eastern and Northern Region** | **45842** | **21** | **25** | **380** | **84** | **9152** |
| 杭州市 | Hangzhou | 16596 | 8 | 5 | 105 | 31 | 2105 |
| 宁波市 | Ningbo | 9817 | 6 | 5 | 78 | 11 | 2604 |
| 嘉兴市 | Jiaxing | 3915 | 2 | 5 | 53 | | 874 |
| 湖州市 | Huzhou | 5818 | 2 | 3 | 44 | 16 | 1003 |
| 绍兴市 | Shaoxing | 8256 | 1 | 5 | 79 | 15 | 2222 |
| 舟山市 | Zhoushan | 1440 | 2 | 2 | 21 | 11 | 344 |
| **浙西南** | **Western and Southern Region** | **58275** | **11** | **33** | **367** | **362** | **20916** |
| 温州市 | Wenzhou | 11784 | 3 | 8 | 119 | 143 | 5406 |
| 金华市 | Jinhua | 10941 | 2 | 7 | 75 | 36 | 4813 |
| 衢州市 | Quzhou | 8841 | 2 | 4 | 47 | 46 | 2187 |
| 台州市 | Taizhou | 9411 | 3 | 6 | 65 | 28 | 5028 |
| 丽水市 | Lishui | 17298 | 1 | 8 | 61 | 109 | 3482 |

## 17－2 各市国民经济主要指标(2008 年)
Main Indicators of National Economy by City(2008)

| 城 市 | City | 年末总人口(万人) Total Population by year－end (10000 persons) | 生产总值(亿元) Gross Domestic Product (100 million yuan) | 第一产业 Primary Industry | 第二产业 Secondary Industry | #工业 Industry |
|---|---|---|---|---|---|---|
| **浙东北** | **Eastern and Northern Region** | **2376.13** | **14308.60** | **699.98** | **7820.47** | **7009.83** |
| 杭州市 | Hangzhou | 677.64 | 4781.16 | 178.64 | 2389.38 | 2140.20 |
| 宁波市 | Ningbo | 568.09 | 3964.05 | 167.36 | 2196.68 | 1990.51 |
| 嘉兴市 | Jiaxing | 338.07 | 1815.30 | 105.52 | 1085.29 | 979.95 |
| 湖州市 | Huzhou | 258.50 | 1034.89 | 82.63 | 593.56 | 534.98 |
| 绍兴市 | Shaoxing | 437.06 | 2222.95 | 116.65 | 1329.12 | 1200.00 |
| 舟山市 | Zhoushan | 96.77 | 490.25 | 49.18 | 226.44 | 164.19 |
| **浙西南** | **Western and Southern Region** | **2311.74** | **7157.13** | **416.82** | **3790.99** | **3381.06** |
| 温州市 | Wenzhou | 771.99 | 2424.29 | 76.68 | 1286.76 | 1170.35 |
| 金华市 | Jinhua | 461.41 | 1681.85 | 89.61 | 903.07 | 801.48 |
| 其中:义乌市 | Yiwu | 72.39 | 493.33 | 15.28 | 223.46 | 192.26 |
| 衢州市 | Quzhou | 248.85 | 580.05 | 61.72 | 317.85 | 265.62 |
| 台州市 | Taizhou | 574.06 | 1965.27 | 133.54 | 1037.47 | 935.90 |
| 丽水市 | Lishui | 255.43 | 505.68 | 55.26 | 245.84 | 207.71 |

17－2 续表 1 Continued

| 城 市 | City | 第三产业 Tertiary Industry | 人均生产总值(元) Per Capita GDP (yuan) | 全社会从业人员年末数(万人) Total Employed Persons by year－end (10000 persons) | 社会消费品零售总额(亿元) Total Retail Sales of Consumer Goods (100 million yuan) |
|---|---|---|---|---|---|
| **浙东北** | **Eastern and Northern Region** | **5788.15** | | **1881.15** | **4554.84** |
| 杭州市 | Hangzhou | 2213.14 | 60414 | 569.16 | 1558.38 |
| 宁波市 | Ningbo | 1600.01 | 56771 | 439.90 | 1238.02 |
| 嘉兴市 | Jiaxing | 624.49 | 43129 | 294.45 | 599.61 |
| 湖州市 | Huzhou | 358.70 | 36829 | 199.04 | 382.11 |
| 绍兴市 | Shaoxing | 777.17 | 48236 | 315.37 | 618.89 |
| 舟山市 | Zhoushan | 214.63 | 46936 | 63.23 | 157.83 |
| **浙西南** | **Western and Southern Region** | **2949.34** | | **1517.03** | **2886.91** |
| 温州市 | Wenzhou | 1060.85 | 30496 | 536.75 | 1082.95 |
| 金华市 | Jinhua | 689.17 | 32813 | 326.80 | 675.66 |
| 其中:义乌市 | Yiwu | 254.59 | 68508 | 85.91 | 211.75 |
| 衢州市 | Quzhou | 200.49 | 26076 | 131.02 | 215.61 |
| 台州市 | Taizhou | 794.26 | 34244 | 375.57 | 709.71 |
| 丽水市 | Lishui | 204.57 | 22053 | 146.89 | 202.98 |

注:1. 地区生产总值为初步核算数,人均生产总值除义乌外均按常住人口计算。
Data of GDP are preliminary accounting numbers, GDP per captia is caculated by the resident population excluding Yiwu city.
2. 工业、投资、贸易指标为快报数。
Data of industry, investment in fixed assets and trade are preliminary numbers.

17－2 续表 2 Continued

| 城市 | City | 全社会固定资产投资(亿元) Total Investment in Fixed Assets (100 million yuan) | 出口总额(亿美元) Exports (USD 100 million) | 财政总收入(亿元) Total Financial Revenue (100 million yuan) | 地方财政收入(亿元) Local Financial Revenue (100 million yuan) |
|---|---|---|---|---|---|
| **浙东北** | **Eastern and Northern Region** | **6477.06** | **1197.27** | **2449** | **1231** |
| 杭州市 | Hangzhou | 1961.72 | 336.14 | 911 | 455 |
| 宁波市 | Ningbo | 1728.24 | 463.26 | 811 | 390 |
| 嘉兴市 | Jiaxing | 1006.69 | 141.04 | 252 | 127 |
| 湖州市 | Huzhou | 525.24 | 49.01 | 134 | 72 |
| 绍兴市 | Shaoxing | 915.75 | 174.95 | 275 | 144 |
| 舟山市 | Zhoushan | 339.43 | 32.86 | 67 | 43 |
| **浙西南** | **Western and Southern Region** | **2714.98** | **345.68** | **927** | **496** |
| 温州市 | Wenzhou | 758.44 | 119.04 | 340 | 180 |
| 金华市 | Jinhua | 586.93 | 89.69 | 219 | 120 |
| 其中:义乌市 | Yiwu | 170.13 | 19.08 | 69 | 38 |
| 衢州市 | Quzhou | 361.17 | 8.99 | 57 | 34 |
| 台州市 | Taizhou | 759.58 | 117.64 | 248 | 126 |
| 丽水市 | Lishui | 248.85 | 10.31 | 63 | 36 |

17－2 续表 3 Continued

| 城市 | City | 地方财政支出(亿元) Local Financial Expenditure (100 million yuan) | 城乡居民储蓄存款年末余额(亿元) Savings Deposits of Urban and Rural Residents (100 million yuan) | 城镇居民人均可支配收入(元) Per Capita Disposable Income of Urban Residents (yuan) | 农村居民人均纯收入(元) Per Capita Net Income of Rural Residents (yuan) |
|---|---|---|---|---|---|
| **浙东北** | **Eastern and Northern Region** | **1302** | **9182.19** | | |
| 杭州市 | Hangzhou | 420 | 3420.65 | 23534 | 10692 |
| 宁波市 | Ningbo | 439 | 2365.15 | 25196 | 11450 |
| 嘉兴市 | Jiaxing | 136 | 1155.38 | 22481 | 11538 |
| 湖州市 | Huzhou | 86 | 539.05 | 21604 | 10751 |
| 绍兴市 | Shaoxing | 144 | 1406.04 | 24646 | 10950 |
| 舟山市 | Zhoushan | 77 | 295.92 | 22257 | 11367 |
| **浙西南** | **Western and Southern Region** | **655** | **5309.04** | | |
| 温州市 | Wenzhou | 210 | 2085.02 | 22851 | 9469 |
| 金华市 | Jinhua | 138 | 1353.22 | 21408 | 8264 |
| 其中:义乌市 | Yiwu | 32 | 566.08 | 28708 | 11885 |
| 衢州市 | Quzhou | 68 | 308.12 | 18069 | 6843 |
| 台州市 | Taizhou | 154 | 1204.44 | 22738 | 9180 |
| 丽水市 | Lishui | 86 | 358.23 | 17710 | 5050 |

## 17－3 全社会从业人员数(2008 年底)
Total Employed Persons(End of 2008)

单位:万人(10000 persons)

| 城市 | City | 全社会从业人员数 Total Employed Persons | 第一产业 Primary Industry | 第二产业 Secondary Industry | 第三产业 Tertiary Industry |
|---|---|---|---|---|---|
| **浙东北** | **Eastern and Northern Region** | **1881.15** | **280.85** | **957.15** | **643.15** |
| 杭州市 | Hangzhou | 569.16 | 80.28 | 263.53 | 225.35 |
| 宁波市 | Ningbo | 439.90 | 64.50 | 232.60 | 142.80 |
| 嘉兴市 | Jiaxing | 294.45 | 36.88 | 177.38 | 80.19 |
| 湖州市 | Huzhou | 199.04 | 35.38 | 87.00 | 76.66 |
| 绍兴市 | Shaoxing | 315.37 | 52.70 | 170.12 | 92.55 |
| 舟山市 | Zhoushan | 63.23 | 11.11 | 26.52 | 25.60 |
| **浙西南** | **Western and Southern Region** | **1517.03** | **358.85** | **637.06** | **521.13** |
| 温州市 | Wenzhou | 536.75 | 80.82 | 261.39 | 194.55 |
| 金华市 | Jinhua | 326.80 | 76.30 | 145.80 | 104.70 |
| 其中:义乌市 | Yiwu | 85.91 | 10.60 | 50.90 | 24.40 |
| 衢州市 | Quzhou | 131.02 | 56.62 | 37.78 | 36.62 |
| 台州市 | Taizhou | 375.57 | 83.76 | 157.34 | 134.47 |
| 丽水市 | Lishui | 146.89 | 61.35 | 34.75 | 50.79 |

## 17－4 各市年末单位从业人员数(2008 年)
Employed Persons by City(End of 2008)

单位:万人(10000 persons)

| 城市 | City | 年末单位从业人员数 Total Employed Persons by Unit | 农、林、牧、渔业 Agriculture | 采矿业 Mining and Quarrying | 制造业 Manufac－turing | 电力、煤气及水的生产和供应业 Electricity, Gas and Water Production and Supply | 建筑业 Construction | 交通运输仓储及邮电通信业 Transport, Storage, Post & Telecom－munication |
|---|---|---|---|---|---|---|---|---|
| **浙东北** | **Eastern and Northern Region** | **503.52** | **0.57** | **1.15** | **230.28** | **7.25** | **80.65** | **15.23** |
| 杭州市 | Hangzhou | 182.41 | 0.17 | 0.23 | 70.98 | 2.04 | 26.63 | 7.23 |
| 宁波市 | Ningbo | 114.63 | 0.14 | 0.03 | 51.79 | 1.68 | 20.07 | 4.08 |
| 嘉兴市 | Jiaxing | 74.60 | 0.16 | | 49.04 | 1.38 | 3.22 | 0.94 |
| 湖州市 | Huzhou | 32.70 | 0.03 | 0.58 | 16.74 | 0.56 | 2.70 | 0.70 |
| 绍兴市 | Shaoxing | 86.12 | 0.05 | 0.28 | 37.99 | 1.19 | 26.74 | 1.29 |
| 舟山市 | Zhoushan | 13.06 | 0.02 | 0.03 | 3.74 | 0.40 | 1.29 | 0.99 |
| **浙西南** | **Western and Southern Region** | **233.35** | **1.00** | **0.44** | **88.64** | **4.49** | **41.08** | **6.84** |
| 温州市 | Wenzhou | 103.23 | 0.11 | 0.25 | 51.79 | 1.38 | 17.30 | 2.86 |
| 金华市 | Jinhua | 40.45 | 0.12 | 0.02 | 11.65 | 0.77 | 6.10 | 1.60 |
| 其中:义乌市 | Yiwu | 5.71 | 0.01 | | 0.64 | 0.09 | 0.14 | 0.42 |
| 衢州市 | Quzhou | 15.67 | 0.05 | 0.04 | 5.30 | 0.43 | 0.87 | 0.48 |
| 台州市 | Taizhou | 58.18 | 0.46 | 0.03 | 16.73 | 1.07 | 15.97 | 1.29 |
| 丽水市 | Lishui | 15.82 | 0.26 | 0.10 | 3.17 | 0.84 | 0.84 | 0.61 |

17-4 续表1 Continued 单位:万人(10000 persons)

| 城市 | City | 信息传输、计算机服务和软件业 Information Transmission, Computer Services and Software | 批发和零售贸易 Wholesale and Retail Sale Trade | 住宿、餐饮业 Hotels and Catering Services | 金融业 Finance | 房地产业 Real Estate | 租赁和商业服务 Leasing and Commercial Services | 科学研究、技术服务和地质勘查 Technic and Geological Prospecting |
|---|---|---|---|---|---|---|---|---|
| **浙东北** | **Eastern and Northern Region** | **7.04** | **18.44** | **11.22** | **16.27** | **6.96** | **12.62** | **7.35** |
| 杭州市 | Hangzhou | 4.90 | 9.25 | 6.57 | 6.09 | 3.40 | 6.65 | 4.63 |
| 宁波市 | Ningbo | 0.83 | 4.04 | 1.98 | 4.73 | 1.55 | 2.90 | 1.16 |
| 嘉兴市 | Jiaxing | 0.40 | 1.98 | 0.86 | 1.77 | 1.06 | 1.62 | 0.62 |
| 湖州市 | Huzhou | 0.24 | 0.65 | 0.56 | 1.50 | 0.35 | 0.34 | 0.37 |
| 绍兴市 | Shaoxing | 0.50 | 2.00 | 0.92 | 1.66 | 0.34 | 0.67 | 0.38 |
| 舟山市 | Zhoushan | 0.17 | 0.52 | 0.33 | 0.52 | 0.26 | 0.44 | 0.19 |
| **浙西南** | **Western and Southern Region** | **1.84** | **6.22** | **3.09** | **9.19** | **2.34** | **4.22** | **2.22** |
| 温州市 | Wenzhou | 0.49 | 2.24 | 1.40 | 2.70 | 1.23 | 1.00 | 0.68 |
| 金华市 | Jinhua | 0.41 | 1.53 | 0.61 | 1.60 | 0.30 | 1.26 | 0.52 |
| 其中:义乌市 | Yiwu | 0.04 | 0.17 | 0.16 | 0.36 | 0.15 | 0.38 | 0.11 |
| 衢州市 | Quzhou | 0.19 | 0.29 | 0.07 | 1.36 | 0.08 | 0.20 | 0.17 |
| 台州市 | Taizhou | 0.44 | 1.79 | 0.85 | 2.60 | 0.63 | 1.35 | 0.59 |
| 丽水市 | Lishui | 0.31 | 0.37 | 0.16 | 0.93 | 0.10 | 0.41 | 0.26 |

17-4 续表2 Continued 单位:万人(10000 persons)

| 城市 | City | 水利、环境和公共设施管理业 Water Conservancy, Environment and Public Facilities Management | 居民服务和其他服务业 Resident Services and Other Services | 教育 Education | 卫生、社会保障和社会福利业 Health Care, Social Security and Social Welfare | 文化、体育和娱乐业 Culture Sports and Recreation | 公共管理和社会组织 Public Management and Social Organization |
|---|---|---|---|---|---|---|---|
| **浙东北** | **Eastern and Northern Region** | **4.91** | **1.07** | **32.56** | **17.06** | **3.68** | **29.25** |
| 杭州市 | Hangzhou | 1.85 | 0.72 | 12.10 | 6.31 | 1.82 | 10.86 |
| 宁波市 | Ningbo | 1.04 | 0.20 | 7.07 | 4.02 | 0.80 | 6.54 |
| 嘉兴市 | Jiaxing | 0.65 | 0.08 | 4.46 | 2.31 | 0.34 | 3.72 |
| 湖州市 | Huzhou | 0.51 | 0.02 | 2.72 | 1.31 | 0.20 | 2.62 |
| 绍兴市 | Shaoxing | 0.62 | 0.03 | 5.00 | 2.45 | 0.37 | 3.64 |
| 舟山市 | Zhoushan | 0.24 | 0.02 | 1.21 | 0.66 | 0.15 | 1.87 |
| **浙西南** | **Western and Southern Region** | **2.46** | **0.19** | **23.39** | **11.00** | **1.50** | **23.17** |
| 温州市 | Wenzhou | 0.37 | 0.06 | 8.03 | 3.51 | 0.49 | 7.35 |
| 金华市 | Jinhua | 1.01 | 0.03 | 4.91 | 2.50 | 0.33 | 5.16 |
| 其中:义乌市 | Yiwu | 0.30 | 0.01 | 0.91 | 0.43 | 0.05 | 1.34 |
| 衢州市 | Quzhou | 0.13 | 0.02 | 2.13 | 0.92 | 0.17 | 2.75 |
| 台州市 | Taizhou | 0.67 | 0.05 | 5.66 | 2.82 | 0.30 | 4.88 |
| 丽水市 | Lishui | 0.28 | 0.03 | 2.66 | 1.25 | 0.21 | 3.03 |

## 17－5 各市农、林、牧、渔业总产值(2008 年)
Gross Output Value of Farming, Forestry, Animal Husbandry and Fishery by City(2008)

单位:亿元(100 million yuan)

| 城市 | City | 农、林、牧、渔业总产值 Total Output Value | 农业产值 Farming | 林业产值 Forestry | 牧业产值 Animal Husbandry | 渔业产值 Fishery | 农林牧渔业服务业产值 Services |
|---|---|---|---|---|---|---|---|
| **浙东北** | **Eastern and Northern Region** | **1137.52** | **519.80** | **72.10** | **258.51** | **262.18** | **24.92** |
| 杭州市 | Hangzhou | 273.76 | 140.81 | 32.02 | 63.66 | 30.93 | 6.34 |
| 宁波市 | Ningbo | 262.44 | 119.31 | 7.32 | 48.29 | 83.27 | 4.25 |
| 嘉兴市 | Jiaxing | 180.87 | 80.59 | 0.65 | 72.97 | 19.69 | 6.96 |
| 湖州市 | Huzhou | 144.45 | 63.39 | 17.10 | 33.37 | 24.62 | 5.96 |
| 绍兴市 | Shaoxing | 178.14 | 108.63 | 14.82 | 36.00 | 17.45 | 1.25 |
| 舟山市 | Zhoushan | 97.86 | 7.07 | 0.19 | 4.22 | 86.22 | 0.16 |
| **浙西南** | **Western and Southern Region** | **656.84** | **307.27** | **31.87** | **155.28** | **153.25** | **9.14** |
| 温州市 | Wenzhou | 124.46 | 50.92 | 2.74 | 28.87 | 39.98 | 1.94 |
| 金华市 | Jinhua | 138.70 | 74.64 | 4.41 | 48.51 | 7.68 | 3.46 |
| 其中:义乌市 | Yiwu | 20.51 | 10.90 | 0.36 | 8.30 | 0.80 | 0.15 |
| 衢州市 | Quzhou | 96.34 | 44.93 | 7.78 | 39.94 | 3.00 | 0.68 |
| 台州市 | Taizhou | 211.96 | 80.37 | 3.76 | 24.58 | 100.86 | 2.38 |
| 丽水市 | Lishui | 85.38 | 56.41 | 13.18 | 13.38 | 1.73 | 0.68 |

## 17－6 各市播种面积(2008 年)
Sown Area by City(2008)

| 城市 | City | 农作物播种面积(千公顷) Swon Area of Farm Crop (1000 hectares) | #粮食 Grain | #谷物 Cereal | #油料 Oilbearing Crops | #棉花 Cotton | #蔬菜瓜类 Vegetable and Melo | #果用瓜 Melo used as Fruit |
|---|---|---|---|---|---|---|---|---|
| **浙东北** | **Eastern and Northern Region** | **1659.02** | **866.88** | **672.95** | **148.52** | **12.22** | **383.76** | **70.19** |
| 杭州市 | Hangzhou | 403.59 | 192.42 | 131.20 | 40.71 | 0.65 | 102.70 | 13.46 |
| 宁波市 | Ningbo | 330.07 | 153.80 | 110.04 | 14.21 | 6.45 | 89.49 | 24.12 |
| 嘉兴市 | Jiaxing | 342.81 | 193.36 | 165.13 | 36.23 | 2.37 | 78.90 | 11.99 |
| 湖州市 | Huzhou | 235.99 | 138.36 | 112.94 | 32.20 | 0.10 | 36.08 | 7.54 |
| 绍兴市 | Shaoxing | 321.47 | 177.27 | 148.38 | 23.04 | 2.58 | 68.27 | 10.92 |
| 舟山市 | Zhoushan | 25.10 | 11.66 | 5.26 | 2.14 | 0.07 | 8.32 | 2.16 |
| **浙西南** | **Western and Southern Region** | **1186.73** | **730.76** | **542.63** | **79.56** | **8.12** | **234.71** | **43.85** |
| 温州市 | Wenzhou | 244.97 | 157.71 | 122.16 | 7.42 | 0.07 | 56.91 | 10.51 |
| 金华市 | Jinhua | 261.16 | 154.42 | 120.52 | 23.06 | 5.95 | 39.63 | 10.61 |
| 其中:义乌市 | Yiwu | 29.59 | 17.80 | 12.43 | 1.40 | 0.03 | 6.75 | 1.50 |
| 衢州市 | Quzhou | 204.82 | 122.53 | 98.90 | 31.51 | 1.50 | 31.09 | 5.39 |
| 台州市 | Taizhou | 283.69 | 173.87 | 122.90 | 9.10 | 0.58 | 65.08 | 14.31 |
| 丽水市 | Lishui | 192.09 | 122.23 | 78.15 | 8.49 | 0.02 | 42.01 | 3.03 |

## 17－7　各市主要农产品产量(2008 年)
## Output of Major Farm Products by City(2008)

单位:吨(ton)

| 城市 | City | 粮食 Grain | #谷物 Cereal | 油菜籽 Rapeseeds | 棉花 Cotton | 水果 Fruit | #柑桔 Citrus | 茶叶 Tea | 蚕茧 Silkworm Cocoons |
|---|---|---|---|---|---|---|---|---|---|
| **浙东北** | **Eastern and Northern Region** | **5436211** | **4687642** | **302006** | **15232** | **3774189** | **573430** | **109723** | **74696** |
| 杭州市 | Hangzhou | 1101555 | 867153 | 78058 | 957 | 767862 | 164520 | 29623 | 18987 |
| 宁波市 | Ningbo | 884213 | 725686 | 20838 | 7492 | 1493478 | 323668 | 20285 | 45 |
| 嘉兴市 | Jiaxing | 1330863 | 1224157 | 91115 | 3593 | 554695 | 36082 | 150 | 33908 |
| 湖州市 | Huzhou | 926847 | 824173 | 70918 | 200 | 277469 | 1011 | 11389 | 17373 |
| 绍兴市 | Shaoxing | 1138572 | 1014543 | 38135 | 2915 | 590104 | 18696 | 48181 | 4383 |
| 舟山市 | Zhoushan | 54161 | 31930 | 2942 | 75 | 90581 | 29453 | 95 | |
| **浙西南** | **Western and Southern Region** | **4057685** | **3337198** | **115432** | **12939** | **3705046** | **1810124** | **52622** | **7463** |
| 温州市 | Wenzhou | 894180 | 753160 | 9704 | 98 | 385066 | 49632 | 4438 | 1 |
| 金华市 | Jinhua | 876644 | 755630 | 34608 | 9742 | 602627 | 156361 | 17616 | 2702 |
| 其中:义乌市 | Yiwu | 106600 | 81961 | 1900 | 31 | 89294 | 25377 | 1050 | 60 |
| 衢州市 | Quzhou | 729305 | 631752 | 46542 | 2434 | 1083178 | 911660 | 7493 | 1754 |
| 台州市 | Taizhou | 934734 | 730189 | 13239 | 634 | 1205779 | 462443 | 3778 | 525 |
| 丽水市 | Lishui | 622822 | 466467 | 11339 | 31 | 428396 | 230028 | 19297 | 2481 |

17－7　续表　Continued

单位:吨(ton)

| 城市 | City | 生猪年末存栏头数(万头) Year－end Hogs (10000 heads) | 牛年末存栏头数(头) Year－end Cattle (head) | 羊年末存栏只数(万只) Year－end Sheep and Goats (10000 heads) | 肉产量(吨) Output of Meat (ton) | #猪肉(吨) Pork (ton) | 禽蛋产量(吨) Poultry Eggs (ton) | 牛羊奶产量(吨) Cow and Sheep Milk (ton) | 水产品产量(吨) Output of Aquatic Products (ton) |
|---|---|---|---|---|---|---|---|---|---|
| **浙东北** | **Eastern and Northern Region** | **720.13** | **66719** | **142.42** | **1189966** | **858505** | **430964** | **94063** | **2859704** |
| 杭州市 | Hangzhou | 170.43 | 23629 | 15.01 | 295238 | 219428 | 132458 | 43834 | 182098 |
| 宁波市 | Ningbo | 79.10 | 17664 | 7.36 | 185968 | 126746 | 104633 | 18074 | 938688 |
| 嘉兴市 | Jiaxing | 286.28 | 4417 | 72.98 | 374411 | 296804 | 89274 | 13926 | 165571 |
| 湖州市 | Huzhou | 70.45 | 7004 | 32.36 | 162798 | 84735 | 52806 | 11690 | 227562 |
| 绍兴市 | Shaoxing | 99.01 | 13205 | 12.96 | 152305 | 114983 | 44487 | 5934 | 90606 |
| 舟山市 | Zhoushan | 14.86 | 800 | 1.75 | 19246 | 15809 | 7306 | 605 | 1255179 |
| **浙西南** | **Western and Southern Region** | **574.64** | **190210** | **41.17** | **775901** | **618580** | **183986** | **127205** | **2125283** |
| 温州市 | Wenzhou | 77.68 | 45356 | 15.26 | 126336 | 86584 | 54908 | 26533 | 617884 |
| 金华市 | Jinhua | 148.76 | 52327 | 8.65 | 211960 | 166917 | 51987 | 85287 | 57560 |
| 其中:义乌市 | Yiwu | 25.72 | 943 | 1.00 | 39101 | 30931 | 6637 | 740 | 3590 |
| 衢州市 | Quzhou | 220.94 | 24316 | 4.31 | 220751 | 198685 | 26506 | 2989 | 41764 |
| 台州市 | Taizhou | 75.61 | 28447 | 5.41 | 105776 | 82590 | 42971 | 11801 | 1387283 |
| 丽水市 | Lishui | 51.65 | 39764 | 7.54 | 87552 | 60278 | 7614 | 595 | 20792 |

## 17－8 各市农业现代化情况(2008 年)
## Agricultural Modernization by City(2008)

| 城市 | City | 农业机械总动力(万千瓦) Total Power of Agricultural Machinery (10000 million kw) | 农村用电量(万千瓦小时) Electricity Consumed in Rural Area (10000 million kw. h) | 农用化肥施用量(折纯)(吨) Consumption of Chemical Fertilizers (pure) (ton) | 机耕面积(千公顷) Area Ploughed by Tractors (1000 hectares) | 有效灌溉面积(千公顷) Irrigated Area (1000 hectares) | 旱涝保收面积(千公顷) Stable Yields Ensured Despite Disasters (1000 hectares) |
|---|---|---|---|---|---|---|---|
| **浙东北** | **Eastern and Northern Region** | **1301.79** | **5035542** | **500582** | **633.33** | **845.36** | **691.70** |
| 杭州市 | Hangzhou | 308.10 | 970743 | 119295 | 130.29 | 162.38 | 131.47 |
| 宁波市 | ningbo | 306.21 | 1419450 | 112969 | 138.31 | 186.59 | 143.65 |
| 嘉兴市 | jiaxing | 152.29 | 758386 | 105704 | 129.89 | 197.64 | 176.30 |
| 湖州市 | huzhou | 150.17 | 333651 | 56344 | 106.58 | 132.47 | 122.47 |
| 绍兴市 | shaoxing | 216.78 | 1447409 | 101916 | 120.67 | 153.74 | 107.33 |
| 舟山市 | zhoushan | 168.24 | 105903 | 4354 | 7.59 | 12.54 | 10.48 |
| **浙西南** | **Western and Southern Region** | **1026.12** | **1718548** | **429205** | **377.02** | **590.49** | **395.77** |
| 温州市 | wenzhou | 203.26 | 624522 | 84477 | 82.63 | 128.59 | 74.18 |
| 金华市 | jinhua | 233.01 | 337669 | 107947 | 104.15 | 158.33 | 118.22 |
| 其中:义乌市 | yiwu | 26.53 | 84810 | 11420 | 15.35 | 21.12 | 15.13 |
| 衢州市 | quzhou | 152.13 | 81315 | 87521 | 55.00 | 92.63 | 68.51 |
| 台州市 | taizhou | 341.45 | 633158 | 88334 | 104.21 | 127.67 | 84.94 |
| 丽水市 | lishui | 96.27 | 41884 | 60926 | 31.03 | 83.27 | 49.92 |

## 17-9 各市规模以上工业企业单位数(2008)
Number of Industrial Enterprises Above Designated Size by City(2008)

单位:个(unit)

| 城市 | City | 工业企业单位数 Number of Enterprises | 内资企业 Domestic-funded Enterprises | 港澳台商投资企业 Enterprises with Investment from Hong Kong, Macao and Taiwan | 外商投资企业 Enterprises with Foreign Investment |
|---|---|---|---|---|---|
| **浙东北** | **Eastern and Northern Region** | **37667** | **29682** | **3841** | **4144** |
| 杭州市 | Hangzhou | 9859 | 8130 | 764 | 965 |
| 宁波市 | Ningbo | 12098 | 8950 | 1563 | 1585 |
| 嘉兴市 | Jiaxing | 6728 | 5302 | 618 | 808 |
| 湖州市 | Huzhou | 3069 | 2535 | 258 | 276 |
| 绍兴市 | Shaoxing | 5323 | 4228 | 622 | 473 |
| 舟山市 | Zhoushan | 590 | 537 | 16 | 37 |
| **浙西南** | **Western and Southern Region** | **19713** | **18365** | **516** | **832** |
| 温州市 | Wenzhou | 6469 | 6055 | 120 | 294 |
| 金华市 | Jinhua | 4548 | 4165 | 154 | 229 |
| 其中:义乌市 | Yiwu | 1118 | 1028 | 47 | 43 |
| 衢州市 | Quzhou | 1077 | 1014 | 22 | 41 |
| 台州市 | Taizhou | 6262 | 5822 | 208 | 232 |
| 丽水市 | Lishui | 1357 | 1309 | 12 | 36 |

## 17-10 各市规模以上工业总产值(2008年)
Gross Output Value of Industry by City Above Designated Size(2008)

单位:亿元(100 million yuan)

| 城市 | City | 工业总产值 Gross Output Value of Industry | 内资企业 Domestic-funded Enterprises | 港澳台商投资企业 Enterprises with Investment from Hong Kong, Macao and Taiwan | 外商投资企业 Enterprises with Foreign Investment |
|---|---|---|---|---|---|
| **浙东北** | **Eastern and Northern Region** | **29919.87** | **20122.30** | **4433.73** | **5363.84** |
| 杭州市 | Hangzhou | 9332.17 | 6334.34 | 1149.29 | 1848.53 |
| 宁波市 | Ningbo | 8537.91 | 4863.34 | 1770.64 | 1903.92 |
| 嘉兴市 | Jiaxing | 3839.43 | 2459.41 | 443.89 | 936.13 |
| 湖州市 | Huzhou | 2138.50 | 1761.50 | 177.67 | 199.33 |
| 绍兴市 | Shaoxing | 5400.01 | 4209.71 | 829.86 | 360.44 |
| 舟山市 | Zhoushan | 671.87 | 494.00 | 62.38 | 115.49 |
| **浙西南** | **Western and Southern Region** | **10831.09** | **9765.88** | **360.62** | **705.09** |
| 温州市 | Wenzhou | 3631.52 | 3329.59 | 83.03 | 219.41 |
| 金华市 | Jinhua | 2578.29 | 2291.08 | 119.15 | 168.06 |
| 其中:义乌市 | Yiwu | 481.94 | 389.17 | 57.22 | 35.55 |
| 衢州市 | Quzhou | 768.79 | 706.62 | 9.32 | 52.85 |
| 台州市 | Taizhou | 3060.86 | 2679.77 | 142.91 | 238.18 |
| 丽水市 | Lishui | 791.62 | 758.82 | 6.21 | 26.59 |

## 17－11　各市工业企业经济指标(2008 年)
## Main Indicators of Industrial Enterprises by City(2008)

单位:亿元(100 million yuan)

| 城市 | City | 从业人员平均人数(万人) Average Number of Employed Persons (10000 persons) | 流动资产年平均余额 Annual Average Balance of Circulating Assets | 固定资产净值年平均余额 Annual Average Balance of Net Value of Fixed Assets | 主营业务收入 Revenues in Main Business |
|---|---|---|---|---|---|
| **浙东北** | **Eastern and Northern Region** | **528.55** | **13921.39** | | **28564.35** |
| 杭州市 | Hangzhou | 129.05 | 4308.40 | | 8947.00 |
| 宁波市 | Ningbo | 177.82 | 4034.33 | 2177.40 | 8262.23 |
| 嘉兴市 | Jiaxing | 93.33 | 1622.71 | 1387.82 | 3550.34 |
| 湖州市 | Huzhou | 31.85 | 730.73 | | 2025.98 |
| 绍兴市 | Shaoxing | 87.30 | 2729.39 | 1256.06 | 5187.09 |
| 舟山市 | Zhoushan | 9.20 | 495.83 | 210.80 | 591.71 |
| **浙西南** | **Western and Southern Region** | **265.93** | **4965.66** | **2246.65** | **9708.30** |
| 温州市 | Wenzhou | 99.49 | 1702.50 | 717.62 | 3246.22 |
| 金华市 | Jinhua | 63.17 | 1355.59 | 642.21 | 2361.31 |
| 其中:义乌市 | Yiwu | 14.70 | 312.50 | 160.24 | 455.63 |
| 衢州市 | Quzhou | 12.82 | 286.84 | 236.39 | 755.62 |
| 台州市 | Taizhou | 74.50 | 1322.55 | 493.15 | 2610.54 |
| 丽水市 | Lishui | 15.95 | 298.18 | 157.27 | 734.62 |

17－11　续表　Continued　　单位:亿元(100 million yuan)

| 城市 | City | 利税总额 Total Profits and Taxes | 产品销售税金及附加 Sales Tax and Extra Charges | 本年应交增值税 Tax Payable of Value Added | 利润总额 Total Profits |
|---|---|---|---|---|---|
| **浙东北** | **Eastern and Northern Region** | **2078.15** | **225.88** | **710.32** | **1141.95** |
| 杭州市 | Hangzhou | 744.21 | 106.83 | 226.98 | 410.40 |
| 宁波市 | Ningbo | 480.87 | 74.70 | 186.44 | 219.73 |
| 嘉兴市 | Jiaxing | 266.56 | 11.29 | 108.89 | 146.38 |
| 湖州市 | Huzhou | 147.26 | 11.77 | 54.15 | 81.34 |
| 绍兴市 | Shaoxing | 403.67 | 19.60 | 125.60 | 258.47 |
| 舟山市 | Zhoushan | 35.60 | 1.69 | 8.27 | 25.64 |
| **浙西南** | **Western and Southern Region** | **718.49** | **49.57** | **283.06** | **385.86** |
| 温州市 | Wenzhou | 258.43 | 16.22 | 101.15 | 141.06 |
| 金华市 | Jinhua | 160.39 | 12.82 | 65.62 | 81.95 |
| 其中:义乌市 | Yiwu | 35.33 | 2.52 | 10.19 | 22.62 |
| 衢州市 | Quzhou | 61.88 | 3.68 | 21.91 | 36.29 |
| 台州市 | Taizhou | 188.53 | 13.48 | 75.71 | 99.34 |
| 丽水市 | Lishui | 49.26 | 3.37 | 18.67 | 27.22 |

## 17-12 各市客运量和货运量(2008 年)
Passenger Traffic and Freight Traffic by City(2008)

| 城市 | City | 客运量(万人) Passenger Traffic (10000 persons) | | | | 货运量(万吨) Freight Traffic (10000 tons) | | |
|---|---|---|---|---|---|---|---|---|
| | | 铁路 Railways | 公路 Highways | 水运 Waterways | 航空 Civil Aviation | 铁路 Railways | 公路 Highways | 水运 Waterways |
| **浙东北** | **Eastern and Northern Region** | **5280.85** | **105800** | **3248.91** | **913.15** | **2807.09** | **53423** | **40979.88** |
| 杭州市 | Hangzhou | 2498.25 | 25630 | 276.86 | 679.27 | 482.76 | 16822 | 5231.53 |
| 宁波市 | Ningbo | 1769.80 | 30130 | 152.00 | 198.32 | 2171.25 | 13550 | 9993.00 |
| 嘉兴市 | Jiaxing | 524.32 | 16596 | 46.35 | | 28.52 | 3535 | 7106.16 |
| 湖州市 | Huzhou | | 9254 | 5.75 | | | 6792 | 9812.00 |
| 绍兴市 | Shaoxing | 488.48 | 16285 | 69.95 | | 124.56 | 10318 | 1038.19 |
| 舟山市 | Zhoushan | | 7905 | 2698.00 | 35.56 | | 2406 | 7799.00 |
| **浙西南** | **Western and Southern Region** | **1869.32** | **81493** | **253.66** | **286.81** | **1350.39** | **51417** | **9532.93** |
| 温州市 | Wenzhou | 433.69 | 28164 | 54.48 | 209.40 | 309.00 | 15175 | 2823.26 |
| 金华市 | Jinhua | 1088.29 | 20196 | 7.00 | 50.53 | 298.42 | 15610 | 223.00 |
| 其中:义乌市 | Yiwu | 499.50 | 6213 | | 50.53 | 53.17 | 3535 | |
| 衢州市 | Quzhou | 216.34 | 7305 | 4.18 | 6.14 | 591.97 | 9241 | 6.67 |
| 台州市 | Taizhou | | 20621 | 158.00 | 20.74 | | 8282 | 6118.00 |
| 丽水市 | Lishui | 131.00 | 5207 | 30.00 | | 151.00 | 3109 | 362.00 |

## 17－13 各市公路里程、邮电通信和用电量情况(2008 年)
Length of Highways, Posts and Telecommunications and Electricity by City(2008)

| 城市 | City | 境内公路里程(公里) Length of Highways (km) | #高速公路 Expressway | 民用汽车拥有量(辆) Civil Motor Vehicles (unit) | 固定电话用户(万户) Telephone Subscribers (10000 subscribers) | 年末移动电话用户数(万户) Number of Mobile Telephones Subscribers (10000 subscribers) |
|---|---|---|---|---|---|---|
| **浙东北** | **Eastern and Northern Region** | **45030.37** | **1762.20** | **2084799** | **1356.47** | **2677.01** |
| 杭州市 | Hangzhou | 13626.55 | 494.15 | 822677 | 416.35 | 866.81 |
| 宁波市 | Ningbo | 8939.89 | 365.95 | 578539 | 338.24 | 821.58 |
| 嘉兴市 | Jiaxing | 6711.73 | 335.71 | 227729 | 184.45 | 356.51 |
| 湖州市 | Huzhou | 6099.00 | 235.39 | 130772 | 117.97 | 202.19 |
| 绍兴市 | Shaoxing | 8237.00 | 331.00 | 287837 | 240.78 | 334.02 |
| 舟山市 | Zhoushan | 1416.20 |  | 37245 | 58.68 | 95.89 |
| **浙西南** | **Western and Southern Region** | **47356.65** | **1253.93** | **1415541** | **925.70** | **2093.79** |
| 温州市 | Wenzhou | 7336.00 | 204.00 | 509514 | 334.56 | 771.48 |
| 金华市 | Jinhua | 11226.35 | 303.63 | 373940 | 244.15 | 425.08 |
| 其中:义乌市 | Yiwu | 1280.03 | 54.12 | 129589 | 64.76 | 141.57 |
| 衢州市 | Quzhou | 7018.00 | 188.00 | 71101 | 72.46 | 141.41 |
| 台州市 | Taizhou | 10175.00 | 230.00 | 368029 | 211.86 | 554.13 |
| 丽水市 | Lishui | 11601.30 | 328.30 | 92957 | 62.67 | 201.69 |

17－13 续表 Continued

| 城市 | City | 国际互联网用户数(户) Users of International Computer Network (subscriber) | 电信业务收入(万元) Telecom Business Income (10000 yuan) | 全年用电量(亿千瓦小时) Total Electricity Consumption (100 million kw.h) | #工业用电 Industrial Consumption | #城乡居民生活用电 Residential Consumption |
|---|---|---|---|---|---|---|
| **浙东北** | **Eastern and Northern Region** |  |  | **1433.78** | **1113.76** | **145.28** |
| 杭州市 | Hangzhou | 1321269 | 1163219 | 430.18 | 307.20 | 51.25 |
| 宁波市 | Ningbo |  |  | 384.94 | 302.76 | 39.58 |
| 嘉兴市 | Jiaxing | 541409 | 562707 | 231.74 | 193.37 | 17.39 |
| 湖州市 | Huzhou | 292076 | 243250 | 112.49 | 88.07 | 11.78 |
| 绍兴市 | Shaoxing | 531420 | 417663 | 244.31 | 204.19 | 20.37 |
| 舟山市 | Zhoushan | 158807 | 121058 | 30.12 | 18.17 | 4.91 |
| **浙西南** | **Western and Southern Region** | **2550013** | **2473113** | **719.02** | **524.65** | **111.63** |
| 温州市 | Wenzhou | 1103994 | 960137 | 252.40 | 174.61 | 48.37 |
| 金华市 | Jinhua | 560953 | 520248 | 177.26 | 132.43 | 22.00 |
| 其中:义乌市 | Yiwu | 191396 | 187677 | 45.23 | 30.02 | 5.97 |
| 衢州市 | Quzhou | 156713 | 245644 | 85.31 | 72.38 | 6.47 |
| 台州市 | Taizhou | 558170 | 605875 | 156.62 | 111.18 | 27.42 |
| 丽水市 | Lishui | 170183 | 141209 | 47.43 | 34.05 | 7.37 |

## 17－14 各市固定资产投资(2008 年)
Total Investment in Fixed Assets by City(2008)

单位:亿元(100 million yuan)

| 城市 | City | 全社会固定资产投资 Total Investment in Fixed Assets | 限额以上固定资产投资 Investment in Fixed Assets Above Designated Size | 第一产业 Primary Industry | 第二产业 Secondary Industry | 第三产业 Tertiary Industry |
|---|---|---|---|---|---|---|
| **浙东北** | **Eastern and Northern Region** | **6477.06** | **6015.50** | **15.48** | **2729.12** | **3270.90** |
| 杭州市 | Hangzhou | 1961.72 | 1863.52 | 3.08 | 570.57 | 1289.86 |
| 宁波市 | Ningbo | 1728.24 | 1610.86 | 6.03 | 714.45 | 890.38 |
| 嘉兴市 | Jiaxing | 1006.69 | 904.82 | 2.55 | 557.84 | 344.42 |
| 湖州市 | Huzhou | 525.24 | 482.65 | 1.58 | 275.17 | 205.90 |
| 绍兴市 | Shaoxing | 915.75 | 820.01 | 1.58 | 483.33 | 335.11 |
| 舟山市 | Zhoushan | 339.43 | 333.63 | 0.66 | 127.76 | 205.22 |
| **浙西南** | **Western and Southern Region** | **2714.98** | **2403.95** | **20.36** | **1180.45** | **1203.14** |
| 温州市 | Wenzhou | 758.44 | 655.93 | 1.35 | 248.97 | 405.61 |
| 金华市 | Jinhua | 586.93 | 535.47 | 0.90 | 268.78 | 265.79 |
| 其中:义乌市 | Yiwu | 170.13 | 155.94 | 0.15 | 44.31 | 111.49 |
| 衢州市 | Quzhou | 361.17 | 326.33 | 6.76 | 179.17 | 140.40 |
| 台州市 | Taizhou | 759.58 | 654.51 | 2.92 | 390.28 | 261.31 |
| 丽水市 | Lishui | 248.85 | 231.71 | 8.42 | 93.25 | 130.04 |

17－14 续表 Continued

单位:亿元(100 million yuan)

| 城市 | City | #房地产开发投资 Real Estate Development | #住宅 Residential Buildings | 新增固定资产 Newly Incresaed Fixed Assets | 商品房屋销售面积(万平方米) Floor Space of Commercial Houses Sold (10000 sq. m) | 商品房屋销售额 Total Value of Commercial Houses Sold |
|---|---|---|---|---|---|---|
| **浙东北** | **Eastern and Northern Region** | **1429.91** | **999.61** | **3152.64** | **1967.45** | **1321.07** |
| 杭州市 | Hangzhou | 596.63 | 449.29 | 746.35 | 716.38 | 612.13 |
| 宁波市 | Ningbo | 307.75 | 194.00 | 1031.84 | 434.12 | 320.56 |
| 嘉兴市 | Jiaxing | 181.23 | 123.08 | 430.16 | 327.70 | 144.15 |
| 湖州市 | Huzhou | 103.29 | 70.58 | 275.06 | 198.28 | 82.41 |
| 绍兴市 | Shaoxing | 202.06 | 134.60 | 535.70 | 216.87 | 116.12 |
| 舟山市 | Zhoushan | 38.95 | 28.06 | 133.54 | 74.10 | 45.69 |
| **浙西南** | **Western and Southern Region** | **571.80** | **420.32** | **1328.90** | **920.33** | **498.93** |
| 温州市 | Wenzhou | 219.39 | 153.13 | 452.98 | 166.93 | 148.90 |
| 金华市 | Jinhua | 140.55 | 110.66 | 225.93 | 315.41 | 142.99 |
| 其中:义乌市 | Yiwu | 54.73 | 45.46 | 60.92 | 70.08 | 51.96 |
| 衢州市 | Quzhou | 45.62 | 35.16 | 130.34 | 129.58 | 40.20 |
| 台州市 | Taizhou | 126.25 | 91.63 | 344.24 | 226.77 | 122.05 |
| 丽水市 | Lishui | 39.99 | 29.74 | 175.42 | 81.64 | 44.80 |

## 17－15 各市国内贸易情况(2008年)
Domestic and Foreign Trade by City(2008)

| 城市 | City | 社会消费品零售总额(亿元) Total Retail Sales of Consumer Goods (100 million yuan) | 限额以上批发、零售贸易业商品销售总额(亿元) Total Sales of Wholesale and Retailsale Trade Above Designated Size (100 million yuan) | 限额以上批发零售企业数(个) Number of Wholesale and retail enterprises above the Designated Size (unit) | # 零售 Retail |
|---|---|---|---|---|---|
| **浙东北** | **Eastern and Northern Region** | **4554.84** | **11450.42** | **4593** | **1163** |
| 杭州市 | Hangzhou | 1558.38 | 6885.63 | 1592 | 287 |
| 宁波市 | Ningbo | 1238.02 | 2604.47 | 1931 | 440 |
| 嘉兴市 | Jiaxing | 599.61 | 736.29 | 427 | 157 |
| 湖州市 | Huzhou | 382.11 | 403.01 | 282 | 114 |
| 绍兴市 | Shaoxing | 618.89 | 610.97 | 248 | 118 |
| 舟山市 | Zhoushan | 157.83 | 210.05 | 113 | 47 |
| **浙西南** | **Western and Southern Region** | **2886.91** | **2957.70** | **2292** | **863** |
| 温州市 | Wenzhou | 1082.95 | 1396.79 | 934 | 255 |
| 金华市 | Jinhua | 675.66 | 511.74 | 497 | 236 |
| 其中:义乌市 | Yiwu | 211.75 | 89.30 | 114 | 69 |
| 衢州市 | Quzhou | 215.61 | 39.29 | 146 | 76 |
| 台州市 | Taizhou | 709.71 | 897.03 | 588 | 221 |
| 丽水市 | Lishui | 202.98 | 112.84 | 127 | 75 |

## 17－16 各市外贸及利用外资情况(2008年)
Utilization of Foreign Capital by City(2008)

| 城市 | City | 进口总额(亿美元) Total imports (100 million USD) | 出口总额(亿美元) Total exports (100 million USD) | 外国和港澳台地区在华直接投资 Foreign Funded Enterprises and Enterprises Funded by Entrepreneurs from Hong Kong, Macao & Taiwan | |
|---|---|---|---|---|---|
| | | | | 新签项目(合同)数(个) Newly Signed Contracts(unit) | 实际使用外资金额(万美元) Amount of Foreign Capital Actually Use (USD 10000) |
| **浙东北** | **Eastern and Northern Region** | **514.80** | **1197.27** | **1863** | **901010** |
| 杭州市 | Hangzhou | 144.51 | 336.14 | 483 | 331154 |
| 宁波市 | Ningbo | 215.14 | 463.26 | 528 | 253789 |
| 嘉兴市 | Jiaxing | 57.29 | 141.04 | 242 | 135975 |
| 湖州市 | Huzhou | 6.87 | 49.01 | 421 | 80206 |
| 绍兴市 | Shaoxing | 63.32 | 174.95 | 182 | 84031 |
| 舟山市 | Zhoushan | 27.67 | 32.86 | 7 | 15855 |
| **浙西南** | **Western and Southern Region** | **53.77** | **345.68** | **231** | **115282** |
| 温州市 | Wenzhou | 20.89 | 119.04 | 69 | 26175 |
| 金华市 | Jinhua | 5.79 | 89.69 | 95 | 51302 |
| 其中:义乌市 | Yiwu | 1.76 | 19.08 | 42 | 13771 |
| 衢州市 | Quzhou | 4.26 | 8.99 | 19 | 5813 |
| 台州市 | Taizhou | 20.47 | 117.64 | 38 | 23890 |
| 丽水市 | Lishui | 2.37 | 10.31 | 10 | 8102 |

## 17－17　各市国际旅游事业情况(2008年)
International Tourism by City(2008)

| 城市 | City | 海外游客人数(人) Total Number of International Tourists (person) | #外国人 Foreigners | #港澳台同胞 Compatriots from Hong Kong Macao and Taiwan, China | 国际旅游收入(万美元) Total International Income From Tourism (USD 10000) |
|---|---|---|---|---|---|
| **浙东北** | **Eastern and Northern Region** | **4364127** | **2853114** | **1511013** | **228945** |
| 杭州市 | Hangzhou | 2213319 | 1543665 | 669654 | 129610 |
| 宁波市 | Ningbo | 756776 | 477198 | 279578 | 46874 |
| 嘉兴市 | Jiaxing | 539600 | 357600 | 182000 | 18917 |
| 湖州市 | Huzhou | 243656 | 88002 | 155654 | 8688 |
| 绍兴市 | Shaoxing | 398811 | 265900 | 132911 | 13644 |
| 舟山市 | Zhoushan | 211965 | 120749 | 91216 | 11212 |
| **浙西南** | **Western and Southern Region** | **1079372** | **820437** | **258963** | **76775** |
| 温州市 | Wenzhou | 318230 | 254548 | 63682 | 16109 |
| 金华市 | Jinhua | 489478 | 367215 | 122263 | 29057 |
| 其中:义乌市 | Yiwu | 343384 | 278398 | 64986 | 23710 |
| 衢州市 | Quzhou | 73152 | 40641 | 32511 | 3664 |
| 台州市 | Taizhou | 103820 | 70613 | 33207 | 7046 |
| 丽水市 | Lishui | 94692 | 87420 | 7300 | 20899 |

## 17－18　各市财政收支情况(2008年)
Total Financial Revenue and Expenditure by City(2008)

单位:万元(10000 yuan)

| 城市 | City | 财政总收入 Total Financial Revenue | 地方财政预算内收入 Total Local Government Budgetary Financial Revenue | 地方财政预算内支出 Total Local Government Financial Expenditures | #一般性公共服务支出 Expenses for Public Service | #教育支出 Expenses for Education |
|---|---|---|---|---|---|---|
| **浙东北** | **Eastern and Northern Region** | **24486780** | **12309703** | **13022850** | **2145928** | **2345885** |
| 杭州市 | Hangzhou | 9105489 | 4553531 | 4196674 | 647431 | 742531 |
| 宁波市 | Ningbo | 8109020 | 3903874 | 4394083 | 717594 | 671416 |
| 嘉兴市 | Jiaxing | 2521332 | 1268694 | 1359199 | 247297 | 326028 |
| 湖州市 | Huzhou | 1337676 | 716116 | 864170 | 152066 | 180979 |
| 绍兴市 | Shaoxing | 2746472 | 1435954 | 1440939 | 249524 | 327857 |
| 舟山市 | Zhoushan | 666791 | 431534 | 767785 | 132016 | 97074 |
| **浙西南** | **Western and Southern Region** | **9274694** | **4964370** | **6547587** | **1274202** | **1673234** |
| 温州市 | Wenzhou | 3397842 | 1801456 | 2096670 | 376361 | 577431 |
| 金华市 | Jinhua | 2189444 | 1197047 | 1375772 | 262656 | 357576 |
| 其中:义乌市 | Yiwu | 691600 | 377929 | 319820 | 76885 | 71060 |
| 衢州市 | Quzhou | 572979 | 343893 | 679319 | 131698 | 155455 |
| 台州市 | Taizhou | 2480225 | 1260498 | 1538078 | 319988 | 390568 |
| 丽水市 | Lishui | 634204 | 361476 | 857748 | 183499 | 192204 |

## 17－19 各市金融保险情况(2008 年)
## Finace and Insurance by City(2008)

单位:亿元(100 million yuan)

| 城市 | City | 金融机构年末存款余额 Deposits | 城乡居民储蓄年末余额 Residents´ Savings Deposits | 金融机构年末贷款余额 Loans | 保费 Premium | 赔款、给付 Settled Claim |
|---|---|---|---|---|---|---|
| **浙东北** | **Eastern and Northern Region** | **24507.81** | **9182.19** | **20931.17** | **367.27** | **127.19** |
| 杭州市 | Hangzhou | 11146.24 | 3420.65 | 9784.31 | 146.21 | 47.79 |
| 宁波市 | Ningbo | 6210.47 | 2365.15 | 5670.44 | 87.11 | 37.90 |
| 嘉兴市 | Jiaxing | 2186.24 | 1155.38 | 1603.84 | 47.74 | 10.55 |
| 湖州市 | Huzhou | 1001.80 | 539.05 | 775.84 | 29.34 | 9.17 |
| 绍兴市 | Shaoxing | 3232.22 | 1406.04 | 2461.30 | 41.18 | 16.14 |
| 舟山市 | Zhoushan | 730.84 | 295.92 | 635.43 | 15.70 | 5.63 |
| **浙西南** | **Western and Southern Region** | **10234.14** | **5309.04** | **8037.28** | **206.17** | **65.49** |
| 温州市 | Wenzhou | 4121.79 | 2085.02 | 3305.08 | 69.32 | 20.53 |
| 金华市 | Jinhua | 2552.09 | 1353.22 | 1894.91 | 55.20 | 17.47 |
| 其中:义乌市 | Yiwu | 1035.69 | 566.08 | 700.10 | | |
| 衢州市 | Quzhou | 574.53 | 308.12 | 473.70 | 15.39 | 3.57 |
| 台州市 | Taizhou | 2353.38 | 1204.44 | 1893.08 | 51.55 | 18.34 |
| 丽水市 | Lishui | 632.36 | 358.23 | 470.53 | 14.71 | 5.58 |

## 17－20　各市社会保险福利情况(2008年)
Basic Statistics on Social Insurance & Welfare by City(2008)

| 城市 | City | 基本养老保险参保人数 Persons Participating in the Basic Retirement Security Program | 基本医疗保险参保人数 Persons Participating in the Basic Health Care Program | 失业保险人数 Persons Participating in the Unemployment Insurance Program |
|---|---|---|---|---|
| **浙东北** | **Eastern and Northern Region** | **928.64** | **763.77** | **532.16** |
| 杭州市 | Hangzhou | 318.11 | 274.59 | 202.41 |
| 宁波市 | Ningbo | 297.55 | 223.55 | 161.42 |
| 嘉兴市 | Jiaxing | 106.00 | 102.00 | 60.52 |
| 湖州市 | Huzhou | 60.84 | 44.59 | 31.21 |
| 绍兴市 | Shaoxing | 120.43 | 93.31 | 64.78 |
| 舟山市 | Zhoushan | 25.70 | 25.73 | 11.80 |
| **浙西南** | **Western and Southern Region** | **389.30** | **267.54** | **196.49** |
| 温州市 | Wenzhou | 154.70 | 88.82 | 64.53 |
| 金华市 | Jinhua | 87.41 | 67.89 | 50.14 |
| 其中:义乌市 | Yiwu | 20.30 | 14.18 | 9.88 |
| 衢州市 | Quzhou | 34.26 | 29.42 | 15.99 |
| 台州市 | Taizhou | 90.68 | 58.68 | 51.63 |
| 丽水市 | Lishui | 22.24 | 22.73 | 14.20 |

17－20　续表　Continued　　单位:万人(10000 persons)

| 城市 | City | 社会福利院数(个) Social Welfare Homes(unit) | 社会福利院床位数(张) Beds of Social Welfare Homes(bed) | 社区服务设施数(个) Number of Community Service Facilities Established in Urban Areas (unit) | 居民最低生活保障线以下人数(人) Residents under Minimum Life Guarantee Relief (person) |
|---|---|---|---|---|---|
| **浙东北** | **Eastern and Northern Region** | **744** | **75399** | **10184** | **62168** |
| 杭州市 | Hangzhou | 200 | 18067 | 5097 | 17853 |
| 宁波市 | Ningbo | 165 | 21556 | 2202 | 15047 |
| 嘉兴市 | Jiaxing | 92 | 10039 | 708 | 7584 |
| 湖州市 | Huzhou | 82 | 7640 | 372 | 10342 |
| 绍兴市 | Shaoxing | 166 | 16233 | 1681 | 8909 |
| 舟山市 | Zhoushan | 39 | 1864 | 124 | 2433 |
| **浙西南** | **Western and Southern Region** | **821** | **79187** | **15076** | **31799** |
| 温州市 | Wenzhou | 355 | 33963 | 14106 | 13260 |
| 金华市 | Jinhua | 94 | 14721 | 178 | 4837 |
| 其中:义乌市 | Yiwu | 17 | 2662 | 32 | 293 |
| 衢州市 | Quzhou | 92 | 9466 | 45 | 4635 |
| 台州市 | Taizhou | 209 | 15061 | 612 | 4310 |
| 丽水市 | Lishui | 71 | 5976 | 135 | 4757 |

## 17－21 各市各类学校在校学生数(2008年)
Student Enrollment by Type of School and by City(2008)

| 城市 | City | 高等学校(人) Institutions of Higher Education (person) | 中等职业学校(人) Vocational Secondary Schools (person) | 普通中学(万人) Regular Secondary Schools (10000 persons) | 小学(万人) Primary Schools (10000 persons) |
|---|---|---|---|---|---|
| **浙东北** | **Eastern and Northern Region** | **643550** | **333034** | **140.10** | **168.64** |
| 杭州市 | Hangzhou | 379857 | 75430 | 36.48 | 45.21 |
| 宁波市 | Ningbo | 130440 | 91939 | 34.34 | 46.80 |
| 嘉兴市 | Jiaxing | 36832 | 51999 | 21.97 | 23.63 |
| 湖州市 | Huzhou | 23468 | 36323 | 15.25 | 17.20 |
| 绍兴市 | Shaoxing | 50258 | 67497 | 27.95 | 30.98 |
| 舟山市 | Zhoushan | 22695 | 9846 | 4.11 | 4.82 |
| **浙西南** | **Western and Southern Region** | **214155** | **309108** | **129.68** | **163.64** |
| 温州市 | Wenzhou | 71170 | 88341 | 48.17 | 57.53 |
| 金华市 | Jinhua | 69788 | 79886 | 26.75 | 34.06 |
| 其中:义乌市 | Yiwu | 7792 | 10480 | 4.75 | 7.19 |
| 衢州市 | Quzhou | 10211 | 45855 | 13.24 | 14.89 |
| 台州市 | Taizhou | 27254 | 63484 | 29.31 | 41.18 |
| 丽水市 | Lishui | 35732 | 31542 | 12.21 | 15.98 |

## 17－22 各市专业技术人员和专利申请(2008年)
Specialized Technical Person and Patent Application by City(2008)

| 城市 | City | 从事科技活动人员数(人) Specialized Technical Persons (person) | 专利申请受理量(项) Patent Application Accepted (item) | 专利申请授权量(项) Patent Application Approved (item) | #发明 Invention |
|---|---|---|---|---|---|
| **浙东北** | **Eastern and Northern Region** | **252879** | **63943** | **36614** | **2688** |
| 杭州市 | Hangzhou | 93025 | 18549 | 9831 | 1923 |
| 宁波市 | Ningbo | 66001 | 16173 | 9882 | 505 |
| 嘉兴市 | Jiaxing | 40886 | 5328 | 3163 | 73 |
| 湖州市 | Huzhou | 13249 | 4887 | 2318 | 57 |
| 绍兴市 | Shaoxing | 36333 | 18647 | 11192 | 119 |
| 舟山市 | Zhoushan | 3385 | 359 | 228 | 11 |
| **浙西南** | **Western and Southern Region** | **112898** | **26006** | **16309** | **572** |
| 温州市 | Wenzhou | 32048 | 7389 | 5159 | 202 |
| 金华市 | Jinhua | 24367 | 7463 | 5073 | 155 |
| 其中:义乌市 | Yiwu | 4938 | 2225 | 1178 | 26 |
| 衢州市 | Quzhou | 5838 | 1135 | 574 | 35 |
| 台州市 | Taizhou | 45902 | 9043 | 4811 | 168 |
| 丽水市 | Lishui | 4743 | 976 | 692 | 12 |

## 17－23 各市文化和卫生事业主要指标(2008年)
Main Indicators of Culture and Public Healthy by City(2008)

| 城市 | City | 体育场馆数(个) Number of Sports Grounds and Gymnasiums (unit) | 剧场、影剧院数(个) Number of Theaters and Music Halls (unit) | 公共图书馆图书藏量(千册件) Total Collections of Books in Public Libraries (1000 copies) | 医院卫生院数(个) Number of Health Institutions (unit) | 医院卫生院床位数(张) Number of Beds in Health Institutions (bed) | 医生数(人) Doctors (person) |
|---|---|---|---|---|---|---|---|
| **浙东北** | **Eastern and Northern Region** | **316** | **181** | **23790** | **1135** | **92364** | **59708** |
| 杭州市 | Hangzhou | 102 | 70 | 9906 | 310 | 33072 | 21223 |
| 宁波市 | Ningbo | 78 | 23 | 6099 | 234 | 20731 | 15127 |
| 嘉兴市 | Jiaxing | 32 | 47 | 3031 | 135 | 12146 | 6957 |
| 湖州市 | Huzhou | 31 | 5 | 1951 | 128 | 8800 | 5204 |
| 绍兴市 | Shaoxing | 61 | 30 | 2196 | 252 | 13952 | 8901 |
| 舟山市 | Zhoushan | 12 | 6 | 607 | 76 | 3663 | 2296 |
| **浙西南** | **Western and Southern Region** | **203** | **111** | **9165** | **1379** | **59696** | **45770** |
| 温州市 | Wenzhou | 50 | 23 | 2837 | 430 | 19304 | 15597 |
| 金华市 | Jinhua | 67 | 18 | 2783 | 252 | 13077 | 9779 |
| 其中:义乌市 | Yiwu | 22 | 5 | 322 | 25 | 2381 | 1851 |
| 衢州市 | Quzhou | 11 | 10 | 946 | 169 | 6640 | 5807 |
| 台州市 | Taizhou | 54 | 46 | 1493 | 240 | 14465 | 10968 |
| 丽水市 | Lishui | 21 | 14 | 1106 | 288 | 6210 | 3619 |

## 17－24 各市、县国民经济主要指标(2008 年)
Main Indicators of National Economy by City and County(2008)

| 市县名称 | City and County | 土地面积(平方公里) Land Area (sq. km) | 年末总人口(万人) Total Population by year－end (10000 persons) | 生产总值(亿元) Gross Domestic Product (100 million yuan) | 第一产业 Primary Industry | 第二产业 Secondary Industry | # 工业 Industry |
|---|---|---|---|---|---|---|---|
| 杭州市区 | Hangzhou District | 3068.00 | 424.30 | 3788.92 | 82.10 | 1791.44 | 1583.02 |
| 富阳市 | Fuyang | 1808.00 | 64.34 | 342.94 | 23.51 | 218.61 | 208.40 |
| 临安市 | Linan | 3124.00 | 52.65 | 229.17 | 22.80 | 137.82 | 128.88 |
| 建德市 | Jiande | 2364.00 | 51.32 | 162.27 | 19.07 | 96.94 | 90.83 |
| 桐庐县 | Tonglu | 1780.00 | 39.91 | 164.45 | 13.27 | 105.12 | 97.60 |
| 淳安县 | Chunan | 4452.00 | 45.13 | 93.43 | 17.89 | 39.44 | 31.47 |
| 宁波市区 | Ningbo District | 2462.00 | 220.12 | 2251.42 | 39.25 | 1200.76 | 1065.50 |
| 余姚市 | Yuyao | 1501.00 | 83.11 | 484.71 | 27.18 | 292.89 | 276.64 |
| 慈溪市 | Cixi | 1361.00 | 103.12 | 601.44 | 28.14 | 373.73 | 354.90 |
| 奉化市 | Fenhua | 1268.00 | 48.16 | 187.94 | 16.63 | 95.46 | 86.42 |
| 象山县 | Xiangshan | 1382.00 | 53.51 | 220.62 | 33.30 | 109.73 | 93.77 |
| 宁海县 | Ninghai | 1843.00 | 60.07 | 217.93 | 22.86 | 124.10 | 113.28 |
| 温州市区 | Wenzhou District | 1187.00 | 143.82 | 1014.55 | 8.85 | 520.03 | 462.16 |
| 瑞安市 | Ruian | 1271.00 | 117.52 | 368.16 | 12.06 | 195.22 | 184.82 |
| 乐清市 | Yueqing | 1174.00 | 120.91 | 404.22 | 14.45 | 251.87 | 241.29 |
| 洞头县 | Dongtou | 100.00 | 12.63 | 30.41 | 3.34 | 10.29 | 7.68 |
| 永嘉县 | Yongjia | 2674.00 | 92.24 | 176.34 | 6.14 | 109.58 | 100.04 |
| 平阳县 | Pingyang | 1051.00 | 85.65 | 162.03 | 8.79 | 79.60 | 70.50 |
| 苍南县 | Cangnan | 1272.00 | 126.53 | 205.56 | 16.25 | 92.92 | 84.16 |
| 文成县 | Wenchen | 1293.00 | 37.20 | 31.05 | 2.96 | 10.73 | 8.58 |
| 泰顺县 | Taishun | 1762.00 | 35.49 | 31.59 | 3.75 | 11.66 | 6.95 |
| 嘉兴市区 | Jiaxing District | 968.00 | 82.55 | 458.51 | 22.51 | 245.62 | 214.13 |
| 平湖市 | Pinghu | 537.00 | 48.44 | 276.31 | 14.04 | 182.23 | 172.24 |
| 海宁市 | Haining | 668.00 | 65.09 | 348.95 | 17.15 | 217.92 | 193.23 |
| 桐乡市 | Tongxiang | 727.00 | 66.86 | 316.23 | 20.34 | 178.32 | 158.47 |
| 嘉善县 | Jiashan | 507.00 | 38.20 | 212.94 | 16.74 | 127.99 | 116.39 |
| 海盐县 | Haiyan | 508.00 | 36.92 | 202.18 | 14.73 | 133.58 | 125.86 |
| 湖州市区 | Huzhou District | 1567.00 | 108.52 | 479.04 | 33.55 | 274.14 | 247.75 |
| 德清县 | Deqing | 936.00 | 42.68 | 190.11 | 15.04 | 118.87 | 106.85 |
| 长兴县 | ChangXing | 1430.00 | 61.79 | 223.79 | 20.16 | 127.78 | 116.49 |
| 安吉县 | Anji | 1886.00 | 45.51 | 142.40 | 13.65 | 72.02 | 63.64 |
| 绍兴市区 | Shaoxing District | 362.00 | 64.90 | 382.46 | 6.72 | 194.29 | 166.08 |
| 诸暨市 | Zhuji | 2311.00 | 106.42 | 495.91 | 30.21 | 304.29 | 279.17 |
| 上虞市 | Shangyu | 1403.00 | 77.31 | 348.33 | 24.35 | 212.36 | 186.28 |

17－24 续表1 Continued

| 市县名称 | City and County | 土地面积（平方公里）Land Area（sq. km） | 年末总人口（万人）Total Population by year－end（10000 persons） | 生产总值（亿元）Gross Domestic Product（100 million yuan） | 第一产业 Primary Industry | 第二产业 Secondary Industry | ＃工业 Industry |
|---|---|---|---|---|---|---|---|
| 嵊州市 | Shengzhou | 1790.00 | 73.42 | 217.02 | 21.62 | 121.20 | 111.55 |
| 绍兴县 | shaoxing | 1177.00 | 71.46 | 608.26 | 21.64 | 388.62 | 354.33 |
| 新昌县 | Xinchang | 1213.00 | 43.56 | 171.43 | 12.12 | 98.20 | 92.43 |
| 金华市区 | Jinhua District | 2044.00 | 92.38 | 322.32 | 21.43 | 154.94 | 133.41 |
| 兰溪市 | Lanxi | 1313.00 | 65.70 | 142.60 | 14.02 | 89.80 | 85.63 |
| 东阳市 | Dongyang | 1739.00 | 81.26 | 237.09 | 11.25 | 129.04 | 107.45 |
| 义乌市 | Yiwu | 1105.00 | 72.39 | 493.33 | 15.28 | 223.46 | 192.26 |
| 永康市 | Yongkang | 1049.00 | 56.46 | 244.83 | 6.76 | 161.89 | 151.74 |
| 武义县 | Wuyi | 1577.00 | 33.47 | 98.24 | 9.02 | 57.74 | 52.20 |
| 浦江县 | Pujiang | 915.00 | 38.81 | 105.50 | 6.18 | 65.12 | 61.46 |
| 磐安县 | Panan | 1199.00 | 20.93 | 37.93 | 5.67 | 21.08 | 17.32 |
| 衢州市区 | Quzhou District | 2354.00 | 81.83 | 238.94 | 21.75 | 127.51 | 105.07 |
| 江山市 | Jiangshan | 2019.00 | 58.95 | 130.67 | 14.58 | 75.33 | 67.33 |
| 常山县 | Changshan | 1096.00 | 32.77 | 59.67 | 6.31 | 33.00 | 25.23 |
| 开化县 | Kaihua | 2228.00 | 34.99 | 54.78 | 8.44 | 28.20 | 21.98 |
| 龙游县 | Longyou | 1143.00 | 40.31 | 90.72 | 9.23 | 52.91 | 45.51 |
| 舟山市区 | Zhoushan District | 1028.00 | 69.58 | 350.13 | 26.20 | 158.82 | 129.47 |
| 岱山县 | Daishan | 326.00 | 19.20 | 84.19 | 14.36 | 39.55 | 27.91 |
| 嵊泗县 | Shengsi | 86.00 | 7.99 | 55.86 | 8.62 | 28.09 | 6.82 |
| 台州市区 | Taizhou District | 1536.00 | 152.75 | 714.86 | 25.93 | 362.09 | 325.47 |
| 温岭市 | Wenling | 836.00 | 117.58 | 478.55 | 37.96 | 252.56 | 233.44 |
| 临海市 | Linhai | 2171.00 | 114.66 | 259.69 | 21.87 | 137.67 | 123.50 |
| 玉环县 | Yuhuan | 378.00 | 41.10 | 252.81 | 17.32 | 163.90 | 152.14 |
| 三门县 | Sanmen | 1072.00 | 42.27 | 81.89 | 13.82 | 35.32 | 28.12 |
| 天台县 | Tiantai | 1426.00 | 56.89 | 97.99 | 7.98 | 44.63 | 39.16 |
| 仙居县 | Xianju | 1992.00 | 48.80 | 79.22 | 8.68 | 35.87 | 30.87 |
| 丽水市区 | Lishui District | 1502.00 | 38.27 | 133.58 | 10.82 | 55.94 | 47.08 |
| 龙泉市 | Longquan | 3059.00 | 28.45 | 47.39 | 8.21 | 19.92 | 15.45 |
| 青田县 | Qingtian | 2484.00 | 49.15 | 88.22 | 4.75 | 53.56 | 46.24 |
| 云和县 | Yunhe | 978.00 | 11.20 | 26.68 | 2.91 | 13.89 | 10.51 |
| 庆元县 | Qingyuan | 1898.00 | 20.12 | 24.14 | 4.47 | 10.12 | 7.76 |
| 缙云县 | Jinyun | 1482.00 | 44.77 | 83.41 | 6.30 | 49.82 | 46.05 |
| 遂昌县 | Suichang | 2539.00 | 23.04 | 44.82 | 6.09 | 21.06 | 18.05 |
| 松阳县 | Songyang | 1406.00 | 23.57 | 35.65 | 8.06 | 13.39 | 10.75 |
| 景宁自治县 | Jingning | 1950.00 | 16.85 | 21.43 | 3.78 | 7.93 | 5.60 |

17－24 续表 2 Continued

| 市县名称 | City and County | 第三产业 Tertiary Industry | 人均生产总值（元） Per－capita GDP (yuan) | 社会消费品零售总额（亿元） Total Retail Sales of Consumer Goods (100 million yuan) | 全社会固定资产投资（亿元） Total Investment in Fixed Assets (100 million yuan) | 财政总收入（亿元） Total Financia Revenue (100 million yuan) |
|---|---|---|---|---|---|---|
| 杭州市区 | Hangzhou District | 1915.37 | 89805 | 1337.74 | 1544.77 | 799.10 |
| 富阳市 | Fuyang | 100.82 | 53440 | 63.55 | 147.92 | 45.06 |
| 临安市 | Linan | 68.54 | 43531 | 53.72 | 79.07 | 22.44 |
| 建德市 | Jiande | 46.25 | 31706 | 34.66 | 58.69 | 19.41 |
| 桐庐县 | Tonglu | 46.06 | 41249 | 44.59 | 77.95 | 16.00 |
| 淳安县 | Chunan | 36.10 | 20655 | 24.12 | 53.32 | 8.52 |
| 宁波市区 | Ningbo District | 1011.41 | | 658.25 | 1160.34 | 569.86 |
| 余姚市 | Yuyao | 164.64 | 58389 | 159.65 | 155.08 | 70.24 |
| 慈溪市 | Cixi | 199.56 | 58437 | 215.09 | 196.12 | 86.01 |
| 奉化市 | Fenhua | 75.85 | 39075 | 60.07 | 62.64 | 25.25 |
| 象山县 | Xiangshan | 77.58 | 41359 | 78.91 | 76.01 | 27.34 |
| 宁海县 | Ninghai | 70.96 | 36447 | 66.06 | 78.05 | 32.20 |
| 温州市区 | Wenzhou District | 485.67 | 71147 | 579.37 | 381.60 | 170.94 |
| 瑞安市 | Ruian | 160.88 | 31525 | 130.13 | 86.43 | 46.32 |
| 乐清市 | Yueqing | 137.89 | 33615 | 114.53 | 91.36 | 54.62 |
| 洞头县 | Dongtou | 16.78 | 24119 | 8.22 | 17.75 | 3.58 |
| 永嘉县 | Yongjia | 60.61 | 19212 | 54.65 | 52.08 | 21.77 |
| 平阳县 | Pingyang | 73.64 | 18946 | 72.30 | 43.72 | 16.00 |
| 苍南县 | Cangnan | 96.39 | 16338 | 98.24 | 56.81 | 19.92 |
| 文成县 | Wenchen | 17.36 | 8379 | 13.37 | 13.42 | 3.43 |
| 泰顺县 | Taishun | 16.18 | 8932 | 12.14 | 15.26 | 3.20 |
| 嘉兴市区 | Jiaxing District | 190.37 | 42626 | 169.95 | 306.21 | 77.90 |
| 平湖市 | Pinghu | 80.04 | 42541 | 67.56 | 167.50 | 39.27 |
| 海宁市 | Haining | 113.88 | 46675 | 132.52 | 155.39 | 43.96 |
| 桐乡市 | Tongxiang | 117.57 | 39878 | 118.61 | 139.81 | 41.80 |
| 嘉善县 | Jiashan | 68.21 | 40426 | 65.19 | 123.84 | 30.07 |
| 海盐县 | Haiyan | 53.87 | 48545 | 45.77 | 113.94 | 19.15 |
| 湖州市区 | Huzhou District | 171.35 | 44165 | 195.94 | 249.47 | 62.47 |
| 德清县 | Deqing | 56.20 | 44623 | 56.32 | 91.04 | 25.76 |
| 长兴县 | ChangXing | 75.85 | 36271 | 78.56 | 127.61 | 30.81 |
| 安吉县 | Anji | 56.73 | 31379 | 51.29 | 57.12 | 14.73 |
| 绍兴市区 | Shaoxing District | 181.46 | 58892 | 160.64 | 184.44 | 69.16 |
| 诸暨市 | Zhuji | 161.41 | 46689 | 124.16 | 204.83 | 50.33 |
| 上虞市 | Shangyu | 111.62 | 45067 | 99.67 | 145.32 | 39.81 |

17－24 续表3 Continued

| 市县名称 | City and County | 第三产业 Tertiary Industry | 人均生产总值(元) Per－capita GDP (yuan) | 社会消费品零售总额(亿元) Total Retail Sales of Consumer Goods (100 million yuan) | 全社会固定资产投资(亿元) Total Investment in Fixed Assets (100 million yuan) | 财政总收入(亿元) Total Financia Revenue (100 million yuan) |
|---|---|---|---|---|---|---|
| 嵊州市 | Shengzhou | 74.20 | 29569 | 87.14 | 79.81 | 19.32 |
| 绍兴县 | shaoxing | 198.00 | 85368 | 91.04 | 242.38 | 75.73 |
| 新昌县 | Xinchang | 61.11 | 39361 | 56.23 | 58.97 | 20.30 |
| 金华市区 | Jinhua District | 145.95 | 34918 | 162.94 | 139.33 | 47.24 |
| 兰溪市 | Lanxi | 38.78 | 21685 | 52.41 | 43.03 | 16.02 |
| 东阳市 | Dongyang | 96.81 | 29267 | 93.46 | 64.55 | 24.08 |
| 义乌市 | Yiwu | 254.59 | 68508 | 211.75 | 170.13 | 69.16 |
| 永康市 | Yongkang | 76.19 | 43530 | 68.10 | 73.93 | 31.40 |
| 武义县 | Wuyi | 31.48 | 29414 | 34.32 | 39.57 | 13.70 |
| 浦江县 | Pujiang | 34.20 | 27285 | 41.24 | 37.60 | 12.41 |
| 磐安县 | Panan | 11.17 | 18160 | 11.44 | 18.79 | 4.94 |
| 衢州市区 | Quzhou District | 89.68 | 29270 | 82.56 | 144.65 | 29.12 |
| 江山市 | Jiangshan | 40.75 | 22220 | 41.47 | 73.73 | 10.34 |
| 常山县 | Changshan | 20.35 | 18260 | 21.64 | 49.55 | 5.52 |
| 开化县 | Kaihua | 18.13 | 15685 | 23.76 | 30.55 | 4.88 |
| 龙游县 | Longyou | 28.58 | 22545 | 46.20 | 62.70 | 7.43 |
| 舟山市区 | Zhoushan District | 165.12 | 50369 | 123.63 | 194.91 | 54.86 |
| 岱山县 | Daishan | 30.28 | 43803 | 22.45 | 53.28 | 7.54 |
| 嵊泗县 | Shengsi | 19.15 | 69860 | 11.75 | 91.24 | 4.28 |
| 台州市区 | Taizhou District | 326.85 | 46983 | 299.41 | 262.20 | 104.84 |
| 温岭市 | Wenling | 188.03 | 40878 | 170.22 | 169.24 | 45.39 |
| 临海市 | Linhai | 100.15 | 22732 | 81.38 | 115.68 | 30.65 |
| 玉环县 | Yuhuan | 71.59 | 61840 | 60.95 | 61.87 | 35.65 |
| 三门县 | Sanmen | 32.74 | 19466 | 28.17 | 78.32 | 10.72 |
| 天台县 | Tiantai | 45.38 | 17285 | 39.82 | 39.84 | 11.54 |
| 仙居县 | Xianju | 34.66 | 16292 | 29.75 | 32.43 | 9.24 |
| 丽水市区 | Lishui District | 66.82 | 32145 | 61.92 | 68.36 | 21.93 |
| 龙泉市 | Longquan | 19.27 | 18106 | 19.33 | 28.23 | 4.17 |
| 青田县 | Qingtian | 29.91 | 22551 | 31.74 | 43.99 | 11.22 |
| 云和县 | Yunhe | 9.88 | 23503 | 9.66 | 17.92 | 3.15 |
| 庆元县 | Qingyuan | 9.55 | 14222 | 11.70 | 13.89 | 2.06 |
| 缙云县 | Jinyun | 27.29 | 21419 | 27.73 | 26.59 | 9.01 |
| 遂昌县 | Suichang | 17.67 | 20881 | 17.12 | 17.64 | 5.73 |
| 松阳县 | Songyang | 14.21 | 17711 | 14.05 | 18.80 | 3.36 |
| 景宁自治县 | Jingning | 9.72 | 15768 | 9.73 | 13.43 | 2.80 |

17－24 续表 4 Continued

| 市县名称 | City and County | 地方财政收入（亿元） Local Financial Revenue (100 million yuan) | 地方财政支出（亿元） Local Financial Expendi－ture (100 million yuan) | 城乡居民储蓄存款年末余额（亿元） Savings Deposits of Urban and Rural Residents (100 million yuan) | 城镇居民人均可支配收入（元） Per Capita Disposable Income of Urban Residents (yuan) | 农村居民人均纯收入（元） Per Capita Net Income of Rural Residents (yuan) |
|---|---|---|---|---|---|---|
| 杭州市区 | Hangzhou District | 397.28 | 345.46 | 3012.78 | 24104 | |
| 富阳市 | Fuyang | 23.58 | 23.92 | 132.51 | 21238 | 10756 |
| 临安市 | Linan | 11.66 | 14.82 | 85.06 | 19830 | 9679 |
| 建德市 | Jiande | 9.69 | 12.36 | 73.09 | 19168 | 8026 |
| 桐庐县 | Tonglu | 8.22 | 10.91 | 71.86 | 19980 | 9450 |
| 淳安县 | Chunan | 4.92 | 12.21 | 45.35 | 16646 | 5968 |
| 宁波市区 | Ningbo District | 270.19 | 298.11 | 709.63 | 25304 | 11999 |
| 余姚市 | Yuyao | 33.33 | 34.04 | 279.90 | 25114 | 10997 |
| 慈溪市 | Cixi | 43.44 | 43.80 | 417.26 | 26385 | 12263 |
| 奉化市 | Fenhua | 12.93 | 18.35 | 96.18 | 23684 | 10851 |
| 象山县 | Xiangshan | 14.84 | 24.09 | 67.59 | 24066 | 9990 |
| 宁海县 | Ninghai | 15.66 | 21.32 | 71.09 | 23481 | 10332 |
| 温州市区 | Wenzhou District | 93.07 | 82.72 | 1114.91 | 26172 | 12017 |
| 瑞安市 | Ruian | 23.97 | 25.22 | 280.73 | 25949 | 10332 |
| 乐清市 | Yueqing | 25.07 | 26.78 | 258.64 | 25257 | 11489 |
| 洞头县 | Dongtou | 2.11 | 6.05 | 9.14 | 16709 | 6846 |
| 永嘉县 | Yongjia | 10.80 | 16.87 | 122.97 | 19252 | 6962 |
| 平阳县 | Pingyang | 8.80 | 15.21 | 108.12 | 19443 | 7655 |
| 苍南县 | Cangnan | 11.72 | 19.42 | 126.92 | 18574 | 7288 |
| 文成县 | Wenchen | 2.32 | 8.69 | 39.94 | 15277 | 4761 |
| 泰顺县 | Taishun | 2.28 | 8.70 | 23.65 | 13198 | 4661 |
| 嘉兴市区 | Jiaxing District | 42.71 | 46.40 | 342.72 | 21177 | 11493 |
| 平湖市 | Pinghu | 18.67 | 19.76 | 146.82 | 23446 | 11403 |
| 海宁市 | Haining | 21.39 | 22.67 | 215.40 | 23080 | 11577 |
| 桐乡市 | Tongxiang | 20.40 | 20.97 | 203.23 | 22711 | 11671 |
| 嘉善县 | Jiashan | 14.00 | 14.72 | 129.86 | 22716 | 11487 |
| 海盐县 | Haiyan | 9.69 | 11.41 | 117.34 | 23700 | 11650 |
| 湖州市区 | Huzhou District | 33.56 | 39.16 | 302.74 | 21822 | 10873 |
| 德清县 | Deqing | 13.47 | 14.63 | 92.81 | 21580 | 11002 |
| 长兴县 | ChangXing | 16.30 | 20.22 | 82.26 | 21605 | 10745 |
| 安吉县 | Anji | 8.28 | 12.41 | 61.24 | 20426 | 10343 |
| 绍兴市区 | Shaoxing District | 38.96 | 38.43 | 420.40 | 23509 | |
| 诸暨市 | Zhuji | 26.52 | 27.84 | 234.02 | 25678 | 11612 |
| 上虞市 | Shangyu | 20.23 | 21.22 | 208.22 | 24360 | 10859 |

17－24 续表5 Continued

| 市县名称 | City and County | 地方财政收入（亿元）Local Financial Revenue (100 million yuan) | 地方财政支出（亿元）Local Financial Expendi－ture (100 million yuan) | 城乡居民储蓄存款年末余额（亿元）Savings Deposits of Urban and Rural Residents (100 million yuan) | 城镇居民人均可支配收入（元）Per Capita Disposable Income of Urban Residents (yuan) | 农村居民人均纯收入（元）Per Capita Net Income of Rural Residents (yuan) |
|---|---|---|---|---|---|---|
| 嵊州市 | Shengzhou | 10.00 | 12.39 | 113.16 | 24400 | 9187 |
| 绍兴县 | shaoxing | 38.52 | 34.00 | 354.84 | 26155 | 13372 |
| 新昌县 | Xinchang | 9.35 | 10.22 | 75.41 | 23007 | 9112 |
| 金华市区 | Jinhua District | 28.22 | 35.69 | 234.54 | 21408 | 8088 |
| 兰溪市 | Lanxi | 8.12 | 11.81 | 69.00 | 15389 | 6277 |
| 东阳市 | Dongyang | 13.57 | 15.45 | 167.17 | | 9037 |
| 义乌市 | Yiwu | 37.79 | 31.98 | 566.08 | 28708 | 11885 |
| 永康市 | Yongkang | 15.80 | 15.88 | 182.67 | | 8939 |
| 武义县 | Wuyi | 6.93 | 10.88 | 51.60 | | 6128 |
| 浦江县 | Pujiang | 6.74 | 9.17 | 61.20 | 19057 | 7652 |
| 磐安县 | Panan | 2.53 | 6.71 | 20.97 | | 5090 |
| 衢州市区 | Quzhou District | 16.92 | 29.71 | 129.75 | 18069 | 6825 |
| 江山市 | Jiangshan | 6.21 | 11.66 | 69.04 | 17003 | 7737 |
| 常山县 | Changshan | 3.55 | 8.69 | 28.14 | | 6635 |
| 开化县 | Kaihua | 3.00 | 8.63 | 32.07 | | 6115 |
| 龙游县 | Longyou | 4.70 | 9.24 | 49.13 | 15686 | 7193 |
| 舟山市区 | Zhoushan District | 35.55 | 56.12 | 235.25 | 23575 | |
| 岱山县 | Daishan | 4.25 | 12.49 | 41.84 | 20126 | 11508 |
| 嵊泗县 | Shengsi | 3.35 | 8.17 | 18.83 | 19344 | 11045 |
| 台州市区 | Taizhou District | 53.77 | 57.16 | 520.22 | 24181 | 10522 |
| 温岭市 | Wenling | 23.38 | 28.47 | 299.10 | 24125 | 10354 |
| 临海市 | Linhai | 16.10 | 20.39 | 137.94 | 20252 | 8739 |
| 玉环县 | Yuhuan | 15.83 | 18.35 | 103.54 | 27347 | 11258 |
| 三门县 | Sanmen | 6.11 | 10.12 | 34.65 | 18233 | 7179 |
| 天台县 | Tiantai | 6.05 | 10.60 | 51.01 | 18309 | 6907 |
| 仙居县 | Xianju | 4.80 | 8.72 | 58.00 | 16665 | 6307 |
| 丽水市区 | Lishui District | 12.69 | 21.85 | 101.49 | 19878 | 6402 |
| 龙泉市 | Longquan | 2.48 | 7.66 | 24.77 | 18145 | 5112 |
| 青田县 | Qingtian | 6.90 | 13.50 | 109.84 | 18478 | 5146 |
| 云和县 | Yunhe | 1.84 | 5.72 | 12.14 | 16701 | 4963 |
| 庆元县 | Qingyuan | 1.25 | 5.75 | 13.87 | 14738 | 4670 |
| 缙云县 | Jinyun | 4.27 | 9.47 | 46.94 | 18241 | 5228 |
| 遂昌县 | Suichang | 3.09 | 7.55 | 19.40 | 17979 | 5138 |
| 松阳县 | Songyang | 2.00 | 6.84 | 19.41 | 15622 | 4512 |
| 景宁自治县 | Jingning | 1.62 | 7.43 | 10.38 | 14932 | 4810 |

## 17－25 各市、县全社会从业人员数(2008 年底)
Total Employed Persons by City and County(End of 2008)

单位:万人(10000 persons)

| 市县名称 | City and County | 全社会从业人员数 Total Employed Persons | 第一产业 Primary Industry | 第二产业 Secondary Industry | 第三产业 Tertiary Industry |
|---|---|---|---|---|---|
| 杭州市区 | Hangzhou District | 421.83 | 28.78 | 200.89 | 192.15 |
| 富阳市 | Fuyang | 46.20 | 11.05 | 22.89 | 12.26 |
| 临安市 | Linan | 37.62 | 9.26 | 18.64 | 9.72 |
| 建德市 | Jiande | 31.48 | 10.81 | 12.27 | 8.40 |
| 桐庐县 | Tonglu | 31.20 | 7.30 | 16.94 | 6.96 |
| 淳安县 | Chunan | 23.99 | 12.37 | 6.30 | 5.32 |
| 宁波市区 | Ningbo District | 171.90 | 13.46 | 91.85 | 66.59 |
| 余姚市 | Yuyao | 63.26 | 10.25 | 30.64 | 22.37 |
| 慈溪市 | Cixi | 94.00 | 11.70 | 56.60 | 25.70 |
| 奉化市 | Fenhua | 34.17 | 7.30 | 17.63 | 9.24 |
| 象山县 | Xiangshan | 37.27 | 11.59 | 17.18 | 8.50 |
| 宁海县 | Ninghai | 39.30 | 10.20 | 18.70 | 10.40 |
| 温州市区 | Wenzhou District | 185.72 | 6.88 | 113.44 | 72.58 |
| 瑞安市 | Ruian | 69.70 | 8.73 | 37.51 | 23.46 |
| 乐清市 | Yueqing | 70.55 | 11.63 | 30.13 | 28.79 |
| 洞头县 | Dongtou | 4.96 | 1.64 | 2.09 | 1.23 |
| 永嘉县 | Yongjia | 55.94 | 12.60 | 20.01 | 23.32 |
| 平阳县 | Pingyang | 50.77 | 13.16 | 23.85 | 13.76 |
| 苍南县 | Cangnan | 58.28 | 18.89 | 22.16 | 17.23 |
| 文成县 | Wenchen | 16.87 | 6.49 | 4.40 | 5.98 |
| 泰顺县 | Taishun | 23.96 | 7.97 | 7.80 | 8.19 |
| 嘉兴市区 | Jiaxing District | 69.30 | 9.46 | 35.99 | 23.86 |
| 平湖市 | Pinghu | 43.94 | 4.08 | 29.87 | 9.99 |
| 海宁市 | Haining | 56.63 | 6.68 | 36.31 | 13.65 |
| 桐乡市 | Tongxiang | 61.04 | 6.59 | 38.24 | 16.21 |
| 嘉善县 | Jiashan | 38.15 | 5.30 | 21.72 | 11.13 |
| 海盐县 | Haiyan | 25.38 | 4.77 | 15.26 | 5.35 |
| 湖州市区 | Huzhou District | 65.89 | 11.51 | 34.56 | 19.82 |
| 德清县 | Deqing | 27.40 | 5.14 | 11.48 | 10.78 |
| 长兴县 | ChangXing | 39.77 | 8.93 | 17.20 | 13.64 |
| 安吉县 | Anji | 29.55 | 7.15 | 12.03 | 10.37 |
| 绍兴市区 | Shaoxing District | | | | |
| 诸暨市 | Zhuji | 71.72 | 12.34 | 42.29 | 17.09 |

17－25 续表 Continued 单位:万人(10000 persons)

| 市县名称 | City and County | 全社会从业人员数 Total Employed Persons | 第一产业 Primary Industry | 第二产业 Secondary Industry | 第三产业 Tertiary Industry |
|---|---|---|---|---|---|
| 上虞市 | Shangyu | 57.17 | 12.57 | 34.28 | 10.32 |
| 嵊州市 | Shengzhou | 49.80 | 10.73 | 25.72 | 13.35 |
| 绍兴县 | shaoxing | 62.12 | 6.25 | 38.57 | 17.30 |
| 新昌县 | Xinchang | 26.41 | 8.04 | 11.58 | 6.79 |
| 金华市区 | Jinhua District | 61.50 | 16.50 | 23.10 | 21.90 |
| 兰溪市 | Lanxi | 34.41 | 15.20 | 13.40 | 5.80 |
| 东阳市 | Dongyang | 55.79 | 9.30 | 30.30 | 16.70 |
| 义乌市 | Yiwu | 85.91 | 10.60 | 50.90 | 24.40 |
| 永康市 | Yongkang | 46.67 | 7.70 | 25.40 | 13.60 |
| 武义县 | Wuyi | 20.94 | 5.00 | 10.70 | 5.20 |
| 浦江县 | Pujiang | 28.01 | 6.80 | 15.80 | 5.50 |
| 磐安县 | Panan | 11.60 | 5.20 | 5.00 | 1.40 |
| 衢州市区 | Quzhou District | 46.01 | 19.88 | 12.80 | 13.33 |
| 江山市 | Jiangshan | 27.15 | 10.61 | 8.98 | 7.56 |
| 常山县 | Changshan | 16.94 | 7.13 | 5.35 | 4.46 |
| 开化县 | Kaihua | 16.48 | 9.05 | 3.74 | 3.69 |
| 龙游县 | Longyou | 22.74 | 8.85 | 7.60 | 6.29 |
| 舟山市区 | Zhoushan District | 44.00 | 7.32 | 16.67 | 20.01 |
| 岱山县 | Daishan | 13.64 | 3.18 | 5.23 | 5.23 |
| 嵊泗县 | Shengsi | 4.33 | 1.46 | 0.78 | 2.09 |
| 台州市区 | Taizhou District | 110.09 | 17.54 | 56.49 | 36.06 |
| 温岭市 | Wenling | 82.35 | 16.48 | 35.16 | 30.71 |
| 临海市 | Linhai | 71.30 | 18.05 | 26.83 | 26.42 |
| 玉环县 | Yuhuan | 35.61 | 4.34 | 16.89 | 14.38 |
| 三门县 | Sanmen | 23.37 | 7.71 | 9.48 | 6.18 |
| 天台县 | Tiantai | 31.50 | 11.53 | 9.12 | 10.85 |
| 仙居县 | Xianju | 26.93 | 8.20 | 8.31 | 10.42 |
| 丽水市区 | Lishui District | 24.92 | 7.25 | 7.49 | 10.18 |
| 龙泉市 | Longquan | 17.36 | 8.25 | 2.91 | 6.20 |
| 青田县 | Qingtian | 19.67 | 8.81 | 4.96 | 5.54 |
| 云和县 | Yunhe | 8.45 | 2.76 | 2.99 | 2.70 |
| 庆元县 | Qingyuan | 10.16 | 5.19 | 2.98 | 1.99 |
| 缙云县 | Jinyun | 24.39 | 11.44 | 7.92 | 5.03 |
| 遂昌县 | Suichang | 14.56 | 7.68 | 3.23 | 3.65 |
| 松阳县 | Songyang | 12.67 | 7.59 | 2.81 | 2.27 |
| 景宁自治县 | Jingning | 9.19 | 4.26 | 2.01 | 2.92 |

## 17-26 各市、县年末单位从业人员数(2008 年底)
## Employed Persons by City and County (End of 2008)

单位:万人(10000 persons)

| 市县名称 | City and County | 年末单位从业人员数 Total Employed Persons by Unit | 农、林、牧、渔业 Agriculture | 采矿业 Mining and Quarrying | 制造业 Manufac-turing | 电力、煤气及水的生产和供应业 Electricity, Gas and Water Production and Supply | 建筑业 Construction | 交通运输仓储及邮电通信业 Transport, Storage, Post & Telecommunication |
|---|---|---|---|---|---|---|---|---|
| 杭州市区 | Hangzhou District | 158.41 | 0.09 | 0.08 | 59.73 | 1.32 | 25.42 | 6.65 |
| 富阳市 | Fuyang | 8.07 | 0.01 | | 4.20 | 0.23 | 0.64 | 0.14 |
| 临安市 | Linan | 6.09 | | 0.10 | 3.30 | 0.16 | 0.33 | 0.08 |
| 建德市 | Jiande | 3.34 | 0.01 | 0.03 | 1.09 | 0.12 | 0.13 | 0.14 |
| 桐庐县 | Tonglu | 4.13 | | | 2.32 | 0.16 | 0.08 | 0.07 |
| 淳安县 | Chunan | 2.38 | 0.06 | 0.01 | 0.35 | 0.06 | 0.02 | 0.13 |
| 宁波市区 | Ningbo District | 71.60 | 0.04 | 0.03 | 40.14 | 0.97 | 2.47 | 3.42 |
| 余姚市 | Yuyao | 6.29 | 0.02 | | 2.39 | 0.18 | 0.28 | 0.08 |
| 慈溪市 | Cixi | 8.37 | 0.06 | | 4.37 | 0.13 | 0.08 | 0.27 |
| 奉化市 | Fenhua | 5.98 | | | 3.36 | 0.11 | 0.48 | 0.15 |
| 象山县 | Xiangshan | 19.79 | | | 1.33 | 0.08 | 16.70 | 0.04 |
| 宁海县 | Ninghai | 2.60 | 0.02 | | 0.21 | 0.21 | 0.06 | 0.12 |
| 温州市区 | Wenzhou District | 36.97 | 0.01 | | 15.71 | 0.51 | 6.42 | 1.75 |
| 瑞安市 | Ruian | 11.37 | 0.01 | | 6.07 | 0.04 | 1.51 | 0.23 |
| 乐清市 | Yueqing | 23.81 | 0.01 | | 17.61 | 0.36 | 1.76 | 0.26 |
| 洞头县 | Dongtou | 0.87 | | 0.03 | 0.12 | 0.03 | 0.17 | 0.04 |
| 永嘉县 | Yongjia | 10.12 | 0.03 | | 6.16 | 0.14 | 1.49 | 0.15 |
| 平阳县 | Pingyang | 7.09 | 0.02 | | 3.50 | 0.09 | 1.13 | 0.16 |
| 苍南县 | Cangnan | 7.83 | 0.01 | 0.19 | 2.39 | 0.07 | 2.17 | 0.19 |
| 文成县 | Wenchen | 1.59 | 0.02 | | 0.16 | 0.08 | 0.39 | 0.04 |
| 泰顺县 | Taishun | 3.57 | 0.01 | 0.03 | 0.06 | 0.07 | 2.27 | 0.04 |
| 嘉兴市区 | Jiaxing District | 21.19 | 0.04 | | 12.95 | 0.27 | 0.54 | 0.34 |
| 平湖市 | Pinghu | 12.73 | 0.02 | | 9.76 | 0.22 | 0.04 | 0.16 |
| 海宁市 | Haining | 12.39 | 0.02 | | 8.68 | 0.13 | 0.10 | 0.19 |
| 桐乡市 | Tongxiang | 11.61 | 0.04 | | 6.96 | 0.16 | 1.07 | 0.12 |
| 嘉善县 | Jiashan | 10.05 | 0.02 | | 7.70 | 0.06 | 0.24 | 0.09 |
| 海盐县 | Haiyan | 6.64 | 0.02 | | 3.00 | 0.53 | 1.23 | 0.04 |
| 湖州市区 | Huzhou District | 15.61 | | 0.13 | 7.84 | 0.20 | 1.05 | 0.44 |
| 德清县 | Deqing | 6.74 | | 0.10 | 4.70 | 0.09 | 0.01 | 0.06 |
| 长兴县 | ChangXing | 6.19 | 0.01 | 0.34 | 2.35 | 0.21 | 1.05 | 0.13 |
| 安吉县 | Anji | 4.16 | 0.02 | 0.01 | 1.85 | 0.06 | 0.58 | 0.07 |
| 绍兴市区 | Shaoxing District | 24.51 | | 0.25 | 8.33 | 0.34 | 9.92 | 0.43 |
| 诸暨市 | Zhuji | 21.19 | 0.02 | 0.03 | 6.72 | 0.15 | 9.92 | 0.20 |

17－26 续表 1 Continued

单位:万人(10000 persons)

| 市县名称 | City and County | 年末单位从业人员数 Total Employed Persons by Unit | 农、林、牧、渔业 Agriculture | 采矿业 Mining and Quarrying | 制造业 Manufac－turing | 电力、煤气及水的生产和供应业 Electricity, Gas and Water Production and Supply | 建筑业 Construction | 交通运输仓储及邮电通信业 Transport, Storage, Post & Telecom munication |
|---|---|---|---|---|---|---|---|---|
| 上虞市 | Shangyu | 11.79 | | | 6.61 | 0.11 | 2.25 | 0.13 |
| 嵊州市 | Shengzhou | 5.90 | 0.01 | | 3.32 | 0.08 | 0.30 | 0.19 |
| 绍兴县 | shaoxing | 17.76 | 0.01 | | 10.19 | 0.44 | 4.04 | 0.24 |
| 新昌县 | Xinchang | 4.97 | | | 2.82 | 0.08 | 0.30 | 0.09 |
| 金华市区 | Jinhua District | 11.78 | 0.04 | | 3.00 | 0.24 | 2.41 | 0.62 |
| 兰溪市 | Lanxi | 4.14 | 0.02 | 0.01 | 1.81 | 0.14 | 0.25 | 0.07 |
| 东阳市 | Dongyang | 8.96 | 0.01 | 0.02 | 3.89 | 0.09 | 1.70 | 0.21 |
| 义乌市 | Yiwu | 5.71 | 0.01 | | 0.64 | 0.09 | 0.14 | 0.42 |
| 永康市 | Yongkang | 3.55 | 0.01 | | 0.82 | 0.09 | 0.05 | 0.13 |
| 武义县 | Wuyi | 1.68 | 0.02 | | 0.29 | 0.05 | 0.07 | 0.07 |
| 浦江县 | Pujiang | 2.39 | 0.01 | | 0.99 | 0.03 | 0.07 | 0.07 |
| 磐安县 | Panan | 2.23 | | | 0.21 | 0.03 | 1.42 | |
| 衢州市区 | Quzhou District | 8.54 | | 0.04 | 3.30 | 0.21 | 0.61 | 0.24 |
| 江山市 | Jiangshan | 2.68 | 0.01 | | 1.02 | 0.10 | 0.10 | 0.09 |
| 常山县 | Changshan | 1.21 | 0.01 | | 0.02 | 0.04 | 0.12 | 0.05 |
| 开化县 | Kaihua | 1.16 | 0.03 | | 0.19 | 0.05 | 0.01 | 0.06 |
| 龙游县 | Longyou | 2.08 | | | 0.77 | 0.03 | 0.03 | 0.04 |
| 舟山市区 | Zhoushan District | 11.10 | 0.02 | | 3.56 | 0.26 | 1.22 | 0.86 |
| 岱山县 | Daishan | 1.07 | | | 0.10 | 0.08 | 0.05 | 0.08 |
| 嵊泗县 | Shengsi | 0.89 | | 0.03 | 0.08 | 0.06 | 0.03 | 0.05 |
| 台州市区 | Taizhou District | 27.48 | 0.08 | | 10.40 | 0.47 | 6.21 | 0.58 |
| 温岭市 | Wenling | 8.42 | 0.23 | | 1.69 | 0.09 | 2.64 | 0.16 |
| 临海市 | Linhai | 8.27 | 0.03 | | 1.18 | 0.22 | 3.33 | 0.26 |
| 玉环县 | Yuhuan | 4.47 | | | 1.96 | 0.07 | 0.46 | 0.10 |
| 三门县 | Sanmen | 2.59 | 0.05 | | 0.10 | 0.04 | 1.28 | 0.04 |
| 天台县 | Tiantai | 3.71 | 0.01 | | 0.61 | 0.10 | 1.20 | 0.09 |
| 仙居县 | Xianju | 3.22 | 0.06 | 0.03 | 0.79 | 0.08 | 0.85 | 0.06 |
| 丽水市区 | Lishui District | 5.42 | 0.04 | | 1.12 | 0.16 | 0.52 | 0.29 |
| 龙泉市 | Longquan | 1.57 | 0.04 | 0.07 | 0.26 | 0.08 | 0.12 | 0.05 |
| 青田县 | Qingtian | 1.73 | | 0.01 | 0.34 | 0.10 | | 0.05 |
| 云和县 | Yunhe | 0.98 | | | 0.16 | 0.16 | 0.04 | 0.04 |
| 庆元县 | Qingyuan | 0.92 | 0.03 | | 0.07 | 0.08 | 0.06 | 0.03 |
| 缙云县 | Jinyun | 1.65 | 0.01 | | 0.33 | 0.07 | 0.03 | 0.06 |
| 遂昌县 | Suichang | 1.73 | 0.07 | | 0.81 | 0.06 | | 0.03 |
| 松阳县 | Songyang | 0.90 | 0.02 | | 0.03 | 0.06 | 0.04 | 0.02 |
| 景宁自治县 | Jingning | 0.92 | 0.03 | 0.01 | 0.07 | 0.08 | 0.04 | 0.03 |

17－26 续表 2 Continued 单位:万人(10000 persons)

| 市县名称 | City and County | 信息传输、计算机服务和软件业 Information Transmission, Computer Services and Software | 批发和零售贸易 Wholesale and Retail Sale Trade | 住宿、餐饮业 Hotels and Catering Services | 金融业 Finance | 房地产业 Real Estate | 租赁和商业服务 Leasing and Commercial Services | 科学研究、技术服务和地质勘查 Technic and Geological Prospecting |
|---|---|---|---|---|---|---|---|---|
| 杭州市区 | Hangzhou District | 4.76 | 8.57 | 6.24 | 5.46 | 3.08 | 6.09 | 4.45 |
| 富阳市 | Fuyang | 0.06 | 0.18 | | 0.18 | 0.08 | 0.15 | 0.06 |
| 临安市 | Linan | 0.02 | 0.15 | 0.04 | 0.11 | 0.09 | 0.10 | 0.01 |
| 建德市 | Jiande | 0.02 | 0.08 | 0.06 | 0.14 | 0.04 | 0.20 | 0.04 |
| 桐庐县 | Tonglu | 0.04 | 0.07 | 0.05 | 0.10 | 0.04 | 0.04 | 0.04 |
| 淳安县 | Chunan | 0.01 | 0.20 | 0.17 | 0.09 | 0.06 | 0.08 | 0.04 |
| 宁波市区 | Ningbo District | 0.59 | 3.15 | 1.42 | 3.84 | 1.37 | 2.43 | 0.97 |
| 余姚市 | Yuyao | 0.09 | 0.25 | 0.16 | 0.24 | 0.06 | 0.10 | 0.04 |
| 慈溪市 | Cixi | 0.04 | 0.43 | 0.10 | 0.29 | 0.07 | 0.13 | 0.07 |
| 奉化市 | Fenhua | 0.06 | 0.10 | 0.17 | 0.13 | 0.03 | 0.09 | 0.04 |
| 象山县 | Xiangshan | 0.02 | 0.05 | 0.12 | 0.10 | 0.01 | 0.01 | 0.01 |
| 宁海县 | Ninghai | 0.04 | 0.06 | | 0.13 | 0.01 | 0.13 | 0.04 |
| 温州市区 | Wenzhou District | 0.27 | 1.42 | 0.83 | 1.75 | 0.74 | 0.43 | 0.44 |
| 瑞安市 | Ruian | 0.05 | 0.13 | 0.14 | 0.20 | 0.17 | 0.16 | 0.03 |
| 乐清市 | Yueqing | 0.05 | 0.31 | 0.18 | 0.22 | 0.10 | 0.31 | 0.07 |
| 洞头县 | Dongtou | 0.01 | 0.03 | | 0.02 | 0.02 | 0.01 | 0.02 |
| 永嘉县 | Yongjia | 0.03 | 0.10 | 0.11 | 0.13 | 0.05 | | 0.04 |
| 平阳县 | Pingyang | 0.03 | 0.07 | 0.04 | 0.12 | 0.08 | 0.03 | 0.04 |
| 苍南县 | Cangnan | 0.04 | 0.11 | 0.06 | 0.15 | 0.04 | 0.04 | 0.01 |
| 文成县 | Wenchen | 0.01 | 0.03 | 0.01 | 0.07 | 0.01 | 0.01 | 0.01 |
| 泰顺县 | Taishun | 0.01 | 0.04 | 0.03 | 0.05 | 0.02 | 0.01 | 0.02 |
| 嘉兴市区 | Jiaxing District | 0.34 | 0.84 | 0.27 | 0.76 | 0.63 | 0.53 | 0.35 |
| 平湖市 | Pinghu | 0.01 | 0.20 | 0.09 | 0.21 | 0.10 | 0.36 | 0.03 |
| 海宁市 | Haining | 0.02 | 0.23 | 0.14 | 0.26 | 0.12 | 0.27 | 0.07 |
| 桐乡市 | Tongxiang | 0.01 | 0.33 | 0.15 | 0.22 | 0.10 | 0.27 | 0.06 |
| 嘉善县 | Jiashan | | 0.18 | 0.12 | 0.16 | 0.05 | 0.06 | 0.07 |
| 海盐县 | Haiyan | 0.01 | 0.19 | 0.09 | 0.15 | 0.06 | 0.13 | 0.05 |
| 湖州市区 | Huzhou District | 0.22 | 0.38 | 0.36 | 1.37 | 0.19 | 0.08 | 0.25 |
| 德清县 | Deqing | | 0.08 | 0.06 | 0.04 | 0.04 | 0.11 | 0.05 |
| 长兴县 | ChangXing | 0.01 | 0.16 | 0.11 | 0.05 | 0.08 | 0.10 | 0.04 |
| 安吉县 | Anji | | 0.04 | 0.03 | 0.04 | 0.04 | 0.05 | 0.03 |
| 绍兴市区 | Shaoxing District | 0.32 | 0.88 | 0.48 | 0.52 | 0.10 | 0.12 | 0.16 |
| 诸暨市 | Zhuji | 0.08 | 0.57 | 0.19 | 0.28 | 0.05 | 0.04 | 0.06 |

17－26 续表 3 Continued 单位:万人(10000 persons)

| 市县名称 | City and County | 信息传输、计算机服务和软件业 Information Transmission, Computer Services and Software | 批发和零售贸易 Wholesale and Retail Sale Trade | 住宿、餐饮业 Hotels and Catering Services | 金融业 Finance | 房地产业 Real Estate | 租赁和商业服务 Leasing and Commercial Services | 科学研究、技术服务和地质勘查 Technic and Geological Prospecting |
|---|---|---|---|---|---|---|---|---|
| 上虞市 | Shangyu | 0.05 | 0.30 | 0.08 | 0.24 | 0.06 | 0.09 | 0.04 |
| 嵊州市 | Shengzhou | | 0.08 | 0.07 | 0.17 | 0.02 | 0.05 | 0.03 |
| 绍兴县 | shaoxing | 0.03 | 0.07 | 0.07 | 0.29 | 0.07 | 0.22 | 0.05 |
| 新昌县 | Xinchang | 0.02 | 0.11 | 0.03 | 0.16 | 0.04 | 0.15 | 0.03 |
| 金华市区 | Jinhua District | 0.20 | 0.78 | 0.12 | 0.48 | 0.06 | 0.09 | 0.18 |
| 兰溪市 | Lanxi | 0.04 | 0.13 | 0.02 | 0.11 | 0.04 | 0.04 | 0.03 |
| 东阳市 | Dongyang | 0.02 | 0.23 | 0.15 | 0.17 | 0.02 | 0.61 | 0.04 |
| 义乌市 | Yiwu | 0.04 | 0.17 | 0.16 | 0.36 | 0.15 | 0.38 | 0.11 |
| 永康市 | Yongkang | 0.03 | 0.12 | 0.09 | 0.27 | 0.02 | 0.09 | 0.05 |
| 武义县 | Wuyi | 0.05 | 0.06 | 0.07 | 0.07 | 0.01 | 0.01 | 0.02 |
| 浦江县 | Pujiang | 0.01 | 0.03 | | 0.11 | 0.01 | 0.05 | 0.09 |
| 磐安县 | Panan | 0.01 | 0.02 | 0.01 | 0.04 | | | |
| 衢州市区 | Quzhou District | 0.15 | 0.15 | 0.01 | 0.94 | 0.03 | 0.13 | 0.08 |
| 江山市 | Jiangshan | 0.01 | 0.05 | | 0.14 | 0.02 | 0.02 | 0.03 |
| 常山县 | Changshan | 0.01 | 0.04 | 0.03 | 0.08 | 0.01 | 0.01 | 0.02 |
| 开化县 | Kaihua | 0.01 | 0.02 | 0.01 | 0.08 | 0.01 | | 0.01 |
| 龙游县 | Longyou | 0.02 | 0.03 | 0.02 | 0.12 | 0.01 | 0.04 | 0.02 |
| 舟山市区 | Zhoushan District | 0.16 | 0.42 | 0.30 | 0.47 | 0.23 | 0.35 | 0.17 |
| 岱山县 | Daishan | | 0.05 | 0.01 | 0.03 | 0.01 | 0.01 | 0.01 |
| 嵊泗县 | Shengsi | | 0.04 | 0.01 | 0.02 | 0.03 | 0.09 | 0.01 |
| 台州市区 | Taizhou District | 0.29 | 0.99 | 0.43 | 1.76 | 0.39 | 0.54 | 0.32 |
| 温岭市 | Wenling | 0.05 | 0.19 | 0.01 | 0.31 | 0.08 | 0.44 | 0.05 |
| 临海市 | Linhai | 0.04 | 0.28 | 0.15 | 0.16 | 0.08 | 0.12 | 0.05 |
| 玉环县 | Yuhuan | 0.02 | 0.10 | 0.12 | 0.15 | 0.03 | 0.08 | 0.02 |
| 三门县 | Sanmen | 0.01 | 0.04 | 0.03 | 0.06 | 0.01 | 0.03 | 0.02 |
| 天台县 | Tiantai | 0.01 | 0.05 | 0.05 | 0.09 | 0.03 | 0.10 | 0.08 |
| 仙居县 | Xianju | 0.01 | 0.13 | 0.05 | 0.08 | 0.02 | 0.04 | 0.04 |
| 丽水市区 | Lishui District | 0.20 | 0.10 | 0.05 | 0.53 | 0.02 | 0.26 | 0.15 |
| 龙泉市 | Longquan | 0.01 | 0.05 | 0.04 | 0.05 | 0.02 | 0.01 | 0.02 |
| 青田县 | Qingtian | 0.01 | 0.04 | 0.01 | 0.09 | 0.01 | 0.04 | 0.01 |
| 云和县 | Yunhe | 0.01 | 0.02 | | 0.03 | 0.02 | 0.03 | |
| 庆元县 | Qingyuan | 0.02 | 0.02 | 0.01 | 0.04 | | 0.01 | 0.01 |
| 缙云县 | Jinyun | 0.01 | 0.05 | 0.02 | 0.08 | 0.02 | 0.03 | 0.02 |
| 遂昌县 | Suichang | 0.01 | 0.03 | 0.03 | 0.04 | 0.01 | 0.01 | 0.02 |
| 松阳县 | Songyang | 0.01 | 0.02 | | 0.04 | 0.01 | | 0.02 |
| 景宁自治县 | Jingning | 0.02 | 0.04 | | 0.03 | 0.01 | 0.03 | 0.02 |

17－26 续表 4 Continued 单位:万人(10000 persons)

| 市县名称 | City and County | 水利、环境和公共设施管理业 Water Conservancy, Environment and Public Facilities Management | 居民服务和其他服务业 Resident Services and Other Services | 教育 Education | 卫生、社会保障和社会福利业 Health Care, Social Security and Social Welfare | 文化、体育和娱乐业 Culture, Sports and Recreation | 公共管理和社会组织 Public Management and Social Organization |
|---|---|---|---|---|---|---|---|
| 杭州市区 | Hangzhou District | 1.45 | 0.69 | 9.32 | 5.10 | 1.61 | 8.29 |
| 富阳市 | Fuyang | 0.13 | 0.01 | 0.86 | 0.34 | 0.08 | 0.72 |
| 临安市 | Linan | 0.05 | 0.01 | 0.65 | 0.28 | 0.03 | 0.57 |
| 建德市 | Jiande | 0.04 | | 0.46 | 0.25 | 0.03 | 0.45 |
| 桐庐县 | Tonglu | 0.11 | | 0.40 | 0.18 | 0.01 | 0.41 |
| 淳安县 | Chunan | 0.06 | | 0.41 | 0.15 | 0.05 | 0.41 |
| 宁波市区 | Ningbo District | 0.64 | 0.15 | 3.71 | 2.26 | 0.53 | 3.47 |
| 余姚市 | Yuyao | 0.12 | 0.01 | 0.87 | 0.43 | 0.05 | 0.92 |
| 慈溪市 | Cixi | 0.13 | 0.01 | 0.97 | 0.53 | 0.09 | 0.60 |
| 奉化市 | Fenhua | 0.04 | 0.03 | 0.45 | 0.23 | 0.04 | 0.47 |
| 象山县 | Xiangshan | 0.01 | | 0.49 | 0.28 | 0.04 | 0.52 |
| 宁海县 | Ninghai | 0.09 | 0.01 | 0.57 | 0.29 | 0.05 | 0.55 |
| 温州市区 | Wenzhou District | 0.18 | 0.03 | 2.36 | 1.54 | 0.28 | 2.32 |
| 瑞安市 | Ruian | 0.04 | 0.01 | 1.11 | 0.52 | 0.02 | 0.94 |
| 乐清市 | Yueqing | 0.06 | 0.01 | 1.09 | 0.44 | 0.06 | 0.90 |
| 洞头县 | Dongtou | | | 0.11 | 0.04 | 0.01 | 0.20 |
| 永嘉县 | Yongjia | 0.03 | | 0.77 | 0.20 | 0.05 | 0.64 |
| 平阳县 | Pingyang | 0.01 | | 0.78 | 0.26 | 0.02 | 0.72 |
| 苍南县 | Cangnan | 0.02 | 0.01 | 1.15 | 0.30 | 0.01 | 0.89 |
| 文成县 | Wenchen | 0.01 | | 0.26 | 0.11 | 0.01 | 0.36 |
| 泰顺县 | Taishun | 0.02 | | 0.41 | 0.09 | 0.03 | 0.37 |
| 嘉兴市区 | Jiaxing District | 0.11 | 0.01 | 1.21 | 0.77 | 0.12 | 1.10 |
| 平湖市 | Pinghu | 0.07 | 0.01 | 0.62 | 0.31 | 0.05 | 0.49 |
| 海宁市 | Haining | 0.11 | | 0.83 | 0.41 | 0.06 | 0.73 |
| 桐乡市 | Tongxiang | 0.21 | 0.02 | 0.88 | 0.39 | 0.03 | 0.60 |
| 嘉善县 | Jiashan | 0.08 | | 0.47 | 0.24 | 0.04 | 0.46 |
| 海盐县 | Haiyan | 0.06 | 0.04 | 0.45 | 0.19 | 0.04 | 0.34 |
| 湖州市区 | Huzhou District | 0.22 | 0.01 | 1.13 | 0.61 | 0.10 | 1.03 |
| 德清县 | Deqing | 0.13 | 0.01 | 0.49 | 0.25 | 0.04 | 0.48 |
| 长兴县 | ChangXing | 0.07 | | 0.68 | 0.23 | 0.02 | 0.53 |
| 安吉县 | Anji | 0.09 | | 0.43 | 0.22 | 0.03 | 0.57 |
| 绍兴市区 | Shaoxing District | 0.05 | | 1.03 | 0.60 | 0.14 | 0.82 |
| 诸暨市 | Zhuji | 0.25 | | 1.25 | 0.59 | 0.04 | 0.75 |

17－26 续表 5 Continued

单位：万人（10000 persons）

| 市县名称 | City and County | 水利、环境和公共设施管理业 Water Conservancy, Environment and Public Facilities Management | 居民服务和其他服务业 Resident Services and Other Services | 教育 Education | 卫生、社会保障和社会福利业 Health Care, Social Security and Social Welfare | 文化、体育和娱乐业 Culture, Sports and Recreation | 公共管理和社会组织 Public Management and Social Organization |
|---|---|---|---|---|---|---|---|
| 上虞市 | Shangyu | 0.11 | | 0.78 | 0.33 | 0.05 | 0.55 |
| 嵊州市 | Shengzhou | 0.09 | 0.01 | 0.67 | 0.28 | 0.06 | 0.50 |
| 绍兴县 | shaoxing | 0.05 | | 0.84 | 0.46 | 0.05 | 0.62 |
| 新昌县 | Xinchang | 0.07 | 0.02 | 0.43 | 0.19 | 0.03 | 0.41 |
| 金华市区 | Jinhua District | 0.16 | 0.01 | 1.23 | 0.74 | 0.11 | 1.34 |
| 兰溪市 | Lanxi | 0.11 | 0.01 | 0.62 | 0.24 | 0.04 | 0.41 |
| 东阳市 | Dongyang | 0.13 | | 0.67 | 0.37 | 0.06 | 0.56 |
| 义乌市 | Yiwu | 0.30 | 0.01 | 0.91 | 0.43 | 0.05 | 1.34 |
| 永康市 | Yongkang | 0.23 | | 0.59 | 0.34 | 0.02 | 0.61 |
| 武义县 | Wuyi | 0.06 | | 0.35 | 0.16 | 0.01 | 0.32 |
| 浦江县 | Pujiang | 0.02 | | 0.37 | 0.17 | 0.03 | 0.33 |
| 磐安县 | Panan | 0.01 | | 0.17 | 0.05 | 0.02 | 0.25 |
| 衢州市区 | Quzhou District | 0.06 | 0.01 | 0.88 | 0.35 | 0.11 | 1.23 |
| 江山市 | Jiangshan | 0.02 | | 0.44 | 0.19 | 0.01 | 0.41 |
| 常山县 | Changshan | 0.02 | | 0.27 | 0.14 | 0.02 | 0.33 |
| 开化县 | Kaihua | 0.02 | | 0.23 | 0.12 | | 0.31 |
| 龙游县 | Longyou | 0.02 | 0.01 | 0.31 | 0.12 | 0.02 | 0.47 |
| 舟山市区 | Zhoushan District | 0.19 | 0.01 | 0.92 | 0.50 | 0.11 | 1.33 |
| 岱山县 | Daishan | 0.02 | | 0.19 | 0.11 | 0.02 | 0.30 |
| 嵊泗县 | Shengsi | 0.03 | | 0.11 | 0.06 | 0.02 | 0.24 |
| 台州市区 | Taizhou District | 0.32 | 0.02 | 1.65 | 0.99 | 0.13 | 1.90 |
| 温岭市 | Wenling | 0.14 | 0.01 | 1.16 | 0.52 | 0.04 | 0.61 |
| 临海市 | Linhai | 0.09 | 0.01 | 1.14 | 0.53 | 0.05 | 0.55 |
| 玉环县 | Yuhuan | 0.02 | | 0.40 | 0.23 | 0.02 | 0.69 |
| 三门县 | Sanmen | 0.02 | | 0.35 | 0.14 | 0.01 | 0.36 |
| 天台县 | Tiantai | 0.07 | | 0.57 | 0.22 | 0.04 | 0.38 |
| 仙居县 | Xianju | 0.02 | | 0.39 | 0.18 | 0.01 | 0.38 |
| 丽水市区 | Lishui District | 0.09 | | 0.61 | 0.47 | 0.08 | 0.72 |
| 龙泉市 | Longquan | 0.05 | | 0.28 | 0.10 | 0.02 | 0.30 |
| 青田县 | Qingtian | 0.03 | | 0.40 | 0.14 | 0.04 | 0.39 |
| 云和县 | Yunhe | 0.02 | | 0.14 | 0.06 | 0.01 | 0.23 |
| 庆元县 | Qingyuan | 0.01 | | 0.19 | 0.07 | | 0.27 |
| 缙云县 | Jinyun | 0.02 | | 0.43 | 0.11 | 0.02 | 0.34 |
| 遂昌县 | Suichang | 0.03 | | 0.21 | 0.11 | 0.01 | 0.26 |
| 松阳县 | Songyang | 0.01 | | 0.24 | 0.10 | 0.02 | 0.27 |
| 景宁自治县 | Jingning | 0.02 | | 0.17 | 0.09 | 0.01 | 0.24 |

## 17－27 各市、县农、林、牧、渔业总产值(2008 年)
Gross Output Value of Farming, Forestry, Animal Husbandry and Fishery by City and County(2008)

单位:万元(10000 yuan)

| 市县名称 | City and County | 农、林、牧、渔业总产值 Total Output Value of Agriculture | 农业产值 Farming | 林业产值 Forestry | 牧业产值 Animal Husbandry | 渔业产值 Fishery | 农林牧渔业服务业产值 Services |
|---|---|---|---|---|---|---|---|
| 杭州市区 | Hangzhou District | 1311341 | 672928 | 58484 | 300341 | 236217 | 43371 |
| 建德市 | Jiande | 284658 | 157949 | 12366 | 90974 | 17075 | 6294 |
| 桐庐县 | Tonglu | 204799 | 122732 | 16270 | 48762 | 13435 | 3600 |
| 富阳市 | Fuyang | 343690 | 199296 | 44689 | 79046 | 18326 | 2333 |
| 临安市 | Linan | 332376 | 98575 | 152781 | 70663 | 4575 | 5782 |
| 淳安县 | Chunan | 260741 | 156644 | 35622 | 46847 | 19642 | 1986 |
| 宁波市区 | Ningbo District | 606263 | 369342 | 16880 | 142896 | 62272 | 14873 |
| 余姚市 | Yuyao | 422442 | 253240 | 19049 | 104830 | 41236 | 4087 |
| 慈溪市 | Cixi | 411746 | 262796 | 2552 | 54240 | 77208 | 14950 |
| 奉化市 | Fenhua | 273918 | 109805 | 18864 | 55011 | 86122 | 4116 |
| 象山县 | Xiangshan | 588348 | 102620 | 4182 | 62281 | 416697 | 2568 |
| 宁海县 | Ninghai | 321714 | 95323 | 11704 | 63603 | 149148 | 1936 |
| 温州市区 | Wenzhou District | 155061 | 74613 | 601 | 66463 | 12231 | 1153 |
| 瑞安市 | Ruian | 196245 | 89494 | 2024 | 29118 | 72425 | 3184 |
| 洞头县 | Dongtou | 65452 | 1228 | 141 | 1094 | 62794 | 195 |
| 乐清市 | Yueqing | 214693 | 77488 | 1201 | 45257 | 83399 | 7348 |
| 永嘉县 | Yongjia | 102075 | 53343 | 4533 | 39074 | 3543 | 1582 |
| 平阳县 | Pingyang | 154098 | 64763 | 4662 | 42054 | 40964 | 1655 |
| 苍南县 | Cangnan | 254509 | 85813 | 5385 | 36275 | 123753 | 3283 |
| 文成县 | Wenchen | 45381 | 25210 | 2425 | 16409 | 479 | 858 |
| 泰顺县 | Taishun | 57037 | 37246 | 6440 | 12970 | 201 | 180 |
| 嘉兴市区 | Jiaxing District | 470229 | 144448 | 276 | 255097 | 59465 | 10943 |
| 海宁市 | Haining | 261112 | 97284 | 1413 | 110609 | 39848 | 11958 |
| 平湖市 | Pinghu | 209297 | 103692 | 826 | 61618 | 30206 | 12955 |
| 嘉善县 | Jiashan | 350060 | 213879 | 164 | 91684 | 37625 | 6708 |
| 海盐县 | Haiyan | 217944 | 104051 | 3277 | 84449 | 15671 | 10496 |
| 桐乡市 | Tongxiang | 300060 | 142585 | 578 | 126244 | 14085 | 16568 |
| 湖州市区 | Huzhou District | 547352 | 195325 | 18034 | 169355 | 133355 | 31283 |
| 德清县 | Deqing | 272219 | 46239 | 47784 | 90526 | 68931 | 18739 |
| 长兴县 | ChangXing | 360224 | 223814 | 40248 | 53748 | 35876 | 6538 |
| 安吉县 | Anji | 264715 | 168566 | 64971 | 20091 | 8007 | 3080 |
| 绍兴市区 | Shaoxing District | 104398 | 55875 | 918 | 29370 | 16929 | 1306 |
| 诸暨市 | Zhuji | 453684 | 241748 | 56006 | 102666 | 50010 | 3254 |
| 上虞市 | Shangyu | 402879 | 255499 | 21478 | 64585 | 57665 | 3652 |

17－27 续表 Continued 单位：万元（10000 yuan）

| 市县名称 | City and County | 农、林、牧、渔业总产值 Total Output Value of Agriculture | 农业产值 Farming | 林业产值 Forestry | 牧业产值 Animal Husbandry | 渔业产值 Fishery | 农林牧渔业服务业产值 Services |
|---|---|---|---|---|---|---|---|
| 嵊州市 | Shengzhou | 320392 | 220311 | 27606 | 67842 | 3472 | 1161 |
| 绍兴县 | shaoxing | 333964 | 187122 | 26494 | 74576 | 44077 | 1695 |
| 新昌县 | Xinchang | 166110 | 125699 | 15664 | 20954 | 2383 | 1410 |
| 金华市区 | Jinhua District | 370090 | 168786 | 7875 | 149684 | 29450 | 14295 |
| 兰溪市 | Lanxi | 240194 | 107560 | 2021 | 102099 | 23364 | 5150 |
| 东阳市 | Dongyang | 163397 | 113465 | 5933 | 34044 | 4671 | 5284 |
| 义乌市 | Yiwu | 205098 | 108968 | 3608 | 82984 | 8058 | 1480 |
| 永康市 | Yongkang | 95188 | 52487 | 4129 | 29680 | 6002 | 2890 |
| 武义县 | Wuyi | 138267 | 81934 | 5829 | 44754 | 2600 | 3150 |
| 浦江县 | Pujiang | 85522 | 48464 | 1376 | 31007 | 2580 | 2095 |
| 磐安县 | Panan | 89247 | 64719 | 13323 | 10814 | 118 | 273 |
| 衢州市区 | Quzhou District | 337910 | 134378 | 20831 | 171314 | 9887 | 1500 |
| 江山市 | Jiangshan | 248607 | 123727 | 10897 | 107253 | 5330 | 1400 |
| 常山县 | Changshan | 84783 | 47088 | 13004 | 19307 | 3467 | 1917 |
| 开化县 | Kaihua | 126290 | 89668 | 17245 | 17198 | 1104 | 1075 |
| 龙游县 | Longyou | 165793 | 54435 | 15856 | 84373 | 10190 | 939 |
| 舟山市区 | Zhoushan District | 523001 | 56733 | 1035 | 33040 | 430879 | 1314 |
| 岱山县 | Daishan | 308045 | 13248 | 765 | 7792 | 286090 | 150 |
| 嵊泗县 | Shengsi | 147581 | 723 | 111 | 1413 | 145244 | 90 |
| 台州市区 | Taizhou District | 401098 | 206854 | 2729 | 46853 | 140552 | 4110 |
| 玉环县 | Yuhuan | 282396 | 37600 | 452 | 12180 | 228136 | 4028 |
| 三门县 | Sanmen | 240392 | 58805 | 3673 | 19788 | 157996 | 130 |
| 天台县 | Tiantai | 115836 | 82511 | 7330 | 22740 | 2666 | 589 |
| 仙居县 | Xianju | 130707 | 86080 | 11299 | 29788 | 2701 | 839 |
| 温岭市 | Wenling | 606551 | 162108 | 523 | 63809 | 367483 | 12628 |
| 临海市 | Linhai | 342590 | 169745 | 11600 | 50687 | 109108 | 1450 |
| 丽水市区 | Lishui District | 163200 | 114426 | 13403 | 29527 | 4244 | 1600 |
| 龙泉市 | Longquan | 127084 | 81117 | 29748 | 14535 | 1154 | 530 |
| 青田县 | Qingtian | 71231 | 46221 | 8216 | 11588 | 4339 | 867 |
| 云和县 | Yunhe | 46060 | 33889 | 3763 | 4657 | 2071 | 1680 |
| 庆元县 | Qingyuan | 66851 | 39790 | 19363 | 6335 | 1115 | 248 |
| 缙云县 | Jinyun | 100077 | 63162 | 10758 | 24352 | 1234 | 571 |
| 遂昌县 | Suichang | 100385 | 61099 | 22855 | 15029 | 884 | 518 |
| 松阳县 | Songyang | 120645 | 84225 | 13661 | 20948 | 1663 | 148 |
| 景宁自治县 | Jingning | 58238 | 40198 | 9998 | 6815 | 583 | 644 |

## 17－28 各市、县农作物播种面积(2008年)
## Sown Area by City and County(2008)

单位:千公顷(1000 hectares)

| 县市名称 | City and County | 农作物播种面积(千公顷) Sown Area of Farm Crops (1000 hectares) | #粮食 Grain | #谷物 Cereal | #油料 Oilbearing Crops | #棉花 Cotton | #蔬菜 Vegetable | #果用瓜 Melon Used as Fruit |
|---|---|---|---|---|---|---|---|---|
| 杭州市区 | Hangzhou District | 192.48 | 84.45 | 61.92 | 9.96 | 0.44 | 62.94 | 5.18 |
| 建德市 | Jiande | 39.78 | 20.31 | 13.46 | 5.76 | 0.07 | 7.35 | 3.12 |
| 桐庐县 | Tonglu | 37.30 | 17.81 | 11.44 | 6.89 | | 8.25 | 1.41 |
| 富阳市 | Fuyang | 52.37 | 25.90 | 18.58 | 8.07 | | 10.12 | 1.87 |
| 临安市 | Linan | 35.95 | 17.05 | 11.64 | 2.92 | | 6.38 | 1.02 |
| 淳安县 | Chunan | 45.72 | 26.90 | 14.17 | 7.11 | 0.13 | 7.66 | 0.87 |
| 宁波市区 | Ningbo District | 94.21 | 40.50 | 35.25 | 1.45 | 0.14 | 23.07 | 9.64 |
| 余姚市 | Yuyao | 64.49 | 32.17 | 26.59 | 2.67 | 1.70 | 20.01 | 1.42 |
| 慈溪市 | Cixi | 80.74 | 26.93 | 9.33 | 6.53 | 3.93 | 29.47 | 7.17 |
| 奉化市 | Fenhua | 24.41 | 13.76 | 11.76 | 0.39 | | 2.83 | 1.29 |
| 象山县 | Xiangshan | 32.55 | 18.01 | 12.53 | 1.13 | 0.07 | 8.63 | 2.53 |
| 宁海县 | Ninghai | 33.66 | 22.43 | 14.58 | 2.05 | 0.62 | 5.48 | 2.07 |
| 温州市区 | Wenzhou District | 23.97 | 9.66 | 7.60 | 0.42 | 0.02 | 12.10 | 0.74 |
| 瑞安市 | Ruian | 38.30 | 22.73 | 19.92 | 1.72 | | 9.74 | 2.76 |
| 洞头县 | Dongtou | 1.28 | 0.88 | 0.10 | 0.17 | | 0.23 | 0.01 |
| 乐清市 | Yueqing | 39.44 | 26.96 | 22.74 | 0.86 | 0.05 | 7.81 | 1.63 |
| 永嘉县 | Yongjia | 28.12 | 18.57 | 13.67 | 1.93 | 0.01 | 5.22 | 1.42 |
| 平阳县 | Pingyang | 32.74 | 23.30 | 18.85 | 0.76 | | 5.62 | 1.68 |
| 苍南县 | Cangnan | 43.98 | 32.86 | 27.71 | 0.23 | | 7.94 | 1.75 |
| 文成县 | Wenchen | 17.55 | 10.62 | 4.63 | 0.51 | | 3.89 | 0.47 |
| 泰顺县 | Taishun | 19.60 | 12.13 | 6.95 | 0.83 | | 4.38 | 0.05 |
| 嘉兴市区 | Jiaxing District | 88.85 | 48.85 | 41.16 | 7.97 | 0.32 | 22.71 | 4.54 |
| 海宁市 | Haining | 50.72 | 28.97 | 22.38 | 6.08 | 0.25 | 9.53 | 1.23 |
| 平湖市 | Pinghu | 53.92 | 33.46 | 31.48 | 11.03 | 0.49 | 7.23 | 1.29 |
| 嘉善县 | Jiashan | 48.87 | 27.78 | 24.14 | 1.27 | | 15.94 | 2.25 |
| 海盐县 | Haiyan | 45.40 | 29.10 | 25.39 | 5.99 | 1.03 | 7.45 | 1.29 |
| 桐乡市 | Tongxiang | 55.05 | 25.20 | 20.56 | 3.90 | 0.28 | 16.05 | 1.39 |
| 湖州市区 | Huzhou District | 80.82 | 50.15 | 39.33 | 11.53 | 0.01 | 14.57 | 1.17 |
| 德清县 | Deqing | 19.73 | 14.34 | 11.77 | 0.96 | 0.06 | 2.79 | 0.62 |
| 长兴县 | ChangXing | 93.92 | 47.68 | 41.19 | 16.08 | 0.02 | 12.95 | 3.93 |
| 安吉县 | Anji | 41.52 | 26.20 | 20.65 | 3.63 | | 5.78 | 1.81 |
| 绍兴市区 | Shaoxing District | 15.21 | 8.50 | 7.83 | 0.78 | 0.01 | 3.56 | 0.70 |

17－28 续表 Continued 单位：千公顷(1000 hectares)

| 县市名称 | City and County | 农作物播种面积(千公顷) Sown Area of Farm Crops (1000 hectares) | #粮食 Grain | #谷物 Cereal | #油料 Oilbearing Crops | #棉花 Cotton | #蔬菜 Vegetable | #果用瓜 Melon Used as Fruit |
|---|---|---|---|---|---|---|---|---|
| 诸暨市 | Zhuji | 86.26 | 53.05 | 44.55 | 4.34 | 0.03 | 13.85 | 2.63 |
| 上虞市 | Shangyu | 85.35 | 46.32 | 39.14 | 7.73 | 2.29 | 20.10 | 3.88 |
| 嵊州市 | Shengzhou | 57.51 | 28.58 | 21.90 | 3.59 | 0.14 | 14.07 | 1.61 |
| 绍兴县 | shaoxing | 50.82 | 28.11 | 26.05 | 2.66 | 0.02 | 11.73 | 1.45 |
| 新昌县 | Xinchang | 26.33 | 12.72 | 8.92 | 3.94 | 0.10 | 4.96 | 0.65 |
| 金华市区 | Jinhua District | 51.00 | 27.44 | 23.04 | 5.02 | 1.65 | 8.03 | 2.40 |
| 兰溪市 | Lanxi | 46.43 | 24.14 | 19.52 | 9.36 | 4.09 | 4.86 | 1.58 |
| 东阳市 | Dongyang | 47.07 | 32.51 | 24.91 | 1.67 | 0.10 | 5.68 | 1.02 |
| 义乌市 | Yiwu | 29.59 | 17.80 | 12.43 | 1.40 | 0.03 | 6.75 | 1.50 |
| 永康市 | Yongkang | 17.74 | 12.08 | 10.27 | 0.38 | | 3.07 | 1.04 |
| 武义县 | Wuyi | 28.61 | 18.48 | 15.12 | 2.44 | 0.01 | 4.76 | 1.13 |
| 浦江县 | Pujiang | 22.32 | 12.72 | 9.52 | 2.34 | 0.08 | 3.77 | 1.13 |
| 磐安县 | Panan | 18.41 | 9.27 | 5.72 | 0.45 | | 2.71 | 0.80 |
| 衢州市区 | Quzhou District | 57.27 | 32.77 | 24.21 | 6.26 | 0.02 | 11.67 | 2.34 |
| 江山市 | Jiangshan | 55.55 | 33.54 | 28.01 | 8.89 | 0.64 | 7.41 | 0.71 |
| 常山县 | Changshan | 20.46 | 12.39 | 10.50 | 2.71 | 0.06 | 3.60 | 0.37 |
| 开化县 | Kaihua | 29.47 | 15.06 | 10.28 | 6.42 | 0.07 | 5.23 | 0.78 |
| 龙游县 | Longyou | 42.08 | 28.78 | 25.91 | 7.24 | 0.70 | 3.18 | 1.19 |
| 舟山市区 | Zhoushan District | 20.56 | 9.55 | 4.32 | 1.70 | 0.07 | 6.66 | 1.87 |
| 岱山县 | Daishan | 4.30 | 2.07 | 0.94 | 0.45 | | 1.47 | 0.28 |
| 嵊泗县 | Shengsi | 0.24 | 0.04 | | | | 0.19 | 0.01 |
| 台州市区 | Taizhou District | 58.68 | 31.16 | 22.67 | 0.17 | 0.04 | 19.37 | 4.02 |
| 玉环县 | Yuhuan | 10.57 | 5.29 | 2.35 | 0.21 | 0.08 | 4.12 | 0.68 |
| 三门县 | Sanmen | 27.18 | 18.11 | 10.75 | 1.28 | 0.20 | 4.86 | 1.92 |
| 天台县 | Tiantai | 38.99 | 28.38 | 22.52 | 1.23 | 0.05 | 5.83 | 0.48 |
| 仙居县 | Xianju | 37.16 | 23.71 | 16.83 | 4.89 | | 4.67 | 0.92 |
| 温岭市 | Wenling | 57.00 | 30.42 | 20.23 | 0.22 | 0.14 | 15.44 | 4.29 |
| 临海市 | Linhai | 54.11 | 36.81 | 27.55 | 1.09 | 0.06 | 10.80 | 2.01 |
| 丽水市区 | Lishui District | 27.12 | 12.52 | 6.40 | 1.20 | | 10.86 | 1.15 |
| 龙泉市 | Longquan | 30.67 | 20.72 | 15.05 | 1.29 | | 5.47 | 0.20 |
| 青田县 | Qingtian | 20.04 | 14.20 | 9.38 | 0.57 | 0.01 | 3.92 | 0.39 |
| 云和县 | Yunhe | 8.10 | 5.96 | 3.39 | 0.15 | | 1.50 | 0.16 |
| 庆元县 | Qingyuan | 16.11 | 12.32 | 9.32 | 0.03 | | 2.38 | 0.13 |
| 缙云县 | Jinyun | 23.17 | 14.04 | 10.50 | 1.75 | 0.01 | 4.94 | 0.47 |
| 遂昌县 | Suichang | 28.77 | 17.94 | 10.94 | 1.99 | | 4.74 | 0.20 |
| 松阳县 | Songyang | 20.86 | 13.67 | 7.59 | 1.22 | | 4.61 | 0.18 |
| 景宁自治县 | Jingning | 17.25 | 10.87 | 5.59 | 0.28 | | 3.59 | 0.15 |

## 17－29 各市、县主要农产品产量(2008 年)
## Output of Major Farm Products by City and County(2008)

单位:吨(ton)

| 县市名称 | City and County | 粮食 Grain | # 谷物 Cereal | 油菜籽 Rapeseeds | 棉花 Cotton | 水果 Fruit | # 柑桔 Citrus | 茶叶 Tea | 蚕茧 Silkworm Cocoons |
|---|---|---|---|---|---|---|---|---|---|
| 杭州市区 | Hangzhou District | 501886 | 430508 | 19774 | 673 | 245667 | 1076 | 10930 | 545 |
| 建德市 | Jiande | 111270 | 84210 | 11135 | 133 | 174207 | 97796 | 3744 | 962 |
| 桐庐县 | Tonglu | 110009 | 78304 | 12452 | | 91811 | 6647 | 1593 | 3750 |
| 富阳市 | Fuyang | 163126 | 123916 | 16932 | | 109223 | 4726 | 4808 | 1813 |
| 临安市 | Linan | 98900 | 75659 | 5807 | | 45089 | 1089 | 2101 | 3136 |
| 淳安县 | Chunan | 116364 | 74556 | 11958 | 151 | 101865 | 53186 | 6447 | 8781 |
| 宁波市区 | Ningbo District | 271931 | 246290 | 1604 | 106 | 483104 | 71845 | 7301 | |
| 余姚市 | Yuyao | 206124 | 181733 | 5047 | 2136 | 157344 | 2040 | 5979 | 10 |
| 慈溪市 | Cixi | 109503 | 54347 | 10278 | 4415 | 303632 | 4852 | 187 | |
| 奉化市 | Fenhua | 83766 | 77417 | 265 | | 120256 | 21975 | 2137 | 2 |
| 象山县 | Xiangshan | 104465 | 81950 | 1096 | 71 | 224765 | 126821 | 1365 | 18 |
| 宁海县 | Ninghai | 108424 | 83949 | 2548 | 764 | 204377 | 96135 | 3316 | 15 |
| 温州市区 | Wenzhou District | 58439 | 48922 | 642 | 19 | 56631 | 20446 | 33 | |
| 瑞安市 | Ruian | 140558 | 129077 | 2263 | | 85631 | 2578 | 80 | |
| 洞头县 | Dongtou | 2779 | 632 | 166 | | 195 | | | |
| 乐清市 | Yueqing | 163110 | 143840 | 1129 | 71 | 68242 | 11158 | 178 | |
| 永嘉县 | Yongjia | 100376 | 79284 | 2431 | 6 | 59876 | 6991 | 472 | 1 |
| 平阳县 | Pingyang | 131939 | 116375 | 925 | | 44912 | 1550 | 700 | |
| 苍南县 | Cangnan | 183554 | 166976 | 231 | | 46352 | 6081 | 652 | |
| 文成县 | Wenchen | 53338 | 27120 | 768 | | 17282 | 520 | 160 | |
| 泰顺县 | Taishun | 60087 | 40934 | 1149 | 2 | 5945 | 308 | 2163 | |
| 嘉兴市区 | Jiaxing District | 337036 | 307109 | 18689 | 484 | 204295 | 59 | | 4354 |
| 海宁市 | Haining | 189279 | 166188 | 14252 | 293 | 72269 | 16362 | | 10272 |
| 平湖市 | Pinghu | 239502 | 231099 | 30781 | 575 | 42948 | 784 | | 5 |
| 嘉善县 | Jiashan | 185832 | 173285 | 2790 | | 93589 | 3654 | | 13 |
| 海盐县 | Haiyan | 195605 | 181958 | 15499 | 1440 | 78444 | 15223 | 150 | 4470 |
| 桐乡市 | Tongxiang | 183609 | 164518 | 9104 | 801 | 63150 | | | 14794 |
| 湖州市区 | Huzhou District | 366722 | 315869 | 28819 | 10 | 44355 | 143 | 367 | 9420 |
| 德清县 | Deqing | 103522 | 90966 | 2160 | 143 | 31033 | 171 | 1900 | 4456 |
| 长兴县 | ChangXing | 303482 | 281075 | 33615 | 39 | 138795 | 648 | 4431 | 1388 |
| 安吉县 | Anji | 153121 | 136263 | 6324 | 8 | 63286 | 49 | 4691 | 2109 |
| 绍兴市区 | Shaoxing District | 61263 | 57803 | 1624 | 22 | 24286 | 72 | 393 | |
| 诸暨市 | Zhuji | 364700 | 319954 | 6562 | 39 | 138454 | 5073 | 11903 | 620 |
| 上虞市 | Shangyu | 274792 | 252004 | 15720 | 2545 | 224299 | 1968 | 3376 | 1308 |

17－29 续表 1 Continued 单位：吨(ton)

| 县市名称 | City and County | 粮食 Grain | #谷物 Cereal | 油菜籽 Rapeseeds | 棉花 Cotton | 水果 Fruit | #柑桔 Citrus | 茶叶 Tea | 蚕茧 Silkworm Cocoons |
|---|---|---|---|---|---|---|---|---|---|
| 嵊州市 | Shengzhou | 169331 | 142801 | 4294 | 146 | 107957 | 9773 | 17904 | 1333 |
| 绍兴县 | shaoxing | 197259 | 185241 | 5101 | 17 | 59416 | 120 | 8589 | 50 |
| 新昌县 | Xinchang | 71227 | 56740 | 4834 | 146 | 35692 | 1690 | 6016 | 1072 |
| 金华市区 | Jinhua District | 160712 | 140244 | 7124 | 2718 | 188704 | 68197 | 3034 | 29 |
| 兰溪市 | Lanxi | 136633 | 120079 | 15716 | 6758 | 103744 | 33735 | 1254 | 1120 |
| 东阳市 | Dongyang | 179332 | 159612 | 2413 | 130 | 50232 | 9010 | 2087 | 210 |
| 义乌市 | Yiwu | 106557 | 81961 | 1881 | 31 | 89294 | 25377 | 1050 | 60 |
| 永康市 | Yongkang | 78908 | 69381 | 578 | 1 | 61741 | 11037 | 70 | 173 |
| 武义县 | Wuyi | 102475 | 93778 | 3501 | 11 | 45106 | 6554 | 7084 | 718 |
| 浦江县 | Pujiang | 70223 | 58912 | 3092 | 93 | 50438 | 2287 | 1278 | 115 |
| 磐安县 | Panan | 41804 | 31663 | 303 | | 13368 | 164 | 1759 | 277 |
| 衢州市区 | Quzhou District | 184476 | 154945 | 8379 | 28 | 684830 | 616778 | 1244 | 85 |
| 江山市 | Jiangshan | 210546 | 185083 | 12762 | 923 | 61260 | 28712 | 2026 | 23 |
| 常山县 | Changshan | 72245 | 65494 | 4135 | 85 | 186952 | 172511 | 122 | 48 |
| 开化县 | Kaihua | 96310 | 69647 | 10613 | 72 | 26945 | 9798 | 1623 | 1586 |
| 龙游县 | Longyou | 165728 | 156583 | 10653 | 1326 | 123191 | 83861 | 2478 | 12 |
| 舟山市区 | Zhoushan District | 43354 | 26213 | 2420 | 75 | 79182 | 25627 | 53 | |
| 岱山县 | Daishan | 10637 | 5717 | 522 | | 11013 | 3701 | 42 | |
| 嵊泗县 | Shengsi | 170 | | | | 386 | 125 | | |
| 台州市区 | Taizhou District | 184178 | 152774 | 131 | 62 | 305132 | 106346 | 60 | 2 |
| 玉环县 | Yuhuan | 31431 | 16100 | 230 | 159 | 59275 | 26155 | 5 | |
| 三门县 | Sanmen | 90093 | 61302 | 2126 | 163 | 156082 | 77124 | 787 | |
| 天台县 | Tiantai | 129189 | 112339 | 1475 | 36 | 58906 | 24741 | 1573 | 129 |
| 仙居县 | Xianju | 119510 | 92874 | 7341 | | 73331 | 12114 | 560 | 170 |
| 温岭市 | Wenling | 177208 | 132088 | 115 | 143 | 253477 | 22506 | 68 | |
| 临海市 | Linhai | 203125 | 162712 | 1821 | 71 | 299576 | 193457 | 725 | 224 |
| 丽水市区 | Lishui District | 65056 | 39604 | 1162 | 2 | 197488 | 122878 | 1281 | 1 |
| 龙泉市 | Longquan | 116162 | 95232 | 1808 | | 12885 | 2763 | 1094 | |
| 青田县 | Qingtian | 69224 | 50919 | 448 | 6 | 84652 | 57968 | 155 | |
| 云和县 | Yunhe | 32144 | 21148 | 155 | | 8665 | 803 | 577 | |
| 庆元县 | Qingyuan | 57609 | 46399 | 41 | | 7908 | 3159 | 520 | |
| 缙云县 | Jinyun | 77550 | 64033 | 2691 | 9 | 43394 | 4416 | 2014 | 2357 |
| 遂昌县 | Suichang | 85507 | 66277 | 2981 | | 10920 | 2940 | 5819 | |
| 松阳县 | Songyang | 67191 | 46771 | 1812 | 3 | 54748 | 31870 | 7285 | 123 |
| 景宁自治县 | Jingning | 52379 | 36084 | 241 | 11 | 7736 | 3231 | 552 | |

17－29 续表 2 Continued

| 县市名称 | City and County | 生猪年末存栏头数（万头）Year－end Hogs (10000 heads) | 牛年末存栏头数（头）Year－end Cattle (head) | 羊年末存栏只数（万只）Year－end Sheep and Goats (10000 heads) | 肉产量（吨）Output of Meat (ton) | #猪肉（吨）Pork (ton) | 禽蛋产量（吨）Poultry Eggs (ton) | 牛羊奶产量（吨）Cow and Sheep Milk (ton) | 水产品产量（吨）Output of Aquatic Products (ton) |
|---|---|---|---|---|---|---|---|---|---|
| 杭州市区 | Hangzhou District | 93.59 | 8861 | 7.52 | 159921 | 115689 | 35509 | 30952 | 135486 |
| 建德市 | Jiande | 15.16 | 2419 | 1.06 | 26143 | 17434 | 75500 | 436 | 12123 |
| 桐庐县 | Tonglu | 11.87 | 2192 | 1.15 | 18948 | 16016 | 4216 | 1251 | 7257 |
| 富阳市 | Fuyang | 16.35 | 3321 | 2.84 | 46496 | 31589 | 7499 | 5200 | 9137 |
| 临安市 | Linan | 16.55 | 4440 | 2.09 | 27834 | 23988 | 5932 | 5995 | 3642 |
| 淳安县 | Chunan | 16.91 | 2396 | 0.35 | 15896 | 14712 | 3802 | | 14366 |
| 宁波市区 | Ningbo District | 28.55 | 4677 | 0.95 | 61066 | 49308 | 32092 | 10239 | 56872 |
| 余姚市 | Yuyao | 13.43 | 1400 | 1.98 | 46992 | 26994 | 5625 | 2401 | 28090 |
| 慈溪市 | Cixi | 7.77 | 660 | 0.63 | 18188 | 9101 | 8259 | 1350 | 42263 |
| 奉化市 | Fenhua | 9.93 | 2923 | 1.17 | 16847 | 12261 | 24031 | 2047 | 98910 |
| 象山县 | Xiangshan | 9.20 | 1174 | 1.61 | 22587 | 15553 | 14621 | | 568610 |
| 宁海县 | Ninghai | 10.22 | 6830 | 1.02 | 20288 | 13529 | 20005 | 2037 | 130698 |
| 温州市区 | Wenzhou District | 15.25 | 5746 | 0.42 | 31857 | 22045 | 6627 | 9806 | 8488 |
| 瑞安市 | Ruian | 9.87 | 6545 | 0.88 | 12606 | 8772 | 7036 | 3861 | 110357 |
| 洞头县 | Dongtou | 0.27 | 28 | 0.24 | 441 | 357 | 141 | | 150289 |
| 乐清市 | Yueqing | 11.00 | 5233 | 1.31 | 16040 | 10825 | 19995 | 5928 | 85497 |
| 永嘉县 | Yongjia | 11.74 | 13160 | 4.52 | 21027 | 14219 | 4026 | 389 | 3093 |
| 平阳县 | Pingyang | 8.37 | 3978 | 1.70 | 13392 | 8244 | 5685 | 3116 | 54148 |
| 苍南县 | Cangnan | 8.88 | 5092 | 2.61 | 14953 | 11289 | 9884 | 2005 | 204902 |
| 文成县 | Wenchen | 8.81 | 3040 | 1.67 | 9413 | 6585 | 1032 | 182 | 522 |
| 泰顺县 | Taishun | 3.49 | 2534 | 1.91 | 6607 | 4248 | 482 | 1246 | 242 |
| 嘉兴市区 | Jiaxing District | 77.26 | 766 | 7.18 | 142561 | 124226 | 12058 | 3863 | 51392 |
| 海宁市 | Haining | 24.85 | 2280 | 20.87 | 45014 | 22881 | 4485 | 6540 | 32757 |
| 平湖市 | Pinghu | 48.40 | 686 | 1.20 | 29785 | 24906 | 11165 | 1317 | 32638 |
| 嘉善县 | Jiashan | 48.73 | 298 | 0.79 | 57246 | 50355 | 21488 | 540 | 27104 |
| 海盐县 | Haiyan | 61.58 | 29 | 8.67 | 45046 | 38969 | 2201 | | 11070 |
| 桐乡市 | Tongxiang | 25.46 | 358 | 34.27 | 54759 | 35467 | 37877 | 1666 | 10610 |
| 湖州市区 | Huzhou District | 24.41 | 74 | 19.72 | 88836 | 32734 | 22314 | | 71930 |
| 德清县 | Deqing | 32.75 | 1378 | 4.86 | 45909 | 36982 | 16363 | 4468 | 64211 |
| 长兴县 | ChangXing | 9.11 | 2923 | 6.54 | 18942 | 10505 | 11940 | 5147 | 36028 |
| 安吉县 | Anji | 4.18 | 2629 | 1.24 | 9111 | 4514 | 2189 | 2075 | 8105 |
| 绍兴市区 | Shaoxing District | 4.28 | 37 | 0.11 | 10444 | 5672 | 7133 | 25 | 4711 |
| 诸暨市 | Zhuji | 26.40 | 2591 | 1.69 | 44864 | 32913 | 17642 | 40 | 14815 |
| 上虞市 | Shangyu | 21.20 | 2007 | 3.40 | 36282 | 25597 | 3834 | 290 | 36252 |

17－29　续表 3　Continued

| 县市名称 | City and County | 生猪年末存栏头数（万头）Year－end Hogs（10000 heads） | 牛年末存栏头数（头）Year－end Cattle（head） | 羊年末存栏只数（万只）Year－end Sheep and Goats（10000 heads） | 肉产量（吨）Output of Meat（ton） | #猪肉（吨）Pork（ton） | 禽蛋产量（吨）Poultry Eggs（ton） | 牛羊奶产量（吨）Cow and Sheep Milk（ton） | 水产品产量（吨）Output of Aquatic Products（ton） |
|---|---|---|---|---|---|---|---|---|---|
| 嵊州市 | Shengzhou | 20.43 | 5638 | 5.89 | 23886 | 19672 | 4663 | 4004 | 3585 |
| 绍兴县 | shaoxing | 22.05 | 636 | 1.21 | 31461 | 27049 | 9457 | 1575 | 23843 |
| 新昌县 | Xinchang | 4.65 | 2296 | 0.66 | 5368 | 4080 | 1758 | | 2600 |
| 金华市区 | Jinhua District | 52.19 | 37063 | 1.79 | 65886 | 52720 | 15695 | 82222 | 12269 |
| 兰溪市 | Lanxi | 24.08 | 5112 | 1.37 | 34206 | 26684 | 18520 | 1176 | 15739 |
| 东阳市 | Dongyang | 10.18 | 1833 | 1.70 | 17611 | 14824 | 3878 | 16 | 9577 |
| 义乌市 | Yiwu | 25.72 | 943 | 1.00 | 39101 | 30931 | 6637 | 740 | 3590 |
| 永康市 | Yongkang | 6.63 | 565 | 0.43 | 10471 | 7110 | 2005 | 37 | 7126 |
| 武义县 | Wuyi | 13.99 | 3759 | 1.09 | 21692 | 14572 | 1372 | 1096 | 2919 |
| 浦江县 | Pujiang | 12.41 | 927 | 0.30 | 17161 | 15115 | 2971 | | 3940 |
| 磐安县 | Panan | 3.56 | 2125 | 0.97 | 5832 | 4961 | 909 | | 220 |
| 衢州市区 | Quzhou District | 92.51 | 8554 | 1.87 | 94852 | 87606 | 6180 | 2017 | 13845 |
| 江山市 | Jiangshan | 63.04 | 6497 | 0.72 | 57545 | 52735 | 3584 | 934 | 9130 |
| 常山县 | Changshan | 9.95 | 2386 | 0.54 | 11864 | 9470 | 1614 | 36 | 4189 |
| 开化县 | Kaihua | 9.36 | 2442 | 0.18 | 9705 | 8924 | 658 | | 2335 |
| 龙游县 | Longyou | 46.08 | 4437 | 1.00 | 57460 | 50625 | 14470 | 2 | 12265 |
| 舟山市区 | Zhoushan District | 12.30 | 639 | 0.98 | 15789 | 12934 | 6049 | 602 | 661612 |
| 岱山县 | Daishan | 2.29 | 150 | 0.65 | 2933 | 2408 | 1218 | 3 | 319769 |
| 嵊泗县 | Shengsi | 0.27 | 11 | 0.12 | 524 | 467 | 39 | | 273798 |
| 台州市区 | Taizhou District | 12.76 | 4196 | 0.15 | 20020 | 15253 | 11909 | 7370 | 284549 |
| 玉环县 | Yuhuan | 2.98 | 600 | 0.54 | 6004 | 3407 | 1643 | 6 | 271077 |
| 三门县 | Sanmen | 4.42 | 2369 | 0.99 | 6627 | 5306 | 7801 | 144 | 180695 |
| 天台县 | Tiantai | 13.36 | 7018 | 0.80 | 8972 | 8076 | 2614 | 72 | 2722 |
| 仙居县 | Xianju | 9.70 | 7193 | 1.18 | 12910 | 11171 | 2222 | 1430 | 3458 |
| 温岭市 | Wenling | 14.57 | 1943 | 0.22 | 32273 | 21725 | 10557 | 1379 | 509607 |
| 临海市 | Linhai | 17.82 | 5128 | 1.53 | 18970 | 17652 | 6225 | 1400 | 121110 |
| 丽水市区 | Lishui District | 9.69 | 4742 | 0.48 | 19492 | 9927 | 1844 | 272 | 4292 |
| 龙泉市 | Longquan | 8.31 | 3826 | 0.72 | 9805 | 8642 | 406 | 80 | 1925 |
| 青田县 | Qingtian | 5.34 | 8943 | 1.95 | 8811 | 7375 | 574 | | 2412 |
| 云和县 | Yunhe | 1.57 | 2730 | 0.13 | 4812 | 1868 | 81 | | 2910 |
| 庆元县 | Qingyuan | 3.55 | 1867 | 0.72 | 3522 | 2933 | 261 | | 1477 |
| 缙云县 | Jinyun | 5.30 | 2645 | 1.60 | 15489 | 8538 | 2980 | 168 | 1892 |
| 遂昌县 | Suichang | 7.54 | 5820 | 0.50 | 9215 | 8060 | 438 | | 1092 |
| 松阳县 | Songyang | 7.23 | 3416 | 0.16 | 12270 | 9678 | 886 | 75 | 1502 |
| 景宁自治县 | Jingning | 3.12 | 5775 | 1.28 | 4136 | 3257 | 144 | | 408 |

## 17-30 各市、县农业现代化情况(2008 年)
## Agricultural Modernization by City and County(2008)

| 市县名称 | City and County | 农业机械总动力(千瓦) Total Power of Agricultural Machinery (kw) | 农村用电量(万千瓦小时) Electricity Consumed in Rural Areas (10000 kw. h) | 农用化肥施用量(折纯)(吨) Consumption of Chemical Fertilizers (pure) (ton) | 机耕面积(千公顷) Area Ploughed by Tractors (1000 hectares) | 有效灌溉面积(千公顷) Irrigated Area (1000 hectares) | 旱涝保收面积(千公顷) Stable Yields Ensured Despite Disasters (1000 hectares) |
|---|---|---|---|---|---|---|---|
| 杭州市区 | Hangzhou District | 1529906 | 482880 | 60224 | 71.07 | 90.990 | 80.110 |
| 建德市 | Jiande | 263745 | 17234 | 16805 | 12.33 | 13.96 | 11.10 |
| 桐庐县 | Tonglu | 238510 | 59769 | 8163 | 10.44 | 11.850 | 9.00 |
| 富阳市 | Fuyang | 392054 | 313448 | 7713 | 15.67 | 19.280 | 13.71 |
| 临安市 | Linan | 410782 | 89112 | 18968 | 13.39 | 17.45 | 11.120 |
| 淳安县 | Chunan | 245978 | 8300 | 7422 | 7.39 | 8.85 | 6.43 |
| 宁波市区 | Ningbo District | 667524 | 477432 | 33915 | 38.95 | 56.41 | 38.57 |
| 余姚市 | Yuyao | 516280 | 245554 | 11512 | 26.93 | 36.73 | 25.34 |
| 慈溪市 | Cixi | 412252 | 489970 | 26114 | 33.22 | 40.50 | 35.96 |
| 奉化市 | Fenhua | 392337 | 98486 | 18204 | 13.24 | 24.40 | 21.97 |
| 象山县 | Xiangshan | 824923 | 42763 | 13164 | 14.65 | 16.08 | 13.61 |
| 宁海县 | Ninghai | 247016 | 65245 | 10060 | 11.32 | 12.47 | 8.20 |
| 温州市区 | Wenzhou District | 172224 | 253688 | 8708 | 8.79 | 13.50 | 6.78 |
| 瑞安市 | Ruian | 399889 | 91895 | 14894 | 20.68 | 20.66 | 15.26 |
| 洞头县 | Dongtou | 140018 | 2164 | 142 | 0.06 | 0.11 | 0.03 |
| 乐清市 | Yueqing | 270756 | 93565 | 14473 | 16.99 | 22.28 | 11.01 |
| 永嘉县 | Yongjia | 181512 | 61071 | 12220 | 3.63 | 14.95 | 5.67 |
| 平阳县 | Pingyang | 279486 | 53160 | 13908 | 13.83 | 22.44 | 11.34 |
| 苍南县 | Cangnan | 465597 | 54232 | 8332 | 14.06 | 22.42 | 18.76 |
| 文成县 | Wenchen | 69953 | 8469 | 5227 | 2.34 | 5.61 | 2.23 |
| 泰顺县 | Taishun | 48634 | 6278 | 6573 | 2.25 | 6.62 | 3.10 |
| 嘉兴市区 | Jiaxing District | 302256 | 127723 | 28415 | 33.04 | 41.43 | 34.47 |
| 海宁市 | Haining | 255233 | 130336 | 9031 | 19.96 | 33.14 | 26.80 |
| 平湖市 | Pinghu | 242929 | 166427 | 22985 | 22.68 | 30.98 | 28.18 |
| 嘉善县 | Jiashan | 246225 | 92540 | 10830 | 20.67 | 28.90 | 24.90 |
| 海盐县 | Haiyan | 155926 | 67060 | 18091 | 12.32 | 24.97 | 24.43 |
| 桐乡市 | Tongxiang | 320373 | 174300 | 16352 | 21.21 | 38.22 | 37.52 |
| 湖州市区 | Huzhou District | 480581 | 146025 | 16637 | 38.52 | 47.15 | 45.77 |
| 德清县 | Deqing | 333493 | 113002 | 5878 | 11.51 | 20.66 | 19.22 |
| 长兴县 | ChangXing | 347303 | 52075 | 19678 | 37.43 | 43.63 | 43.63 |
| 安吉县 | Anji | 316679 | 22549 | 14151 | 19.12 | 21.03 | 13.85 |
| 绍兴市区 | Shaoxing District | 89160 | 157594 | 5098 | 8.56 | 7.57 | 6.72 |
| 诸暨市 | Zhuji | 787532 | 382357 | 34180 | 33.53 | 39.00 | 29.40 |
| 上虞市 | Shangyu | 488712 | 117260 | 34595 | 31.37 | 42.52 | 22.92 |

续表 Continued

| 市县名称 | City and County | 农业机械总动力（千瓦）Total Power of Agricultural Machinery (kw) | 农村用电量（万千瓦小时）Electricity Consumed in Rural Areas (10000 kw. h) | 农用化肥施用量（折纯）（吨）Consumption of Chemical Fertilizers (pure) (ton) | 机耕面积（千公顷）Area Ploughed by Tractors (1000 hectares) | 有效灌溉面积（千公顷）Irrigated Area (1000 hectares) | 旱涝保收面积（千公顷）Stable Yields Ensured Despite Disasters (1000 hectares) |
|---|---|---|---|---|---|---|---|
| 嵊州市 | Shengzhou | 358168 | 65844 | 10916 | 17.94 | 28.87 | 19.99 |
| 绍兴县 | shaoxing | 303416 | 692889 | 7861 | 22.43 | 23.23 | 20.30 |
| 新昌县 | Xinchang | 140260 | 31465 | 9266 | 6.83 | 12.55 | 8.00 |
| 金华市区 | Jinhua District | 553358 | 42419 | 25016 | 17.31 | 37.850 | 31.280 |
| 兰溪市 | Lanxi | 273776 | 90880 | 26423 | 17.67 | 28.58 | 15.00 |
| 东阳市 | Dongyang | 445791 | 44500 | 12254 | 18.26 | 23.15 | 21.09 |
| 义乌市 | Yiwu | 265343 | 84810 | 11420 | 15.35 | 21.12 | 15.13 |
| 永康市 | Yongkang | 302384 | 36172 | 9607 | 14.93 | 16.85 | 13.41 |
| 武义县 | Wuyi | 177284 | 14705 | 13186 | 11.20 | 14.76 | 10.58 |
| 浦江县 | Pujiang | 126182 | 21268 | 5037 | 7.07 | 10.93 | 9.10 |
| 磐安县 | Panan | 185971 | 2915 | 5004 | 2.37 | 5.09 | 2.63 |
| 衢州市区 | Quzhou District | 549419 | 29561 | 33354 | 13.69 | 26.09 | 20.71 |
| 江山市 | Jiangshan | 341170 | 18812 | 15491 | 11.95 | 22.65 | 14.55 |
| 常山县 | Changshan | 155544 | 15438 | 10639 | 8.15 | 10.99 | 6.70 |
| 开化县 | Kaihua | 154906 | 4154 | 8199 | 8.96 | 10.67 | 8.87 |
| 龙游县 | Longyou | 320295 | 13350 | 19838 | 12.25 | 22.23 | 17.68 |
| 舟山市区 | Zhoushan District | 946158 | 97433 | 3945 | 6.68 | 10.77 | 9.66 |
| 岱山县 | Daishan | 510883 | 5840 | 384 | 0.90 | 1.73 | 0.79 |
| 嵊泗县 | Shengsi | 245166 | 2630 | 25 | 0.01 | 0.04 | 0.03 |
| 台州市区 | Taizhou District | 672974 | 202747 | 23393 | 29.610 | 34.580 | 21.180 |
| 玉环县 | Yuhuan | 309825 | 85764 | 3013 | 2.93 | 4.47 | 2.20 |
| 三门县 | Sanmen | 280679 | 23056 | 6750 | 8.81 | 9.77 | 0.60 |
| 天台县 | Tiantai | 140968 | 22933 | 7031 | 6.23 | 13.24 | 9.98 |
| 仙居县 | Xianju | 184804 | 15839 | 4831 | 10.42 | 12.80 | 6.31 |
| 温岭市 | Wenling | 1152434 | 196393 | 19434 | 25.03 | 29.51 | 23.20 |
| 临海市 | Linhai | 600931 | 86426 | 23882 | 21.18 | 23.300 | 21.47 |
| 丽水市区 | Lishui District | 144176 | 4438 | 13861 | 3.91 | 10.97 | 7.58 |
| 龙泉市 | Longquan | 203374 | 5473 | 7612 | 6.12 | 14.70 | 11.09 |
| 青田县 | Qingtian | 66868 | 11649 | 2729 | 1.03 | 10.83 | 3.86 |
| 云和县 | Yunhe | 56705 | 1682 | 609 | 1.37 | 4.06 | 1.95 |
| 庆元县 | Qingyuan | 82853 | 2109 | 6582 | 3.16 | 9.98 | 6.19 |
| 缙云县 | Jinyun | 153786 | 5780 | 6351 | 7.15 | 10.04 | 7.99 |
| 遂昌县 | Suichang | 87969 | 2159 | 8818 | 4.59 | 7.81 | 3.51 |
| 松阳县 | Songyang | 97956 | 5849 | 11162 | 2.35 | 8.300 | 5.65 |
| 景宁自治县 | Jingning | 68984 | 2745 | 3202 | 1.37 | 6.58 | 2.10 |

## 17-31 各市、县规模以上工业企业单位数(2008年)
## Number of Industrial Enterprises Above Designated Size by City and County(2008)

单位:个(unit)

| 市县名称 | City and County | 工业企业单位数 Number of Enterprises | 内资企业 Domestic-Funded Enterprises | 港澳台商投资企业 Enterprises with Investment from Hong Kong, Macao and Taiwan | 外商投资企业 Enterprises with Foreign Investment |
|---|---|---|---|---|---|
| 杭州市区 | Hangzhou District | 6459 | 5124 | 564 | 771 |
| 富阳市 | Fuyang | 1161 | 1001 | 75 | 85 |
| 临安市 | Linan | 767 | 701 | 34 | 32 |
| 建德市 | Jiande | 678 | 644 | 14 | 20 |
| 桐庐县 | Tonglu | 643 | 521 | 75 | 47 |
| 淳安县 | Chunan | 151 | 139 | 2 | 10 |
| 宁波市区 | Ningbo District | 6015 | 4144 | 929 | 942 |
| 余姚市 | Yuyao | 1636 | 1178 | 254 | 204 |
| 慈溪市 | Cixi | 1902 | 1538 | 202 | 162 |
| 奉化市 | Fenhua | 961 | 804 | 51 | 106 |
| 象山县 | Xiangshan | 686 | 546 | 53 | 87 |
| 宁海县 | Ninghai | 898 | 740 | 74 | 84 |
| 温州市区 | Wenzhou District | 2426 | 2190 | 66 | 170 |
| 瑞安市 | Ruian | 1237 | 1192 | 7 | 38 |
| 乐清市 | Yueqing | 1291 | 1241 | 17 | 33 |
| 洞头县 | Dongtou | 39 | 35 | 2 | 2 |
| 永嘉县 | Yongjia | 543 | 518 | 7 | 18 |
| 平阳县 | Pingyang | 423 | 381 | 17 | 25 |
| 苍南县 | Cangnan | 445 | 434 | 4 | 7 |
| 文成县 | Wenchen | 37 | 36 |  | 1 |
| 泰顺县 | Taishun | 28 | 28 |  |  |
| 嘉兴市区 | Jiaxing District | 1400 | 1061 | 112 | 227 |
| 平湖市 | Pinghu | 811 | 598 | 59 | 154 |
| 海宁市 | Haining | 1604 | 1357 | 115 | 132 |
| 桐乡市 | Tongxiang | 1357 | 1098 | 140 | 119 |
| 嘉善县 | Jiashan | 847 | 563 | 150 | 134 |
| 海盐县 | Haiyan | 709 | 625 | 42 | 42 |
| 湖州市区 | Huzhou District | 1239 | 1058 | 87 | 94 |
| 德清县 | Deqing | 613 | 422 | 106 | 85 |
| 长兴县 | ChangXing | 665 | 596 | 29 | 40 |
| 安吉县 | Anji | 552 | 459 | 36 | 57 |
| 绍兴市区 | Shaoxing District | 843 | 566 | 153 | 124 |
| 诸暨市 | Zhuji | 1107 | 921 | 94 | 92 |
| 上虞市 | Shangyu | 902 | 733 | 95 | 74 |

17－31 续表 Continued 单位:个(unit)

| 市县名称 | City and County | 工业企业单位数 Number of Enterprises | 内资企业 Domestic－Funded Enterprises | 港澳台商投资企业 Enterprises with Investment from Hong Kong, Macao and Taiwan | 外商投资企业 Enterprises with Foreign Investment |
|---|---|---|---|---|---|
| 嵊州市 | Shengzhou | 745 | 593 | 94 | 58 |
| 绍兴县 | shaoxing | 1389 | 1120 | 168 | 101 |
| 新昌县 | Xinchang | 337 | 295 | 18 | 24 |
| 金华市区 | Jinhua District | 686 | 601 | 29 | 56 |
| 兰溪市 | Lanxi | 406 | 369 | 19 | 18 |
| 东阳市 | Dongyang | 558 | 506 | 22 | 30 |
| 义乌市 | Yiwu | 1118 | 1028 | 47 | 43 |
| 永康市 | Yongkang | 683 | 651 | 12 | 20 |
| 武义县 | Wuyi | 493 | 476 | 2 | 15 |
| 浦江县 | Pujiang | 426 | 374 | 18 | 34 |
| 磐安县 | Panan | 178 | 160 | 5 | 13 |
| 衢州市区 | Quzhou District | 280 | 255 | 8 | 17 |
| 江山市 | Jiangshan | 325 | 306 | 7 | 12 |
| 常山县 | Changshan | 134 | 128 | 3 | 3 |
| 开化县 | Kaihua | 104 | 102 |  | 2 |
| 龙游县 | Longyou | 234 | 223 | 4 | 7 |
| 舟山市区 | Zhoushan District | 489 | 449 | 10 | 30 |
| 岱山县 | Daishan | 75 | 64 | 4 | 7 |
| 嵊泗县 | Shengsi | 26 | 24 | 2 |  |
| 台州市 | Taizhou District | 1996 | 1888 | 50 | 58 |
| 温岭市 | Wenling | 1725 | 1642 | 36 | 47 |
| 临海市 | Linhai | 645 | 561 | 48 | 36 |
| 玉环县 | Yuhuan | 1122 | 1037 | 36 | 49 |
| 三门县 | Sanmen | 198 | 177 | 9 | 12 |
| 天台县 | Tiantai | 279 | 263 | 5 | 11 |
| 仙居县 | Xianju | 297 | 254 | 24 | 19 |
| 丽水市区 | Lishui District | 186 | 177 |  | 9 |
| 龙泉市 | Longquan | 181 | 178 | 1 | 2 |
| 青田县 | Qingtian | 188 | 174 | 2 | 12 |
| 云和县 | Yunhe | 97 | 95 | 1 | 1 |
| 庆元县 | Qingyuan | 89 | 87 | 1 | 1 |
| 缙云县 | Jinyun | 314 | 306 | 5 | 3 |
| 遂昌县 | suichang | 88 | 81 | 1 | 6 |
| 松阳县 | Songyang | 124 | 124 |  |  |
| 景宁自治县 | Jingning | 52 | 52 |  |  |

## 17－32 各市、县规模以上工业总产值(2008 年)
## Gross Output Value of Industry Above Designated Size by City and County(2008)

单位:亿元(100 million yuan)

| 市县名称 | City and County | 工业总产值 Gross Output Value of Industry | 内资企业 Domestic－Funded Enterprises | 港澳台商投资企业 Enterprises with Investment from Hong Kong, Macao and Taiwan | 外商投资企业 Enterprises with Foreign Investment |
|---|---|---|---|---|---|
| 杭州市区 | Hangzhou District | 7412.73 | 4751.49 | 960.59 | 1700.66 |
| 富阳市 | Fuyang | 895.77 | 752.18 | 82.88 | 60.71 |
| 临安市 | Linan | 347.45 | 287.78 | 30.24 | 29.43 |
| 建德市 | Jiande | 273.85 | 253.05 | 5.10 | 15.69 |
| 桐庐县 | Tonglu | 296.57 | 195.14 | 67.84 | 33.59 |
| 淳安县 | Chunan | 105.79 | 94.71 | 2.63 | 8.45 |
| 宁波市区 | Ningbo District | 5659.42 | 2964.65 | 1234.53 | 1460.24 |
| 余姚市 | Yuyao | 818.85 | 473.80 | 206.78 | 138.27 |
| 慈溪市 | Cixi | 1037.34 | 702.87 | 189.66 | 144.81 |
| 奉化市 | Fenhua | 322.94 | 195.72 | 76.60 | 50.62 |
| 象山县 | Xiangshan | 338.22 | 240.99 | 35.32 | 61.92 |
| 宁海县 | Ninghai | 361.13 | 285.30 | 27.76 | 48.06 |
| 温州市区 | Wenzhou District | 1492.23 | 1305.06 | 56.79 | 130.38 |
| 瑞安市 | Ruian | 552.88 | 528.05 | 3.63 | 21.20 |
| 乐清市 | Yueqing | 845.65 | 805.96 | 6.91 | 32.78 |
| 洞头县 | Dongtou | 28.41 | 27.39 | 0.80 | 0.22 |
| 永嘉县 | Yongjia | 306.44 | 294.80 | 6.10 | 5.55 |
| 平阳县 | Pingyang | 174.19 | 139.52 | 7.77 | 26.90 |
| 苍南县 | Cangnan | 195.88 | 193.24 | 1.04 | 2.11 |
| 文成县 | Wenchen | 23.24 | 22.99 | | 0.26 |
| 泰顺县 | Taishun | 12.59 | 12.59 | | |
| 嘉兴市区 | Jiaxing District | 917.65 | 591.58 | 85.23 | 240.85 |
| 平湖市 | Pinghu | 645.66 | 346.32 | 68.22 | 231.12 |
| 海宁市 | Haining | 722.02 | 487.97 | 67.94 | 166.10 |
| 桐乡市 | Tongxiang | 703.29 | 505.79 | 92.08 | 105.41 |
| 嘉善县 | Jiashan | 480.80 | 214.94 | 101.19 | 164.67 |
| 海盐县 | Haiyan | 370.01 | 312.81 | 29.23 | 27.97 |
| 湖州市区 | Huzhou District | 1043.04 | 912.68 | 69.04 | 61.32 |
| 德清县 | Deqing | 466.36 | 347.87 | 72.64 | 45.84 |
| 长兴县 | ChangXing | 405.88 | 323.06 | 18.73 | 64.10 |
| 安吉县 | Anji | 223.22 | 177.90 | 17.26 | 28.07 |
| 绍兴市区 | Shaoxing District | 908.16 | 596.18 | 230.85 | 81.13 |
| 诸暨市 | Zhuji | 1222.84 | 1058.53 | 111.97 | 52.34 |
| 上虞市 | Shangyu | 753.44 | 617.08 | 80.93 | 55.42 |

17-32 续表 Continued 单位:亿元(100 million yuan)

| 市县名称 | City and County | 工业总产值 Gross Output Value of Industry | 内资企业 Domestic - Funded Enterprises | 港澳台商投资企业 Enterprises with Investment from Hong Kong, Macao and Taiwan | 外商投资企业 Enterprises with Foreign Investment |
|---|---|---|---|---|---|
| 嵊州市 | Shengzhou | 282.45 | 201.77 | 46.27 | 34.41 |
| 绍兴县 | shaoxing | 1945.53 | 1471.19 | 353.15 | 121.19 |
| 新昌县 | Xinchang | 287.59 | 264.95 | 6.69 | 15.95 |
| 金华市区 | Jinhua District | 466.76 | 386.07 | 22.20 | 58.50 |
| 兰溪市 | Lanxi | 342.01 | 328.34 | 8.07 | 5.60 |
| 东阳市 | Dongyang | 258.65 | 241.09 | 7.19 | 10.36 |
| 义乌市 | Yiwu | 481.94 | 389.17 | 57.22 | 35.55 |
| 永康市 | Yongkang | 559.28 | 524.19 | 9.06 | 26.02 |
| 武义县 | Wuyi | 216.59 | 205.65 | 1.70 | 9.24 |
| 浦江县 | Pujiang | 212.31 | 182.76 | 12.20 | 17.35 |
| 磐安县 | Panan | 40.75 | 33.80 | 1.52 | 5.43 |
| 衢州市区 | Quzhou District | 357.88 | 330.21 | 1.94 | 25.73 |
| 江山市 | Jiangshan | 184.85 | 173.21 | 2.81 | 8.84 |
| 常山县 | Changshan | 61.15 | 56.02 | 2.15 | 2.98 |
| 开化县 | Kaihua | 54.23 | 50.62 |  | 3.61 |
| 龙游县 | Longyou | 110.67 | 96.56 | 2.42 | 11.69 |
| 舟山市区 | Zhoushan District | 565.81 | 426.37 | 1.00 | 83.49 |
| 岱山县 | Daishan | 99.24 | 61.14 | 61.06 | 32.00 |
| 嵊泗县 | Shengsi | 6.81 | 6.49 | 0.32 |  |
| 台州市区 | Taizhou District | 1111.50 | 1011.61 | 47.99 | 51.91 |
| 温岭市 | Wenling | 635.53 | 554.00 | 31.29 | 50.23 |
| 临海市 | Linhai | 462.23 | 387.65 | 20.63 | 53.95 |
| 玉环县 | Yuhuan | 524.64 | 435.43 | 31.09 | 58.12 |
| 三门县 | Sanmen | 120.37 | 112.02 | 2.48 | 5.88 |
| 天台县 | Tiantai | 126.64 | 110.41 | 2.27 | 13.95 |
| 仙居县 | Xianju | 79.95 | 68.65 | 7.16 | 4.14 |
| 丽水市区 | Lishui District | 203.11 | 193.65 |  | 9.47 |
| 龙泉市 | Longquan | 48.85 | 48.16 | 0.22 | 0.47 |
| 青田县 | Qingtian | 155.58 | 146.69 | 0.18 | 8.70 |
| 云和县 | Yunhe | 31.50 | 31.29 | 0.03 | 0.18 |
| 庆元县 | Qingyuan | 19.83 | 18.74 | 0.45 | 0.63 |
| 缙云县 | Jinyun | 176.48 | 169.09 | 4.93 | 2.47 |
| 遂昌县 | suichang | 80.22 | 75.39 | 0.29 | 4.54 |
| 松阳县 | Songyang | 50.62 | 50.62 |  |  |
| 景宁自治县 | Jingning | 10.53 | 10.53 |  |  |

## 17－33 各市、县工业企业经济指标(2008 年)
Main Indicators of Industrial Enterprises by City and County(2008)

单位:亿元(100 million yuan)

| 市县名称 | City and County | 从业人员平均人数(万人) Average Number of Employed Persons (10000 persons) | 流动资产年平均余额 Annual Average Balance of Circulating Assets | 固定资产净值年平均余额 Annual Average Balance of Net Value of Fixed Assets | 主营业务收入 Revenues in Main Business |
|---|---|---|---|---|---|
| 杭州市区 | Hangzhou District | 99.19 | 3529.63 | | 7163.44 |
| 富阳市 | Fuyang | 11.52 | 413.86 | | 831.38 |
| 临安市 | Linan | 7.50 | 151.36 | | 316.83 |
| 建德市 | Jiande | 4.06 | 90.18 | | 256.68 |
| 桐庐县 | Tonglu | 5.33 | 94.70 | | 279.52 |
| 淳安县 | Chunan | 1.45 | 28.67 | | 99.14 |
| 宁波市区 | Ningbo District | 94.98 | 2441.61 | 1457.16 | 5542.02 |
| 余姚市 | Yuyao | 20.80 | 449.97 | 161.73 | 780.19 |
| 慈溪市 | Cixi | 30.27 | 558.43 | 208.51 | 962.43 |
| 奉化市 | Fenhua | 12.51 | 159.36 | 70.92 | 309.47 |
| 象山县 | Xiangshan | 8.19 | 199.22 | 136.53 | 321.90 |
| 宁海县 | Ninghai | 11.07 | 225.73 | 142.54 | 346.22 |
| 温州市区 | Wenzhou District | 42.57 | 627.10 | 251.15 | 1287.32 |
| 瑞安市 | Ruian | 16.96 | 266.75 | 102.44 | 504.82 |
| 乐清市 | Yueqing | 19.54 | 481.92 | 196.93 | 763.57 |
| 洞头县 | Dongtou | 0.35 | 11.81 | 4.71 | 27.22 |
| 永嘉县 | Yongjia | 9.27 | 141.74 | 61.40 | 288.58 |
| 平阳县 | Pingyang | 5.60 | 63.83 | 36.55 | 162.88 |
| 苍南县 | Cangnan | 4.56 | 95.08 | 51.23 | 179.80 |
| 文成县 | Wenchen | 0.32 | 8.18 | 5.51 | 22.04 |
| 泰顺县 | Taishun | 0.34 | 6.09 | 7.70 | 9.99 |
| 嘉兴市区 | Jiaxing District | 19.55 | 375.19 | 295.72 | 778.13 |
| 平湖市 | Pinghu | 20.45 | 289.64 | 231.28 | 609.55 |
| 海宁市 | Haining | 18.17 | 330.25 | 196.18 | 684.39 |
| 桐乡市 | Tongxiang | 14.71 | 257.43 | 213.14 | 664.35 |
| 嘉善县 | Jiashan | 11.74 | 199.69 | 107.66 | 452.23 |
| 海盐县 | Haiyan | 8.71 | 170.51 | 343.84 | 361.69 |
| 湖州市区 | Huzhou District | 12.52 | 343.08 | | 971.64 |
| 德清县 | Deqing | 8.09 | 181.58 | | 452.54 |
| 长兴县 | ChangXing | 6.10 | 139.38 | | 406.81 |
| 安吉县 | Anji | 5.14 | 66.69 | | 194.98 |
| 绍兴市区 | Shaoxing District | 14.70 | 413.98 | 229.62 | 800.17 |
| 诸暨市 | Zhuji | 17.29 | 526.24 | 193.80 | 1208.89 |
| 上虞市 | Shangyu | 13.90 | 452.21 | 164.46 | 720.48 |

17－33 续表 Continued 单位:亿元(100 million yuan)

| 市县名称 | City and County | 从业人员平均人数(万人) Average Number of Employed Persons (10000 persons) | 流动资产年平均余额 Annual Average Balance of Circulating Assets | 固定资产净值年平均余额 Annual Average Balance of Net Value of Fixed Assets | 主营业务收入 Revenues in Main Business |
|---|---|---|---|---|---|
| 嵊州市 | Shengzhou | 7.58 | 159.08 | 69.37 | 272.38 |
| 绍兴县 | shaoxing | 27.08 | 992.47 | 536.05 | 1901.42 |
| 新昌县 | Xinchang | 6.75 | 185.42 | 62.76 | 283.75 |
| 金华市区 | Jinhua District | 9.02 | 239.63 | 100.93 | 379.76 |
| 兰溪市 | Lanxi | 5.26 | 131.16 | 128.82 | 325.69 |
| 东阳市 | Dongyang | 9.43 | 167.81 | 82.08 | 237.62 |
| 义乌市 | Yiwu | 14.70 | 312.50 | 160.24 | 455.63 |
| 永康市 | Yongkang | 10.54 | 294.33 | 79.04 | 524.87 |
| 武义县 | Wuyi | 6.04 | 95.88 | 35.69 | 201.87 |
| 浦江县 | Pujiang | 6.39 | 94.11 | 47.13 | 198.48 |
| 磐安县 | Panan | 1.79 | 20.17 | 8.28 | 37.39 |
| 衢州市区 | Quzhou District | 5.08 | 142.39 | 126.63 | 362.64 |
| 江山市 | Jiangshan | 3.38 | 55.28 | 45.88 | 179.62 |
| 常山县 | Changshan | 1.41 | 25.25 | 19.71 | 54.74 |
| 开化县 | Kaihua | 0.76 | 20.87 | 12.39 | 50.92 |
| 龙游县 | Longyou | 2.19 | 43.05 | 31.78 | 107.71 |
| 舟山市区 | Zhoushan District | 7.62 | 381.91 | 147.86 | 494.81 |
| 岱山县 | Daishan | 1.38 | 110.32 | 59.58 | 90.33 |
| 嵊泗县 | Shengsi | 0.20 | 3.60 | 3.35 | 6.58 |
| 台州市区 | Taizhou District | 22.79 | 519.83 | 199.91 | 953.30 |
| 温岭市 | Wenling | 17.84 | 229.00 | 86.28 | 595.95 |
| 临海市 | Linhai | 10.37 | 189.64 | 67.87 | 350.84 |
| 玉环县 | Yuhuan | 14.72 | 208.87 | 68.62 | 412.66 |
| 三门县 | Sanmen | 2.60 | 82.50 | 29.72 | 110.41 |
| 天台县 | Tiantai | 2.75 | 54.77 | 25.38 | 115.89 |
| 仙居县 | Xianju | 3.43 | 37.94 | 15.38 | 71.48 |
| 丽水市区 | Lishui District | 2.91 | 95.92 | 32.10 | 207.58 |
| 龙泉市 | Longquan | 1.46 | 16.90 | 14.27 | 44.49 |
| 青田县 | Qingtian | 2.70 | 62.34 | 23.04 | 131.71 |
| 云和县 | Yunhe | 1.54 | 7.92 | 8.40 | 26.16 |
| 庆元县 | Qingyuan | 0.83 | 8.58 | 9.99 | 19.02 |
| 缙云县 | Jinyun | 3.56 | 52.29 | 24.36 | 155.94 |
| 遂昌县 | Suichang | 1.31 | 24.67 | 17.35 | 77.19 |
| 松阳县 | Songyang | 0.79 | 16.82 | 13.51 | 48.51 |
| 景宁自治县 | Jingning | 0.38 | 4.56 | 9.84 | 9.71 |

## 17－34 各市、县客运量和货运量(2008 年)
Passenger Traffic and Freight Traffic by City and County(2008)

| 市县名称 | City and County | 客运量(万人) Passenger Traffic (10000 persons) | | | 货运量(万吨) Freight Traffic (10000 tons) | | |
|---|---|---|---|---|---|---|---|
| | | 铁路 Railways | 公路 Highways | 水运 Waterways | 铁路 Railways | 公路 Highways | 水运 Waterways |
| 杭州市区 | Hangzhou District | 2496.06 | 13468 | 53.69 | 354.80 | 12821 | 4186.19 |
| 富阳市 | Fuyang | | 3426 | 4.86 | | 1051 | 467.85 |
| 临安市 | Linan | | 2369 | 22.24 | | 1346 | 43.83 |
| 建德市 | Jiande | 2.05 | 2471 | 12.56 | 114.72 | 649 | 298.05 |
| 桐庐县 | Tonglu | | 2566 | 11.08 | | 623 | 196.38 |
| 淳安县 | Chunan | 0.14 | 1330 | 172.43 | 13.24 | 332 | 39.23 |
| 宁波市区 | Ningbo District | 1402.03 | 17230 | 51.00 | 1962.60 | 7850 | 7269.00 |
| 余姚市 | Yuyao | 367.77 | 2940 | | 168.61 | 1480 | 28.00 |
| 慈溪市 | Cixi | | 3380 | | 40.04 | 1810 | 10.00 |
| 奉化市 | Fenghua | | 2500 | | | 875 | 390.00 |
| 象山县 | Xiangshan | | 2090 | 83.00 | | 855 | 1623.00 |
| 宁海县 | Ninghai | | 1990 | 18.00 | | 680 | 673.00 |
| 温州市区 | Wenzhou District | 433.69 | 10017 | 10.00 | 309.00 | 5285 | 808.26 |
| 瑞安市 | Ruian | | 3914 | 4.89 | | 2260 | 203.15 |
| 乐清市 | Yueqing | | 4736 | | | 2422 | 1054.34 |
| 洞头县 | Dongtou | | 635 | 24.19 | | 269 | 422.96 |
| 永嘉县 | Yongjia | | 2621 | | | 1407 | 125.23 |
| 平阳县 | Pingyang | | 2426 | 12.69 | | 1385 | 59.55 |
| 苍南县 | Cangnan | | 2817 | | | 1484 | 146.51 |
| 文成县 | Wenchen | | 477 | 2.71 | | 365 | 2.37 |
| 泰顺县 | Taishun | | 521 | | | 298 | 1.30 |
| 嘉兴市区 | Jiaxing District | 344.75 | 5527 | 46.35 | 13.51 | 1129 | 1322.76 |
| 平湖市 | Pinghu | | 2228 | | | 793 | 884.63 |
| 海宁市 | Haining | 135.52 | 3293 | | 7.04 | 373 | 985.03 |
| 桐乡市 | Tongxiang | | 2256 | | | 475 | 1479.30 |
| 嘉善县 | Jiashan | 44.05 | 2194 | | 7.97 | 406 | 1377.93 |
| 海盐县 | Haiyan | | 1098 | | | 359 | 1056.51 |
| 湖州市区 | Huzhou District | | 5081 | 0.13 | | 2404 | 3013.00 |
| 德清县 | Deqing | | 1225 | 5.62 | | 1374 | 731.00 |
| 长兴县 | ChangXing | | 1408 | | | 1435 | 4240.00 |
| 安吉县 | Anji | | 1540 | | | 1579 | 1828.00 |
| 绍兴市区 | Shaoxing District | 212.71 | 2624 | 2.57 | 106.00 | 1080 | 133.86 |
| 诸暨市 | Zhuji | 156.01 | 3885 | 19.36 | 10.44 | 3484 | 234.18 |
| 上虞市 | Shangyu | 119.76 | 2355 | | 8.00 | 1402 | 439.47 |

17-34 续表 Continued

| 市县名称 | City and County | 客运量(万人) Passenger Traffic (10000 persons) | | | 货运量(万吨) Freight Traffic (10000 tons) | | |
|---|---|---|---|---|---|---|---|
| | | 铁路 Railways | 公路 Highways | 水运 Waterways | 铁路 Railways | 公路 Highways | 水运 Waterways |
| 嵊州市 | Shengzhou | | 2327 | 5.76 | | 1409 | 61.00 |
| 绍兴县 | shaoxing | | 3295 | 41.80 | 4.00 | 1863 | 169.69 |
| 新昌县 | Xinchang | | 1799 | 0.46 | | 1080 | |
| 金华市区 | Jinhua District | 475.76 | 3171 | | 161.07 | 3444 | |
| 兰溪市 | Lanxi | 25.38 | 1260 | | 58.24 | 1161 | 223.00 |
| 东阳市 | Dongyang | | 3372 | 7.00 | | 1577 | |
| 义乌市 | Yiwu | 499.50 | 6213 | | 53.17 | 3535 | |
| 永康市 | Yongkang | 56.50 | 2899 | | 8.58 | 3585 | |
| 武义县 | Wuyi | 23.40 | 1211 | | 15.38 | 745 | |
| 浦江县 | Pujiang | 7.75 | 1204 | | 1.98 | 650 | |
| 磐安县 | Panan | | 866 | | | 913 | |
| 衢州市区 | Quzhou District | 133.57 | 2329 | 3.61 | 130.11 | 3494 | |
| 江山市 | Jiangshan | 52.32 | 1648 | 0.57 | 440.53 | 2040 | |
| 常山县 | Changshan | | 872 | | | 1154 | |
| 开化县 | Kaihua | | 1214 | | | 1171 | |
| 龙游县 | Longyou | 30.45 | 1241 | | 21.33 | 1383 | 6.67 |
| 舟山市区 | Zhoushan District | | | | | | |
| 岱山县 | Daishan | | 1441 | 404.52 | | 542 | 1775.00 |
| 嵊泗县 | Shengsi | | 306 | 114.00 | | 118 | 532.00 |
| 台州市区 | Taizhou District | | 8586 | 6.00 | | 3720 | 3587.00 |
| 温岭市 | Wenling | | 4369 | | | 1798 | 1092.00 |
| 临海市 | Linhai | | 2220 | | | 653 | 313.00 |
| 玉环县 | Yuhuan | | 2228 | 152.00 | | 652 | 748.00 |
| 三门县 | Sanmen | | 1083 | | | 455 | 378.00 |
| 天台县 | Tiantai | | 1009 | | | 639 | |
| 仙居县 | Xianju | | 1126 | | | 365 | |
| 丽水市区 | Lishui District | 71.00 | 1574 | 6.00 | 94.00 | 1422 | 90.00 |
| 龙泉市 | Longquan | | 513 | 4.50 | | 260 | 3.00 |
| 青田县 | Qingtian | 36.00 | 1020 | 1.20 | 28.00 | 277 | 266.30 |
| 云和县 | Yunhe | | 228 | 13.40 | | 90 | 1.90 |
| 庆元县 | Qingyuan | | 166 | | | 120 | |
| 缙云县 | Jinyun | 24.00 | 812 | | 29.00 | 223 | |
| 遂昌县 | Suichang | | 463 | 3.10 | | 234 | |
| 松阳县 | Songyang | | 235 | | | 389 | |
| 景宁自治县 | Jingning | | 196 | 1.70 | | 94 | 0.40 |

## 17-35 各市、县公路里程邮电通信和用电量情况(2008年)
Length of Highways, Posts and Telecommunications, Electricity Consumption by City and County (2008)

| 市县名称 | City and County | 境内公路里程(公里) Length of Highways (km) | #高速公路 Expressway | 民用汽车拥有量(辆) Civilb Motor Vehicles (unit) | 固定电话用户(万户) Telephone Subscribers (10000 subscribers) | 年末移动电话用户数(万户) Number of Mobile Telephones Subscribers (10000 subscribers) |
|---|---|---|---|---|---|---|
| 杭州市区 | Hangzhou District | 4413.83 | 226.84 | 700757 | 319.77 | 690.61 |
| 富阳市 | Fuyang | 1806.68 | 37.30 | 43040 | 27.07 | 51.60 |
| 临安市 | Linan | 2108.01 | 103.99 | 38066 | 23.05 | 41.29 |
| 建德市 | Jiande | 1580.16 | 83.14 | 14059 | 17.06 | 33.10 |
| 桐庐县 | Tonglu | 1412.50 | 29.33 | 19505 | 16.77 | 30.10 |
| 淳安县 | Chunan | 2305.37 | 13.55 | 7250 | 12.64 | 20.11 |
| 宁波市区 | Ningbo District | 2650.33 | 135.74 | 319415 | 149.89 | 451.96 |
| 余姚市 | Yuyao | 1471.20 | 41.99 | 78504 | 55.30 | 98.70 |
| 慈溪市 | Cixi | 1265.63 | 80.54 | 92174 | 62.00 | 130.47 |
| 奉化市 | Fenghua | 1136.28 | 56.77 | 28587 | 23.03 | 41.70 |
| 象山县 | Xiangshan | 1039.95 | | 27990 | 22.46 | 52.00 |
| 宁海县 | Ninghai | 1376.50 | 50.92 | 31869 | 25.56 | 46.75 |
| 温州市区 | Wenzhou District | 1040.00 | 53.00 | 183003 | 119.31 | 316.91 |
| 瑞安市 | Ruian | 1045.00 | 15.00 | 110225 | 54.17 | 109.78 |
| 乐清市 | Yueqing | 1054.00 | 66.00 | 67149 | 51.49 | 107.34 |
| 洞头县 | Dongtou | 136.00 | | 3873 | 4.36 | 6.97 |
| 永嘉县 | Yongjia | 1060.00 | 19.00 | 68984 | 26.33 | 59.39 |
| 平阳县 | Pingyang | 593.00 | 27.00 | 25231 | 24.72 | 54.84 |
| 苍南县 | Cangnan | 653.00 | 24.00 | 37065 | 39.65 | 89.15 |
| 文成县 | Wenchen | 838.00 | | 7184 | 7.72 | 11.65 |
| 泰顺县 | Taishun | 916.00 | | 6800 | 6.80 | 15.45 |
| 嘉兴市区 | Jiaxing District | 1212.18 | 114.40 | 74980 | 53.82 | 109.29 |
| 平湖市 | Pinghu | 983.58 | 44.59 | 25075 | 24.68 | 52.50 |
| 海宁市 | Haining | 1227.05 | 73.74 | 34030 | 33.92 | 56.45 |
| 桐乡市 | Tongxiang | 1720.00 | 31.06 | 42899 | 31.52 | 68.15 |
| 嘉善县 | Jiashan | 705.04 | 36.97 | 30442 | 23.24 | 40.72 |
| 海盐县 | Haiyan | 863.88 | 34.95 | 20303 | 17.27 | 29.42 |
| 湖州市区 | Huzhou District | 1941.00 | 112.88 | 61147 | 57.32 | 97.58 |
| 德清县 | Deqing | 918.00 | 22.01 | 23302 | 19.17 | 33.16 |
| 长兴县 | Changxing | 1686.00 | 81.38 | 24738 | 22.50 | 40.24 |
| 安吉县 | Anji | 1553.00 | 19.12 | 21585 | 18.99 | 31.22 |
| 绍兴市区 | Shaoxing District | 424.00 | 10.00 | 62585 | 44.80 | 97.03 |
| 诸暨市 | Zhuji | 2235.00 | 106.00 | 75642 | 54.13 | 69.44 |
| 上虞市 | Shangyu | 1114.00 | 58.00 | 40048 | 39.15 | 42.27 |

17－35　续表 1　Continued

| 市县名称 | City and County | 境内公路里程(公里) Length of Highways (km) | #高速公路 Expressway | 民用汽车拥有量(辆) Civilb Motor Vehicles (unit) | 固定电话用户(万户) Telephone Subscribers (10000 subscribers) | 年末移动电话用户数(万户) Number of Mobile Telephones Subscribers (10000 subscribers) |
|---|---|---|---|---|---|---|
| 嵊州市 | Shengzhou | 1952.00 | 100.00 | 34038 | 32.45 | 36.30 |
| 绍兴县 | Shaoxing | 1378.00 | 17.00 | 57411 | 49.04 | 65.70 |
| 新昌县 | Xinchang | 1135.00 | 40.00 | 18113 | 21.21 | 23.30 |
| 金华市区 | Jinhua District | 2311.87 | 73.40 | 66530 | 52.75 | 84.03 |
| 兰溪市 | Lanxi | 1170.05 | 14.72 | 18254 | 24.08 | 25.13 |
| 东阳市 | Dongyang | 2208.66 | 82.26 | 43592 | 32.75 | 53.04 |
| 义乌市 | Yiwu | 1280.03 | 54.12 | 129589 | 64.76 | 141.57 |
| 永康市 | Yongkang | 1008.86 | 27.47 | 73788 | 30.37 | 60.63 |
| 武义县 | Wuyi | 1327.49 | 25.90 | 14367 | 14.35 | 22.81 |
| 浦江县 | Pujiang | 795.76 | 13.13 | 22097 | 17.58 | 28.77 |
| 磐安县 | Panan | 1123.64 | 12.64 | 5723 | 7.52 | 9.11 |
| 衢州市区 | Quzhou District | 2073.00 | 39.00 | 35367 | 27.43 | 65.79 |
| 江山市 | Jiangshan | 1576.00 | 76.00 | 15805 | 14.76 | 28.87 |
| 常山县 | Changshan | 812.00 | 49.00 | 5134 | 8.30 | 13.71 |
| 开化县 | Kaihua | 1287.00 | | 6344 | 8.27 | 11.88 |
| 龙游县 | Longyou | 1269.00 | 25.00 | 8451 | 13.71 | 21.18 |
| 舟山市区 | Zhoushan District | 990.81 | | 31745 | 45.56 | 75.77 |
| 岱山县 | Daishan | 316.18 | | 4045 | 9.03 | 13.34 |
| 嵊泗县 | Shengsi | 109.21 | | 1455 | 4.09 | 6.78 |
| 台州市区 | Taizhou District | 2151.00 | 21.00 | 163562 | 76.15 | 197.64 |
| 温岭市 | Wenling | 1560.00 | 11.00 | 83443 | 48.20 | 129.82 |
| 临海市 | Linhai | 1983.00 | 74.00 | 41143 | 28.33 | 80.98 |
| 玉环县 | Yuhuan | 542.00 | | 39052 | 25.74 | 65.10 |
| 三门县 | Sanmen | 1020.00 | 21.00 | 10479 | 9.85 | 24.33 |
| 天台县 | Tiantai | 1392.00 | 42.00 | 16007 | 12.79 | 27.65 |
| 仙居县 | Xianju | 1528.00 | 62.00 | 14343 | 10.79 | 28.61 |
| 丽水市区 | Lishui District | 1217.40 | 68.30 | 40326 | 17.90 | 56.10 |
| 龙泉市 | Longquan | 1951.00 | 32.50 | 8143 | 5.21 | 20.85 |
| 青田县 | Qingtian | 1273.60 | 67.30 | 12649 | 10.78 | 35.94 |
| 云和县 | Yunhe | 767.00 | 43.20 | 3454 | 2.38 | 11.07 |
| 庆元县 | Qingyuan | 1241.20 | | 3402 | 3.03 | 10.66 |
| 缙云县 | Jinyun | 1017.80 | 35.20 | 11315 | 10.39 | 28.97 |
| 遂昌县 | Suichang | 1450.30 | 29.00 | 5182 | 5.07 | 15.04 |
| 松阳县 | Songyang | 1204.30 | 52.80 | 5567 | 5.20 | 13.83 |
| 景宁自治县 | Jingning | 1478.70 | | 2908 | 2.71 | 9.25 |

17－35 续表 2 Continued

| 市县名称 | City and County | 电信业务收入(万元) Telecom Business Income (10000 yuan) | 全年用电量(万千瓦小时) Total Electricity Consumption (10000 kw. h) | #工业用电 Industrial Consumption | #城乡居民生活用电 Residential Consumption |
|---|---|---|---|---|---|
| 杭州市区 | Hangzhou District | 984457 | 3257487 | 2212787 | 411542 |
| 富阳市 | Fuyang | 58139 | 483360 | 422124 | 33101 |
| 临安市 | Linan | 44514 | 206780 | 161449 | 24833 |
| 建德市 | Jiande | 28686 | 194917 | 168518 | 14880 |
| 桐庐县 | Tonglu | 31389 | 102571 | 67734 | 20363 |
| 淳安县 | Chunan | 16035 | 56670 | 39432 | 7735 |
| 宁波市区 | Ningbo District | | 2139561 | 1660809 | 194221 |
| 余姚市 | Yuyao | 105408 | 493057 | 406007 | 48532 |
| 慈溪市 | Cixi | 145842 | 712236 | 588210 | 78049 |
| 奉化市 | Fenghua | 49817 | 180067 | 139841 | 24356 |
| 象山县 | Xiangshan | 51600 | 121347 | 75353 | 22972 |
| 宁海县 | Ninghai | 57114 | 163168 | 117407 | 27717 |
| 温州市区 | Wenzhou District | 424947 | 980374 | 647789 | 173384 |
| 瑞安市 | Ruian | 135122 | 455666 | 346547 | 75918 |
| 乐清市 | Yueqing | 138110 | 332583 | 216932 | 78455 |
| 洞头县 | Dongtou | 8225 | 12802 | 3974 | 6025 |
| 永嘉县 | Yongjia | 66627 | 166686 | 118059 | 30769 |
| 平阳县 | Pingyang | 61223 | 176398 | 127252 | 34715 |
| 苍南县 | Cangnan | 100293 | 346991 | 253705 | 71100 |
| 文成县 | Wenchen | 11139 | 33983 | 23870 | 5876 |
| 泰顺县 | Taishun | 14451 | 18529 | 7984 | 7415 |
| 嘉兴市区 | Jiaxing District | 161105 | 611855 | 492406 | 47665 |
| 平湖市 | Pinghu | 81283 | 293855 | 246280 | 22485 |
| 海宁市 | Haining | 94762 | 398844 | 334966 | 29689 |
| 桐乡市 | Tongxiang | 111423 | 473091 | 405318 | 33448 |
| 嘉善县 | Jiashan | 67985 | 289375 | 242160 | 24156 |
| 海盐县 | Haiyan | 46149 | 246072 | 208243 | 16495 |
| 湖州市区 | Huzhou District | 128630 | 491056 | 366479 | 56829 |
| 德清县 | Deqing | 38062 | 221388 | 181929 | 18910 |
| 长兴县 | Changxing | 42714 | 307365 | 259835 | 23601 |
| 安吉县 | Anji | 33845 | 105061 | 72426 | 18412 |
| 绍兴市区 | Shaoxing District | 128176 | 432693 | 332587 | 41947 |
| 诸暨市 | Zhuji | 85852 | 517351 | 431992 | 51665 |
| 上虞市 | Shangyu | 56149 | 271684 | 211850 | 28275 |

17－35 续表 3 Continued

| 市县名称 | City and County | 电信业务收入（万元）Telecom Business Income (10000 yuan) | 全年用电量（万千瓦小时）Total Electricity Consumption (10000 kw.h) | #工业用电 Industrial Consumption | #城乡居民生活用电 Residential Consumption |
|---|---|---|---|---|---|
| 嵊州市 | Shengzhou | 42711 | 141039 | 98837 | 25843 |
| 绍兴县 | Shaoxing | 77035 | 944071 | 857056 | 39315 |
| 新昌县 | Xinchang | 27740 | 118527 | 91835 | 16658 |
| 金华市区 | Jinhua District | 113609 | 289996 | 186265 | 46964 |
| 兰溪市 | Lanxi | 29073 | 331786 | 299792 | 17672 |
| 东阳市 | Dongyang | 58083 | 205939 | 148485 | 33568 |
| 义乌市 | Yiwu | 187677 | 452298 | 300188 | 59741 |
| 永康市 | Yongkang | 66205 | 214522 | 168111 | 28068 |
| 武义县 | Wuyi | 24385 | 112770 | 92569 | 10837 |
| 浦江县 | Pujiang | 31952 | 132095 | 102976 | 18771 |
| 磐安县 | Panan | 9263 | 20004 | 12732 | 4413 |
| 衢州市区 | Quzhou District | 114630 | 474737 | 418301 | 26623 |
| 江山市 | Jiangshan | 42001 | 157931 | 132738 | 13608 |
| 常山县 | Changshan | 26719 | 73596 | 61424 | 6783 |
| 开化县 | Kaihua | 26439 | 41697 | 28998 | 6086 |
| 龙游县 | Longyou | 35855 | 105164 | 82350 | 11603 |
| 舟山市区 | Zhoushan District | 97518 | 240521 | 150455 | 39902 |
| 岱山县 | Daishan | 15396 | 35264 | 23690 | 6326 |
| 嵊泗县 | Shengsi | 8144 | 25385 | 7524 | 2833 |
| 台州市区 | Taizhou District | 246119 | 618693 | 442113 | 98027 |
| 温岭市 | Wenling | 133165 | 337323 | 233820 | 64595 |
| 临海市 | Linhai | 74103 | 190208 | 130460 | 35921 |
| 玉环县 | Yuhuan | 76152 | 237373 | 184601 | 38113 |
| 三门县 | Sanmen | 24013 | 61489 | 41540 | 11277 |
| 天台县 | Tiantai | 26348 | 65679 | 42843 | 14260 |
| 仙居县 | Xianju | 25975 | 43889 | 24816 | 12021 |
| 丽水市区 | Lishui District | 48946 | 113393 | 70932 | 18765 |
| 龙泉市 | Longquan | 12671 | 25448 | 13517 | 7233 |
| 青田县 | Qingtian | 24090 | 87661 | 59900 | 15953 |
| 云和县 | Yunhe | 6655 | 28180 | 21330 | 4202 |
| 庆元县 | Qingyuan | 6269 | 12468 | 6827 | 3329 |
| 缙云县 | Jinyun | 17606 | 108418 | 91687 | 10501 |
| 遂昌县 | Suichang | 10152 | 54212 | 45313 | 5349 |
| 松阳县 | Songyang | 8573 | 22124 | 13711 | 5185 |
| 景宁自治县 | Jingning | 6245 | 12061 | 6938 | 3200 |

## 17－36 各市、县固定资产投资(2008 年)
## Total Investment in Fixed Assets by City and County(2008)

单位:亿元(100 million yuan)

| 市县名称 | City and County | 全社会固定资产投资 Total Investmen in Fixed Assets | 限额以上固定资产投资 Investment in Fixed Assets Above Designated Size | 第一产业 Primary Industry | 第二产业 Secondary Industry | 第三产业 Tertiary Industry |
|---|---|---|---|---|---|---|
| 杭州市区 | Hangzhou District | 1544.77 | 1499.75 | 1.93 | 368.71 | 1129.12 |
| 富阳市 | Fuyang | 147.92 | 133.35 | | 81.29 | 52.06 |
| 临安市 | Linan | 79.07 | 66.60 | 0.45 | 37.78 | 28.37 |
| 建德市 | Jiande | 58.69 | 50.95 | | 28.08 | 22.87 |
| 桐庐县 | Tonglu | 77.95 | 65.32 | 0.23 | 38.69 | 26.41 |
| 淳安县 | Chunan | 53.32 | 47.54 | 0.48 | 16.02 | 31.03 |
| 宁波市区 | Ningbo District | 1160.34 | 1095.04 | 3.06 | 402.25 | 560.59 |
| 余姚市 | Yuyao | 155.08 | 142.14 | 0.25 | 63.79 | 78.10 |
| 慈溪市 | Cixi | 196.12 | 176.84 | 0.13 | 109.53 | 67.18 |
| 奉化市 | Fenghua | 62.64 | 55.32 | 0.15 | 26.85 | 28.33 |
| 象山县 | Xiangshan | 76.01 | 68.85 | 1.12 | 29.00 | 38.73 |
| 宁海县 | Ninghai | 78.05 | 72.67 | 1.33 | 51.49 | 19.86 |
| 温州市区 | Wenzhou District | 381.60 | 358.04 | 0.52 | 96.12 | 261.40 |
| 瑞安市 | Ruian | 86.43 | 67.78 | | 30.37 | 37.42 |
| 乐清市 | Yueqing | 91.36 | 73.57 | | 43.58 | 30.00 |
| 洞头县 | Dongtou | 17.75 | 15.98 | 0.10 | 4.46 | 11.43 |
| 永嘉县 | Yongjia | 52.08 | 42.89 | 0.06 | 25.43 | 17.41 |
| 平阳县 | Pingyang | 43.72 | 32.54 | 0.08 | 17.37 | 15.09 |
| 苍南县 | Cangnan | 56.81 | 43.01 | 0.38 | 24.34 | 18.30 |
| 文成县 | Wencheng | 13.42 | 9.73 | 0.19 | 3.30 | 6.24 |
| 泰顺县 | Taishun | 15.26 | 12.37 | 0.04 | 3.99 | 8.34 |
| 嘉兴市区 | Jiaxing District | 306.21 | 287.67 | 0.95 | 132.94 | 153.78 |
| 平湖市 | Pinghu | 167.50 | 157.62 | 0.15 | 106.91 | 50.56 |
| 海宁市 | Haining | 155.39 | 133.46 | 0.05 | 88.61 | 44.80 |
| 桐乡市 | Tongxiang | 139.81 | 112.92 | 1.11 | 69.25 | 42.56 |
| 嘉善县 | Jiashan | 123.84 | 110.33 | | 82.16 | 28.18 |
| 海盐县 | Haiyan | 113.94 | 102.81 | 0.29 | 77.98 | 24.54 |
| 湖州市区 | Huzhou District | 249.47 | 225.60 | 1.42 | 120.65 | 103.53 |
| 德清县 | Deqing | 91.04 | 84.74 | | 53.51 | 31.23 |
| 长兴县 | Changxing | 127.61 | 119.33 | 0.16 | 62.08 | 57.09 |
| 安吉县 | Anji | 57.12 | 52.98 | | 38.92 | 14.05 |
| 绍兴市区 | Shaoxing District | 184.44 | 165.81 | 1.01 | 78.96 | 85.84 |
| 诸暨市 | Zhuji | 204.83 | 190.02 | 0.12 | 126.81 | 63.09 |
| 上虞市 | Shangyu | 145.32 | 126.82 | 0.05 | 72.12 | 54.64 |

17-36 续表1 Continued 单位:亿元(100 million yuan)

| 市县名称 | City and County | 全社会固定资产投资 Total Investmen in Fixed Assets | 限额以上固定资产投资 Investment in Fixed Assets Above Designated Size | 第一产业 Primary Industry | 第二产业 Secondary Industry | 第三产业 Tertiary Industry |
|---|---|---|---|---|---|---|
| 嵊州市 | Shengzhou | 79.81 | 62.33 | 0.24 | 39.84 | 22.25 |
| 绍兴县 | Shaoxing | 242.38 | 231.49 | 0.06 | 134.57 | 96.86 |
| 新昌县 | Xinchang | 58.97 | 43.55 | 0.09 | 31.03 | 12.42 |
| 金华市区 | Jinhua District | 139.33 | 133.40 | 0.38 | 68.10 | 64.92 |
| 兰溪市 | Lanxi | 43.03 | 36.75 | 0.07 | 23.78 | 12.90 |
| 东阳市 | Dongyang | 64.55 | 58.40 | | 37.91 | 20.49 |
| 义乌市 | Yiwu | 170.13 | 155.94 | 0.15 | 44.31 | 111.49 |
| 永康市 | Yongkang | 73.93 | 63.54 | | 40.50 | 23.05 |
| 武义县 | Wuyi | 39.57 | 36.08 | | 25.61 | 10.48 |
| 浦江县 | Pujiang | 37.60 | 35.36 | 0.30 | 22.64 | 12.42 |
| 磐安县 | Panan | 18.79 | 16.00 | | 5.94 | 10.05 |
| 衢州市区 | Quzhou District | 144.65 | 135.13 | 1.60 | 65.28 | 68.25 |
| 江山市 | Jiangshan | 73.73 | 64.94 | 0.56 | 39.63 | 24.75 |
| 常山县 | Changshan | 49.55 | 43.07 | 2.27 | 24.41 | 16.39 |
| 开化县 | Kaihua | 30.55 | 25.07 | 0.43 | 13.70 | 10.94 |
| 龙游县 | Longyou | 62.70 | 58.13 | 1.91 | 36.14 | 20.08 |
| 舟山市区 | Zhoushan District | 194.91 | 190.58 | 0.57 | 84.41 | 105.60 |
| 岱山县 | Daishan | 53.28 | 52.84 | | 41.65 | 11.20 |
| 嵊泗县 | Shengsi | 91.24 | 90.21 | 0.08 | 1.70 | 88.43 |
| 台州市区 | Taizhou District | 262.20 | 235.62 | | 131.94 | 103.68 |
| 温岭市 | Wenling | 169.24 | 130.21 | 2.73 | 75.20 | 52.27 |
| 临海市 | Linhai | 115.68 | 106.19 | | 70.07 | 36.12 |
| 玉环县 | Yuhuan | 61.87 | 52.33 | | 27.96 | 24.38 |
| 三门县 | Sanmen | 78.32 | 73.65 | 0.04 | 57.11 | 16.50 |
| 天台县 | Tiantai | 39.84 | 32.29 | 0.10 | 17.52 | 14.67 |
| 仙居县 | Xianju | 32.43 | 24.23 | 0.06 | 10.48 | 13.69 |
| 丽水市区 | Lishui District | 68.36 | 64.22 | 0.95 | 15.22 | 48.05 |
| 龙泉市 | Longquan | 28.23 | 26.63 | 1.28 | 11.79 | 13.56 |
| 青田县 | Qingtian | 43.99 | 41.53 | 0.41 | 21.71 | 19.41 |
| 云和县 | Yunhe | 17.92 | 17.17 | 1.23 | 5.31 | 10.63 |
| 庆元县 | Qingyuan | 13.89 | 12.38 | 1.49 | 5.09 | 5.80 |
| 缙云县 | Jinyun | 26.59 | 24.08 | 0.42 | 15.80 | 7.85 |
| 遂昌县 | Suichang | 17.64 | 16.08 | 0.78 | 6.51 | 8.79 |
| 松阳县 | Songyang | 18.80 | 17.60 | 1.02 | 9.77 | 6.82 |
| 景宁自治县 | Jingning | 13.43 | 12.02 | 0.85 | 2.05 | 9.12 |

17－36 续表 2 Continued 单位:亿元(100 million yuan)

| 市县名称 | City and County | #房地产开发投资 Real Estate | #住宅 Residential Buildings | 新增固定资产 Newly Incresaed Fixed Assets | 商品房屋销售面积(万平方米) Floor Space of Commercial Houses Sold (10000 sq. m) | 商品房屋销售额 Total Value of Commercial Houses Sold |
|---|---|---|---|---|---|---|
| 杭州市区 | Hangzhou District | 508.32 | 376.96 | 589.19 | 572.24 | 543.48 |
| 富阳市 | Fuyang | 30.40 | 26.21 | 58.29 | 48.13 | 27.42 |
| 临安市 | Linan | 17.19 | 14.43 | 31.71 | 38.32 | 19.16 |
| 建德市 | Jiande | 11.56 | 9.06 | 20.73 | 10.50 | 4.13 |
| 桐庐县 | Tonglu | 13.92 | 12.01 | 33.58 | 32.73 | 11.76 |
| 淳安县 | Chunan | 15.24 | 10.62 | 12.84 | 14.46 | 6.17 |
| 宁波市区 | Ningbo District | 221.18 | 133.53 | 632.74 | 277.51 | 226.82 |
| 余姚市 | Yuyao | 26.35 | 17.75 | 120.05 | 59.39 | 31.03 |
| 慈溪市 | Cixi | 23.12 | 15.74 | 189.46 | 35.83 | 22.75 |
| 奉化市 | Fenghua | 8.04 | 5.95 | 37.14 | 27.36 | 14.68 |
| 象山县 | Xiangshan | 18.89 | 14.55 | 33.54 | 26.01 | 20.21 |
| 宁海县 | Ninghai | 10.17 | 6.49 | 18.91 | 8.03 | 5.07 |
| 温州市区 | Wenzhou District | 145.92 | 99.47 | 230.80 | 83.29 | 106.36 |
| 瑞安市 | Ruian | 21.26 | 15.16 | 63.97 | 13.89 | 9.28 |
| 乐清市 | Yueqing | 15.93 | 11.43 | 54.19 | 5.87 | 3.26 |
| 洞头县 | Dongtou | 2.60 | 2.22 | 7.58 | 1.93 | 0.68 |
| 永嘉县 | Yongjia | 9.97 | 6.78 | 32.35 | 6.69 | 3.10 |
| 平阳县 | Pingyang | 10.16 | 7.87 | 19.25 | 17.88 | 8.53 |
| 苍南县 | Cangnan | 9.49 | 6.81 | 26.02 | 22.80 | 12.13 |
| 文成县 | Wencheng | 1.73 | 1.43 | 6.74 | 3.92 | 1.76 |
| 泰顺县 | Taishun | 2.34 | 1.94 | 12.08 | 10.66 | 3.79 |
| 嘉兴市区 | Jiaxing District | 82.92 | 56.51 | 102.90 | 133.20 | 61.20 |
| 平湖市 | Pinghu | 24.47 | 16.55 | 73.64 | 42.31 | 18.54 |
| 海宁市 | Haining | 21.69 | 14.16 | 97.74 | 45.87 | 22.96 |
| 桐乡市 | Tongxiang | 20.12 | 13.21 | 36.30 | 55.75 | 20.84 |
| 嘉善县 | Jiashan | 21.04 | 17.09 | 85.03 | 37.25 | 14.56 |
| 海盐县 | Haiyan | 10.99 | 5.57 | 34.55 | 13.32 | 6.07 |
| 湖州市区 | Huzhou District | 56.72 | 36.63 | | 96.57 | 40.23 |
| 德清县 | Deqing | 13.61 | 9.91 | | 40.63 | 18.70 |
| 长兴县 | Changxing | 21.51 | 15.11 | | 32.78 | 13.40 |
| 安吉县 | Anji | 11.45 | 8.94 | | 28.30 | 10.08 |
| 绍兴市区 | Shaoxing District | 58.31 | 39.93 | 90.03 | 51.97 | 32.14 |
| 诸暨市 | Zhuji | 22.21 | 14.24 | 148.44 | 37.50 | 17.40 |
| 上虞市 | Shangyu | 39.47 | 26.10 | 75.46 | 36.28 | 17.98 |

17－36 续表3 Continued 单位:亿元(100 million yuan)

| 市县名称 | City and County | #房地产开发投资 Real Estate | #住宅 Residential Buildings | 新增固定资产 Newly Incresaed Fixed Assets | 商品房屋销售面积(万平方米) Floor Space of Commercial Houses Sold (10000 sq. m) | 商品房屋销售额 Total Value of Commercial Houses Sold |
|---|---|---|---|---|---|---|
| 嵊州市 | Shengzhou | 12.13 | 11.18 | 37.28 | 18.97 | 8.54 |
| 绍兴县 | Shaoxing | 60.82 | 35.32 | 144.88 | 46.09 | 31.16 |
| 新昌县 | Xinchang | 9.12 | 7.83 | 39.61 | 26.07 | 8.90 |
| 金华市区 | Jinhua District | 34.57 | 24.87 | 27.10 | 103.05 | 36.52 |
| 兰溪市 | Lanxi | 11.01 | 8.54 | 15.19 | 21.30 | 6.15 |
| 东阳市 | Dongyang | 12.80 | 10.31 | 37.88 | 40.09 | 16.24 |
| 义乌市 | Yiwu | 54.73 | 45.46 | 60.92 | 70.08 | 51.96 |
| 永康市 | Yongkang | 16.18 | 15.28 | 9.17 | 27.76 | 16.24 |
| 武义县 | Wuyi | 3.13 | 2.54 | 24.33 | 13.69 | 4.68 |
| 浦江县 | Pujiang | 7.47 | 3.42 | 41.95 | 36.69 | 9.96 |
| 磐安县 | Panan | 0.65 | 0.22 | 9.39 | 2.75 | 1.25 |
| 衢州市区 | Quzhou District | 20.26 | 17.12 | 33.66 | 60.17 | 18.24 |
| 江山市 | Jiangshan | 10.66 | 7.51 | 37.84 | 29.43 | 9.69 |
| 常山县 | Changshan | 3.57 | 2.08 | 4.07 | 10.42 | 3.79 |
| 开化县 | Kaihua | 3.62 | 3.20 | 22.23 | 16.52 | 4.00 |
| 龙游县 | Longyou | 7.51 | 5.26 | 32.54 | 13.05 | 4.48 |
| 舟山市区 | Zhoushan District | 31.79 | 22.44 | 59.16 | 52.49 | 36.94 |
| 岱山县 | Daishan | 5.78 | 4.72 | 3.59 | 13.86 | 5.62 |
| 嵊泗县 | Shengsi | 1.39 | 0.90 | 70.79 | 7.75 | 3.13 |
| 台州市区 | Taizhou District | 60.37 | 41.58 | 115.15 | 87.36 | 50.46 |
| 温岭市 | Wenling | 24.61 | 17.98 | 116.10 | 43.56 | 26.12 |
| 临海市 | Linhai | 16.87 | 12.74 | 38.76 | 32.86 | 16.16 |
| 玉环县 | Yuhuan | 9.02 | 7.66 | 40.29 | 23.23 | 12.87 |
| 三门县 | Sanmen | 3.49 | 2.08 | 1.12 | 8.13 | 3.38 |
| 天台县 | Tiantai | 7.67 | 5.52 | 16.29 | 20.23 | 8.92 |
| 仙居县 | Xianju | 4.23 | 4.07 | 16.53 | 11.40 | 4.15 |
| 丽水市区 | Lishui District | 17.88 | 14.75 | 37.88 | 23.83 | 19.45 |
| 龙泉市 | Longquan | 4.77 | 3.33 | 14.60 | 13.62 | 6.02 |
| 青田县 | Qingtian | 9.22 | 4.26 | 60.75 | 14.71 | 7.31 |
| 云和县 | Yunhe | 0.98 | 0.78 | 12.08 | 5.91 | 2.24 |
| 庆元县 | Qingyuan | 1.13 | 1.06 | 3.42 | 0.42 | 0.14 |
| 缙云县 | Jinyun | 1.04 | 0.92 | 20.42 | 3.91 | 1.81 |
| 遂昌县 | Suichang | 1.91 | 1.72 | 15.19 | 7.19 | 3.47 |
| 松阳县 | Songyang | 1.17 | 1.12 | 7.48 | 6.48 | 2.33 |
| 景宁自治县 | Jingning | 1.88 | 1.80 | 3.59 | 5.57 | 2.03 |

## 17－37 各市、县国内贸易情况(2008 年)
Domestic and Foreign Trade by City and County(2008)

| 市县名称 | City and County | 社会消费品零售总额(亿元) TotalRetail Sales of Consumer Goods (100 million yuan) | 限额以上批发、零售贸易业商品销售总额(亿元) Total Sales of Wholesale and Retailsale Trade Above Designated Size(100 million yuan) | 限额以上批发零售企业数(个) Number of Wholesale and retail enterprises above Designated Size(unit) | # 零售 Retail |
|---|---|---|---|---|---|
| 杭州市区 | Hangzhou District | 1337.74 | 6652.22 | 1446 | 217 |
| 富阳市 | Fuyang | 63.55 | 139.30 | 53 | 15 |
| 临安市 | Linan | 53.72 | 33.50 | 40 | 29 |
| 建德市 | Jiande | 34.66 | 24.63 | 13 | 5 |
| 桐庐县 | Tonglu | 44.59 | 25.85 | 26 | 10 |
| 淳安县 | Chunan | 24.12 | 10.14 | 14 | 11 |
| 宁波市区 | Ningbo District | 658.25 | 1933.33 | 1432 | 272 |
| 余姚市 | Yuyao | 159.65 | 559.27 | 211 | 51 |
| 慈溪市 | Cixi | 215.09 | 346.40 | 128 | 57 |
| 奉化市 | Fenhua | 60.07 | 167.75 | 53 | 21 |
| 象山县 | Xiangshan | 78.91 | 50.01 | 67 | 19 |
| 宁海县 | Ninghai | 66.06 | 69.66 | 40 | 20 |
| 温州市区 | Wenzhou District | 579.37 | 1053.65 | 604 | 146 |
| 瑞安市 | Ruian | 130.13 | 126.26 | 124 | 36 |
| 乐清市 | Yueqing | 114.53 | 85.05 | 85 | 36 |
| 洞头县 | Dongtou | 8.22 | 21.96 | 7 | 2 |
| 永嘉县 | Yongjia | 54.65 | 28.77 | 19 | 9 |
| 平阳县 | Pingyang | 72.30 | 22.89 | 21 | 8 |
| 苍南县 | Cangnan | 98.24 | 44.37 | 58 | 13 |
| 文成县 | Wenchen | 13.37 | 8.13 | 9 | 2 |
| 泰顺县 | Taishun | 12.14 | 5.71 | 7 | 3 |
| 嘉兴市区 | Jiaxing District | 169.95 | 311.29 | 121 | 40 |
| 平湖市 | Pinghu | 67.56 | 101.31 | 48 | 19 |
| 海宁市 | Haining | 132.52 | 132.33 | 108 | 36 |
| 桐乡市 | Tongxiang | 118.61 | 78.54 | 85 | 34 |
| 嘉善县 | Jiashan | 65.19 | 52.48 | 32 | 15 |
| 海盐县 | Haiyan | 45.77 | 60.35 | 33 | 13 |
| 湖州市区 | Huzhou District | 195.94 | 278.78 | 136 | 53 |
| 德清县 | Deqing | 56.32 | 61.47 | 68 | 23 |
| 长兴县 | ChangXing | 78.56 | 42.12 | 50 | 20 |
| 安吉县 | Anji | 51.29 | 20.64 | 28 | 18 |
| 绍兴市区 | Shaoxing District | 160.64 | 238.68 | 84 | 42 |
| 诸暨市 | Zhuji | 124.16 | 114.27 | 42 | 20 |
| 上虞市 | Shangyu | 99.67 | 64.91 | 33 | 16 |

17－37 续表 Continued

| 市县名称 | City and County | 社会消费品零售总额（亿元）TotalRetail Sales of Consumer Goods (100 million yuan) | 限额以上批发、零售贸易业商品销售总额（亿元）Total Sales of Wholesale and Retailsale Trade Above Designated Size(100 million yuan) | 限额以上批发零售企业数（个）Number of Wholesale and retail enterprises above Designated Size(unit) | # 零售 Retail |
|---|---|---|---|---|---|
| 嵊州市 | Shengzhou | 87.14 | 22.37 | 27 | 19 |
| 绍兴县 | shaoxing | 91.04 | 152.64 | 42 | 9 |
| 新昌县 | Xinchang | 56.23 | 18.10 | 20 | 12 |
| 金华市区 | Jinhua District | 162.94 | 245.57 | 178 | 63 |
| 兰溪市 | Lanxi | 52.41 | 33.25 | 45 | 21 |
| 东阳市 | Dongyang | 93.46 | 57.44 | 42 | 29 |
| 义乌市 | Yiwu | 211.75 | 89.30 | 114 | 69 |
| 永康市 | Yongkang | 68.10 | 48.10 | 65 | 22 |
| 武义县 | Wuyi | 34.32 | 15.95 | 23 | 17 |
| 浦江县 | Pujiang | 41.24 | 15.10 | 24 | 11 |
| 磐安县 | Panan | 11.44 | 7.03 | 6 | 4 |
| 衢州市区 | Quzhou District | 82.56 | 29.92 | 88 | 40 |
| 江山市 | Jiangshan | 41.47 | 3.59 | 21 | 12 |
| 常山县 | Changshan | 21.64 | 1.34 | 11 | 6 |
| 开化县 | Kaihua | 23.76 | 1.44 | 11 | 8 |
| 龙游县 | Longyou | 46.20 | 2.99 | 15 | 10 |
| 舟山市区 | Zhoushan District | 123.63 | 148.80 | 92 | 39 |
| 岱山县 | Daishan | 22.45 | 39.14 | 12 | 6 |
| 嵊泗县 | Shengsi | 11.75 | 22.12 | 9 | 2 |
| 台州市区 | Taizhou District | 299.41 | 557.94 | 277 | 90 |
| 温岭市 | Wenling | 170.22 | 114.40 | 104 | 41 |
| 临海市 | Linhai | 81.38 | 63.73 | 64 | 32 |
| 玉环县 | Yuhuan | 60.95 | 118.22 | 91 | 26 |
| 三门县 | Sanmen | 28.17 | 20.91 | 17 | 7 |
| 天台县 | Tiantai | 39.82 | 7.93 | 18 | 14 |
| 仙居县 | Xianju | 29.75 | 13.89 | 17 | 11 |
| 丽水市区 | Lishui District | 61.92 | 44.41 | 46 | 31 |
| 龙泉市 | Longquan | 19.33 | 11.09 | 8 | 5 |
| 青田县 | Qingtian | 31.74 | 16.53 | 22 | 9 |
| 云和县 | Yunhe | 9.66 | 2.83 | 6 | 3 |
| 庆元县 | Qingyuan | 11.70 | 1.57 | 3 | 2 |
| 缙云县 | Jinyun | 27.73 | 18.47 | 15 | 10 |
| 遂昌县 | Suichang | 17.12 | 10.41 | 14 | 8 |
| 松阳县 | Songyang | 14.05 | 4.04 | 8 | 5 |
| 景宁自治县 | Jingning | 9.73 | 3.49 | 5 | 2 |

## 17－38 各市、县外贸及利用外资情况(2008 年)
Foreign Trade and Utlization of Foreign Captial by City and County(2008)

| 市县名称 | City and County | 进口总额(万美元) Total imports (USD 10000) | 出口总额(万美元) Total exports (USD 10000) | 外国和港澳台地区在华直接投资 Foreign Funded Enterprises and Enterprises Funded by Entrepreneurs from Hong Kong, Macao & Taiwan | |
|---|---|---|---|---|---|
| | | | | 新签项目(合同)数(个) Newly Signed Contracts (unit) | 实际使用外资金额(万美元) Amount of Foreign Capital Actually Use (USD 10000) |
| 杭州市区 | Hangzhou District | 1345998 | 3072893 | 409 | 292699 |
| 富阳市 | Fuyang | 62529 | 64300 | 27 | 13520 |
| 临安市 | Linan | 14191 | 60671 | 5 | 8717 |
| 建德市 | Jiande | 12402 | 89290 | 8 | 626 |
| 桐庐县 | Tonglu | 7257 | 64496 | 19 | 8069 |
| 淳安县 | Chunan | 2725 | 9753 | 15 | 7523 |
| 宁波市区 | Ningbo District | 1898268 | 3155864 | 319 | 145603 |
| 余姚市 | Yuyao | 99337 | 434840 | 70 | 48027 |
| 慈溪市 | Cixi | 84215 | 603469 | 84 | 40500 |
| 奉化市 | Fenhua | 48944 | 156767 | 8 | 2539 |
| 象山县 | Xiangshan | 12508 | 139850 | 13 | 6540 |
| 宁海县 | Ninghai | 8127 | 141848 | 26 | 6621 |
| 温州市区 | Wenzhou District | 117321 | 756287 | 51 | 15028 |
| 瑞安市 | Ruian | 32097 | 170058 | 2 | 1735 |
| 乐清市 | Yueqing | 18244 | 141930 | 4 | 2447 |
| 洞头县 | Dongtou | 19435 | 2896 | 3 | 900 |
| 永嘉县 | Yongjia | 6023 | 46333 | 2 | 2850 |
| 平阳县 | Pingyang | 11549 | 35246 | 5 | 822 |
| 苍南县 | Cangnan | 4188 | 32610 | 2 | 2309 |
| 文成县 | Wenchen | | 3878 | | |
| 泰顺县 | Taishun | | 1113 | | 84 |
| 嘉兴市区 | Jiaxing District | 140643 | 428083 | 71 | 38726 |
| 平湖市 | Pinghu | 179764 | 263581 | 39 | 23532 |
| 海宁市 | Haining | 47006 | 267732 | 41 | 20068 |
| 桐乡市 | Tongxiang | 92845 | 172343 | 23 | 14883 |
| 嘉善县 | Jiashan | 91563 | 168324 | 53 | 32763 |
| 海盐县 | Haiyan | 21031 | 110358 | 15 | 6003 |
| 湖州市区 | Huzhou District | 41302 | 193607 | 175 | 37870 |
| 德清县 | Deqing | 17479 | 117463 | 123 | 15020 |
| 长兴县 | ChangXing | 4298 | 66810 | 70 | 17101 |
| 安吉县 | Anji | 5669 | 112218 | 53 | 10215 |
| 绍兴市区 | Shaoxing District | 140071 | 338512 | 32 | 14283 |
| 诸暨市 | Zhuji | 90992 | 353605 | 30 | 20510 |

17－38 续表 Continued

| 市县名称 | City and County | 进口总额（万美元）Total imports (USD 10000) | 出口总额（万美元）Total exports (USD 10000) | 外国和港澳台地区在华直接投资 Foreign Funded Enterprises and Enterprises Funded by Entrepreneurs from Hong Kong, Macao & Taiwan | |
|---|---|---|---|---|---|
| | | | | 新签项目（合同）数（个）Newly Signed Contracts (unit) | 实际使用外资金额（万美元）Amount of Foreign Capital Actually Use (USD 10000) |
| 上虞市 | Shangyu | 38518 | 191258 | 34 | 18807 |
| 嵊州市 | Shengzhou | 9045 | 108133 | 18 | 6307 |
| 绍兴县 | shaoxing | 346833 | 642264 | 66 | 23221 |
| 新昌县 | Xinchang | 7707 | 115730 | 2 | 903 |
| 金华市区 | Jinhua District | 15267 | 148017 | 20 | 16333 |
| 兰溪市 | Lanxi | 2145 | 43341 | 8 | 5311 |
| 东阳市 | Dongyang | 8649 | 101130 | 7 | 4501 |
| 义乌市 | Yiwu | 2 | 19 | 42 | 13771 |
| 永康市 | Yongkang | 8064 | 240248 | 3 | 5052 |
| 武义县 | Wuyi | 1925 | 110555 | 8 | 2510 |
| 浦江县 | Pujiang | 3981 | 50911 | 5 | 3006 |
| 磐安县 | Panan | 260 | 11973 | 2 | 818 |
| 衢州市区 | Quzhou District | 29486 | 34563 | 6 | 2590 |
| 江山市 | Jiangshan | 955 | 15795 | 6 | 780 |
| 常山县 | Changshan | 244 | 8900 | 2 | 500 |
| 开化县 | Kaihua | 4056 | 10296 | 1 | 87 |
| 龙游县 | Longyou | 7852 | 20381 | 4 | 1856 |
| 舟山市区 | Zhoushan District | 233377 | 279486 | 4 | 14397 |
| 岱山县 | Daishan | 43327 | 48116 | 1 | 402 |
| 嵊泗县 | Shengsi | 3 | 1011 | 2 | 1056 |
| 台州市区 | Taizhou District | 165736 | 469614 | 14 | 7025 |
| 温岭市 | Wenling | 11274 | 212539 | 6 | 4119 |
| 临海市 | Linhai | 9919 | 131933 | 8 | 5460 |
| 玉环县 | Yuhuan | 12281 | 255098 | 5 | 3936 |
| 三门县 | Sanmen | 2972 | 34341 | 2 | 1355 |
| 天台县 | Tiantai | 2189 | 42944 | 2 | 1904 |
| 仙居县 | Xianju | 300 | 29974 | 1 | 91 |
| 丽水市区 | Lishui District | 18161 | 16002 | 1 | 956 |
| 龙泉市 | Longquan | 151 | 10366 | 1 | 54 |
| 青田县 | Qingtian | 4117 | 17261 | 3 | 2305 |
| 云和县 | Yunhe | 7 | 3684 | | 240 |
| 庆元县 | Qingyuan | 6 | 1690 | | |
| 缙云县 | Jinyun | 361 | 31266 | 2 | 219 |
| 遂昌县 | Suichang | 883 | 15422 | 2 | 2189 |
| 松阳县 | Songyang | | 7007 | | 5 |
| 景宁自治县 | Jingning | | 418 | 1 | 2134 |

## 17-39 各市、县财政收支情况(2008 年)
## Total Financial Revenue and Expenditure by City and County(2008)

单位:亿元(100 million yuan)

| 市县名称 | City and County | 财政总收入 Total Financial Revenue | 地方财政预算内收入 Total Local Government Budgetary Financial Revenue | 地方财政预算内支出 Total Local Government Financial Expenditures | #一般性公共服务支出 Expenses for Public Service | #教育事业费 Expenses for Education |
|---|---|---|---|---|---|---|
| 杭州市区 | Hangzhou District | 799.10 | 397.28 | 345.46 | 51.64 | 54.49 |
| 富阳市 | Fuyang | 45.06 | 23.58 | 23.92 | 3.61 | 7.14 |
| 临安市 | Linan | 22.44 | 11.66 | 14.82 | 3.13 | 3.78 |
| 建德市 | Jiande | 19.41 | 9.69 | 12.36 | 2.20 | 3.17 |
| 桐庐县 | Tonglu | 16.00 | 8.22 | 10.91 | 1.84 | 2.51 |
| 淳安县 | Chunan | 8.52 | 4.92 | 12.21 | 2.32 | 3.17 |
| 宁波市区 | Ningbo District | 569.86 | 270.19 | 298.11 | 46.19 | 38.18 |
| 余姚市 | Yuyao | 70.24 | 33.33 | 34.04 | 6.75 | 6.60 |
| 慈溪市 | Cixi | 86.01 | 43.44 | 43.80 | 7.21 | 9.78 |
| 奉化市 | Fenghua | 25.25 | 12.93 | 18.35 | 3.75 | 4.10 |
| 象山县 | Xiangshan | 27.34 | 14.84 | 24.09 | 3.82 | 4.09 |
| 宁海县 | Ninghai | 32.20 | 15.66 | 21.32 | 4.04 | 4.40 |
| 温州市区 | Wenzhou District | 170.94 | 93.07 | 82.72 | 16.00 | 18.17 |
| 瑞安市 | Ruian | 46.32 | 23.97 | 25.22 | 4.54 | 7.60 |
| 乐清市 | Yueqing | 54.62 | 25.07 | 26.78 | 3.48 | 9.37 |
| 洞头县 | Dongtou | 3.58 | 2.11 | 6.05 | 1.05 | 1.07 |
| 永嘉县 | Yongjia | 21.77 | 10.80 | 16.87 | 3.15 | 5.81 |
| 平阳县 | Pingyang | 16.00 | 8.80 | 15.21 | 2.40 | 4.97 |
| 苍南县 | Cangnan | 19.92 | 11.72 | 19.42 | 3.65 | 6.48 |
| 文成县 | Wenchen | 3.43 | 2.32 | 8.69 | 1.76 | 2.10 |
| 泰顺县 | Taishun | 3.20 | 2.28 | 8.70 | 1.61 | 2.17 |
| 嘉兴市区 | Jiaxing District | 77.90 | 42.71 | 46.40 | 7.65 | 8.86 |
| 平湖市 | Pinghu | 39.27 | 18.67 | 19.76 | 4.06 | 4.35 |
| 海宁市 | Haining | 43.96 | 21.39 | 22.67 | 4.81 | 6.04 |
| 桐乡市 | Tongxiang | 41.80 | 20.40 | 20.97 | 3.26 | 6.02 |
| 嘉善县 | Jiashan | 30.07 | 14.00 | 14.72 | 2.69 | 3.78 |
| 海盐县 | Haiyan | 19.15 | 9.69 | 11.41 | 2.26 | 3.57 |
| 湖州市区 | Huzhou District | 62.47 | 33.56 | 39.16 | 6.06 | 7.66 |
| 德清县 | Deqing | 25.76 | 13.47 | 14.63 | 3.62 | 3.00 |
| 长兴县 | ChangXing | 30.81 | 16.30 | 20.22 | 3.40 | 4.50 |
| 安吉县 | Anji | 14.73 | 8.28 | 12.41 | 2.12 | 2.94 |
| 绍兴市区 | Shaoxing District | 69.16 | 38.96 | 38.43 | 7.09 | 7.22 |
| 诸暨市 | Zhuji | 50.33 | 26.52 | 27.84 | 4.46 | 7.20 |
| 上虞市 | Shangyu | 39.81 | 20.23 | 21.22 | 3.47 | 5.19 |

17-39 续表 Continued 单位:亿元(100 million yuan)

| 市县名称 | City and County | 财政总收入 Total Financial Revenue | 地方财政预算内收入 Total Local Government Budgetary Financial Revenue | 地方财政预算内支出 Total Local Government Financial Expenditures | #一般性公共服务支出 Expenses for Public Service | #教育事业费 Expenses for Education |
|---|---|---|---|---|---|---|
| 嵊州市 | Shengzhou | 19.32 | 10.00 | 12.39 | 2.67 | 4.26 |
| 绍兴县 | shaoxing | 75.73 | 38.52 | 34.00 | 5.13 | 6.14 |
| 新昌县 | Xinchang | 20.30 | 9.35 | 10.22 | 2.14 | 2.78 |
| 金华市区 | Jinhua District | 47.24 | 28.22 | 35.69 | 6.25 | 8.17 |
| 兰溪市 | Lanxi | 16.02 | 8.12 | 11.81 | 1.69 | 3.63 |
| 东阳市 | Dongyang | 24.08 | 13.57 | 15.45 | 2.86 | 4.33 |
| 义乌市 | Yiwu | 69.16 | 37.79 | 31.98 | 7.69 | 7.11 |
| 永康市 | Yongkang | 31.40 | 15.80 | 15.88 | 2.85 | 5.14 |
| 武义县 | Wuyi | 13.70 | 6.93 | 10.88 | 2.14 | 2.92 |
| 浦江县 | Pujiang | 12.41 | 6.74 | 9.17 | 1.53 | 2.88 |
| 磐安县 | Panan | 4.94 | 2.53 | 6.71 | 1.25 | 1.59 |
| 衢州市区 | Quzhou District | 29.12 | 16.92 | 29.71 | 5.61 | 6.15 |
| 江山市 | Jiangshan | 10.34 | 6.21 | 11.66 | 2.15 | 3.06 |
| 常山县 | Changshan | 5.52 | 3.55 | 8.69 | 1.94 | 1.93 |
| 开化县 | Kaihua | 4.88 | 3.00 | 8.63 | 1.75 | 1.93 |
| 龙游县 | Longyou | 7.43 | 4.70 | 9.24 | 1.73 | 2.47 |
| 舟山市区 | Zhoushan District | 54.86 | 35.55 | 56.12 | 9.79 | 7.35 |
| 岱山县 | Daishan | 7.54 | 4.25 | 12.49 | 1.70 | 1.41 |
| 嵊泗县 | Shengsi | 4.28 | 3.35 | 8.17 | 1.71 | 0.95 |
| 台州市区 | Taizhou District | 104.84 | 53.77 | 57.16 | 12.64 | 13.28 |
| 温岭市 | Wenling | 45.39 | 23.38 | 28.47 | 5.01 | 7.38 |
| 临海市 | Linhai | 30.65 | 16.10 | 20.39 | 4.20 | 6.15 |
| 玉环县 | Yuhuan | 35.65 | 15.83 | 18.35 | 3.49 | 3.61 |
| 三门县 | Sanmen | 10.72 | 6.11 | 10.12 | 2.51 | 2.34 |
| 天台县 | Tiantai | 11.54 | 6.05 | 10.60 | 2.53 | 3.42 |
| 仙居县 | Xianju | 9.24 | 4.80 | 8.72 | 1.62 | 2.89 |
| 丽水市区 | Lishui District | 21.93 | 12.69 | 21.85 | 5.21 | 4.30 |
| 龙泉市 | Longquan | 4.17 | 2.48 | 7.66 | 1.59 | 1.73 |
| 青田县 | Qingtian | 11.22 | 6.90 | 13.50 | 2.93 | 2.96 |
| 云和县 | Yunhe | 3.15 | 1.84 | 5.72 | 1.38 | 1.00 |
| 庆元县 | Qingyuan | 2.06 | 1.25 | 5.75 | 1.25 | 1.47 |
| 缙云县 | Jinyun | 9.01 | 4.27 | 9.47 | 1.74 | 3.03 |
| 遂昌县 | suichang | 5.73 | 3.09 | 7.55 | 1.50 | 1.67 |
| 松阳县 | Songyang | 3.36 | 2.00 | 6.84 | 1.29 | 1.42 |
| 景宁自治县 | Jingning | 2.80 | 1.62 | 7.43 | 1.45 | 1.65 |

## 17－40 各市、县金融业、社会保险、福利情况（2008 年）
Basic Statistics on Social Insurance and Welfare by City and County(2008)

| 市县名称 | City and County | 金融机构年末存款余额（亿元）Deposits in Financial Institutions (100 million yuan) | #城乡居民储蓄存款年末余额（亿元）Savings Deposits of Urban and Rural Residents (100 million yuan) | 金融机构年末贷款余额（亿元）Loans in Financial Institutions (100 million yuan) | 基本养老保险参保人数（万人）Persons Participating in the Basic Retirement Security Program (10000 persons) | 基本医疗保险参保人数（万人）Persons Participating in the Basic Health Care Program (10000 persons) | 失业保险人数（万人）Persons Participating in the Unemployment Insurance Program (10000 persons) |
|---|---|---|---|---|---|---|---|
| 杭州市区 | Hangzhou District | 10314.57 | 3012.78 | 9103.32 | 260.59 | 234.61 | 177.76 |
| 富阳市 | Fuyang | 294.20 | 132.51 | 274.06 | 19.78 | 8.67 | 9.62 |
| 临安市 | Linan | 178.82 | 85.06 | 164.03 | 11.32 | 10.31 | 3.40 |
| 建德市 | Jiande | 136.40 | 73.09 | 93.11 | 10.84 | 7.47 | 5.08 |
| 桐庐县 | Tonglu | 135.39 | 71.86 | 95.49 | 9.32 | 7.68 | 3.77 |
| 淳安县 | Chunan | 86.86 | 45.35 | 54.30 | 6.27 | 5.84 | 2.79 |
| 宁波市区 | Ningbo District | 2711.86 | 709.63 | 2557.08 | 195.84 | 158.53 | 116.20 |
| 余姚市 | Yuyao | 563.55 | 279.90 | 467.41 | 32.62 | 20.61 | 12.01 |
| 慈溪市 | Cixi | 780.60 | 417.26 | 626.86 | 34.03 | 19.44 | 14.22 |
| 奉化市 | Fenhua | 163.77 | 96.18 | 164.37 | 12.35 | 8.92 | 5.77 |
| 象山县 | Xiangshan | 153.33 | 67.59 | 192.36 | 10.68 | 6.97 | 6.82 |
| 宁海县 | Ninghai | 169.12 | 71.09 | 211.15 | 12.02 | 9.09 | 6.41 |
| 温州市区 | Wenzhou District | 2480.18 | 1114.91 | 2048.33 | 66.94 | 42.95 | 31.29 |
| 瑞安市 | Ruian | 492.45 | 280.73 | 376.41 | 25.54 | 16.86 | 7.71 |
| 乐清市 | Yueqing | 473.88 | 258.64 | 398.49 | 20.56 | 8.00 | 8.94 |
| 洞头县 | Dongtou | 22.70 | 9.14 | 15.41 | 1.69 | 0.91 | 0.57 |
| 永嘉县 | Yongjia | 194.68 | 122.97 | 136.81 | 11.58 | 4.71 | 4.58 |
| 平阳县 | Pingyang | 154.89 | 108.12 | 105.51 | 11.80 | 5.09 | 4.34 |
| 苍南县 | Cangnan | 202.66 | 126.92 | 170.44 | 12.29 | 6.45 | 5.12 |
| 文成县 | Wenchen | 58.28 | 39.94 | 29.18 | 1.80 | 1.88 | 0.97 |
| 泰顺县 | Taishun | 42.06 | 23.65 | 24.50 | 2.51 | 1.97 | 1.01 |
| 嘉兴市区 | Jiaxing District | 764.63 | 342.72 | 589.97 | 32.27 | 34.00 | 17.34 |
| 平湖市 | Pinghu | 279.57 | 146.82 | 202.78 | 17.89 | 15.40 | 10.50 |
| 海宁市 | Haining | 385.26 | 215.40 | 269.60 | 16.47 | 18.70 | 9.64 |
| 桐乡市 | Tongxiang | 345.14 | 203.23 | 238.65 | 17.08 | 15.00 | 9.98 |
| 嘉善县 | Jiashan | 222.37 | 129.86 | 139.82 | 11.75 | 10.90 | 6.51 |
| 海盐县 | Haiyan | 189.27 | 117.34 | 163.01 | 10.54 | 8.00 | 6.55 |
| 湖州市区 | Huzhou District | 566.30 | 302.74 | 416.28 | 29.11 | 21.23 | 16.03 |
| 德清县 | Deqing | 164.12 | 92.81 | 129.31 | 11.99 | 9.61 | 6.13 |
| 长兴县 | ChangXing | 166.21 | 82.26 | 143.42 | 10.93 | 8.50 | 5.14 |
| 安吉县 | Anji | 105.16 | 61.24 | 86.84 | 8.81 | 5.25 | 3.91 |
| 绍兴市区 | Shaoxing District | 1184.59 | 420.40 | 915.21 | 32.17 | 26.83 | 17.29 |
| 诸暨市 | Zhuji | 476.73 | 234.02 | 359.44 | 20.90 | 12.43 | 11.18 |

17－40 续表1 Continued

| 市县名称 | City and County | 金融机构年末存款余额（亿元）Deposits in Financial Institutions（100 million yuan） | #城乡居民储蓄存款年末余额（亿元）Savings Deposits of Urban and Rural Residents（100 million yuan） | 金融机构年末贷款余额（亿元）Loans in Financial Institutions（100 million yuan） | 基本养老保险参保人数（万人）Persons Participating in the Basic Retirement Security Program（10000 persons） | 基本医疗保险参保人数（万人）Persons Participating in the Basic Health Care Program（10000 persons） | 失业保险人数（万人）Persons Participating in the Unemployment Insurance Program（10000 persons） |
|---|---|---|---|---|---|---|---|
| 上虞市 | Shangyu | 429.88 | 208.22 | 332.11 | 20.17 | 16.75 | 10.59 |
| 嵊州市 | Shengzhou | 182.51 | 113.16 | 173.67 | 13.91 | 13.09 | 7.41 |
| 绍兴县 | shaoxing | 815.19 | 354.84 | 583.74 | 22.66 | 13.50 | 11.78 |
| 新昌县 | Xinchang | 143.32 | 75.41 | 97.14 | 10.60 | 10.71 | 6.55 |
| 金华市区 | Jinhua District | 539.69 | 234.54 | 448.45 | 21.99 | 20.34 | 13.49 |
| 兰溪市 | Lanxi | 122.30 | 69.00 | 105.24 | 8.46 | 7.89 | 5.90 |
| 东阳市 | Dongyang | 275.87 | 167.17 | 187.53 | 14.64 | 9.02 | 7.06 |
| 义乌市 | Yiwu | 1035.69 | 566.08 | 700.10 | 20.30 | 14.18 | 9.88 |
| 永康市 | Yongkang | 333.20 | 182.67 | 253.68 | 10.99 | 7.48 | 6.37 |
| 武义县 | Wuyi | 104.22 | 51.60 | 88.88 | 5.45 | 4.03 | 3.09 |
| 浦江县 | Pujiang | 102.57 | 61.20 | 87.80 | 4.10 | 3.45 | 3.20 |
| 磐安县 | Panan | 38.57 | 20.97 | 23.23 | 1.48 | 1.50 | 1.14 |
| 衢州市区 | Quzhou District | 275.31 | 129.75 | 244.57 | 18.53 | 15.85 | 8.03 |
| 江山市 | Jiangshan | 116.19 | 69.04 | 95.69 | 5.73 | 4.63 | 2.72 |
| 常山县 | Changshan | 47.66 | 28.14 | 31.96 | 3.10 | 2.68 | 1.44 |
| 开化县 | Kaihua | 53.10 | 32.07 | 32.94 | 2.49 | 2.51 | 1.44 |
| 龙游县 | Longyou | 82.27 | 49.13 | 68.53 | 4.42 | 3.75 | 2.36 |
| 舟山市区 | Zhoushan District | 615.53 | 235.25 | 564.95 | 20.38 | 20.76 | 9.88 |
| 岱山县 | Daishan | 74.31 | 41.84 | 48.59 | 3.74 | 3.45 | 1.10 |
| 嵊泗县 | Shengsi | 41.00 | 18.83 | 21.89 | 1.58 | 1.52 | 0.83 |
| 台州市区 | Taizhou District | 1185.09 | 520.22 | 996.69 | 35.08 | 23.53 | 21.22 |
| 温岭市 | Wenling | 477.82 | 299.10 | 336.91 | 16.99 | 10.64 | 9.28 |
| 临海市 | Linhai | 243.13 | 137.94 | 168.92 | 14.38 | 9.65 | 9.33 |
| 玉环县 | Yuhuan | 189.69 | 103.54 | 181.02 | 9.50 | 5.10 | 4.23 |
| 三门县 | Sanmen | 74.84 | 34.65 | 76.42 | 4.11 | 2.35 | 2.14 |
| 天台县 | Tiantai | 92.22 | 51.01 | 72.29 | 5.91 | 3.99 | 2.91 |
| 仙居县 | Xianju | 90.59 | 58.00 | 60.82 | 4.71 | 3.42 | 2.52 |
| 丽水市区 | Lishui District | 220.23 | 101.49 | 208.41 | 6.01 | 7.43 | 4.02 |
| 龙泉市 | Longquan | 41.57 | 24.77 | 35.04 | 2.70 | 2.25 | 1.59 |
| 青田县 | Qingtian | 146.91 | 109.84 | 75.23 | 2.36 | 2.59 | 1.58 |
| 云和县 | Yunhe | 25.24 | 12.14 | 17.57 | 1.25 | 1.46 | 0.81 |
| 庆元县 | Qingyuan | 26.43 | 13.87 | 14.70 | 1.39 | 1.24 | 0.89 |
| 缙云县 | Jinyun | 73.64 | 46.94 | 48.06 | 2.98 | 2.84 | 1.56 |
| 遂昌县 | Suichang | 35.74 | 19.40 | 33.52 | 2.51 | 2.23 | 1.69 |
| 松阳县 | Songyang | 34.69 | 19.41 | 23.49 | 1.79 | 1.44 | 1.09 |
| 景宁自治县 | Jingning | 27.90 | 10.38 | 14.51 | 1.25 | 1.24 | 0.97 |

17－40 续表2 Continued

| 市县名称 | City and County | 社会福利院数（个）Social Welfare Homes (unit) | 社会福利院床位数（张）Beds of Social Welfare Homes (bed) | 社区服务设施数（个）Number of Community Service Facilities Established in Urban Areas (unit) | 居民最低生活保障线以下人数（人）Residents under Minimum Life Guarantee Relief (person) |
|---|---|---|---|---|---|
| 杭州市区 | Hangzhou District | 104 | 11993 | 4633 | 14135 |
| 富阳市 | Fuyang | 22 | 1068 | 72 | 612 |
| 临安市 | Linan | 26 | 1795 | 147 | 443 |
| 建德市 | Jiande | 15 | 1343 | 25 | 623 |
| 桐庐县 | Tonglu | 12 | 988 | 150 | 941 |
| 淳安县 | Chunan | 21 | 880 | 70 | 1099 |
| 宁波市区 | Ningbo District | 72 | 10107 | 1512 | 9961 |
| 余姚市 | Yuyao | 24 | 2806 | 520 | 1250 |
| 慈溪市 | Cixi | 19 | 3079 | 49 | 1524 |
| 奉化市 | Fenhua | 16 | 2060 | 93 | 994 |
| 象山县 | Xiangshan | 20 | 1447 | 24 | 748 |
| 宁海县 | Ninghai | 14 | 2057 | 4 | 570 |
| 温州市区 | Wenzhou District | 37 | 6418 | 4610 | 8732 |
| 瑞安市 | Ruian | 132 | 14484 | 1734 | 1367 |
| 乐清市 | Yueqing | 31 | 963 | 2316 | 480 |
| 洞头县 | Dongtou | 5 | 314 | 380 | 107 |
| 永嘉县 | Yongjia | 29 | 1143 | 832 | 564 |
| 平阳县 | Pingyang | 35 | 4561 | 280 | 492 |
| 苍南县 | Cangnan | 51 | 4648 | 3586 | 665 |
| 文成县 | Wenchen | 20 | 602 | 88 | 313 |
| 泰顺县 | Taishun | 15 | 830 | 280 | 540 |
| 嘉兴市区 | Jiaxing District | 21 | 2295 | 149 | 1989 |
| 平湖市 | Pinghu | 12 | 1343 | 230 | 1845 |
| 海宁市 | Haining | 20 | 2004 | 36 | 1398 |
| 桐乡市 | Tongxiang | 16 | 1717 | 200 | 631 |
| 嘉善县 | Jiashan | 14 | 1668 | 23 | 1058 |
| 海盐县 | Haiyan | 9 | 1012 | 70 | 663 |
| 湖州市区 | Huzhou District | 31 | 3090 | 181 | 4271 |
| 德清县 | Deqing | 14 | 1713 | 20 | 1040 |
| 长兴县 | ChangXing | 19 | 1877 | 142 | 3476 |
| 安吉县 | Anji | 18 | 960 | 29 | 1555 |
| 绍兴市区 | Shaoxing District | 29 | 3025 | 485 | 3060 |
| 诸暨市 | Zhuji | 32 | 3243 | 415 | 658 |

17－40　续表 3　Continued

| 市县名称 | City and County | 社会福利院数（个）Social Welfare Homes (unit) | 社会福利院床位数（张）Beds of Social Welfare Homes (bed) | 社区服务设施数（个）Number of Community Service Facilities Established in Urban Areas (unit) | 居民最低生活保障线以下人数（人）Residents under Minimum Life Guarantee Relief (person) |
|---|---|---|---|---|---|
| 上虞市 | Shangyu | 27 | 3394 | 289 | 1916 |
| 嵊州市 | Shengzhou | 46 | 3208 | 33 | 434 |
| 绍兴县 | shaoxing | 22 | 2560 | 410 | 2559 |
| 新昌县 | Xinchang | 10 | 803 | 49 | 282 |
| 金华市区 | Jinhua District | 21 | 4359 | 54 | 1788 |
| 兰溪市 | Lanxi | 18 | 2510 | 22 | 1328 |
| 东阳市 | Dongyang | 16 | 1320 | 14 | 133 |
| 义乌市 | Yiwu | 17 | 2662 | 32 | 293 |
| 永康市 | Yongkang | 9 | 1720 | 17 | 241 |
| 武义县 | Wuyi | 6 | 1110 | 18 | 302 |
| 浦江县 | Pujiang | 2 | 700 | 13 | 264 |
| 磐安县 | Panan | 5 | 340 | 8 | 488 |
| 衢州市区 | Quzhou District | 27 | 2284 |  | 959 |
| 江山市 | Jiangshan | 21 | 2885 | 13 | 777 |
| 常山县 | Changshan | 13 | 1059 | 7 | 911 |
| 开化县 | Kaihua | 21 | 2123 | 16 | 915 |
| 龙游县 | Longyou | 10 | 1115 | 9 | 1073 |
| 舟山市区 | Zhoushan District | 25 | 1185 | 110 | 1816 |
| 岱山县 | Daishan | 10 | 512 | 10 | 375 |
| 嵊泗县 | Shengsi | 4 | 167 | 4 | 242 |
| 台州市区 | Taizhou District | 37 | 2021 | 325 | 1101 |
| 温岭市 | Wenling | 55 | 4400 | 39 | 868 |
| 临海市 | Linhai | 47 | 3496 | 207 | 868 |
| 玉环县 | Yuhuan | 20 | 1612 | 30 | 564 |
| 三门县 | Sanmen | 15 | 742 |  | 231 |
| 天台县 | Tiantai | 21 | 1275 |  | 369 |
| 仙居县 | Xianju | 14 | 1515 | 11 | 309 |
| 丽水市区 | Lishui District | 9 | 858 | 58 | 1375 |
| 龙泉市 | Longquan | 11 | 760 |  | 752 |
| 青田县 | Qingtian | 14 | 1097 | 29 | 472 |
| 云和县 | Yunhe | 2 | 405 | 1 | 260 |
| 庆元县 | Qingyuan | 5 | 556 | 8 | 468 |
| 缙云县 | Jinyun | 11 | 840 | 10 | 81 |
| 遂昌县 | Suichang | 7 | 576 | 20 | 392 |
| 松阳县 | Songyang | 6 | 444 | 5 | 372 |
| 景宁自治县 | Jingning | 6 | 480 | 4 | 585 |

## 17－41 各市、县各类学校在校学生数(2008 年)
Student Enrollment by Type of School, City and County(2008)

| 市县名称 | City and County | 高等学校（人）Institutions of Higher Education (person) | 中等职业学校（人）Specialized Secondary Schools (person) | 普通中学（万人）Regular Secondary Schools (10000 persons) | 小学（万人）Primary Schools (10000 persons) |
|---|---|---|---|---|---|
| 杭州市区 | Hangzhou District | 361436 | 47712 | 21.85 | 30.02 |
| 富阳市 | Fuyang | | 8638 | 4.08 | 4.52 |
| 临安市 | Linan | 18421 | 6155 | 2.96 | 2.98 |
| 建德市 | Jiande | | 4764 | 2.96 | 2.84 |
| 桐庐县 | Tonglu | | 2929 | 2.21 | 2.45 |
| 淳安县 | Chunan | | 5232 | 2.41 | 2.41 |
| 宁波市区 | Ningbo District | | 46229 | 14.27 | 20.12 |
| 余姚市 | Yuyao | | 10400 | 5.33 | 6.84 |
| 慈溪市 | Cixi | | 12771 | 6.44 | 8.95 |
| 奉化市 | Fenghua | | 5950 | 2.71 | 3.32 |
| 象山县 | Xiangshan | | 5922 | 2.48 | 3.38 |
| 宁海县 | Ninghai | | 7648 | 3.12 | 4.18 |
| 温州市区 | Wenzhou District | 71170 | 27708 | 10.40 | 14.85 |
| 瑞安市 | Ruian | | 11834 | 6.20 | 9.15 |
| 乐清市 | Yueqing | | 12263 | 7.73 | 9.71 |
| 洞头县 | Dongtou | | 464 | 0.54 | 0.59 |
| 永嘉县 | Yongjia | | 7349 | 5.40 | 6.52 |
| 平阳县 | Pingyang | | 11288 | 5.35 | 4.89 |
| 苍南县 | Cangnan | | 14685 | 9.30 | 8.22 |
| 文成县 | Wenchen | | 1497 | 1.25 | 1.46 |
| 泰顺县 | Taishun | | 1253 | 1.99 | 2.13 |
| 嘉兴市区 | Jiaxing District | 36832 | 14424 | 5.84 | 6.05 |
| 平湖市 | Pinghu | | 7185 | 3.07 | 3.16 |
| 海宁市 | Haining | | 10629 | 3.69 | 4.35 |
| 桐乡市 | Tongxiang | | 10883 | 4.39 | 4.87 |
| 嘉善县 | Jiashan | | 4599 | 2.48 | 2.58 |
| 海盐县 | Haiyan | | 4279 | 2.49 | 2.61 |
| 湖州市区 | Huzhou District | 23468 | 12037 | 6.28 | 7.30 |
| 德清县 | Deqing | | 6024 | 2.57 | 2.90 |
| 长兴县 | ChangXing | | 11075 | 3.80 | 4.24 |
| 安吉县 | Anji | | 7187 | 2.61 | 2.77 |
| 绍兴市区 | Shaoxing District | 50258 | 16431 | 4.10 | 5.31 |
| 诸暨市 | Zhuji | | 15621 | 7.82 | 7.78 |
| 上虞市 | Shangyu | | 8593 | 4.79 | 4.98 |

17-41 续表 Continued

| 市县名称 | City and County | 高等学校（人）Institutions of Higher Education (person) | 中等职业学校（人）Specialized Secondary Schools (person) | 普通中学（万人）Regular Secondary Schools (10000 persons) | 小学（万人）Primary Schools (10000 persons) |
|---|---|---|---|---|---|
| 嵊州市 | Shengzhou | | 8023 | 3.79 | 4.06 |
| 绍兴县 | shaoxing | | 13331 | 5.30 | 6.25 |
| 新昌县 | Xinchang | | 5498 | 2.14 | 2.61 |
| 金华市区 | Jinhua District | 48716 | 36781 | 5.06 | 6.13 |
| 兰溪市 | Lanxi | | 5836 | 3.92 | 3.70 |
| 东阳市 | Dongyang | 13280 | 9120 | 4.64 | 5.59 |
| 义乌市 | Yiwu | 7792 | 10480 | 4.75 | 7.19 |
| 永康市 | Yongkang | | 6540 | 3.21 | 5.01 |
| 武义县 | Wuyi | | 3503 | 1.66 | 2.23 |
| 浦江县 | Pujiang | | 5505 | 2.48 | 2.95 |
| 磐安县 | Panan | | 2121 | 1.02 | 1.25 |
| 衢州市区 | Quzhou District | 10211 | 21044 | 4.87 | 5.22 |
| 江山市 | Jiangshan | | 8953 | 3.19 | 3.68 |
| 常山县 | Changshan | | 2342 | 1.51 | 1.79 |
| 开化县 | Kaihua | | 5712 | 1.58 | 1.89 |
| 龙游县 | Longyou | | 7804 | 2.09 | 2.31 |
| 舟山市区 | Zhoushan District | 22695 | 8557 | 3.09 | 3.65 |
| 岱山县 | Daishan | | 813 | 0.70 | 0.81 |
| 嵊泗县 | Shengsi | | 476 | 0.32 | 0.34 |
| 台州市区 | Taizhou District | 17520 | 16170 | 8.20 | 12.26 |
| 温岭市 | Wenling | | 12131 | 5.57 | 8.32 |
| 临海市 | Linhai | 9734 | 15305 | 6.48 | 7.86 |
| 玉环县 | Yuhuan | | 3752 | 1.88 | 3.10 |
| 三门县 | Sanmen | | 4466 | 1.74 | 2.35 |
| 天台县 | Tiantai | | 7541 | 2.90 | 3.59 |
| 仙居县 | Xianju | | 4119 | 2.54 | 3.70 |
| 丽水市区 | Lishui District | 35732 | 8901 | 2.31 | 2.90 |
| 龙泉市 | Longquan | | 2813 | 1.37 | 1.94 |
| 青田县 | Qingtian | | 3676 | 2.17 | 2.95 |
| 云和县 | Yunhe | | 1907 | 0.54 | 0.78 |
| 庆元县 | Qingyuan | | 2080 | 0.85 | 1.21 |
| 缙云县 | Jinyun | | 6756 | 2.40 | 2.74 |
| 遂昌县 | suichang | | 1992 | 1.03 | 1.29 |
| 松阳县 | Songyang | | 2397 | 1.00 | 1.37 |
| 景宁自治县 | Jingning | | 1020 | 0.54 | 0.81 |

## 17－42 各市、县专业技术人员和专利申请(2008年)
Specialized Technical Persons and Patent Application by City and County(2008)

| 市县名称 | City and County | 从事科技活动人员数(人) Specialized Technical persons (person) | 专利申请受理量(项) Patent Application Accepted (item) | 专利申请授权量(项) Patent Application Approved (item) | #发明 Invention |
|---|---|---|---|---|---|
| 杭州市区 | Hangzhou District | 80798 | 15258 | 8246 | 1795 |
| 富阳市 | Fuyang | 4253 | 1250 | 430 | 54 |
| 临安市 | Linan | 2656 | 850 | 466 | 52 |
| 建德市 | Jiande | 2023 | 397 | 142 | 6 |
| 桐庐县 | Tonglu | 2653 | 676 | 471 | 10 |
| 淳安县 | Chunan | 642 | 118 | 76 | 6 |
| 宁波市区 | Ningbo District | 38037 | 7968 | 4393 | 303 |
| 余姚市 | Yuyao | 7813 | 2680 | 1799 | 64 |
| 慈溪市 | Cixi | 9952 | 3494 | 2502 | 89 |
| 奉化市 | Fenghua | 3871 | 520 | 334 | 9 |
| 象山县 | Xiangshan | 2389 | 274 | 239 | 21 |
| 宁海县 | Ninghai | 3939 | 1237 | 615 | 19 |
| 温州市区 | Wenzhou District | 12504 | 2988 | 2325 | 77 |
| 瑞安市 | Ruian | 5766 | 1026 | 629 | 47 |
| 乐清市 | Yueqing | 6644 | 1932 | 1226 | 63 |
| 洞头县 | Dongtou | 375 | 13 | 16 | |
| 永嘉县 | Yongjia | 3889 | 470 | 302 | 4 |
| 平阳县 | Pingyang | 1173 | 534 | 282 | 7 |
| 苍南县 | Cangnan | 1130 | 363 | 346 | 3 |
| 文成县 | Wencheng | 319 | 50 | 28 | |
| 泰顺县 | Taishun | 248 | 13 | 5 | 1 |
| 嘉兴市区 | Jiaxing District | 8984 | 1448 | 831 | 29 |
| 平湖市 | Pinghu | 6516 | 742 | 512 | 7 |
| 海宁市 | Haining | 9653 | 1081 | 519 | 18 |
| 桐乡市 | Tongxiang | 6102 | 894 | 572 | 3 |
| 嘉善县 | Jiashan | 4546 | 703 | 401 | 15 |
| 海盐县 | Haiyan | 5085 | 460 | 328 | 1 |
| 湖州市区 | Huzhou District | 5580 | 1775 | 547 | 21 |
| 德清县 | Deqing | 3068 | 1262 | 719 | 14 |
| 长兴县 | Changxing | 3735 | 1244 | 400 | 9 |
| 安吉县 | Anji | 866 | 606 | 367 | 13 |
| 绍兴市区 | Shaoxing District | 3957 | 4813 | 3933 | 15 |
| 诸暨市 | Zhuji | 7192 | 3184 | 1938 | 15 |
| 上虞市 | Shangyu | 5361 | 2455 | 971 | 28 |

17－42 续表 Continued

| 市县名称 | City and County | 从事科技活动人员数（人）Specialized Technical persons (person) | 专利申请受理量（项）Patent Application Accepted (item) | 专利申请授权量（项）Patent Application Approved (item) | #发明 Invention |
|---|---|---|---|---|---|
| 嵊州市 | Shengzhou | 3258 | 1086 | 639 | 13 |
| 绍兴县 | Shaoxing | 10860 | 5643 | 3335 | 18 |
| 新昌县 | Xinchang | 5705 | 1466 | 376 | 30 |
| 金华市区 | Jinhua District | 3048 | 887 | 678 | 20 |
| 兰溪市 | Lanxi | 1619 | 507 | 194 | 4 |
| 东阳市 | Dongyang | 4410 | 497 | 533 | 23 |
| 义乌市 | Yiwu | 4938 | 2225 | 1178 | 26 |
| 永康市 | Yongkang | 3660 | 1949 | 1452 | 10 |
| 武义县 | Wuyi | 1665 | 574 | 492 | 59 |
| 浦江县 | Pujiang | 1819 | 664 | 474 | 10 |
| 磐安县 | Panan | 537 | 160 | 72 | 3 |
| 衢州市区 | Quzhou District | 2720 | 561 | 310 | 20 |
| 江山市 | Jiangshan | 1061 | 337 | 119 | 8 |
| 常山县 | Changshan | 755 | 76 | 37 | 1 |
| 开化县 | Kaihua | 432 | 77 | 62 | 1 |
| 龙游县 | Longyou | 870 | 84 | 46 | 5 |
| 舟山市区 | Zhoushan District | 2931 | 246 | 153 | 10 |
| 岱山县 | Daishan | 337 | 71 | 56 | |
| 嵊泗县 | Shengsi | 117 | 42 | 19 | 1 |
| 台州市区 | Taizhou District | 12794 | 3776 | 2315 | 75 |
| 温岭市 | Wenling | 18266 | 1198 | 698 | 12 |
| 临海市 | Linhai | 4992 | 1152 | 573 | 9 |
| 玉环县 | Yuhuan | 6520 | 2174 | 817 | 60 |
| 三门县 | Sanmen | 1281 | 294 | 120 | 4 |
| 天台县 | Tiantai | 995 | 257 | 186 | 4 |
| 仙居县 | Xianju | 1054 | 192 | 102 | 4 |
| 丽水市区 | Lishui District | 1195 | 155 | 125 | 5 |
| 龙泉市 | Longquan | 534 | 97 | 70 | |
| 青田县 | Qingtian | 1095 | 57 | 45 | |
| 云和县 | Yunhe | 458 | 95 | 132 | |
| 庆元县 | Qingyuan | 157 | 172 | 43 | 1 |
| 缙云县 | Jinyun | 360 | 201 | 107 | 1 |
| 遂昌县 | Suichang | 604 | 116 | 135 | 4 |
| 松阳县 | Songyang | 222 | 38 | 20 | 1 |
| 景宁自治县 | Jingning | 118 | 45 | 15 | |

## 17－43 各市、县文化和卫生事业主要指标(2008年)
## The Culture and Public Health by City and county(2008)

| 市县名称 | City and County | 体育场馆数(个) Number of Sports and Gymnsiums (unit) | 剧场和影剧院数(个) Number of Theaters and Music Halls (unit) | 公共图书馆图书藏量(千册件) Total Collections of Books in Public Libraries (1000 copies) | 医院卫生院数(个) Number of Health Institutions (unit) | 医院卫生院床位数(张) Number of Beds in Health Institutions (bed) | 医生数(人) Doctors (person) |
|---|---|---|---|---|---|---|---|
| 杭州市区 | Hangzhou District | 72 | 58 | 8998 | 160 | 27603 | 16747 |
| 富阳市 | Fuyang | 8 | 1 | 184 | 33 | 1353 | 1267 |
| 临安市 | Linan | 12 | 5 | 214 | 50 | 1401 | 983 |
| 建德市 | Jiande | 3 | 3 | 141 | 35 | 1252 | 901 |
| 桐庐县 | Tonglu | 3 | 2 | 261 | 6 | 711 | 689 |
| 淳安县 | Chunan | 4 | 1 | 109 | 26 | 752 | 636 |
| 宁波市区 | Ningbo District | 54 | 13 | 4692 | 88 | 12048 | 8334 |
| 余姚市 | Yuyao | 5 | 3 | 356 | 27 | 2251 | 1517 |
| 慈溪市 | Cixi | 7 | 1 | 406 | 34 | 2392 | 2458 |
| 奉化市 | Fenhua | 6 | 2 | 164 | 31 | 1640 | 1003 |
| 象山县 | Xiangshan | 2 | 2 | 259 | 21 | 1210 | 773 |
| 宁海县 | Ninghai | 4 | 2 | 222 | 33 | 1340 | 1042 |
| 温州市区 | Wenzhou District | 13 | 10 | 1674 | 83 | 10311 | 5719 |
| 瑞安市 | Ruian | 18 | 1 | 232 | 55 | 2440 | 2503 |
| 乐清市 | Yueqing | 8 | 6 | 252 | 43 | 2112 | 2190 |
| 洞头县 | Dongtou |  | 1 | 84 | 8 | 149 | 167 |
| 永嘉县 | Yongjia | 4 |  | 174 | 45 | 921 | 1313 |
| 平阳县 | Pingyang | 3 | 1 | 130 | 40 | 1073 | 1427 |
| 苍南县 | Cangnan | 2 | 2 | 161 | 59 | 1550 | 1589 |
| 文成县 | Wenchen | 2 | 1 | 73 | 58 | 370 | 291 |
| 泰顺县 | Taishun |  | 1 | 56 | 39 | 378 | 398 |
| 嘉兴市区 | Jiaxing District | 7 | 8 | 1153 | 33 | 4587 | 2407 |
| 平湖市 | Pinghu | 5 | 6 | 324 | 14 | 1337 | 929 |
| 海宁市 | Haining | 6 | 10 | 434 | 24 | 1991 | 1262 |
| 桐乡市 | Tongxiang | 6 | 14 | 642 | 27 | 2063 | 1103 |
| 嘉善县 | Jiashan | 4 | 5 | 209 | 19 | 1334 | 720 |
| 海盐县 | Haiyan | 4 | 4 | 268 | 18 | 834 | 536 |
| 湖州市区 | Huzhou District | 12 | 3 | 800 | 40 | 4502 | 2518 |
| 德清县 | Deqing | 7 |  | 305 | 19 | 1027 | 786 |
| 长兴县 | ChangXing | 8 | 1 | 517 | 35 | 1990 | 1093 |
| 安吉县 | Anji | 4 | 1 | 329 | 34 | 1281 | 807 |
| 绍兴市区 | Shaoxing District | 13 | 5 | 790 | 17 | 3462 | 1919 |
| 诸暨市 | Zhuji | 9 | 5 | 236 | 102 | 2789 | 2227 |
| 上虞市 | Shangyu | 7 | 7 | 213 | 26 | 1688 | 1208 |

17－43 续表 Continued

| 市县名称 | City and County | 体育场馆数（个）Number of Sports and Gymnsiums (unit) | 剧场和影剧院数（个）Number of Theaters and Music Halls (unit) | 公共图书馆图书藏量（千册件）Total Collections of Books in Public Libraries (1000 copies) | 医院卫生院数（个）Number of Health Institutions (unit) | 医院卫生院床位数（张）Number of Beds in Health Institutions (bed) | 医生数（人）Doctors (person) |
|---|---|---|---|---|---|---|---|
| 嵊州市 | Shengzhou | 6 | 5 | 413 | 60 | 1850 | 1228 |
| 绍兴县 | shaoxing | 22 | 6 | 380 | 25 | 2801 | 1612 |
| 新昌县 | Xinchang | 4 | 2 | 164 | 22 | 1362 | 707 |
| 金华市区 | Jinhua District | 14 | 4 | 1448 | 62 | 3997 | 2771 |
| 兰溪市 | Lanxi | 3 | 1 | 108 | 48 | 1186 | 1134 |
| 东阳市 | Dongyang | 10 | 2 | 222 | 22 | 1619 | 1469 |
| 义乌市 | Yiwu | 22 | 5 | 322 | 25 | 2381 | 1851 |
| 永康市 | Yongkang | 12 | 2 | 270 | 20 | 1574 | 1001 |
| 武义县 | Wuyi | 1 | 1 | 151 | 22 | 800 | 579 |
| 浦江县 | Pujiang | 1 | 2 | 183 | 24 | 1013 | 614 |
| 磐安县 | Panan | 4 | 1 | 79 | 29 | 507 | 360 |
| 衢州市区 | Quzhou District | 5 | 5 | 516 | 54 | 3205 | 2428 |
| 江山市 | Jiangshan | 3 | 1 | 138 | 28 | 1340 | 1089 |
| 常山县 | Changshan | 1 | 1 | 80 | 16 | 549 | 562 |
| 开化县 | Kaihua | 1 | 2 | 137 | 27 | 720 | 876 |
| 龙游县 | Longyou | 1 | 1 | 76 | 44 | 826 | 852 |
| 舟山市区 | Zhoushan District | 9 | 4 | 389 | 49 | 2867 | 1779 |
| 岱山县 | Daishan | 2 | 1 | 143 | 18 | 470 | 348 |
| 嵊泗县 | Shengsi | 1 | 1 | 75 | 9 | 326 | 169 |
| 台州市区 | Taizhou District | 15 | 15 | 417 | 65 | 4735 | 3602 |
| 温岭市 | Wenling | 8 | 13 | 291 | 39 | 3101 | 2115 |
| 临海市 | Linhai | 10 | 7 | 388 | 47 | 2888 | 2088 |
| 玉环县 | Yuhuan | 2 | 4 | 153 | 14 | 1120 | 764 |
| 三门县 | Sanmen | 5 | 3 | 66 | 35 | 575 | 625 |
| 天台县 | Tiantai | 9 | 1 | 68 | 18 | 1189 | 958 |
| 仙居县 | Xianju | 5 | 3 | 111 | 22 | 857 | 816 |
| 丽水市区 | Lishui District | 9 | 2 | 210 | 27 | 2325 | 1182 |
| 龙泉市 | Longquan | 2 | 1 | 176 | 42 | 473 | 380 |
| 青田县 | Qingtian | 2 | 2 | 131 | 35 | 631 | 410 |
| 云和县 | Yunhe | 1 | 1 | 157 | 20 | 252 | 149 |
| 庆元县 | Qingyuan | 1 | 2 | 61 | 42 | 342 | 226 |
| 缙云县 | Jinyun | 2 | 3 | 125 | 49 | 1052 | 487 |
| 遂昌县 | Suichang | 1 | 1 | 94 | 21 | 517 | 341 |
| 松阳县 | Songyang | 2 | 1 | 114 | 26 | 388 | 273 |
| 景宁自治县 | Jingning | 1 | 1 | 38 | 26 | 230 | 171 |

浙江统计年鉴

ZHEJIANG STATISTICAL YEARBOOK

2009

CHAPTER 18

# 附 录

Appendix

## 附表1　企业家信心指数和企业景气指数(2005－2008年)

| 行　业 | 1季度 | | | | 2季度 | | | |
|---|---|---|---|---|---|---|---|---|
| | 2005年 | 2006年 | 2007年 | 2008年 | 2005年 | 2006年 | 2007年 | 2008年 |
| **企业家信心指数** | **137.6** | **138.6** | **149.2** | **135.3** | **125** | **132.3** | **150.1** | **122.4** |
| 工业 | 134.4 | 138.7 | 152.8 | 129.5 | 123.1 | 132.6 | 152.1 | 115.3 |
| 建筑业 | 165.9 | 141.4 | 150.8 | 139.1 | 147.1 | 141.8 | 154.6 | 136.2 |
| 交通运输、仓储及邮政业 | 145.4 | 136.2 | 149.5 | 133.9 | 126.8 | 128.8 | 143.6 | 125.9 |
| 批发和零售业 | 128.5 | 129 | 136.6 | 135 | 111.3 | 116.7 | 134.3 | 115.5 |
| 房地产业 | 133 | 111.1 | 112 | 126.9 | 99.7 | 103.1 | 132.1 | 110.1 |
| 社会服务业 | 154.2 | 155 | 148.8 | 146.8 | 149.6 | 151.4 | 164.1 | 142.1 |
| 信息传输、计算机服务和软件业 | 156.6 | 181.5 | 172.5 | 169.6 | 160.6 | 174 | 177.1 | 161.1 |
| 住宿和餐饮业 | 136.2 | 138.5 | 153.2 | 151.9 | 132.9 | 143.7 | 142.4 | 141.1 |
| **企业景气指数** | **136.1** | **133.1** | **148.8** | **133.2** | **136.1** | **138.4** | **154.8** | **131.5** |
| 工业 | 134 | 129 | 147.3 | 126.3 | 137.3 | 138.5 | 157.3 | 127.7 |
| 建筑业 | 143 | 150.6 | 151.3 | 146.5 | 142.7 | 156.6 | 156.9 | 144.2 |
| 交通运输、仓储及邮政业 | 138.9 | 136.8 | 151.1 | 126.1 | 125.7 | 131.3 | 139.6 | 129 |
| 批发和零售业 | 134.6 | 130.9 | 153 | 144.9 | 129.7 | 129.4 | 149.3 | 125.4 |
| 房地产业 | 137.6 | 127.7 | 131.7 | 119.5 | 122.2 | 123.6 | 132.1 | 120.3 |
| 社会服务业 | 151.1 | 136.7 | 145 | 145.4 | 151.1 | 146.8 | 153.9 | 141.2 |
| 信息传输、计算机服务和软件业 | 148.7 | 169.6 | 181.2 | 168.1 | 149.1 | 161.1 | 185.4 | 168.4 |
| 住宿和餐饮业 | 132.4 | 134.4 | 138.3 | 136 | 135.3 | 136.7 | 148.4 | 135.9 |

注:历年指数均按新国民经济行业分类标准作同口径调整,下同。

附表1　续

| 行　业 | 3季度 | | | | 4季度 | | | |
|---|---|---|---|---|---|---|---|---|
| | 2005年 | 2006年 | 2007年 | 2008年 | 2005年 | 2006年 | 2007年 | 2008年 |
| **企业家信心指数** | **132.9** | **137.2** | **146.2** | **112** | **132.8** | **146.7** | **145.2** | **88.8** |
| 工业 | 135 | 136.3 | 145.4 | 107.6 | 134.3 | 147.9 | 141.9 | 79.8 |
| 建筑业 | 150 | 143.3 | 154.5 | 123 | 146.5 | 143 | 157.3 | 115.3 |
| 交通运输、仓储及邮政业 | 125.9 | 129.9 | 138.8 | 119.2 | 134.7 | 141.7 | 136.2 | 86.2 |
| 批发和零售业 | 114.6 | 116.8 | 138.1 | 102.3 | 113.1 | 125.1 | 131.2 | 84.8 |
| 房地产业 | 103.1 | 100.5 | 141.5 | 77.5 | 103 | 111.6 | 135.2 | 66.1 |
| 社会服务业 | 151.9 | 158.2 | 158.4 | 132.6 | 155.1 | 167.7 | 167.6 | 121.3 |
| 信息传输、计算机服务和软件业 | 169.1 | 177 | 170.7 | 151.3 | 166.2 | 178.1 | 182.8 | 133.6 |
| 住宿和餐饮业 | 126.5 | 137.2 | 137.8 | 130.5 | 134.1 | 148 | 152.4 | 106.7 |
| **企业景气指数** | **139** | **143.8** | **150.9** | **124.3** | **144.2** | **151.8** | **148.4** | **108** |
| 工业 | 144.3 | 143.3 | 149.1 | 120.3 | 146.5 | 155.9 | 143.1 | 98.4 |
| 建筑业 | 150.8 | 157.7 | 163.3 | 151.7 | 157.6 | 166.4 | 170.5 | 140.2 |
| 交通运输、仓储及邮政业 | 113.8 | 135.5 | 140.2 | 113.9 | 141 | 137.3 | 145.4 | 94.1 |
| 批发和零售业 | 125.2 | 134.3 | 152.7 | 119.4 | 129.9 | 125.9 | 142.9 | 107.4 |
| 房地产业 | 119.1 | 111.1 | 140.4 | 110.2 | 120.6 | 132.8 | 139.3 | 91.5 |
| 社会服务业 | 136.2 | 147 | 152.3 | 128.3 | 147.7 | 150.2 | 156 | 137.2 |
| 信息传输、计算机服务和软件业 | 166.2 | 179 | 186.5 | 160 | 161.7 | 173.9 | 182.8 | 160.1 |
| 住宿和餐饮业 | 123.8 | 131.9 | 135.9 | 130.3 | 144.3 | 149.3 | 157.9 | 118.1 |

## 附表2　各季企业景气指数(2008年)

| 指　　标 | 1季度 | 2季度 | 3季度 | 4季度 |
|---|---|---|---|---|
| **按企业登记注册类型分** | | | | |
| 国有企业 | 144.2 | 150.8 | 138.2 | 124.1 |
| 集体企业 | 132 | 118.7 | 108.9 | 86 |
| 股份合作企业 | 119.3 | 91.9 | 103.4 | 76.6 |
| 联营企业 | 125 | 150 | 125 | 150 |
| 有限责任公司 | 133.3 | 129.3 | 123.1 | 107.3 |
| 股份有限公司 | 131.6 | 127.7 | 125.9 | 115.9 |
| 私营企业 | 133.2 | 126.6 | 121.3 | 83.8 |
| 其它内资企业 | 200 | 200 | 200 | 200 |
| 外商及港、澳、台投资企业 | 133.7 | 138.5 | 129.8 | 104.3 |
| 附:上市公司 | 157.1 | 152.9 | 149.6 | 134.3 |
| **按企业规模分** | | | | |
| 大型 | 160.7 | 150.8 | 147.1 | 121.4 |
| 中型 | 124.4 | 124 | 115.9 | 101.6 |
| 小型 | 120.5 | 120.1 | 113.4 | 98.5 |
| **按主要行业大类分** | | | | |
| 工业 | | | | |
| 农副食品加工业 | 95.2 | 100.7 | 117.7 | 91.7 |
| 食品制造业 | 152.4 | 142.3 | 125.5 | 124.3 |
| 饮料制造业 | 134.2 | 150.9 | 154.9 | 111.7 |
| 烟草制品业 | 200 | 200 | 200 | 200 |
| 纺织业 | 126.4 | 124.7 | 114.6 | 89.1 |
| 纺织服装、鞋、帽制造业 | 130.3 | 134.8 | 149.3 | 137.4 |
| 皮革、毛皮、羽毛(绒)及其制品业 | 129.8 | 128.4 | 115.9 | 103.9 |
| 木材加工及木、竹、藤、棕、草制品业 | 115.7 | 109.3 | 125 | 110.6 |
| 家具制造业 | 87.5 | 137.5 | 150 | 112.5 |
| 造纸及纸制品业 | 98.1 | 115.7 | 100.3 | 82 |
| 印刷业和记录媒介的复制 | 127.3 | 118.2 | 118.2 | 100 |
| 文教体育用品制造业 | 112.5 | 107.7 | 95.2 | 70.2 |
| 石油加工、炼焦及核燃料加工业 | 0 | 0 | 0 | 95.4 |
| 化学原料及化学制品制造业 | 142.3 | 145 | 124.2 | 91.2 |
| 医药制造业 | 155.1 | 147.3 | 141.4 | 130.4 |

附表2 续

| 指标 | 1季度 | 2季度 | 3季度 | 4季度 |
|---|---|---|---|---|
| 化学纤维制造业 | 132.1 | 132.5 | 111.1 | 32.4 |
| 橡胶制品业 | 175 | 175 | 147.7 | 75 |
| 塑料制品业 | 111.7 | 111.3 | 111.4 | 94.9 |
| 非金属矿物制品业 | 99.9 | 121.7 | 105.7 | 111.6 |
| 黑色金属冶炼及压延加工业 | 177.2 | 177.8 | 107.6 | 98.4 |
| 有色金属冶炼及压延加工业 | 91.5 | 95 | 86.8 | 36.7 |
| 金属制品业 | 154.6 | 153.9 | 164.6 | 117 |
| 通用设备制造业 | 140.6 | 130 | 135.4 | 86.5 |
| 专用设备制造业 | 108.1 | 97 | 80.7 | 63 |
| 交通运输设备制造业 | 163.6 | 165.4 | 157.6 | 139.8 |
| 电气机械及器材制造业 | 132.8 | 143.7 | 140.9 | 95.4 |
| 通信设备、计算机及其他电子设备 | 123.3 | 106.9 | 111.3 | 89.4 |
| 仪器仪表及文化、办公用机械制造业 | 122.6 | 135.1 | 110.1 | 93.4 |
| 工艺品及其他制造业 | 156.8 | 166.1 | 152.7 | 152.4 |
| 废弃资源和废旧材料回收加工业 | 100 | 100 | 100 | 100 |
| 电力、热力的生产和供应业 | 120.4 | 135.6 | 129 | 108.7 |
| **建筑业** | | | | |
| 房屋和土木工程建筑业 | 144.6 | 142.1 | 149.9 | 139.9 |
| **交运、仓储、邮政业** | | | | |
| 道路运输业 | 125.2 | 116 | 120 | 110.5 |
| 城市公共交通业 | 86.8 | 85.7 | 71.4 | 85.7 |
| 仓储业 | 160 | 200 | 160 | 180 |
| 邮政业 | 100 | 150 | 100 | 100 |
| **批发和零售业** | | | | |
| 批发业 | 141 | 122.6 | 115.6 | 102.6 |
| 零售业 | 164.5 | 149.8 | 145.2 | 146.1 |
| **房地产业** | | | | |
| **社会服务业** | | | | |
| **信息传输和计算机服务及软件业** | | | | |
| **住宿和餐饮业** | | | | |
| 住宿业 | 133.4 | 131.4 | 124.1 | 105.9 |
| 餐饮业 | 137.5 | 141.7 | 141.7 | 145.4 |

## 附表3 各季企业家信心指数(2008年)

| 指 标 | 1季度 | 2季度 | 3季度 | 4季度 |
|---|---|---|---|---|
| **按企业登记注册类型分** | | | | |
| 国有企业 | 145 | 135.3 | 123.6 | 105.7 |
| 集体企业 | 138.7 | 138.9 | 105.9 | 75.3 |
| 股份合作企业 | 115 | 101 | 101.4 | 66.6 |
| 联营企业 | 200 | 175 | 175 | 150 |
| 有限责任公司 | 128.8 | 118.8 | 107.4 | 84.2 |
| 股份有限公司 | 136.9 | 110.7 | 113.4 | 93.1 |
| 私营企业 | 141.2 | 120.8 | 109.6 | 82.5 |
| 其它内资企业 | 200 | 200 | 200 | 200 |
| 外商及港、澳、台投资企业 | 144.3 | 142.4 | 113.7 | 91.3 |
| 附:上市公司 | 156.7 | 129.4 | 123.9 | 103.1 |
| **按企业规模分** | | | | |
| 大型 | 153.1 | 134.1 | 118.1 | 88 |
| 中型 | 130 | 118.2 | 105.1 | 88 |
| 小型 | 125.4 | 116 | 108.7 | 86.3 |
| **按主要行业大类分** | | | | |
| 工业 | | | | |
| 农副食品加工业 | 99.8 | 116.4 | 106.4 | 91.8 |
| 食品制造业 | 149.4 | 131.6 | 111.6 | 93.5 |
| 饮料制造业 | 164.4 | 137 | 122.6 | 93.4 |
| 烟草制品业 | 200 | 200 | 200 | 200 |
| 纺织业 | 118.8 | 106.8 | 99.9 | 72.6 |
| 纺织服装、鞋、帽制造业 | 134.9 | 116.3 | 118.9 | 106.4 |
| 皮革、毛皮、羽毛(绒)及其制品业 | 124.4 | 115.9 | 97.5 | 64.8 |
| 木材加工及木、竹、藤、棕、草制品业 | 112.5 | 109.3 | 109.3 | 47.5 |
| 家具制造业 | 125 | 125 | 112.5 | 62.5 |
| 造纸及纸制品业 | 122.6 | 126.7 | 94.6 | 61.4 |
| 印刷业和记录媒介的复制 | 136.4 | 118.2 | 109.1 | 109.1 |
| 文教体育用品制造业 | 120.2 | 100 | 82.7 | 62.5 |
| 石油加工、炼焦及核燃料加工业 | 0 | 0 | 95.4 | 95.4 |
| 化学原料及化学制品制造业 | 151.5 | 140.5 | 130.7 | 72.9 |
| 医药制造业 | 151.3 | 140.4 | 127.8 | 111.5 |

附表3 续

| 指 标 | 1季度 | 2季度 | 3季度 | 4季度 |
|---|---|---|---|---|
| 化学纤维制造业 | 106.1 | 96.3 | 88.4 | 20.8 |
| 橡胶制品业 | 172.7 | 172.7 | 100 | 75 |
| 塑料制品业 | 110.2 | 105.1 | 105.1 | 73.1 |
| 非金属矿物制品业 | 136.1 | 125.4 | 106.3 | 93.8 |
| 黑色金属冶炼及压延加工业 | 109 | 111.7 | 70.5 | 52.7 |
| 有色金属冶炼及压延加工业 | 132 | 97.5 | 90.2 | 43.9 |
| 金属制品业 | 160 | 151 | 147.4 | 116.1 |
| 通用设备制造业 | 136.8 | 115.8 | 117.5 | 54.5 |
| 专用设备制造业 | 115.2 | 81.7 | 71.6 | 63.5 |
| 交通运输设备制造业 | 165.7 | 126.1 | 127.9 | 85.2 |
| 电气机械及器材制造业 | 148.8 | 131.9 | 130.3 | 87.8 |
| 通信设备、计算机及其他电子设备 | 160 | 164.5 | 117.5 | 95.3 |
| 仪器仪表及文化、办公用机械制造业 | 134.9 | 131.3 | 112.5 | 100 |
| 工艺品及其他制造业 | 176.8 | 150.2 | 130.1 | 136.2 |
| 废弃资源和废旧材料回收加工业 | 100 | 100 | 100 | 100 |
| 电力、热力的生产和供应业 | 123.4 | 112.4 | 68.7 | 88.1 |
| **建筑业** | | | | |
| 房屋和土木工程建筑业 | 138 | 134.9 | 121.2 | 115 |
| 交运、仓储、邮政业 | | | | |
| 道路运输业 | 125.2 | 121.2 | 110.8 | 86.8 |
| 城市公共交通业 | 114.3 | 85.7 | 114.3 | 127.5 |
| 仓储业 | 140 | 160 | 180 | 120 |
| 邮政业 | 150 | 150 | 150 | 150 |
| **批发和零售业** | | | | |
| 批发业 | 130 | 111.6 | 95.6 | 78.5 |
| 零售业 | 154.3 | 138.7 | 137.4 | 124.6 |
| **房地产业** | | | | |
| **社会服务业** | | | | |
| **信息传输和计算机服务及软件业** | | | | |
| **住宿和餐饮业** | | | | |
| 住宿业 | 152.4 | 135.3 | 120.7 | 95.7 |
| 餐饮业 | 145.8 | 145.8 | 145.8 | 128.8 |

## 附表4　各行业企业生产经营状况景气指数(2008年)

| 指　　标 | 1季度 | 2季度 | 3季度 | 4季度 |
|---|---|---|---|---|
| **工业** | | | | |
| 生产成本 | 46.4 | 42 | 53.4 | 116 |
| 生产总量 | 100.5 | 142 | 109.6 | 63.3 |
| 产品订货 | 126.5 | 130.6 | 118.9 | 73.2 |
| 其中:国外订货 | 110.5 | 109.9 | 107.7 | 67.5 |
| 产品销售量 | 103 | 144.2 | 113.3 | 64.8 |
| 产品销售价格 | 124.5 | 127.6 | 109.6 | 60.5 |
| 产成品库存 | 137.6 | 134.7 | 129.2 | 108.2 |
| 盈利(亏损)变化 | 99.7 | 116.3 | 103 | 77.9 |
| 流动资金 | 105.9 | 99.8 | 98.3 | 91.4 |
| 企业融资 | 105.8 | 96 | 97.8 | 95.7 |
| 货款拖欠 | 106.6 | 95.7 | 103.6 | 91.6 |
| 劳动力需求 | 122.5 | 115.6 | 107.5 | 73.3 |
| 固定资产投资 | 114 | 125.7 | 118.1 | 90.8 |
| 科技创新 | 119.1 | 127.1 | 125.4 | 107.4 |
| 原材料及能源购进价格 | 33.9 | 28.3 | 48.7 | 137.8 |
| 原材料及能源供应 | 119.8 | 118.3 | 127.4 | 139.3 |
| **建筑业** | | | | |
| 工程合同签订 | 109.5 | 136.7 | 127.2 | 107.8 |
| 其中:来自国(境)外的 | 96.7 | 102.3 | 97.4 | 96.5 |
| 建筑工程量 | 81.4 | 150.6 | 137.4 | 125.2 |
| 新开工工程量 | 97.2 | 141.1 | 135.1 | 103.5 |
| 技术设备能力 | 150.1 | 145.3 | 154.2 | 147.2 |
| 工程进度 | 93.9 | 143.4 | 151 | 136.4 |
| 工程结算收入 | 100.5 | 112.8 | 127.2 | 135.9 |
| 建筑材料购进价格 | 28.8 | 17 | 62.4 | 144.9 |
| 工程结算成本 | 41.4 | 34.7 | 50.6 | 79.3 |
| 盈利(亏损)变化 | 108 | 99.4 | 105.1 | 119.3 |
| 流动资金 | 115.2 | 95.1 | 90.3 | 88.8 |
| 企业融资 | 98.1 | 82.2 | 81.4 | 81.8 |
| 货款拖欠 | 100.2 | 83.9 | 71.9 | 64.8 |
| 劳动力需求 | 99 | 141.2 | 137.9 | 111.9 |
| 固定资产投资 | 102 | 110.9 | 116.7 | 101.4 |
| **交通运输、仓储及邮政业** | | | | |
| 业务预订 | 111.9 | 95.4 | 93.4 | 71.7 |
| 业务量 | 111.1 | 102.9 | 94.5 | 74.4 |
| 业务收费价格 | 102.4 | 106.9 | 102.6 | 80.7 |
| 业务成本 | 43.4 | 46.5 | 43.1 | 77.3 |
| 盈利(亏损)情况 | 88.1 | 109.5 | 79.8 | 60.8 |
| 流动资金 | 91.9 | 81.2 | 78 | 86.2 |
| 企业融资 | 90.4 | 79.2 | 85.6 | 88.4 |
| 货款拖欠 | 101.2 | 95.5 | 101.5 | 94.6 |
| 劳动力需求 | 112.8 | 105.3 | 112.1 | 92.9 |
| 固定资产投资 | 120 | 123.9 | 116.8 | 112.8 |

附表4　续1

| 指　　标 | 1季度 | 2季度 | 3季度 | 4季度 |
|---|---|---|---|---|
| **批发和零售业** | | | | |
| 购货合同 | 124.2 | 119.6 | 95.6 | 68.2 |
| 商品购进价格 | 40.6 | 39.5 | 96.9 | 120.5 |
| 商品销售额 | 130.4 | 122.4 | 102.2 | 70.4 |
| 其中:出口 | 91.9 | 113.2 | 96 | 73.8 |
| 商品销售价格 | 132.2 | 114.9 | 89.8 | 58.7 |
| 商品库存 | 123.6 | 118 | 111.5 | 102.7 |
| 经营费用 | 65.4 | 62.2 | 72.4 | 82.9 |
| 竞争能力 | 138.6 | 136.2 | 130.2 | 136.4 |
| 盈利(亏损)变化 | 107.2 | 101.5 | 88.5 | 86.7 |
| 流动资金 | 116.2 | 107.3 | 98.4 | 104.5 |
| 企业融资 | 99.7 | 101.6 | 98.6 | 102.2 |
| 货款拖欠 | 109.4 | 97.6 | 99.4 | 94.6 |
| 劳动力需求 | 110.1 | 102.3 | 112.1 | 75.8 |
| 固定资产投资 | 110.2 | 111.2 | 102.7 | 97.5 |
| **房地产业** | | | | |
| 土地开发 | 90.1 | 86.2 | 91.3 | 77.3 |
| 完成投资 | 82.5 | 104 | 100.1 | 86.3 |
| 新开工面积 | 81.7 | 83.2 | 79 | 72.8 |
| 房屋竣工面积 | 91.8 | 89.7 | 91.6 | 90.9 |
| 商品房预售面积 | 69.5 | 101.6 | 89.8 | 58.8 |
| 商品房销售面积 | 69.7 | 97.9 | 87.6 | 69.9 |
| 商品房销售价格 | 98.7 | 98.8 | 97.1 | 78.1 |
| 空置商品房面积 | 134.4 | 121.7 | 127.4 | 114.3 |
| 盈利(亏损)变化 | 84.6 | 103.9 | 78.1 | 72.4 |
| 流动资金 | 87.5 | 75.1 | 77.5 | 54.8 |
| 企业融资 | 66.1 | 65.9 | 64.1 | 51.4 |
| 货款拖欠 | 125.6 | 122.7 | 118.5 | 101.9 |
| 劳动力需求 | 87.9 | 93.8 | 80.8 | 69.9 |
| 固定资产投资 | 96.3 | 107.8 | 86.2 | 79.8 |
| **社会服务业** | | | | |
| 服务预订 | 129.2 | 118.4 | 105.5 | 95.9 |
| 竞争能力 | 165.7 | 170.8 | 161.5 | 153.7 |
| 旅游客源 | 111.1 | 100 | 102 | 90.2 |
| 收费(服务)价格 | 98.5 | 90.3 | 89.8 | 75.5 |
| 业务量 | 132.6 | 132.1 | 116 | 107.2 |
| 营业成本 | 71.4 | 58.2 | 58.2 | 76.3 |
| 盈利(亏损)变化 | 105.7 | 120.6 | 106.8 | 105.6 |
| 流动资金 | 109.2 | 131 | 123.3 | 116.8 |
| 企业融资 | 109.8 | 118.4 | 114.9 | 110.2 |
| 货款拖欠 | 104.2 | 101.2 | 113.5 | 107.5 |
| 劳动力需求 | 130.6 | 123.9 | 107.9 | 99.9 |
| 固定资产投资 | 111.9 | 120 | 109.5 | 110.3 |

附表4　续2

| 指　　标 | 1季度 | 2季度 | 3季度 | 4季度 |
|---|---|---|---|---|
| **信息、计算机服务、软件业** | | | | |
| 产品销售 | 126.8 | 158 | 130.2 | 128.1 |
| 产品订货 | 118.5 | 132.9 | 133.3 | 114.4 |
| 竞争能力 | 172.7 | 170.4 | 168 | 171.6 |
| 销售(收费)价格 | 76.5 | 89.3 | 93.6 | 80.7 |
| 营业收入 | 113.7 | 151.1 | 132.5 | 123.6 |
| 营业成本 | 73.8 | 66.4 | 64.1 | 75.1 |
| 盈利(亏损)变化 | 127.1 | 153.6 | 131.1 | 111.9 |
| 流动资金 | 149.9 | 147.8 | 142.3 | 130.7 |
| 企业融资 | 143.8 | 146.3 | 143.7 | 119.1 |
| 货款拖欠 | 120.4 | 118.8 | 113.7 | 94.2 |
| 劳动力需求 | 140.1 | 131.4 | 130.5 | 110.3 |
| 固定资产投资 | 128.3 | 115.8 | 132.2 | 136.7 |
| **住宿和餐饮业** | | | | |
| 业务预订 | 114.6 | 114.3 | 84 | 104.5 |
| 业务量 | 121 | 113 | 80.5 | 97.4 |
| 竞争能力 | 142.6 | 145.8 | 141.6 | 134.6 |
| 客房出租 | 94.8 | 98.2 | 96 | 93.8 |
| 收费(服务)价格 | 117.6 | 107.3 | 100.7 | 89.3 |
| 营业收入 | 114.6 | 111.7 | 89.9 | 112.1 |
| 营业成本 | 63.3 | 68.2 | 73.7 | 80.4 |
| 盈利(亏损)变化 | 121.6 | 119.3 | 86 | 108.2 |
| 流动资金 | 126.2 | 125.8 | 122.5 | 112.7 |
| 企业融资 | 123.4 | 117.7 | 113.4 | 113.5 |
| 货款拖欠 | 86.3 | 109.9 | 103.5 | 103.2 |
| 劳动力需求 | 140.2 | 114.4 | 122.4 | 101.4 |
| 固定资产投资 | 111.5 | 120.2 | 119.8 | 111.8 |

## 附表5 全省企业集团基本情况(2008年)

| 指 标 | 单位数(个) | 资产合计(万元) | 营业收入(万元) | 从业人员(人) | 劳动报酬总额(万元) |
|---|---|---|---|---|---|
| **总计** | **441** | **164408022** | **179607778** | **2407538** | **6556330** |
| **#国家重点** | **13** | **13813981** | **19694245** | **108766** | **426802** |
| 按审批部门分 | | | | | |
| 国务院 | 3 | 6734989 | 15332812 | 49561 | 206320 |
| 国务院主管部门 | 11 | 4751395 | 4784948 | 101221 | 236713 |
| 省级人民政府 | 80 | 34099584 | 33092414 | 269452 | 798433 |
| 省级政府主管部门 | 68 | 23658760 | 30022780 | 339205 | 909041 |
| 其他 | 279 | 95163294 | 96374824 | 1648099 | 4405823 |
| 按母公司主营行业类别分 | | | | | |
| 采矿业 | 2 | 276186 | 520899 | 3052 | 8665 |
| 制造业 | 317 | 94483753 | 113566816 | 1167635 | 2991367 |
| 电气水的生产和供应业 | 5 | 9265570 | 3951250 | 15307 | 115023 |
| 建筑业 | 50 | 17342148 | 28028329 | 1057476 | 2831367 |
| 交通运输、仓储和邮政业 | 8 | 13700092 | 2273276 | 41815 | 153300 |
| 批发和零售业 | 40 | 14455486 | 26761680 | 87584 | 336633 |
| 住宿和餐饮业 | 2 | 1114478 | 367683 | 14372 | 31265 |
| 房地产业 | 13 | 11878317 | 3697087 | 13941 | 64567 |
| 其他 | 4 | 1891992 | 440758 | 6356 | 24143 |
| **按母公司登记注册类型分** | | | | | |
| 国有企业 | 7 | 4525925 | 7945466 | 43042 | 140582 |
| 国有独资公司 | 29 | 36252600 | 29091703 | 156580 | 707595 |
| 其他有限责任公司 | 289 | 77506874 | 90743323 | 1495675 | 3886889 |
| 股份有限公司 | 79 | 30682124 | 32142978 | 587713 | 1484667 |
| 中外合资企业 | 4 | 1680669 | 1066007 | 14976 | 37274 |
| 外商投资股份有限公司 | 2 | 3498350 | 781032 | 6466 | 22326 |
| 港澳台合资企业 | 6 | 1573555 | 1344765 | 18778 | 39188 |
| 其他 | 25 | 8687925 | 16492504 | 84308 | 237809 |
| **按母公司控股情况分** | | | | | |
| 国有控股 | 57 | 48537648 | 43828262 | 277998 | 1081732 |

附表5　续

| 指　标 | 单位数（个） | 资产合计（万元） | 营业收入（万元） | 从业人员（人） | 劳动报酬总额（万元） |
|---|---|---|---|---|---|
| 集体控股 | 49 | 18449131 | 20620096 | 220054 | 520406 |
| 私人控股 | 328 | 91059807 | 112595883 | 1871141 | 4848603 |
| 港澳台商控股 | 2 | 1114790 | 1011965 | 12020 | 24510 |
| 外商控股 | 5 | 5246646 | 1551572 | 26325 | 81079 |
| **按成立时间分** | | | | | |
| 1992年及以前 | 22 | 11603572 | 16713875 | 150863 | 418055 |
| 1993年 | 31 | 17589165 | 16095898 | 161401 | 441990 |
| 1994年 | 49 | 12703082 | 15083854 | 141258 | 348191 |
| 1995年 | 64 | 18666954 | 24478440 | 414527 | 1209547 |
| 1996年 | 51 | 22645479 | 28817781 | 190393 | 559481 |
| 1997年 | 26 | 5189104 | 5347541 | 107289 | 229215 |
| 1998年 | 23 | 6005055 | 5948886 | 96662 | 244001 |
| 1999年 | 16 | 3388547 | 3932417 | 125654 | 294160 |
| 2000年 | 20 | 5441744 | 6745901 | 209490 | 524667 |
| 2001年 | 28 | 31475475 | 15431412 | 286991 | 855738 |
| 2002年 | 23 | 8168737 | 12748536 | 155791 | 362379 |
| 2003年 | 34 | 8399400 | 7715933 | 78178 | 203849 |
| 2004年 | 26 | 5109986 | 5703176 | 101720 | 261405 |
| 2005年 | 8 | 1309542 | 1698084 | 38849 | 73560 |
| 2006年 | 8 | 2568175 | 3783696 | 42942 | 101995 |
| 2007年 | 10 | 3931813 | 8935354 | 102682 | 419205 |
| 2008年 | 2 | 212192 | 426994 | 2848 | 8892 |
| **按资产总计分** | | | | | |
| 50亿元及以上 | 74 | 100076368 | 98269428 | 962119 | 2895003 |
| 40—50亿元 | 26 | 11483576 | 10424946 | 149390 | 435419 |
| 30—40亿元 | 28 | 9599523 | 13359451 | 199759 | 537940 |
| 20—30亿元 | 60 | 14835686 | 18064800 | 259176 | 785008 |
| 10—20亿元 | 148 | 21481412 | 29943638 | 660996 | 1507544 |
| 5—10亿元 | 77 | 6026608 | 8544878 | 156481 | 355324 |
| 5亿元以下 | 28 | 904849 | 1000637 | 19617 | 40092 |

## 附表6 企业集团财务指标

单位:万元

| 指 标 | 2005 | 2006 | 2007 | 2008 |
|---|---|---|---|---|
| **年末资产总计** | **87517963** | **110421889** | **144065344** | **164408022** |
| 固定资产净值 | | | 43054279 | 40154908 |
| 累计折旧 | 8817772 | 11177598 | 13586742 | 15687519 |
| #本年折旧 | 1714268 | 2162697 | 2753831 | 2981266 |
| 累计对外投资 | 4615231 | 5706855 | 8749255 | 9846202 |
| #本年对外投资 | 691042 | 1112145 | 1986620 | 2081291 |
| #本年对境外投资 | 10817 | 27967 | 43295 | 105529 |
| 存货 | 16287506 | 21644156 | 29053041 | 34496143 |
| 流动资产年平均余额 | 44007948 | 55863767 | 74996379 | 89177547 |
| 应收帐款 | 7040249 | 9064075 | 11845429 | 12301359 |
| 年末负债合计 | 55238661 | 69843699 | 92201378 | 105607149 |
| 流动负债 | 43570589 | 55891980 | 74631624 | 84388418 |
| #银行借款 | | 25507413 | 36635974 | 39201555 |
| 年末股东(所有者)权益合计 | 32279302 | 40578190 | 51863966 | 58800873 |
| #年末少数股东权益 | 6182189 | 7684110 | 10973869 | 12208156 |
| 股本(实收资本) | 11186191 | 12742188 | 15034907 | 16550739 |
| 营业收入 | 94915534 | 127573779 | 157498695 | 179607778 |
| #营业成本 | | | 136855159 | 157680139 |
| #营业税金及附加 | | | 1830679 | 2052539 |
| 新产品销售收入 | 11595264 | 15929941 | 20964106 | 24649365 |
| 出口销售总额 | 15721543 | 20033307 | 21692737 | 23416661 |
| 销售费用 | | | 4076543 | 4648771 |
| 管理费用 | | 3707709 | 4403715 | 5018563 |
| #税金 | 156112 | 196943 | 215789 | 301421 |
| 劳动、待业保险费 | 203522 | 243524 | 267111 | 414552 |
| 职工教育费 | 29886 | 43075 | 55306 | 62355 |
| 财务费用 | | 1582045 | 2204981 | 2914889 |
| #利息支出 | 1166319 | 1498278 | 2118233 | 2788604 |
| 投资收益 | 284366 | 385702 | 1356927 | 1332086 |
| 利润总额 | 4760564 | 6382206 | 9619917 | 8575039 |
| 应交所得税 | 1290073 | 1762010 | 2324139 | 1859630 |
| 应缴增值税 | 1445858 | 2116401 | 2563142 | 2835516 |
| 固定资产投资完成额 | 3408600 | 5171318 | 5136493 | 6043674 |
| 研究开发费用 | 745216 | 1104317 | 1379809 | 1600340 |

## 附表7　开发区(园区)主要经济指标

| 指　　标 | 2007 | 2008 |
| --- | --- | --- |
| 工业总产值(亿元) | 15094.2 | 17674.9 |
| 工业增加值(亿元) | 3033.3 | 3528.8 |
| 资产合计(亿元) | 12016.3 | 14460.5 |
| 产品销售收入(亿元) | 14598 | 17028.2 |
| #新产品销售收入 | 2711 | 3283.1 |
| 外资及港澳台企业销售收入 | 6379.4 | 6963.5 |
| 出口交货值(亿元) | 4178.5 | 4349.5 |
| 利税总额(亿元) | 1264.1 | 1236.3 |
| #利润总额 | 767.8 | 691.4 |
| 研究开发费用(亿元) | 145.1 | 173.4 |
| #高新技术企业 | 101.5 | 118.4 |
| 技术成果引进费用(亿元) | 30.5 | 31.7 |
| 企业用水总量(亿吨) | 957.9 | 1012.3 |
| 企业用电总量(亿千瓦时) | 398.4 | 438 |
| 从业人员年末人数(万人) | 306.8 | 332.6 |
| #直接从事研究开发人员 | 8.4 | 10.1 |
| 大专及以上学历或高中级技术职称人员 | 44.4 | 51.3 |
| 从业人员劳动报酬(亿元) | 586.9 | 721.9 |

## 附表 8 开发区(园区)基本建设情况

| 指　　标 | 2008 | 累计 |
|---|---|---|
| 投资 | | |
| 基础建设投入(亿元) | 470.7 | 3008.2 |
| 拆迁安置补偿款(亿元) | 92.7 | 687.9 |
| 入园企业投资额(亿元) | 1922.9 | 15573 |
| 引进外资 | | |
| 合同利用外资(亿美元) | 94.9 | 757.2 |
| 实际到位外资(亿美元) | 54.3 | 373.7 |
| 引进项目 | | |
| 入园企业(个) | 8400 | 61082 |
| #工业企业 | 3119 | 35274 |
| 外资及港澳台 | 663 | 44137 |
| 高新技术企业 | 171 | 9127 |
| 投产企业 | 4659 | 2323 |

## 附表 9 旅游度假区基本建设情况

| 指　　标 | 2008 | 累计 |
|---|---|---|
| 投资 | | |
| 基础建设投入(亿元) | 23.9 | 147 |
| 拆迁安置补偿款(亿元) | 6.5 | 67 |
| 入园企业投资额(亿元) | 68 | 306.7 |
| 引进外资 | | |
| 合同利用外资(亿美元) | 2.57 | 12.5 |
| 实际到位外资(亿美元) | 2.27 | 8.7 |
| 引进项目 | | |
| 入园企业数(个) | 35 | 831 |

## 附表10　浙江省投入产出延长表(2005年)

(按当年生产者价格计算)　单位:万元

| 投入 \ 产出 | 农业 | 煤炭开采和洗选业 | 石油和天然气开采业 | 金属矿采选业 | 非金属矿采选业 | 食品制造及烟草加工业 | 纺织业 |
|---|---|---|---|---|---|---|---|
| 农业 | 1544071.9 | 1904.9 | 0.0 | 225.5 | 3000.0 | 3772086.1 | 1038479.1 |
| 煤炭开采和洗选业 | 4611.2 | 81.3 | 0.0 | 712.0 | 3171.5 | 193102.1 | 221370.8 |
| 石油和天然气开采业 | 0.0 | 199.1 | 0.0 | 1874.1 | 943.8 | 447.1 | 2626.5 |
| 金属矿采选业 | 0.0 | 86.6 | 0.0 | 109697.9 | 10717.0 | 16797.3 | 32787.9 |
| 非金属矿采选业 | 8.7 | 17.4 | 0.0 | 2137.6 | 98191.2 | 8241.7 | 6850.4 |
| 食品制造及烟草加工业 | 703271.9 | 69.7 | 0.0 | 5385.4 | 8721.7 | 3684570.1 | 23668.0 |
| 纺织业 | 0.8 | 10.6 | 0.0 | 1255.7 | 11494.1 | 24257.3 | 11290680.4 |
| 服装皮革羽绒及其制品业 | 2042.5 | 1326.1 | 0.0 | 9045.4 | 14215.0 | 24895.8 | 1160425.1 |
| 木材加工及家具制造业 | 173423.7 | 503.9 | 0.0 | 446.2 | 4495.3 | 27931.5 | 26949.1 |
| 造纸印刷及文教用品制造业 | 240220.4 | 1053.2 | 0.0 | 6493.7 | 6787.0 | 359799.2 | 211756.6 |
| 石油加工、炼焦及核燃料加工业 | 638203.4 | 1959.7 | 0.0 | 9718.1 | 15461.2 | 33377.9 | 105903.8 |
| 化学工业 | 787259.8 | 2360.7 | 0.0 | 51421.5 | 124322.2 | 907462.8 | 6582436.4 |
| 非金属矿物制品业 | 121170.0 | 420.1 | 0.0 | 4383.3 | 93517.8 | 94542.7 | 84942.7 |
| 金属冶炼及压延加工业 | 167601.2 | 282.6 | 0.0 | 15062.1 | 41295.3 | 58162.0 | 244476.2 |
| 金属制品业 | 33389.4 | 3899.9 | 0.0 | 571.0 | 10094.2 | 60121.9 | 101619.2 |
| 通用、专用设备制造业 | 107712.1 | 1817.0 | 0.0 | 16305.5 | 15366.4 | 44877.3 | 355451.3 |
| 交通运输设备制造业 | 950.6 | 519.0 | 0.0 | 29543.2 | 46812.9 | 19200.0 | 140906.7 |
| 电气、机械及器材制造业 | 2109.6 | 765.0 | 0.0 | 24187.0 | 35611.5 | 101403.9 | 163296.7 |
| 通信设备、计算机及其他电子设备制造业 | 188.9 | 341.3 | 0.0 | 17883.4 | 44797.7 | 10338.3 | 135437.8 |
| 仪器仪表及文化办公用机械制造业 | 1106.0 | 147.1 | 0.0 | 3508.0 | 2410.9 | 8604.0 | 27254.4 |
| 其他制造业 | 321.8 | 549.7 | 0.0 | 16579.9 | 15625.6 | 19085.3 | 77301.8 |
| 废品废料 | 0.0 | 0.0 | 0.0 | 0.0 | 400.2 | 0.0 | 15386.2 |
| 电力、热力的生产和供应业 | 279262.7 | 13115.5 | 0.0 | 65461.7 | 101735.5 | 289079.6 | 1529775.8 |
| 燃气生产和供应业 | 0.0 | 0.3 | 0.0 | 258.6 | 1986.1 | 4949.3 | 26461.5 |
| 水的生产和供应业 | 1804.7 | 705.3 | 0.0 | 460.3 | 2520.5 | 15102.1 | 44367.6 |
| 建筑业 | 43.3 | 80.0 | 0.0 | 78.1 | 808.2 | 2026.6 | 9291.0 |
| 交通运输及仓储业 | 80250.0 | 9649.7 | 0.0 | 31891.1 | 113344.6 | 286097.3 | 557308.5 |
| 邮政业 | 3901.5 | 112.3 | 0.0 | 1495.2 | 941.2 | 4803.5 | 11544.5 |
| 信息传输、计算机服务和软件业 | 1642.6 | 420.3 | 0.0 | 19705.8 | 10021.0 | 48436.0 | 105076.4 |
| 批发和零售贸易业 | 203318.9 | 964.0 | 0.0 | 11626.8 | 39255.7 | 439737.5 | 1469478.7 |
| 住宿和餐饮业 | 1328.3 | 1646.7 | 0.0 | 11696.3 | 9685.3 | 51168.7 | 119311.9 |
| 金融保险业 | 103305.6 | 14596.4 | 0.0 | 28881.4 | 16998.7 | 252901.8 | 537635.8 |
| 房地产业 | 0.2 | 0.0 | 0.0 | 144.0 | 63.6 | 4113.9 | 9423.1 |
| 租赁业和商务服务业 | 53668.3 | 1085.6 | 0.0 | 1648.2 | 3830.8 | 326403.2 | 139205.7 |
| 旅游业 | 0.0 | 9.0 | 0.0 | 0.0 | 0.0 | 31.5 | 82.0 |
| 科学研究事业 | 0.3 | 147.2 | 0.0 | 1098.4 | 142.4 | 8691.5 | 7530.7 |
| 综合技术服务业 | 40834.6 | 760.6 | 0.0 | 1021.8 | 113.9 | 9003.4 | 87852.9 |
| 其他社会服务业 | 33997.8 | 1286.6 | 0.0 | 972.9 | 446.3 | 7958.9 | 18511.7 |
| 教育事业 | 8135.3 | 364.6 | 0.0 | 8509.5 | 252.5 | 2249.3 | 7392.9 |
| 卫生、社会保障和社会福利业 | 15008.6 | 110.5 | 0.0 | 2774.2 | 682.3 | 2193.2 | 9588.6 |
| 文化、体育和娱乐业 | 337.4 | 264.6 | 0.0 | 3937.2 | 2971.8 | 13042.6 | 33695.6 |
| 公共管理和社会组织 | 0.0 | 0.0 | 0.0 | 0.0 | 0.0 | 0.0 | 0.0 |
| **中间投入** | **5354504.0** | **63634.1** | **0.0** | **518098.0** | **913252.9** | **11237294.2** | **26773542.0** |
| 固定资产折旧 | 623890.0 | 7493.2 | 0.0 | 12332.2 | 33116.2 | 299734.8 | 1236097.5 |
| 劳动者报酬 | 8334770.0 | 44647.3 | 0.0 | 81564.6 | 97225.5 | 629827.7 | 2842872.4 |
| 生产税净额 | -30322.0 | 11521.6 | 0.0 | 34276.5 | 54974.1 | 1233953.6 | 1348091.0 |
| 营业盈余 | 0.0 | 36618.6 | 0.0 | 82300.3 | 88039.4 | 857206.1 | 1947291.6 |
| **增加值** | **8928338.0** | **100280.7** | **0.0** | **210473.6** | **273355.2** | **3020722.2** | **7374352.5** |
| **总投入** | **14282842.0** | **163914.8** | **0.0** | **728571.6** | **1186608.1** | **14258016.4** | **34147894.5** |

附表 10　续 1　　　　　　　　　　　　　　　　　　　　　　　　　　　　单位：万元

| 投入 ＼ 产出 | 服装皮革羽绒及其制品业 | 木材加工及家具制造业 | 造纸印刷及文教用品制造业 | 石油加工、炼焦及核燃料加工业 | 化学工业 | 非金属矿物制品业 | 金属冶炼及压延加工业 |
|---|---|---|---|---|---|---|---|
| 农业 | 2907937.4 | 1342980.6 | 209137.1 | 87.8 | 1494351.9 | 19318.0 | 407.6 |
| 煤炭开采和洗选业 | 67826.3 | 4173.4 | 79578.0 | 48535.0 | 309047.7 | 311274.1 | 73904.6 |
| 石油和天然气开采业 | 61430.8 | 231.8 | 2550.2 | 6742527.5 | 831361.2 | 15779.5 | 14418.4 |
| 金属矿采选业 | 73486.5 | 40530.5 | 5039.1 | 41.7 | 62964.4 | 62159.6 | 1190602.0 |
| 非金属矿采选业 | 13369.0 | 5280.7 | 3182.4 | 19.1 | 113456.7 | 171641.9 | 10121.8 |
| 食品制造及烟草加工业 | 1135990.2 | 134825.7 | 40056.8 | 917.3 | 639998.2 | 20278.9 | 728.6 |
| 纺织业 | 8118545.6 | 193570.1 | 122462.7 | 42.6 | 901423.5 | 7028.4 | 166052.1 |
| 服装皮革羽绒及其制品业 | 4970632.2 | 169232.1 | 71384.1 | 1894.3 | 435328.0 | 45614.1 | 95172.1 |
| 木材加工及家具制造业 | 57285.4 | 863988.2 | 362238.4 | 871.8 | 47149.1 | 41200.7 | 12818.9 |
| 造纸印刷及文教用品制造业 | 527001.2 | 45791.7 | 4880096.4 | 3338.8 | 765847.2 | 102310.5 | 68551.7 |
| 石油加工、炼焦及核燃料加工业 | 85584.3 | 20687.9 | 75038.3 | 708472.3 | 1312436.3 | 220246.4 | 240102.4 |
| 化学工业 | 2353272.9 | 800812.3 | 1304924.8 | 53408.8 | 21465961.4 | 1918893.7 | 675181.2 |
| 非金属矿物制品业 | 129194.5 | 56633.3 | 21452.8 | 3212.4 | 303831.7 | 1388486.7 | 147026.1 |
| 金属冶炼及压延加工业 | 288929.2 | 135362.5 | 891505.5 | 3940.8 | 989451.2 | 1010034.7 | 8658209.9 |
| 金属制品业 | 107449.0 | 102674.9 | 170459.8 | 7393.2 | 552644.5 | 306360.8 | 904336.6 |
| 通用、专用设备制造业 | 179853.5 | 85396.8 | 89201.5 | 32991.9 | 217086.5 | 86117.1 | 325221.7 |
| 交通运输设备制造业 | 314547.9 | 171019.6 | 47470.4 | 4046.0 | 160352.4 | 105777.5 | 25026.2 |
| 电气、机械及器材制造业 | 252316.9 | 136871.9 | 83777.5 | 13675.2 | 298318.0 | 190929.4 | 174851.7 |
| 通信设备、计算机及其他电子设备制造业 | 210017.7 | 99925.8 | 39590.7 | 3433.0 | 270176.9 | 945660.6 | 15132.1 |
| 仪器仪表及文化办公用机械制造业 | 21540.3 | 4107.0 | 9706.0 | 4251.1 | 95269.2 | 11111.3 | 20776.0 |
| 其他制造业 | 172428.6 | 133548.8 | 41456.9 | 3805.8 | 229248.4 | 120487.2 | 37306.8 |
| 废品废料 | 480.8 | 6095.5 | 174001.3 | 118.9 | 330052.5 | 55938.3 | 1118529.2 |
| 电力、热力的生产和供应业 | 500462.2 | 135729.4 | 505716.7 | 31122.9 | 1756458.0 | 1062985.5 | 1532665.3 |
| 燃气生产和供应业 | 13491.0 | 3150.3 | 27195.9 | 244.1 | 22517.7 | 42851.6 | 18338.9 |
| 水的生产和供应业 | 14820.9 | 6764.0 | 11204.8 | 1373.7 | 39297.6 | 19133.5 | 15616.2 |
| 建筑业 | 5674.7 | 520.7 | 2064.8 | 6.4 | 4976.3 | 2516.0 | 2883.0 |
| 交通运输及仓储业 | 592334.4 | 144821.7 | 280032.2 | 48278.4 | 1107041.6 | 533463.5 | 311147.2 |
| 邮政业 | 18177.1 | 3083.4 | 10125.8 | 418.6 | 24410.5 | 2744.8 | 2772.4 |
| 信息传输、计算机服务和软件业 | 175144.8 | 29552.0 | 93690.0 | 4589.8 | 195364.5 | 39454.4 | 40650.0 |
| 批发和零售贸易业 | 1474964.2 | 339100.5 | 428600.0 | 50530.0 | 1273940.3 | 426340.3 | 702662.5 |
| 住宿和餐饮业 | 131864.2 | 30142.0 | 47125.4 | 2760.3 | 181860.2 | 43427.9 | 29326.0 |
| 金融保险业 | 470173.7 | 81404.8 | 144051.0 | 23385.4 | 647592.1 | 201819.9 | 229187.0 |
| 房地产业 | 16220.2 | 3107.2 | 3113.7 | 256.5 | 8474.6 | 3517.2 | 4154.0 |
| 租赁业和商务服务业 | 365170.4 | 43857.7 | 65093.3 | 3271.3 | 355616.0 | 63173.5 | 25841.6 |
| 旅游业 | 60.5 | 0.0 | 60.8 | 0.8 | 152.4 | 5.1 | 8.5 |
| 科学研究事业 | 13908.6 | 7492.7 | 1771.5 | 6267.1 | 58326.4 | 9970.1 | 9852.5 |
| 综合技术服务业 | 20254.6 | 3296.8 | 16299.2 | 401.8 | 60411.0 | 5286.5 | 5196.8 |
| 其他社会服务业 | 11307.2 | 2797.3 | 9922.5 | 9822.4 | 85916.3 | 8665.7 | 34490.5 |
| 教育事业 | 7016.6 | 2176.5 | 3703.9 | 226.2 | 18756.6 | 1980.8 | 3991.7 |
| 卫生、社会保障和社会福利业 | 1283.0 | 1920.7 | 1947.1 | 0.1 | 8810.6 | 1007.0 | 1446.3 |
| 文化、体育和娱乐业 | 34099.6 | 8200.6 | 12927.6 | 721.6 | 45758.4 | 8675.4 | 7107.7 |
| 公共管理和社会组织 | 0.0 | 0.0 | 0.0 | 0.0 | 0.0 | 0.0 | 0.0 |
| **中间投入** | **25915548.1** | **5400859.4** | **10388956.9** | **7820702.7** | **37721438.0** | **9633668.1** | **16951815.8** |
| 固定资产折旧 | 591729.4 | 120808.3 | 418441.7 | 128414.2 | 1296112.0 | 352859.9 | 579032.5 |
| 劳动者报酬 | 2679257.0 | 533664.3 | 909271.9 | 153438.7 | 2349763.5 | 716296.2 | 1078757.8 |
| 生产税净额 | 1069749.9 | 205716.5 | 471032.0 | 305869.0 | 1420755.3 | 344188.7 | 828208.6 |
| 营业盈余 | 2109668.9 | 401329.9 | 833058.9 | 497194.2 | 3026040.5 | 642781.1 | 1172953.8 |
| **增加值** | **6450405.2** | **1261519.0** | **2631804.5** | **1084916.1** | **8092671.3** | **2056125.9** | **3658952.7** |
| **总投入** | **32365953.3** | **6662378.4** | **13020761.4** | **8905618.8** | **45814109.3** | **11689794.0** | **20610768.5** |

附表10 续2

单位:万元

| 产出<br>投入 | 金属制品业 | 通用、专用设备制造业 | 交通运输设备制造业 | 电气、机械及器材制造业 | 通信设备、计算机及其他电子设备制造业 | 仪器仪表及文化办公用机械制造业 | 其他制造业 |
|---|---|---|---|---|---|---|---|
| 农业 | 18346.8 | 9704.3 | 43347.8 | 1091.8 | 4123.2 | 33479.1 | 313430.1 |
| 煤炭开采和洗选业 | 56957.0 | 36028.4 | 14791.9 | 13947.3 | 23168.8 | 700.1 | 10511.6 |
| 石油和天然气开采业 | 5475.2 | 3599.8 | 182334.1 | 1445.2 | 360.3 | 67.1 | 9083.4 |
| 金属矿采选业 | 67301.5 | 137658.7 | 18929.1 | 526447.5 | 87473.8 | 34470.9 | 8859.8 |
| 非金属矿采选业 | 2487.3 | 10317.1 | 1266.4 | 13200.0 | 2937.2 | 525.4 | 1282.5 |
| 食品制造及烟草加工业 | 7576.1 | 24290.9 | 2881.9 | 6529.0 | 3318.4 | 1995.8 | 7382.7 |
| 纺织业 | 488845.1 | 156253.9 | 71095.6 | 81307.2 | 9150.2 | 6160.0 | 437073.7 |
| 服装皮革羽绒及其制品业 | 623233.8 | 101048.2 | 32143.3 | 56017.6 | 23997.7 | 8827.3 | 39388.9 |
| 木材加工及家具制造业 | 58819.3 | 75315.8 | 32484.7 | 55464.5 | 10790.8 | 48929.0 | 470540.4 |
| 造纸印刷及文教用品制造业 | 255926.1 | 268536.1 | 172294.0 | 335690.3 | 212050.8 | 145819.3 | 213740.3 |
| 石油加工、炼焦及核燃料加工业 | 114810.3 | 371927.4 | 73666.2 | 194286.5 | 92818.2 | 8060.5 | 72038.2 |
| 化学工业 | 1303995.9 | 1614875.3 | 1514490.3 | 2986203.5 | 741442.2 | 761464.6 | 852390.8 |
| 非金属矿物制品业 | 58269.1 | 278800.7 | 44473.4 | 516534.0 | 151967.4 | 44286.3 | 47258.4 |
| 金属冶炼及压延加工业 | 2990958.2 | 5311509.0 | 2214783.4 | 3167590.6 | 1556071.9 | 330113.2 | 552411.3 |
| 金属制品业 | 1806381.3 | 1592539.9 | 453758.7 | 810324.4 | 350985.9 | 94888.1 | 129254.6 |
| 通用、专用设备制造业 | 1031924.9 | 5452540.7 | 1396221.7 | 1208234.9 | 167680.3 | 238272.0 | 18525.9 |
| 交通运输设备制造业 | 103100.4 | 1309415.2 | 2732920.4 | 231683.0 | 48762.0 | 32035.6 | 37489.5 |
| 电气、机械及器材制造业 | 339225.3 | 1549000.7 | 776249.4 | 2964362.5 | 1786604.9 | 198864.8 | 35617.5 |
| 通信设备、计算机及其他电子设备制造业 | 95661.6 | 424004.1 | 1052174.3 | 777512.5 | 3006498.7 | 193537.5 | 22405.8 |
| 仪器仪表及文化办公用机械制造业 | 46221.4 | 307291.6 | 159938.2 | 249048.6 | 36085.4 | 2004000.4 | 3058.0 |
| 其他制造业 | 76910.7 | 171761.7 | 36813.5 | 257632.1 | 23798.1 | 39042.0 | 217690.4 |
| 废品废料 | 57782.3 | 151913.5 | 4489.1 | 16450.1 | 3470.1 | 8287.8 | 182069.8 |
| 电力、热力的生产和供应业 | 449464.5 | 615014.0 | 399744.3 | 372940.7 | 225795.2 | 71819.6 | 172595.3 |
| 燃气生产和供应业 | 9220.4 | 13878.7 | 12841.6 | 40241.9 | 580.6 | 4366.8 | 5883.3 |
| 水的生产和供应业 | 6765.6 | 22313.3 | 16397.4 | 13207.4 | 9427.4 | 3107.6 | 4578.0 |
| 建筑业 | 3401.8 | 4451.1 | 980.9 | 1526.0 | 2984.3 | 480.4 | 564.6 |
| 交通运输及仓储业 | 352526.8 | 667925.8 | 321237.5 | 486411.4 | 157561.3 | 91312.9 | 113336.1 |
| 邮政业 | 7175.7 | 23200.5 | 9080.8 | 13085.2 | 5328.1 | 5545.7 | 2018.8 |
| 信息传输、计算机服务和软件业 | 62052.8 | 195230.8 | 80245.6 | 195420.7 | 47748.6 | 58036.8 | 26157.5 |
| 批发和零售贸易业 | 497860.6 | 749234.7 | 418245.0 | 659625.6 | 314140.9 | 134665.3 | 198038.2 |
| 住宿和餐饮业 | 56471.0 | 188160.8 | 83004.1 | 119830.2 | 40952.7 | 32779.0 | 15554.9 |
| 金融保险业 | 202181.5 | 402493.2 | 188491.4 | 299751.0 | 116644.2 | 73901.4 | 49647.6 |
| 房地产业 | 4341.5 | 9094.7 | 14336.7 | 10996.9 | 3368.5 | 907.9 | 2183.8 |
| 租赁业和商务服务业 | 69567.3 | 221549.2 | 110830.1 | 263282.2 | 249102.4 | 70301.6 | 17623.3 |
| 旅游业 | 5.8 | 100.5 | 48.7 | 131.6 | 68.9 | 73.0 | 2.3 |
| 科学研究事业 | 9851.4 | 52049.4 | 20440.0 | 43829.8 | 26010.2 | 3908.6 | 1074.0 |
| 综合技术服务业 | 17806.7 | 40926.9 | 19866.5 | 35510.4 | 6759.5 | 16264.8 | 1209.0 |
| 其他社会服务业 | 6376.3 | 19536.5 | 9997.3 | 11270.1 | 4726.7 | 3005.3 | 5094.0 |
| 教育事业 | 5357.9 | 17465.6 | 8834.9 | 6040.0 | 3629.6 | 3022.5 | 1587.5 |
| 卫生、社会保障和社会福利业 | 2118.7 | 4145.2 | 988.3 | 768.8 | 948.3 | 258.6 | 266.2 |
| 文化、体育和娱乐业 | 13490.1 | 44582.1 | 17669.7 | 27277.8 | 8944.2 | 7120.7 | 3663.9 |
| 公共管理和社会组织 | 0.0 | 0.0 | 0.0 | 0.0 | 0.0 | 0.0 | 0.0 |
| **中间投入** | **11386246.0** | **22649686.0** | **12764828.2** | **17072150.8** | **9568277.9** | **4814705.3** | **4302581.9** |
| 固定资产折旧 | 318662.8 | 618741.4 | 336941.7 | 387720.7 | 244060.9 | 151335.1 | 132014.9 |
| 劳动者报酬 | 1073106.2 | 2328783.8 | 1111936.5 | 1476059.3 | 729405.0 | 571326.8 | 670840.9 |
| 生产税净额 | 471309.8 | 1049774.3 | 574725.9 | 713895.7 | 232565.6 | 261811.8 | 248791.7 |
| 营业盈余 | 1067568.3 | 2545366.7 | 1029559.8 | 1524441.5 | 500517.6 | 584551.8 | 506403.0 |
| **增加值** | **2930647.1** | **6542666.2** | **3053163.9** | **4102117.2** | **1706549.1** | **1569025.5** | **1558050.5** |
| **总投入** | **14316893.1** | **29192352.2** | **15817992.1** | **21174268.0** | **11274827.0** | **6383730.8** | **5860632.4** |

附表10 续3 单位:万元

| 产出<br>投入 | 废品废料 | 电力、热力的生产和供应业 | 燃气生产和供应业 | 水的生产和供应业 | 建筑业 | 交通运输及仓储业 | 邮政业 |
|---|---|---|---|---|---|---|---|
| 农业 | 0.0 | 37089.9 | 0.0 | 6.0 | 768805.6 | 166649.3 | 0.0 |
| 煤炭开采和洗选业 | 0.0 | 3646483.2 | 3735.1 | 5001.2 | 99106.1 | 2244.7 | 0.0 |
| 石油和天然气开采业 | 0.0 | 8324.6 | 11448.5 | 33.5 | 0.0 | 103230.0 | 0.0 |
| 金属矿采选业 | 0.0 | 2681.2 | 0.0 | 81.9 | 0.0 | 0.0 | 0.0 |
| 非金属矿采选业 | 0.0 | 10610.4 | 1.4 | 83.0 | 1248201.5 | 1302.0 | 0.0 |
| 食品制造及烟草加工业 | 0.0 | 10601.9 | 0.0 | 65.9 | 0.0 | 83732.3 | 0.0 |
| 纺织业 | 0.0 | 183357.9 | 1.0 | 507.6 | 206.1 | 15512.8 | 128.5 |
| 服装皮革羽绒及其制品业 | 0.0 | 89781.7 | 279.3 | 2999.9 | 110597.7 | 93364.8 | 6936.6 |
| 木材加工及家具制造业 | 0.0 | 49571.2 | 32.8 | 831.4 | 1201316.1 | 13283.3 | 750.9 |
| 造纸印刷及文教用品制造业 | 0.0 | 98330.9 | 220.5 | 3827.7 | 121057.8 | 48012.5 | 12876.4 |
| 石油加工、炼焦及核燃料加工业 | 0.0 | 596855.9 | 212832.1 | 964.9 | 1665723.9 | 2073909.7 | 7314.0 |
| 化学工业 | 0.0 | 284620.3 | 1387.3 | 18190.0 | 1195894.4 | 149785.5 | 666.3 |
| 非金属矿物制品业 | 0.0 | 196917.1 | 65.9 | 1696.2 | 6599552.3 | 43079.8 | 1168.6 |
| 金属冶炼及压延加工业 | 0.0 | 79872.3 | 2278.8 | 1421.9 | 4945116.4 | 16982.9 | 0.0 |
| 金属制品业 | 0.0 | 101962.0 | 86.2 | 2958.2 | 4187586.2 | 16709.5 | 599.0 |
| 通用、专用设备制造业 | 0.0 | 455780.8 | 326.9 | 16771.1 | 1023477.0 | 72350.1 | 3815.5 |
| 交通运输设备制造业 | 0.0 | 98000.9 | 149.5 | 6067.8 | 139635.7 | 813855.5 | 7036.4 |
| 电气、机械及器材制造业 | 0.0 | 291699.9 | 197.4 | 11630.9 | 427234.5 | 53561.9 | 461.9 |
| 通信设备、计算机及其他电子设备制造业 | 0.0 | 66952.5 | 65.2 | 1953.6 | 31280.2 | 43466.4 | 361.0 |
| 仪器仪表及文化办公用机械制造业 | 0.0 | 165320.3 | 192.0 | 6839.0 | 242670.3 | 12218.4 | 3019.0 |
| 其他制造业 | 0.0 | 27008.3 | 99.9 | 1532.0 | 75333.9 | 6756.8 | 0.0 |
| 废品废料 | 0.0 | 15799.6 | 0.0 | 0.8 | 0.0 | 554.8 | 0.0 |
| 电力、热力的生产和供应业 | 0.0 | 2932750.2 | 2190.2 | 266332.5 | 906966.8 | 202407.0 | 9578.6 |
| 燃气生产和供应业 | 0.0 | 4494.5 | 9582.3 | 7968.3 | 0.0 | 68477.8 | 0.0 |
| 水的生产和供应业 | 0.0 | 30084.7 | 126.0 | 11368.3 | 23002.5 | 17459.0 | 449.8 |
| 建筑业 | 0.0 | 49134.5 | 8.4 | 351.7 | 0.0 | 44391.1 | 737.4 |
| 交通运输及仓储业 | 0.0 | 307190.4 | 4933.6 | 3587.0 | 1061777.6 | 815935.9 | 19681.8 |
| 邮政业 | 0.0 | 17501.1 | 25.7 | 830.5 | 8734.9 | 7759.5 | 820.2 |
| 信息传输、计算机服务和软件业 | 0.0 | 71528.7 | 883.7 | 7347.4 | 147793.8 | 103866.0 | 23018.6 |
| 批发和零售贸易业 | 0.0 | 339398.5 | 3565.0 | 3279.0 | 1677601.4 | 89484.1 | 41095.3 |
| 住宿和餐饮业 | 0.0 | 101423.0 | 413.9 | 5871.4 | 115392.0 | 64376.1 | 1843.4 |
| 金融保险业 | 0.0 | 1212914.6 | 3243.2 | 29928.3 | 244532.8 | 321119.1 | 943.2 |
| 房地产业 | 0.0 | 2786.8 | 19.6 | 70.1 | 1494.3 | 3332.4 | 1844.6 |
| 租赁业和商务服务业 | 0.0 | 54092.1 | 295.6 | 2516.0 | 440775.2 | 260050.0 | 7914.7 |
| 旅游业 | 0.0 | 3.8 | 0.5 | 0.0 | 0.0 | 1822.3 | 0.0 |
| 科学研究事业 | 0.0 | 8672.2 | 0.0 | 385.8 | 50032.9 | 1070.5 | 35.1 |
| 综合技术服务业 | 0.0 | 74371.3 | 25.2 | 557.9 | 349317.3 | 64425.0 | 0.0 |
| 其他社会服务业 | 0.0 | 145763.9 | 278.1 | 4469.1 | 56567.7 | 249403.2 | 508.2 |
| 教育事业 | 0.0 | 18905.2 | 53.0 | 992.2 | 11374.4 | 16519.9 | 0.0 |
| 卫生、社会保障和社会福利业 | 0.0 | 1988.3 | 5.4 | 48.8 | 0.0 | 34168.2 | 0.0 |
| 文化、体育和娱乐业 | 0.0 | 26369.6 | 98.0 | 1640.0 | 19248.6 | 6457.1 | 0.0 |
| 公共管理和社会组织 | 0.0 | 0.0 | 0.0 | 0.0 | 0.0 | 0.0 | 0.0 |
| **中间投入** | **0.0** | **11916996.2** | **259147.2** | **431008.8** | **29197407.9** | **6203087.2** | **153605.0** |
| 固定资产折旧 | 0.0 | 1556934.0 | 16623.4 | 113781.9 | 272166.0 | 933081.4 | 26642.3 |
| 劳动者报酬 | 0.0 | 774037.5 | 12329.1 | 78553.0 | 5323688.3 | 1249516.1 | 153782.0 |
| 生产税净额 | 0.0 | 1098422.0 | -8017.0 | 17612.4 | 1172074.7 | 483231.5 | 14965.0 |
| 营业盈余 | 1069429.4 | 1081506.6 | -541.8 | 10876.9 | 1400171.0 | 2395188.0 | -1186.9 |
| **增加值** | **1069429.4** | **4510900.1** | **20393.7** | **220824.2** | **8168100.0** | **5061017.0** | **194202.4** |
| **总投入** | **1069429.4** | **16427896.3** | **279540.9** | **651833.0** | **37365507.9** | **11264104.2** | **347807.4** |

附表10　续4　单位:万元

| 投入＼产出 | 信息传输、计算机服务和软件业 | 批发和零售贸易业 | 住宿和餐饮业 | 金融保险业 | 房地产业 | 租赁业和商务服务业 | 旅游业 |
|---|---|---|---|---|---|---|---|
| 农业 | 0.0 | 6944.0 | 1208036.5 | 0.0 | 0.0 | 0.0 | 527.0 |
| 煤炭开采和洗选业 | 0.0 | 357.3 | 5573.6 | 0.0 | 0.0 | 0.0 | 1719.0 |
| 石油和天然气开采业 | 0.0 | 0.0 | 0.0 | 0.0 | 0.0 | 0.0 | 0.0 |
| 金属矿采选业 | 0.0 | 0.0 | 0.0 | 0.0 | 0.0 | 0.0 | 0.0 |
| 非金属矿采选业 | 0.0 | 0.0 | 0.0 | 0.0 | 0.0 | 0.0 | 0.0 |
| 食品制造及烟草加工业 | 80.4 | 25300.3 | 1716108.0 | 0.0 | 14558.0 | 17174.9 | 3454.8 |
| 纺织业 | 528.7 | 2475.0 | 53971.1 | 470.4 | 54.2 | 0.0 | 1075.4 |
| 服装皮革羽绒及其制品业 | 23125.2 | 159449.3 | 39855.0 | 34894.3 | 3659.6 | 129901.6 | 4436.0 |
| 木材加工及家具制造业 | 13316.2 | 27364.0 | 57460.0 | 20960.7 | 130.7 | 0.0 | 775.8 |
| 造纸印刷及文教用品制造业 | 627826.6 | 254684.4 | 52401.2 | 221659.3 | 3184.2 | 85336.1 | 1967.5 |
| 石油加工、炼焦及核燃料加工业 | 7401.2 | 41685.0 | 65210.8 | 48559.4 | 1110.0 | 36151.8 | 2862.6 |
| 化学工业 | 42.7 | 86856.8 | 115421.7 | 22949.3 | 14140.0 | 5601.0 | 2798.9 |
| 非金属矿物制品业 | 0.5 | 5831.8 | 16270.8 | 0.0 | 5427.5 | 0.0 | 87.6 |
| 金属冶炼及压延加工业 | 0.0 | 217.8 | 362.5 | 0.0 | 0.0 | 0.0 | 0.0 |
| 金属制品业 | 6835.8 | 35010.7 | 18549.7 | 16890.6 | 59829.0 | 0.0 | 102.1 |
| 通用、专用设备制造业 | 22693.2 | 27179.5 | 19039.6 | 23012.1 | 7050.6 | 0.0 | 1705.0 |
| 交通运输设备制造业 | 13360.4 | 216069.3 | 10095.6 | 16201.3 | 1078.4 | 8543.4 | 3952.5 |
| 电气、机械及器材制造业 | 280147.0 | 45498.4 | 52940.1 | 10083.5 | 45023.7 | 0.0 | 27.0 |
| 通信设备、计算机及其他电子设备制造业 | 303114.2 | 63402.7 | 2544.2 | 7097.0 | 62305.6 | 238820.5 | 259.9 |
| 仪器仪表及文化办公用机械制造业 | 279704.9 | 3923.4 | 61566.1 | 10939.5 | 3431.7 | 11545.5 | 177.5 |
| 其他制造业 | 16523.3 | 73119.1 | 39328.8 | 6453.6 | 2118.8 | 28839.4 | 0.3 |
| 废品废料 | 0.0 | 0.0 | 2873.5 | 0.0 | 0.0 | 0.0 | 0.0 |
| 电力、热力的生产和供应业 | 399193.1 | 516315.5 | 346249.4 | 119723.8 | 17113.6 | 76172.5 | 9756.1 |
| 燃气生产和供应业 | 0.0 | 0.0 | 76441.6 | 0.0 | 4903.0 | 836.7 | 0.0 |
| 水的生产和供应业 | 3448.4 | 11127.9 | 7449.6 | 3249.1 | 4918.4 | 5013.9 | 549.0 |
| 建筑业 | 28736.7 | 367395.4 | 46252.3 | 18209.7 | 602857.6 | 2232.2 | 0.0 |
| 交通运输及仓储业 | 20252.9 | 473876.0 | 37464.3 | 166902.9 | 4908.7 | 383137.6 | 262569.6 |
| 邮政业 | 3297.9 | 26430.2 | 4474.4 | 40554.7 | 204.8 | 25511.0 | 1380.8 |
| 信息传输、计算机服务和软件业 | 321913.0 | 462417.7 | 55816.6 | 170356.0 | 16633.3 | 539839.4 | 15669.8 |
| 批发和零售贸易业 | 176599.4 | 55689.6 | 130426.6 | 32389.8 | 11697.5 | 37361.3 | 1284.9 |
| 住宿和餐饮业 | 85711.5 | 488508.7 | 9033.9 | 143941.9 | 21340.3 | 225591.0 | 75172.9 |
| 金融保险业 | 249227.3 | 693865.8 | 189714.2 | 18730.8 | 498127.0 | 123165.2 | 11673.2 |
| 房地产业 | 57342.4 | 416902.9 | 29890.3 | 70421.9 | 4714.9 | 87026.2 | 2070.0 |
| 租赁业和商务服务业 | 328199.8 | 831242.4 | 42534.0 | 182121.6 | 43453.0 | 2606382.2 | 2033.7 |
| 旅游业 | 53.3 | 0.0 | 360.7 | 0.0 | 729.6 | 1214.5 | 330156.1 |
| 科学研究事业 | 1589.8 | 0.0 | 241.1 | 237.3 | 0.0 | 0.0 | 0.0 |
| 综合技术服务业 | 270.7 | 162738.2 | 6885.9 | 0.0 | 78895.3 | 9373.8 | 0.0 |
| 其他社会服务业 | 6897.1 | 98261.6 | 25024.3 | 30487.3 | 3284.1 | 4149.2 | 162.3 |
| 教育事业 | 7527.6 | 27490.6 | 2491.4 | 19228.1 | 2684.4 | 26781.1 | 287.0 |
| 卫生、社会保障和社会福利业 | 2723.9 | 7052.2 | 20729.9 | 6618.5 | 2121.5 | 18833.9 | 727.1 |
| 文化、体育和娱乐业 | 196755.7 | 73991.6 | 4325.6 | 23068.6 | 411.9 | 0.0 | 3472.6 |
| 公共管理和社会组织 | 0.0 | 0.0 | 0.0 | 0.0 | 0.0 | 0.0 | 0.0 |
| **中间投入** | **3484440.8** | **5788675.1** | **4573414.9** | **1486413.0** | **1542100.9** | **4734535.9** | **742894.0** |
| 固定资产折旧 | 1240631.6 | 622111.2 | 320096.8 | 179192.0 | 4038117.3 | 633560.4 | 3777.2 |
| 劳动者报酬 | 594130.9 | 2118832.0 | 910021.3 | 1360350.1 | 468163.2 | 863636.9 | 24134.2 |
| 生产税净额 | 182796.8 | 2904212.8 | 255567.7 | 691059.7 | 849966.3 | 290873.6 | 13980.2 |
| 营业盈余 | 1364816.8 | 6943998.9 | 801287.7 | 4100045.3 | 1531641.2 | 799531.7 | 54049.9 |
| **增加值** | **3382376.1** | **12589154.9** | **2286973.5** | **6330647.1** | **6887888.0** | **2587602.6** | **95941.5** |
| **总投入** | **6866816.9** | **18377830.0** | **6860388.4** | **7817060.1** | **8429988.9** | **7322138.5** | **838835.5** |

附表10 续5

单位:万元

| 投入 \ 产出 | 科学研究事业 | 综合技术服务业 | 其他社会服务业 | 教育事业 | 卫生、社会保障和社会福利业 | 文化、体育和娱乐业 | 公共管理和社会组织 |
|---|---|---|---|---|---|---|---|
| 农业 | 0.0 | 455.5 | 1626.2 | 0.0 | 0.0 | 2556.7 | 0.0 |
| 煤炭开采和洗选业 | 0.0 | 0.0 | 8020.7 | 0.0 | 0.0 | 0.0 | 0.0 |
| 石油和天然气开采业 | 0.0 | 0.0 | 0.0 | 0.0 | 0.0 | 0.0 | 0.0 |
| 金属矿采选业 | 0.0 | 0.0 | 0.0 | 0.0 | 0.0 | 0.0 | 0.0 |
| 非金属矿采选业 | 0.0 | 16.9 | 296.8 | 679.1 | 581.8 | 599.9 | 10705.1 |
| 食品制造及烟草加工业 | 0.0 | 1792.2 | 4937.4 | 0.0 | 0.0 | 286648.5 | 0.0 |
| 纺织业 | 0.0 | 0.0 | 2947.6 | 0.0 | 0.0 | 0.0 | 0.0 |
| 服装皮革羽绒及其制品业 | 0.0 | 8337.6 | 9492.1 | 1775.4 | 1024.1 | 3839.1 | 4590.3 |
| 木材加工及家具制造业 | 1.1 | 1619.3 | 10056.7 | 18224.9 | 15608.6 | 16102.4 | 287285.5 |
| 造纸印刷及文教用品制造业 | 33.9 | 11233.9 | 44872.6 | 658170.0 | 27141.7 | 135822.3 | 192744.6 |
| 石油加工、炼焦及核燃料加工业 | 5.4 | 8411.5 | 79009.6 | 16205.1 | 20608.6 | 15701.5 | 86109.2 |
| 化学工业 | 0.9 | 4908.9 | 48801.5 | 15947.3 | 1207115.7 | 16955.8 | 264992.9 |
| 非金属矿物制品业 | 0.9 | 400.7 | 7239.5 | 16074.6 | 13767.0 | 14202.8 | 253391.5 |
| 金属冶炼及压延加工业 | 0.1 | 31.0 | 639.7 | 1247.3 | 1068.3 | 1102.0 | 19661.7 |
| 金属制品业 | 0.3 | 145.8 | 3176.7 | 5853.1 | 5012.9 | 5171.4 | 92264.9 |
| 通用、专用设备制造业 | 468.2 | 70.0 | 1790.9 | 251602.8 | 1348628.4 | 1926.7 | 54858.2 |
| 交通运输设备制造业 | 0.1 | 5222.6 | 824001.4 | 2182.0 | 1868.6 | 1927.8 | 34394.4 |
| 电气、机械及器材制造业 | 1.0 | 619.3 | 8820.2 | 16550.3 | 14174.3 | 17988.5 | 260888.3 |
| 通信设备、计算机及其他电子设备制造业 | 0.2 | 435855.8 | 1799.9 | 1568.8 | 1516.1 | 1338.8 | 21953.1 |
| 仪器仪表及文化办公用机械制造业 | 0.2 | 64839.1 | 34384.7 | 3958.0 | 4796.0 | 3180.5 | 55148.0 |
| 其他制造业 | 0.0 | 37014.7 | 27.8 | 1392.6 | 1397.9 | 797.0 | 1732.5 |
| 废品废料 | 0.0 | 0.0 | 0.0 | 0.0 | 0.0 | 0.0 | 0.0 |
| 电力、热力的生产和供应业 | 19.0 | 22019.5 | 100052.2 | 167479.5 | 95786.6 | 112292.6 | 76028.9 |
| 燃气生产和供应业 | 0.0 | 21.5 | 374.6 | 0.0 | 0.0 | 941.5 | 0.0 |
| 水的生产和供应业 | 0.2 | 671.4 | 14809.1 | 12204.6 | 6480.2 | 3248.5 | 5490.8 |
| 建筑业 | 0.5 | 219.2 | 7628.9 | 8716.7 | 7465.3 | 14285.8 | 137403.7 |
| 交通运输及仓储业 | 30.5 | 27437.3 | 30573.6 | 87030.6 | 31762.8 | 21783.4 | 97754.9 |
| 邮政业 | 0.4 | 114.0 | 1017.2 | 12464.7 | 1972.2 | 4029.7 | 34331.7 |
| 信息传输、计算机服务和软件业 | 14.4 | 15066.6 | 100970.7 | 620370.2 | 36207.8 | 63279.3 | 533168.4 |
| 批发和零售贸易业 | 14.4 | 33446.2 | 27363.6 | 100194.9 | 122225.9 | 37766.4 | 99047.4 |
| 住宿和餐饮业 | 97.4 | 26998.3 | 46375.0 | 75667.1 | 16241.4 | 36763.4 | 134278.9 |
| 金融保险业 | 10.1 | 23939.4 | 46494.5 | 18192.9 | 11550.0 | 9808.0 | 22047.7 |
| 房地产业 | 0.0 | 666.5 | 232.4 | 0.0 | 0.0 | 0.0 | 0.0 |
| 租赁业和商务服务业 | 222.9 | 18579.0 | 34758.6 | 28845.1 | 25331.4 | 92419.7 | 82903.0 |
| 旅游业 | 0.0 | 4.4 | 0.0 | 0.0 | 0.0 | 0.0 | 0.0 |
| 科学研究事业 | 69.4 | 13696.0 | 68237.0 | 19560.8 | 31054.7 | 40563.0 | 32440.2 |
| 综合技术服务业 | 334.0 | 53037.3 | 199175.2 | 40968.2 | 157.6 | 113855.2 | 91131.2 |
| 其他社会服务业 | 0.6 | 10183.2 | 7615.8 | 5871.7 | 6168.3 | 6057.8 | 73845.0 |
| 教育事业 | 8.1 | 2625.6 | 10547.2 | 7107.7 | 8722.0 | 2405.6 | 29588.0 |
| 卫生、社会保障和社会福利业 | 3.6 | 10010.0 | 26488.1 | 75424.8 | 27609.7 | 13336.0 | 127444.3 |
| 文化、体育和娱乐业 | 20.3 | 8119.0 | 11646.2 | 16156.2 | 140705.1 | 114085.1 | 92155.9 |
| 公共管理和社会组织 | 0.0 | 0.0 | 0.0 | 0.0 | 0.0 | 0.0 | 0.0 |
| **中间投入** | **1358.1** | **847829.2** | **1826301.9** | **2307687.0** | **3233751.0** | **1212782.7** | **3309780.2** |
| 固定资产折旧 | 45823.5 | 102835.4 | 119806.2 | 334284.4 | 155454.2 | 103758.1 | 352441.8 |
| 劳动者报酬 | 492088.7 | 546041.8 | 823782.9 | 3288464.4 | 1439094.0 | 345448.9 | 4100305.3 |
| 生产税净额 | 16637.3 | 74398.4 | 80656.1 | 12152.2 | 9778.0 | 56543.4 | 12142.2 |
| 营业盈余 | 82490.2 | 227714.5 | 762691.0 | 258391.7 | 383809.0 | 144551.1 | 0.0 |
| **增加值** | **637039.7** | **950990.1** | **1786936.2** | **3893292.7** | **1988135.2** | **650301.5** | **4464889.3** |
| **总投入** | **638397.8** | **1798819.3** | **3613238.1** | **6200979.7** | **5221886.2** | **1863084.2** | **7774669.5** |

附表10　续6

单位:万元

| 产出<br>投入 | 中间使用合计 | 最终使用 | | | | |
|---|---|---|---|---|---|---|
| | | 农村居民 | 城镇居民 | 居民消费小计 | 政府消费 | 最终消费合计 |
| 农业 | 14950207.7 | 1654257.6 | 1722210.5 | 3376468.1 | 712178.4 | 4088646.5 |
| 煤炭开采和洗选业 | 5245734.0 | 59895.6 | 9884.1 | 69779.7 | 0.0 | 69779.7 |
| 石油和天然气开采业 | 7999791.7 | 0.0 | 0.0 | 0.0 | 0.0 | 0.0 |
| 金属矿采选业 | 2488814.9 | 0.0 | 0.0 | 0.0 | 0.0 | 0.0 |
| 非金属矿采选业 | 1737612.4 | 0.0 | 0.0 | 0.0 | 0.0 | 0.0 |
| 食品制造及烟草加工业 | 8616911.9 | 1592365.7 | 4205805.5 | 5798171.2 | 0.0 | 5798171.2 |
| 纺织业 | 22347945.9 | 80459.1 | 212158.7 | 292617.8 | 0.0 | 292617.8 |
| 服装皮革羽绒及其制品业 | 8614203.2 | 570779.0 | 2342348.1 | 2913127.1 | 0.0 | 2913127.1 |
| 木材加工及家具制造业 | 4106338.3 | 240640.0 | 275658.6 | 516298.6 | 0.0 | 516298.6 |
| 造纸印刷及文教用品制造业 | 11424508.6 | 243673.2 | 500336.6 | 744009.8 | 0.0 | 744009.8 |
| 石油加工、炼焦及核燃料加工业 | 9381431.5 | 193689.9 | 567080.3 | 760770.2 | 0.0 | 760770.2 |
| 化学工业 | 50259658.3 | 821208.0 | 1387519.5 | 2208727.5 | 0.0 | 2208727.5 |
| 非金属矿物制品业 | 10765578.5 | 262328.5 | 169180.1 | 431508.6 | 0.0 | 431508.6 |
| 金属冶炼及压延加工业 | 33697753.5 | 123239.2 | 113321.9 | 236561.1 | 0.0 | 236561.1 |
| 金属制品业 | 12157891.4 | 91327.4 | 10740.1 | 102067.5 | 0.0 | 102067.5 |
| 通用、专用设备制造业 | 14403345.6 | 0.0 | 8291.7 | 8291.7 | 0.0 | 8291.7 |
| 交通运输设备制造业 | 7765222.1 | 448945.1 | 2232348.6 | 2681293.7 | 0.0 | 2681293.7 |
| 电气、机械及器材制造业 | 10665587.5 | 214659.4 | 553310.7 | 767970.1 | 0.0 | 767970.1 |
| 通信设备、计算机及其他电子设备制造业 | 8650374.4 | 156527.3 | 818318.6 | 974845.9 | 0.0 | 974845.9 |
| 仪器仪表及文化办公用机械制造业 | 3983289.0 | 4243.2 | 101180.3 | 105423.5 | 0.0 | 105423.5 |
| 其他制造业 | 2010871.8 | 127667.9 | 539800.0 | 667467.9 | 0.0 | 667467.9 |
| 废品废料 | 2144694.3 | 0.0 | 0.0 | 0.0 | 0.0 | 0.0 |
| 电力、热力的生产和供应业 | 16489372.0 | 241002.2 | 849673.2 | 1090675.4 | 0.0 | 1090675.4 |
| 燃气生产和供应业 | 422500.4 | 23241.9 | 69234.0 | 92475.9 | 0.0 | 92475.9 |
| 水的生产和供应业 | 410119.3 | 29031.3 | 212682.4 | 241713.7 | 0.0 | 241713.7 |
| 建筑业 | 1381385.3 | 226688.6 | 52019.8 | 278708.4 | 0.0 | 278708.4 |
| 交通运输及仓储业 | 10144563.4 | 315172.8 | 859717.0 | 1174889.8 | 13196.9 | 1188086.7 |
| 邮政业 | 341421.2 | 2003.6 | 9937.3 | 11940.9 | 0.0 | 11940.9 |
| 信息传输、计算机服务和软件业 | 4734801.8 | 465657.7 | 1613667.1 | 2079324.8 | 0.0 | 2079324.8 |
| 批发和零售贸易业 | 12852260.9 | 695786.7 | 1553204.0 | 2248990.7 | 64390.1 | 2313380.8 |
| 住宿和餐饮业 | 2873137.4 | 626823.9 | 2721483.7 | 3348307.6 | 0.0 | 3348307.6 |
| 金融保险业 | 7814271.2 | 5571.2 | 17972.7 | 23543.9 | 0.0 | 23543.9 |
| 房地产业 | 776633.5 | 296627.8 | 225134.1 | 521761.9 | 0.0 | 521761.9 |
| 租赁业和商务服务业 | 7534791.7 | 0.0 | 0.0 | 0.0 | 0.0 | 0.0 |
| 旅游业 | 335186.6 | 45184.3 | 550463.6 | 595647.9 | 0.0 | 595647.9 |
| 科学研究事业 | 550248.6 | 0.0 | 0.0 | 0.0 | 88149.2 | 88149.2 |
| 综合技术服务业 | 1634597.0 | 0.0 | 0.0 | 0.0 | 164222.3 | 164222.3 |
| 其他社会服务业 | 1021100.8 | 509690.1 | 735841.4 | 1245531.5 | 1138206.6 | 2383738.1 |
| 教育事业 | 306033.5 | 1011950.7 | 1945928.9 | 2957879.6 | 2952270.2 | 5910149.8 |
| 卫生、社会保障和社会福利业 | 431600.5 | 616863.3 | 545400.1 | 1162263.4 | 3628022.3 | 4790285.7 |
| 文化、体育和娱乐业 | 1033215.7 | 64880.3 | 222925.5 | 287805.8 | 654508.0 | 942313.8 |
| 公共管理和社会组织 | 0.0 | 0.0 | 0.0 | 0.0 | 7774669.5 | 7774669.5 |
| 中间投入 | 324505007.3 | 12062082.5 | 27954778.7 | 40016861.2 | 17189813.5 | 57206674.7 |
| 固定资产折旧 | 19060658.5 | | | | | |
| 劳动者报酬 | 53379216.0 | | | | | |
| 生产税净额 | 19079942.9 | | | | | |
| 营业盈余 | 42863354.2 | | | | | |
| 增加值 | 134383171.6 | | | | | |
| 总投入 | 458888178.9 | | | | | |

附表 10 续 7

单位:万元

| 产出 / 投入 | 最终使用 | | | | |
| --- | --- | --- | --- | --- | --- |
| | 固定资本形成总额 | 存货增加 | 资本形成总额合计 | 调出省外 | 出口 |
| 农业 | 766243.0 | -122332.7 | **643910.3** | 635752.6 | 750825.4 |
| 煤炭开采和洗选业 | 0.0 | 45482.4 | **45482.4** | 0.0 | 0.0 |
| 石油和天然气开采业 | 0.0 | 23510.9 | **23510.9** | 14270.8 | 84400.9 |
| 金属矿采选业 | 0.0 | 15532.6 | **15532.6** | 18781.1 | 0.0 |
| 非金属矿采选业 | 0.0 | -956.0 | **-956.0** | 0.0 | 0.0 |
| 食品制造及烟草加工业 | 0.0 | 77524.1 | **77524.1** | 1928507.5 | 744515.1 |
| 纺织业 | 0.0 | 270152.1 | **270152.1** | 5016795.7 | 11481133.5 |
| 服装皮革羽绒及其制品业 | 0.0 | 133464.7 | **133464.7** | 7103970.5 | 14449278.0 |
| 木材加工及家具制造业 | 80591.4 | 36904.4 | **117495.8** | 626893.4 | 2043422.1 |
| 造纸印刷及文教用品制造业 | 0.0 | 77453.6 | **77453.6** | 2229438.5 | 139233.0 |
| 石油加工、炼焦及核燃料加工业 | 0.0 | -101285.4 | **-101285.4** | 2619753.8 | 453094.6 |
| 化学工业 | 0.0 | 421798.6 | **421798.6** | 5352130.0 | 4336525.0 |
| 非金属矿物制品业 | 0.0 | 63320.4 | **63320.4** | 453506.6 | 424101.3 |
| 金属冶炼及压延加工业 | 0.0 | 103151.2 | **103151.2** | 583642.2 | 1705549.3 |
| 金属制品业 | 417103.7 | 69449.5 | **486553.2** | 1208871.9 | 1848762.7 |
| 通用、专用设备制造业 | 15347332.8 | 188631.4 | **15535964.2** | 6293979.6 | 905508.0 |
| 交通运输设备制造业 | 106674.8 | 77611.6 | **184286.4** | 4192492.0 | 3290230.0 |
| 电气、机械及器材制造业 | 1923825.2 | 168854.3 | **2092679.5** | 7567351.8 | 3885176.0 |
| 通信设备、计算机及其他电子设备制造业 | 181220.0 | -29665.5 | **151554.5** | 8644138.6 | 5632718.7 |
| 仪器仪表及文化办公用机械制造业 | 383624.3 | 90966.0 | **474590.3** | 3550023.6 | 5356.8 |
| 其他制造业 | 0.0 | 35794.5 | **35794.5** | 2359427.1 | 1041434.7 |
| 废品废料 | 0.0 | -877.5 | **-877.5** | 29495.7 | 0.0 |
| 电力、热力的生产和供应业 | 0.0 | 0.0 | **0.0** | 111534.7 | 0.0 |
| 燃气生产和供应业 | 0.0 | 0.0 | **0.0** | 0.0 | 0.0 |
| 水的生产和供应业 | 0.0 | 0.0 | **0.0** | 0.0 | 0.0 |
| 建筑业 | 35094282.8 | 0.0 | **35094282.8** | 820818.0 | 0.0 |
| 交通运输及仓储业 | 230460.4 | 27614.0 | **258074.4** | 1887512.0 | 1060748.2 |
| 邮政业 | 0.0 | 0.0 | **0.0** | 30901.4 | 0.0 |
| 信息传输、计算机服务和软件业 | 0.0 | 0.0 | **0.0** | 101390.2 | 49087.0 |
| 批发和零售贸易业 | 869657.5 | 139711.4 | **1009368.9** | 4328688.5 | 5036371.9 |
| 住宿和餐饮业 | 0.0 | 0.0 | **0.0** | 3472862.1 | 352024.0 |
| 金融保险业 | 0.0 | 0.0 | **0.0** | 51064.0 | 16173.8 |
| 房地产业 | 7131593.5 | 0.0 | **7131593.5** | 0.0 | 0.0 |
| 租赁业和商务服务业 | 0.0 | 0.0 | **0.0** | 762858.4 | 0.0 |
| 旅游业 | 0.0 | 0.0 | **0.0** | 84497.2 | 70124.3 |
| 科学研究事业 | 0.0 | 0.0 | **0.0** | 0.0 | 0.0 |
| 综合技术服务业 | 0.0 | 0.0 | **0.0** | 0.0 | 0.0 |
| 其他社会服务业 | 0.0 | 0.0 | **0.0** | 988627.0 | 130431.2 |
| 教育事业 | 0.0 | 0.0 | **0.0** | 18392.7 | 7930.0 |
| 卫生、社会保障和社会福利业 | 0.0 | 0.0 | **0.0** | 0.0 | 0.0 |
| 文化、体育和娱乐业 | 0.0 | 0.0 | **0.0** | 452907.2 | 60587.4 |
| 公共管理和社会组织 | 0.0 | 0.0 | **0.0** | 0.0 | 0.0 |
| **中间投入** | **62532609.4** | **1811810.6** | **64344420.0** | **73541276.4** | **60004742.9** |
| 固定资产折旧 | | | | | |
| 劳动者报酬 | | | | | |
| 生产税净额 | | | | | |
| 营业盈余 | | | | | |
| **增加值** | | | | | |
| **总投入** | | | | | |

附表10　续8　　单位:万元

| 投入 \ 产出 | 最终使用合计 | 调入省内 | 进口 | 总产出 |
|---|---|---|---|---|
| 农业 | **6119134.8** | -5738111.6 | -1048388.9 | **14282842.0** |
| 煤炭开采和洗选业 | **115262.1** | -5120890.2 | -76191.1 | **163914.8** |
| 石油和天然气开采业 | **122182.6** | -7472558.1 | -649416.2 | **0.0** |
| 金属矿采选业 | **34313.7** | -897313.1 | -897243.9 | **728571.6** |
| 非金属矿采选业 | **-956.0** | -550048.3 | 0.0 | **1186608.1** |
| 食品制造及烟草加工业 | **8548717.9** | -2642096.0 | -265517.4 | **14258016.4** |
| 纺织业 | **17060699.1** | -4390252.6 | -870497.9 | **34147894.5** |
| 服装皮革羽绒及其制品业 | **24599840.3** | -757633.5 | -90456.7 | **32365953.3** |
| 木材加工及家具制造业 | **3304109.9** | -608629.7 | -139440.1 | **6662378.4** |
| 造纸印刷及文教用品制造业 | **3190134.9** | -1067619.6 | -526262.5 | **13020761.4** |
| 石油加工、炼焦及核燃料加工业 | **3732333.2** | -3627570.5 | -580575.4 | **8905618.8** |
| 化学工业 | **12319181.1** | -10293361.8 | -6471368.3 | **45814109.3** |
| 非金属矿物制品业 | **1372436.9** | -438521.1 | -9700.3 | **11689794.0** |
| 金属冶炼及压延加工业 | **2628903.8** | -12488627.9 | -3227260.9 | **20610768.5** |
| 金属制品业 | **3646255.3** | -1400717.0 | -86536.6 | **14316893.1** |
| 通用、专用设备制造业 | **22743743.5** | -5849190.3 | -2105546.6 | **29192352.2** |
| 交通运输设备制造业 | **10348302.1** | -2030632.2 | -264899.9 | **15817992.1** |
| 电气、机械及器材制造业 | **14313177.4** | -2788670.4 | -1015826.5 | **21174268.0** |
| 通信设备、计算机及其他电子设备制造业 | **15403257.7** | -9410184.6 | -3368620.5 | **11274827.0** |
| 仪器仪表及文化办公用机械制造业 | **4135394.2** | -1423651.2 | -311301.2 | **6383730.8** |
| 其他制造业 | **4104124.2** | -209594.3 | -44769.3 | **5860632.4** |
| 废品废料 | **28618.2** | -30525.2 | -1073357.9 | **1069429.4** |
| 电力、热力的生产和供应业 | **1202210.1** | -1263685.8 | 0.0 | **16427896.3** |
| 燃气生产和供应业 | **92475.9** | -235435.4 | 0.0 | **279540.9** |
| 水的生产和供应业 | **241713.7** | 0.0 | 0.0 | **651833.0** |
| 建筑业 | **36193809.2** | -209686.6 | 0.0 | **37365507.9** |
| 交通运输及仓储业 | **4394421.3** | -2809119.7 | -465760.8 | **11264104.2** |
| 邮政业 | **42842.3** | -36456.1 | 0.0 | **347807.4** |
| 信息传输、计算机服务和软件业 | **2229802.0** | -91757.8 | -6029.1 | **6866816.9** |
| 批发和零售贸易业 | **12687810.1** | -5610393.5 | -1551847.5 | **18377830.0** |
| 住宿和餐饮业 | **7173193.7** | -3142705.7 | -43237.0 | **6860388.4** |
| 金融保险业 | **90781.7** | -77130.7 | -10862.1 | **7817060.1** |
| 房地产业 | **7653355.4** | 0.0 | 0.0 | **8429988.9** |
| 租赁业和商务服务业 | **762858.4** | -975511.6 | 0.0 | **7322138.5** |
| 旅游业 | **750269.4** | -229394.6 | -17225.9 | **838835.5** |
| 科学研究事业 | **88149.2** | 0.0 | 0.0 | **638397.8** |
| 综合技术服务业 | **164222.3** | 0.0 | 0.0 | **1798819.3** |
| 其他社会服务业 | **3502796.3** | -894638.9 | -16020.1 | **3613238.1** |
| 教育事业 | **5936472.5** | -18526.3 | -23000.0 | **6200979.7** |
| 卫生、社会保障和社会福利业 | **4790285.7** | 0.0 | 0.0 | **5221886.2** |
| 文化、体育和娱乐业 | **1455808.4** | -614777.5 | -11162.4 | **1863084.2** |
| 公共管理和社会组织 | **7774669.5** | 0.0 | 0.0 | **7774669.5** |
| **中间投入** | **255097114.0** | **-95445619.4** | **-25268323.0** | **458888178.9** |
| 固定资产折旧 | | | | |
| 劳动者报酬 | | | | |
| 生产税净额 | | | | |
| 营业盈余 | | | | |
| **增加值** | | | | |
| **总投入** | | | | |

## 附表11 浙江省投入产出直接消耗系数表(2005年)

| 投入 \ 产出 | 农业 | 煤炭开采和洗选业 | 石油和天然气开采业 | 金属矿采选业 | 非金属矿采选业 | 食品制造及烟草加工业 | 纺织业 |
|---|---|---|---|---|---|---|---|
| 农业 | 0.1081068 | 0.0116213 | 0.0000000 | 0.0003095 | 0.0025282 | 0.2645590 | 0.0304112 |
| 煤炭开采和洗选业 | 0.0003228 | 0.0004960 | 0.0000000 | 0.0009773 | 0.0026727 | 0.0135434 | 0.0064827 |
| 石油和天然气开采业 | 0.0000000 | 0.0012147 | 0.0000000 | 0.0025723 | 0.0007954 | 0.0000314 | 0.0000769 |
| 金属矿采选业 | 0.0000000 | 0.0005283 | 0.0000000 | 0.1505657 | 0.0090316 | 0.0011781 | 0.0009602 |
| 非金属矿采选业 | 0.0000006 | 0.0001062 | 0.0000000 | 0.0029340 | 0.0827495 | 0.0005780 | 0.0002006 |
| 食品制造及烟草加工业 | 0.0492389 | 0.0004252 | 0.0000000 | 0.0073917 | 0.0073501 | 0.2584209 | 0.0006931 |
| 纺织业 | 0.0000001 | 0.0000647 | 0.0000000 | 0.0017235 | 0.0096865 | 0.0017013 | 0.3306406 |
| 服装皮革羽绒及其制品业 | 0.0001430 | 0.0080902 | 0.0000000 | 0.0124153 | 0.0119795 | 0.0017461 | 0.0339823 |
| 木材加工及家具制造业 | 0.0121421 | 0.0030742 | 0.0000000 | 0.0006124 | 0.0037884 | 0.0019590 | 0.0007892 |
| 造纸印刷及文教用品制造业 | 0.0168188 | 0.0064253 | 0.0000000 | 0.0089129 | 0.0057197 | 0.0252349 | 0.0062012 |
| 石油加工、炼焦及核燃料加工业 | 0.0446832 | 0.0119556 | 0.0000000 | 0.0133386 | 0.0130297 | 0.0023410 | 0.0031013 |
| 化学工业 | 0.0551193 | 0.0144020 | 0.0000000 | 0.0705785 | 0.1047711 | 0.0636458 | 0.1927626 |
| 非金属矿物制品业 | 0.0084836 | 0.0025629 | 0.0000000 | 0.0060163 | 0.0788110 | 0.0066308 | 0.0024875 |
| 金属冶炼及压延加工业 | 0.0117344 | 0.0017241 | 0.0000000 | 0.0206735 | 0.0348011 | 0.0040792 | 0.0071593 |
| 金属制品业 | 0.0023377 | 0.0237922 | 0.0000000 | 0.0007837 | 0.0085068 | 0.0042167 | 0.0029759 |
| 通用、专用设备制造业 | 0.0075414 | 0.0110850 | 0.0000000 | 0.0223801 | 0.0129499 | 0.0031475 | 0.0104092 |
| 交通运输设备制造业 | 0.0000666 | 0.0031663 | 0.0000000 | 0.0405495 | 0.0394510 | 0.0013466 | 0.0041264 |
| 电气、机械及器材制造业 | 0.0001477 | 0.0046671 | 0.0000000 | 0.0331978 | 0.0300112 | 0.0071121 | 0.0047820 |
| 通信设备、计算机及其他电子设备制造业 | 0.0000132 | 0.0020822 | 0.0000000 | 0.0245458 | 0.0377527 | 0.0007251 | 0.0039662 |
| 仪器仪表及文化办公用机械制造业 | 0.0000774 | 0.0008974 | 0.0000000 | 0.0048149 | 0.0020318 | 0.0006035 | 0.0007981 |
| 其他制造业 | 0.0000225 | 0.0033536 | 0.0000000 | 0.0227567 | 0.0131683 | 0.0013386 | 0.0022637 |
| 废品废料 | 0.0000000 | 0.0000000 | 0.0000000 | 0.0000000 | 0.0003373 | 0.0000000 | 0.0004506 |
| 电力、热力的生产和供应业 | 0.0195523 | 0.0800141 | 0.0000000 | 0.0898494 | 0.0857364 | 0.0202749 | 0.0447985 |
| 燃气生产和供应业 | 0.0000000 | 0.0000018 | 0.0000000 | 0.0003549 | 0.0016738 | 0.0003471 | 0.0007749 |
| 水的生产和供应业 | 0.0001264 | 0.0043028 | 0.0000000 | 0.0006318 | 0.0021241 | 0.0010592 | 0.0012993 |
| 建筑业 | 0.0000030 | 0.0004881 | 0.0000000 | 0.0001072 | 0.0006811 | 0.0001421 | 0.0002721 |
| 交通运输及仓储业 | 0.0056186 | 0.0588702 | 0.0000000 | 0.0437721 | 0.0955198 | 0.0200657 | 0.0163204 |
| 邮政业 | 0.0002732 | 0.0006851 | 0.0000000 | 0.0020522 | 0.0007932 | 0.0003369 | 0.0003381 |
| 信息传输、计算机服务和软件业 | 0.0001150 | 0.0025641 | 0.0000000 | 0.0270472 | 0.0084451 | 0.0033971 | 0.0030771 |
| 批发和零售贸易业 | 0.0142352 | 0.0058811 | 0.0000000 | 0.0159583 | 0.0330823 | 0.0308414 | 0.0430328 |
| 住宿和餐饮业 | 0.0000930 | 0.0100461 | 0.0000000 | 0.0160537 | 0.0081622 | 0.0035888 | 0.0034940 |
| 金融保险业 | 0.0072328 | 0.0890487 | 0.0000000 | 0.0396411 | 0.0143255 | 0.0177375 | 0.0157443 |
| 房地产业 | 0.0000000 | 0.0000000 | 0.0000000 | 0.0001976 | 0.0000536 | 0.0002885 | 0.0002759 |
| 租赁业和商务服务业 | 0.0037575 | 0.0066230 | 0.0000000 | 0.0022622 | 0.0032284 | 0.0228926 | 0.0040766 |
| 旅游业 | 0.0000000 | 0.0000549 | 0.0000000 | 0.0000000 | 0.0000000 | 0.0000022 | 0.0000024 |
| 科学研究事业 | 0.0000000 | 0.0008980 | 0.0000000 | 0.0015076 | 0.0001200 | 0.0006096 | 0.0002205 |
| 综合技术服务业 | 0.0028590 | 0.0046402 | 0.0000000 | 0.0014025 | 0.0000960 | 0.0006315 | 0.0025727 |
| 其他社会服务业 | 0.0023803 | 0.0078492 | 0.0000000 | 0.0013354 | 0.0003761 | 0.0005582 | 0.0005421 |
| 教育事业 | 0.0005696 | 0.0022243 | 0.0000000 | 0.0116797 | 0.0002128 | 0.0001578 | 0.0002165 |
| 卫生、社会保障和社会福利业 | 0.0010508 | 0.0006741 | 0.0000000 | 0.0038077 | 0.0005750 | 0.0001538 | 0.0002808 |
| 文化、体育和娱乐业 | 0.0000236 | 0.0016143 | 0.0000000 | 0.0054040 | 0.0025044 | 0.0009148 | 0.0009868 |
| 公共管理和社会组织 | 0.0000000 | 0.0000000 | 0.0000000 | 0.0000000 | 0.0000000 | 0.0000000 | 0.0000000 |
| **中间投入** | **0.3748907** | **0.3882145** | **0.0000000** | **0.7111147** | **0.7696331** | **0.7881387** | **0.7840466** |
| 固定资产折旧 | 0.0436811 | 0.0457140 | 0.0000000 | 0.0169265 | 0.0279083 | 0.0210222 | 0.0361984 |
| 劳动者报酬 | 0.5835512 | 0.2723811 | 0.0000000 | 0.1119514 | 0.0819356 | 0.0441736 | 0.0832518 |
| 生产税净额 | -0.0021230 | 0.0702902 | 0.0000000 | 0.0470462 | 0.0463288 | 0.0865445 | 0.0394780 |
| 营业盈余 | 0.0000000 | 0.2234002 | 0.0000000 | 0.1129612 | 0.0741942 | 0.0601210 | 0.0570252 |
| **增加值** | **0.6251093** | **0.6117855** | **0.0000000** | **0.2888853** | **0.2303669** | **0.2118613** | **0.2159534** |
| **总投入** | **1.0000000** | **1.0000000** | **0.0000000** | **1.0000000** | **1.0000000** | **1.0000000** | **1.0000000** |

附表11 续1

| 产出<br>投入 | 服装皮革羽绒及其制品业 | 木材加工及家具制造业 | 造纸印刷及文教用品制造业 | 石油加工、炼焦及核燃料加工业 | 化学工业 | 非金属矿物制品业 | 金属冶炼及压延加工业 |
|---|---|---|---|---|---|---|---|
| 农业 | 0.0898456 | 0.2015768 | 0.0160618 | 0.0000099 | 0.0326177 | 0.0016526 | 0.0000198 |
| 煤炭开采和洗选业 | 0.0020956 | 0.0006264 | 0.0061116 | 0.0054499 | 0.0067457 | 0.0266279 | 0.0035857 |
| 石油和天然气开采业 | 0.0018980 | 0.0000348 | 0.0001959 | 0.7571094 | 0.0181464 | 0.0013499 | 0.0006996 |
| 金属矿采选业 | 0.0022705 | 0.0060835 | 0.0003870 | 0.0000047 | 0.0013743 | 0.0053174 | 0.0577660 |
| 非金属矿采选业 | 0.0004131 | 0.0007926 | 0.0002444 | 0.0000021 | 0.0024765 | 0.0146831 | 0.0004911 |
| 食品制造及烟草加工业 | 0.0350983 | 0.0202369 | 0.0030764 | 0.0001030 | 0.0139695 | 0.0017348 | 0.0000354 |
| 纺织业 | 0.2508360 | 0.0290542 | 0.0094052 | 0.0000048 | 0.0196757 | 0.0006012 | 0.0080566 |
| 服装皮革羽绒及其制品业 | 0.1535760 | 0.0254012 | 0.0054823 | 0.0002127 | 0.0095021 | 0.0039020 | 0.0046176 |
| 木材加工及家具制造业 | 0.0017699 | 0.1296816 | 0.0278201 | 0.0000979 | 0.0010291 | 0.0035245 | 0.0006220 |
| 造纸印刷及文教用品制造业 | 0.0162826 | 0.0068732 | 0.3747935 | 0.0003749 | 0.0167164 | 0.0087521 | 0.0033260 |
| 石油加工、炼焦及核燃料加工业 | 0.0026443 | 0.0031052 | 0.0057630 | 0.0795534 | 0.0286470 | 0.0188409 | 0.0116494 |
| 化学工业 | 0.0727083 | 0.1201992 | 0.1002188 | 0.0059972 | 0.4685448 | 0.1641512 | 0.0327587 |
| 非金属矿物制品业 | 0.0039917 | 0.0085005 | 0.0016476 | 0.0003607 | 0.0066318 | 0.1187777 | 0.0071335 |
| 金属冶炼及压延加工业 | 0.0089269 | 0.0203174 | 0.0684680 | 0.0004425 | 0.0215971 | 0.0864031 | 0.4200819 |
| 金属制品业 | 0.0033198 | 0.0154111 | 0.0130914 | 0.0008302 | 0.0120628 | 0.0262075 | 0.0438769 |
| 通用、专用设备制造业 | 0.0055569 | 0.0128178 | 0.0068507 | 0.0037046 | 0.0047384 | 0.0073669 | 0.0157792 |
| 交通运输设备制造业 | 0.0097185 | 0.0256695 | 0.0036457 | 0.0004543 | 0.0035001 | 0.0090487 | 0.0012142 |
| 电气、机械及器材制造业 | 0.0077958 | 0.0205440 | 0.0064341 | 0.0015356 | 0.0065115 | 0.0163330 | 0.0084835 |
| 通信设备、计算机及其他电子设备制造业 | 0.0064888 | 0.0149985 | 0.0030406 | 0.0003855 | 0.0058972 | 0.0808963 | 0.0007342 |
| 仪器仪表及文化办公用机械制造业 | 0.0006655 | 0.0006164 | 0.0007454 | 0.0004774 | 0.0020795 | 0.0009505 | 0.0010080 |
| 其他制造业 | 0.0053275 | 0.0200452 | 0.0031839 | 0.0004273 | 0.0050039 | 0.0103070 | 0.0018101 |
| 废品废料 | 0.0000149 | 0.0009149 | 0.0133634 | 0.0000134 | 0.0072042 | 0.0047852 | 0.0542692 |
| 电力、热力的生产和供应业 | 0.0154626 | 0.0203725 | 0.0388393 | 0.0034947 | 0.0383388 | 0.0909328 | 0.0743624 |
| 燃气生产和供应业 | 0.0004168 | 0.0004728 | 0.0020887 | 0.0000274 | 0.0004915 | 0.0036657 | 0.0008898 |
| 水的生产和供应业 | 0.0004579 | 0.0010153 | 0.0008605 | 0.0001543 | 0.0008578 | 0.0016368 | 0.0007577 |
| 建筑业 | 0.0001753 | 0.0000782 | 0.0001586 | 0.0000007 | 0.0001086 | 0.0002152 | 0.0001399 |
| 交通运输及仓储业 | 0.0183012 | 0.0217372 | 0.0215066 | 0.0054211 | 0.0241638 | 0.0456350 | 0.0150963 |
| 邮政业 | 0.0005616 | 0.0004628 | 0.0007777 | 0.0000470 | 0.0005328 | 0.0002348 | 0.0001345 |
| 信息传输、计算机服务和软件业 | 0.0054114 | 0.0044357 | 0.0071954 | 0.0005154 | 0.0042643 | 0.0033751 | 0.0019723 |
| 批发和零售贸易业 | 0.0455715 | 0.0508978 | 0.0329167 | 0.0056739 | 0.0278067 | 0.0364712 | 0.0340920 |
| 住宿和餐饮业 | 0.0040742 | 0.0045242 | 0.0036193 | 0.0003100 | 0.0039695 | 0.0037150 | 0.0014228 |
| 金融保险业 | 0.0145268 | 0.0122186 | 0.0110632 | 0.0026259 | 0.0141352 | 0.0172646 | 0.0111198 |
| 房地产业 | 0.0005012 | 0.0004664 | 0.0002391 | 0.0000288 | 0.0001850 | 0.0003009 | 0.0002015 |
| 租赁业和商务服务业 | 0.0112825 | 0.0065829 | 0.0049992 | 0.0003673 | 0.0077622 | 0.0054042 | 0.0012538 |
| 旅游业 | 0.0000019 | 0.0000000 | 0.0000047 | 0.0000001 | 0.0000033 | 0.0000004 | 0.0000004 |
| 科学研究事业 | 0.0004297 | 0.0011246 | 0.0001361 | 0.0007037 | 0.0012731 | 0.0008529 | 0.0004780 |
| 综合技术服务业 | 0.0006258 | 0.0004948 | 0.0012518 | 0.0000451 | 0.0013186 | 0.0004522 | 0.0002521 |
| 其他社会服务业 | 0.0003494 | 0.0004199 | 0.0007621 | 0.0011029 | 0.0018753 | 0.0007413 | 0.0016734 |
| 教育事业 | 0.0002168 | 0.0003267 | 0.0002845 | 0.0000254 | 0.0004094 | 0.0001694 | 0.0001937 |
| 卫生、社会保障和社会福利业 | 0.0000396 | 0.0002883 | 0.0001495 | 0.0000000 | 0.0001923 | 0.0000861 | 0.0000702 |
| 文化、体育和娱乐业 | 0.0010536 | 0.0012309 | 0.0009928 | 0.0000810 | 0.0009988 | 0.0007421 | 0.0003449 |
| 公共管理和社会组织 | 0.0000000 | 0.0000000 | 0.0000000 | 0.0000000 | 0.0000000 | 0.0000000 | 0.0000000 |
| **中间投入** | **0.8007040** | **0.8106504** | **0.7978763** | **0.8781762** | **0.8233585** | **0.8241093** | **0.8224737** |
| 固定资产折旧 | 0.0182825 | 0.0181329 | 0.0321365 | 0.0144195 | 0.0282907 | 0.0301853 | 0.0280937 |
| 劳动者报酬 | 0.0827801 | 0.0801012 | 0.0698325 | 0.0172294 | 0.0512891 | 0.0612753 | 0.0523395 |
| 生产税净额 | 0.0330517 | 0.0308773 | 0.0361755 | 0.0343456 | 0.0310113 | 0.0294435 | 0.0401833 |
| 营业盈余 | 0.0651817 | 0.0602382 | 0.0639793 | 0.0558293 | 0.0660504 | 0.0549865 | 0.0569098 |
| **增加值** | **0.1992960** | **0.1893496** | **0.2021237** | **0.1218238** | **0.1766415** | **0.1758907** | **0.1775263** |
| **总投入** | **1.0000000** | **1.0000000** | **1.0000000** | **1.0000000** | **1.0000000** | **1.0000000** | **1.0000000** |

附表11 续2

| 投入 \ 产出 | 金属制品业 | 通用、专用设备制造业 | 交通运输设备制造业 | 电气、机械及器材制造业 | 通信设备、计算机及其他电子设备制造业 | 仪器仪表及文化办公用机械制造业 | 其他制造业 |
|---|---|---|---|---|---|---|---|
| 农业 | 0.0012815 | 0.0003324 | 0.0027404 | 0.0000516 | 0.0003657 | 0.0052444 | 0.0534806 |
| 煤炭开采和洗选业 | 0.0039783 | 0.0012342 | 0.0009351 | 0.0006587 | 0.0020549 | 0.0001097 | 0.0017936 |
| 石油和天然气开采业 | 0.0003824 | 0.0001233 | 0.0115270 | 0.0000683 | 0.0000320 | 0.0000105 | 0.0015499 |
| 金属矿采选业 | 0.0047008 | 0.0047156 | 0.0011967 | 0.0248626 | 0.0077583 | 0.0053998 | 0.0015117 |
| 非金属矿采选业 | 0.0001737 | 0.0003534 | 0.0000801 | 0.0006234 | 0.0002605 | 0.0000823 | 0.0002188 |
| 食品制造及烟草加工业 | 0.0005292 | 0.0008321 | 0.0001822 | 0.0003083 | 0.0002943 | 0.0003126 | 0.0012597 |
| 纺织业 | 0.0341446 | 0.0053526 | 0.0044946 | 0.0038399 | 0.0008116 | 0.0009650 | 0.0745779 |
| 服装皮革羽绒及其制品业 | 0.0435314 | 0.0034615 | 0.0020321 | 0.0026456 | 0.0021284 | 0.0013828 | 0.0067209 |
| 木材加工及家具制造业 | 0.0041084 | 0.0025800 | 0.0020537 | 0.0026194 | 0.0009571 | 0.0076646 | 0.0802883 |
| 造纸印刷及文教用品制造业 | 0.0178758 | 0.0091989 | 0.0108923 | 0.0158537 | 0.0188075 | 0.0228423 | 0.0364705 |
| 石油加工、炼焦及核燃料加工业 | 0.0080192 | 0.0127406 | 0.0046571 | 0.0091756 | 0.0082323 | 0.0012627 | 0.0122919 |
| 化学工业 | 0.0910809 | 0.0553184 | 0.0957448 | 0.1410298 | 0.0657608 | 0.1192821 | 0.1454435 |
| 非金属矿物制品业 | 0.0040700 | 0.0095505 | 0.0028116 | 0.0243944 | 0.0134785 | 0.0069374 | 0.0080637 |
| 金属冶炼及压延加工业 | 0.2089111 | 0.1819486 | 0.1400167 | 0.1495962 | 0.1380129 | 0.0517116 | 0.0942580 |
| 金属制品业 | 0.1261713 | 0.0545533 | 0.0286862 | 0.0382693 | 0.0311300 | 0.0148641 | 0.0220547 |
| 通用、专用设备制造业 | 0.0720774 | 0.1867798 | 0.0882679 | 0.0570615 | 0.0148721 | 0.0373249 | 0.0031611 |
| 交通运输设备制造业 | 0.0072013 | 0.0448547 | 0.1727729 | 0.0109417 | 0.0043249 | 0.0050183 | 0.0063968 |
| 电气、机械及器材制造业 | 0.0236941 | 0.0530619 | 0.0490738 | 0.1399983 | 0.1584596 | 0.0311518 | 0.0060774 |
| 通信设备、计算机及其他电子设备制造业 | 0.0066817 | 0.0145245 | 0.0665176 | 0.0367197 | 0.2666559 | 0.0303173 | 0.0038231 |
| 仪器仪表及文化办公用机械制造业 | 0.0032285 | 0.0105264 | 0.0101112 | 0.0117619 | 0.0032005 | 0.3139231 | 0.0005218 |
| 其他制造业 | 0.0053720 | 0.0058838 | 0.0023273 | 0.0121672 | 0.0021107 | 0.0061159 | 0.0371445 |
| 废品废料 | 0.0040360 | 0.0052039 | 0.0002838 | 0.0007769 | 0.0003078 | 0.0012983 | 0.0310666 |
| 电力、热力的生产和供应业 | 0.0313940 | 0.0210676 | 0.0252715 | 0.0176129 | 0.0200265 | 0.0112504 | 0.0294499 |
| 燃气生产和供应业 | 0.0006440 | 0.0004754 | 0.0008118 | 0.0019005 | 0.0000515 | 0.0006841 | 0.0010039 |
| 水的生产和供应业 | 0.0004726 | 0.0007644 | 0.0010366 | 0.0006237 | 0.0008361 | 0.0004868 | 0.0007811 |
| 建筑业 | 0.0002376 | 0.0001525 | 0.0000620 | 0.0000721 | 0.0002647 | 0.0000753 | 0.0000963 |
| 交通运输及仓储业 | 0.0246231 | 0.0228802 | 0.0203084 | 0.0229718 | 0.0139746 | 0.0143040 | 0.0193385 |
| 邮政业 | 0.0005012 | 0.0007947 | 0.0005741 | 0.0006180 | 0.0004726 | 0.0008687 | 0.0003445 |
| 信息传输、计算机服务和软件业 | 0.0043342 | 0.0066877 | 0.0050731 | 0.0092292 | 0.0042350 | 0.0090914 | 0.0044633 |
| 批发和零售贸易业 | 0.0347743 | 0.0256654 | 0.0264411 | 0.0311522 | 0.0278621 | 0.0210951 | 0.0337913 |
| 住宿和餐饮业 | 0.0039444 | 0.0064456 | 0.0052474 | 0.0056592 | 0.0036322 | 0.0051348 | 0.0026541 |
| 金融保险业 | 0.0141219 | 0.0137876 | 0.0119163 | 0.0141564 | 0.0103455 | 0.0115765 | 0.0084714 |
| 房地产业 | 0.0003032 | 0.0003115 | 0.0009064 | 0.0005194 | 0.0002988 | 0.0001422 | 0.0003726 |
| 租赁业和商务服务业 | 0.0048591 | 0.0075893 | 0.0070066 | 0.0124341 | 0.0220937 | 0.0110126 | 0.0030071 |
| 旅游业 | 0.0000004 | 0.0000034 | 0.0000031 | 0.0000062 | 0.0000061 | 0.0000114 | 0.0000004 |
| 科学研究事业 | 0.0006881 | 0.0017830 | 0.0012922 | 0.0020700 | 0.0023069 | 0.0006123 | 0.0001833 |
| 综合技术服务业 | 0.0012438 | 0.0014020 | 0.0012559 | 0.0016771 | 0.0005995 | 0.0025479 | 0.0002063 |
| 其他社会服务业 | 0.0004454 | 0.0006692 | 0.0006320 | 0.0005323 | 0.0004192 | 0.0004708 | 0.0008692 |
| 教育事业 | 0.0003742 | 0.0005983 | 0.0005585 | 0.0002853 | 0.0003219 | 0.0004735 | 0.0002709 |
| 卫生、社会保障和社会福利业 | 0.0001480 | 0.0001420 | 0.0000625 | 0.0000363 | 0.0000841 | 0.0000405 | 0.0000454 |
| 文化、体育和娱乐业 | 0.0009423 | 0.0015272 | 0.0011171 | 0.0012883 | 0.0007933 | 0.0011154 | 0.0006252 |
| 公共管理和社会组织 | 0.0000000 | 0.0000000 | 0.0000000 | 0.0000000 | 0.0000000 | 0.0000000 | 0.0000000 |
| **中间投入** | **0.7953015** | **0.7758774** | **0.8069816** | **0.8062688** | **0.8486408** | **0.7542150** | **0.7341498** |
| 固定资产折旧 | 0.0222578 | 0.0211953 | 0.0213012 | 0.0183109 | 0.0216465 | 0.0237064 | 0.0225257 |
| 劳动者报酬 | 0.0749538 | 0.0797738 | 0.0702957 | 0.0697101 | 0.0646932 | 0.0894973 | 0.1144656 |
| 生产税净额 | 0.0329198 | 0.0359606 | 0.0363337 | 0.0337152 | 0.0206270 | 0.0410123 | 0.0424513 |
| 营业盈余 | 0.0745670 | 0.0871929 | 0.0650879 | 0.0719950 | 0.0443925 | 0.0915690 | 0.0864076 |
| **增加值** | **0.2046985** | **0.2241226** | **0.1930184** | **0.1937312** | **0.1513592** | **0.2457850** | **0.2658502** |
| **总投入** | **1.0000000** | **1.0000000** | **1.0000000** | **1.0000000** | **1.0000000** | **1.0000000** | **1.0000000** |

附表 11　续 3

| 投入 \ 产出 | 废品废料 | 电力、热力的生产和供应业 | 燃气生产和供应业 | 水的生产和供应业 | 建筑业 | 交通运输及仓储业 | 邮政业 |
|---|---|---|---|---|---|---|---|
| 农业 | 0.0000000 | 0.0022577 | 0.0000000 | 0.0000092 | 0.0205753 | 0.0147947 | 0.0000000 |
| 煤炭开采和洗选业 | 0.0000000 | 0.2219690 | 0.0133616 | 0.0076725 | 0.0026523 | 0.0001993 | 0.0000000 |
| 石油和天然气开采业 | 0.0000000 | 0.0005067 | 0.0409547 | 0.0000514 | 0.0000000 | 0.0091645 | 0.0000000 |
| 金属矿采选业 | 0.0000000 | 0.0001632 | 0.0000000 | 0.0001256 | 0.0000000 | 0.0000000 | 0.0000000 |
| 非金属矿采选业 | 0.0000000 | 0.0006459 | 0.0000050 | 0.0001273 | 0.0334052 | 0.0001156 | 0.0000000 |
| 食品制造及烟草加工业 | 0.0000000 | 0.0006454 | 0.0000000 | 0.0001011 | 0.0000000 | 0.0074336 | 0.0000000 |
| 纺织业 | 0.0000000 | 0.0111614 | 0.0000036 | 0.0007787 | 0.0000055 | 0.0013772 | 0.0003695 |
| 服装皮革羽绒及其制品业 | 0.0000000 | 0.0054652 | 0.0009991 | 0.0046023 | 0.0029599 | 0.0082887 | 0.0199438 |
| 木材加工及家具制造业 | 0.0000000 | 0.0030175 | 0.0001173 | 0.0012755 | 0.0321504 | 0.0011793 | 0.0021590 |
| 造纸印刷及文教用品制造业 | 0.0000000 | 0.0059856 | 0.0007888 | 0.0058722 | 0.0032398 | 0.0042624 | 0.0370216 |
| 石油加工、炼焦及核燃料加工业 | 0.0000000 | 0.0363319 | 0.7613630 | 0.0014803 | 0.0445792 | 0.1841167 | 0.0210289 |
| 化学工业 | 0.0000000 | 0.0173254 | 0.0049628 | 0.0279059 | 0.0320053 | 0.0132976 | 0.0019157 |
| 非金属矿物制品业 | 0.0000000 | 0.0119868 | 0.0002357 | 0.0026022 | 0.1766215 | 0.0038245 | 0.0033599 |
| 金属冶炼及压延加工业 | 0.0000000 | 0.0048620 | 0.0081519 | 0.0021814 | 0.1323444 | 0.0015077 | 0.0000000 |
| 金属制品业 | 0.0000000 | 0.0062066 | 0.0003084 | 0.0045383 | 0.1120709 | 0.0014834 | 0.0017222 |
| 通用、专用设备制造业 | 0.0000000 | 0.0277443 | 0.0011694 | 0.0257291 | 0.0273910 | 0.0064231 | 0.0109702 |
| 交通运输设备制造业 | 0.0000000 | 0.0059655 | 0.0005348 | 0.0093088 | 0.0037370 | 0.0722521 | 0.0202307 |
| 电气、机械及器材制造业 | 0.0000000 | 0.0177564 | 0.0007062 | 0.0178434 | 0.0114339 | 0.0047551 | 0.0013280 |
| 通信设备、计算机及其他电子设备制造业 | 0.0000000 | 0.0040755 | 0.0002332 | 0.0029971 | 0.0008371 | 0.0038588 | 0.0010379 |
| 仪器仪表及文化办公用机械制造业 | 0.0000000 | 0.0100634 | 0.0006868 | 0.0104920 | 0.0064945 | 0.0010847 | 0.0086801 |
| 其他制造业 | 0.0000000 | 0.0016441 | 0.0003574 | 0.0023503 | 0.0020161 | 0.0005999 | 0.0000000 |
| 废品废料 | 0.0000000 | 0.0009618 | 0.0000000 | 0.0000012 | 0.0000000 | 0.0000493 | 0.0000000 |
| 电力、热力的生产和供应业 | 0.0000000 | 0.1785226 | 0.0078350 | 0.4085901 | 0.0242728 | 0.0179692 | 0.0275400 |
| 燃气生产和供应业 | 0.0000000 | 0.0002736 | 0.0342787 | 0.0122245 | 0.0000000 | 0.0060793 | 0.0000000 |
| 水的生产和供应业 | 0.0000000 | 0.0018313 | 0.0004507 | 0.0174405 | 0.0006156 | 0.0015500 | 0.0012932 |
| 建筑业 | 0.0000000 | 0.0029909 | 0.0000300 | 0.0005396 | 0.0000000 | 0.0039409 | 0.0021201 |
| 交通运输及仓储业 | 0.0000000 | 0.0186993 | 0.0176489 | 0.0055029 | 0.0284160 | 0.0724368 | 0.0565882 |
| 邮政业 | 0.0000000 | 0.0010653 | 0.0000919 | 0.0012741 | 0.0002338 | 0.0006889 | 0.0023582 |
| 信息传输、计算机服务和软件业 | 0.0000000 | 0.0043541 | 0.0031613 | 0.0112719 | 0.0039554 | 0.0092210 | 0.0661820 |
| 批发和零售贸易业 | 0.0000000 | 0.0206599 | 0.0127531 | 0.0050304 | 0.0448971 | 0.0079442 | 0.1181553 |
| 住宿和餐饮业 | 0.0000000 | 0.0061738 | 0.0014806 | 0.0090075 | 0.0030882 | 0.0057152 | 0.0053001 |
| 金融保险业 | 0.0000000 | 0.0738326 | 0.0116019 | 0.0459141 | 0.0065443 | 0.0285082 | 0.0027118 |
| 房地产业 | 0.0000000 | 0.0001696 | 0.0000701 | 0.0001075 | 0.0000400 | 0.0002958 | 0.0053035 |
| 租赁业和商务服务业 | 0.0000000 | 0.0032927 | 0.0010574 | 0.0038599 | 0.0117963 | 0.0230866 | 0.0227560 |
| 旅游业 | 0.0000000 | 0.0000002 | 0.0000018 | 0.0000000 | 0.0000000 | 0.0001618 | 0.0000000 |
| 科学研究事业 | 0.0000000 | 0.0005279 | 0.0000000 | 0.0005919 | 0.0013390 | 0.0000950 | 0.0001009 |
| 综合技术服务业 | 0.0000000 | 0.0045271 | 0.0000901 | 0.0008559 | 0.0093487 | 0.0057195 | 0.0000000 |
| 其他社会服务业 | 0.0000000 | 0.0088729 | 0.0009948 | 0.0068562 | 0.0015139 | 0.0221414 | 0.0014612 |
| 教育事业 | 0.0000000 | 0.0011508 | 0.0001896 | 0.0015222 | 0.0003044 | 0.0014666 | 0.0000000 |
| 卫生、社会保障和社会福利业 | 0.0000000 | 0.0001210 | 0.0000193 | 0.0000749 | 0.0000000 | 0.0030334 | 0.0000000 |
| 文化、体育和娱乐业 | 0.0000000 | 0.0016052 | 0.0003506 | 0.0025160 | 0.0005151 | 0.0005732 | 0.0000000 |
| 公共管理和社会组织 | 0.0000000 | 0.0000000 | 0.0000000 | 0.0000000 | 0.0000000 | 0.0000000 | 0.0000000 |
| **中间投入** | **0.0000000** | **0.7254122** | **0.9270457** | **0.6612258** | **0.7814000** | **0.5506951** | **0.4416381** |
| 固定资产折旧 | 0.0000000 | 0.0947738 | 0.0594668 | 0.1745568 | 0.0072839 | 0.0828367 | 0.0766007 |
| 劳动者报酬 | 0.0000000 | 0.0471173 | 0.0441048 | 0.1205109 | 0.1424760 | 0.1109290 | 0.4421470 |
| 生产税净额 | 0.0000000 | 0.0668632 | -0.0286792 | 0.0270198 | 0.0313678 | 0.0429001 | 0.0430267 |
| 营业盈余 | 1.0000000 | 0.0658335 | -0.0019382 | 0.0166866 | 0.0374723 | 0.2126390 | -0.0034125 |
| **增加值** | **1.0000000** | **0.2745878** | **0.0729543** | **0.3387742** | **0.2186000** | **0.4493049** | **0.5583619** |
| **总投入** | **1.0000000** | **1.0000000** | **1.0000000** | **1.0000000** | **1.0000000** | **1.0000000** | **1.0000000** |

附表 11　续 4

| 投入＼产出 | 信息传输、计算机服务和软件业 | 批发和零售贸易业 | 住宿和餐饮业 | 金融保险业 | 房地产业 | 租赁业和商务服务业 | 旅游业 |
|---|---|---|---|---|---|---|---|
| 农业 | 0.0000000 | 0.0003778 | 0.1760886 | 0.0000000 | 0.0000000 | 0.0000000 | 0.0006283 |
| 煤炭开采和洗选业 | 0.0000000 | 0.0000194 | 0.0008124 | 0.0000000 | 0.0000000 | 0.0000000 | 0.0020493 |
| 石油和天然气开采业 | 0.0000000 | 0.0000000 | 0.0000000 | 0.0000000 | 0.0000000 | 0.0000000 | 0.0000000 |
| 金属矿采选业 | 0.0000000 | 0.0000000 | 0.0000000 | 0.0000000 | 0.0000000 | 0.0000000 | 0.0000000 |
| 非金属矿采选业 | 0.0000000 | 0.0000000 | 0.0000000 | 0.0000000 | 0.0000000 | 0.0000000 | 0.0000000 |
| 食品制造及烟草加工业 | 0.0000117 | 0.0013767 | 0.2501474 | 0.0000000 | 0.0017269 | 0.0023456 | 0.0041186 |
| 纺织业 | 0.0000770 | 0.0001347 | 0.0078671 | 0.0000602 | 0.0000064 | 0.0000000 | 0.0012820 |
| 服装皮革羽绒及其制品业 | 0.0033677 | 0.0086762 | 0.0058094 | 0.0044639 | 0.0004341 | 0.0177409 | 0.0052883 |
| 木材加工及家具制造业 | 0.0019392 | 0.0014890 | 0.0083756 | 0.0026814 | 0.0000155 | 0.0000000 | 0.0009249 |
| 造纸印刷及文教用品制造业 | 0.0914291 | 0.0138582 | 0.0076382 | 0.0283558 | 0.0003777 | 0.0116545 | 0.0023455 |
| 石油加工、炼焦及核燃料加工业 | 0.0010778 | 0.0022682 | 0.0095054 | 0.0062120 | 0.0001317 | 0.0049373 | 0.0034126 |
| 化学工业 | 0.0000062 | 0.0047262 | 0.0168244 | 0.0029358 | 0.0016773 | 0.0007649 | 0.0033366 |
| 非金属矿物制品业 | 0.0000001 | 0.0003173 | 0.0023717 | 0.0000000 | 0.0006438 | 0.0000000 | 0.0001044 |
| 金属冶炼及压延加工业 | 0.0000000 | 0.0000119 | 0.0000528 | 0.0000000 | 0.0000000 | 0.0000000 | 0.0000000 |
| 金属制品业 | 0.0009955 | 0.0019051 | 0.0027039 | 0.0021607 | 0.0070972 | 0.0000000 | 0.0001217 |
| 通用、专用设备制造业 | 0.0033048 | 0.0014789 | 0.0027753 | 0.0029438 | 0.0008364 | 0.0000000 | 0.0020326 |
| 交通运输设备制造业 | 0.0019456 | 0.0117571 | 0.0014716 | 0.0020726 | 0.0001279 | 0.0011668 | 0.0047119 |
| 电气、机械及器材制造业 | 0.0407972 | 0.0024757 | 0.0077168 | 0.0012899 | 0.0053409 | 0.0000000 | 0.0000322 |
| 通信设备、计算机及其他电子设备制造业 | 0.0441419 | 0.0034500 | 0.0003709 | 0.0009079 | 0.0073909 | 0.0326162 | 0.0003098 |
| 仪器仪表及文化办公用机械制造业 | 0.0407328 | 0.0002135 | 0.0089741 | 0.0013994 | 0.0004071 | 0.0015768 | 0.0002116 |
| 其他制造业 | 0.0024063 | 0.0039787 | 0.0057327 | 0.0008256 | 0.0002513 | 0.0039387 | 0.0000004 |
| 废品废料 | 0.0000000 | 0.0000000 | 0.0004189 | 0.0000000 | 0.0000000 | 0.0000000 | 0.0000000 |
| 电力、热力的生产和供应业 | 0.0581336 | 0.0280945 | 0.0504708 | 0.0153157 | 0.0020301 | 0.0104030 | 0.0116305 |
| 燃气生产和供应业 | 0.0000000 | 0.0000000 | 0.0111425 | 0.0000000 | 0.0005816 | 0.0001143 | 0.0000000 |
| 水的生产和供应业 | 0.0005022 | 0.0006055 | 0.0010859 | 0.0004156 | 0.0005834 | 0.0006848 | 0.0006545 |
| 建筑业 | 0.0041849 | 0.0199912 | 0.0067419 | 0.0023295 | 0.0715135 | 0.0003049 | 0.0000000 |
| 交通运输及仓储业 | 0.0029494 | 0.0257852 | 0.0054610 | 0.0213511 | 0.0005823 | 0.0523259 | 0.3130168 |
| 邮政业 | 0.0004803 | 0.0014382 | 0.0006522 | 0.0051880 | 0.0000243 | 0.0034841 | 0.0016461 |
| 信息传输、计算机服务和软件业 | 0.0468795 | 0.0251617 | 0.0081361 | 0.0217928 | 0.0019731 | 0.0737270 | 0.0186804 |
| 批发和零售贸易业 | 0.0257178 | 0.0030303 | 0.0190115 | 0.0041435 | 0.0013876 | 0.0051025 | 0.0015318 |
| 住宿和餐饮业 | 0.0124820 | 0.0265814 | 0.0013168 | 0.0184138 | 0.0025315 | 0.0308094 | 0.0896158 |
| 金融保险业 | 0.0362944 | 0.0377556 | 0.0276536 | 0.0023961 | 0.0590899 | 0.0168209 | 0.0139160 |
| 房地产业 | 0.0083507 | 0.0226851 | 0.0043569 | 0.0090087 | 0.0005593 | 0.0118854 | 0.0024677 |
| 租赁业和商务服务业 | 0.0477950 | 0.0452307 | 0.0061999 | 0.0232980 | 0.0051546 | 0.3559592 | 0.0024244 |
| 旅游业 | 0.0000078 | 0.0000000 | 0.0000526 | 0.0000000 | 0.0000865 | 0.0001659 | 0.3935886 |
| 科学研究事业 | 0.0002315 | 0.0000000 | 0.0000351 | 0.0000304 | 0.0000000 | 0.0000000 | 0.0000000 |
| 综合技术服务业 | 0.0000394 | 0.0088551 | 0.0010037 | 0.0000000 | 0.0093589 | 0.0012802 | 0.0000000 |
| 其他社会服务业 | 0.0010044 | 0.0053467 | 0.0036477 | 0.0039001 | 0.0003896 | 0.0005667 | 0.0001935 |
| 教育事业 | 0.0010962 | 0.0014959 | 0.0003632 | 0.0024598 | 0.0003184 | 0.0036576 | 0.0003421 |
| 卫生、社会保障和社会福利业 | 0.0003967 | 0.0003837 | 0.0030217 | 0.0008467 | 0.0002517 | 0.0025722 | 0.0008668 |
| 文化、体育和娱乐业 | 0.0286531 | 0.0040261 | 0.0006305 | 0.0029511 | 0.0000489 | 0.0000000 | 0.0041398 |
| 公共管理和社会组织 | 0.0000000 | 0.0000000 | 0.0000000 | 0.0000000 | 0.0000000 | 0.0000000 | 0.0000000 |
| **中间投入** | **0.5074317** | **0.3149814** | **0.6666408** | **0.1901499** | **0.1829304** | **0.6466056** | **0.8856254** |
| 固定资产折旧 | 0.1806706 | 0.0338512 | 0.0466587 | 0.0229232 | 0.4790181 | 0.0865267 | 0.0045029 |
| 劳动者报酬 | 0.0865220 | 0.1152928 | 0.1326487 | 0.1740232 | 0.0555354 | 0.1179487 | 0.0287711 |
| 生产税净额 | 0.0266203 | 0.1580281 | 0.0372527 | 0.0884040 | 0.1008265 | 0.0397252 | 0.0166662 |
| 营业盈余 | 0.1987554 | 0.3778465 | 0.1167992 | 0.5244997 | 0.1816896 | 0.1091937 | 0.0644344 |
| **增加值** | **0.4925683** | **0.6850186** | **0.3333592** | **0.8098501** | **0.8170696** | **0.3533944** | **0.1143746** |
| **总投入** | **1.0000000** | **1.0000000** | **1.0000000** | **1.0000000** | **1.0000000** | **1.0000000** | **1.0000000** |

**附表11 续5**

| 投入 \ 产出 | 科学研究事业 | 综合技术服务业 | 其他社会服务业 | 教育事业 | 卫生、社会保障和社会福利业 | 文化、体育和娱乐业 | 公共管理和社会组织 |
|---|---|---|---|---|---|---|---|
| 农业 | 0.0000000 | 0.0002532 | 0.0004501 | 0.0000000 | 0.0000000 | 0.0013723 | 0.0000000 |
| 煤炭开采和洗选业 | 0.0000000 | 0.0000000 | 0.0022198 | 0.0000000 | 0.0000000 | 0.0000000 | 0.0000000 |
| 石油和天然气开采业 | 0.0000000 | 0.0000000 | 0.0000000 | 0.0000000 | 0.0000000 | 0.0000000 | 0.0000000 |
| 金属矿采选业 | 0.0000000 | 0.0000000 | 0.0000000 | 0.0000000 | 0.0000000 | 0.0000000 | 0.0000000 |
| 非金属矿采选业 | 0.0000000 | 0.0000094 | 0.0000821 | 0.0001095 | 0.0001114 | 0.0003220 | 0.0013769 |
| 食品制造及烟草加工业 | 0.0000000 | 0.0009963 | 0.0013665 | 0.0000000 | 0.0000000 | 0.1538570 | 0.0000000 |
| 纺织业 | 0.0000000 | 0.0000000 | 0.0008158 | 0.0000000 | 0.0000000 | 0.0000000 | 0.0000000 |
| 服装皮革羽绒及其制品业 | 0.0000000 | 0.0046350 | 0.0026270 | 0.0002863 | 0.0001961 | 0.0020606 | 0.0005904 |
| 木材加工及家具制造业 | 0.0000017 | 0.0009002 | 0.0027833 | 0.0029390 | 0.0029891 | 0.0086429 | 0.0369515 |
| 造纸印刷及文教用品制造业 | 0.0000531 | 0.0062452 | 0.0124189 | 0.1061397 | 0.0051977 | 0.0729019 | 0.0247914 |
| 石油加工、炼焦及核燃料加工业 | 0.0000085 | 0.0046761 | 0.0218667 | 0.0026133 | 0.0039466 | 0.0084277 | 0.0110756 |
| 化学工业 | 0.0000014 | 0.0027290 | 0.0135063 | 0.0025717 | 0.2311647 | 0.0091009 | 0.0340841 |
| 非金属矿物制品业 | 0.0000014 | 0.0002228 | 0.0020036 | 0.0025923 | 0.0026364 | 0.0076233 | 0.0325919 |
| 金属冶炼及压延加工业 | 0.0000002 | 0.0000172 | 0.0001770 | 0.0002011 | 0.0002046 | 0.0005915 | 0.0025289 |
| 金属制品业 | 0.0000005 | 0.0000811 | 0.0008792 | 0.0009439 | 0.0009600 | 0.0027757 | 0.0118674 |
| 通用、专用设备制造业 | 0.0007334 | 0.0000389 | 0.0004956 | 0.0405747 | 0.2582646 | 0.0010341 | 0.0070560 |
| 交通运输设备制造业 | 0.0000002 | 0.0029033 | 0.2280507 | 0.0003519 | 0.0003578 | 0.0010347 | 0.0044239 |
| 电气、机械及器材制造业 | 0.0000016 | 0.0003443 | 0.0024411 | 0.0026690 | 0.0027144 | 0.0096552 | 0.0335562 |
| 通信设备、计算机及其他电子设备制造业 | 0.0000003 | 0.2423010 | 0.0004981 | 0.0002530 | 0.0002903 | 0.0007186 | 0.0028237 |
| 仪器仪表及文化办公用机械制造业 | 0.0000003 | 0.0360454 | 0.0095163 | 0.0006383 | 0.0009184 | 0.0017071 | 0.0070933 |
| 其他制造业 | 0.0000000 | 0.0205772 | 0.0000077 | 0.0002246 | 0.0002677 | 0.0004278 | 0.0002228 |
| 废品废料 | 0.0000000 | 0.0000000 | 0.0000000 | 0.0000000 | 0.0000000 | 0.0000000 | 0.0000000 |
| 电力、热力的生产和供应业 | 0.0000298 | 0.0122411 | 0.0276905 | 0.0270086 | 0.0183433 | 0.0602724 | 0.0097791 |
| 燃气生产和供应业 | 0.0000000 | 0.0000120 | 0.0001037 | 0.0000000 | 0.0000000 | 0.0005053 | 0.0000000 |
| 水的生产和供应业 | 0.0000003 | 0.0003732 | 0.0040986 | 0.0019682 | 0.0012410 | 0.0017436 | 0.0007062 |
| 建筑业 | 0.0000008 | 0.0001219 | 0.0021114 | 0.0014057 | 0.0014296 | 0.0076678 | 0.0176733 |
| 交通运输及仓储业 | 0.0000478 | 0.0152529 | 0.0084616 | 0.0140350 | 0.0060826 | 0.0116921 | 0.0125735 |
| 邮政业 | 0.0000006 | 0.0000634 | 0.0002815 | 0.0020101 | 0.0003777 | 0.0021629 | 0.0044158 |
| 信息传输、计算机服务和软件业 | 0.0000226 | 0.0083758 | 0.0279447 | 0.1000439 | 0.0069339 | 0.0339648 | 0.0685776 |
| 批发和零售贸易业 | 0.0000226 | 0.0185934 | 0.0075732 | 0.0161579 | 0.0234065 | 0.0202709 | 0.0127398 |
| 住宿和餐饮业 | 0.0001526 | 0.0150089 | 0.0128347 | 0.0122024 | 0.0031103 | 0.0197325 | 0.0172713 |
| 金融保险业 | 0.0000158 | 0.0133084 | 0.0128678 | 0.0029339 | 0.0022118 | 0.0052644 | 0.0028358 |
| 房地产业 | 0.0000000 | 0.0003705 | 0.0000643 | 0.0000000 | 0.0000000 | 0.0000000 | 0.0000000 |
| 租赁业和商务服务业 | 0.0003492 | 0.0103284 | 0.0096198 | 0.0046517 | 0.0048510 | 0.0496058 | 0.0106632 |
| 旅游业 | 0.0000000 | 0.0000024 | 0.0000000 | 0.0000000 | 0.0000000 | 0.0000000 | 0.0000000 |
| 科学研究事业 | 0.0001087 | 0.0076139 | 0.0188853 | 0.0031545 | 0.0059470 | 0.0217720 | 0.0041726 |
| 综合技术服务业 | 0.0005232 | 0.0294845 | 0.0551237 | 0.0066067 | 0.0000302 | 0.0611111 | 0.0117216 |
| 其他社会服务业 | 0.0000009 | 0.0056610 | 0.0021077 | 0.0009469 | 0.0011812 | 0.0032515 | 0.0094982 |
| 教育事业 | 0.0000127 | 0.0014596 | 0.0029190 | 0.0011462 | 0.0016703 | 0.0012912 | 0.0038057 |
| 卫生、社会保障和社会福利业 | 0.0000056 | 0.0055648 | 0.0073308 | 0.0121634 | 0.0052873 | 0.0071580 | 0.0163922 |
| 文化、体育和娱乐业 | 0.0000318 | 0.0045135 | 0.0032232 | 0.0026054 | 0.0269453 | 0.0612345 | 0.0118534 |
| 公共管理和社会组织 | 0.0000000 | 0.0000000 | 0.0000000 | 0.0000000 | 0.0000000 | 0.0000000 | 0.0000000 |
| **中间投入** | **0.0021274** | **0.4713254** | **0.5054474** | **0.3721488** | **0.6192688** | **0.6509543** | **0.4257133** |
| 固定资产折旧 | 0.0717789 | 0.0571683 | 0.0331576 | 0.0539083 | 0.0297697 | 0.0556916 | 0.0453321 |
| 劳动者报酬 | 0.7708183 | 0.3035557 | 0.2279902 | 0.5303137 | 0.2755889 | 0.1854178 | 0.5273929 |
| 生产税净额 | 0.0260610 | 0.0413596 | 0.0223224 | 0.0019597 | 0.0018725 | 0.0303494 | 0.0015618 |
| 营业盈余 | 0.1292144 | 0.1265911 | 0.2110824 | 0.0416695 | 0.0735001 | 0.0775870 | 0.0000000 |
| **增加值** | **0.9978726** | **0.5286746** | **0.4945526** | **0.6278512** | **0.3807312** | **0.3490457** | **0.5742867** |
| **总投入** | **1.0000000** | **1.0000000** | **1.0000000** | **1.0000000** | **1.0000000** | **1.0000000** | **1.0000000** |

## 附表 12 浙江省投入产出完全消耗系数表(2005 年)

| 产出<br>投入 | 农业 | 煤炭开采和洗选业 | 石油和天然气开采业 | 金属矿采选业 | 非金属矿采选业 | 食品制造及烟草加工业 | 纺织业 |
|---|---|---|---|---|---|---|---|
| 农业 | 0.1611224 | 0.0313507 | 0.0000000 | 0.0430146 | 0.0496290 | 0.4365366 | 0.1056097 |
| 煤炭开采和洗选业 | 0.0171504 | 0.0317463 | 0.0000000 | 0.0520464 | 0.0592424 | 0.0443432 | 0.0532123 |
| 石油和天然气开采业 | 0.0590917 | 0.0381745 | 0.0000000 | 0.0629870 | 0.0787424 | 0.0499892 | 0.0602688 |
| 金属矿采选业 | 0.0055265 | 0.0059857 | 0.0000000 | 0.1941280 | 0.0328066 | 0.0098865 | 0.0131072 |
| 非金属矿采选业 | 0.0009947 | 0.0008327 | 0.0000000 | 0.0056269 | 0.0939548 | 0.0023870 | 0.0029759 |
| 食品制造及烟草加工业 | 0.0840768 | 0.0135369 | 0.0000000 | 0.0375526 | 0.0365141 | 0.3917304 | 0.0340862 |
| 纺织业 | 0.0128287 | 0.0169936 | 0.0000000 | 0.0396553 | 0.0568213 | 0.0254372 | 0.5528133 |
| 服装皮革羽绒及其制品业 | 0.0070513 | 0.0182753 | 0.0000000 | 0.0329438 | 0.0355228 | 0.0152911 | 0.0788600 |
| 木材加工及家具制造业 | 0.0193664 | 0.0077794 | 0.0000000 | 0.0107907 | 0.0140822 | 0.0150717 | 0.0094014 |
| 造纸印刷及文教用品制造业 | 0.0471410 | 0.0308358 | 0.0000000 | 0.0630395 | 0.0554427 | 0.0924044 | 0.0594405 |
| 石油加工、炼焦及核燃料加工业 | 0.0731179 | 0.0449346 | 0.0000000 | 0.0684860 | 0.0885110 | 0.0574681 | 0.0613853 |
| 化学工业 | 0.1766643 | 0.0905865 | 0.0000000 | 0.3107255 | 0.4109033 | 0.2913834 | 0.6652179 |
| 非金属矿物制品业 | 0.0162452 | 0.0092169 | 0.0000000 | 0.0231285 | 0.1146491 | 0.0224336 | 0.0186895 |
| 金属冶炼及压延加工业 | 0.0609856 | 0.0549478 | 0.0000000 | 0.1728138 | 0.2218317 | 0.0832288 | 0.1146672 |
| 金属制品业 | 0.0145892 | 0.0395540 | 0.0000000 | 0.0354303 | 0.0520951 | 0.0260067 | 0.0336299 |
| 通用、专用设备制造业 | 0.0215039 | 0.0316111 | 0.0000000 | 0.0731499 | 0.0622179 | 0.0275146 | 0.0471816 |
| 交通运输设备制造业 | 0.0088052 | 0.0206064 | 0.0000000 | 0.0821100 | 0.0847326 | 0.0175791 | 0.0287227 |
| 电气、机械及器材制造业 | 0.0107411 | 0.0199965 | 0.0000000 | 0.0850550 | 0.0854560 | 0.0284026 | 0.0353695 |
| 通信设备、计算机及其他电子设备制造业 | 0.0101643 | 0.0157965 | 0.0000000 | 0.0703724 | 0.0976394 | 0.0195823 | 0.0322054 |
| 仪器仪表及文化办公用机械制造业 | 0.0036652 | 0.0073538 | 0.0000000 | 0.0217788 | 0.0161706 | 0.0076727 | 0.0115013 |
| 其他制造业 | 0.0031570 | 0.0065704 | 0.0000000 | 0.0350591 | 0.0243250 | 0.0070045 | 0.0114984 |
| 废品废料 | 0.0056614 | 0.0048078 | 0.0000000 | 0.0145671 | 0.0183502 | 0.0085946 | 0.0135759 |
| 电力、热力的生产和供应业 | 0.0577255 | 0.1306308 | 0.0000000 | 0.2035873 | 0.2117465 | 0.0948306 | 0.1616396 |
| 燃气生产和供应业 | 0.0006712 | 0.0011865 | 0.0000000 | 0.0024911 | 0.0047385 | 0.0018158 | 0.0028884 |
| 水的生产和供应业 | 0.0009295 | 0.0054107 | 0.0000000 | 0.0027584 | 0.0047858 | 0.0028315 | 0.0039400 |
| 建筑业 | 0.0013155 | 0.0024464 | 0.0000000 | 0.0036454 | 0.0048794 | 0.0030378 | 0.0043946 |
| 交通运输及仓储业 | 0.0248595 | 0.0833278 | 0.0000000 | 0.0970231 | 0.1636799 | 0.0629656 | 0.0722616 |
| 邮政业 | 0.0009217 | 0.0018810 | 0.0000000 | 0.0041341 | 0.0026500 | 0.0018301 | 0.0021584 |
| 信息传输、计算机服务和软件业 | 0.0066862 | 0.0128646 | 0.0000000 | 0.0509892 | 0.0282464 | 0.0196082 | 0.0215103 |
| 批发和零售贸易业 | 0.0352160 | 0.0246649 | 0.0000000 | 0.0635994 | 0.0900034 | 0.0759846 | 0.1117924 |
| 住宿和餐饮业 | 0.0050455 | 0.0174795 | 0.0000000 | 0.0316957 | 0.0232762 | 0.0150575 | 0.0184551 |
| 金融保险业 | 0.0246648 | 0.1128929 | 0.0000000 | 0.0913217 | 0.0681947 | 0.0560706 | 0.0678876 |
| 房地产业 | 0.0014926 | 0.0022613 | 0.0000000 | 0.0039405 | 0.0040841 | 0.0039490 | 0.0047142 |
| 租赁业和商务服务业 | 0.0196980 | 0.0267018 | 0.0000000 | 0.0365761 | 0.0422717 | 0.0721719 | 0.0421734 |
| 旅游业 | 0.0000166 | 0.0001268 | 0.0000000 | 0.0000503 | 0.0000701 | 0.0000512 | 0.0000504 |
| 科学研究事业 | 0.0007494 | 0.0018240 | 0.0000000 | 0.0037504 | 0.0022987 | 0.0019355 | 0.0021839 |
| 综合技术服务业 | 0.0052058 | 0.0078540 | 0.0000000 | 0.0068639 | 0.0059590 | 0.0055107 | 0.0091688 |
| 其他社会服务业 | 0.0050151 | 0.0124283 | 0.0000000 | 0.0083972 | 0.0092251 | 0.0061793 | 0.0073966 |
| 教育事业 | 0.0012503 | 0.0032895 | 0.0000000 | 0.0154482 | 0.0022704 | 0.0017055 | 0.0019621 |
| 卫生、社会保障和社会福利业 | 0.0016139 | 0.0015117 | 0.0000000 | 0.0057957 | 0.0020133 | 0.0014934 | 0.0014956 |
| 文化、体育和娱乐业 | 0.0012368 | 0.0034925 | 0.0000000 | 0.0108983 | 0.0066116 | 0.0036095 | 0.0048331 |
| 公共管理和社会组织 | 0.0000000 | 0.0000000 | 0.0000000 | 0.0000000 | 0.0000000 | 0.0000000 | 0.0000000 |

附表12　续1

| 投入＼产出 | 服装皮革羽绒及其制品业 | 木材加工及家具制造业 | 造纸印刷及文教用品制造业 | 石油加工、炼焦及核燃料加工业 | 化学工业 | 非金属矿物制品业 | 金属冶炼及压延加工业 |
|---|---|---|---|---|---|---|---|
| 农业 | 0.1927035 | 0.3183369 | 0.0810144 | 0.0021872 | 0.1090389 | 0.0476205 | 0.0287534 |
| 煤炭开采和洗选业 | 0.0382531 | 0.0334998 | 0.0523051 | 0.0083369 | 0.0516167 | 0.0896559 | 0.0623770 |
| 石油和天然气开采业 | 0.0547171 | 0.0578730 | 0.0587364 | 0.8258783 | 0.1153784 | 0.0832246 | 0.0582069 |
| 金属矿采选业 | 0.0147973 | 0.0237768 | 0.0238537 | 0.0008351 | 0.0167220 | 0.0355006 | 0.1292724 |
| 非金属矿采选业 | 0.0027019 | 0.0032593 | 0.0025869 | 0.0001147 | 0.0064503 | 0.0207647 | 0.0029817 |
| 食品制造及烟草加工业 | 0.0888273 | 0.0729269 | 0.0326061 | 0.0014269 | 0.0569136 | 0.0278858 | 0.0175795 |
| 纺织业 | 0.4782476 | 0.0966551 | 0.0620629 | 0.0018336 | 0.0851177 | 0.0450921 | 0.0542649 |
| 服装皮革羽绒及其制品业 | 0.2148563 | 0.0538849 | 0.0305076 | 0.0013389 | 0.0365995 | 0.0280667 | 0.0292304 |
| 木材加工及家具制造业 | 0.0124154 | 0.1617636 | 0.0582405 | 0.0005961 | 0.0108447 | 0.0139023 | 0.0079441 |
| 造纸印刷及文教用品制造业 | 0.0773424 | 0.0611727 | 0.6391427 | 0.0030923 | 0.0822041 | 0.0641590 | 0.0434458 |
| 石油加工、炼焦及核燃料加工业 | 0.0564263 | 0.0630816 | 0.0641349 | 0.0901472 | 0.1015899 | 0.0920440 | 0.0668091 |
| 化学工业 | 0.4507253 | 0.4489098 | 0.4415768 | 0.0199929 | 1.0272056 | 0.5228661 | 0.2482839 |
| 非金属矿物制品业 | 0.0198866 | 0.0273125 | 0.0173751 | 0.0012650 | 0.0255087 | 0.1555872 | 0.0268213 |
| 金属冶炼及压延加工业 | 0.1154381 | 0.1635207 | 0.2851829 | 0.0082717 | 0.1565571 | 0.3260949 | 0.8453563 |
| 金属制品业 | 0.0315202 | 0.0519271 | 0.0583735 | 0.0030692 | 0.0497940 | 0.0802753 | 0.1119681 |
| 通用、专用设备制造业 | 0.0401082 | 0.0535032 | 0.0465285 | 0.0069537 | 0.0390430 | 0.0558265 | 0.0716309 |
| 交通运输设备制造业 | 0.0351474 | 0.0570810 | 0.0298724 | 0.0028280 | 0.0282782 | 0.0415210 | 0.0298957 |
| 电气、机械及器材制造业 | 0.0383578 | 0.0591643 | 0.0405963 | 0.0038956 | 0.0389596 | 0.0778729 | 0.0490886 |
| 通信设备、计算机及其他电子设备制造业 | 0.0353078 | 0.0502187 | 0.0300463 | 0.0022148 | 0.0359446 | 0.1540003 | 0.0272741 |
| 仪器仪表及文化办公用机械制造业 | 0.0102201 | 0.0105530 | 0.0115907 | 0.0014549 | 0.0139592 | 0.0144112 | 0.0134720 |
| 其他制造业 | 0.0142739 | 0.0316162 | 0.0134716 | 0.0009312 | 0.0153099 | 0.0217532 | 0.0122150 |
| 废品废料 | 0.0118548 | 0.0158472 | 0.0418564 | 0.0007503 | 0.0254783 | 0.0295575 | 0.1041858 |
| 电力、热力的生产和供应业 | 0.1175163 | 0.1135188 | 0.1615513 | 0.0094319 | 0.1514610 | 0.2314611 | 0.2302609 |
| 燃气生产和供应业 | 0.0024530 | 0.0023326 | 0.0052237 | 0.0001610 | 0.0025980 | 0.0065829 | 0.0031407 |
| 水的生产和供应业 | 0.0028150 | 0.0030371 | 0.0033359 | 0.0003114 | 0.0032741 | 0.0044533 | 0.0031669 |
| 建筑业 | 0.0042309 | 0.0038500 | 0.0040380 | 0.0003117 | 0.0036717 | 0.0044637 | 0.0040516 |
| 交通运输及仓储业 | 0.0713267 | 0.0714455 | 0.0803629 | 0.0091393 | 0.0837316 | 0.1119860 | 0.0706872 |
| 邮政业 | 0.0023410 | 0.0021042 | 0.0027690 | 0.0001632 | 0.0023854 | 0.0021900 | 0.0019108 |
| 信息传输、计算机服务和软件业 | 0.0245897 | 0.0218604 | 0.0280471 | 0.0017602 | 0.0231957 | 0.0235291 | 0.0209384 |
| 批发和零售贸易业 | 0.1143213 | 0.1092598 | 0.1004964 | 0.0085604 | 0.0887976 | 0.0991918 | 0.0973559 |
| 住宿和餐饮业 | 0.0187124 | 0.0177853 | 0.0182903 | 0.0012773 | 0.0184941 | 0.0195155 | 0.0158065 |
| 金融保险业 | 0.0621149 | 0.0548386 | 0.0610352 | 0.0059547 | 0.0639121 | 0.0764043 | 0.0671589 |
| 房地产业 | 0.0051549 | 0.0047304 | 0.0044239 | 0.0003563 | 0.0041085 | 0.0046239 | 0.0041116 |
| 租赁业和商务服务业 | 0.0551809 | 0.0450081 | 0.0420632 | 0.0028355 | 0.0487363 | 0.0470989 | 0.0296762 |
| 旅游业 | 0.0000508 | 0.0000428 | 0.0000575 | 0.0000046 | 0.0000569 | 0.0000617 | 0.0000400 |
| 科学研究事业 | 0.0021350 | 0.0030135 | 0.0019327 | 0.0008929 | 0.0036812 | 0.0033018 | 0.0024569 |
| 综合技术服务业 | 0.0067877 | 0.0059950 | 0.0069323 | 0.0004758 | 0.0071056 | 0.0063762 | 0.0053909 |
| 其他社会服务业 | 0.0065125 | 0.0066858 | 0.0077107 | 0.0017174 | 0.0093188 | 0.0092991 | 0.0092261 |
| 教育事业 | 0.0019198 | 0.0021028 | 0.0021374 | 0.0001505 | 0.0022484 | 0.0023657 | 0.0031717 |
| 卫生、社会保障和社会福利业 | 0.0012989 | 0.0016095 | 0.0013203 | 0.0000882 | 0.0014186 | 0.0013869 | 0.0014517 |
| 文化、体育和娱乐业 | 0.0048012 | 0.0046346 | 0.0049787 | 0.0003191 | 0.0047309 | 0.0046817 | 0.0042071 |
| 公共管理和社会组织 | 0.0000000 | 0.0000000 | 0.0000000 | 0.0000000 | 0.0000000 | 0.0000000 | 0.0000000 |

附表12 续2

| 产 出 / 投 入 | 金属制品业 | 通用、专用设备制造业 | 交通运输设备制造业 | 电气、机械及器材制造业 | 通信设备、计算机及其他电子设备制造业 | 仪器仪表及文化办公用机械制造业 | 其他制造业 |
|---|---|---|---|---|---|---|---|
| 农业 | 0.0488280 | 0.0362323 | 0.0425597 | 0.0445581 | 0.0395041 | 0.0520218 | 0.1298935 |
| 煤炭开采和洗选业 | 0.0490292 | 0.0414813 | 0.0430581 | 0.0424496 | 0.0459303 | 0.0326201 | 0.0393541 |
| 石油和天然气开采业 | 0.0603162 | 0.0613168 | 0.0716406 | 0.0663391 | 0.0621190 | 0.0505049 | 0.0624537 |
| 金属矿采选业 | 0.0493701 | 0.0510152 | 0.0438318 | 0.0718929 | 0.0599952 | 0.0348008 | 0.0247660 |
| 非金属矿采选业 | 0.0026741 | 0.0028132 | 0.0026205 | 0.0039351 | 0.0033110 | 0.0026165 | 0.0026675 |
| 食品制造及烟草加工业 | 0.0260460 | 0.0227002 | 0.0236026 | 0.0263256 | 0.0239111 | 0.0254033 | 0.0320262 |
| 纺织业 | 0.1193708 | 0.0517443 | 0.0503406 | 0.0527793 | 0.0457179 | 0.0403983 | 0.1597163 |
| 服装皮革羽绒及其制品业 | 0.0821451 | 0.0282405 | 0.0259727 | 0.0282728 | 0.0279757 | 0.0222960 | 0.0338686 |
| 木材加工及家具制造业 | 0.0143126 | 0.0121583 | 0.0116594 | 0.0136018 | 0.0113757 | 0.0220659 | 0.1050514 |
| 造纸印刷及文教用品制造业 | 0.0763366 | 0.0614111 | 0.0692003 | 0.0787775 | 0.0906895 | 0.0969890 | 0.1012312 |
| 石油加工、炼焦及核燃料加工业 | 0.0664082 | 0.0692173 | 0.0633441 | 0.0722607 | 0.0693000 | 0.0526546 | 0.0665589 |
| 化学工业 | 0.4023248 | 0.3299263 | 0.4245345 | 0.5042739 | 0.4094980 | 0.4905953 | 0.4844924 |
| 非金属矿物制品业 | 0.0236738 | 0.0314720 | 0.0249610 | 0.0507524 | 0.0443106 | 0.0278988 | 0.0246215 |
| 金属冶炼及压延加工业 | 0.5563710 | 0.5541374 | 0.4996767 | 0.4754699 | 0.5297661 | 0.2855529 | 0.2758025 |
| 金属制品业 | 0.2004469 | 0.1300299 | 0.1007069 | 0.1051386 | 0.1096310 | 0.0675939 | 0.0617172 |
| 通用、专用设备制造业 | 0.1443186 | 0.2863953 | 0.1807574 | 0.1278857 | 0.0862894 | 0.1039862 | 0.0388171 |
| 交通运输设备制造业 | 0.0401165 | 0.0916924 | 0.2409719 | 0.0460908 | 0.0370130 | 0.0337690 | 0.0311537 |
| 电气、机械及器材制造业 | 0.0720585 | 0.1184777 | 0.1301826 | 0.2149958 | 0.2901956 | 0.0957994 | 0.0368649 |
| 通信设备、计算机及其他电子设备制造业 | 0.0397898 | 0.0597703 | 0.1424082 | 0.0929009 | 0.4069569 | 0.0901448 | 0.0297586 |
| 仪器仪表及文化办公用机械制造业 | 0.0178328 | 0.0315631 | 0.0322104 | 0.0329709 | 0.0222026 | 0.4694140 | 0.0097197 |
| 其他制造业 | 0.0162301 | 0.0171950 | 0.0135820 | 0.0254954 | 0.0157121 | 0.0185107 | 0.0481489 |
| 废品废料 | 0.0406673 | 0.0415412 | 0.0337227 | 0.0338350 | 0.0353976 | 0.0240295 | 0.0533085 |
| 电力、热力的生产和供应业 | 0.1630011 | 0.1456400 | 0.1525060 | 0.1460712 | 0.1556436 | 0.1123384 | 0.1322622 |
| 燃气生产和供应业 | 0.0030636 | 0.0029509 | 0.0033675 | 0.0046698 | 0.0028403 | 0.0030430 | 0.0029760 |
| 水的生产和供应业 | 0.0028775 | 0.0031043 | 0.0035720 | 0.0030703 | 0.0035250 | 0.0026381 | 0.0028705 |
| 建筑业 | 0.0042327 | 0.0038307 | 0.0039123 | 0.0040144 | 0.0043996 | 0.0033881 | 0.0034921 |
| 交通运输及仓储业 | 0.0836834 | 0.0810619 | 0.0812363 | 0.0856983 | 0.0805023 | 0.0697502 | 0.0680898 |
| 邮政业 | 0.0023559 | 0.0026654 | 0.0025380 | 0.0026292 | 0.0026641 | 0.0029015 | 0.0018655 |
| 信息传输、计算机服务和软件业 | 0.0241854 | 0.0272662 | 0.0265122 | 0.0323209 | 0.0301589 | 0.0320860 | 0.0204238 |
| 批发和零售贸易业 | 0.1036684 | 0.0911477 | 0.0954168 | 0.0992438 | 0.1041365 | 0.0829543 | 0.0918319 |
| 住宿和餐饮业 | 0.0190309 | 0.0216874 | 0.0212925 | 0.0220835 | 0.0216404 | 0.0206832 | 0.0149679 |
| 金融保险业 | 0.0662187 | 0.0632126 | 0.0635670 | 0.0664467 | 0.0660862 | 0.0573314 | 0.0512041 |
| 房地产业 | 0.0046150 | 0.0044384 | 0.0052959 | 0.0050432 | 0.0053062 | 0.0040967 | 0.0040280 |
| 租赁业和商务服务业 | 0.0416698 | 0.0459897 | 0.0496206 | 0.0578230 | 0.0830548 | 0.0567278 | 0.0343086 |
| 旅游业 | 0.0000482 | 0.0000543 | 0.0000566 | 0.0000649 | 0.0000735 | 0.0000744 | 0.0000398 |
| 科学研究事业 | 0.0028852 | 0.0042716 | 0.0040559 | 0.0047348 | 0.0056266 | 0.0029572 | 0.0019420 |
| 综合技术服务业 | 0.0067656 | 0.0066652 | 0.0067985 | 0.0072835 | 0.0063278 | 0.0083318 | 0.0051502 |
| 其他社会服务业 | 0.0075882 | 0.0073888 | 0.0075904 | 0.0076461 | 0.0075670 | 0.0064104 | 0.0069304 |
| 教育事业 | 0.0025360 | 0.0027795 | 0.0027587 | 0.0027734 | 0.0028317 | 0.0024836 | 0.0019042 |
| 卫生、社会保障和社会福利业 | 0.0013682 | 0.0013381 | 0.0012612 | 0.0013933 | 0.0014404 | 0.0011582 | 0.0011186 |
| 文化、体育和娱乐业 | 0.0048784 | 0.0055929 | 0.0052657 | 0.0057002 | 0.0052615 | 0.0052618 | 0.0038451 |
| 公共管理和社会组织 | 0.0000000 | 0.0000000 | 0.0000000 | 0.0000000 | 0.0000000 | 0.0000000 | 0.0000000 |

**附表 12　续 3**

| 投入＼产出 | 废品废料 | 电力、热力的生产和供应业 | 燃气生产和供应业 | 水的生产和供应业 | 建筑业 | 交通运输及仓储业 | 邮政业 |
|---|---|---|---|---|---|---|---|
| 农业 | 0.0000000 | 0.0301740 | 0.0055928 | 0.0264936 | 0.0650299 | 0.0368801 | 0.0201531 |
| 煤炭开采和洗选业 | 0.0000000 | 0.2904555 | 0.0252120 | 0.1364698 | 0.0492597 | 0.0172120 | 0.0191811 |
| 石油和天然气开采业 | 0.0000000 | 0.0677214 | 0.7004053 | 0.0509826 | 0.0883531 | 0.1951168 | 0.0426682 |
| 金属矿采选业 | 0.0000000 | 0.0099380 | 0.0025503 | 0.0099628 | 0.0353134 | 0.0070993 | 0.0057118 |
| 非金属矿采选业 | 0.0000000 | 0.0022156 | 0.0002603 | 0.0016862 | 0.0415989 | 0.0010303 | 0.0008602 |
| 食品制造及烟草加工业 | 0.0000000 | 0.0166107 | 0.0037408 | 0.0169165 | 0.0229856 | 0.0223450 | 0.0129281 |
| 纺织业 | 0.0000000 | 0.0404831 | 0.0045480 | 0.0294644 | 0.0440072 | 0.0176342 | 0.0213353 |
| 服装皮革羽绒及其制品业 | 0.0000000 | 0.0214581 | 0.0041841 | 0.0199910 | 0.0301955 | 0.0179526 | 0.0329525 |
| 木材加工及家具制造业 | 0.0000000 | 0.0105488 | 0.0014540 | 0.0089309 | 0.0458965 | 0.0053149 | 0.0082668 |
| 造纸印刷及文教用品制造业 | 0.0000000 | 0.0423490 | 0.0085108 | 0.0438088 | 0.0491483 | 0.0283903 | 0.0887336 |
| 石油加工、炼焦及核燃料加工业 | 0.0000000 | 0.0829070 | 0.8675396 | 0.0604857 | 0.1061890 | 0.2394602 | 0.0523606 |
| 化学工业 | 0.0000000 | 0.1477831 | 0.0380673 | 0.1683416 | 0.3057893 | 0.1082905 | 0.0824468 |
| 非金属矿物制品业 | 0.0000000 | 0.0261650 | 0.0026399 | 0.0185860 | 0.2199375 | 0.0114826 | 0.0104607 |
| 金属冶炼及压延加工业 | 0.0000000 | 0.0942775 | 0.0298598 | 0.0936072 | 0.4200645 | 0.0751015 | 0.0582466 |
| 金属制品业 | 0.0000000 | 0.0364158 | 0.0061976 | 0.0326764 | 0.1780689 | 0.0187194 | 0.0163905 |
| 通用、专用设备制造业 | 0.0000000 | 0.0669884 | 0.0105251 | 0.0722816 | 0.0841132 | 0.0340158 | 0.0309593 |
| 交通运输设备制造业 | 0.0000000 | 0.0301689 | 0.0069987 | 0.0337682 | 0.0359401 | 0.1092077 | 0.0410258 |
| 电气、机械及器材制造业 | 0.0000000 | 0.0477477 | 0.0070067 | 0.0534092 | 0.0580174 | 0.0268341 | 0.0211736 |
| 通信设备、计算机及其他电子设备制造业 | 0.0000000 | 0.0283314 | 0.0048385 | 0.0271955 | 0.0544213 | 0.0289437 | 0.0218005 |
| 仪器仪表及文化办公用机械制造业 | 0.0000000 | 0.0256949 | 0.0034759 | 0.0307760 | 0.0212506 | 0.0089275 | 0.0219981 |
| 其他制造业 | 0.0000000 | 0.0077877 | 0.0018357 | 0.0084374 | 0.0139758 | 0.0041280 | 0.0038917 |
| 废品废料 | 0.0000000 | 0.0089805 | 0.0022157 | 0.0084139 | 0.0286371 | 0.0058770 | 0.0055037 |
| 电力、热力的生产和供应业 | 0.0000000 | 0.2907141 | 0.0268412 | 0.5626620 | 0.1544063 | 0.0595040 | 0.0747374 |
| 燃气生产和供应业 | 0.0000000 | 0.0017132 | 0.0359140 | 0.0142633 | 0.0028676 | 0.0076033 | 0.0012781 |
| 水的生产和供应业 | 0.0000000 | 0.0046109 | 0.0009972 | 0.0202870 | 0.0030722 | 0.0026718 | 0.0023436 |
| 建筑业 | 0.0000000 | 0.0063221 | 0.0009650 | 0.0042998 | 0.0040224 | 0.0057895 | 0.0069185 |
| 交通运输及仓储业 | 0.0000000 | 0.0681670 | 0.0319836 | 0.0491427 | 0.0921006 | 0.1002332 | 0.0842284 |
| 邮政业 | 0.0000000 | 0.0029384 | 0.0004718 | 0.0032336 | 0.0019294 | 0.0016629 | 0.0034396 |
| 信息传输、计算机服务和软件业 | 0.0000000 | 0.0195536 | 0.0072500 | 0.0270502 | 0.0231785 | 0.0215048 | 0.0836137 |
| 批发和零售贸易业 | 0.0000000 | 0.0533169 | 0.0240867 | 0.0423839 | 0.1076087 | 0.0304649 | 0.1406356 |
| 住宿和餐饮业 | 0.0000000 | 0.0198513 | 0.0044835 | 0.0223067 | 0.0177819 | 0.0134602 | 0.0160270 |
| 金融保险业 | 0.0000000 | 0.1375474 | 0.0230135 | 0.1161575 | 0.0561794 | 0.0494446 | 0.0298076 |
| 房地产业 | 0.0000000 | 0.0035337 | 0.0010907 | 0.0031445 | 0.0043920 | 0.0025800 | 0.0104998 |
| 租赁业和商务服务业 | 0.0000000 | 0.0313856 | 0.0085763 | 0.0308320 | 0.0510450 | 0.0534306 | 0.0628679 |
| 旅游业 | 0.0000000 | 0.0000594 | 0.0000176 | 0.0000405 | 0.0000508 | 0.0003142 | 0.0000481 |
| 科学研究事业 | 0.0000000 | 0.0022402 | 0.0008977 | 0.0023167 | 0.0034528 | 0.0015732 | 0.0008964 |
| 综合技术服务业 | 0.0000000 | 0.0106572 | 0.0012743 | 0.0072156 | 0.0147515 | 0.0096984 | 0.0037236 |
| 其他社会服务业 | 0.0000000 | 0.0171820 | 0.0035839 | 0.0159239 | 0.0084868 | 0.0265307 | 0.0058347 |
| 教育事业 | 0.0000000 | 0.0032394 | 0.0005815 | 0.0035193 | 0.0022472 | 0.0025271 | 0.0011434 |
| 卫生、社会保障和社会福利业 | 0.0000000 | 0.0012667 | 0.0002879 | 0.0010598 | 0.0012443 | 0.0040438 | 0.0008160 |
| 文化、体育和娱乐业 | 0.0000000 | 0.0049234 | 0.0011460 | 0.0062393 | 0.0041771 | 0.0026235 | 0.0040739 |
| 公共管理和社会组织 | 0.0000000 | 0.0000000 | 0.0000000 | 0.0000000 | 0.0000000 | 0.0000000 | 0.0000000 |

附表12 续4

| 投入 \ 产出 | 信息传输、计算机服务和软件业 | 批发和零售贸易业 | 住宿和餐饮业 | 金融保险业 | 房地产业 | 租赁业和商务服务业 | 旅游业 |
|---|---|---|---|---|---|---|---|
| 农业 | 0.0283075 | 0.0220588 | 0.3270829 | 0.0145916 | 0.0090484 | 0.0351576 | 0.0783428 |
| 煤炭开采和洗选业 | 0.0324485 | 0.0159215 | 0.0354032 | 0.0097431 | 0.0065206 | 0.0176038 | 0.0269462 |
| 石油和天然气开采业 | 0.0255794 | 0.0197470 | 0.0512001 | 0.0168874 | 0.0105761 | 0.0370321 | 0.1191095 |
| 金属矿采选业 | 0.0119036 | 0.0042673 | 0.0070480 | 0.0025755 | 0.0043094 | 0.0070982 | 0.0065504 |
| 非金属矿采选业 | 0.0012515 | 0.0013303 | 0.0015943 | 0.0004310 | 0.0031333 | 0.0007984 | 0.0010384 |
| 食品制造及烟草加工业 | 0.0233816 | 0.0196059 | 0.3695657 | 0.0119615 | 0.0069192 | 0.0331019 | 0.0807484 |
| 纺织业 | 0.0207505 | 0.0136231 | 0.0323694 | 0.0085213 | 0.0063018 | 0.0249132 | 0.0251614 |
| 服装皮革羽绒及其制品业 | 0.0163528 | 0.0174007 | 0.0177537 | 0.0098757 | 0.0049352 | 0.0412576 | 0.0252034 |
| 木材加工及家具制造业 | 0.0129873 | 0.0065289 | 0.0202200 | 0.0065474 | 0.0043182 | 0.0063400 | 0.0092363 |
| 造纸印刷及文教用品制造业 | 0.1860136 | 0.0427026 | 0.0574273 | 0.0583699 | 0.0113387 | 0.0689903 | 0.0424238 |
| 石油加工、炼焦及核燃料加工业 | 0.0292610 | 0.0233295 | 0.0613785 | 0.0205159 | 0.0125216 | 0.0446526 | 0.1456434 |
| 化学工业 | 0.1372807 | 0.0640055 | 0.1864437 | 0.0436807 | 0.0418657 | 0.0921093 | 0.1211345 |
| 非金属矿物制品业 | 0.0119195 | 0.0091832 | 0.0168503 | 0.0034348 | 0.0179423 | 0.0078691 | 0.0109370 |
| 金属冶炼及压延加工业 | 0.1069862 | 0.0436340 | 0.0650689 | 0.0264328 | 0.0462710 | 0.0661956 | 0.0664912 |
| 金属制品业 | 0.0263189 | 0.0146763 | 0.0216285 | 0.0090759 | 0.0242365 | 0.0159585 | 0.0179472 |
| 通用、专用设备制造业 | 0.0316559 | 0.0149691 | 0.0260957 | 0.0113929 | 0.0112710 | 0.0188680 | 0.0321189 |
| 交通运输设备制造业 | 0.0167218 | 0.0247411 | 0.0154947 | 0.0099780 | 0.0050400 | 0.0193960 | 0.0714992 |
| 电气、机械及器材制造业 | 0.0820354 | 0.0167409 | 0.0275521 | 0.0096417 | 0.0156153 | 0.0324402 | 0.0251450 |
| 通信设备、计算机及其他电子设备制造业 | 0.0861062 | 0.0220565 | 0.0163161 | 0.0096706 | 0.0201948 | 0.0889935 | 0.0248089 |
| 仪器仪表及文化办公用机械制造业 | 0.0704085 | 0.0069239 | 0.0196920 | 0.0060998 | 0.0040039 | 0.0162656 | 0.0118876 |
| 其他制造业 | 0.0085338 | 0.0070314 | 0.0106546 | 0.0026412 | 0.0022745 | 0.0102403 | 0.0049339 |
| 废品废料 | 0.0102184 | 0.0039252 | 0.0069062 | 0.0028027 | 0.0033348 | 0.0058865 | 0.0057570 |
| 电力、热力的生产和供应业 | 0.1283078 | 0.0628562 | 0.1176278 | 0.0377568 | 0.0220469 | 0.0661095 | 0.0862498 |
| 燃气生产和供应业 | 0.0015607 | 0.0010669 | 0.0126425 | 0.0007671 | 0.0010196 | 0.0020519 | 0.0060687 |
| 水的生产和供应业 | 0.0019605 | 0.0014103 | 0.0026444 | 0.0009366 | 0.0010110 | 0.0021987 | 0.0032478 |
| 建筑业 | 0.0079009 | 0.0232550 | 0.0094576 | 0.0040728 | 0.0723340 | 0.0045889 | 0.0054937 |
| 交通运输及仓储业 | 0.0375579 | 0.0462533 | 0.0403168 | 0.0341526 | 0.0129392 | 0.1081125 | 0.5819295 |
| 邮政业 | 0.0021178 | 0.0024215 | 0.0019298 | 0.0057116 | 0.0006348 | 0.0064430 | 0.0042937 |
| 信息传输、计算机服务和软件业 | 0.0688421 | 0.0388197 | 0.0210146 | 0.0302932 | 0.0074228 | 0.1310763 | 0.0506746 |
| 批发和零售贸易业 | 0.0604182 | 0.0199820 | 0.0581754 | 0.0156569 | 0.0138619 | 0.0349707 | 0.0354678 |
| 住宿和餐饮业 | 0.0252056 | 0.0340475 | 0.0108383 | 0.0226588 | 0.0064260 | 0.0562561 | 0.1595289 |
| 金融保险业 | 0.0696012 | 0.0564782 | 0.0621363 | 0.0141768 | 0.0671667 | 0.0531844 | 0.0669518 |
| 房地产业 | 0.0125557 | 0.0252938 | 0.0072645 | 0.0105063 | 0.0018578 | 0.0216744 | 0.0075978 |
| 租赁业和商务服务业 | 0.1033975 | 0.0849570 | 0.0417834 | 0.0454725 | 0.0171083 | 0.5816890 | 0.0485733 |
| 旅游业 | 0.0000648 | 0.0000458 | 0.0001186 | 0.0000276 | 0.0001534 | 0.0004760 | 0.6492349 |
| 科学研究事业 | 0.0021194 | 0.0008241 | 0.0012484 | 0.0005205 | 0.0005112 | 0.0010259 | 0.0014541 |
| 综合技术服务业 | 0.0055427 | 0.0118797 | 0.0053116 | 0.0017396 | 0.0111489 | 0.0051475 | 0.0071491 |
| 其他社会服务业 | 0.0051391 | 0.0081641 | 0.0083012 | 0.0056967 | 0.0017633 | 0.0054954 | 0.0163698 |
| 教育事业 | 0.0026073 | 0.0024467 | 0.0016246 | 0.0029905 | 0.0008111 | 0.0067388 | 0.0024944 |
| 卫生、社会保障和社会福利业 | 0.0015331 | 0.0012304 | 0.0040685 | 0.0013641 | 0.0005766 | 0.0050481 | 0.0043947 |
| 文化、体育和娱乐业 | 0.0344421 | 0.0064203 | 0.0032050 | 0.0046273 | 0.0009725 | 0.0053626 | 0.0107121 |
| 公共管理和社会组织 | 0.0000000 | 0.0000000 | 0.0000000 | 0.0000000 | 0.0000000 | 0.0000000 | 0.0000000 |

**附表12　续5**

| 投入＼产出 | 科学研究事业 | 综合技术服务业 | 其他社会服务业 | 教育事业 | 卫生、社会保障和社会福利业 | 文化、体育和娱乐业 | 公共管理和社会组织 |
|---|---|---|---|---|---|---|---|
| 农业 | 0.0001153 | 0.0256872 | 0.0249401 | 0.0216302 | 0.0422447 | 0.1007146 | 0.0351577 |
| 煤炭开采和洗选业 | 0.0000684 | 0.0204681 | 0.0268786 | 0.0211409 | 0.0313079 | 0.0384150 | 0.0193374 |
| 石油和天然气开采业 | 0.0001071 | 0.0308066 | 0.0466292 | 0.0215287 | 0.0519114 | 0.0390851 | 0.0343486 |
| 金属矿采选业 | 0.0000536 | 0.0181689 | 0.0136106 | 0.0073654 | 0.0185820 | 0.0088846 | 0.0102596 |
| 非金属矿采选业 | 0.0000037 | 0.0012196 | 0.0012584 | 0.0009644 | 0.0026685 | 0.0020594 | 0.0038345 |
| 食品制造及烟草加工业 | 0.0001075 | 0.0188282 | 0.0183530 | 0.0143467 | 0.0289639 | 0.2468903 | 0.0216197 |
| 纺织业 | 0.0000711 | 0.0221363 | 0.0216717 | 0.0148328 | 0.0367458 | 0.0215905 | 0.0195620 |
| 服装皮革羽绒及其制品业 | 0.0000518 | 0.0169791 | 0.0141656 | 0.0089995 | 0.0185518 | 0.0161931 | 0.0123577 |
| 木材加工及家具制造业 | 0.0000260 | 0.0086677 | 0.0091352 | 0.0126838 | 0.0109006 | 0.0215422 | 0.0493285 |
| 造纸印刷及文教用品制造业 | 0.0002074 | 0.0475324 | 0.0530021 | 0.2015352 | 0.0534463 | 0.1666652 | 0.0752475 |
| 石油加工、炼焦及核燃料加工业 | 0.0001252 | 0.0354026 | 0.0520941 | 0.0249037 | 0.0528858 | 0.0461922 | 0.0396372 |
| 化学工业 | 0.0004407 | 0.1597013 | 0.1702946 | 0.1036466 | 0.5772176 | 0.1652151 | 0.1845555 |
| 非金属矿物制品业 | 0.0000419 | 0.0148459 | 0.0124531 | 0.0097343 | 0.0195013 | 0.0220646 | 0.0494451 |
| 金属冶炼及压延加工业 | 0.0005579 | 0.1624816 | 0.1476845 | 0.0782462 | 0.1939889 | 0.0851197 | 0.0936767 |
| 金属制品业 | 0.0001313 | 0.0349762 | 0.0326585 | 0.0193293 | 0.0501875 | 0.0252822 | 0.0363389 |
| 通用、专用设备制造业 | 0.0009832 | 0.0329036 | 0.0542021 | 0.0693343 | 0.3477241 | 0.0271268 | 0.0365116 |
| 交通运输设备制造业 | 0.0000978 | 0.0207424 | 0.2900579 | 0.0137295 | 0.0345542 | 0.0176035 | 0.0222208 |
| 电气、机械及器材制造业 | 0.0001569 | 0.0820513 | 0.0457795 | 0.0253153 | 0.0476482 | 0.0385580 | 0.0632918 |
| 通信设备、计算机及其他电子设备制造业 | 0.0002754 | 0.3603956 | 0.0613309 | 0.0209378 | 0.0292685 | 0.0456677 | 0.0334251 |
| 仪器仪表及文化办公用机械制造业 | 0.0000698 | 0.0627607 | 0.0291368 | 0.0128131 | 0.0149745 | 0.0160862 | 0.0216754 |
| 其他制造业 | 0.0000345 | 0.0279520 | 0.0065157 | 0.0044624 | 0.0093880 | 0.0075904 | 0.0064792 |
| 废品废料 | 0.0000439 | 0.0122199 | 0.0109217 | 0.0084637 | 0.0180143 | 0.0088741 | 0.0084203 |
| 电力、热力的生产和供应业 | 0.0002488 | 0.0734695 | 0.0938064 | 0.0804679 | 0.1080503 | 0.1401498 | 0.0665195 |
| 燃气生产和供应业 | 0.0000064 | 0.0014101 | 0.0015847 | 0.0012929 | 0.0016988 | 0.0022732 | 0.0014286 |
| 水的生产和供应业 | 0.0000054 | 0.0017906 | 0.0056171 | 0.0030391 | 0.0031814 | 0.0035876 | 0.0019443 |
| 建筑业 | 0.0000099 | 0.0025780 | 0.0043087 | 0.0037498 | 0.0044985 | 0.0111883 | 0.0200687 |
| 交通运输及仓储业 | 0.0001932 | 0.0482193 | 0.0413005 | 0.0374989 | 0.0538059 | 0.0528344 | 0.0414759 |
| 邮政业 | 0.0000065 | 0.0012763 | 0.0014556 | 0.0029322 | 0.0019735 | 0.0038259 | 0.0054145 |
| 信息传输、计算机服务和软件业 | 0.0001134 | 0.0232078 | 0.0424972 | 0.1148088 | 0.0244630 | 0.0576768 | 0.0842821 |
| 批发和零售贸易业 | 0.0001547 | 0.0568372 | 0.0436813 | 0.0431110 | 0.0740916 | 0.0621520 | 0.0450633 |
| 住宿和餐饮业 | 0.0002085 | 0.0251743 | 0.0231648 | 0.0201524 | 0.0162251 | 0.0343971 | 0.0262150 |
| 金融保险业 | 0.0001273 | 0.0414081 | 0.0424270 | 0.0275437 | 0.0412549 | 0.0441049 | 0.0282969 |
| 房地产业 | 0.0000154 | 0.0032659 | 0.0028586 | 0.0028423 | 0.0032376 | 0.0041563 | 0.0028634 |
| 租赁业和商务服务业 | 0.0006327 | 0.0474824 | 0.0388137 | 0.0297542 | 0.0389972 | 0.1147486 | 0.0408331 |
| 旅游业 | 0.0000003 | 0.0000424 | 0.0000324 | 0.0000273 | 0.0000374 | 0.0000583 | 0.0000315 |
| 科学研究事业 | 0.0001186 | 0.0098804 | 0.0209197 | 0.0041873 | 0.0088116 | 0.0250104 | 0.0059339 |
| 综合技术服务业 | 0.0005526 | 0.0339848 | 0.0601978 | 0.0095684 | 0.0061991 | 0.0711717 | 0.0162215 |
| 其他社会服务业 | 0.0000175 | 0.0094918 | 0.0061397 | 0.0040351 | 0.0064623 | 0.0085880 | 0.0128726 |
| 教育事业 | 0.0000194 | 0.0027380 | 0.0042180 | 0.0020870 | 0.0032567 | 0.0029836 | 0.0048831 |
| 卫生、社会保障和社会福利业 | 0.0000133 | 0.0065882 | 0.0084339 | 0.0128929 | 0.0064276 | 0.0091576 | 0.0174354 |
| 文化、体育和娱乐业 | 0.0000463 | 0.0075963 | 0.0069584 | 0.0078912 | 0.0321874 | 0.0693956 | 0.0171353 |
| 公共管理和社会组织 | 0.0000000 | 0.0000000 | 0.0000000 | 0.0000000 | 0.0000000 | 0.0000000 | 0.0000000 |

# 附表 13 浙江省乡级以上统计行政区划代码

| | | | | | | | |
|---|---|---|---|---|---|---|---|
| 330000000000 | 浙江省 | 330106000000 | 西湖区 | 330109119000 | 河庄镇 | 330127101000 | 文昌镇 |
| 330100000000 | 杭州市 | 330106002000 | 北山街道 | 330109120000 | 党湾镇 | 330127102000 | 石林镇 |
| 330101000000 | 市辖区 | 330106004000 | 西溪街道 | 330109121000 | 新湾镇 | 330127103000 | 临岐镇 |
| 330102000000 | 上城区 | 330106005000 | 翠苑街道 | 330109401000 | 经济开发区 | 330127104000 | 威坪镇 |
| 330102001000 | 清波街道 | 330106007000 | 古荡街道 | 330109501000 | 围垦区 | 330127106000 | 姜家镇 |
| 330102003000 | 湖滨街道 | 330106008000 | 西湖街道 | 330110000000 | 余杭区 | 330127107000 | 梓桐镇 |
| 330102004000 | 小营街道 | 330106009000 | 留下街道 | 330110001000 | 临平街道 | 330127108000 | 汾口镇 |
| 330102008000 | 南星街道 | 330106010000 | 转塘街道 | 330110002000 | 南苑街道 | 330127109000 | 中洲镇 |
| 330102009000 | 紫阳街道 | 330106011000 | 蒋村街道 | 330110003000 | 东湖街道 | 330127110000 | 大墅镇 |
| 330102010000 | 望江街道 | 330106012000 | 灵隐街道 | 330110004000 | 星桥街道 | 330127111000 | 枫树岭镇 |
| 330103000000 | 下城区 | 330106013000 | 文新街道 | 330110100000 | 乔司镇 | 330127200000 | 里商乡 |
| 330103001000 | 长庆街道 | 330106109000 | 三墩镇 | 330110101000 | 运河镇 | 330127201000 | 金峰乡 |
| 330103002000 | 武林街道 | 330106110000 | 双浦镇 | 330110102000 | 塘栖镇 | 330127202000 | 富文乡 |
| 330103003000 | 天水街道 | 330108000000 | 滨江区 | 330110103000 | 崇贤镇 | 330127203000 | 左口乡 |
| 330103005000 | 潮鸣街道 | 330108001000 | 西兴街道 | 330110104000 | 仁和镇 | 330127205000 | 屏门乡 |
| 330103006000 | 朝晖街道 | 330108002000 | 长河街道 | 330110105000 | 良渚镇 | 330127206000 | 瑶山乡 |
| 330103007000 | 文晖街道 | 330108003000 | 浦沿街道 | 330110106000 | 闲林镇 | 330127208000 | 王阜乡 |
| 330103008000 | 东新街道 | 330109000000 | 萧山区 | 330110107000 | 仓前镇 | 330127210000 | 宋村乡 |
| 330103009000 | 石桥街道 | 330109001000 | 城厢街道 | 330110108000 | 余杭镇 | 330127211000 | 鸠坑乡 |
| 330104000000 | 江干区 | 330109002000 | 北干街道 | 330110109000 | 径山镇 | 330127212000 | 浪川乡 |
| 330104005000 | 凯旋街道 | 330109003000 | 蜀山街道 | 330110110000 | 瓶窑镇 | 330127214000 | 界首乡 |
| 330104006000 | 采荷街道 | 330109004000 | 新塘街道 | 330110111000 | 鸬鸟镇 | 330127216000 | 安阳乡 |
| 330104007000 | 闸弄口街道 | 330109100000 | 楼塔镇 | 330110112000 | 百丈镇 | 330182000000 | 建德市 |
| 330104008000 | 四季青街道 | 330109101000 | 河上镇 | 330110113000 | 黄湖镇 | 330182001000 | 新安江街道 |
| 330104009000 | 白杨街道 | 330109102000 | 戴村镇 | 330110200000 | 中泰乡 | 330182002000 | 洋溪街道 |
| 330104010000 | 下沙街道 | 330109103000 | 浦阳镇 | 330122000000 | 桐庐县 | 330182003000 | 更楼街道 |
| 330104102000 | 彭埠镇 | 330109104000 | 进化镇 | 330122001000 | 桐君街道 | 330182101000 | 莲花镇 |
| 330104103000 | 笕桥镇 | 330109105000 | 临浦镇 | 330122002000 | 旧县街道 | 330182102000 | 乾潭镇 |
| 330104104000 | 丁桥镇 | 330109106000 | 义桥镇 | 330122101000 | 富春江镇 | 330182104000 | 梅城镇 |
| 330104105000 | 九堡镇 | 330109107000 | 所前镇 | 330122102000 | 横村镇 | 330182105000 | 杨村桥镇 |
| 330105000000 | 拱墅区 | 330109108000 | 衙前镇 | 330122107000 | 凤川镇 | 330182106000 | 下涯镇 |
| 330105001000 | 米市巷街道 | 330109109000 | 闻堰镇 | 330122109000 | 分水镇 | 330182107000 | 大洋镇 |
| 330105002000 | 湖墅街道 | 330109110000 | 宁围镇 | 330122110000 | 瑶琳镇 | 330182108000 | 三都镇 |
| 330105003000 | 小河街道 | 330109111000 | 新街镇 | 330122112000 | 百江镇 | 330182109000 | 寿昌镇 |
| 330105004000 | 和睦街道 | 330109112000 | 坎山镇 | 330122113000 | 江南镇 | 330182110000 | 航头镇 |
| 330105005000 | 拱宸桥街道 | 330109113000 | 瓜沥镇 | 330122201000 | 莪山畲族自治乡 | 330182111000 | 大慈岩镇 |
| 330105007000 | 大关街道 | 330109114000 | 党山镇 | 330122202000 | 钟山乡 | 330182112000 | 大同镇 |
| 330105008000 | 上塘街道 | 330109115000 | 益农镇 | 330122204000 | 新合乡 | 330182113000 | 李家镇 |
| 330105102000 | 康桥镇 | 330109116000 | 靖江镇 | 330122210000 | 合村乡 | 330182202000 | 钦堂乡 |
| 330105103000 | 半山镇 | 330109117000 | 南阳镇 | 330127000000 | 淳安县 | 330183000000 | 富阳市 |
| 330105104000 | 祥符镇 | 330109118000 | 义蓬镇 | 330127100000 | 千岛湖镇 | 330183001000 | 富春街道 |

| | | | | | | | |
|---|---|---|---|---|---|---|---|
| 330183002000 | 春江街道 | 330185112000 | 清凉峰镇 | 330206002000 | 新碶街道 | 330225001000 | 丹东街道 |
| 330183004000 | 鹿山街道 | 330185113000 | 岛石镇 | 330206003000 | 小港街道 | 330225002000 | 丹西街道 |
| 330183005000 | 东洲街道 | 330185114000 | 大峡谷镇 | 330206004000 | 大碶街道 | 330225003000 | 爵溪街道 |
| 330183100000 | 万市镇 | 330185200000 | 板桥乡 | 330206005000 | 霞浦街道 | 330225101000 | 石浦镇 |
| 330183101000 | 洞桥镇 | 330185201000 | 西天目乡 | 330206006000 | 柴桥街道 | 330225102000 | 西周镇 |
| 330183103000 | 渌渚镇 | 330185202000 | 千洪乡 | 330206007000 | 戚家山街道 | 330225103000 | 鹤浦镇 |
| 330183105000 | 永昌镇 | 330185203000 | 横路乡 | 330206105000 | 白峰镇 | 330225104000 | 贤庠镇 |
| 330183108000 | 里山镇 | 330185204000 | 乐平乡 | 330206107000 | 春晓镇 | 330225105000 | 墙头镇 |
| 330183109000 | 常绿镇 | 330185205000 | 马啸乡 | 330206201000 | 梅山乡 | 330225106000 | 泗洲头镇 |
| 330183110000 | 场口镇 | 330185206000 | 新桥乡 | 330206401000 | 保税区 | 330225107000 | 定塘镇 |
| 330183111000 | 常安镇 | 330200000000 | 宁波市 | 330211000000 | 镇海区 | 330225108000 | 涂茨镇 |
| 330183112000 | 龙门镇 | 330201000000 | 市辖区 | 330211001000 | 招宝山街道 | 330225109000 | 大徐镇 |
| 330183113000 | 高桥镇 | 330203000000 | 海曙区 | 330211002000 | 蛟川街道 | 330225110000 | 新桥镇 |
| 330183114000 | 受降镇 | 330203001000 | 南门街道 | 330211003000 | 骆驼街道 | 330225200000 | 东陈乡 |
| 330183115000 | 新登镇 | 330203002000 | 江厦街道 | 330211004000 | 庄市街道 | 330225201000 | 晓塘乡 |
| 330183116000 | 胥口镇 | 330203003000 | 西门街道 | 330211100000 | 澥浦镇 | 330225202000 | 黄避岙乡 |
| 330183117000 | 大源镇 | 330203004000 | 月湖街道 | 330211101000 | 九龙湖镇 | 330225203000 | 茅洋乡 |
| 330183118000 | 灵桥镇 | 330203005000 | 鼓楼街道 | 330212000000 | 鄞州区 | 330225204000 | 高塘岛乡 |
| 330183200000 | 新桐乡 | 330203006000 | 白云街道 | 330212001000 | 下应街道 | 330226000000 | 宁海县 |
| 330183201000 | 上官乡 | 330203007000 | 段塘街道 | 330212002000 | 钟公庙街道 | 330226001000 | 跃龙街道 |
| 330183204000 | 环山乡 | 330203008000 | 望春街道 | 330212003000 | 石碶街道 | 330226002000 | 桃源街道 |
| 330183205000 | 湖源乡 | 330204000000 | 江东区 | 330212004000 | 梅墟街道 | 330226003000 | 梅林街道 |
| 330183206000 | 春建乡 | 330204001000 | 百丈街道 | 330212100000 | 瞻岐镇 | 330226004000 | 桥头胡街道 |
| 330183207000 | 渔山乡 | 330204002000 | 东胜街道 | 330212101000 | 咸祥镇 | 330226101000 | 长街镇 |
| 330185000000 | 临安市 | 330204003000 | 明楼街道 | 330212102000 | 塘溪镇 | 330226102000 | 力洋镇 |
| 330185001000 | 锦城街道 | 330204004000 | 白鹤街道 | 330212103000 | 东钱湖镇 | 330226104000 | 一市镇 |
| 330185002000 | 玲珑街道 | 330204005000 | 东柳街道 | 330212104000 | 东吴镇 | 330226105000 | 岔路镇 |
| 330185003000 | 青山湖街道 | 330204006000 | 东郊街道 | 330212105000 | 五乡镇 | 330226106000 | 前童镇 |
| 330185004000 | 上甘街道 | 330204007000 | 福明街道 | 330212106000 | 邱隘镇 | 330226107000 | 桑洲镇 |
| 330185100000 | 三口镇 | 330204008000 | 新明街道 | 330212108000 | 云龙镇 | 330226108000 | 黄坛镇 |
| 330185101000 | 横畈镇 | 330205000000 | 江北区 | 330212109000 | 横溪镇 | 330226109000 | 大佳何镇 |
| 330185102000 | 高虹镇 | 330205001000 | 中马街道 | 330212110000 | 姜山镇 | 330226110000 | 强蛟镇 |
| 330185103000 | 太湖源镇 | 330205002000 | 白沙街道 | 330212113000 | 高桥镇 | 330226111000 | 西店镇 |
| 330185104000 | 於潜镇 | 330205003000 | 孔浦街道 | 330212114000 | 横街镇 | 330226112000 | 深圳镇 |
| 330185105000 | 藻溪镇 | 330205004000 | 文教街道 | 330212115000 | 集仕港镇 | 330226200000 | 胡陈乡 |
| 330185106000 | 太阳镇 | 330205005000 | 甬江街道 | 330212116000 | 古林镇 | 330226201000 | 茶院乡 |
| 330185107000 | 潜川镇 | 330205006000 | 庄桥街道 | 330212118000 | 洞桥镇 | 330226202000 | 越溪乡 |
| 330185108000 | 昌化镇 | 330205007000 | 洪塘街道 | 330212119000 | 鄞江镇 | 330281000000 | 余姚市 |
| 330185109000 | 河桥镇 | 330205103000 | 慈城镇 | 330212120000 | 章水镇 | 330281001000 | 梨洲街道 |
| 330185110000 | 龙岗镇 | 330206000000 | 北仑区 | 330212200000 | 龙观乡 | 330281002000 | 凤山街道 |
| 330185111000 | 湍口镇 | 330206001000 | 大榭街道 | 330225000000 | 象山县 | 330281003000 | 兰江街道 |

| | | | | | | | |
|---|---|---|---|---|---|---|---|
| 330281004000 | 阳明街道 | 330283002000 | 岳林街道 | 330303102000 | 瑶溪镇 | 330324203000 | 茗岙乡 |
| 330281005000 | 低塘街道 | 330283003000 | 江口街道 | 330303103000 | 沙城镇 | 330324204000 | 山坑乡 |
| 330281006000 | 朗霞街道 | 330283004000 | 西坞街道 | 330303104000 | 天河镇 | 330324205000 | 应坑乡 |
| 330281100000 | 临山镇 | 330283005000 | 萧王庙街道 | 330303105000 | 灵昆镇 | 330324206000 | 大岙乡 |
| 330281101000 | 黄家埠镇 | 330283100000 | 溪口镇 | 330304000000 | 瓯海区 | 330324207000 | 溪下乡 |
| 330281102000 | 小曹娥镇 | 330283103000 | 尚田镇 | 330304001000 | 景山街道 | 330324208000 | 界坑乡 |
| 330281103000 | 泗门镇 | 330283104000 | 莼湖镇 | 330304002000 | 梧田街道 | 330324209000 | 西岙乡 |
| 330281106000 | 马渚镇 | 330283106000 | 裘村镇 | 330304003000 | 南白象街道 | 330324210000 | 石染乡 |
| 330281108000 | 牟山镇 | 330283107000 | 大堰镇 | 330304004000 | 茶山街道 | 330324211000 | 五(鹓)乡 |
| 330281109000 | 丈亭镇 | 330283108000 | 松岙镇 | 330304005000 | 娄桥街道 | 330324212000 | 表山乡 |
| 330281110000 | 三七市镇 | 330300000000 | 温州市 | 330304006000 | 新桥街道 | 330324213000 | 东皋乡 |
| 330281111000 | 河姆渡镇 | 330301000000 | 市辖区 | 330304007000 | 三垟街道 | 330324214000 | 鹤盛乡 |
| 330281112000 | 大隐镇 | 330302000000 | 鹿城区 | 330304103000 | 瞿溪镇 | 330324215000 | 西源乡 |
| 330281113000 | 陆埠镇 | 330302002000 | 洪殿街道 | 330304105000 | 郭溪镇 | 330324216000 | 岭头乡 |
| 330281114000 | 梁弄镇 | 330302006000 | 五马街道 | 330304106000 | 潘桥镇 | 330324217000 | 溪口乡 |
| 330281115000 | 大岚镇 | 330302007000 | 蒲鞋市街道 | 330304108000 | 泽雅镇 | 330324218000 | 鲤溪乡 |
| 330281116000 | 四明山镇 | 330302013000 | 莲池街道 | 330304109000 | 丽岙镇 | 330324219000 | 张溪乡 |
| 330281201000 | 鹿亭乡 | 330302014000 | 广化街道 | 330304110000 | 仙岩镇 | 330324220000 | 黄南乡 |
| 330282000000 | 慈溪市 | 330302015000 | 水心街道 | 330322000000 | 洞头县 | 330324221000 | 潘坑乡 |
| 330282001000 | 浒山街道 | 330302016000 | 南浦街道 | 330322100000 | 北岙镇 | 330324222000 | 陡门乡 |
| 330282002000 | 宗汉街道 | 330302018000 | 南门街道 | 330322101000 | 大门镇 | 330324223000 | 花坦乡 |
| 330282003000 | 坎墩街道 | 330302019000 | 江滨街道 | 330322102000 | 东屏镇 | 330324224000 | 渠口乡 |
| 330282101000 | 龙山镇 | 330302020000 | 黎明街道 | 330322200000 | 元觉乡 | 330324225000 | 下寮乡 |
| 330282102000 | 三北镇 | 330302021000 | 绣山街道 | 330322201000 | 霓屿乡 | 330326000000 | 平阳县 |
| 330282103000 | 范市镇 | 330302022000 | 黄龙街道 | 330322202000 | 鹿西乡 | 330326100000 | 昆阳镇 |
| 330282104000 | 掌起镇 | 330302101000 | 双屿镇 | 330324000000 | 永嘉县 | 330326101000 | 鳌江镇 |
| 330282107000 | 观海卫镇 | 330302102000 | 藤桥镇 | 330324100000 | 上塘镇 | 330326102000 | 水头镇 |
| 330282108000 | 附海镇 | 330302103000 | 临江镇 | 330324101000 | 瓯北镇 | 330326103000 | 萧江镇 |
| 330282109000 | 桥头镇 | 330302104000 | 七都镇 | 330324102000 | 桥头镇 | 330326104000 | 麻步镇 |
| 330282110000 | 匡堰镇 | 330302202000 | 南郊乡 | 330324103000 | 乌牛镇 | 330326105000 | 腾蛟镇 |
| 330282111000 | 逍林镇 | 330302203000 | 仰义乡 | 330324104000 | 桥下镇 | 330326106000 | 钱仓镇 |
| 330282112000 | 新浦镇 | 330302204000 | 双潮乡 | 330324105000 | 大若岩镇 | 330326107000 | 山门镇 |
| 330282113000 | 胜山镇 | 330302205000 | 上戍乡 | 330324106000 | 碧莲镇 | 330326108000 | 顺溪镇 |
| 330282114000 | 横河镇 | 330302206000 | 岙底乡 | 330324107000 | 巽宅镇 | 330326109000 | 南雁镇 |
| 330282116000 | 崇寿镇 | 330303000000 | 龙湾区 | 330324108000 | 岩头镇 | 330326110000 | 凤卧镇 |
| 330282118000 | 庵东镇 | 330303001000 | 永中街道 | 330324109000 | 枫林镇 | 330326111000 | 鹤溪镇 |
| 330282119000 | 天元镇 | 330303002000 | 蒲州街道 | 330324110000 | 岩坦镇 | 330326112000 | 宋桥镇 |
| 330282120000 | 长河镇 | 330303003000 | 海滨街道 | 330324111000 | 沙头镇 | 330326113000 | 宋埠镇 |
| 330282121000 | 周巷镇 | 330303004000 | 永兴街道 | 330324200000 | 西溪乡 | 330326114000 | 榆垟镇 |
| 330283000000 | 奉化市 | 330303005000 | 海城街道 | 330324201000 | 徐岙乡 | 330326115000 | 郑楼镇 |
| 330283001000 | 锦屏街道 | 330303101000 | 状元镇 | 330324202000 | 昆阳乡 | 330326116000 | 南麂镇 |

| | | | | | | | |
|---|---|---|---|---|---|---|---|
| 330326202000 | 西湾乡 | 330327209000 | 浦亭乡 | 330328222000 | 东溪乡 | 330381001000 | 安阳街道 |
| 330326204000 | 梅溪乡 | 330327210000 | 五凤乡 | 330328223000 | 金星乡 | 330381002000 | 玉海街道 |
| 330326205000 | 梅源乡 | 330327211000 | 腾垟乡 | 330328224000 | 朱雅乡 | 330381003000 | 锦湖街道 |
| 330326206000 | 桃源乡 | 330327213000 | 昌禅乡 | 330329000000 | 泰顺县 | 330381004000 | 东山街道 |
| 330326207000 | 凤巢乡 | 330327214000 | 中墩乡 | 330329100000 | 罗阳镇 | 330381005000 | 上望街道 |
| 330326208000 | 龙尾乡 | 330327215000 | 龙沙乡 | 330329101000 | 司前畲族镇 | 330381006000 | 潘岱街道 |
| 330326209000 | 南湖乡 | 330327216000 | 凤阳畲族乡 | 330329102000 | 百丈镇 | 330381101000 | 塘下镇 |
| 330326210000 | 朝阳乡 | 330327217000 | 蒲城乡 | 330329103000 | 筱村镇 | 330381109000 | 莘塍镇 |
| 330326211000 | 闹村乡 | 330327218000 | 岱岭畲族乡 | 330329104000 | 泗溪镇 | 330381111000 | 汀田镇 |
| 330326212000 | 晓坑乡 | 330327219000 | 渔寮乡 | 330329105000 | 彭溪镇 | 330381114000 | 飞云镇 |
| 330326213000 | 怀溪乡 | 330328000000 | 文成县 | 330329106000 | 雅阳镇 | 330381115000 | 仙降镇 |
| 330326214000 | 青街畲族乡 | 330328100000 | 大峃镇 | 330329107000 | 仕阳镇 | 330381116000 | 马屿镇 |
| 330326215000 | 维新乡 | 330328101000 | 百丈漈镇 | 330329108000 | 龟湖镇 | 330381118000 | 曹村镇 |
| 330326216000 | 吴垟乡 | 330328102000 | 南田镇 | 330329109000 | 三魁镇 | 330381120000 | 陶山镇 |
| 330327000000 | 苍南县 | 330328103000 | 西坑畲族镇 | 330329110000 | 西旸镇 | 330381121000 | 碧山镇 |
| 330327100000 | 灵溪镇 | 330328104000 | 黄坦镇 | 330329200000 | 岭北乡 | 330381122000 | 湖岭镇 |
| 330327101000 | 龙港镇 | 330328105000 | 珊溪镇 | 330329201000 | 仙稔乡 | 330381123000 | 龙湖镇 |
| 330327103000 | 宜山镇 | 330328106000 | 巨屿镇 | 330329202000 | 南院乡 | 330381124000 | 平阳坑镇 |
| 330327104000 | 钱库镇 | 330328107000 | 玉壶镇 | 330329203000 | 碑排乡 | 330381201000 | 荆谷乡 |
| 330327105000 | 芦浦镇 | 330328200000 | 樟台乡 | 330329204000 | 竹里畲族乡 | 330381202000 | 梅屿乡 |
| 330327106000 | 望里镇 | 330328201000 | 金炉乡 | 330329205000 | 黄桥乡 | 330381203000 | 顺泰乡 |
| 330327107000 | 金乡镇 | 330328202000 | 龙川乡 | 330329206000 | 峰门乡 | 330381204000 | 大南乡 |
| 330327108000 | 舥艚镇 | 330328203000 | 里阳乡 | 330329207000 | 包垟乡 | 330381205000 | 桐浦乡 |
| 330327109000 | 炎亭镇 | 330328204000 | 二源乡 | 330329208000 | 新浦乡 | 330381207000 | 永安乡 |
| 330327110000 | 大渔镇 | 330328205000 | 黄寮乡 | 330329209000 | 联云乡 | 330381208000 | 桂峰乡 |
| 330327112000 | 藻溪镇 | 330328206000 | 十源乡 | 330329210000 | 翁山乡 | 330381209000 | 芳庄乡 |
| 330327113000 | 桥墩镇 | 330328207000 | 石垟乡 | 330329211000 | 凤垟乡 | 330381210000 | 林溪乡 |
| 330327114000 | 莒溪镇 | 330328208000 | 下垟乡 | 330329212000 | 横坑乡 | 330381211000 | 金川乡 |
| 330327115000 | 观美镇 | 330328209000 | 岭后乡 | 330329213000 | 九峰乡 | 330381212000 | 潮基乡 |
| 330327116000 | 矾山镇 | 330328210000 | 富岙乡 | 330329214000 | 峰文乡 | 330381213000 | 鹿木乡 |
| 330327117000 | 赤溪镇 | 330328211000 | 云湖乡 | 330329215000 | 月湖乡 | 330381214000 | 高楼乡 |
| 330327118000 | 马站镇 | 330328212000 | 仰山乡 | 330329216000 | 松垟乡 | 330381215000 | 营前乡 |
| 330327119000 | 霞关镇 | 330328213000 | 桂山乡 | 330329217000 | 柳峰乡 | 330381216000 | 东岩乡 |
| 330327120000 | 沿浦镇 | 330328214000 | 峃口乡 | 330329218000 | 雪溪乡 | 330381217000 | 宁益乡 |
| 330327121000 | 南宋镇 | 330328215000 | 金垟乡 | 330329219000 | 万排乡 | 330381218000 | 枫岭乡 |
| 330327202000 | 云岩乡 | 330328216000 | 双桂乡 | 330329220000 | 东溪乡 | 330381219000 | 北麂乡 |
| 330327203000 | 仙居乡 | 330328217000 | 周山畲族乡 | 330329221000 | 大安乡 | 330381220000 | 北龙乡 |
| 330327204000 | 新安乡 | 330328218000 | 公阳乡 | 330329222000 | 垟溪乡 | 330382000000 | 乐清市 |
| 330327205000 | 括山乡 | 330328219000 | 平和乡 | 330329223000 | 洲岭乡 | 330382100000 | 乐成镇 |
| 330327206000 | 石砰乡 | 330328220000 | 周壤乡 | 330329224000 | 下洪乡 | 330382101000 | 大荆镇 |
| 330327207000 | 凤池乡 | 330328221000 | 上林乡 | 330381000000 | 瑞安市 | 330382102000 | 仙溪镇 |

| | | | | | | | |
|---|---|---|---|---|---|---|---|
| 330382103000 | 湖雾镇 | 330402104000 | 七星镇 | 330481106000 | 丁桥镇 | 330502101000 | 八里店镇 |
| 330382104000 | 雁荡镇 | 330402105000 | 大桥镇 | 330481107000 | 斜桥镇 | 330502102000 | 妙西镇 |
| 330382105000 | 芙蓉镇 | 330411000000 | 秀洲区 | 330481108000 | 黄湾镇 | 330502103000 | 杨家埠镇 |
| 330382106000 | 清江镇 | 330411002000 | 新城街道 | 330481110000 | 盐官镇 | 330502104000 | 埭溪镇 |
| 330382107000 | 南塘镇 | 330411003000 | 嘉北街道 | 330481112000 | 袁花镇 | 330502105000 | 东林镇 |
| 330382108000 | 虹桥镇 | 330411004000 | 塘汇街道 | 330481400000 | 尖山新区 | 330502200000 | 道场乡 |
| 330382109000 | 南岳镇 | 330411005000 | 高照街道 | 330482000000 | 平湖市 | 330502201000 | 环渚乡 |
| 330382110000 | 蒲岐镇 | 330411101000 | 王江泾镇 | 330482001000 | 当湖街道 | 330502202000 | 白雀乡 |
| 330382111000 | 淡溪镇 | 330411103000 | 油车港镇 | 330482002000 | 钟埭街道 | 330503000000 | 南浔区 |
| 330382112000 | 石帆镇 | 330411104000 | 新塍镇 | 330482003000 | 曹桥街道 | 330503100000 | 南浔镇 |
| 330382113000 | 白石镇 | 330411105000 | 王店镇 | 330482101000 | 乍浦镇 | 330503101000 | 双林镇 |
| 330382114000 | 柳市镇 | 330411106000 | 洪合镇 | 330482102000 | 新埭镇 | 330503102000 | 练市镇 |
| 330382115000 | 北白象镇 | 330421000000 | 嘉善县 | 330482103000 | 新仓镇 | 330503103000 | 善琏镇 |
| 330382116000 | 象阳镇 | 330421100000 | 魏塘镇 | 330482104000 | 黄姑镇 | 330503104000 | 旧馆镇 |
| 330382117000 | 翁垟镇 | 330421101000 | 惠民镇 | 330482105000 | 全塘镇 | 330503105000 | 菱湖镇 |
| 330382118000 | 磐石镇 | 330421102000 | 大云镇 | 330482106000 | 广陈镇 | 330503106000 | 和孚镇 |
| 330382119000 | 七里港镇 | 330421103000 | 西塘镇 | 330482107000 | 林埭镇 | 330503107000 | 千金镇 |
| 330382120000 | 黄华镇 | 330421104000 | 丁栅镇 | 330483000000 | 桐乡市 | 330503108000 | 石淙镇 |
| 330382200000 | 智仁乡 | 330421105000 | 干窑镇 | 330483001000 | 梧桐街道 | 330521000000 | 德清县 |
| 330382201000 | 镇安乡 | 330421106000 | 姚庄镇 | 330483002000 | 龙翔街道 | 330521100000 | 武康镇 |
| 330382202000 | 福溪乡 | 330421107000 | 陶庄镇 | 330483003000 | 凤鸣街道 | 330521101000 | 乾元镇 |
| 330382203000 | 双峰乡 | 330421108000 | 天凝镇 | 330483100000 | 乌镇镇 | 330521102000 | 新市镇 |
| 330382204000 | 龙西乡 | 330421109000 | 洪溪镇 | 330483101000 | 濮院镇 | 330521103000 | 洛舍镇 |
| 330382205000 | 雁湖乡 | 330421110000 | 杨庙镇 | 330483102000 | 屠甸镇 | 330521104000 | 钟管镇 |
| 330382206000 | 岭底乡 | 330424000000 | 海盐县 | 330483103000 | 石门镇 | 330521105000 | 莫干山镇 |
| 330382207000 | 四都乡 | 330424100000 | 武原镇 | 330483104000 | 河山镇 | 330521110000 | 雷甸镇 |
| 330382208000 | 天成乡 | 330424101000 | 沈荡镇 | 330483105000 | 洲泉镇 | 330521113000 | 禹越镇 |
| 330382209000 | 城北乡 | 330424102000 | 百步镇 | 330483106000 | 大麻镇 | 330521114000 | 新安镇 |
| 330400000000 | 嘉兴市 | 330424103000 | 于城镇 | 330483107000 | 崇福镇 | 330521201000 | 筏头乡 |
| 330401000000 | 市辖区 | 330424104000 | 秦山镇 | 330483108000 | 高桥镇 | 330521202000 | 三合乡 |
| 330402000000 | 南湖区 | 330424105000 | 澉浦镇 | 330500000000 | 湖州市 | 330522000000 | 长兴县 |
| 330402007000 | 建设街道 | 330424106000 | 通元镇 | 330501000000 | 市辖区 | 330522100000 | 雉城镇 |
| 330402008000 | 解放街道 | 330424107000 | 西塘桥镇 | 330502000000 | 吴兴区 | 330522101000 | 洪桥镇 |
| 330402009000 | 新嘉街道 | 330481000000 | 海宁市 | 330502001000 | 月河街道 | 330522102000 | 李家巷镇 |
| 330402010000 | 南湖街道 | 330481001000 | 硖石街道 | 330502002000 | 朝阳街道 | 330522103000 | 夹浦镇 |
| 330402011000 | 新兴街道 | 330481002000 | 海洲街道 | 330502003000 | 爱山街道 | 330522104000 | 林城镇 |
| 330402012000 | 城南街道 | 330481003000 | 海昌街道 | 330502004000 | 飞英街道 | 330522105000 | 泗安镇 |
| 330402013000 | 东栅街道 | 330481004000 | 马桥街道 | 330502005000 | 龙泉街道 | 330522106000 | 虹星桥镇 |
| 330402100000 | 凤桥镇 | 330481101000 | 许村镇 | 330502006000 | 凤凰街道 | 330522107000 | 和平镇 |
| 330402101000 | 余新镇 | 330481103000 | 长安镇 | 330502007000 | 康山街道 | 330522108000 | 小浦镇 |
| 330402103000 | 新丰镇 | 330481105000 | 周王庙镇 | 330502100000 | 织里镇 | 330522109000 | 煤山镇 |

| | |
|---|---|
| 330522200000 | 水口乡 |
| 330522201000 | 二界岭乡 |
| 330522202000 | 吕山乡 |
| 330522203000 | 吴山乡 |
| 330522204000 | 白岘乡 |
| 330522205000 | 槐坎乡 |
| 330523000000 | 安吉县 |
| 330523100000 | 递铺镇 |
| 330523101000 | 梅溪镇 |
| 330523102000 | 良朋镇 |
| 330523103000 | 鄣吴镇 |
| 330523104000 | 杭垓镇 |
| 330523105000 | 孝丰镇 |
| 330523106000 | 报福镇 |
| 330523107000 | 章村镇 |
| 330523108000 | 天荒坪镇 |
| 330523109000 | 高禹镇 |
| 330523200000 | 昆铜乡 |
| 330523201000 | 溪龙乡 |
| 330523204000 | 皈山乡 |
| 330523205000 | 上墅乡 |
| 330523206000 | 山川乡 |
| 330600000000 | 绍兴市 |
| 330601000000 | 市辖区 |
| 330602000000 | 越城区 |
| 330602001000 | 塔山街道 |
| 330602002000 | 府山街道 |
| 330602003000 | 蕺山街道 |
| 330602004000 | 北海街道 |
| 330602005000 | 城南街道 |
| 330602006000 | 稽山街道 |
| 330602007000 | 迪荡街道 |
| 330602100000 | 东湖镇 |
| 330602101000 | 灵芝镇 |
| 330602102000 | 东浦镇 |
| 330602103000 | 鉴湖镇 |
| 330602104000 | 皋埠镇 |
| 330602105000 | 马山镇 |
| 330602106000 | 斗门镇 |
| 330621000000 | 绍兴县 |
| 330621001000 | 柯桥街道 |
| 330621002000 | 柯岩街道 |
| 330621003000 | 华舍街道 |
| 330621004000 | 湖塘街道 |
| 330621100000 | 齐贤镇 |
| 330621101000 | 钱清镇 |
| 330621102000 | 孙端镇 |
| 330621103000 | 福全镇 |
| 330621104000 | 马鞍镇 |
| 330621105000 | 平水镇 |
| 330621106000 | 安昌镇 |
| 330621107000 | 王坛镇 |
| 330621108000 | 兰亭镇 |
| 330621109000 | 稽东镇 |
| 330621110000 | 杨汛桥镇 |
| 330621111000 | 漓渚镇 |
| 330621112000 | 富盛镇 |
| 330621113000 | 陶堰镇 |
| 330621114000 | 夏履镇 |
| 330624000000 | 新昌县 |
| 330624001000 | 羽林街道 |
| 330624002000 | 南明街道 |
| 330624003000 | 七星街道 |
| 330624101000 | 澄潭镇 |
| 330624102000 | 梅渚镇 |
| 330624104000 | 回山镇 |
| 330624106000 | 大市聚镇 |
| 330624107000 | 小将镇 |
| 330624108000 | 沙溪镇 |
| 330624109000 | 镜岭镇 |
| 330624110000 | 儒岙镇 |
| 330624200000 | 城南乡 |
| 330624201000 | 东茗乡 |
| 330624203000 | 双彩乡 |
| 330624205000 | 新林乡 |
| 330624206000 | 巧英乡 |
| 330681000000 | 诸暨市 |
| 330681001000 | 暨阳街道 |
| 330681002000 | 浣东街道 |
| 330681003000 | 陶朱街道 |
| 330681101000 | 大唐镇 |
| 330681102000 | 应店街镇 |
| 330681103000 | 次坞镇 |
| 330681104000 | 店口镇 |
| 330681105000 | 阮市镇 |
| 330681106000 | 直埠镇 |
| 330681107000 | 江藻镇 |
| 330681108000 | 山下湖镇 |
| 330681109000 | 枫桥镇 |
| 330681110000 | 赵家镇 |
| 330681111000 | 马剑镇 |
| 330681112000 | 五泄镇 |
| 330681113000 | 草塔镇 |
| 330681114000 | 王家井镇 |
| 330681115000 | 牌头镇 |
| 330681116000 | 同山镇 |
| 330681117000 | 安华镇 |
| 330681118000 | 街亭镇 |
| 330681119000 | 璜山镇 |
| 330681120000 | 陈宅镇 |
| 330681121000 | 岭北镇 |
| 330681122000 | 浬浦镇 |
| 330681124000 | 东白湖镇 |
| 330681201000 | 东和乡 |
| 330682000000 | 上虞市 |
| 330682001000 | 百官街道 |
| 330682002000 | 曹娥街道 |
| 330682003000 | 东关街道 |
| 330682100000 | 道墟镇 |
| 330682101000 | 长塘镇 |
| 330682102000 | 上浦镇 |
| 330682103000 | 汤浦镇 |
| 330682104000 | 章镇镇 |
| 330682105000 | 下管镇 |
| 330682106000 | 丰惠镇 |
| 330682107000 | 永和镇 |
| 330682108000 | 梁湖镇 |
| 330682109000 | 驿亭镇 |
| 330682110000 | 小越镇 |
| 330682111000 | 谢塘镇 |
| 330682112000 | 盖北镇 |
| 330682113000 | 崧厦镇 |
| 330682114000 | 沥海镇 |
| 330682200000 | 岭南乡 |
| 330682201000 | 陈溪乡 |
| 330682202000 | 丁宅乡 |
| 330683000000 | 嵊州市 |
| 330683001000 | 剡湖街道 |
| 330683002000 | 三江街道 |
| 330683003000 | 鹿山街道 |
| 330683004000 | 浦口街道 |
| 330683100000 | 甘霖镇 |
| 330683101000 | 长乐镇 |
| 330683102000 | 崇仁镇 |
| 330683103000 | 黄泽镇 |
| 330683104000 | 三界镇 |
| 330683105000 | 石璜镇 |
| 330683106000 | 谷来镇 |
| 330683107000 | 仙岩镇 |
| 330683108000 | 金庭镇 |
| 330683109000 | 北漳镇 |
| 330683110000 | 下王镇 |
| 330683200000 | 贵门乡 |
| 330683201000 | 里南乡 |
| 330683202000 | 竹溪乡 |
| 330683203000 | 雅璜乡 |
| 330683204000 | 王院乡 |
| 330683205000 | 通源乡 |
| 330700000000 | 金华市 |
| 330701000000 | 市辖区 |
| 330702000000 | 婺城区 |
| 330702001000 | 城东街道 |
| 330702002000 | 城中街道 |
| 330702003000 | 城西街道 |
| 330702004000 | 城北街道 |
| 330702005000 | 江南街道 |
| 330702006000 | 三江街道 |
| 330702007000 | 西关街道 |
| 330702008000 | 秋滨街道 |
| 330702009000 | 新狮街道 |
| 330702100000 | 罗店镇 |
| 330702101000 | 雅畈镇 |
| 330702102000 | 安地镇 |
| 330702103000 | 白龙桥镇 |

| | | | | | | | |
|---|---|---|---|---|---|---|---|
| 330702104000 | 琅琊镇 | 330723203000 | 坦洪乡 | 330781000000 | 兰溪市 | 330783110000 | 东阳江镇 |
| 330702105000 | 蒋堂镇 | 330723204000 | 西联乡 | 330781001000 | 兰江街道 | 330783112000 | 湖溪镇 |
| 330702106000 | 汤溪镇 | 330723205000 | 三港乡 | 330781002000 | 云山街道 | 330783114000 | 马宅镇 |
| 330702107000 | 罗埠镇 | 330723206000 | 大溪口乡 | 330781004000 | 永昌街道 | 330783116000 | 千祥镇 |
| 330702108000 | 洋埠镇 | 330726000000 | 浦江县 | 330781005000 | 赤溪街道 | 330783118000 | 南马镇 |
| 330702201000 | 乾西乡 | 330726001000 | 浦南街道 | 330781006000 | 女埠街道 | 330783122000 | 画水镇 |
| 330702202000 | 竹马乡 | 330726002000 | 仙华街道 | 330781007000 | 上华街道 | 330783123000 | 横店镇 |
| 330702203000 | 长山乡 | 330726003000 | 浦阳街道 | 330781102000 | 游埠镇 | 330783201000 | 三单乡 |
| 330702204000 | 箬阳乡 | 330726101000 | 黄宅镇 | 330781104000 | 诸葛镇 | 330784000000 | 永康市 |
| 330702205000 | 沙畈乡 | 330726102000 | 白马镇 | 330781106000 | 黄店镇 | 330784001000 | 东城街道 |
| 330702206000 | 塔石乡 | 330726103000 | 郑家坞镇 | 330781108000 | 香溪镇 | 330784002000 | 西城街道 |
| 330702207000 | 岭上乡 | 330726104000 | 郑宅镇 | 330781109000 | 马涧镇 | 330784003000 | 江南街道 |
| 330702208000 | 莘畈乡 | 330726105000 | 岩头镇 | 330781111000 | 梅江镇 | 330784004000 | 芝英街道 |
| 330702209000 | 苏孟乡 | 330726106000 | 檀溪镇 | 330781200000 | 灵洞乡 | 330784105000 | 石柱镇 |
| 330703000000 | 金东区 | 330726107000 | 杭坪镇 | 330781203000 | 水亭畲族乡 | 330784106000 | 前仓镇 |
| 330703001000 | 多湖街道 | 330726200000 | 大畈乡 | 330781209000 | 柏社乡 | 330784107000 | 舟山镇 |
| 330703002000 | 东孝街道 | 330726201000 | 中余乡 | 330782000000 | 义乌市 | 330784108000 | 古山镇 |
| 330703101000 | 孝顺镇 | 330726202000 | 前吴乡 | 330782001000 | 稠城街道 | 330784109000 | 方岩镇 |
| 330703102000 | 傅村镇 | 330726203000 | 花桥乡 | 330782002000 | 江东街道 | 330784110000 | 龙山镇 |
| 330703103000 | 曹宅镇 | 330726204000 | 虞宅乡 | 330782003000 | 稠江街道 | 330784111000 | 西溪镇 |
| 330703104000 | 澧浦镇 | 330727000000 | 磐安县 | 330782004000 | 北苑街道 | 330784112000 | 象珠镇 |
| 330703105000 | 岭下镇 | 330727100000 | 安文镇 | 330782005000 | 后宅街道 | 330784113000 | 唐先镇 |
| 330703106000 | 江东镇 | 330727101000 | 新渥镇 | 330782006000 | 城西街道 | 330784114000 | 花街镇 |
| 330703107000 | 塘雅镇 | 330727102000 | 尖山镇 | 330782007000 | 廿三里街道 | 330800000000 | 衢州市 |
| 330703108000 | 赤松镇 | 330727103000 | 仁川镇 | 330782100000 | 佛堂镇 | 330801000000 | 市辖区 |
| 330703200000 | 源东乡 | 330727104000 | 大盘镇 | 330782101000 | 赤岸镇 | 330802000000 | 柯城区 |
| 330723000000 | 武义县 | 330727105000 | 方前镇 | 330782102000 | 义亭镇 | 330802005000 | 新新街道 |
| 330723001000 | 白洋街道 | 330727106000 | 玉山镇 | 330782104000 | 上溪镇 | 330802006000 | 府山街道 |
| 330723002000 | 壶山街道 | 330727107000 | 尚湖镇 | 330782105000 | 苏溪镇 | 330802007000 | 荷花街道 |
| 330723003000 | 熟溪街道 | 330727108000 | 冷水镇 | 330782106000 | 大陈镇 | 330802008000 | 信安街道 |
| 330723100000 | 柳城畲族镇 | 330727200000 | 深泽乡 | 330783000000 | 东阳市 | 330802009000 | 白云街道 |
| 330723101000 | 履坦镇 | 330727201000 | 双峰乡 | 330783001000 | 吴宁街道 | 330802010000 | 双港街道 |
| 330723102000 | 桐琴镇 | 330727203000 | 双溪乡 | 330783003000 | 南市街道 | 330802011000 | 花园街道 |
| 330723103000 | 泉溪镇 | 330727204000 | 墨林乡 | 330783004000 | 白云街道 | 330802100000 | 石梁镇 |
| 330723104000 | 新宅镇 | 330727205000 | 窈川乡 | 330783005000 | 江北街道 | 330802101000 | 航埠镇 |
| 330723105000 | 王宅镇 | 330727206000 | 盘峰乡 | 330783006000 | 城东街道 | 330802205000 | 黄家乡 |
| 330723106000 | 桃溪镇 | 330727207000 | 高二乡 | 330783007000 | 六石街道 | 330802209000 | 七里乡 |
| 330723107000 | 茭道镇 | 330727208000 | 维新乡 | 330783106000 | 巍山镇 | 330802210000 | 九华乡 |
| 330723200000 | 大田乡 | 330727209000 | 胡宅乡 | 330783107000 | 虎鹿镇 | 330802211000 | 沟溪乡 |
| 330723201000 | 白姆乡 | 330727210000 | 万苍乡 | 330783108000 | 歌山镇 | 330802212000 | 华墅乡 |
| 330723202000 | 俞源乡 | 330727211000 | 九和乡 | 330783109000 | 佐村镇 | 330802213000 | 姜家山乡 |

| | | | | | | | |
|---|---|---|---|---|---|---|---|
| 330802214000 | 万田乡 | 330824107000 | 杨林镇 | 330881109000 | 新塘边镇 | 330903104000 | 桃花镇 |
| 330802215000 | 石室乡 | 330824108000 | 苏庄镇 | 330881112000 | 廿八都镇 | 330903105000 | 东极镇 |
| 330803000000 | 衢江区 | 330824109000 | 齐溪镇 | 330881113000 | 长台镇 | 330903106000 | 普陀山镇 |
| 330803001000 | 樟潭街道 | 330824110000 | 城关镇 | 330881116000 | 上余镇 | 330903200000 | 蚂蚁岛乡 |
| 330803002000 | 浮石街道 | 330824111000 | 华埠镇 | 330881117000 | 贺村镇 | 330903201000 | 登步乡 |
| 330803100000 | 上方镇 | 330824112000 | 马金镇 | 330881118000 | 凤林镇 | 330903202000 | 白沙乡 |
| 330803101000 | 峡川镇 | 330824113000 | 村头镇 | 330881119000 | 峡口镇 | 330921000000 | 岱山县 |
| 330803103000 | 莲花镇 | 330824114000 | 池淮镇 | 330881120000 | 石门镇 | 330921100000 | 高亭镇 |
| 330803109000 | 全旺镇 | 330824202000 | 中村乡 | 330881201000 | 大陈乡 | 330921101000 | 东沙镇 |
| 330803110000 | 大洲镇 | 330824205000 | 长虹乡 | 330881203000 | 碗窑乡 | 330921102000 | 岱东镇 |
| 330803111000 | 后溪镇 | 330824206000 | 张湾乡 | 330881207000 | 保安乡 | 330921103000 | 岱西镇 |
| 330803112000 | 廿里镇 | 330824208000 | 何田乡 | 330881211000 | 双溪口乡 | 330921105000 | 长涂镇 |
| 330803113000 | 湖南镇 | 330824209000 | 塘坞乡 | 330881212000 | 张村乡 | 330921106000 | 衢山镇 |
| 330803114000 | 高家镇 | 330824216000 | 林山乡 | 330881213000 | 塘源口乡 | 330921200000 | 秀山乡 |
| 330803115000 | 杜泽镇 | 330824217000 | 音坑乡 | 330900000000 | 舟山市 | 330922000000 | 嵊泗县 |
| 330803200000 | 灰坪乡 | 330824218000 | 大溪边乡 | 330901000000 | 市辖区 | 330922100000 | 菜园镇 |
| 330803202000 | 太真乡 | 330824219000 | 金村乡 | 330902000000 | 定海区 | 330922101000 | 嵊山镇 |
| 330803203000 | 双桥乡 | 330825000000 | 龙游县 | 330902001000 | 解放街道 | 330922102000 | 洋山镇 |
| 330803206000 | 周家乡 | 330825001000 | 龙洲街道 | 330902002000 | 昌国街道 | 330922200000 | 五龙乡 |
| 330803207000 | 云溪乡 | 330825002000 | 东华街道 | 330902003000 | 环南街道 | 330922201000 | 黄龙乡 |
| 330803209000 | 横路乡 | 330825101000 | 湖镇镇 | 330902004000 | 城东街道 | 330922202000 | 枸杞乡 |
| 330803213000 | 举村乡 | 330825102000 | 小南海镇 | 330902005000 | 盐仓街道 | 330922203000 | 花鸟乡 |
| 330803218000 | 岭洋乡 | 330825106000 | 詹家镇 | 330902006000 | 临城街道 | 331000000000 | 台州市 |
| 330803219000 | 黄坛口乡 | 330825109000 | 溪口镇 | 330902100000 | 金塘镇 | 331001000000 | 市辖区 |
| 330822000000 | 常山县 | 330825110000 | 横山镇 | 330902101000 | 小沙镇 | 331002000000 | 椒江区 |
| 330822101000 | 辉埠镇 | 330825111000 | 塔石镇 | 330902102000 | 岑港镇 | 331002001000 | 海门街道 |
| 330822104000 | 白石镇 | 330825201000 | 罗家乡 | 330902103000 | 双桥镇 | 331002002000 | 白云街道 |
| 330822107000 | 天马镇 | 330825203000 | 庙下乡 | 330902104000 | 白泉镇 | 331002003000 | 葭沚街道 |
| 330822108000 | 招贤镇 | 330825207000 | 石佛乡 | 330902105000 | 干览镇 | 331002004000 | 洪家街道 |
| 330822109000 | 青石镇 | 330825209000 | 社阳乡 | 330902106000 | 马岙镇 | 331002005000 | 三甲街道 |
| 330822110000 | 芳村镇 | 330825211000 | 大街乡 | 330902200000 | 长白乡 | 331002006000 | 下陈街道 |
| 330822111000 | 球川镇 | 330825212000 | 沐尘畲族乡 | 330902201000 | 册子乡 | 331002007000 | 前所街道 |
| 330822200000 | 何家乡 | 330825213000 | 模环乡 | 330902202000 | 北蝉乡 | 331002008000 | 章安街道 |
| 330822211000 | 同弓乡 | 330881000000 | 江山市 | 330903000000 | 普陀区 | 331002101000 | 大陈镇 |
| 330822213000 | 大桥头乡 | 330881001000 | 双塔街道 | 330903001000 | 沈家门街道 | 331002400000 | 椒江农场 |
| 330822217000 | 宋畈乡 | 330881002000 | 虎山街道 | 330903002000 | 勾山街道 | 331003000000 | 黄岩区 |
| 330822218000 | 东案乡 | 330881102000 | 四都镇 | 330903003000 | 东港街道 | 331003001000 | 东城街道 |
| 330822219000 | 新昌乡 | 330881104000 | 清湖镇 | 330903004000 | 朱家尖街道 | 331003002000 | 南城街道 |
| 330822220000 | 新桥乡 | 330881105000 | 坛石镇 | 330903005000 | 展茅街道 | 331003003000 | 西城街道 |
| 330824000000 | 开化县 | 330881106000 | 大桥镇 | 330903100000 | 六横镇 | 331003004000 | 北城街道 |
| 330824106000 | 桐村镇 | 330881108000 | 淤头镇 | 330903102000 | 虾峙镇 | 331003005000 | 新前街道 |

| | | | | | | | |
|---|---|---|---|---|---|---|---|
| 331003006000 | 澄江街道 | 331022105000 | 健跳镇 | 331024205000 | 上张乡 | 331082114000 | 桃渚镇 |
| 331003007000 | 江口街道 | 331022106000 | 横渡镇 | 331024206000 | 步路乡 | 331100000000 | 丽水市 |
| 331003008000 | 高桥街道 | 331022107000 | 浬浦镇 | 331024207000 | 广度乡 | 331101000000 | 市辖区 |
| 331003101000 | 宁溪镇 | 331022108000 | 花桥镇 | 331024209000 | 大战乡 | 331102000000 | 莲都区 |
| 331003102000 | 北洋镇 | 331022109000 | 小雄镇 | 331024210000 | 双庙乡 | 331102001000 | 紫金街道 |
| 331003103000 | 头陀镇 | 331022200000 | 高枧乡 | 331081000000 | 温岭市 | 331102002000 | 岩泉街道 |
| 331003107000 | 院桥镇 | 331022203000 | 沿赤乡 | 331081001000 | 太平街道 | 331102003000 | 万象街道 |
| 331003108000 | 沙埠镇 | 331022204000 | 泗淋乡 | 331081002000 | 城东街道 | 331102004000 | 白云街道 |
| 331003200000 | 屿头乡 | 331022205000 | 蛇蟠乡 | 331081003000 | 城西街道 | 331102005000 | 水阁街道 |
| 331003201000 | 上郑乡 | 331023000000 | 天台县 | 331081004000 | 城北街道 | 331102006000 | 富岭街道 |
| 331003202000 | 富山乡 | 331023001000 | 赤城街道 | 331081005000 | 横峰街道 | 331102100000 | 碧湖镇 |
| 331003203000 | 茅畲乡 | 331023002000 | 始丰街道 | 331081100000 | 泽国镇 | 331102101000 | 联城镇 |
| 331003204000 | 上垟乡 | 331023003000 | 福溪街道 | 331081101000 | 大溪镇 | 331102102000 | 大港头镇 |
| 331003205000 | 平田乡 | 331023101000 | 白鹤镇 | 331081102000 | 松门镇 | 331102103000 | 老竹畲族镇 |
| 331004000000 | 路桥区 | 331023102000 | 石梁镇 | 331081103000 | 箬横镇 | 331102104000 | 雅溪镇 |
| 331004001000 | 路南街道 | 331023104000 | 街头镇 | 331081104000 | 新河镇 | 331102200000 | 太平乡 |
| 331004002000 | 路桥街道 | 331023105000 | 平桥镇 | 331081105000 | 石塘镇 | 331102201000 | 仙渡乡 |
| 331004003000 | 路北街道 | 331023106000 | 坦头镇 | 331081106000 | 滨海镇 | 331102202000 | 峰源乡 |
| 331004004000 | 螺洋街道 | 331023107000 | 三合镇 | 331081107000 | 温峤镇 | 331102203000 | 高溪乡 |
| 331004005000 | 桐屿街道 | 331023108000 | 洪畴镇 | 331081108000 | 城南镇 | 331102204000 | 丽新畲族乡 |
| 331004006000 | 峰江街道 | 331023200000 | 三州乡 | 331081109000 | 石桥头镇 | 331102205000 | 双黄乡 |
| 331004103000 | 新桥镇 | 331023203000 | 龙溪乡 | 331081110000 | 坞根镇 | 331102206000 | 黄村乡 |
| 331004104000 | 横街镇 | 331023204000 | 雷峰乡 | 331082000000 | 临海市 | 331121000000 | 青田县 |
| 331004106000 | 金清镇 | 331023207000 | 南屏乡 | 331082001000 | 古城街道 | 331121100000 | 鹤城镇 |
| 331004107000 | 蓬街镇 | 331023209000 | 泳溪乡 | 331082002000 | 大洋街道 | 331121101000 | 温溪镇 |
| 331021000000 | 玉环县 | 331024000000 | 仙居县 | 331082003000 | 江南街道 | 331121102000 | 东源镇 |
| 331021100000 | 珠港镇 | 331024001000 | 安洲街道 | 331082004000 | 大田街道 | 331121103000 | 高湖镇 |
| 331021101000 | 清港镇 | 331024002000 | 南峰街道 | 331082005000 | 邵家渡街道 | 331121104000 | 船寮镇 |
| 331021102000 | 楚门镇 | 331024003000 | 福应街道 | 331082100000 | 汛桥镇 | 331121105000 | 海口镇 |
| 331021103000 | 干江镇 | 331024101000 | 横溪镇 | 331082101000 | 东塍镇 | 331121106000 | 腊口镇 |
| 331021105000 | 沙门镇 | 331024102000 | 埠头镇 | 331082103000 | 汇溪镇 | 331121107000 | 北山镇 |
| 331021106000 | 芦浦镇 | 331024103000 | 白塔镇 | 331082104000 | 小芝镇 | 331121108000 | 山口镇 |
| 331021200000 | 龙溪乡 | 331024104000 | 田市镇 | 331082105000 | 河头镇 | 331121109000 | 仁庄镇 |
| 331021201000 | 鸡山乡 | 331024105000 | 官路镇 | 331082106000 | 白水洋镇 | 331121200000 | 万山乡 |
| 331021202000 | 海山乡 | 331024106000 | 下各镇 | 331082107000 | 括苍镇 | 331121201000 | 黄垟乡 |
| 331022000000 | 三门县 | 331024107000 | 朱溪镇 | 331082108000 | 永丰镇 | 331121202000 | 季宅乡 |
| 331022100000 | 海游镇 | 331024200000 | 安岭乡 | 331082109000 | 尤溪镇 | 331121203000 | 高市乡 |
| 331022101000 | 沙柳镇 | 331024201000 | 溪港乡 | 331082110000 | 涌泉镇 | 331121204000 | 海溪乡 |
| 331022102000 | 珠岙镇 | 331024202000 | 湫山乡 | 331082111000 | 沿江镇 | 331121205000 | 章村乡 |
| 331022103000 | 亭旁镇 | 331024203000 | 淡竹乡 | 331082112000 | 杜桥镇 | 331121206000 | 祯旺乡 |
| 331022104000 | 六敖镇 | 331024204000 | 皤滩乡 | 331082113000 | 上盘镇 | 331121207000 | 祯埠乡 |

| | |
|---|---|
| 331121208000 | 舒桥乡 |
| 331121209000 | 巨浦乡 |
| 331121210000 | 岭根乡 |
| 331121211000 | 万阜乡 |
| 331121212000 | 方山乡 |
| 331121213000 | 汤垟乡 |
| 331121214000 | 贵岙乡 |
| 331121215000 | 小舟山乡 |
| 331121216000 | 吴坑乡 |
| 331121217000 | 仁宫乡 |
| 331121218000 | 章旦乡 |
| 331121219000 | 阜山乡 |
| 331121220000 | 石溪乡 |
| 331122000000 | 缙云县 |
| 331122100000 | 五云镇 |
| 331122101000 | 壶镇镇 |
| 331122102000 | 新建镇 |
| 331122103000 | 舒洪镇 |
| 331122104000 | 新碧镇 |
| 331122105000 | 大洋镇 |
| 331122106000 | 东渡镇 |
| 331122107000 | 东方镇 |
| 331122108000 | 大源镇 |
| 331122200000 | 新川乡 |
| 331122201000 | 双川乡 |
| 331122202000 | 城北乡 |
| 331122203000 | 七里乡 |
| 331122204000 | 白竹乡 |
| 331122205000 | 雁岭乡 |
| 331122206000 | 前路乡 |
| 331122207000 | 三溪乡 |
| 331122208000 | 溶江乡 |
| 331122209000 | 双溪口乡 |
| 331122210000 | 胡源乡 |
| 331122211000 | 方溪乡 |
| 331122212000 | 石笕乡 |
| 331122213000 | 南溪乡 |
| 331122214000 | 木栗乡 |
| 331123000000 | 遂昌县 |
| 331123100000 | 妙高镇 |
| 331123101000 | 云峰镇 |
| 331123102000 | 新路湾镇 |
| 331123103000 | 北界镇 |
| 331123104000 | 金竹镇 |
| 331123105000 | 大柘镇 |
| 331123106000 | 石练镇 |
| 331123107000 | 王村口镇 |
| 331123108000 | 黄沙腰镇 |
| 331123200000 | 三仁畲族乡 |
| 331123201000 | 濂竹乡 |
| 331123202000 | 应村乡 |
| 331123203000 | 高坪乡 |
| 331123204000 | 湖山乡 |
| 331123205000 | 蔡源乡 |
| 331123206000 | 焦滩乡 |
| 331123207000 | 龙洋乡 |
| 331123208000 | 柘岱口乡 |
| 331123209000 | 西畈乡 |
| 331123210000 | 垵口乡 |
| 331124000000 | 松阳县 |
| 331124100000 | 西屏镇 |
| 331124101000 | 古市镇 |
| 331124102000 | 玉岩镇 |
| 331124103000 | 象溪镇 |
| 331124104000 | 大东坝镇 |
| 331124200000 | 望松乡 |
| 331124201000 | 叶村乡 |
| 331124202000 | 斋坛乡 |
| 331124203000 | 三都乡 |
| 331124204000 | 竹源乡 |
| 331124205000 | 四都乡 |
| 331124206000 | 赤寿乡 |
| 331124207000 | 新兴乡 |
| 331124208000 | 樟溪乡 |
| 331124209000 | 谢村乡 |
| 331124210000 | 新处乡 |
| 331124211000 | 枫坪乡 |
| 331124212000 | 板桥畲族乡 |
| 331124213000 | 裕溪乡 |
| 331124214000 | 安民乡 |
| 331125000000 | 云和县 |
| 331125100000 | 云和镇 |
| 331125101000 | 石塘镇 |
| 331125102000 | 紧水滩镇 |
| 331125103000 | 崇头镇 |
| 331125201000 | 雾溪畲族乡 |
| 331125202000 | 安溪畲族乡 |
| 331125203000 | 云坛乡 |
| 331125204000 | 朱村乡 |
| 331125205000 | 大源乡 |
| 331125206000 | 赤石乡 |
| 331125207000 | 黄源乡 |
| 331125208000 | 大湾乡 |
| 331125209000 | 沙铺乡 |
| 331125210000 | 云丰乡 |
| 331126000000 | 庆元县 |
| 331126100000 | 松源镇 |
| 331126101000 | 黄田镇 |
| 331126102000 | 竹口镇 |
| 331126103000 | 屏都镇 |
| 331126104000 | 荷地镇 |
| 331126105000 | 左溪镇 |
| 331126106000 | 贤良镇 |
| 331126200000 | 岭头乡 |
| 331126201000 | 五大堡乡 |
| 331126202000 | 淤上乡 |
| 331126203000 | 安南乡 |
| 331126204000 | 张村乡 |
| 331126205000 | 隆宫乡 |
| 331126206000 | 举水乡 |
| 331126207000 | 江根乡 |
| 331126208000 | 合湖乡 |
| 331126209000 | 龙溪乡 |
| 331126210000 | 百山祖乡 |
| 331126211000 | 官塘乡 |
| 331126212000 | 四山乡 |
| 331127000000 | 景宁畲族自治县 |
| 331127100000 | 鹤溪镇 |
| 331127101000 | 渤海镇 |
| 331127102000 | 东坑镇 |
| 331127103000 | 英川镇 |
| 331127104000 | 沙湾镇 |
| 331127200000 | 外舍乡 |
| 331127201000 | 大均乡 |
| 331127202000 | 澄照乡 |
| 331127203000 | 梅岐乡 |
| 331127204000 | 金钟乡 |
| 331127205000 | 郑坑乡 |
| 331127206000 | 大顺乡 |
| 331127207000 | 陈村乡 |
| 331127208000 | 大际乡 |
| 331127209000 | 景南乡 |
| 331127210000 | 雁溪乡 |
| 331127211000 | 葛山乡 |
| 331127212000 | 鸬鹚乡 |
| 331127213000 | 梧桐乡 |
| 331127214000 | 标溪乡 |
| 331127215000 | 毛垟乡 |
| 331127216000 | 秋炉乡 |
| 331127217000 | 大地乡 |
| 331127218000 | 家地乡 |
| 331181000000 | 龙泉市 |
| 331181001000 | 龙渊街道 |
| 331181002000 | 西街街道 |
| 331181003000 | 剑池街道 |
| 331181100000 | 八都镇 |
| 331181101000 | 上垟镇 |
| 331181102000 | 小梅镇 |
| 331181103000 | 查田镇 |
| 331181104000 | 安仁镇 |
| 331181105000 | 锦溪镇 |
| 331181106000 | 住龙镇 |
| 331181107000 | 屏南镇 |
| 331181200000 | 兰巨乡 |
| 331181201000 | 跶石乡 |
| 331181202000 | 宝溪乡 |
| 331181203000 | 竹垟畲族乡 |
| 331181204000 | 道太乡 |
| 331181205000 | 岩樟乡 |
| 331181206000 | 城北乡 |
| 331181207000 | 龙南乡 |

浙/江/统/计/年/鉴

# 主要统计指标解释

## ■ 景气指数

又称景气度,是对企业景气调查中定性指标的定量描述,以直观地反映经济所处的状态。景气指数的数值介于0和200之间,100为景气指数的临界值。当景气指数大于100点时,表明经济状况趋于上升或改善,处于景气状态;当景气指数小于100点时,表明经济状况趋于下降或恶化,处于不景气状态。

## ■ 企业家信心指数

亦称宏观经济景气指数,是根据企业决策者对企业外部市场经济环境与宏观政策的认识、看法、判断与预期(对"乐观"、"一般"、"不乐观"的选择)而编制的指数,反映企业决策者对国家宏观经济发展的信心和预期,是企业决策者对当前宏观经济状况及未来走势的一种感受、体验与期望。

## ■ 企业景气指数

亦称企业综合生产经营景气指数,是根据企业决策者对本企业当前生产经营情况的判断及未来企业生产经营状况的预期(对"好"、"一般"、"不佳"的选择)而编制的指数,是企业决策者对企业生产经营现状及未来景气动向的一种综合评价和判断。

## ■ 企业生产经营状况景气指数

是在企业生产经营状况的各指标,如生产、销售、产品订货、利润等名称之后加"景气指数"的方法,如"产品订货"指标称之为"产品订货景气指数",其余类推。

## ■ 总产出

是我省常住单位在一定时期内生产的所有货物和服务的价值,既包括新增价值,也包括转移价值。它反映常住单位生产活动的总规划。总产出按生产者价格计算。常住单位是指在我国的经济领土内具有经济利益中心的单位。

## ■ 中间使用

指常住单位在本期生产活动中消耗和使用的非固定资产货物和服务的价值,其中包括国内生产和国外进口的各类货物和服务的价值。

## ■ 最终使用

指已退出或暂时退出本期生产活动而为最终需求所提供的货物和服务。

## ■ 总投入

指一定时期内我省常住单位进行生产活动所投入的总费用。

## ■ 中间投入

指常住单位在生产或提供货物和服务过程中,消耗和使用的所有非固定资产货物和服务的价值。

## ■ 增加值

指常住单位生产过程创造的新增价值和固定资产的转移价值。它包括固定资产折旧、劳动者报酬、生产税净额和营业盈余。

## ■ 直接消耗系数

也称为投入系数,记为 $a_{ij}(i,j=1,2,\cdots,n)$,它是指在生产经营过程中第j部门(或产品)的单位总产出所直接消耗的第i部门(或产品)的数量。直接消耗系数的计算主法为:用第j部门的总投入 $X_j$ 去除该部门生产经营中所直接消耗的第i部门的货换或服务的数量 $\chi_{ij}$,用公式表示为:

$$\alpha_{ij}=\frac{\chi_{ij}}{X_j}\qquad(i,j=1,2,\cdots,n)$$

## ■ 完全消耗系数

通常记为 $b_{ij}$,它是指第j部门每提供一个单位最终使用时,对第i部门货物或服务的直接消耗和间接消耗之和。利用直接消耗系数矩阵A计算完全消耗系数矩阵B的公式为:

$$B=(I-A)^{-1}-I$$

## 浙江省部分大企业集团名录

| 企业集团名称 | 法人代表 | 电话号码 | 邮政编码 |
|---|---|---|---|
| 浙江省国际贸易集团有限公司 | 王挺革 | 0571－87385921 | 310006 |
| 华立集团股份有限公司 | 汪力成 | 0571－88900723 | 310023 |
| 五洋建设集团股份有限公司 | 陈志樟 | 0571－87232316 | 310002 |
| 浙江永泰纸业集团股份有限公司 | 孙柏贵 | 0571－63587919 | 311421 |
| 杭州萧宏建设集团有限公司 | 俞先富 | 0571－87391617 | 310052 |
| 宝业集团股份有限公司 | 庞宝根 | 0575－84135836 | 312030 |
| 盾安控股集团有限公司 | 姚新义 | 0571－87808855 | 310052 |
| 浙江荣盛控股集团 | 李水荣 | 0571－82520189 | 311247 |
| 春和集团有限公司 | 梁小雷 | 0574－87787520 | 315040 |
| 浙江尖峰集团股份有限公司 | 蒋晓萌 | 0579－82319321 | 321000 |
| 花园工贸集团有限公司 | 邵钦祥 | 0579－86270011 | 310006 |
| 开山集团 | 曹克坚 | 0570－3662800 | 324002 |
| 星星集团有限公司 | 叶仙玉 | 0576－88022911 | 318015 |

## 2008年全省部分大中型工业企业基本情况

| 单位名称 | 法人代表 | 联系电话 | 邮政编码 | 网址 | 生产主要产品 |
|---|---|---|---|---|---|
| 东芝水电设备(杭州)有限公司 | 猪俣范一 | 0571－56809068 | 311504 | www.toshiba－thpc.com | 成套水力发电设备,电站水工机械设备,其它工业民用成套设备及金属结构件 |
| 杭州东华链条集团有限公司 | 宣碧华 | 0571－85147178 | 310021 | www.dhchain.com | 各种规格及用途的标准链条、特种链条和齿轮、链轮。如:汽车链条、不锈钢链条、联合收割机链条、立体车库链条,汽车、拖拉机、农机用齿轮和链轮等 |
| 胜达集团有限公司 | 方吾校 | 0571－82838808 | 311215 | www.sdgroup.cn | 纸包装、棉纺织、生活用纸、房地产、化工原料、钢构制造、保税物流 |

| 单位名称 | 法人代表 | 联系电话 | 邮政编码 | 网址 | 生产主要产品 |
|---|---|---|---|---|---|
| 杭州远大纸业有限公司 | 徐正来 | 0571－63159007 | 311421 | www. ydpaper. net | 专业生产高档双面涂布白板纸和单面灰底涂布白板纸 |
| 亚太机电集团有限公司 | 黄来兴 | 0571－82761888 | 311203 | www. china － apg. com | 汽车制动系统产品、道路交通安全设施产品 |
| 浙江三花汽车控制系统有限公司 | 张亚波 | 0571－87559102 | 310018 | | 汽车空调铝膨胀阀、汽车空调铜膨胀阀、汽车空调铝储液器 |
| 临安振有电子有限公司 | 詹有根 | 0571－61070558 | 311301 | www. zypcb. cpooo. com | 遥控器用单双面碳膜印制电路板、银浆灌孔双面碳膜印制电路板 |
| 浙江汇丽印染整理有限公司 | 高建幸 | 0571－82129298 | 311228 | www. zj－huili. com | 丝绸、棉布、各类亚麻、汉麻、苎麻、黄麻、化纤、针织等漂、染、印、涂、轧光、轧花、磨毛及各种高档织物面料的特种整理 |
| 宏丰实业集团有限公司 | 王金法 | 0571－63205888 | 311422 | www. zjhongfeng. com | 重型 H 型钢 |
| 浙江华浙控股集团有限公司 | 虞汉吾 | 0571－82405188 | 311256 | www. hzhzsy. com | 混凝土用钢棒、地铁管片、钢筒混凝土管、通讯塔、管道、管桩、钢模、钢管、钢丝、基础工程 |
| 浙江富春江环保热电股份有限公司 | 孙庆炎 | 0571－63553788 | 311418 | www. zhefuet. com | 热电 |
| 浙江正大控股集团有限公司 | 羊少剑 | 0571－63587777 | 311421 | | 涂布白板纸 |
| 浙江苏泊尔家电制造有限公司 | 苏显泽 | 0571－86858888 | 310051 | www. supor. com. cn | 电饭煲、电压力锅、电磁炉 |
| 杭州民生药业集团有限公司 | 竺福江 | 0571－88085858 | 310011 | www. mspharm. com | 民生 21 金维他、民生牌输液、民生美维他 |
| 宁波跃进汽车前桥有限公司 | 俞建伟 | 0574－27910022 | 315021 | www. nbnafa. com | 系列车桥、系列扭杆、系列转向节 |
| 浙江东红船业有限公司 | 李红鋆 | 0574－65018888 | 315733 | www. zjdhcy. com | 50000 吨以下钢质交通船舶、工程船舶、化学品船 |
| 宁波狮丹努集团有限公司 | 吴忠宝 | 0574－87486596 | 315012 | www. seduno. com | 服装及服装面料、针织品面料、羊毛衫、服饰的制造、加工，普通货物运输，房屋及设置租赁，企业管理咨询和培训，自营和代理货物和技术的进出口，但国家限制或禁止的货物和技术除外，实业项目投资，日用品、五金、交电的批发、零售 |
| 宁波兴慈热动电器有限公司 | 施长泉 | 0574－63288244 | 315303 | www. xingci. com | 汽车发动机配件，如调温器、水箱盖、电热塞、水温传感器、油压报警器、转速传感器、电熄火器等等 |

| 单位名称 | 法人代表 | 联系电话 | 邮政编码 | 网址 | 生产主要产品 |
|---|---|---|---|---|---|
| 宁波兴业盛泰电子金属材料有限公司 | 陈君杰 | 0574－63073269 | 315336 | www. xingyecopper. com | 锡磷青铜板带、黄铜板带、引线框架用铜带、锌白铜带 |
| 宁波长荣制衣有限公司 | 蒋雨雨 | 0574－88533229 | 315505 | www. nb－ever-green. com | 毛衫及针梭织服装 |
| 慈溪市飞龙轴承有限公司 | 黄央云 | 0574－63831818 | 315318 | www. feilongbearing. com | 精密轴承、水泵轴承 |
| 宁波富红针织有限公司 | 王星平 | 0574－65781188 | 315700 | www. nbfuhong. com | 各种规格"富帆"牌棉纱、"富迪努"系列品牌服装，各种面料T恤、童装、休闲装等系列针织内外衣 |
| 宁波美培林轴承有限公司 | 徐爱美 | 0574－63542618 | 315323 | www. wtbearing. com | 精密轴承 |
| 宁波四维尔汽车装饰件有限公司 | 罗旭强 | 0574－63530788 | 315333 | www. swellchina. com | 汽车标牌、汽车散热器格栅、汽车内饰件 |
| 浙江大明电子有限公司 | 周明明 | 0577－62316688 | 325608 | www. daming. com | 汽车电子电器开关、汽车空调控制器 |
| 温州市藤桥禽业有限公司 | 张卢兄 | 0577－86480888 | 325019 | www. tengqiao. net | 藤桥鸭舌、藤桥熏鸡 |
| 方圆阀门集团有限公司 | 叶春年 | 0577－67313366 | 325105 | www. fy6666. com | 阀门、水泵、铸件、锻件制造 |
| 温州远洋眼镜有限公司 | 叶子建 | 0577－89792277 | 325008 | www. yyeyewear. com | 太阳镜、光学镜 |
| 浙江华峰氨纶股份有限公司 | 尤小平 | 0577－65178888 | 325206 | www. spandex. com. cn | 氨纶丝 |
| 温州三联集团有限公司 | 王朝磊 | 0577－63663225 | 325401 | www. sanlian－group. com | 针轮摆线减速机、硬齿面齿轮减速机、造纸专用设备、印刷机械 |
| 瑞立集团有限公司 | 张晓平 | 0577－65609900 | 325200 | www. sorl. com. cn | 汽车气制动元件、液压制动元件、汽车仪表、汽车电器、转向助力泵、电涡流缓速器、汽车ABS、自动间隙调整臂、制动卡钳、汽车灯泡等产品 |
| 华迪钢业集团有限公司 | 王会森 | 0577－28806615 | 325024 | www. huadigroup. com | 不锈钢管、不锈钢棒、不锈钢板的制造 |

| 单位名称 | 法人代表 | 联系电话 | 邮政编码 | 网址 | 生产主要产品 |
|---|---|---|---|---|---|
| 浙江超达阀门股份有限公司 | 王汉洲 | 0577－67319966 | 325105 | | 高、中、低压各种阀门 |
| 红蜻蜓集团温州鞋业有限公司 | 陈铭海 | 0577－86528788 | 325011 | | 生产销售"红蜻蜓"牌皮鞋，经营本企业自产品及技术的出口业务，经营本企业生产、科研所需的原辅材料、机械设备、仪器仪表及技术进口业务 |
| 嘉兴恒锋工具有限公司 | 陈尔容 | 0573－86169510 | 314300 | www. esttools. com | 1、各类精密拉削刀具 2、渐开线搓齿刀 3、各类精密花键环规塞规 4、各类铣刀（含各类成型铣刀）5、各类数控孔加工刀具 6、高效孔钻 |
| 浙江合盛化工有限公司 | 罗立国 | 0573－85589210 | 314201 | www. heshenggroup. com. cn | 八甲基环四氯硅烷（D4）、环体混合物（DMC）、一甲基三氯硅烷（Mel）、三甲基一氯硅烷（Mel3）、一甲基二氯硅烷（MelH）及其副产 31% 盐酸、副产 80% 硫酸、γ－氨丙基甲基二甲氧基硅烷、氨基硅油、一氯甲烷、高温胶、107 胶 |
| 民丰特种纸股份有限公司 | 盛　军 | 0573－82839051 | 314000 | www. minfenggroup. com | 卷烟纸、描图纸、电容器纸、高档涂布纸、格拉辛纸以及卷烟和其它工业配套用纸，属中国大型特种纸综合性企业 |
| 浙江景兴纸业股份有限公司 | 朱在龙 | 0573－85966256 | 314214 | www. zjjxjt. com | 牛皮箱板纸、白面牛卡、瓦楞原纸 |
| 浙江鸿翔钢结构有限公司 | 戴建康 | 0573－87631888 | 314415 | www. hx8111. com | 钢结构工程制作和安装，起重机械的制造、安装和维修，经营本企业自产产品的出口业务和本企业所需的机械设备、原辅材料和零配件的进口业务，钢结构工程制作及安装的技术咨询服务 |
| 加西贝拉压缩机有限公司 | 刘体斌 | 0573－82586166 | 314006 | www. jiaxipera. com | 环保、节能、高效冰箱压缩机 |
| 浙江红马铸造有限公司 | 李玉观 | 0573－85944147 | 314215 | www. phzg. cn | 制造、销售：碳钢铸件、锰钢铸件、合金钢铸件、普铁与球墨铁铸件、机械制造与维修 |
| 嘉善银升玻璃有限公司 | 魏克尧 | 0573－84632298 | 314116 | www. yin－sheng. com | 生产销售特种玻璃及平板玻璃深加工制品 |
| 华能国际电力股份有限公司长兴电厂 | 毛俊海 | 0572－6213001 | 313100 | | 火力发电 |
| 浙江珍贝有限公司 | 邱金元 | 0572－3239088 | 313008 | www. chinazhenbei. com | 羊绒制品、羊毛制品 |

| 单位名称 | 法人代表 | 联系电话 | 邮政编码 | 网址 | 生产主要产品 |
|---|---|---|---|---|---|
| 浙江紫清控股集团有限公司 | 龚剑光 | 0575 – 82082888 | 312351 | www. zqholding. com | 袜子、手套及其它针织品 |
| 绍兴金江机械有限公司 | 周楠林 | 0575 – 88157918 | 312085 | www. s – jx. com | 汽车转向拉杆总成、悬架主销座总成、悬架摆臂总成、转向节臂、悬壁轴等 |
| 越美集团有限公司 | 徐志明 | 0575 – 87186908 | 311800 | www. chinayuemei. com | 提花布、印花布、绣花布、棉纱 |
| 浙江华孚色纺有限公司 | 孙伟挺 | 0575 – 82187666 | 312300 | www. huafuyarn. com | 以时尚环保的色纺纱线为主导，配套提供高档新型的坯纱线、染色纱线、半精纺色纺纱线、气流纺色纺纱线 |
| 麦地郎集团有限公司 | 袁孝炳 | 0575 – 83046188 | 312400 | www. maidilang. com | 高档真丝领带、真丝面料等 |
| 浙江兆山建材集团有限公司 | 黄新华 | 0575 – 87391262 | 311832 | www. zhaoshangroup. com | 水泥 |
| 浙江康恩贝制药股份有限公司 | 胡季强 | 0579 – 88901516 | 321109 | www. conba. com. cn | 前列康普乐安片、天保宁牌银杏叶片、天保康葛根素注射液、可达灵片、康恩贝复方甘草浙贝氯化铵片 |
| 浙江浦江亚盛磁电有限公司 | 张育成 | 0579 – 84201678 | 322200 | | 磁性材料、电子产品（不含地面卫星接收设施）、电器产品、电源产品、电机产品（不含小轿车）、金属纤维毡及金属制品、过滤器材、水处理设备、粘胶带及粘胶产品（化学危险品除外）的制造、销售；经营本企业自产产品及技术的出口业务；经营本企业生产所需原辅材料、仪器仪表、机械设备、零配件及技术的进口业务；经营进料加工和“三来一补”业务 |
| 浙江浙能兰溪发电有限责任公司 | 张　谦 | 0579 – 88268018 | 321100 | www. landideal. com | 生产电力电量 |
| 浙江牧童鞋业有限公司 | 谢建民 | 0579 – 84178555 | 322200 | www. chinamutong. com | 童皮鞋 |
| 义乌市安冬电器有限公司 | 朱宏锋 | 0579 – 85665621 | 322000 | www. china – fire-place. com | 电壁炉、炉架 |
| 义乌双环玩具有限公司 | 吴光跃 | 0579 – 85310860 | 322000 | | 充气玩具、工艺品 |
| 铁牛集团有限公司 | 应建仁 | 0579 – 87229888 | 321301 | www. tech – new. cn | 汽车配件、模具、钣金件、电机产品、仪器仪表 |
| 金成钢结构工程有限公司 | 丁鼎春 | 0579 – 85785088 | 322000 | www. chinajincheng. cn | 轻、重钢结构，网架、桥梁设计、制造，理化实验、彩钢压型板、复合板、楼承板，C 型钢，钢、铝门窗，轻、重钢结构施工、安装 |

| 单位名称 | 法人代表 | 联系电话 | 邮政编码 | 网址 | 生产主要产品 |
|---|---|---|---|---|---|
| 浙江联强数控机床股份有限公司 | 章燕儿 | 0579－88276033 | 321100 | www. lj － machine-tool. com | CL系列普通车床、LK系列数控车床、NC系列数控铣床、NMC系列立式加工中心、MBC系列龙门加工中心、NMC－H系列卧室加工中心 |
| 天河集团有限公司 | 厉岩伟 | 0579－87433598 | 321306 | | 铜带、铜板、铜排、铜棒、各种异型材、铜管 |
| 江山市何家山水泥有限公司 | 徐位吉 | 0570－4061035 | 324100 | www. jiangshanhu. com | 水泥 |
| 浙江常山水泥有限公司 | 曹江林 | 0570－5096666 | 324209 | | “光宇牌”32. 5复合硅酸盐水泥、42. 5、52. 5普通硅酸盐水泥 |
| 浙江晋巨化工有限公司 | 李建华 | 0570－3096515 | 324004 | hca@ juhua. com. cn | 液氨、氨水、工业甲醇、工业甲醛溶液、工业甲酸、纯氩、液氧、食品级二氧化碳、液氮、乌洛托品、氧气、氮气、氩气、多元气、硫磺(副产)生产；化肥：尿素、碳酸氢铵生产和销售 |
| 浙江天子果业有限公司 | 徐荣新 | 0570－5029518 | 324200 | www. chinatianzi. cn | 蜜桔、胡柚、脐橙、椪柑等鲜果，橙浆、橙囊包、罐头等深加工产品 |
| 浙江物产光华民爆器材有限公司 | 马卸海 | 0570－7831702 | 324400 | www. china－dotona-tor. com | 塑料导爆管、导爆管雷管等火工系列产品 |
| 浙江省海运集团舟山五洲船舶修造有限公司 | 徐光晓 | 0580－2793000 | 316000 | | 船舶修造等 |
| 舟山金海湾船业有限公司 | 黄善年 | 0580－2021883 | 316291 | www. chinajinhai-wan. com | 生产船型为11万吨级油轮、17. 6万吨级散货船、8万吨级散货船、32万吨超大型油轮(VLCC) |
| 浙江欧华造船有限公司 | 乔伟海 | 0580－3690238 | 316101 | www. ouhua－china. com | 1000箱、1200箱、1500箱、5300箱集装箱船，MPC30多用途船，16800重吊船 |
| 舟山市鑫亚船舶修造有限公司 | 周亚国 | 0580－6088586 | 316131 | www. xinyashipyard. com | 拥有20万吨级、6万吨级干船坞各一座，20万吨级－－6万吨级舾装码头共四座，以修理、改装各类大型船舶为主，年承修能力200艘 |
| 浙江天时造船有限公司 | 梁新富 | 0576－86693588 | 317511 | www. tsship. com | 船舶修造，钢结构件制造、销售，船用设备及配件零售，货物进出口，技术进出口(法律、行政法规禁止和限制的项目除外) |
| 浙江临海机械有限公司 | 邹卫建 | 0576－85135971 | 317000 | www. lhmc. cn | 液力变矩器、水轮机 |

| 单位名称 | 法人代表 | 联系电话 | 邮政编码 | 网址 | 生产主要产品 |
| --- | --- | --- | --- | --- | --- |
| 浙江绿田机电制造有限公司 | 罗昌国 | 0576－82620999 | 318056 | www. chinalutian. com | 汽油机、汽油发电机、清洗机、柴油机、柴油发电机 |
| 中捷控股集团有限公司 | 蔡开坚 | 0576－87358828 | 317604 | www. zojegroup. com | 缝纫机、厨卫洁具、金属物流加工 |
| 浙江司太立制药有限公司 | 胡锦生 | 0576－87718611 | 317300 | www. starrypharm. com | 碘海醇、盐酸左氧氟沙星、甲磺酸帕珠沙星 |
| 浙江灵洋医疗器械有限公司 | 胡振满 | 0576－85881172 | 317031 | www. ly－medical. com | 一次性输液器、注射器 |
| 浙江欧宜风家具有限公司 | 林章 | 0576－87425719 | 317605 | www. ouevane. com | 木制家具 |
| 浙江沪龙微型电机有限公司 | 朱义潜 | 0576－87371789 | 317604 | www. hmcmotor. com. cn | 工业缝纫电机 |
| 浙江鸿利锁业有限公司 | 贾君鑫 | 0578－2957966 | 323000 | www. hooply. com | 防盗门锁、普通门锁 |
| 浙江红顶服饰有限公司 | 林国富 | 0578－2988299 | 323006 | www. buzhifashion. com | 针织内衣、不知慢运动休闲服、运动服 |
| 浙江千秋门业有限公司 | 章华彪 | 0578－3181688 | 321403 | www. qqjt. cn | 防盗门、防火门、木门 |
| 浙江省电力公司紧水滩水力发电厂 | 任乐鸣 | 0578－2240118 | 323000 | | 水力发电 |

## 2008 年部分建筑业企业基本情况

| 单位名称 | 法人代表 | 资质等级 | 邮政编码 | 联系电话 | 建筑业总产值（万元） |
| --- | --- | --- | --- | --- | --- |
| 杭　州　市 | | | | | |
| 中天建设集团有限公司 | 楼永良 | 总承包特级 | 310008 | 28801612 | 1804371 |
| 浙江省建工集团有限责任公司 | 沈德法 | 总承包特级 | 310012 | 88393396 | 1008106 |
| 五洋建设集团股份有限公司 | 陈志樟 | 总承包特级 | 310002 | 87232325 | 662970 |
| 浙江省一建建设集团 | 吴沈平 | 总承包特级 | 310013 | 85127302 | 370031 |
| 浙江宝盛建设集团有限公司 | 诸黎明 | 总承包一级 | 311203 | 82815169 | 386088 |
| 杭州二建建设有限公司 | 李宝良 | 总承包一级 | 310005 | 88079640 | 157997 |

| 单位名称 | 法人代表 | 资质等级 | 邮政编码 | 联系电话 | 建筑业总产值（万元） |
|---|---|---|---|---|---|
| 浙江华成建设有限公司 | 沈凤飞 | 总承包一级 | 311201 | 82716153 | 156532 |
| 浙江省第一水电建设集团有限公司 | 蒋文龙 | 总承包一级 | 310051 | 86682251 | 142732 |
| 浙江杭州湾建筑集团有限公司 | 黄妙福 | 总承包一级 | 310021 | 85141608 | 142216 |
| 杭州通达建筑集团有限公司 | 胡乃生 | 总承包一级 | 310019 | 28130666 | 120350 |
| 杭州兴耀建设集团有限公司 | 黄耀坤 | 总承包一级 | 310052 | 86687523 | 117678 |
| 中天建设集团浙江安装工程有限公司 | 王祖龙 | 总承包一级 | 310015 | 28807678 | 101952 |
| 浙江贝利建设有限公司 | 许培章 | 总承包一级 | 311100 | 86222794 | 101500 |
| 浙江宝华建设集团有限公司 | 张忠华 | 总承包一级 | 310030 | 88953124 | 95160 |
| 杭州中豪建设工程有限公司 | 张永德 | 总承包一级 | 310020 | 86949139 | 90354 |
| 浙江交工路桥建设有限公司 | 陈继禹 | 总承包一级 | 310051 | 13575470976 | 85962 |
| 杭州天和建设集团有限公司 | 陆关林 | 总承包一级 | 310015 | 88290766 | 80244 |
| 浙江利越路桥建设集团有限公司 | 葛德法 | 总承包一级 | 310053 | 86688261 | 80006 |
| 浙江省水电建筑安装有限公司 | 余乐平 | 总承包一级 | 310051 | 28876067 | 73757 |
| 中铁二十四局集团浙江工程有限公司 | 章国庆 | 总承包一级 | 310009 | 56723247 | 70091 |
| 浙江振进建设集团有限公司 | 吴正见 | 总承包一级 | 310002 | 87832700 | 63077 |
| 杭州市设备安装有限公司 | 来连毛 | 总承包一级 | 310005 | 85176331 | 61073 |
| 浙江广丰建设有限公司 | 张海高 | 总承包一级 | 310007 | 28111128 | 42360 |
| 浙江振丰建设有限公司 | 陈迪丰 | 总承包一级 | 311121 | 88609918 | 35075 |
| 浙江工力建设有限公司 | 郑晓卫 | 总承包一级 | 311100 | 86227610 | 31152 |
| 杭州恒鼎建设工程有限公司 | 陈灿松 | 总承包一级 | 310052 | 28027930 | 20486 |
| 杭州恒泰建设工程有限公司 | 高秀堂 | 总承包一级 | 311215 | 82837091 | 20441 |
| 浙江东兴建设有限公司 | 章沛人 | 总承包二级 | 311300 | 63728233 | 49877 |
| 浙江大运建筑工程有限公司 | 张宪法 | 总承包二级 | 311400 | 63322026 | 45016 |
| 浙江大立建设有限公司 | 傅宝剑 | 总承包二级 | 311215 | 82866878 | 37696 |
| 浙江江南春建设集团有限公司 | 沈关宝 | 总承包二级 | 311243 | 82589980 | 36833 |
| 杭州广济建设工程有限公司 | 朱夏香 | 总承包二级 | 311106 | 86382368 | 21395 |
| 浙江立方建设有限公司 | 郭建军 | 总承包二级 | 311400 | 23282700 | 20200 |
| 杭州民盛建设工程有限公司 | 俞鉴民 | 总承包二级 | 311200 | 82687272 | 12315 |
| 杭州六通建筑工程有限公司 | 高尔江 | 总承包二级 | 311227 | 82188302 | 11220 |
| 浙江得力建设工程有限公司 | 严焕贤 | 总承包二级 | 311203 | 82369966 | 10640 |
| 杭州萧山南方建筑工程有限公司 | 任妙良 | 总承包二级 | 311261 | 82231688 | 10084 |
| 浙江国才建设有限公司 | 毕国财 | 总承包二级 | 311612 | 64561212 | 8975 |
| 杭州恒基消防工程有限公司 | 吕　晴 | 专业承包一级 | 310016 | 28979770 | 3813 |
| 杭州开元装饰工程有限公司 | 孔伟良 | 专业承包二级 | 311200 | 82881624 | 10671 |
| 杭州龙华设备安装实业有限公司 | 焦金龙 | 专业承包二级 | 310012 | 13819101356 | 3678 |

| 单位名称 | 法人代表 | 资质等级 | 邮政编码 | 联系电话 | 建筑业总产值（万元） |
|---|---|---|---|---|---|
| 宁　波　市 | | | | | |
| 宁波建工股份有限公司 | 徐文卫 | 总承包特级 | 315040 | 87889898 | 535117 |
| 浙江兴润建设有限公司 | 沈财兴 | 总承包一级 | 315000 | 15968996663 | 146010 |
| 慈溪市第二建筑工程有限公司 | 冯永泉 | 总承包一级 | 315300 | 63013268 | 31643 |
| 浙江宁慈建设工程有限公司 | 陈祖联 | 总承包一级 | 315300 | 63029289 | 20773 |
| 慈溪市建工建设集团有限公司 | 叶金泽 | 总承包一级 | 315300 | 23861111 | 20019 |
| 浙江东航建设集团有限公司 | 吉忠达 | 总承包一级 | 315300 | 63987982 | 69833 |
| 宁波市第四建筑工程公司 | 李永伯 | 总承包二级 | 315200 | 86278174 | 31123 |
| 浙江环球建筑有限公司 | 蔡明亮 | 总承包二级 | 315700 | 65728056 | 30175 |
| 浙江盛峰建设有限公司 | 陈启发 | 总承包二级 | 315700 | 65728026 | 23312 |
| 宁波新曙光建设有限公司 | 陈福根 | 总承包二级 | 315010 | 87308119 | 18304 |
| 宁波市新亚建设有限公司 | 杨菊素 | 总承包二级 | 315040 | 87831359 | 17016 |
| 浙江省水电建设公司 | 陈国平 | 总承包二级 | 315310 | 87981500 | 11686 |
| 宁波市北仑新城建设工程有限公司 | 邹建军 | 总承包二级 | 315800 | 86887874 | 11481 |
| 慈溪市城西建筑工程有限公司 | 陈蛟宇 | 总承包二级 | 315300 | 13906746401 | 11475 |
| 宁波宏海建设集团有限公司 | 俞科平 | 总承包二级 | 315600 | 65566479 | 11385 |
| 宁波九峰市政工程有限公司 | 谭文武 | 总承包二级 | 315807 | 13777170992 | 9877 |
| 宁波鼎立建设有限公司 | 赵竑涫 | 总承包二级 | 315600 | 65220113 | 8024 |
| 浙江凯胜园林市政建设有限公司 | 刘建国 | 总承包二级 | 315800 | 86838325 | 6373 |
| 宁波海力工程发展有限公司 | 王永东 | 专业承包一级 | 315000 | 87273606 | 23042 |
| 浙江大丰建筑装饰工程有限公司 | 丰　华 | 专业承包一级 | 315400 | 62888776 | 5430 |
| 宁波永安消防工程有限公司 | 包爱娟 | 专业承包一级 | 315010 | 87286026 | 2861 |
| 宁波市阳光建设有限公司 | 周仲元 | 专业承包二级 | 315207 | 56210798 | 8846 |
| 宁波日月装饰工程有限公司 | 毛忠华 | 专业承包二级 | 315400 | 62665108 | 3927 |
| 温　州　市 | | | | | |
| 鸿厦建设有限公司 | 张以国 | 总承包一级 | 325000 | 89888258 | 85105 |
| 方泰建设集团有限公司 | 黄胜芬 | 总承包一级 | 325005 | 88551517 | 80133 |
| 浙江鸿鑫建设工程有限公司 | 苏敬校 | 总承包一级 | 325500 | 67583717 | 58176 |
| 浙江新邦建设有限公司 | 陈　锵 | 总承包一级 | 325000 | 88853572 | 50011 |
| 温州市瓯海建筑工程公司 | 吴宝成 | 总承包一级 | 325005 | 88527338 | 41028 |
| 温州建桥建设工程有限公司 | 徐宏达 | 总承包一级 | 325600 | 61609028 | 31259 |
| 瑞安市建筑工程有限公司 | 柴剑锋 | 总承包一级 | 325200 | 65008080 | 27679 |
| 温州市瓯海第三建筑工程公司 | 赵林聪 | 总承包二级 | 325000 | 88505627 | 32803 |
| 温州电力建设有限公司 | 王向新 | 总承包二级 | 325011 | 51099111 | 31631 |
| 永嘉县交通工程公司 | 朱国成 | 总承包二级 | 325102 | 67333925 | 26751 |

| 单位名称 | 法人代表 | 资质等级 | 邮政编码 | 联系电话 | 建筑业总产值（万元） |
| --- | --- | --- | --- | --- | --- |
| 温州矿山井巷工程有限公司 | 林万运 | 总承包二级 | 325000 | 88868870 | 25500 |
| 浙江中瑞建筑工程有限公司 | 彭正泽 | 总承包二级 | 325200 | 65903883 | 24647 |
| 浙江新瑞建设工程有限公司 | 戴进荣 | 总承包二级 | 325200 | 65898789 | 21056 |
| 浙江兴华建筑工程有限公司 | 许永亮 | 总承包二级 | 325600 | 62553692 | 20664 |
| 温州东大矿建工程有限公司 | 朱善怀 | 总承包二级 | 325800 | 68715858 | 20053 |
| 浙江东城建筑工程有限公司 | 朱建敏 | 总承包二级 | 325600 | 62587871 | 16748 |
| 温州鹿城第三建筑工程公司 | 戴锦林 | 总承包二级 | 325000 | 88196140 | 9232 |
| 平阳县第三建筑安装工程公司 | 黄益艺 | 总承包二级 | 325405 | 63879889 | 8530 |
| 永嘉县建筑工程公司 | 黄天松 | 总承包二级 | 325100 | 67256220 | 8138 |
| 浙江一洲建筑装饰工程有限公司 | 王龙洲 | 专业承包一级 | 325088 | 88380548 | 4419 |
| 浙江东厦装饰工程有限公司 | 石福标 | 专业承包二级 | 325600 | 62563808 | 4270 |
| 嘉　兴　市 | | | | | |
| 浙江嘉兴福达建设股份有限公司 | 陆福生 | 总承包一级 | 314031 | 13967396663 | 71621 |
| 浙江正益建设发展有限公司 | 陈正财 | 总承包一级 | 314031 | 82719837 | 59810 |
| 浙江永联建设工程股份有限公司 | 张永春 | 总承包一级 | 314033 | 82228056 | 55038 |
| 浙江新厦建设有限公司 | 黄锦荣 | 总承包二级 | 314500 | 88023367 | 77800 |
| 浙江中朝建设有限公司 | 李昇凯 | 总承包二级 | 314411 | 87611768 | 35089 |
| 浙江嘉宇建设有限公司 | 朱雪明 | 总承包二级 | 314009 | 83167240 | 18612 |
| 平湖市市政工程有限公司 | 王祖伦 | 总承包二级 | 314200 | 85024414 | 17145 |
| 浙江港城建设有限公司 | 朱勤华 | 总承包二级 | 314200 | 85109300 | 16120 |
| 平湖市南桥建筑工程有限公司 | 李金龙 | 总承包二级 | 314200 | 13645839999 | 15180 |
| 浙江嘉顺金属结构有限公司 | 沈学恩 | 专业承包二级 | 314112 | 84648180 | 8130 |
| 湖　州　市 | | | | | |
| 浙江大东吴集团建设有限公司 | 吴仲清 | 总承包一级 | 313000 | 2569178 | 288358 |
| 浙江天力建设集团有限公司 | 杨虎麟 | 总承包一级 | 313000 | 2820500 | 68003 |
| 浙江华昌建设有限公司 | 费其昌 | 总承包一级 | 313000 | 2379493 | 46978 |
| 浙江中屹建筑工程有限公司 | 凌泉根 | 总承包一级 | 313000 | 2099205 | 20899 |
| 湖州集全交通建筑工程有限公司 | 钱大伟 | 总承包二级 | 313000 | 2859520 | 28349 |
| 湖州富海建设工程有限公司 | 卢松海 | 专业承包二级 | 313000 | 2185908 | 3965 |
| 绍　兴　市 | | | | | |
| 浙江宝业建设集团有限公司 | 王荣富 | 总承包特级 | 312028 | 84574483 | 1182182 |
| 中设建工集团有限公司 | 陈永根 | 总承包特级 | 312072 | 85101396 | 731175 |
| 浙江八达建设集团有限公司 | 王昌培 | 总承包特级 | 311800 | 87217165 | 706112 |
| 浙江中联建设集团有限公司 | 周水林 | 总承包特级 | 312000 | 85135189 | 381045 |
| 浙江德盛建设集团有限公司 | 周月新 | 总承包一级 | 312300 | 82639996 | 218675 |
| 浙江诸安建设集团有限公司 | 周晓明 | 总承包一级 | 311800 | 87012671 | 205743 |

| 单位名称 | 法人代表 | 资质等级 | 邮政编码 | 联系电话 | 建筑业总产值（万元） |
|---|---|---|---|---|---|
| 浙江禹建建设集团有限公司 | 凌月根 | 总承包一级 | 312000 | 88686666 | 88900 |
| 浙江建盛建设有限公司 | 楼丁明 | 总承包一级 | 311800 | 87219665 | 61225 |
| 浙江鼎盛交通建设有限公司 | 丁润贤 | 总承包一级 | 312069 | 85190861 | 41050 |
| 浙江金磊建设工程有限公司 | 张金元 | 总承包一级 | 312000 | 88327015 | 29840 |
| 浙江广昌建筑有限公司 | 许友夫 | 总承包二级 | 311800 | 87225638 | 75318 |
| 嵊州市通达公路桥梁建设有限公司 | 郭　明 | 总承包二级 | 312400 | 83350882 | 31188 |
| 浙江华纳建设有限公司 | 陈永林 | 总承包二级 | 312000 | 85208875 | 30377 |
| 新昌县金城建设发展有限公司 | 章品立 | 总承包二级 | 312500 | 86133498 | 25337 |
| 浙江省新昌县中厦建筑发展有限公司 | 陈忠阳 | 总承包二级 | 312500 | 86023778 | 25004 |
| 浙江裕祥建设有限公司 | 余国永 | 总承包二级 | 311800 | 87231073 | 22919 |
| 浙江广恒建设工程有限公司 | 周　燕 | 总承包二级 | 311800 | 87108571 | 18913 |
| 浙江凌云水利水电建筑有限公司 | 胡金水 | 总承包二级 | 312000 | 88325817 | 16735 |
| 浙江运业建筑工程有限公司 | 徐世木 | 总承包二级 | 312000 | 85157827 | 11848 |
| 金　华　市 | | | | | |
| 鼎立建设集团股份有限公司 | 许明景 | 总承包一级 | 322100 | 86815115 | 229895 |
| 浙江广宏建设有限公司 | 何飞龙 | 总承包一级 | 322100 | 86818777 | 218025 |
| 浙江正方交通建设有限公司 | 谢广言 | 总承包一级 | 321025 | 82258172 | 108087 |
| 浙江万利建筑工程有限公司 | 钟大明 | 总承包一级 | 322105 | 13325995022 | 88332 |
| 浙江金磐建设有限公司 | 李爱芳 | 总承包一级 | 321017 | 82235999 | 41396 |
| 浙江省东阳市第十建筑工程有限公司 | 张锡鲁 | 总承包一级 | 322118 | 86551307 | 38477 |
| 浙江金城建设集团有限公司 | 傅桂丰 | 总承包一级 | 321017 | 83181118 | 36550 |
| 浙江花园建设有限公司 | 朱建平 | 总承包二级 | 322121 | 86270211 | 129760 |
| 义乌市恒风路桥有限公司 | 方国清 | 总承包二级 | 322000 | 83817219 | 26080 |
| 金华市公路桥梁建设有限公司 | 陈　飚 | 总承包二级 | 321017 | 82347143 | 21097 |
| 浙江金顺路桥建设有限公司 | 郑宝玉 | 总承包二级 | 322100 | 86625274 | 20032 |
| 浙江海鹏建设工程有限公司 | 朱水平 | 总承包二级 | 322000 | 85329366 | 17038 |
| 浙江龙厦建设工程有限公司 | 陈兴龙 | 总承包二级 | 321100 | 88927803 | 10271 |
| 浙江丰泰建设工程有限公司 | 范旭光 | 总承包二级 | 321100 | 88900677 | 8992 |
| 义乌市建筑工程有限公司 | 陈　英 | 总承包二级 | 322000 | 85535990 | 8030 |
| 浙江浩龙建设有限公司 | 张金龙 | 总承包二级 | 321000 | 82103989 | 7609 |
| 浙江金华兴达建设有限公司 | 周建平 | 专业承包一级 | 321025 | 82258135 | 17483 |
| 浙江东辉建筑装饰有限公司 | 赵东平 | 专业承包一级 | 322000 | 85366088 | 4363 |
| 金华市婺江建筑装璜有限公司 | 方建勋 | 专业承包一级 | 321000 | 83203311 | 3280 |

| 单位名称 | 法人代表 | 资质等级 | 邮政编码 | 联系电话 | 建筑业总产值（万元） |
|---|---|---|---|---|---|
| 衢州市 | | | | | |
| 浙江泰宇建设有限公司 | 王瑞娟 | 总承包一级 | 324400 | 7211316 | 32401 |
| 浙江广胜集团有限公司 | 朱志光 | 总承包一级 | 324000 | 8017778 | 25413 |
| 浙江泰立建筑工程有限公司 | 徐高斌 | 总承包二级 | 324002 | 3863678 | 20642 |
| 浙江创宇建设有限公司 | 姜克宇 | 总承包二级 | 324400 | 7880158 | 20023 |
| 衢州光明电力工程有限公司 | 刘利平 | 总承包二级 | 324002 | 3840817 | 19330 |
| 浙江龙建建设有限公司 | 江益龙 | 总承包二级 | 324400 | 7881736 | 10845 |
| 舟山市 | | | | | |
| 浙江中欣建设有限公司 | 倪康军 | 总承包二级 | 316000 | 2588903 | 14319 |
| 舟山华康建设有限公司 | 周永康 | 总承包二级 | 316021 | 2080112 | 6340 |
| 浙江晨达建筑装饰工程有限公司 | 董惠青 | 专业承包二级 | 316000 | 2036912 | 10180 |
| 台州市 | | | | | |
| 华太建设集团有限公司 | 王良财 | 总承包一级 | 317500 | 86081158 | 372366 |
| 新天一集团有限公司 | 葛昌雨 | 总承包二级 | 318016 | 88924353 | 35264 |
| 浙江鼎盛建筑工程有限公司 | 黄开良 | 总承包二级 | 317600 | 87233979 | 30776 |
| 临海市第七建设工程有限公司 | 王祖腾 | 总承包二级 | 317000 | 13357677799 | 25421 |
| 浙江兴业土木建筑工程有限公司 | 任保桂 | 总承包二级 | 318050 | 82438787 | 25375 |
| 浙江益安建设有限公司 | 张　安 | 总承包二级 | 317300 | 87773378 | 9679 |
| 丽水市 | | | | | |
| 浙江同心建筑工程有限公司 | 叶爱芬 | 总承包一级 | 323000 | 2278296 | 28911 |
| 浙江强盛建设工程有限公司 | 赵云仙 | 总承包二级 | 323000 | 2636896 | 22003 |
| 丽水市正达建筑工程有限公司 | 舒　铭 | 总承包二级 | 323000 | 2131681 | 20158 |
| 浙江银河建筑工程有限公司 | 邵银富 | 总承包二级 | 323600 | 5122496 | 10155 |
| 丽水市市政工程有限公司 | 杜有忠 | 总承包二级 | 323000 | 2183015 | 4810 |
| 丽水华晟建设有限公司 | 叶　忠 | 总承包二级 | 323800 | 13326110855 | 2110 |

## 浙江省部分金融保险证券单位名录

| 单位名称 | 法人代表 | 电话号码 | 邮政编码 |
|---|---|---|---|
| 浙商银行股份有限公司 | 张达洋 | 0571－87659918 | 310006 |
| 交通银行浙江省分行 | 俞炯玲 | 0571－87216222 | 310006 |
| 兴业银行杭州分行 | 杨华辉 | 0571－87370710 | 310009 |
| 中国保险监督管理委员会宁波监管局 | 江先学 | 0574－87848525 | 315041 |
| 中国大地财产保险股份有限公司宁波分公司 | 吕家麒 | 0574－27860066 | 315040 |

## 2009 年部分高新技术企业基本情况

| 单位名称 | 法人代表 | 电话号码 | 邮政编码 | 主要高新技术产品名称 |
|---|---|---|---|---|
| 浙江天乐集团有限公司 | 葛南尧 | 0575－83365088 | 312400 | TPX 音盆、平面音响、带式高音、发泡纸盒 |
| 达利丝绸(浙江)有限公司 | 林　平 | 0575－86288011 | 312500 | 987 宽幅机洗乔其绉、全真丝自然弹产品、真丝屏蔽抗辐射产品、双面提花绸、丝亚麻针织产品 |
| 巨石集团有限公司 | 张毓强 | 0573－88136265 | 314500 | 无碱玻璃纤维透明板材用无捻粗纱、汽车离合器摩擦片 3#专用纱、变性能无碱玻璃纤维 SMC 用无捻粗纱、环保池窑无碱玻璃纤维纱、无碱玻璃纤维风力叶片增强专用纱、机械手用无碱玻璃纤维直接纱、增强热塑性塑料玻璃纤维短切原丝、无碱玻璃纤维直接无捻粗纱 |
| 浙江康盛股份有限公司 | 陈汉康 | 0571－64836233 | 311700 | 制冷用合金铝管路系统 |
| 浙江九洲药业股份有限公司 | 花轩德 | 0576－88827130 | 318000 | 卡马西平、酮洛芬、格列齐特、柳氮磺吡啶、β－MAA、加巴喷丁、去甲基文拉法辛 |
| 浙江圣达药业有限公司 | 洪　爱 | 0576－83881111 | 317200 | 2% D(＋)生物素、维生素 H |
| 浙江正泰电器股份有限公司 | 南存辉 | 0577－62877777 | 325603 | 变频器、电涌保护器、电子式智能型过载继电器、高分断小型化断路器、节能型交流接触器、软启动器(柜)、小型家用接触器、新型电动机启动器、新型继电器、新型电流动作保护断路器、真空接触器、智能电动机综合保护器、智能型模块式塑料壳断路器、智能型万能式断路器、智能型真空断路器、智能型自动转换开关电器、组合型配电箱 |
| 杭州百富电子技术有限公司 | 蒋洪春 | 0571－86714203 | 310012 | 智能电网电能计量及采集设备 |
| 宁波中策动力机电集团有限公司 | 李华健 | 0574－87522657 | 315032 | G300 系列柴油机、GN320 系列柴油机、DN320 系列柴油机、DN330 系列柴油机 |

## 2009 年部分科研机构基本情况

| 单位名称 | 法人代表 | 电话号码 | 邮政编码 | 重点科研项目 |
|---|---|---|---|---|
| 浙江省能源研究所 | 赵　敏 | 0571－56788305 | 310012 | 新能源、高效节能技术的研究开发和能源经济、能源规划的研究咨询服务、重点开展太阳能光电、光热技术、建筑节能技术及其产品的研究开发、开展可再生能源利用技术、设备研究开发和示范；能源管理干部培训、《能源工程》杂志的编辑出版等 |
| 浙江温州轻工研究院 | 沈一丁 | 0577－88313185 | 325003 | 绿色环保捆扎带及自动捆扎机械、白光 LED 封装产品及照明产品产业化、纳米级阳光离子聚醚/氨基硅整理剂 PEAS 系列、长效皮革防雾抗菌缓释片、有机工业废水及城镇生活污水高效好氧生物处理及回用技术 |
| 丽水市林业科学研究院 | 叶荣华 | 0578－2120237 | 323000 | 省科技厅重大专项《浙西南特色经济树种种植资源收集保存与开发利用研究》、省科技厅科技项目《褐环粘盖牛肝菌人工栽培中试示范》、丽水市科技局科技项目《特色柑橘良种脱毒及繁育技术研究》、《油茶高产新品种和高产栽培技术引进与推广》、《松乳菇人工栽培技术引进与应用示范》、《轻便式山地造林挖穴机研发》、以及《木本药材高效栽培技术及研究》、《肿节风种质资源收集与人工栽培》、《森林蔬菜栽培和利用技术推广》等 |

## 2009 部分高等院校基本情况

| 单位名称 | 法人代表 | 电话号码 | 邮政编码 | 主要专业名称 |
|---|---|---|---|---|
| 浙江医药高等专科学校 | 王自勇 | 0574－88222870 | 315100 | 药物制剂技术、化学制药技术、药品质量检测技术、食品检测及管理、生物制药技术、食品加工技术、中药、中药制药技术、市场开发与营销、医疗器械维护与经营、食品药品监督管理（医药方向）、国际贸易实务（医药方向）、医药营销、经济信息管理（医药方向）、药学（药房方向） |
| 浙江交通职业技术学院 | 王怡民 | 0571－88481798 | 311112 | 道路桥梁工程技术、高等级公路维护与管理、工程监理、市政工程技术、工程造价、铁道工程技术、钢结构建造技术、汽车运用技术、汽车技术服务与营销、汽车电子技术、市场营销、航海技术、轮机工程技术、船舶工程技术、船机制造与维修、机电一体化技术、机电设备维修与管理、楼宇智能化工程技术、数控技术、应用电子技术、计算机网络技术、通信技术、计算机信息管理、商务英语、人力资源管理、国际航运业务管理、集装箱运输管理、物流管理、公路运输与管理（交通旅游）、交通运营管理 |

| 单位名称 | 法人代表 | 电话号码 | 邮政编码 | 主要专业名称 |
|---|---|---|---|---|
| 浙江理工大学科技与艺术学院 | 裘松良 | 0571－85857020 | 311121 | 材料科学与工程、纺织工程、服装设计与工程、艺术设计（染织艺术设计）、艺术设计（人物造型设计）、艺术设计（服装艺术设计）、电子信息工程、电子信息科学与技术、计算机科学与技术、通信工程、自动化、工业工程、电子商务、工商管理、国际经济与贸易、会计学、经济学、人力资源管理、市场营销、信息管理与信息系统、广告学、动画、工业设计（工：产品设计）、工业设计（艺：产品设计）、艺术设计（视觉传达设计）、艺术设计（环境艺术设计）、法学、公共事业管理、传播学、汉语言文学、工程管理、建筑学、土木工程、英语、信息与计算科学 |
| 浙江东方职业技术学院 | 郑念鸿 | 0577－86533909 | 325011 | 物业管理、电气自动化技术、计算机应用技术、计算机信息管理、应用电子技术、包装技术与设计、印刷技术、财务管理、会计、国际经济与贸易、市场开发与营销、电子商务、工商企业管理、物流管理、酒店管理、商务英语、旅游英语、文秘、新闻采编与制作 |
| 浙江金融职业学院 | 周建松 | 0571－86739080 | 310018 | 金融管理与实务专业、投资理财专业、国际金融专业、会计专业、保险事务专业、证券与期货专业、计算机信息管理专业、市场营销专业、电子商务专业、国际贸易实务专业、商务英语专业、文秘专业、财务管理专业、房地产经营与估价专业、信息安全技术专业、工商企业管理专业、社区管理与服务专业、农业经济管理专业、统计实务专业、医疗保险实务专业、农村合作金融专业、信用管理专业、国际商务专业、计算机多媒体技术、酒店管理、表演艺术 |
| 绍兴市中等专业学校 | 娄华水 | 0575－88589102 | 312000 | 化工染整、建筑工程、财会电商、商务外语、机械电子。省级示范专业：化工工艺、电子商务。市级示范专业：外语、机电、财会。中央财政支持的职教实训基地：建工专业。 |
| 温州科技职业学院 | 徐和昆 | 0577－88417721 | 325006 | 设施农业技术、种子生产与经营、绿色食品生产与检验、绿色食品生产与经营、畜牧兽医、园艺技术、商品花卉、园林技术、计算机网络技术、电子信息工程技术、电气自动化技术、电子商务、会计、国际商务、市场营销 |
| 丽水职业技术学院 | 汪建云 | 0578－2277000 | 323000 | 园艺技术、绿色食品生产与检验、林业技术、园林技术、商品花卉、生物技术及应用、工程测量与监理、建筑装饰工程技术、室内设计技术、园林工程技术、建筑工程技术、工程监理、数控技术、模具设计与制造、计算机辅助设计与制造、机电一体化技术、投资与理财、会计、国际经济与贸易、市场营销、物流管理、旅游管理、旅行社经营管理、商务英语、文秘、社会体育、装潢艺术设计、音乐表演。 |

| 单位名称 | 法人代表 | 电话号码 | 邮政编码 | 主要专业名称 |
|---|---|---|---|---|
| 浙江省金华商业学校 | 黄　俊 | 0579－83217001 | 321000 | 浙江省金华商业学校创办于1978年,隶属浙江省商业厅。2002年学校划归金华市政府管理,直属金华市教育局,与金华商业技工学校为两块牌子,一套班子。为省一级重点职校。学校形成了特色鲜明的以省示范专业—食品工艺与检验专业为龙头的食品烹饪类专业群;以市重点骨干专业—商务外语专业为核心的商务贸易类专业群;以财会专业为基础的财务金融类专业群;以空乘、海乘专业为核心的外事旅游类专业群。食品加工技术被浙江省教育厅批准为首批"浙江省先进制造业实训基地"。开设的专业有食品生物工艺、食品药品监督与检验、食品工艺与检验、西式面点、烹饪、电子商务、市场营销、商贸外语(英语、韩语、国际贸易)、旅游服务与管理、航空服务、国际海乘、会计(电算化)、计算机网络技术、电子电工等10余个专业。 |
| 浙江理工大学 | 裘松良 | 0571－86843013 | 310018 | 会计学、市场营销、工业设计、纺织工程、轻化工程、材料科学与工程、机械设计制造及其自动化、服装设计与工程、计算机科学与技术、艺术设计、国际经济与贸易、电子信息工程、应用化学、英语、信息与计算科学、建筑环境与设备工程、信息管理与信息系统、包装工程、自动化、电子信息科学与技术、动画、法学、人力资源管理、测控技术与仪器、建筑学、广告学、社会工作、工业工程、土木工程、工商管理、电子商务、公共事业管理、汉语言文学、应用物理学、生物技术、通信工程、工程管理、经济学、数学与应用数学、应用心理学、过程装备与控制工程、日语、传播学、美术学、行政管理、机械电子工程、数字媒体技术、金融学、风景园林、电气工程及其自动化、非织造材料与工程 |
| 宁波天一职业技术学院 | 陈健尔 | 0574－88126008 | 315100 | 护理专业、助产专业、康复治疗技术专业、医学检验技术专业、口腔医学技术专业、医学营养专业、医疗美容技术专业、公共卫生管理专业、卫生信息管理专业、卫生检验与检疫技术专业 |

## 2009 年部分医疗机构基本情况

| 单位名称 | 法人代表 | 电话号码 | 邮政编码 | 重点学科名称 |
|---|---|---|---|---|
| 杭州玛莉亚妇女医院有限公司 | 林宗发 | 0571－86521200 | 310016 | 妇科专业、产科专业、计划生育专业、生殖健康与不孕症专业 |
| 东阳市横店医院 | 姚郁林 | 0579－86551125 | 322118 | 骨伤科 |
| 浙江省立同德医院 | 吴章穆 | 0571－89972000 | 310012 | 中医肿瘤学、中医文献学、中西医结合急救医学、精神卫生学、中西医结合精神病学、中药资源学 |
| 浙江省人民医院 | 叶再元 | 0571－85893013 | 310014 | 心胸外科、普外科、微创外科、危重病医学(ICU)、放射科、胃肠外科、临床检验学、临床病理学 |
| 景宁畲族自治县人民医院 | 尚建基 | 0578－5082955 | 323500 | 消化内科、妇科、骨科、心血管内科、脑外科、肾内科、泌尿外科 |
| 浙江省衢州市人民医院(衢州中心医院) | 徐周佳 | 0570－3023071 | 324000 | 省医学扶植重点学科:血管外科。市重点学科:骨科、普外科、神经外科、心内科、泌尿外科、麻醉科、放射科、肿瘤外科、妇科、肝胆外科。院重点学科:神经内科、内分泌科、危重病医学科 |
| 苍南县人民医院 | 郭廷建 | 0577－64767110 | 325800 | 泌尿外科、脑外科、肾内科 |
| 杭州华山医疗美容医院 | 陈珍荣 | 0571－86814913 | 310016 | 医学美容、皮肤美容、口腔(牙齿)美容 |

## 2009 年部分贸易、物流企业基本情况

| 单位名称 | 法人代表 | 地　址 | 电话号码 | 邮政编码 | 主要经营范围 |
|---|---|---|---|---|---|
| 浙江苏宁电器有限公司 | 卞　农 | 浙江省杭州市庆春路 122 号嘉德广场苏宁电器 | 0571－87233888 | 310009 | 家用电器、百货、仪器仪表、电子计算机及配件、普通机械、电子产品、空调配件、陶瓷制品、厨房用具、通讯设备及配件、电动自行车的批发零售;以及为浙江移动通信有限责任公司杭州分公司代办数字移动网络用户入网业务。其他无需报经审批的一切合法项目。 |
| 浙江鸿汇医药物流有限公司 | 王培衡 | 浙江省丽水市水阁经济开发区垟店路 5 号 | 0578－2955206 | 323000 | 中成药、中药材、中药饮品、化学原料药及其制剂、抗生素原料药及其制剂、生化药品、生物制品等批发;卫生用品、玻璃制品、Ⅱ类、Ⅲ类医药器械、化学制剂、消杀剂等批发;道路运输服务(货运代办、货物配载)等 |
| 舟山港海通中转储运有限责任公司 | 孙大庆 | 浙江省舟山市定海区岑港镇老塘山港区 | 0580－8010542 | 316043 | 港口货物装卸、搬运、中转水运,提供港口水电 |

## 浙江省部分开发区(园区)名录

| 单位名称 | 法人代表 | 电话号码 | 邮政编码 |
|---|---|---|---|
| 浙江省宁波松兰山旅游度假区 | 张启宏 | 0574－65700797 | 315709 |
| 浙江温州鹿城轻工产业园区 | 瞿自杰 | 0577－86410006 | 325019 |
| 浙江省绍兴柯桥经济开发区 | 丁生产 | 0575－85642815 | 312081 |
| 浙江省会稽山旅游度假区 | 宣传中 | 0575－88625900 | 312000 |
| 浙江省衢州经济开发区 | 吴宝骏 | 0570－3855724 | 324002 |
| 浙江省江山经济开发区 | 陈水平 | 0570－4222171 | 324100 |

# 银泰百货(集团)有限公司

地　　址:浙江省杭州市延安路530号

法人代表:沈国军

联系电话:0571-85069888

网　　址:www.intime.com.cn

邮政编码:310006

银泰百货(集团)有限公司是一家以百货零售业为主营业务的全国性大型百货连锁集团公司。公司以年轻人和新型家庭为主要客群,同时兼顾其他客群的新潮时尚消费,致力于与供应商共同进步,全面共赢;致力于中国城市时尚文化建设,树立年轻活力、时尚品味的百货形象,引领流行趋势,为顾客创造高附加值。

银泰百货自1998年开业以来,经过十年的快速发展,取得了骄人的业绩:银泰百货集团于2007年3月20日成功在全球发行、香港联交所挂牌上市(HK.1833)。目前集团正在运营及筹建中的大型百货商场和购物中心近三十家,门店遍布北京、武汉、西安、杭州、宁波、温州、金华、义乌等城市的商业中心,已初步形成了全国性的百货连锁集团公司的架构。

银泰百货集团通过统一的商品资源管理、供应商资源管理、顾客资源管理、营销资源管理等专业化管理,实现百货连锁的规模优势。集团还拥有自主开发的先进信息化技术,实现全国门店统一管理的数据中心,及时为管理层提供市场反应、厂商信息、客户互动、财务信息及人力资源等资讯,有力协助连锁经营成熟模式的研发与全面输出。

2008年银泰百货集团总销售额超过70亿元,资产规模逾60亿元,员工总数近4000人,经营业绩已进入全国百货连锁企业前列。在取得良好经济效益的同时,公司通过积极开展双文明建设,树立了良好的企业形象,取得了较好的社会效益。近年来获得“中国服务业500强”、“浙江省百强企业”、“浙江省知名商号”、“工商企业信用评价AAA级企业”、“企业银行资信AAA级”等多项荣誉称号。2008年集团旗下杭州武林店、杭州百货大楼、宁波东门店、宁波天一店四家百货店被国家商务部评为金鼎百货店。

在企业发展的同时,银泰百货集团始终不忘企业的社会责任,积极参与公益慈善活动。包括,2008年集团向汶川地震灾区积极捐款;参加扶贫工程,连续7年捐助淳安县浪川乡;资助社区困难学生完成学业;每年参加“春风行动”,号召全体员工慈善捐助等等,来回馈社会各界对银泰的关心与帮助。

浙江省作为集团的重点发展区域,经过近几年的发展,银泰百货集团已经成为浙江省最大的百货连锁企业,目前在浙江省内已营业和管理的百货店和购物中心达13家,包括杭州武林店、杭州百大店、杭州西湖店、杭州庆春店、杭州临平店、宁波天一店、宁波东门店、宁波万达店、温州世贸店、金华福华店、金华福泰隆店、义乌伊美店、舟山店等。另还有多个项目正在筹建中。包括,金华银泰天地、杭州银泰购物中心等。

今后3-5年,是银泰商业发展的重要时期,为应对国内零售业的激烈竞争,以及国外零售业大举进入中国市场的新形势,进一步确立银泰百货的行内领先地位,银泰百货集团将按照“巩固浙江领导地位、复制区域领先优势、面向全国连锁扩张”的发展策略,通过自营式发展和投资式发展,打造商业旗舰,发挥规模经济,加强与供应商的战略合作,使银泰百货集团成为中国一流时尚连锁百货集团。

# 台州国贸大饭店

地　　址:浙江省临海市巾山中路 101 号
法人代表:蒋达巩
联系电话:0576－85318888
传真号码:0576－85311199
网　　址:http://www.tzgmhotel.com
邮政编码:317000

台州国贸大饭店位于国家级历史文化名城临海市中心,风光旖旎,名胜古迹荟萃,雄伟的江南长城以及秀丽的东湖近在咫尺,地理生态位置得天独厚,闹中取静,城市商务和景区旅游度假在这里得到了完美地融合。

饭店集浓厚的历史文化及科学文明于一体,使得饭店环境充满着浓郁的地域文化氛围,古典与时尚,庄重与现代相得益彰,交辉相映。饭店拥有 200 间(套)各种类型的豪华舒适客房,风格迥异、大小不同的餐饮以及独具特色的高档娱乐设施,所属配套服务功能先进完善。

饭店拥有专业务实的管理团队及高素质的服务人员,"让您回家的感觉真好"是我们永远和不懈的追求,在国贸你能真正感受到"满意＋惊喜＋感动"的服务。

台州国贸大饭店是您商务,旅游度假的最佳选择。

# 华东汽配水暖城

地　　址:浙江省诸暨市店口镇政府对面售楼处内
法人代表:冯伟峰
联系电话:0575－87068888
邮政编码:311814

华东汽配水暖城位于中国经济最发达的长江三角区——诸暨店口。项目总投资 9.3 亿元,占地 392 亩,建筑面积 43 万平方米,2007 年被评为浙江省重点建设项目。是一个集商贸、物流、电子商务、博览展会、办公住宅于一体的综合性的多功能现代化大型商贸市场,已被列为市级商贸服务业重点企业,浙江省重点商贸市场及全国五星级市场正在审批当中。

市场共有商铺 1553 间,住宅 1008 套,车库 1061 多个。市场分三大区域,重点是五金汽配和水暖管材两大块,商贸区域包括二十一层的四星级商务酒店——海亮大厦,以及南北 480M 长的滨水商业步行街,紧临会展中心和文化广场,雄居店口的核心地段,环拥周边千家店铺,扼守商门金脉,尽享财富之荫。

市场 2007 年底全面竣工,四星级商务酒店及 12000 平方米的"雄城.海亮购物广场"已开始营业。整个市场在 2008 年 2 月 18 日盛大开业。2008 年市场交易额达 57 亿元。

汽配五金区汇集国内汽配行业所有品牌的贸易商,包括:万向、二汽最大的配套公司湖北振亚科贸发展有限公司、二汽配货中心、中国重汽店口分公司、中国农机品牌总代理、温州电器总汇、汽车灯具总经销展厅、河北汽配大全以及柳工、宜工、重工、上工等工程机械几千个品种。

水暖区汇集知名品牌 67 个,有:浙江皇冠、浙江永德信、上海日高科技、杭州宏升塑胶、枫叶、铭仕展厅、芜湖天宏塑胶、海亮铜管道展示中心、上海丰滨、诸暨汇佳以及义乌国际大厦的经营大户[17 个卫浴品牌]、诸儿新世纪装饰城等。

滨水商业步行街位于市场东侧,紧临会展中心和文化广场。步行街南北全长 480 米,总建筑面积 5.5 万平方米,共有商铺 202 间。整个步行街的建筑风格时尚简约、布局合理,是一条集购物、餐饮、美食、娱乐为一体的现代化商业步行街。既为市场提供高规格的服务配套,也将成为店口镇的商业中心。

开业前后我们在浙江卫视黄金时段大力宣传,创造了全新的电子商务平台——华东汽配水暖网电子商务平台(www.Auto－ISH.com),并在阿里巴巴、慧聪网、中华汽配网等大型行业网站设立市场专栏商铺,在百度、谷歌等顶级搜索网站进行网络宣传推广,利用网络提升市场品牌和影响力,扩大商铺产品的宣传面、拓展业务渠道,帮助市场经营户通过网络做成生意、增加业务收入。

作为店口土地上一步步成长壮大的企业,海亮集团对店口有着深厚的感情。繁荣市场、回报社会、推动地方经济的发展是海亮集团开发华东汽配水暖城的宗旨。公司将以雄厚的实力、一流的信誉、在诸暨店口二级政府的正确领导下,大手笔打造华东汽配水暖城奠定汽配、水暖行业新的里程碑。

# 浙江省八达物流有限公司

地　　址:浙江省杭州市建国中路27号6楼
法人代表:于珏霖
联系电话:0571－87706679
邮政编码:310009

浙江省八达物流有限公司创建于1984年,注册资本6000万元。下设控股公司浙江兴达石化运输有限公司、浙江八达仓前物流有限公司,分公司浙江省八达物流有限公司储运分公司。拥有集到发、仓储、配送于一体的物流基地和辐射全国的物流网络;拥有各种铁路自备车近四百辆以及大型铁路交通运输电子商务网站。凭借雄厚的实力、先进的经营理念、完善的配套设施以及优质的服务,公司已跻身国内领先的第三方物流企业行列,并开始涉足国际物流领域,能为广大客户提供全方位的物流服务。

公司与上海宝钢集团、杭钢集团等十余家国内大型钢铁集团,以及镇海炼化、中石化浙江石油分公司、巨化集团、海螺集团等知名企业建立了战略合作伙伴关系,年物流量超过1500万吨。公司已通过ISO9001:2000认证,是浙江省首批现代物流发展重点联系企业和浙江省重点流通企业,是浙江省第一家国家AAAA级综合型物流企业和全国首批物流企业信用评价AAA级信用企业,自2005年起连续四年入选"中国50强物流企业",2006、2008年位居"中国物流百强企业",并被评为"中国物流最具影响力品牌"、"浙江省著名商标"、"浙江省知名商号"和"浙江省名牌产品"。

八达物流秉承"培养和依靠一支训练有素、富有使命感、注重团队精神和创新精神的员工队伍,贯彻精益管理原则,诚信正直,使之成为面向未来的学习型的有竞争力的一流的物流公司"的公司宗旨,以战略创新为基础、以理念创新为先导、以组织创新为保障、以服务创新为手段、以市场创新为目标,团结进取,开拓创新,搏击市场经济大浪潮。

# 浙江中邦实业发展有限公司

地　　址:浙江省杭州市潮王路238号银地大厦4层西
法人代表:劳洪波
联系电话:0571－88383052
传真号码:0571－88395267
邮政编码:310005

浙江中邦实业发展有限公司成立于2003年,位于杭州市潮王路238号银地大厦4层,现注册资本8000万,由浙江省永安期货经纪有限公司、浙江经协实业发展有限公司和浙江瑞和国贸发展有限公司共同出资组建,主要从事期货上市品种在期货与现货两个市场之间的套利业务和现货贸易业务。

秉承诚信稳健经营的原则,成立5年来,公司保持了良好的发展态势,经营规模、资产质量、经济效益同步协调增长,净资产规模从起步的2000万元增长到目前的14336万元。2008年,在复杂多变的国际国内形势下,公司仍取得了较好的经济效益,全年实现销售收入16亿元,税后利润5500余万元,上缴国家税收约2433万元。

公司经营范围主要涉及化工、农产品、金属、油脂四个大类,当前又以棉花、橡胶、小麦、燃料油、棕榈油等商品为经营重心。经过多年的实践探索,公司形成了期现跨市场结合、及精细化套利的专业优势,培养了一支技能优秀、实战经验丰富的专业团队,创造了独特的盈利模式,在国内期货界及这些品种的现货领域已有一定的知名度,树立了诚信优质的信誉品牌。

公司以"专业、专注、谨慎、团队和合作"为工作宗旨,合作共赢是公司永恒的战略追求之一。公司愿以多年积累的期现专业优势及丰富的实战操作经验,和优秀的现货企业合作,和利益互补、资源互补的强者合作,突破传统的现货买卖单一模式,以新型的期现结合套利交易模式为基础,互补互惠,寻求共赢。公司珍惜与每一位合作伙伴携手并进的机会!

# 浙江川山甲物流有限公司

地　　址:浙江省杭州市滨江区江南大道288号康恩贝大厦B座7-8楼
法人代表:许建华
联系电话:0571-86791167
邮政编码:310052

浙江川山甲物流有限公司成立于2004年10月,公司总部位于杭州滨江高新技术开发区,注册资金5000万元。浙江川山甲物流有限公司是一家年轻而有活力、具有高成长和巨大发展潜力的现代物流企业,公司以金融资本为手段、产业集群为依托,承接大量供应链项目,迅速成为高成长性和巨大发展潜力的现代物流公司,为杭州市服务业先进企业、中国物流与采购联合会AAA级物流企业、浙江省重点联系企业,连续多年荣获工会工作先进集体,通过ISO9001-2008质量管理体系认证。

公司的定位是:物流金融与现代物流结合,做好供应链管理。公司通过资金流、商流、物流、信息流为一体的综合运作,结合供应链管理技术的运用,实现提高客户的效益或降低客户的物流成本,公司收取相应的服务费用,达到与客户和谐共赢。

公司的服务模式为:

1. 一站式供应链服务。

公司承接企业非核心业务的外包,包括物流金融、物流外包、商务外包、结算外包、信息系统及数据外包,把企业若干供应链管理服务环节(原由多个外包公司完成),转为由公司统一承接完成。通过内部、外部联合整合,实现资源共享,提高企业供应链管理效率。

2. 供应链单一或组合环节的服务

(1)采购执行。根据企业的采购订单需求,帮助企业向上游供应商进行所有采购执行的活动,包括商务执行、物流执行、资金结算执行和信息处理执行等活动。

(2)分销执行。根据企业的销售订单需求,帮助企业向下游用户进行所有销售执行的活动。包括商务执行、物流执行、资金结算执行和信息处理执行等活动。

(3)进出口通关服务。以多年通关物流运作经验为依托,专业的服务团队,在全国各口岸为进出口客户提供全面的通关服务,包含订单处理、到门(港)提货、各海关(机场口岸)进出口报关及通关监管运输等。

(4)国内物流服务。依托全国高效的物流网络,为客户提供全方位的仓储、运输、配送服务等。

(5)国际物流服务。为世界跨国公司和大型企业提供专业的、全方位的、优质的国际物流服务,为各国之间的贸易和跨国经营方面发挥着积极的作用。

(6)保税物流服务。凭借良好的政府关系和在国际贸易、进出口、保税服务等各方面多年的经验,公司建立起遍布珠三角、长三角的全方位的保税物流平台,为我们的客户提供多项的地域选择及各区域联动的整合型服务。

(7)物流金融。通过仓单质押、买方信贷、卖方信贷、现货质押、动态质押,联合金融机构,迅速将企业物流运作过程中客户的存量资产变为流动资金,实现了质押物的监管和客户资金的快速回笼。

3. 供应链解决方案咨询服务。包括企业供应链管理战略规划咨询、采购供应链管理咨询、销售供应链管理咨询、企业物流网络规划咨询、企业供应链管理信息系统设计、物流成本分析及优化、企业物流服务商管理、配送中心作业流程设计。

4. 物流产业链服务。

针对目前我国大部份物流企业业务只涉及物流某一环节(如运输公司),不具备独立运营大型物流项目的能力,公司利用自身强势的资金流、商贸流、物流、信息流,与其它物流公司建立物流联盟、搭建共享平台、整合各方的核心能力、扬长避短、优势互补,发挥集约化经营优势,获取规模效益。

三、公司的文化

1. 企业团队:高素质、高水准、知识型、创新型的团队。
2. 企业管理:引进国际先进管理理念,结合本企业的实践,实行现代化物流企业管理模式。
3. 战略目标:做全球优秀的物流服务商
4. 企业使命:提高企业物流效益、推动全国产业链发展
6. 核心理念:追求卓越、共享和谐。
7. 服务理念:集天下优质资源,围绕一个太阳,共同打出一个天下。
8. 愿景:与员工共享成果、与客户共创辉煌、与世界共同进步。

# 浙江省公安厅交通管理局

地　　址:杭州市大学路91－1
电　　话:0571－87286376
邮　　编:310009

2008年,全省交通安全工作在各级党委、政府的高度重视和相关职能部门的密切配合下,紧紧围绕交通事故三项指数"零增长"和"控大"目标,以奥运安全保卫工作为主线,以创建"平安畅通县(市、区)"为载体,扎实推进"五整顿"、"三加强"各项措施的落实,全力预防和减少道路交通事故,全省道路交通管理工作取得了明显成效。在经济快速增长以及驾驶人、机动车保有量、公路里程、交通流等交通元素持续增加的情况下,全省交通事故四项指数在前几年连续下降的基础上又实现了持续下降,其中死亡人数在连续4年下降的基础上又减少362人,实现了省政府提出的道路交通事故"零增长"的目标。

一、加大对危害交通安全的违法行为的查处力度。针对重点交通违法行为仍是发生交通事故的主要诱因的状况,有重点、有计划地开展了一系列道路秩序整治活动,始终保持路面行车秩序的严管高压态势。在年初抗冰雪天气期间,坚持道路不随意封道,护送了客运车辆480余批次2.3万余辆,安全护送返乡旅客68万人。从4月至10月,先后组织开展了全省高速公路和国省道交通秩序集中整治、危险化学品运输交通安全集中整治、农村道路交通安全集中整治、客运车辆和校车违法行为集中整治、机动车涉牌涉证交通违法行为专项整治、公路客运交通安全集中整治等6个系列专项整治为主要内容的奥运道路交通安全攻坚战。特别是省安监局、公安厅、交通厅、农业厅等四个部门于6月15日至9月30日开展的农村道路交通安全专项整治,为期三个月的集中整治,使农村交通安全状况有了较大的改观。从9月21日至12月31日,在全省范围开展"坚决遏制重特大道路交通事故百日安全竞赛活动",严厉查处超速行驶、酒后驾车、客运车辆和校车超员以及拖拉机、低速载货汽车违法载人等严重交通违法行为。继续实施对营运客车、校车、危险化学品运输车辆、外省籍机动车及其驾驶人实现户籍化管理,确保重点车辆信息互联互通的共享目标,提高了交通事故预防能力。先后开展了8次"蓝盾"集中统一行动,重点查处突出违法行为,不断掀起整治声势。通过一系列大力度、高强度、有针对性的专项行动,有效净化交通安全环境,对预防和减少交通事故发挥了积极的作用。

二、继续推进社会综合治理。各地、各相关部门始终把交通安全作为第一要务,继续推动道路交通安全社会化管理机制的深入开展,不断推进道路交通安全工作综合治理工作。充分运用"平安畅通县(市、区)"创建活动这个载体,建立和完善"政府领导、部门协作、社会联动、齐抓共管、综合治理"的预防道路交通事故机制,并把突破口放在建立健全政府主导、部门主管、企业主责的"三大责任体系"上。调整充实道路交通安全工作领导小组成员,由原来16个单位增加到19个部门。继续推动各地因地制宜建立乡镇交通安全工作站,延伸交通管理末端,聘用交通安全协管员,在村居和企业建立交通安全宣传信息员队伍,壮大农村交通管理力量。公安交警和农业(农机)部门还建立了"公安驻农机联络警务室",整合农村道路交通管理资源。大力推行义乌市轻微交通事故当事人自行协商处理制度,对减少因交通事故引起的交通堵塞、保障道路畅通、保护了广大交通参与者的合法权益。一些地方因地制宜设立道路交通事故救助基金,在及时抢救伤员、拯救生命、救助弱者、化解矛盾、稳定社会等方面发挥了积极作用。

三、进一步完善道路交通安全设施。全省以"安全生产百日督查行动"为契机,在切实加强对交通安全形势分析研判的基础上,继续推动道路交通安全隐患整治工作。各地投入治理经费4.3亿元,开展临水临崖高落差危险路段和事故多发点段的整治。其中,省公安厅、省交通厅、省安监局对公布的100个省级道路交通事故多发点(段)和100处临水临崖高落差路段进行重点治理、重点落实,整治率达100%。省级100处事故多发点段整治和省级100处临水临崖高落差路段交通事故死亡人数同比减少239人,下降61.23%。省公安厅、建设厅继续开展城市实施"畅通工程"的创建工作,科学规范城市交通,推动路网结构完善,努力提高城市道路利用率和通行能力。湖州继杭州、宁波之后,成为又一个一等管理水平城市。

四、广泛开展交通安全宣传教育。以深化"五进"工作和交通安全宣传教育工程为主线,广泛开展交通安全宣传教育。据统计,全省先后开展各类宣传活动7000多次,设置宣传站点1.3万余处,摆放宣传展板1.5万余块,张贴宣传画63万余张,播放专题片5.6万余场次,受教育人数达3965万余人次。

# 路桥区新桥镇

地　　址:台州市路桥区新桥镇人民路6号
法人代表:吴卫民
电　　话:0576－82660018
邮　　编:318055

路桥区新桥镇位于台州东南部,行政区域面积13.8平方公里,下辖17个行政村,2个居委会,总人口2.7万人。新桥镇历史悠久,人文底蕴丰厚,早在宋代已是商贾云集之地,至今仍保留着省文保单位江南清民居五凤楼——爱吾庐。交通便捷,地理位置优越,西距104国道复线1公里,北距路桥机场2公里,两条县级公路穿镇而过。近年来,新桥围绕"经济繁荣、发展和谐、社会文明、镇村一体、环境优美"的总体目标,坚持科学发展,全面建设惠及全镇人民的小康社会。历年来,先后获得"省先锋工程五好乡镇党委"、省文明单位、省绿色小城镇、省教育强镇、省体育强镇、省卫生城镇、省科普示范镇、省"东海文化明珠"乡镇、省生态镇、省财务规范化乡镇等多项荣誉称号。

经济发展保持平稳健康。2008年,实现财政总收入18420万元,同比增长22.3%,其中地方财政收入6150万元,同比增长24.6%。工业经济发展态势良好。模塑、印刷、洁具、筛网、农机、汽车等六大主导产业发展迅猛,各项重点项目推进步伐较快,模塑产业集聚区效益凸现,路桥工业区新桥区块初步成型,新增规模企业11家,达75家,实现工业总产值74.6亿元,同比分别增长10%。第一、三产业保持稳步增长。

镇村建设统筹一体推进。加快完善基础设施建设,完成一系列民生工程,公共设施服务功能进一步发挥,镇村内涵明显提升。深入开展"洁净家园"专项行动,全面加强农村环境卫生长效管理;进一步巩固市级生态镇成果,全面规范废旧塑料加工经营,群众居住环境明显改善。

社会事业全面协调发展。全面落实科教兴镇战略,推进学前、义务、高中教育协调、均衡发展。积极培育区域和谐文化,充分发挥村(企)文化俱乐部和"百姓戏台"作用,群众文化生活丰富多彩。扎实推进卫生事业,农村公共卫生服务的规范化建设管理不断加强,新型农村合作医疗参保率达到98%。努力夯实计生工作基础,完善计生管理和服务,低生育水平继续保持稳定。

平安新桥建设扎实推进。防控体系建设、流动人口管理、群众信访调解、安全生产监管、农村消费安全、道路交通安全等一系列工作全面落实,养老、医疗、工伤、失业保险率大幅增加,最低生活保障、社会救济、自然灾害救助等保障体系不断健全,"托安养"等残疾人共享小康工程全面实施,人民群众安居乐业。

# 浙江美浓丝网印刷有限公司

地　　址:杭州市西湖区三墩镇西园三路6号
法人代表:虞樟良
电　　话:0571－88308031
邮　　编:310030

浙江美浓丝网印刷有限公司是一家中港合资的现代化包装企业,公司创建于1993年,专业从事烟标等各类包装产品的设计、印刷、制作和服务工作。经过十多年的创业和发展,公司凭借"一流的创意、一流的技术、一流的服务",逐步发展成为国内印刷行业颇具影响力,尤其是烟标印刷界最具规模企业。

公司现有胶印设备海德堡六色、五色、三菱五色、四色胶印机十台套,赛鲁迪九色卷凹机和单凹机、双凹机共五台套,全自动丝印机十台套,是国内最大的丝印生产线,博斯特全自动烫金、模切机十六台套,年生产能力120万大箱(烟标),企业综合竞争实力在全国同行中名列前茅。

公司主营业务是烟标印刷,凭借"新、奇、特"的产品定位,一流的设计策划,先进的工艺和过硬的产品质量,赢得了巨大的市场空间,先后成功开发"红塔山"、"云烟"、"红梅"、"庐山"、"骄子"、"利群"、"五一"、"红金龙"、"七匹狼"等著名品牌。多年来,公司与国内大型烟草集团如云南红塔集团、红云集团,各大省市烟草工业公司如江西、四川、浙江、山东、福建、湖北、江苏、河南、湖南等建立了长期的合作关系,并在全国烟标印刷界树立了美浓良好的品牌声誉和企业形象。

为进一步拓展市场和深化产业链延伸,公司先后独资或控股成立了美浓投资、亚欣纸业、美浓涂料、美浓标牌、美浓进出口、新华彩印等分支机构,逐步发展成为集各种印刷、设计策划、纸张加工、油墨生产、标牌制作、进出口业务于一体的综合性企业集团。公司产品除主业的烟标印刷外,还有各类印刷油墨、涂料、镭射定位转移纸、镭射定位复合纸、模内注塑标牌、水晶滴塑标牌及全息镭射定位膜等等,产品遍布国内各大市场;而书刊杂志、样本画册、纸盒包装等产品,在立足国内市场的同时,进一步拓展国外业务,产品远销亚洲、欧洲、美洲等国际市场。

公司产品多次荣获中国包装印刷产品质量评比金奖,还被浙江省科学技术协会等权威机构推荐为"浙江省优秀科技产品"。"全息镭射定位防伪技术及防伪烟包"2006年通过浙江省高新技术产品鉴定,公司被浙江省科技厅认定为"浙江省高新技术企业",被浙江省经贸委和浙江省环保局确定为"浙江省绿色企业"。2008年公司销售收入超7亿元,利税总额超1亿元。

（京）新登字 041 号



**图书在版编目（CIP）数据**

浙江统计年鉴.2009/浙江省统计局，国家统计局浙江调查总队 编.
—北京：中国统计出版社，2009.8
ISBN 978-7-5037-5663-4

Ⅰ.浙…
Ⅱ.①浙…②国…
Ⅲ.统计资料 — 浙江省 — 2009 — 年鉴
Ⅳ. C832.55-54

中国版本图书馆 CIP 数据核字（2009）第 049446 号

**浙江统计年鉴 —— 2009**

作　　者 / 浙江省统计局　国家统计局浙江调查总队
责任编辑 / 郑淼淼
执行编辑 / 胡　东　范菁雁
E — mail / yearbook@ stats. gov. cn
责任校对 / 胡　东
封面设计 / 王美福
出版发行 / 中国统计出版社
通讯地址 / 北京市西城区三里河月坛南街 57 号　中国统计出版社
邮　　编 / 100826
电　　话 /（010）63376907
印　　刷 / 杭州长命印刷有限公司
经　　销 / 新华书店
开　　本 / 890 × 1240 毫米　1/16
字　　数 / 147 万
印　　张 / 43.625
印　　数 / 1 — 5000 册
版　　别 / 2009 年 8 月第 1 版
版　　次 / 2009 年 8 月第 1 次印刷
书　　号 / ISBN 978-7-5037-5663-4/C・2190
定　　价 / 380.00 元

# 中国统计出版社最新资料书简目

（仅供参考，以最后出书为准）

## 统计资料

| | | |
|---|---|---|
| 中国统计年鉴－2009 | 中国统计摘要－2009 | 国际统计年鉴－2009 |
| 2009 中国发展报告 | 中国第三产业统计年鉴－2009 | 中国区域经济统计年鉴－2009 |
| 长江和珠江三角洲及港澳特别行政区统计年鉴－2009 | 中国社会统计年鉴－2009 | 中国城市统计年鉴－2008 |
| 中国劳动统计年鉴－2009 | 中国人口和就业统计年鉴－2009 | 中国工业经济统计年鉴－2009 |
| 中国建筑业统计年鉴－2009 | 中国房地产统计年鉴－2009 | 中国能源统计年鉴－2009 |
| 中国商品交易市场统计年鉴－2009 | 中国贸易外经统计年鉴－2009 | 中国基本单位统计年鉴－2009 |
| 中国民政统计年鉴－2009 | 中国农村统计年鉴－2009 | 中国农产品价格调查年鉴－2009 |
| 中国建制镇统计资料－2009 | 中国教育经费统计年鉴－2008 | 中国农村贫困监测报告－2009 |
| 中国高技术产业统计年鉴－2009 | 中国科学技术协会统计年鉴－2009 | 工业企业科技活动资料－2009 |
| 全国农产品成本收益资料汇编－2009 | 中国棉花年鉴－2007/2008 | 中国城市（镇）生活与价格年鉴－2009 |
| 中国县（市）社会经济调查年鉴－2009 | 中国农村住户调查年鉴－2009（中、英文） | 中国农村全面建设小康监测报告－2009 |
| 中国国内生产总值核算历史资料（1952－2004） | 中国季度国内生产总值核算历史资料（1992－2005） | 中国零售和餐饮业连锁企业统计年鉴－2009 |
| 大中型批发零售和住宿餐饮企业统计年鉴－2009 | 2005 年中国 1% 人口抽样调查系列资料 | 第二次全国残疾人抽样调查资料系列 |

**2009 年省级综合统计年鉴系列**

| | | |
|---|---|---|
| 北京 天津 河北 山西 内蒙古 | 辽宁 吉林 黑龙江 上海 江苏 | 浙江 安徽 福建 江西 山东 |
| 河南 湖北 湖南 广东 广西 | 海南 重庆 四川 贵州 云南 | 西藏 陕西 甘肃 青海 宁夏 |
| 新疆 新疆生产建设兵团 | | |

**2009 年市（县）级综合统计年鉴系列**

| | | |
|---|---|---|
| 石家庄 唐山 邯郸 太原 大同 | 长治 阳泉 晋城 朔州 晋中 | 运城 忻州 临汾 呼和浩特 |
| 包头 沈阳 大连 长春 吉林市 | 四平 延吉 哈尔滨 齐齐哈尔 | 黑龙江垦区 上海浦东新区 |
| 苏州 无锡 常州 徐州 南通 | 盐城 镇江 江阴 丹阳 杭州 | 宁波 绍兴 台州 舟山 温州 |
| 金华 嘉兴 衢州 安庆 福州 | 福州经济技术开发区 | 厦门经济特区 南昌 上饶 |
| 济南 青岛 潍坊 东营 郑州 | 洛阳 三门峡 南阳 武汉 宜昌 | 十堰 荆州 黄冈 长沙 广州 |
| 东莞 惠州 深圳 桂林 南宁 | 柳州 来宾 河池 海口 成都 | 贵阳 昆明 西安 庆阳 银川 |
| 乌鲁木齐 吐鲁番 | | |

## “十一五”规划教材

| | | |
|---|---|---|
| 非参数统计　医学统计学 | 概率论与数理统计　统计学 | 现代金融投资统计分析 |
| 多元统计分析　经济计量学教程 | 应用时间序列分析 | 统计指数理论及应用 |
| 统计数据处理概论 | 质量管理统计方法　社会统计学 | 多元统计分析实验 |
| 企业经营管理统计 | 市场调查与预测 | 统计学原理（非统计专业使用） |
| 统计学：从数据到结论 | 国民经济核算教程（国民经济统计学） | 概率论与数理统计（经济、管理类专业使用） |

## 重点图书

新中国六十年　　挑大学选专业 2010—高考志愿填报指南　　挑大学选专业 2010—考研择校指南

欲购以上图书请与中国统计出版社发行部联系

电话：（010）63376907，63376908　　同椢行书店电话：68783171，68783172

通讯地址：北京市西城区三里河月坛南街 57 号　　邮政编码：100826

# 浙江廣廈建設職業技術學院

教育部部长周济视察学院

浙江广厦建设职业技术学院是经浙江省人民政府批准、教育部备案，由广厦控股公司投资近五亿元创办的全日制高职学院。学院占地1000亩，建筑面积32万平方米，藏书达85万册，电子书25万册，教学科研仪器设备资产5000多万元；下设5个二级学院，开设27个专业；在校生12690余名，教职员工800余人；拥有一流的教学、实验实训、运动和生活设施。学院投资方中国广厦控股公司以建筑和房地产为主导产业，是浙江省人民政府重点培育的26家大型企业之一，全国民营企业排名第五，浙江省民营企业排名第一。

学院认真贯彻《高等教育法》、《民办教育促进法》等国家政策法规，规范办学。投资者以“回报社会，回报家乡”办学宗旨，投资到位，产权明晰，不求回报。院长在董事会领导下，独立行使职权。学院以教育部[2006]16号、浙江省政府[2006]41号及浙江省教育厅[2007]188号等文件精神为指针，定位准确，创新管理，不断加强内涵建设。坚持以育人为中心，从严治院，形成了全员育人格局，教学和生活秩序井然。坚持以就业为导向，紧密结合区域经济和社会需求设置专业，积极推行工学结合，校企合作，进行课程整合实行模块化教学，强调学以致用，突出技能培养，开展“四想四对照”等主题教育活动，教学质量不断提高，学生在各项竞赛中硕果累累，就业率连续多年居浙江省同类院校前茅。习近平同志、张德江同志及教育部部长周济等先后视察学院，对各项工作予以高度肯定。学院先后获“中国十大优秀民办高校”、“全国教育教学管理示范高校”、“全国优秀技能人才培养基地”、“全国高等职业院校就业质量50强”、“浙江省平安校园”、“浙江省高校学生工作创新单位”、“浙江省高校科研工作先进单位”及“浙江省高校实验工作先进集体”等称号，被教育部和建设部列为建设行业紧缺人才培养培训基地，设有国家职业技能鉴定所。

参加省大学生
结构设计竞赛获大奖

全国第一个
高职木雕专业开学

“四想四对照”教育活动演讲比赛

地址：浙江省东阳市广福东街1号
邮编：322100 电话：0579－86668872　86668888
网址：http://www.guangshaxy.com
院长（法定代表人）：许华春

# 浙江省交通投资集团有限公司

浙江省交通投资集团有限公司，是根据浙江省人民政府浙政发[2001]42号《关于组建浙江省交通投资集团有限公司的通知》组建的一家省级交通类国有资产营运机构，2001年12月29日正式登记注册，注册资本50亿元。

集团公司是以原浙江省高等级公路投资有限公司为主体，吸纳省交通厅其它4家企业组建而成。截至2008年底，旗下有23家全资及控股子公司、分公司，并参股投资了浙商银行股份有限公司、浙江杭州杭千高速公路发展有限公司、浙江杭浦高速公路有限公司等5家公司。

经过七年的快速发展，目前主要经营领域已经涉及高速公路投资、经营、维护、收费以及配套服务，交通工程建设、施工、物资经营，远洋、沿海运输，高速公路客运，金融证券，房地产开发和实业投资等。2008年12月底，集团公司总资产达到1212.42亿元，实现合并营业收入157.36亿元，实现利润总额22.70亿元。旗下高速公路通车里程从组建时的507公里发展到2267公里，占全省高速公路通车总里程的74%。远洋与沿海运输现有和购建总运力达到400余万吨。企业员工达到18400余人。在2008年公布的中国企业500强中列第357位。在2008年浙江省百强企业中，资产列第1位、利润列第2位、纳税列第4位。

▲ 高速公路互通枢纽

根据“十一五”发展规划，集团公司将深入贯彻省委“创业创新”战略，切实承担国有资产保值增值和在全省高速公路网络建设中发挥主导作用两大使命，积极做强高速公路主业，发展壮大远洋和沿海运输，着力做优交通工程建设、实业投资、房地产和金融证券等辅业，继续向附加值和技术含量较高的领域拓展，努力将集团公司打造成为主业突出、多元经营、母子公司协调发展的跨地区、跨行业、跨所有制和跨国经营的大企业集团。

# 浙江省交通投资集团有限公司

▲ 集团上下积极投入抗雪救灾保畅通

▲ 集团上下积极投入抗雪救灾保畅通

▲ 集团公司派出赴川抢险救灾突击队赶赴四川省广元市执行抗震救灾道路抢险施工

▲ 集团公司派出赴川抢险救灾突击队赶赴四川省广元市执行抗震救灾道路抢险施工

**详细地址：** 杭州市文晖路303号
**法定代表人：** 陈继松
**邮政编码：** 310014
**联系电话：** 0571－85303727

# 浙江省能源集团有限公司

▲ 省委书记赵洪祝（中）在吴国潮董事长陪同下视察了正在建设的舟山煤电一体化项目中的煤炭中转码头

▲ 浙能集团荣获“全国五一劳动奖状”荣誉称号

浙江省能源集团有限公司（下简称浙能集团）是2001年2月经浙江省人民政府批准组建成立的省属能源类国有资产营运机构，主要从事电源投资建设和生产经营、煤炭流通经营、天然气开发利用，并涉及金融、房地产、环保、建材、物资、油品等其他领域。2001年5月，浙能集团正式挂牌成立，总部位于杭州市，注册资本100亿元。

乘着改革开放的春风，经过8年的发展，浙能集团已从一家纯投资型公司发展成为集投资控股与生产经营为一体的大型企业集团，成为在全国具有一定影响、规模最大的地方能源企业之一和浙江省规模最大的国有企业之一，是关系浙江省能源安全保障和国民经济命脉的国有重要骨干企业，连续多年获评“浙江省最具社会责任感企业”荣誉称号和荣膺“全国五一劳动奖状”荣誉称号。

目前，浙能集团控股和代管企业（项目单位）34家，其中全资企业7家。控股的浙江东南发电股份有限公司为B股上市公司，控股的浙江省能源集团财务有限公司是非银行金融机构，也是浙江省首家国有控股的财务公司。截至2008年底，浙能公司总资产857.6亿元，所有者权益389.06亿元。当年合并利润总额约6.2亿元，缴纳各项税金42.3亿元，资产负债率55%，低于中央发电公司平均80%的水平；实现汇总销售收入623亿元，合并销售收入365亿元，同比增长13.7%。

▲ 浙能公司首个风电项目——温州洞头风电项目首台风机吊装成功

浙能集团成立八年来，奋发有为，实现了企业的快速发展，认真履行了国有大型企业的社会责任，为缓解浙江紧张的用电形势，保障浙江能源的安全，建设生态浙江、打造“平安浙江”和“绿色浙江”作出了应有的贡献，圆满实现了省委、省政府关于做强做大做优国有企业和国有资产保值增值目标。

**电力产业突飞猛进**。2008年全年完成发电量865.5亿千瓦时，同比增加8.87%。控股、管理的发电装机容量由成立之初的376万千瓦发展到2008年末的1860万千瓦，占全省4700.58万千瓦发电装机容量（6000KW及以上）的39.57%；其中，2008年取得主要成果为：新增装机容量330万千瓦，安徽凤台电厂一期两台60万千瓦机组的投产发电，标志着跨出省界实施煤电一体化战略合作取得了阶段性重要成果；随着乐清电厂一期两台60万千瓦机组的建成投产，公司60万千瓦机组增至15台，已占煤机总容量的57.12%；滩坑水电站风雨六年，实现了我省首台单机容量最大的常规水电机组投入商业运营，履行了公司建设绿色能源、建好扶贫工程的社会承诺；公司开发的首个风电项目——洞头风电18台风机全部并网发电，为后续开发建设风电项目积累了建设和管理经验；嘉兴三期两台百万千瓦机组、乐清二期工程、滨海热电工程前期工作取得突破，获得国家“路条”。

# 浙江省能源集团有限公司

**煤炭产业蓬勃兴起**。2008年以来年供电煤近4000万吨，分别约占全省煤炭消耗量的25%和电煤消耗量的47%左右。电煤储运基本得到保障，及时控股组建了浙江浙能煤运投资公司、集团公司煤炭及运输分公司，尝试走出去到煤碳出产省份投资煤矿，掌控部分上游煤炭资源。山西麻家梁煤矿项目取得国家“路条”，安徽顾北煤矿超额完成目标任务，年产煤炭达432万吨；完成大同南郊煤站的投资收购，重组并控股浙江富兴海运公司，大力推进舟山煤炭中转储备基地建设，加强资源保障和供应能力，逐步形成电煤投资开发、采购、存储、运输一体化格局。

**天然气产业快速发展**。控股的浙江省天然气开发有限公司负责省级天然气主干管网建设及天然气的总买总卖。已建成杭州－湖州天然气输气管道、杭州－宁波天然气输气管道合计332公里，以及德清CNG项目和若干城市燃气项目等，正在建设杭州－嘉兴天然气输气管道，正在开展甬台温管线和LNG配套管线前期工作，以实现西气、东气、川气等气源的互通互供互备。2008年天然气销售总量达到17.7亿立方米。

**能源服务业茁壮成长**。依托主业资源优势，积极开发配套服务产业，初步完成了能源服务业的业务布局。目前能源服务业基本形成以金融服务、房产、物流、建材、环保、工程建设为支柱产业，以及技术服务、科技信息、宾馆服务业、电厂备品备件同步发展的产业格局，投资项目经营管理初见成效。

**节能减排成效明显**。投入30多亿元大力实施以建设“资源节约型、环境友好型和自主创新型企业”为内涵的“绿色能源计划”，2008年是根据省政府“十一五”脱硫减排目标，脱硫改造投入最大，成效最显著的一年，全年新增脱硫机组14台，容量563万千瓦，实现二氧化硫减排4.07万吨。截至年底，浙能公司控股管理电厂脱硫机组容量1388.1万千瓦，同比增长68.23%，已占燃煤机组容量的88.1%。按照“绿色能源计划”部署，到2009年，浙能集团所有燃煤机组将全部实现脱硫。

**运行管理水平全国领先**。在新增脱硫设施投运的情况下，全年平均供电标准煤耗329.4克/千瓦时，同比下降2.07克/千瓦时。多项发电机组可靠性指标保持国内先进水平，平均等效可用系数93.76%，同比上升1.34个百分点；机组平均非计划停运0.67次/（台·年），同比减少0.1次/（台·年）；平均等效强迫停运率0.59%，均处全国前茅。全年共安排科技项目32个，有13个项目获得浙江省电力科学技术奖，嘉兴二期五号机组、长兴电厂一号机组荣获2007年度“火力发电可靠性金牌机组”称号，获奖机组比例连续两年高居全国发电集团首位。参加2008年中央企业职工技能大赛火电机组集控运行值班员大赛，获得2金1银3铜的优异成绩。

浙能集团“十一五”发展总体目标是在2005年底基础上，力争实现资产总量翻一番，超过1000亿元；控股装机容量翻一番，超过2000万千瓦；销售收入翻一番，达到400亿元；年电煤采购量4500万吨；省级天然气干线长度累计超过400公里，年天然气销售量30亿立方米；确保国有资产保值增值，确保企业安全，确保在国有资产保值增值的前提下努力提高职工收入。

这是一家极具社会责任感的国有企业，这是一家创业创新发展的现代化大型能源企业。在省委、省政府的正确领导和有关部门的大力支持下，浙能集团领导班子正团结带领11000名干部职工，始终坚持以科学发展观为指导，深入推进“大能源战略”实施，加快实现战略转型，调整产业格局，拓宽发展空间，继续大力实施“绿色能源计划”，成为丰富和实践“创业、创新”浙江精神的国有企业排头兵和具有核心竞争能力、持续赢利能力、较强抗风险能力的浙江省省属能源综合型大型国有企业，为浙江经济社会平稳较快发展和能源安全发挥重要作用。

**企业使命**：播种光明，播洒真情。
**企业精神**：让事业精彩，让生命闪光。
**企业核心价值观**：以德立人，以能立业。

▲ 浙能集团总部办公大楼

详细地址：杭州市天目山路152号浙能大厦
法定代表人：吴国潮
邮政编码：310007
联系电话：0571-86669500

## 分行简介

图一

图二

兴业银行杭州分行自2000年5月28日开业以来，在中共浙江省委、省政府、各监管部门的正确领导和大力支持下，按照“建设一流银行，打造百年兴业”的战略部署和“科学发展，和谐兴业”经营管理理念，紧密结合浙江实际，创造性地开展工作，发挥后台优势，变挑战为机遇，各项事业取得快速、持续、健康、协调发展。目前，已在浙江省内的杭州、温州、台州、嘉兴、绍兴、义乌等经济发达地区设立36家机构，基本形成了辐射全省经济发展地区的业务网络与机构分布格局。截止2008年末，杭州分行总资产达720余亿元，各项存款余额达500余亿元，各项贷款余额达380余亿元，资产质量持续保持优良，走出了一条“低风险、高效益、严管理、快发展、可持续”的符合科学发展观的经营管理之路，迅速成长为兴业银行全国39家分行中的6家一类区分行之一和浙江省内具有一定规模、影响力的现代商业银行。

# 科学发展 和谐兴业

## ——兴业银行杭州分行

○中共浙江省委副书记、省长吕祖善（中）、时任浙江银监局局长傅祖蓓（左）听取兴业银行杭州分行行长杨华辉（右）工作汇报。（图一）

○中共浙江省委常委、常务副省长陈敏尔参观杭州分行中小企业创新业务展台，听取杭州分行行长杨华辉同志汇报。（图二）

○位于杭州市金融街的“兴业银行大厦”。（图三）

○5.12四川汶川大地震后，兴业银行杭州分行举行“中国心，兴业情”信用卡现场路演暨赈灾募捐活动，募集善款资助灾区。（图四）

图三

图四

# 中国银行浙江省分行

▲ 2008年11月4日至6日，中国银行党委书记、董事长肖钢同志一行先后到嘉兴、杭州等地，深入企业、深入基层、深入员工进行调研，并拜会了浙江省委书记赵洪祝、省长吕祖善。图为肖董事长到位于嘉兴桐乡经济开发区的巨石集团调研考察，参观集团科技大楼展示厅。

▲ 2008年11月28日，中国银行浙江省分行与杭州经济技术开发区管委会在杭签署战略合作协议。协议在总体上确定，2009年至2011年三年内，省中行将对杭州经济技术开发区管委会及其下属机构提供36亿元的授信支持，用于开发区市政、道路、农居等重点项目的建设，以加快推进开发区从建区到造城、从“依江发展”到“跨江发展”的两个转变。

▲ 2008年12月24日，中国银行浙江省分行与万向集团公司在萧山万向集团总部举行银企合作签约仪式。省中行曾小平行长与万向集团董事局鲁冠球主席分别代表双方签订了2009年银企合作协议。据协议，省中行在2009年为万向集团提供35亿元人民币的授信额度。

◀ 2009年1月14日，中国银行浙江省分行与绍兴市人民政府签署《政银合作协议》。根据合作协议，省中行将在未来3年内支持绍兴市市政、园区、城建、能源、电信、交通、水利等基础设施建设，同时对市政府提供的项目给予重点支持。

详细地址：杭州市凤起路321号
法定代表人：曾小平
邮政编码：310003
联系电话：0571-85011888

# 萧山区

萧山东海之滨，钱塘江畔的鱼米之乡，历来是物华天宝、人杰地灵之地。

萧山是浙江文明之源头。早在新石器时代，这里就有人类繁衍生息，境内跨湖桥文化遗址距今有8000年的历史。春秋霸主越王勾践在这里留下了“卧薪尝胆”的立志典故；唐代著名大诗人贺知章为后人留下了“少小离家老大回，乡音无改鬓毛衰”的名句。

萧山是浙江交通之枢纽。萧山临江近海，地理位置优越。拥有排名全国十大机场之一的杭州萧山国际机场；境内铁路和公路交通路网稠密，已形成了区内40分钟交通圈和20分钟上高速的便捷交通网。

萧山是浙江经济之首富。萧山经济综合实力继续居浙江省县（市、区）级首位，2008年，全区实现生产总值986.50亿元；完成财政总收入126.80亿元。作为工业强区的萧山，近年来以休闲旅游业、物流业、商贸业为主的现代服务业迅速崛起，先进制造业和现代服务业“双轮驱动”的发展模式正在逐步形成。

萧山是浙江休闲之胜地。萧山休闲旅游业已成为杭州这一“东方休闲之都”的重要组成部分。先后获得了“浙江省十大旅游休闲城市”、“华东地区十大旅游休闲风情城市”等荣誉，堪称“浙江休闲之胜地”。

萧山是浙江民生之乐园。萧山社会事业与经济实现了同步发展，相继被评为全国计划生育、文化、体育、科技先进县（市、区），国家卫生城市，首批“省示范文明城区”。2008年，城镇居民人均可支配收入达到26452元、农村居民人均纯收入达到12987元，继续位居全省县(市、区)前列。

滚滚钱江潮养育了这方热土，悠悠岁月见证了她的变迁。朋友们，让我们携手共进，为创造更加辉煌灿烂的明天而奋斗吧！

# 萧山区

详细地址：杭州市萧山区政府行政中心
法定代表人：盛阅春
邮政编码：311202
联系电话：0571--82898969

# 钱江世纪城·宁围镇

钱江世纪城·宁围镇位于浙江省杭州市萧山区北部，东临萧山国际机场，西靠国家高新技术产业开发区，南融萧山城市新区，北傍钱塘江，与杭州的钱江新城隔江相望。全镇总面积42.88平方公里，耕地31292亩，下辖15个行政村，6个社区，252个村民小组，792家企业，总人口近5万人。

钱江世纪城·宁围镇是全国著名企业家鲁冠球及其所在的国家级企业集团——万向集团和优秀民营企业家徐冠巨及其所在的浙江省级企业集团——传化集团所在地。国家级萧山经济技术开发区座落该区域，浙赣铁路复线、104国道、市心北路贯穿全镇，杭甬高速公路穿境而过，杭州萧山国际机场路横跨全镇，规划中的杭州2号、6号、7号地铁线从地下穿越，交通十分便捷，地理位置得天独厚，荣获中国百强镇——中国十大“最佳投资”强镇奖，被誉为创业者的天堂，投资者的乐园。

钱江世纪城·宁围镇人杰地灵，社会经济发达，人民生活富裕。近几年来，一、二、三产业全面协调发展，经济社会取得了快速的发展。

工业上，以机械五金、建筑建材、轻纺服装为主导行业，结构合理，发展态势良好。注重创名优产品，拥有“钱潮牌”十字轴万向节、“传化牌”洗衣粉等国家级名牌产品和江宁制衣等国家级出口免检产品，部分产品国内市场占有率在80%以上，拥有自主创新能力的企业科研中心6家，先进的管理理念和不断的科技创新为制造业的快速发展提供了保障。

农业上，确立了以“苗木、蔬菜、牧业”三大产业为主导的农业布局，建成了质量、档次较高的花卉苗木基地、无公害蔬菜基地和牧业生产基地。浙江省首个高科技农业示范园区就坐落在宁围。近年来，农业产业结构调整力度持续加大，特色农业布局更趋合理，以基地带农户的农业发展格局有效地稳定和提高了农民收入。

三产上，形成了系统的销售网络和产业链。拥有新世纪汽车市场园区、传化物流基地等上规模、上档次、并对周边有相当辐射效应的专业市场及物流集散地。其中占地424亩的传化物流基地，被授予“国家示范物流

# 钱江世纪城·宁围镇

基地”。北京东方家园等国内外知名零售企业纷纷落户宁围。全镇三产服务业总量已超过二产，成为全镇经济的第一大支柱产业。

城镇建设上，镇东区块2.6平方公里建成区内集农工贸、三产服务、文化教育、娱乐休闲于一体，城镇基础设施日臻完善，城乡一体化的推进，多层农民公寓楼的建设，加快了城镇的建设步伐和城乡的联动互进。镇西区块规划和正在开发建设中的钱江世纪城总用地22.74平方公里，是未来杭州中央商务中心（CBD）的重要组成部分，也是城市未来的核心部分。钱江世纪城的开发建设将加快接轨都市步伐，未来的现代化新城将衬托着钱江世纪城·宁围镇这颗璀璨的江南明珠更显流光溢彩。

在经济快速健康发展的同时，三个文明建设也得到稳步推进。钱江世纪城·宁围镇被评为国家级文明镇和卫生镇、全国创建文明村镇先进集体、浙江省首批教育强镇、浙江省先进体育镇、亿万农民健身活动先进乡镇等荣誉。

在杭州由“西湖时代”进入“钱塘江时代”的大背景下，勤劳、智慧的宁围人民正以“发展第一、经济第一、建设第一、全省第一”的雄心壮志，同舟共济，齐心协力，为加快构筑与大都市相适应的现代化新城而奋勇拼搏！

▲农村

▲河道

▲小区

▲道路

详细地址：杭州市萧山区宁围镇人民政府
法定代表人：钟华成
邮政编码：311215
联系电话：0571-82076826

# 萧山区南阳镇

南阳镇位于杭州市萧山区东北部钱塘江口杭州湾南岸，是萧山东部工业重镇，是国内知名的中国伞乡，中国淋浴房之乡，中国观潮首选地。下辖行政村13个，社区2个，村（居）民组223个。南阳镇行政面积（包括钱塘江水域）32.84平方公里，距杭州和萧山城区各20公里，与萧山国际机场和钱江六桥相距3公里，离钱江二桥、沪杭甬高速公路出口12公里。随着钱塘江时代的到来和萧山大城区建设战略的实施，滨二路和钱江九桥建设的启动，南阳的地域优势也越发凸显，成为了海内外有识之士投资创业的一方热土。

全镇现有企业600多家，经营门类比较齐全，有化纤、卫浴、伞业、建筑、机械、蔬菜食品、印染化工、针织服装等八大行业，结构合理，发展势头良好。到2008年底，规模以上企业达120多家，其中超亿元企业20多家。南阳特色经济发展形势喜人，到2008年底，伞业相关企业达120多家，年产各类伞具超亿把，并成功创建了“中国伞乡”；南阳现有淋浴房及配套企业60余家，年产各类淋浴房80万套以上，约占全国总产量的20%，并被授予“中国淋浴房之乡”称号。

南阳镇依江而建，以潮闻名。“八月十八潮，壮观天下无”，钱江潮汹涌澎湃，驰名中外。自1994年以来，在南阳钱江观潮度假村已经成功举办14届中国国际钱江（萧山）观潮节，接待中外宾客180多万人，由此衍生的旅游、餐饮、住宿、娱乐等行业得到了快速的发展，国际知名度大大提升，得到了广大游客的普遍赞同。目前，沿江以江鲜为特色的江字号餐饮带正逐渐形成，投资10亿元包括五星级酒店在内的月亮湾观潮城项目已经启动。南阳镇将充分利用钱江潮的知名度和南阳经济开发区的区块优势，制定科学的发展规划，精心挖掘“潮”文化，加大招商引资的力度，大力发展以“潮”为核心的旅游休闲业及其相关产业，努力打造“潮都南阳”城镇品牌。

随着经济的快速发展，南阳的社会事业和精神文明建设蓬勃发展，城镇面貌焕然一新，功能不断完善，综合环境不断优化，新农村建设成果显著，人民生活品质不断提高，各项事业喜上新台阶。荣获浙江省卫生镇、教育强镇、东海文化明珠镇等多项殊荣。

勤劳智慧的南阳人民正以“勇与潮共舞、敢与强争辉”的弄潮儿精神，为把南阳打造成为“观潮度假的休闲园、安居乐业的新家园、科学发展的创业园”而努力奋斗！

▲ 中国淋浴房之乡

▲ 经济发展十强镇街

▲ 中国伞乡

详细地址：萧山区南阳镇南虹路528号
法定代表人：周胜华
邮政编码：311227
联系电话：0571--82188201

# 萧山区临浦镇

临浦镇位于钱塘江南岸，总区域面积42.48平方公里，户籍人口54024人，下辖20个行政村和13个居民社区。浙赣铁路、03省道、03省道复线穿镇而过，杭金衢高速公路设临浦接口，浦阳江、杭甬运河在境内汇流，距杭州萧山国际机场30分钟车程。

临浦历史悠久、文化积淀深厚，属古越文化发祥地之一，是古代四大美女西施的故里，至今还保存完整的西施文化系列古迹群。临浦自古商贸发达，宋代已形成集市，曾是浙江“四大名镇”和浙江“六大米市”之一，素有“小上海”的美誉。临浦文化名人辈出，孕育了中国演义家蔡东藩等历史文化名人。

近年来，临浦经济社会快速发展，是全国小城镇综合改革试点镇、浙江省“十一五”期间首批中心镇、杭州市发展“临浦组团”中心镇，是2004世界杯乒乓球赛、2005亚洲男子排球赛、全国乒乓球超级联赛、世界华人篮球赛和全国第二届特色文化广场展示颁奖活动的主办地，获得了国家卫生镇、全国群众体育先进镇、浙江省教育强镇、杭州市现代化标志性教育强镇等多项国家、省市级荣誉。

2008年，全镇实现地区生产总值26.72亿元，财政可用资金2.4亿元，工业总产值100.88亿元，规模以上工业销售产值达到67.8亿元。农业总产值达到2.25亿元。农村居民人均纯收入达到12100元。第三产业增加值6.97亿元，2008年综合实力位居全国500镇第95位。

详细地址：萧山区临浦镇人民路18号
法定代表人：吴　波
邮政编码：311251
联系电话：0571--82483371

# 余杭区

▲临平副城一隅

余杭，地处浙江省北部，位于杭嘉湖平原和京杭大运河的南端，是长江三角洲的圆心地，是“中华文明之光”——良渚文化的发祥地，素称“鱼米之乡，丝绸之府，花果之地，文化之邦”。全区总面积1223.73平方公里，辖14个镇、1个乡、4个街道，户籍人口83.74万人。2006年列全国县域经济综合发展百强县（市、区）第15位。

余杭历史源远流长。余杭之名，春秋时已见诸史籍，属吴、越领地，战国中期属楚；南宋时期，余杭作为京畿之地，成为全国经济文化最发达的地区。余杭山水如画，钟灵毓秀，自然人文景观极为丰富。有“茶圣”陆羽、大诗人苏东坡、金石书画家吴昌硕等名家留下的踪迹，有江南三大探梅胜地之一的超山、佛教圣地径山、东明山森林公园、黄鹤山天都城等风景名胜，有良渚博物院、杨乃武与小白菜奇案遗迹等人文景观。余杭交通便利、环境优越、区位优势明显。沪杭、宣杭铁路、华东地区最大的铁路乔司编组站和沪杭高速、杭宁高速、104、320国道，建设中的沪杭客专和杭州地铁一号线，及相互贯通的东苕溪、京杭大运河、钱塘江，仅20分钟车程的杭州国际机场，共同构成了水公铁空一体的现代交通网络。

近年来，余杭区围绕加快建设“品质之城，美丽之洲”的战略目标，大力实施工业强区、服务业大区、城市化工业化两轮驱动、环境立区、民主民生等战略，以科学发展观为统领，一心一意谋发展，聚精会神搞建设，持之以恒抓创新，克难攻坚求突破，经济社会继续保持良好发展势头。2008年，全区实现生产总值501.92亿元，可比增长11.1%，按户籍人口计算，我区人均GDP为60320元，按当年平均汇率计算达到8684美元；财政总收入82.50亿元，其中地方财政收入48.20亿元，分别增长25.4%和31.0%；工业总产值1310.80亿元，增长12.5%，其中规模以上工业产值1025.54亿元，增长13.4%；农业总产值52.89亿元，增长9.3%；第三产业增加值183.50亿元，增长18.5%；社会消费品零售总额128.66亿元，增长21.9%；完成全社会固定资产投资244.01亿元，增长16.1%；合同利用外资6.51亿美元，实际利用外资3.44亿美元，分别增长38.4%、86.3%；完成外贸出口30.12亿美元，增长29.3%；城镇居民人均可支配收入和农村居民人均纯收入达到23678元、12552元，分别增长12.2%、14.3%；金融机构存贷款余额（本外币）738.88亿元、571.11亿元，分别增长22.3%、24.1%。

▲杭徽高速

▲都市农业

# 余杭区

2009年是充满挑战和机遇的一年，余杭区深入学习实践科学发展观，弘扬改革开放30年成功经验，深入实施“六大战略”，大力实施“项目建设三年行动计划”，增强信心，克难攻坚，加快建设最适宜居住的“品质之城、美丽之洲”。

▲良渚博物院

▲奥运会表演项目—余杭滚灯

▲华立科技园总部大楼

▲良渚玉琮

详细地址：杭州市余杭区临平街道西大街33号
法定代表人：姜　军
邮政编码：311100
联系电话：0571-86235812

# 余杭区塘栖镇

▲ 修缮一新的“运河综保”中水北一条街缩影

塘栖镇位于杭州市北部，与湖州市的德清县接壤，距市区中心约20公里，距区政府所在地临平约13公里，著名的京杭大运河穿镇而过，全镇共辖27个村、503个村民小组、7个社区，镇区总面积为79平方公里，总人口10万余人。

2008年，全镇实现农村经济总收入172.10亿元，比上年增长10.85%。农业总产值5.51亿元，比上年增长9.24%。工业总产值136.45亿元，比上年增长29.58%；其中规模以上企业实现工业总产值107.40亿元，比上年增长30.4%；销售产值104.14亿元，比上年增长33.15%；利润3.29亿元，比上年增长9.48%；实现外贸出口交货值12.26亿元，比上年增长21.1%。全年实现地区生产总值33.12亿元，其中第一产业增加值2.89亿元，第二产业增加值22.54亿元，第三产业增加值7.69亿元。社会消费品零售总额11.46亿元，比上年增长16.8%。完成固定资产投资额4.74亿元。财政总收入6.25亿元，比上年增长28.76%。农村居民人均纯收入14058元，比上年增长9.6%。

2009年，塘栖镇将全面贯彻落实党的十七届三中全会和区委十二届七次全会精神，深入实践科学发展观，紧紧围绕“繁荣运河水乡文化，复兴塘栖千年古镇”这一总体目标，以实施大项目战略为契机，解放思想、抢抓机遇、理清思路、克难攻坚，着力化解发展中遇到的困难，着力营造一流的发展环境，牢固树立跨越式发展目标，加速推进“一城一体”建设，全面实施 “与临平副城抱团发展”和“环境立区”战略，努力把塘栖打造成最具人文特色，最宜创业、居住、旅游的江南佳丽之地。

▲ 塘栖枇杷在浙江乃至全国都具有较高的知名度

▲ 塘栖三中新落成的体艺馆和操场塑胶跑道，背后是在建的28层塘栖大厦

▲ 塘栖枇杷节上的“非遗”民间工艺才艺展示之一“米塑”

**详细地址：** 杭州市余杭区塘栖镇人民路300号
**法定代表人：** 曹如法
**邮政编码：** 311106
**联系电话：** 0571-86380469

# 富阳市受降镇

房产区域一角

受降镇地处杭州市西部，富阳市东北部，东临杭州西湖区，北与杭州市西湖区及余杭区接壤，是富阳进出杭州的北大门，房地产上又称银湖版块。全镇区域面积54.3平方公里，辖6个建制村，户籍人口16000余人。受降交通便捷，离杭州市区15公里，离富阳市区8公里，320国道横穿东西，祝闲公路直贯南北，富阳—杭州514公交线路可直达杭州市区，是杭州大都市郊区化的直接辐射区，区位优势十分突出。目前，全镇总开发房地产面积达6500余亩，开发房产以中高档别墅、排屋为主，因山水景致优美、人居生态和谐，获得国家环境优美镇、中国和谐生态乡镇·浙江二十强等荣誉称号。境内拥有全国爱国主义教育示范基地——受降厅及华东地区最大的动物园——杭州野生动物世界。

近年来，受降镇党委政府致力于凝心聚力、抓人促事，破题攻坚、创业创新，坚持工业兴镇，加大有效投入，狠抓项目带动；立足区位优势，拉大三产比例，推进三产强镇，使各项工作任务得到全面落实。

展望未来，受降将按照“率先融入杭州大都市、打造生态宜居示范区”总体思路，以“一主一副三轴四区”为规划结构，紧紧围绕“城市化拉框架、工业化造平台、新农村抓统筹、服务业新蓝海”的发展路径，以征地开发为主抓手，以村居改造为主载体，主动对接杭州产业转移分工、旅游西进渗透、宜居城市扩张，构筑有序空间、打造活力经济、营造宜居环境、构建和谐社会，好字优先、干字当头、干出作风、干出成效，倾力打造“融入杭州的桥头堡、创新创业新平台、城市品质金名片、人居休闲示范区”，实现环境再造、功能再造、活力再造，努力把受降区块建设成为居于杭州、富阳城际之间具有浓郁乡村特色、广大群众共享城市品质生活的田园城市。

纯粹中国味道——九龙一号别墅

国家农博会金奖——东坞山金衣豆腐皮制作

详细地址：富阳市受降镇通政路1号
法定代表人：叶忠士
邮政编码：311422
联系电话：0571-63417135

# 余姚市泗门镇

▲书记：周成伟

▲镇长：毛丕显

余姚市泗门镇地处长江三角洲杭州湾南岸沪、杭、甬黄金热线上，329国道穿境而过，距余姚市区17公里，距宁波机场、萧山国际机场约80公里，且位于杭州湾跨海大桥的接口处，交通便捷。全镇总面积66.3平方公里，辖16个行政村、4个社区，常住 人口近6.3万人，素有“名邦之源”、“阁老故里”之誉，是一座悠久历史和现代文明交相辉映的中心城镇。

近年来，镇党委、政府坚持以邓小平理论和“三个代表”重要思想为指导，按照科学发展观的要求，坚持“经济增实力、稳定促发展、文明塑形象、党建聚人心”的工作方针，负重奋进，敬业实干，全镇经济社会各项事业得到了长足发展，先后获得了全国文明镇、国家卫生镇、全国小城镇发展改革试点镇、全国优秀乡镇、全国环境优美乡镇等十多个国家级荣誉称号，被誉为“浙东明珠”。

——**发达的经济水平**。2008年我镇全年实现工农业总产值226.8亿元，财政收入达到6.08亿元，本级可用资金收入2.45亿元，农村居民人均纯收入达15277元。全镇综合经济实力列省百强乡镇第十位，列宁波市15个中心镇第一位。

——**良好的产业配套**。坚持农业立镇，工业强镇，三产活镇。农业主要以榨菜等经济作物为主，大力发展现代效益农业，有13家市级农业龙头企业，朝精加工、深加工、高附加值方向发展。工业门类齐全，全镇有2000多家企业，500万元以上销售企业154余家，产值上亿元企业16家，已经形成电源线、灯具及其附件、机械电器、食品加工、自行车童车等支柱产业集群，企业布局正朝向专业化、集群化方向发展。第三产业在发展

▲政府大楼

▲美丽和谐的公园夜景

# 余姚市泗门镇

▲ 魅力泗门

传统与现代服务业的基础上，1800亩商贸新区正在加快启动建设，为泗门的持续、协调发展开辟了新的空间。

——**完善的城镇功能**。作为省中心镇，重点抓紧了便捷的交通网络系统、充足的供水供电系统、现代化的信息网络系统、完备的社会服务系统、良好的居住生态环保系统为主的“五大系统”的建设。目前，建成区内购物、娱乐、休闲等功能设施完备，新的高品位文体中心、公交中心、公园绿地、购物中心、宾馆等正在启动建设中。

——**包容的人文精神**。泗门是后移民地区，民风淳朴，人民勤劳，具有较强的创新精神，思想较为解放。以浙东文化与移民文化为主的多种文化在这里互融、发展，已经成为多种文化的接受地，这种开放型的文化特征比较容易接纳外来文化和各类创业人士。

当前，泗门镇经济快速发展、社会和谐安定、人民安居乐业。随着新一轮全国发展改革试点工作的进一步推进，勤劳聪慧的泗门人正逐步把泗门建设成为充满活力的现代化小城市。

▲ 养殖

▲ 江滨公园

▲ 汝湖公园

详细地址：宁波市余姚市泗门镇府前路1号
法定代表人：毛丕显
邮政编码：315400
联系电话：0574-62151319

# 鹿城区

▲五马街

鹿城区，位于东海之滨、瓯江南岸，是温州市的政治、经济、文化中心。鹿城始建于东晋太宁元年(公元323年)，相传筑城时有白鹿衔花而过，故名鹿城。1984年12月建区，2001年下半年，经国务院、省政府批准，市、区两级政府对行政区划进行了调整，鹿城区的区域面积从104平方公里扩大为294.38平方公里，户籍总人口69.98万人。现全区共辖12个街道、5个乡、4个镇。

鹿城自古商贾云集，是浙南沿海主要商品集散地和贸易商埠，素有“东瓯名镇”之称，南宋时期诗人杨蟠就有“一片繁华海上头，从来唤作小杭州”的诗句。鹿城依山面江，城中有山有水，享有“江城如画”的美誉。

鹿城自古以来文风鼎盛，人才辈出。如东晋中国山水诗鼻祖谢灵运，南宋永嘉学派代表人物叶适，当代“一代词宗”夏承焘等，相传书圣王羲之也曾在此留下“墨池”等遗迹。

鹿城区地沃物丰，商业鼎盛，经济繁荣，交通发达。20多年来，在党的阳光和改革开放春风的沐浴下，使鹿城焕发生机勃勃，充满活力，孕育着无穷希望。鹿城人坚持发展是硬道理，以“敢为天下先”的气魄和勇气，积极发展私营经济和多种经济成份，引导和规范股份合作经济，建设和培育各类市场，逐步走出了一条独具特色的区域经济发展路子。2008年，全区生产总值286.33亿元，同比增长5.8%；城镇居民人均可支配收入26703元，同比增长8.4%；农村居民人均纯收入11296元，同比增长10.7%；财政总收入31.96亿元，同比增长12.3%，其中地方财政收入15.82亿元，增长11%；社会消费品零售总额390.02亿元，同比增长19.7%；全区规模以上工业总产值521.06亿元，同比增长1.3%。全区现拥有中国驰名商标24枚，中国名牌产品6个，国家免检产品28个，浙江名牌产品23个，浙江著名商标22枚。其中浙江温州（鹿城）轻工产业园区位于鹿城区西部，总面积18.3平方公里，规划建成一个集产、供、销、科研、展示、信息于一体，高标准、高档次、高品位的浙江省一流工业开发区。园区距温州龙湾国际码头38公里，距温州机场51公里，距温州火车站25公里，330国道线、金温铁路、金丽温高速公路穿境而过，是目前温州市区规模最大、距离市中心最近、交通最为便利的工业园区之一。浙江温州鹿城轻工产业园区以推动全区产业升级为目标，主导产业以机械、汽摩配、生物制药及其它新兴科技型企业为重点，着重发展提高鹿城区现有优势产业，积极引入新兴产业，有选择地发展高新技术产业，大力发展服务业，建立起鹿城区新的产业优势，实现轻工产业园区高速度、高效益发展。鹿城目前已形成

# 鹿城区

▲九山相依，和谐鹿城

了鞋类、服装、打火机、眼镜、剃须刀等全国知名的区域品牌，并成为我国东南沿海最重要的轻工产品出口生产基地之一。

“百尺竿头，更进一步”。鹿城区以“建设现代化新温州”为战略导向，与时俱进，加快发展，深入实施“三二一”经济发展战略，形成以第三产业为支柱、先进工业为基础、效益农业为补充的现代城市经济体系，巩固鹿城在温州经济圈中的核心地位；坚持以人为本和可持续发展战略，提高人的素质，改善城市环境，提高城市品位，努力把鹿城建设成为现代化新温州的文明窗口。

▲世纪广场

▲开工典礼

详细地址：温州市广场路188号
法定代表人：余中平
邮政编码：325000
联系电话：0577-88030085

# 瓯海区

▲瓯海城市中心区鸟瞰图

瓯海区总面积467平方公里，辖7个街道、6个镇，共有24个居委会、251个行政村，2008年底全区户籍人口40.74万人。

2008年，瓯海区深入实施“一城四区”发展战略，加快推进“瓯海新城”建设，全面构建“科技轻工区、现代商贸区、新兴文教区、都市休闲区”，全年实现生产总值219.6亿元，同比增长7.6%。其中第一产业实现增加值4.5亿元，增长7.3%；第二产业实现增加值142.4亿元，增长7.2%；第三产业实现增加值72.7亿元，增长8.2%。全年财政总收入26.03亿元，其中地方财政收入11.38亿元，分别增长17.7％、16.3％。城镇居民人均可支配收入24757元，农村居民人均纯收入11878元，分别增长8.5%、12.4%。

工业经济持续发展，全年实现工业总产值563.1亿元，比上年增长6.1％。其中规模以上工业企业产值328.6亿元，占工业总产值的58.4%；五大支柱行业实现工业产值222.13亿元，比上年增长3.4%。产业规模档次逐步提升，培育规模以上企业741家，其中超亿元企业55家、超50亿元企业1家，企业的竞争力和知名度进一步提高。工业转型升级“543行动”深入实施，自主创新力度不断加大，全年工业性投入达37.28亿元，同比增长18.0%。工业园区建设稳步推进，337家入园企业厂房竣工，新开工标准厂房11.8万平方米，建成30.6万平方米。

商贸服务业发展势头良好，全年实现社会消费品零售总额76.6亿元，比上年增长13.0％。商贸服务平台建设不断加快，商务中心、总部经济园、文化创意园、潘桥国际物流基地等项目先后启动，各类专业市场和农贸市场改造工程陆续动工，为打造“现代商贸区”奠定基础。外贸进出口结构进一步优化，实现外贸出口总额10.9亿美元，增长13.6%。

农业产业化进程加快，结构继续优化，农业效益进一步提高，粮食生产稳定。全年共实现农林牧渔业总产值7.9亿元，比上年增长6.8%。新增省级龙头企业2家、市级龙头企业3家、区级龙头企业7家。新农村建设成效显著，30个村庄通过整治验收，建成全面小康示范村2个。

旅游业发展态势喜人，景区基础设施建设不断加强，休闲旅游、观光农业开发力度加大，初步形成旅游、娱乐、餐饮、文化有机结合的休闲产业体系。全年实现旅游总收入13.66亿元，同比增长20.8%。全年共接待国内游客176.0万人次，同比增长16.6%，实现国内旅游总收入12.64亿元，同比增长19.3%；全年共接待国际游客2.60万人次，同比增长14.2%，实现海外创汇1460万美元，同比增长21.8%。

▲瓯海区泽雅激情漂流

环境监管力度不断加大，生态建设稳步推进，环境恶化趋势得以有效遏制。开展移膜革行业和服装洗涤业污染整治，强制关闭重污染企业20家，停厂搬迁28家，完成治理25家，处理环境违法案件372件。全年审批建设项目277个，依法否决21个，核定1385家企业污染物排放量，征收排污费1623万元，节能减排成效显著。全区万元GDP综合能耗下降4.6%，化学需氧量和二氧化硫排放量分别削减3.5%和3.7%。

城区建设卓有成效，掀起新城建设新高潮。新行政管理中心完成基础桩基工程，占地1000余亩的商务区块推向市场公开招商，温福铁路瓯海段完成铺轨，西部交通网中的站西路、站东路和瓯海大道“公跨铁”控制性工程先行启动，瓯海新城建设进入一个深度开发、全面推进的新阶段。以新城建设为龙头，全区各项重点工程加快实施，六虹桥路、茶

# 瓯海区

▲ 温瑞塘河瓯海区汇昌段

▲ 浙南地区大型休闲游乐主题公园——温州乐园

白公路主体工程、南塘大道仙岩段都大力推进，率全市之先完成“千库保安”和病险山塘除险加固工程，城区基础设施逐步改善，有力地促进了我区由城郊向主城区转型。

社会各项事业扎实推进。全年投入教育的预算资金达2.38亿元，免费义务教育政策全面落实，高考上线率位居全市前茅。文化事业稳步发展，群众性文体活动蓬勃开展，泽雅屏纸、彩石镶嵌被列为省级第二届“非遗”名录，其中彩石镶嵌被列入国家非物质文化遗产名录。“农村环境清洁行动”深入开展，温瑞塘河综合整治有序推进，废塑料行业整治成果得到巩固，人居环境趋于好转。社会保障不断加强，新型农村合作医疗参保率达到99.1%，建成拆迁安置房、三产安置房30多万平方米。“扶贫帮困”工作成效显著，社会慈善事业加快发展，特别是在“汶川大地震”发生后，全区共募集善款4430万元、救灾物资1615万元。平安稳定建设稳步推进，领导包案负责制不断完善，“书记大接访”活动深入开展，镇级综治中心和村居警务室规范运作，“打防控”体系不断健全，社会保持平安稳定。

**【瓯海区“彩石镶嵌”被列入第二批国家级“非遗”名录】**彩石镶嵌是瓯海传统的工艺技术，有着400多年的传承历史。它是石雕和漆器相结合的工艺美术作品，其作品色彩华贵，光亮照人。为拯救、传承传统彩石镶嵌工艺，2003年5月，瓯海区高级工艺美术师刘时梁等5人成立了温州市瓯越浮雕镶嵌研究所。2005年彩石镶嵌项目被列为省级重点保护传统工艺品种，2007年列入第二批浙江省非物质文化遗产名录。2008年，瓯海区的彩石镶嵌与鹿城区、仙居县共同入选为第二批国家级非物质文化遗产公示名单，成为目前瓯海区唯一列入“国遗”的项目。

**【瓯海区被列为浙江省可持续发展实验区】**2008年9月，《瓯海区可持续发展实验区建设总体规划（2008—2020）》通过省可持续发展实验区建设规划评审小组评审。规划以2008年作为基准年，提出了可持续发展实验区的近期和中期建设任务，包括绿色食品、有机农产品基地建设；三垟湿地和大罗山的保护、修复等生态环境工程；基础设施建设等涵盖经济、社会、人口、资源、环境和教育等多个方面的建设任务，在建设环境友好型、资源节约型社会，推进区域可持续发展中的示范作用。

▲ 瓯海区“彩石镶嵌”被列入第二批国家级“非遗”名录

详细地址：温州市将军桥兴海路50号
法定代表人：厉秀珍
邮政编码：325005
联系电话：0577-88532216

# 永嘉县

▲ 永嘉瓯北镇滨江公园一景

▲ 省级农家乐精品培育项目—岭上人家夜景

永嘉县总面积2674.3平方公里，下辖12个镇、26个乡、906个行政村。2008年末全县总人口92.24万人，人口自然增长率9.22‰。2008年全县实现地区生产总值176.34亿元，同比增长9.7%，其中第一产业增加值6.14亿元，增长4.9%，第二产业增加值109.58亿元，增长9.2%，第三产业增加值60.61亿元，增长10.9%。第一、二、三产占生产总值比重由上年的3.6：62.2：34.2调整为3.5：62.1：34.4。全县人均生产总值19212元，增长8.4%。现代物流、商贸、房地产等服务业发展加快，全社会消费品零售总额同比增长12.5%，外贸出口同比增长40.3%。全县财政总收入21.77亿元，其中地方财政收入10.80亿元，同比分别增长18.4%和17.2%。再次跻身全国中小城市综合实力百强、全国最具投资潜力中小城市百强。

农、林、牧、渔业实现总产值10.21亿元，扣除物价上涨因素，比上年实际增长4.6%。农业特色产业强县战略扎实推进，新建农业产业化基地3198亩，新增市级农业龙头企业2家、农民专业合作社51家，通过有机食品、绿色食品、森林食品和无公害农产品认证29个，新添"中国田鱼之乡"金名片，枫林、瓯北、桥下分别荣膺温州市首批蔬菜、茶叶、畜牧特色优势产业强镇称号。农家乐休闲旅游发展良好，新增农家乐特色村（点）13个，成功申报全市唯一的省级农家乐精品培育项目。

工业总产值417.07亿元，比上年增长12.3%，其中规模工业产值306.44亿元，占工业总产值比重达73.5%。产值超亿元的企业66家，比上年增加8家，完成工业总产值203.17亿元。全社会企业科技活动经费投入4.10亿元，比上年增长14.5%，占全县生产总值的比重为2.32%，荣获全市党政领导科技进步目标责任制考核一等奖。至2008年末，全县共有国家级高新技术企业6家。2008年列入国家级科技项目8项、省级项目19项、市级一般科技计划项目16项，其中有5个项目列入国家级火炬计划项目。企业上市扎实推进，成功组建2家股份有限公司，4家企业列入市级拟上市企业名单。全县拥有中国驰名商标33枚、省著名商标29枚、市知名商标33枚，中国名牌5个、浙江名牌20个、温州名牌36个，泵阀产业跻身中国县域产业集群竞争力百强，品牌实力位居全国县域商标发展百强前列。至2008年末，全县共有建筑企业27家、房地产开发企业36家，全年完成建筑业产值21.28亿元，同比增长9.0%；完成房地产投资9.97亿元，同比增长43.1%，施工面积149.19万平方米，增长24.9%。

成功举办首届中国旅游城市定向全能越野赛楠溪江站比赛，楠溪江接待游客150.42万人次，同比增长33.7%，旅游总收入9.8亿元，其中门票收入991.4万元，同比分别增长35.1%、18.1%。2008年末全县金融机构各项存款余额194.68亿元，比年初增加27.04亿元，增长16.1%；各项贷款余额136.81亿元，比年初增加18.03亿元，增长15.2%。邮政储蓄升格为邮政储蓄银行，招商银行、浙商证券落户永嘉，农村合作银行和恒升村镇银行筹建顺利，瑞丰小额贷款公司正式挂牌。

全社会固定资产投资额51.11亿元，同比增长10.3%。其中，5项市级考核重点建设项目和26个重点工程均完成年度投资计划的100.2%，完成投资额26.17亿元；248个一般政府性投资项目完成年度投资计划的78.5%，完成投资额6.12亿元。完成县域总体规划方案编制和沿江5镇总体规划修编。完成104国道乌牛至张堡段改建主体工程、500千伏温东变输变电线路永嘉段、220千伏江北变二期工程和县电力调度通信中心主体工程，新增变电容量18万千伏安，全力推进甬台温铁路、诸永高速公路、温州绕城高速公路北线、41省道岭下至上塘段改建和楠溪江供水工程、县西向供水工程、县城防洪工程、桥下西溪防洪工程二期，开工建设桥头菇溪河道综合治理、瓯北西段标准堤及道路、110千伏桥下变等工程。县城建设方面，完成环城西路路面改造、屿山公园一期

# 永嘉县

等项目建设，下塘片道路网建设加快推进。新农村建设方面，创建星级新农村87个、提升12个，新农村电气化村113个，村庄整治合格村103个，完成通村公路路基改造54.8公里、路面硬化264.1公里，建成农村客运和公交站点114个，新解决5.12万农村人口饮水安全问题。生态县建设方面，深入实施“4811”环境保护行动，开工建设上塘中心城区污水净化站，建成楠溪江沿岸生活污水处理设施44处，成功创建省级生态乡镇4个、市级生态乡镇12个。

制定教育优先发展政策措施，加大教育投入力度，改造农村薄弱学校20所，完成县实验中学一期工程，创建省、市级教育强乡强镇10个，市级职教实训基地和示范专业各2个，顺利通过省级教育强县复评。全县共有幼儿园203所，在园幼儿2.55万人；小学共122所，在校生6.52万人，小学学龄人口入学率99.97%；普通中学54所，在校生5.40万人，其中普通初中43所，在校生3.97万人，学龄人口入学率99.95%。城乡医疗卫生条件不断改善，完成县疾控中心扩建、县传染病房建设，开工建设县中医院住院大楼，新建规范化社区卫生服务中心（站）10个。全县共有各类卫生机构416个，其中医院7个、卫生院38个、妇幼保健机构1个、各类门诊部34个、卫生社区服务站50个、诊所46个、村卫生室230个、医务室10个。2008年末卫生机构实有床位915张，执业医师和执业助理医师1650人。深化文化大县建设，建成乡镇综合文化站3个，基本实现行政村通有线电视和互联网，岩头镇跻身第四批中国历史文化名镇行列。积极开展迎奥运全民健身体育活动，完成县体育场改建，新增省级体育强镇3个。参加省级比赛获得金牌10枚、银牌3枚、铜牌4枚，全国性比赛获得金牌3枚、银牌3枚、铜牌5枚。

城乡居民生活水平继续提高，2008年城镇居民人均可支配收入19256元，同比增长12.3%，扣除价格因素，实际增长7.3%；农村居民人均纯收入6962元，同比增长13.4%，扣除价格因素，实际增长8.3%。年末城乡居民储蓄存款余额122.97亿元，增长25.1%，全县户均存款4.39万元。培训农村劳动力10764人次，新增城镇就业岗位7600个。全县从业人员55.94万人，比上年减少1.24万人，其中一产、二产、三产就业人员分别为12.60万人、20.01万人、23.32万人。2008年末城镇登记失业率为3.61%。全面启动低收入农户“共享小康六大行动”，不断深化“魅力家园”结对共建和扶贫“滴灌工程”，落实帮扶资金2200万元，新建下山移民小区9个，完成下山移民搬迁3016人，被评为省欠发达乡镇奔小康工程先进县。已纳入最低生活保障7510户14863人，比上年增加了884户1693人，享受低保人数占全县总人数的1.61%。农村五保和城镇“三无”人员集中供养率分别达到97%和100%。稳步推行社会保险“五费合征”，新增各类社会保险95076人次。新增廉租房保障对象30户、住房公积金扩面1200人、农民工公寓1.1万平方米，对260户农村住房困难群众实施住房救助，政策性农村住房保险实现全覆盖。统筹建立城乡居民医疗保险体制，新农合参合率达到95%以上。全年慈善总会共募集资金642万元，累计支出救助金714.6万元，受救助4150户。

▲ 稻田养鱼

▲ 文化瑰宝——永昆

详细地址：温州市永嘉县上塘镇县前路94号
法定代表人：王立彤
邮政编码：325100
联系电话：0577-67222678

# 瑞安市塘下镇

塘下镇是全国小城镇综合改革试点镇，是浙江省教育强镇、体育强镇和温州市三星级文明镇。地处浙江东南沿海，总面积83平方公里，下辖5个办事处，89个行政村，常住人口17.09万人，外来人口11.03万人。地理位置优越，交通便捷，距温州机场20多公里，104国道、甬台温高速公路和建设中的温福铁路均穿境而过。境内山色秀美，河网密布，属海洋性季风气候，冬暖夏凉、宜居宜商。

作为瓯越文化的典型代表，塘下自古文风鼎盛，人才辈出。古有南宋先公陈傅良从小为文自成一家，开创了永嘉学派之先声，近有刘英、蔡雄、李英才、陈卓如等一批党的好儿女，以肇平洋、驮山为根据地，在浙南大地播洒了革命火种。塘下还是南戏和温州鼓词的重要发源地。

改革开放以来，塘下人民充分发挥自己的聪明才智，敢为人先，大胆实践，凭借“长三角”和“泛珠三角”经济圈连接点这一得天独厚的区位优势，在市场经济的博弈中抢得先机，走出了一条具有鲜明区域特色的经济发展之路，取得了令人瞩目的成就，是“温州模式”的发祥地之一，连续多年名列浙江省百强乡镇、温州市三十强镇行列。

汽摩配行业是塘下的支柱产业。上世纪70年代初，几乎与商品经济同时而生的塘下汽摩配产业，经过30年的迅速发展，由小到大，由弱变强，已成为全国汽摩配生产的主要基地之一，是瑞安市“中国汽摩配之都”的最主要组成部分，培育了一批具有战略眼光和开拓精神的优秀企业家，涌现出了瑞明集团、胜华波集团、超阳集团、南洋汽摩集团等一批上规模、上档次的企业集团和骨干企业。

近年来，塘下坚持以科学规划为龙头，不断加快城市建设步伐，基础设施日臻完善，城市面貌日新月异。今年还正式启动了塘下中心区开发建设，大大提升城市建设水平。随着经济的发展，全镇教育、文化、卫生、体育等各项事业都得到了长足的进步，许多工作走在全市、全省乃至全国前列，先后组建了全国首家乡镇级行政审批中心、浙江省首家乡镇级总工会、温州市首家村级青年中心、温州市首家乡镇级慈善组织。

展望未来，塘下将以加快发展为主题，以增强经济综合实力与竞争力为核心，以城市化和工业化为重点，不断推进三个文明建设协调发展，一个崭新、繁荣、文明的现代化工业城市必将拔地而起，展现出更为迷人的魅力。

# 瑞安市塘下镇

详细地址：温州市瑞安市塘下镇塘川南街40号
法定代表人：陈世尧
邮政编码：325204
联系电话：0577-65387805

# 乐清市北白象镇

▲ 桥头堡工业区

北白象镇位于乐清市西部，距乐清市区14.5公里，与温州市区一桥相连，是浙南地区的工贸重镇和浙江省电器工业专业区，104国道、甬台温高速公路和甬台温铁路横贯其中，地理位置优越，水陆交通便捷。全镇总面积63.62平方公里，辖94个行政村、3个居委会，常住人口117126人，外来人口8万多人，基层党组织211个、党员3675名。近年来相继被命名为浙江省卫生镇、省教育强镇、省科普示范镇、省“东海文化明珠”、省绿色小城镇、温州市三星级文明镇，先后获得全国亿万农民健身活动先进乡镇、省级社会治安综合治理先进集体、省吸戒毒工作先进基层单位、温州市老干部工作先进集体、温州市奥运安保先进单位、温州市禁毒工作先进单位等荣誉称号，全镇综合经济实力名列全国千强镇、浙江省百强乡镇和温州市三十强乡镇。2008年，全镇实现工农业总产值172.2亿元，同比增长6.3%；税收入库总额10.5亿元，同比增长26.6%；农村居民人均纯收入达到14196元，同比增长8%。

**经济保持平稳发展**。加强农业基础工作，农业生产形势良好，全年实现农业总产值1.38亿元，同比增长20.5%，粮食播种面积4.9万亩，总产达2万多吨。特色农业发展迅速，雁茗早茶荣获第三届浙江绿茶博览会金奖。坚持“保稳、促调”两手抓，加快推进产业结构调整和经济发展方式转变，全年实现工业总产值170.8亿元，同比增长5.4%；自营出口2.97亿美元，同比增长20%；实际利用外资128万美元，实际到位内资7875万元。自主创新能力不断增强，正泰仪表被列入国家火炬计划、国家级高新科技企业和温州市首批次科技赶超计划，金龙控股被列入省高新科技企业，万控集团成为牵头负责国家统一标准编写单位。品牌、名牌战略进一步推进，新增驰名商标1枚、中国品牌1项、浙江省名牌3项、温州市名牌8项。

**城乡建设步伐加快**。甬台温铁路北白象段工程、温州绕城高速北线乐清段工程、楠溪江引供水工程隧道工程等省市重点工程实现了无障碍施工。金炉工业区、温州大桥工业园区二期排污工程正在施工中。500KV乐清浙能电厂至温东线并网送电，220KV茗山输变电工程顺利进场施工，110KV东蒙线完成温州市预定的立塔架线目标，110KV西漳段改线工程顺利完工。道路交通基础设施建设加快，2008年镇财政投入建设资金2000多万元，完成了象南东路工程、自强桥工程，开工建设象西桥，实现了坂塘岭改造工程半幅通车。同时，完成了一批道路、桥梁的整修工作。新农村建设蓬勃开展，镇财政投入补助资金近300万元，一批村通过了省、市村庄整治合格村的验收。

**社会事业协调发展**。积极开展科普村镇创建工作，顺利通过了东斜村、白鹭屿村参与创建温州市科普示范村。全年投入教育基建资金998万元，完成了8所学校相关基建项目，有效改善了学校办学条件。大力打造文化

▲ 鸟瞰图

▲ 白象大道

# 乐清市北白象镇

▲樟湾新村

▲群众文化

强镇，积极开展文物普查和非物质文化遗产普查工作，一批村建立了图书馆和文体活动中心，我镇的首饰龙灯被评为浙江省非物质文化遗产。全民健身活动广泛开展，体育设施逐步完善，全镇体育运动场地总量和总面积居乐清市首位。深入推进学习型社会建设，深化“文明百村行动”和文明单位创建活动，通过了温州市三星级文明镇和浙江省级科普镇复评考核验收。认真做好抗震救灾工作，捐赠金额达560多万元，交纳“特殊党费”52.8万元。

**社会政治和谐有序**。以奥运安保为重点，深入开展信访问题和社会不稳定因素大排查、大调处活动，成功解决了一批重点信访案件。继续保持严打高压态势，全面开展打防“两抢一盗”和社会治安“清风行动”等专项斗争，全年刑事发案下降20.6%，“两抢”案件下降39.8%。继续保持对毒品违法犯罪的严打高压态势，连续四年实现实有吸毒人员负增长的目标。深入开展安全生产隐患排查治理年活动，强化民房和出租房消防安全管理，增强了全民安全意识，全年没有发生重大安全生产事故和食品药品安全事故。开展了温州、乐清两级“十小”行业整治试点工作，顺利通过了省政府和温州市的验收。

**党建工作水平不断提高**。深入开展学习宣传贯彻党的十七大及十七届三中全会精神，深化和拓展“树新形象、创新业绩”主题实践活动，班子成员深入到农村、企业进行调研，解决了事关民生的热点难点问题12个。切实加强农村基层组织建设，顺利完成了全镇97个村居的村级组织换届选举工作，并对194名村两委主要成员进行集中封闭式培训，提高了村干部政策和能力水平。继续以“抓五强、创五好”为主线，大力推进“先锋工程”建设，有3个村被评为乐清市级先锋工程村。深入开展“活力和谐企业”创建活动，非公党建工作整体水平不断提升，非公党建的工作经验被乐清市委组织部推荐上报浙江省作为经验交流。继续深化作风建设，深入开展“四好科室”和“六型机关”创建活动，机关效能得到进一步提升。全面落实党风廉政建设责任制，切实纠正损害群众利益的不正之风，严肃查处了一批违法违纪案件，反腐倡廉工作取得新成效。

2009年，我镇将以邓小平理论和“三个代表”重要思想为指导，深入贯彻落实科学发展观，认真贯彻党的十七大、十七届三中全会精神，坚持“保增长、抓转型、重民生、促稳定”的工作主线，围绕促进经济发展、增加农民收入，强化公共服务、着力改善民生，加强社会管理、维护社会稳定，推进基层民主、促进农村和谐四个方面全面履行职能，努力开创北白象科学发展新局面，加快建设“新兴、文明、平安、和谐”北白象。

▲国家文物保护单位——高氏家族墓群

详细地址：温州乐清市北白象镇象南西路39号
法定代表人：刘寅豹
邮政编码：325603
联系电话：0577-27890022

# 乐清市乐成镇

▲ 生态镇

乐成镇位于浙东南沿海、雁荡山麓，东濒富饶的乐清湾，北依括苍山脉，104国道和甬台温高速公路穿境而过，是乐清市的政治、经济、文化和交通中心。全镇土地总面积101.15平方公里，其中耕地面积24043亩，常住人口约16.6万人，外来人口近8万人，下辖68个行政村和11个社区。该镇先后跻身全国经济千强乡镇、浙江省经济百强乡镇、浙江省文明镇、浙江省东海文化明珠乡镇、温州市综合实力三十强镇、温州市工业卫星镇等行列。

2008年，乐成镇实现工农业总产值135.11亿元，比上年增长8.1%；财政收入8.7亿元，增长16%；农村居民人均纯收入13313元，增长6%。经济社会继续呈现强劲发展态势，综合经济实力列全国千强镇第186位。

**积极发展现代农业**。全年实现粮食播种面积30140亩，粮食总产12697吨，被评为2008年度温州市粮食生产先进镇。农业示范基地建设大力推进，百亩双低油菜、千亩高效绿肥和500亩油菜机收示范方等项目取得重大成效。加快发展高效生态农业和传统品牌农业，发挥花卉、蔬菜、水产养殖等特色产业优势，提升产业化水平。新建中药材（郁金香）基地1个，高山蔬菜基地2个，东魁杨梅基地1个，其他水果基地2个；种植大棚瓜果蔬菜8000亩，淡水养殖1500亩，围塘养殖面积约2000亩，外涂养殖约10000亩。农业品牌建设卓有成效，金马种植、白玉豆制品、顺金肥牛、牛头山畜牧、三新农场等农业品牌确立了市场地位。

**推进工业转型升级**。全年实现工业总产值133.1亿元，同比增长8.5%，规模以上企业实现工业总产值101.9亿元，同比增长13.96%。工业性投入5.68亿元，招商引资实际到位内资1.06亿元，实际利用外资592万美元，自营出口创汇1.72亿美元。以风能产业、电子仪表、机械、化工和头盔摩配五大支柱行业为主导的综合型工业经济格局，正呈现出强劲的规模化、信息化、现代化趋势。华仪集团在A股市场上市，宝龙集团在德国上市，华仪、巨邦、凯尔达、龙飞、中杰等企业商标命名为中国驰名商标。创新创优取得实效，28家企业42个新产品列入省级新产品试制计划，18个产品系列通过省级以上新产品鉴定。全镇节能降耗工作成效明显，被评为2008年度温州市节能工作先进集体。

▲ 旭阳路

▲ 车间一角

# 乐清市乐成镇

**城乡面貌日新月异**。依托中心市区优势，坚持软硬环境建设并举，重点抓好城市中心区核心区、市级教育园区、市经济开发区建设。城市道路宽敞亮丽，以旭阳路、清远路等“四纵五横”的主干道路为主构成了便捷畅通的城市交通网。各项重点工程稳步推进，全年完成固定资产投资14.83亿元。慎海功能园区建设进展平稳，水深村整体搬迁已启动一期工程建设，市区排污管网建设进展迅速。市区景象繁华，高档住宅楼盘林立，商业、物流、金融、服务业逢勃发展，时代广场、世贸购物中心、清远路农贸市场等大型购物商贸中心人流络绎，晨沐广场、东塔公园、中心公园为市民提供了休闲娱乐的场所。

**社会事业和谐发展**。深入开展群众性精神文明创建活动，顺利通过省级文明镇复评验收，3个社区分别被评为省级和谐示范社区或文明社区，全镇获得“全国创建文明镇工作先进镇”称号。教育事业蓬勃发展，镇财政全年累计支出教育经费466.14万元，专用于学校基建和教学设施改善。全镇现拥有中小学校32所，新市民学校1所，成人文化技术学校1所，各类幼儿园44所。文化体育活动广泛开展，建立乐成镇民间艺术团等9支文艺队伍，全年举办各类文化活动50余次。深入开展全民健身活动，6个村被评为省级小康体育村。公共卫生事业长足进步，全镇社区（村）卫生服务网络进一步健全，村级卫生机构共50所，全年投入公共卫生经费1929.8万元。人口和计生工作稳步推进，强化计生优质服务和社会抚养费综合治理，加强流动人口服务管理，较好地完成各项指标任务。社会保障体系不断健全，全面推动新型农村合作医疗，农民实际参保人数83084人，参保率88.6%。平安建设成效显著。健全镇综治工作网络，完善镇、村两级应急预案，全年累计支出综治工作经费637万元，全面开展平安建设“抓规范，树示范”活动，新装240个公共安全视频点，实现人防和技防有效结合。大力开展安全生产隐患排查年活动，成立全省首支乡镇级安全生产现场救护队，全镇各类安全事故继续保持零增长。

▲传统民俗活动划龙船

▲全民运动会开幕式

▲广场文化 百人合筝

详细地址：温州乐清市乐成镇双雁路117号
法定代表人：王振光
邮政编码：325600
联系电话：0577-62533516

# 永嘉县瓯北镇

瓯北全景

瓯北镇地处温州北岸，于楠溪江与瓯江交汇处，与温州隔江相望，总面积136.3平方公里，现辖73个行政村、8个社区，全镇户籍人口13万人，外来流动人口18万人。2008年实现工业总产值289.73亿元，与去年相比增长17.14%；财政收入14.84亿元，与去年相比增长23.6%；农村居民人均纯收入16009元，与去年相比增长18.5%。瓯北镇居温州市30强乡镇第二位，是“中国泵阀之乡”、“中国乌牛早茶之乡”，誉称“温州浦东”。

**第一、经济建设**

第一产业——农业经济。早稻种植面积2032亩，晚稻种植面积13301亩，总产5874吨。经济特产产值5250万元，其中茶叶产值4000万元。生猪饲养量5.46万头，家禽出栏数36.93万羽，春季造林2万株，四旁植树5万株。

第二产业——工业经济。园区实施工业项目达73个，总用地面积达到2165.17亩。开工建设标准厂房5万平方米，竣工标准厂房4.7万平方米，工业性投资16.5亿元，超额完成年度任务。全镇现有中国名牌产品共5个，中国驰名商标28枚；省名牌、省著名商标共44枚。泵阀产业被评为全国产业集群综合实力20强。全镇规模以上企业万元工业综合能耗0.0359，二氧化硫减排60%，COD减排30%，都超额完成县定任务。

第三产业：第三产业在国民经济中的比重从2007年的24.68%上升到2008年的27.25%。商贸、金融、保险、餐饮业、房地产、物流业和交通运输业保持稳定发展。值得一提的是瑞丰小额贷款公司成功挂牌营业，招商银行开始试营业以及巴菲特投资公司落户瓯北。

瓯北堤塘

瓯北阳光大道

# 永嘉县瓯北镇

**第二、城镇建设**

完成商务中心、五中110千伏变电所征地工作，完成罗浮大街交叉口整治工程。做好瓯北大道日常养护工作，做好人人东巷、龙浦桥、罗浦桥等道路维修工程，做好104国道改建、绕城高速公路北线、诸永高速公路、甬台温铁路和41省道上清线改建等5大省重点交通建设工程的房屋拆迁、政策处理等工作。建设公交候车室28个、阳光大道隔离栏600米、标线5384平方米。做好瓯北镇王家坞路北段延伸工程，瓯北大道、新桥路南段、阳光大道东向延伸道路方案规划编制，龙桥路北段、瓯北安心公寓、老人活动中心等工程的前期工作。建设文化墙7500米、整修人行道6200平方米。

**第三、文化教育建设**

加大教育设施，投入资金4500万元，竣工五中等四所学校建筑面积31402平方米，在建四所学校建筑面积22420平方米。有效提高教学基础设施及教学质量。强化文化市场管理，为青少年提供良好的平台。

瓯北镇镇委、镇政府高度重视本辖区内各行各业的发展，为建设瓯北、发展瓯北，更好地为瓯北经济建设服务，做出更大的贡献。

▲ 瓯北园区大道

▲ 瓯北五星工业园区

▲ 永嘉名茶楼

▲ 瓯北商贸城

详细地址：温州市永嘉县瓯北镇双塔路1024号
法定代表人：徐孟鹤
邮政编码：325102
联系电话：0577-67328166

# 平阳县鳌江镇

▲大坪特早茶

鳌江镇是浙江东南沿海的历史古镇，历来是瓯南闽东北地区重要的物资集散地和主要出海口，是平阳县的经济中心。镇域面积102平方公里，常住人口14.8万人，下设7个办事处，辖8个社区、59个行政村。先后获得联合国开发计划署中国可持续发展小城镇试点、全国小城镇建设示范镇、全国小城镇综合改革试点单位、国家级星火技术密集区建设单位等荣誉称号。2008年，全镇实现工农业总产值103.5亿元，财政收入7.87亿元，其中工商税收5.01亿元，城市居民人均可支配收入和农村居民人均纯收入分别为18242元和10207元。近年来，鳌江镇坚持抢抓机遇，按照强镇率先发展的部署，努力打造鳌江流域最适宜居住、最适宜创业的现代化中心城镇。

**第一，区位条件更加优越**。鳌江镇是历史悠久的百年老镇。北宋时期，鳌江镇由渔人聚集成市，清朝初期设置了海关，民国初期因交通发达、市井繁荣而享有“中国古鳌头”、“瓯闽小上海”之美誉。1923年，建成鳌江港，开辟了至湛江、汕头、上海、基隆、大连等航线。鳌江地处长江三角洲和闽江三角洲两大经济圈的联结点上，是温州到福州400多公里海岸线上最理想的港口城市区位。鳌江镇位于平阳县东部，鳌江入海口北岸。东眺世界生物圈保护区南麂列岛，西邻国家级南雁荡风景名胜区，镇区距鳌江出海口约6公里，距温州市50公里。距温州机场50公里，104国道、同三高速公路穿镇而过，建设中的温福铁路在鳌江设置中等规模客货运中心站。鳌江港是台轮停泊点和浙江省四大联运港口之一。

**第二，经济健康快速发展**。依托省级经济开发区平阳经济开发区、垂杨机电小区和墨城临港工业小区等园区平台建设，鳌江的工业经济更加强劲，形成了以机电行业为主导，食品、塑料制品、服装、制革、精细化工等行业齐头并进的格局，其中的塑编机械、金融机具、珠光颜料产量各占全国三分之一、明胶产量占全国二分之一。2008年，全镇实现工业总产值100.53亿元，同比增长10.55%。规模以上企业达到106家，产值超亿元企业达8家。大力发展效益农业，南麂岛开发有限公司的大黄鱼和信业水产有限公司的水产品获省农博金奖，大坪特早茶、腾飞鸽蛋、塘川橄榄等特色农产品走俏四方。共有钢材市场、商业城服装市场、江滨商业广场、建筑材料、家电城等12个专业市场，2008年市场总销售额69.9亿元。

**第三，城乡建设不断推进**。近年来，相继完成瓯南大桥及其配套工程胜利路、昆鳌大道拓宽工程，启动了

▲企业生产车间一角

# 平阳县鳌江镇

火车站大道、环城东路等道路建设，城市框架不断拉大。在推进城市化进程中，按照鳌江流域中心城市的定位目标，针对鳌江襟江面海、依山伴水、河网密布独特的生态环境和丰富的人文资源，认真做好山水文章，建设宜居城镇。吸纳社会建设资金，完成了三期旧城改造，建设了印务包装小区等20多个功能小区，目前建成区面积达10.8平方公里，城市化水平达到了68.9%。兴建了公园、剧院等20多项社会化投资的文化设施，建设了沿江防浪堤等10多项大型公共设施。已建成的引供水工程和鳌江两个水厂日供水量可达10万吨以上。全镇有6座变电所，日供电能力可达100万千瓦，投资2亿多元的污水处理厂和排污支管网工程日处理污水量达9万吨，可以基本解决鳌江流域的生产、生活污水处理问题。突出沿江、沿河、沿街绿化，构筑鳌江镇绿化带110公里，城镇建成区绿化覆盖率达到35.6%，人均公共绿地面积7.5平方米。

**第四，社会事业不断发展**。在推进改革和发展过程中，坚持做到精神文明、政治文明、生态文明和物质文明协调并进。2001年成为了省级文明镇和温州市唯一的全国创建文明小城镇示范点，近两年来，正在积极创建省级示范文明城市。教育事业蓬勃发展，创建国家级重点示范学校2所，省、市示范性学校9所，创办了11所机制灵活的现代民营学校，在全市率先组建了2家教育集团，呈现出幼教、普教、成职教同步发展，民办教育和公办教育协调互补的良好态势，成为温州市社会力量办学的一个窗口。群众性体育活动深入开展，共有太极拳、羽毛球、信鸽等10个专业协会，新建综合性体育馆1个和乒乓球、羽毛球、网球、保龄球等专项场馆多个。辖区内有县中医院、长庚医院等两家大型医院，并大力建设社区、村卫生院，基本实现村村建有卫生室。

▲工业园区一角

▲捕捞大军　蓄势待发

▲民间抬大龙

▲夜景

详细地址：温州市平阳县鳌江镇吉祥路60号
法定代表人：苏立盛
邮政编码：325401
联系电话：0577-63633190

# 苍南县龙港镇

▲ 龙港全景

龙港地处温州南部，位于鳌江入海口南岸，东濒东海，西接甬台温高速公路和温福铁路；是省级经济强镇、文明城镇，全国小城镇综合改革试点镇。现辖9个办事处、107个行政村、21个居民区、2个社区，辖区面积83平方公里，其中建城区面积16平方公里。2008年常住人口30万人，外来人口达10万人。建镇25年来，龙港肩负着城镇建设“排头兵”的光荣使命，经济社会发展取得了喜人成就。

1984年建镇之初，在全国率先推行土地有偿使用、户籍管理制度和发展民营经济等三大制度改革，成功地走出了一条农村城镇化的路子，成为中国农民自费建城的样板，被誉为“中国第一座农民城”，成功实现了龙港第一次跨越。2002年以来，我镇提出了产业化（工业化）与城市化良性互动发展思路，集中精力抓产业的提升和城市框架的构筑，以招商引资为突破口，以工业园建设为载体，改造提升传统产业，大力发展新兴产业。现已形成印刷、礼品、纺织等三大传统产业和不锈钢、特种纤维、新型材料等新兴产业，建成了印刷、小包装、塑编、城东等四个工业功能区。2008年全镇实现生产总值94.37亿元，工业总产值222.86亿元，财政收入8.83亿元，农村居民人均纯收入9938元。获得了“中国印刷城”、“中国礼品城”等4个“国字号”产业名片，拥有3个中国驰名商标和11个浙江省著名商标、名牌产品。

近年来，龙港以建设鳌江流域中心城市为目标，紧紧围绕“人”和“城”这两大主题，深入开展国家级文明城镇创建活动，不断提高市民素质和城镇品位，促进经济社会的快速发展。先后建成40多幢高层建筑，同时建成江滨外滩广场、龙翔广场、金河广场、大桥公园等5个广场公园，城镇绿化面积达106万平方米。镇政府网站日平均浏览数达6.8万次；镇图书馆藏书5.3万册，成立了全省第一个镇级体育联合会，实现全民健身苑点在村居全覆盖。

▲ 象湖公园

当前，温州市委、市政府将龙港列为小城市培育对象。我们将以科学发展观为指导，重点打好“强服务保增长、抓投入推项目、信访化解、安全生产、计划生育、文明片区创建、村级组织规范化建设”等七大攻坚战，力求在产业转型升级、城市功能提升、农村改革发展、社会民生改善、平安和谐创建、体制机制创新、执政能力建设等七大方面取得新突破，实现经济社会又好又快发展，做到在鳌江流域城市化进程中率先垂范。

# 苍南县龙港镇

▲ 置信购物中心

▲ 小包装工业园区

▲ 龙港体育馆

详细地址：温州市苍南县龙港镇镇前路195号
法定代表人：李道骥
邮政编码：325802
联系电话：0577-64202107

# 苍南县

苍南县于1981年建县，地处浙江省最南端，东与东南濒临东海，西南毗连福建省福鼎市，西邻泰顺县，北与平阳、文成两县接壤，素有浙江“南大门”之称，是温州模式的主要发祥地、全国首批沿海对外开放县之一。全县现辖20个镇、16个乡、875个行政村居，总人口126.53万人，陆域面积1261.08平方公里，内海及领海面积3780多平方公里。

苍南交通通信便捷，基础设施完善。苍南处于大陆黄金海岸线中段，有霞关、舥艚、炎亭等七个港口连接内外，104国道、同三（甬台温）高速公路和即将通车的温福铁路、即将新建的沈海高速公路横贯境内。县内78省道、龙金大道、世纪大道、环海公路等四通八达。电力、水利、通信等公共事业建设日臻完善。

苍南气候宜人，旅游资源丰富。苍南属中亚热带海洋性季风气候区，傍浩瀚烟波，依苍山林海，风光秀丽，山海并利。全县海岸线长达168.88公里，可利用滩涂14.6万亩。拥有“蒲壮所城”国家级文保单位，“玉苍山”国家级森林公园、“滨海－玉苍山”省级风景名胜区，沿海沙滩、岛屿众多，其中渔寮大沙滩是亚洲大陆架上最大的沙滩之一。

苍南块状经济优势比较明显，集聚效应日益凸现。全县包装印刷和塑编行业的年产值分别约占全国的15%和20%，礼品行业年销售额约占全国的10%，已形成和拥有“中国印刷城”、“中国礼品城”、“中国塑编之都”等13张“国字号”金名片。苍南是省际县，边贸经济历来非常活跃，目前已有水产品、副食品、商务礼品等80多个专业市场，辐射浙南闽北地区，年成交额达94亿多元。

2008年，全县实现地区生产总值205.56亿元，财政总收入19.92亿元。正在“蓄势后发、奋力崛起”的苍南，致力打造“浙闽区际经贸中心、新兴先进制造基地、山海风情生态乐园、鳌江流域港口城市”，一座极具活力的现代化商贸中心城市将屹立于浙南闽东北。

▲温州礼品城

▲渔寮大沙滩

▲县城全景

详细地址：温州市苍南县行政中心
法定代表人：黄寿龙
邮政编码：325800
联系电话：0577-68881121

# 海宁市丁桥镇

▲丁桥新农村建设

▲丁桥大缺口“碰头潮”

浙江省海宁市丁桥镇地处中国长江三角洲，是天下奇观海宁潮的观赏地之一，距上海市区120公里、杭州50公里，是海宁市区与沿钱塘江百里旅游长廊的连接点，铁路、公路及航运交通便利，外向型经济发达，区位优势明显，跻身中国“千强乡镇”行列。

丁桥镇工业以经编、运动休闲服装、包装材料、照明电器、五金弹簧、太阳能等行业为主，产品大量出口。主要产品有各类PVC压延薄膜、贴合涂层类多用途防水布料；中、高档运动和休闲系列服装及面料；食品、农药、日化用品等包装材料；紫外线灯、杀菌灯、灭蚊灯、T4/T5紧凑型灯、普通荧光灯，植物生长灯和节能灯等系列照明电器；家具弹簧、五金制品；太阳能以热水器和光伏产品为主。紧邻杭浦高速公路和浙江01省道的钱江工业园已成为投资开发的创业热土。

丁桥镇农业经济以蔬菜、蚕桑、肉鸡、苗木为主要特色，是农业部认证的“国家级无公害畜禽基地”，具备一体化禽肉生产能力。“丁桥牌”鲜玉米获得有机食品转换证书，实现标准化生产。作为海宁观潮胜地之一的“大缺口”度假区正呈现出崭新亮丽的形象。

丁桥镇社会稳定，民风淳朴，社会事业发展良好，先后荣获了全国环境优美镇、浙江省康庄工程示范镇、嘉兴市“小康示范、百村整治”建设重点镇、嘉兴市文明城镇等一系列荣誉。

▲杭浦高速公路丁桥出口处

详细地址：浙江省海宁市丁桥镇公园路58号
法定代表人：夏国强
邮政编码：314413
联系电话：0573-87666002

# 德清县

▲ 浙北第一湿地、浙江五大内陆湖中唯一保持原始风貌的景区——下渚湖

德清地处长江三角洲腹地，东望上海、南接杭州、北连太湖，西枕天目山麓。全县总面积936平方公里，辖11个乡镇、166个行政村，总人口43万人。德清“五山一水四分田”，素有“鱼米之乡、丝绸之府、竹茶之地、文化之邦、名山之胜”的美誉。

德清山清水秀，景色宜人，中国四大避暑胜地之一的国家级风景名胜区莫干山座落于县境西部；位于县域中部的江南最大湿地下渚湖，被评为国家级湿地公园、省级风景名胜区，防风古国文化园为国家3A级旅游景区；东部千年水乡古镇新市，素有“千年古运河、百年小上海”之誉，荣获中国历史文化名镇称号。

德清历史悠久，人文荟萃，是有着五千年文明史的良渚文化发祥地之一，在近1800年的建县历史中，曾孕育了南朝著名文学家沈约、唐代诗人孟郊、一代红学大师俞平伯等一大批历史文化名人。

德清区位优势十分突出，杭宁高速公路、104国道、09省道、宣杭铁路、京杭运河、杭湖锡线航道贯通全县，直通杭州公交车开通，穿越县境中东部的申嘉湖（杭）高速公路正加快建设，贯通县境南北的杭宁城际高速铁路已启动实施。县城武康距杭州市中心半小时车程，距上海、宁波、南京均在2小时车程以内。

近年来，德清县充分发挥区位、生态、人文等方面的比较优势，深入实施“开放带动、接轨沪杭”战略，突出“强工业、精农业、扩城市、兴三产”四个工作重点，经济社会得到持续健康发展。先后8次进入全国百强县（市）行列，被评为全国卫生县城、国家级生态示范区、全国科技工作先进县、全国体育先进县、全国文化先进县、省示范文明城市、省级园林城市、全省首批生态县、全省首批平安县、全省首批教育强县、全省首批科技强县、全省农村基层组织建设先进县。

▲ 升华集团

# 德清县

▲ 春晖公园

▲ 德清大闸

▲ 景观大道

▲ 德清国家级风景区——莫干山云雾

**详细地址：** 湖州市德清县武康镇
云岫南路58号（会展中心）
**法定代表人：** 胡国荣
**邮政编码：** 313200
**联系电话：** 0572-8062557

# 长兴县

▲ 大唐贡茶院

▲ 寿圣寺

长兴地处中国长江三角洲杭嘉湖平原，位于太湖西南岸，是襟带苏、浙、皖三省的门户。全县面积1430平方公里，辖10镇6乡2个街道1个省级开发区，人口62万人。

长兴是世界茶文化的发祥地。茶圣陆羽曾在长兴顾渚山置买茶园，修著《茶经》。他在茶经中这样描述紫笋茶："阳崖阴林，紫者上，绿者次；笋者上，芽者次"。唐大历五年(770年)，朝廷更在此设立中国第一个皇家茶厂贡茶院，"焙百余所，工匠千余，役工3万"，最多时年贡18400斤。每当作贡时节，届任湖州刺史必亲临督贡，如颜真卿、杜牧、袁高、裴汶、于由页、杨汉公、李词、张文规等。更有无数骚人墨客，如卢仝、皎然、皮日休、刘禹锡、陆龟蒙、孟郊等，留下了大量歌咏顾渚山、紫笋茶和金沙泉的诗篇，顾渚山迄今仍留存着他们的摩崖真迹三组九处。在顾渚山孕育发展起来的茶文化，惠泽千秋，绵延至今。最早提出"茶道"这个名词的是长兴人、唐代诗僧皎然；首创"茶宴"、"茶会"等茶文化名词的也是长兴老人、"大历十才子"之一的钱起；茶圣陆羽赋予了茶道"精行俭德"的精神内涵；茶仙卢仝在长兴创作了《七碗茶歌》。

长兴历史悠久，文化源远流长。长兴建县始于晋武帝太康三年（公元282年），距今已有1700多年历史。长兴是陈朝开国皇帝陈霸先的故乡，至今还保留着他临世沐浴的圣井。明朝散文大家归有光、《西游记》作者吴承恩同治长兴，成为历史上一段佳话。

长兴交通发达，区位条件优越。四条高速公路（杭宁高速、申苏浙皖高速、申嘉湖高速及杭长高速），三条铁路（宣杭铁路、长牛铁路、新长铁路），两条国道（104国道、318国道）和一条黄金水道（长湖申航道），周边有浦东、虹桥、萧山、碌口四大国际机场，上海、宁波、乍浦三大国际港口。长兴处在长三角中心腹地，与上海、杭州、南京、苏州、无锡、常州等长三角大中城市相距均在150公里之内。

长兴资源广博，物产丰富多样。有久负盛名的"长兴四宝"：银杏、栝楼、青梅、板栗；有享誉四海的"太湖四珍"：银鱼、白虾、鲚鱼、大闸蟹；有令人称绝的"品茗三绝"：紫笋茶、紫砂壶、金沙泉；更有闻名中外的"古生态三绝"：金钉子、古银杏、扬子鳄。

长兴环境和谐，发展势头强劲。长兴具有良好的自然生态环境和文明健康的社会人文环境，经济活跃、社会安定、百业兴旺、人民富裕。近年来已先后跻身于全国综合实力百强县、全国县域经济基本竞争力百强县、全国科技进步先进县、全国文化先进县、全国卫生城市、国际花园城市、浙江省文明城市行列。

泛舟太湖，一座山水园林型的现代化新兴城市已初展雄姿。长兴，这座历史上的茶都正其独特的魅力展示着迷人的风采。

详细地址：湖州市长兴县行政中心广场路1号
法定代表人：章根明
邮政编码：313100
联系电话：0572-6022148

# 浙江长兴经济开发区

▲ 诺力机械股份有限公司

浙江长兴经济开发区坐落于拥有全国综合实力百强县、全国经济竞争力百强县、国际花园城市、世界环境可持续发展县、全国金融生态县、全县社会治安先进县、国家卫生城市、国家园林城市等诸多荣誉的浙江省长兴县，于1994年经浙江省人民政府批准为省级开发区，2001年开始全面开发建设。2003年以来，已连续六年跻身浙江省“十强开发区”，并连续两届入围“长三角最具投资价值开发区”行列，在环太湖区域诸多省级开发区中综合实力名列前茅。开发区管委会已通过ISO9001国际质量管理体系认证和ISO14001国际环境管理体系认证。

长兴经济开发区地理位置优越，东临美丽的太湖，境内有一条黄金水道、两条国道、三条高速、四大铁路交汇，周边一个半小时车程内有浦东、碌口、萧山、虹桥等四大国际机场和上海、宁波、乍浦等三大国际深水港口。独特的战略区位和优越的交通禀赋，使长兴经济开发区正日益成为连接中东部发展的产业纽带和物流中心。

长兴经济开发区一期规划总面积19平方公里，框架已经全部拉开到位，目前已经开发18.12平方公里，累计投入41亿元基础设施建设资金。已开发区域内，所有管线设施均一次性铺设到位，全部实现了“九通”，区内主干道路宽66米，次干道路宽33米，所有道路均按照国家一级公路标准建设，公共绿化面积近80万平方公里，区内环境优美、布局合理、配套齐全、设施一流。开发区内还设有南太湖总部经济园、浙大科技园、日资工业园、海信工业园和汽配工业园等专业工业园区，并都已经有企业入驻，其中日资工业园、海信工业园和汽配工业园部分企业已经建成投产。

目前，长兴经济开发区已初步形成以美国惠而浦电器、浙江海信空调、日本波路梦食品等知名企业为龙头，天能、诺力、九川等企业总部为核心，集电子器电源、机械汽配制造、高档纺织服饰为主导产业的、高度外向的外资集聚区和城市新区，正在成为长兴县域经济增长的核心动力和工业经济产业化的战略平台。

▲ 区位图

▲ 浙江海信空调

详细地址：浙江省长兴县经济开发区经一路
法定代表人：杨永章
邮政编码：313100
联系电话：0572-6129660

# 吴兴区八里店镇

八里店镇位于湖州市东部新区，区域面积90平方公里，辖35个行政村，常住人口57329人，区位位置十分优越。

近年来，八里店镇按照“集聚优势、引领发展”的要求，艰苦创业，开拓创新，经济发展成就喜人，2008年完成社会总产值312亿元，地区生产总值58.5亿，财政收入2.96亿元，农村居民人均纯收入11378元，综合经济实力评比进入“全省百强乡镇”行列并逐年前移。八里店镇高度重视农业产业结构调整，已全面建成全省第一个国家级农产品加工示范基地——吴兴食品加工园，引进企业15家，推动传统农业向现代农业蜕变。从传统农业中脱胎出来的八里店镇，把发展工业作为立镇之本。2008年完成工业总产值265亿元，规模企业已达90家，连续五年名列湖州市工业强镇前五位。以金洲集团有限公司等一批亿千企业为龙头，形成了以金属制品、新型纺织、电机电器电子等为支柱的工业体系。

在经济发展的同时，八里店镇的社会事业也得到飞速发展，先后获得全国环境优美乡镇、浙江省生态乡镇、浙江省教育强镇、浙江省体育强镇、浙江省“东海明珠工程”、湖州市科技强镇等殊荣，连续五年荣获平安乡镇称号，营造了安居乐业的社会环境。特别是建筑面积达108万平方米的现代化农民社区，以其先进的建设理念、完备的配套设施，成为浙江省新农村建设的典范。

如今，建设和谐型实力强镇的蓝图已经绘就，八里店人民在这块古老的土地上，将努力把八里店建设成为“中心城市的重要组团、吴兴区政治经济文化的新兴板块、对外开放和接轨上海的前沿阵地、先进制造业的一流平台、安居乐业的和谐之地”，努力谱写新的建设篇章。

▲ 省级文明社区——八里店社区

▲ 湖州市“明星企业”之一的大东吴集团总部基地

▲ 湖州市“明星企业”之一金洲集团的ERW高频直缝焊管生产线

详细地址：湖州市吴兴区八里店镇曹报村
法定代表人：费争荣
邮政编码：313028
联系电话：0572-2270078

# 诸暨市

▲ 诸暨城区鸟瞰图

诸暨是越国古都、西施故里，区域面积2311平方公里，总人口106万人，现辖27个镇乡（街道），468个行政村，69个城镇社区(居委会)。位于长江三角洲南翼、浙江省中北部，浙赣铁路、杭金衢高速公路、杭金公路贯穿全境，距上海200公里，杭州90公里，萧山国际机场60公里，诸暨至温州永嘉高速公路（北线）建成通车，诸暨至绍兴高速公路正在兴建，区位优势明显。境内山川秀丽，有著名的国家级风景名胜区—浣江五泄风景区，是中国优秀旅游城市。

诸暨民营经济发达，块状特色明显，共有工商登记注册的个体工商企业10万余家，形成了15大重点块状产业，其中五金管业、袜业、织布业年产值超过200亿元。2008年，全市生产总值达到495.89亿元，财政总收入达到50.33亿元，社会消费品零售总额达到124.16亿元，城镇居民人均可支配收入达到25678元，农村居民人均纯收入达到11613元。

诸暨先后被命名为“中国袜业之都”、“中国香榧之都”、“中国珍珠之都”、“中国无公害茶叶之乡”、“中国名品衬衫之乡”、“中国民间文化艺术之乡”和“浙江省建筑之都”、浙江省首批“教育强市”、浙江省首批“科技强市”、浙江省首批“体育强市”、浙江省首批生态县市，荣获“全国基础教育先进县市”、“全国科技进步工作先进县市”、“全国计划生育优质服务先进县市”、“全国农村中医工作先进县市”、“全国粮食生产工作先进县市”、“全国环境综合整治优秀市”、“全国卫生先进城市”、“全国社区建设示范市”、“国家园林城市”、“国家卫生城市”、“国家环保模范城市”，以及“福布斯中国大陆最佳商业城市”、“长三角最具投资价值县市”等称号，“数字城管”试点工作率先通过国家建设部验收。

▲ 西施故里浣纱暮色

▲ 雨后东白湖景色

▲ 新农村建设

详细地址：诸暨市滨江南路11号
法定代表人：王继岗
邮政编码：311800
联系电话：0575-87011855

# 绍兴县杨汛桥镇

杨汛桥镇地处绍兴县西北部，毗邻杭州市萧山区，104国道南复线、杭金衢高速公路穿越镇境，区位优势独特，交通十分便捷。镇域面积37.85平方公里，辖12个行政村，9个居委会，总人口8.6万人，其中户籍人口3.4万人。全镇以民营经济为主导，以建筑建材、纺织印染、经编家纺、五金机械等产业为依托，拥有上市企业4家，民营企业1300余家。2008年实现地区生产总值55.04亿元，财政收入4.56亿元，工业销售收入217.37亿元，自营出口30894万美元。杨汛桥镇是国家可持续发展实验区、全国小城镇综合改革试点、中国经编家纺名镇、全国环境优美镇和省首批中心镇。2002—2004年连续三年蝉联“浙江第一镇”，2005年位列全国千强镇第八位，为省级中心镇和县新型城镇。

2009年，我们将全面贯彻党的十七届三中全会、中央经济工作会议和县委十二届六次全体会议精神，深入实践科学发展观，围绕“攻坚越坎促转型、创新创业谋发展”的工作主题，坚持保稳促调，致力发展方式转变和结构调整，坚持统筹发展，致力加快城市化进程，坚持以人为本，致力改善民生，实现杨汛桥镇经济社会创新发展、持续发展、和谐发展。

详细地址：绍兴市绍兴县杨汛桥镇
法定代表人：张伟江
邮政编码：312028
联系电话：0575-84571547

# 绍兴县钱清镇

▲钱清中国轻纺原料城传统交易区

▲永通国贸广场

钱清镇位于绍兴县西北部，东连县城柯桥街道，南接湖塘街道、夏履镇，西邻杨汛桥镇，北与萧山区为界。杭甬铁路、104国道、329国道横贯其中，杭甬、杭金衢高速公路近在咫尺，距萧山国际机场10公里。面积54.46平方公里，西南丘陵，中部东北部平原水乡。辖21个行政村、4个居委会，常住人口5.9万人，外来人口10万人。

**经济运行在共克时艰中平稳发展**。面对国家宏观政策的重大调整和全球金融危机的不断加剧，全镇上下积极应对，努力保持企业的平稳运行，经济实现了平稳发展，2008年，完成地区生产总值71.87亿元，财政收入7.09亿元，工业销售收入338.29亿元，自营出口7.26亿美元，农村居民人均纯收入14788元。全镇共实施技改项目42只，完成工业投资10.8亿元，创建中国驰名商标1只，新增国家火炬计划项目8只，获得国家级新产品1只；新增省级高新技术企业1家，建立省级研发中心1家，创建省级名牌2只，获得省级新产品11只。

**市场升级在东西互动中展现新貌**。以打响“轻纺原料采购在钱清”品牌为目标，全力推进传统交易区升级改造，不断加快“大钱门”国贸区开发建设。总建筑面积4.1万平方米、总投资1.45亿元的二期工程已完工，实现了传统交易区的总体改造升级。网上市场建设进展顺利，已完成一期网络平台建设。“大钱门”国贸区建设有序推进，永通国贸广场二期、钱江大厦、兴发大厦主体工程已全部结顶，4宗地块已进入方案设计阶段。市场被评为全国十大创新市场和全省十大功勋市场。

**城镇建设在建管并重中扎实推进**。按照规划先行、建管并重的原则，有序实施重大基础设施建设，不断加强城镇管理，扎实开展新农村建设，城乡一体化步伐进一步加快。城镇规划不断优化，围绕增强城镇功能布局目标，编制完成了钱清镇新城区控规、钱清镇重点功能区块规划和钱清镇主要公共服务设施规划等一系列规划，完成了占地3000亩的“大钱门”现代农业园概念性规划评审。

**民生事业在统筹发展中全面进步**。按照“六个所有”要求，高度关注民生问题，扎实实施惠民工程，全镇的社会事业取得了新的进步。实施“教育四化”工程，全镇教育水平不断提高。建立了外来民工子弟中学，确保外来人员子女能够享受九年制义务教育。社区卫生实现跨越，实行全镇统一管理、统一招标的一体化管理体制，建立了农民健康管理档案，实施了外来人口“医疗券”制度。全镇计划生育符合率达99.38%,人口与计划生育优质服务水平不断提升。社会保障工作实行全覆盖。

2008年，钱清镇获得了全国文明村镇、省“低收入农户奔小康工程”结对帮扶工作先进单位、省十佳幸福乡镇成就奖、省抗雪救灾先进单位、省改革开放30年十大功勋市场、市“五好”基层党组织、市平安乡镇、市信访“三无”乡镇、市机关效能建设示范乡镇、市公众心目中最具活力乡镇、市综治工作先进集体、市级食品安全示范镇、县级基层劳动和社会保障工作先进集体、县计划生育双优乡镇、宣传工作创新奖等诸多荣誉称号。

详细地址：绍兴市绍兴县钱清镇东江新区
法定代表人：谢兴长
邮政编码：312025
联系电话：0575-84056048

# 普陀区

▲普陀山

▲五大沙滩

普陀区，因境内佛教名胜普陀山而得名，位于浙江省东北部，舟山群岛东南部，总面积6728平方公里，其中海域面积6270平方公里，有大小岛屿455个。全区辖5镇3乡5街道，总人口32万人。辖区内旅游资源极为丰富，集海岛自然风光、海洋文化和佛教文化于一体，“海天佛国”普陀山、“沙雕故乡”朱家尖、“十里渔港”沈家门及“金庸笔下”桃花岛，构成独特的“旅游金三角”，是华东地区独具特色的海岛旅游度假胜地。

2008年，普陀区委、区政府坚持以科学发展观统领全局，以发展海洋经济为主线，围绕水产品精深加工、临港重化工、海洋文化旅游休闲、现代海洋物流、现代海洋渔业“五大基地”建设，扎实推进各项工作，全年实现地区生产总值125.3亿元，海洋经济总产出380亿元，财政总收入18.1亿元，其中地方财政收入11.1亿元。人民生活显著改善，城镇居民人均可支配收入和渔农村居民人均纯收入分别达到22400元和11300元。

临港工业取得重大突破，全年实现工业总产值达到308亿元。中远船务等一批重点项目进展顺利，海洋工程平台、5000车位汽车滚装船等一批高科技含量、高附加值产品相继投入生产。全区船舶工业实现产值168亿元，坞容量达到150万载重吨，年造船能力达到70万载重吨。水产品加工业稳中有升，实现产值105亿元，精深加工比例达到42.3%，品牌战略和大企业集团培育战略成效显著。现代服务业发展势头强劲。全力打造“渔都港城”形象，中国舟山国际沙雕节、中国沈家门渔港国际民间民俗大会、桃花岛中国“侠侣·爱情”文化节等大型节庆活动精彩纷呈。全年共接待游客980万人次，创旅游收入68.5亿元。成功举办第十届中国舟山国际沙雕节、第三届桃花岛金庸武侠文化节、第三届中国普陀佛茶文化节等一系列重大活动，普陀知名度进一步提升。港口物流业发展增幅明显，全区货运船舶运力达到78万载重吨，实现港口货物吞吐量1400万吨。城乡面貌日新月异，实事项目、重点建设项目等事关普陀长远发展的重大项目顺利完成，城乡居住环境日益优化，全区城市化水平达57.2%。

在普陀新型城市化建设的关键时期，普陀人正以满怀的激情全力打造“实力普陀、活力普陀、魅力普陀、和谐普陀”，努力实现经济跨越式发展和人与社会的全面进步!

▲船舶修造

▲船舶工业

▲金光大道（鲁家峙大桥）

# 普陀区

▲7月31日晚上，原先坐落于浙江舟山市沈家门滨港路东段的沈家门夜排档，正式集体搬迁至东港朱家尖大桥北侧。宽敞便捷的交通环境，使得新搬迁的大排档既不影响市民休闲，更让饱受停车难的食客开心不已。

▲城市广场

▲城区建设

▲舟山国际沙雕节

详细地址：舟山市普陀区沈家门北安路255号
法定代表人：姜建明
邮政编码：316100
联系电话：0580-3013782

# 温岭市

▲ 温岭城区新貌

温岭地处浙东南沿海，是中国大陆新千年第一缕曙光的首照地。陆域面积926平方公里，人口117万人，外来人口逾60万人，是全国人口密度最高的县市之一。2008年实现地区生产总值478.6亿元；财政总收入45.4亿元，其中地方财政收入23.4亿元；农村居民人均纯收入10354元，城镇居民人均可支配收入24125元。县域经济基本竞争力居全国百强县市第14位，中小城市综合实力居全国第30位。

**这是一座生机勃发的活力之城**。温岭具有鲜明的区域发展特色，共有民营企业3万多家，其中规模企业1725家，年产值超亿元企业115家，形成了摩托汽配、泵与电机、制鞋、家用炊具、船舶修造等八大主导行业，电动车、数控机床等新兴行业方兴未艾，创建了“中国泵业名城、小型空压机之都、鞋业名城”等10多个“国”字号生产基地。效益农业特色明显，规模和品牌农业发展是全省农业的三大亮点之一，先后荣获“中国果蔗、高橙、大棚西瓜、大棚葡萄”之乡称号，其中“玉麟”牌西瓜为中国名牌农产品。水产品总量多年位居全省首位、全国第二，被誉为“虾仁王国”。商贸流通业繁荣发达，全市建有各类专业市场120个，年成交额超亿元的40个。

**这是一座环境优美的宜居之城**。温岭具有得天独厚的人文和旅游资源，境内有世界地质公园方山长屿硐天，“东方巴黎圣母院”石塘渔镇，其中长屿硐天被评为中国最具特色的十大景区之一，形成中部硐天、西部山岳、东部滨海三大区块旅游特色。率先开展城市总体形象设计，编制完成全省首个县级市域总体规划。建成区面积30平方公里，城市化率达55%，规划1.5平方公里的中央休闲商务区轮廓初步形成。新农村建设成效显著，首创“菜单式”建设项目，乡村面貌焕然一新，连续五年荣获省“千百”工程先进县市称号。

**这是一座开放有为的创新之城**。温岭是浙江省优先培育的中等城市和首批17个扩权县（市）之一，是国家级可持续发展实验区。凭借温岭人敢闯敢冒、勇为人先的精神，创造了许多可载入史册的全国第一，如第一家股份合作制企业、第一家农民专业合作社、亚洲第一的潮汐能源发电站，是行业工资集体协商制度的诞生地、基层政治“民主恳谈”活动的试验田，其中参与式预算恳谈被国内外学术界誉为“具有中国乡土特色的社会主义民主创新”、“代表了我国建立公共财政的方向”。此外，产业转型升级、企业制度创新、政府职能转变等力度不断加大，城市创新能力位居全国百强县市第6位。

**这是一座成果共享的和谐之城**。坚持以人为本、共建共享，大力推进城乡基本公共服务均等化。水环境整治工作深得人心，惠及百万人的农民安全饮用水工程扎实推进，投资6.6亿元的城乡污水处理三年规划进展顺利，城乡环卫一体化、“千里清水河道”、居民安全卫生饮用水等民生工程有效实施。“强塘固房”、康庄工程、城乡公交一体化等给人民群众带来了实实在在的好处，新型农村合作医疗参合率95.5%，参保人数居浙江省首位。切实加大对困难群众的帮扶力度，低收入农户奔小康工程、残疾人共享小康工程等取得良好成效。

今后一个时期，温岭将紧紧围绕“东西并进、整体跃升”战略，坚持科学发展，促进创新转型，大力推进“内生温岭、海上温岭、市外温岭”建设，努力在全面小康社会建设进程中走在全省前列。

# 温岭市

▲ 全国第一家股份合作制企业——浙江台州宝利特鞋业有限公司

▲ 新农村示范——大溪镇岭头新村

▲ 温岭市区公园——东辉阁

▲ 新千年第一缕阳光首照地——石塘镇

▲ 长屿硐天岩洞音乐厅

详细地址：台州市温岭市人民东路258号
法定代表人：叶海燕
邮政编码：317500
联系电话：0576-86128052

# 杭州娃哈哈集团有限公司

▲ 省委书记赵洪祝、省长吕祖善与宗庆后总经理一起参加十一届全国人大一次会议

2008年，娃哈哈公司完成饮料产量832万吨，比2007年增长20.83%，占全国饮料总量的13%；实现营业收入328.32亿元，比2007年增长27.2%；利润50.54亿元（增长50.36%）、利税68.82亿元（增长37.62%），上交税金23.2亿元。集团产量、销售收入、利税、利润分别占中国饮料“十强”企业的55.57%、65.1%、72.4%、79.3%，各项指标连续11年位居中国饮料行业首位，共有7家分公司的十个项目获得杭州市循环经济专项立项，同时娃哈哈非常可乐公司获“杭州市节能先进企业”荣誉称号，娃哈哈百立、乐维、非常三公司获“2008年度杭州市绿色企业”荣誉称号。在中国饮料业占有举足轻重的地位。据国家统计局统计，娃哈哈位列2008中国最大500家企业集团第155位，制造业500强第120位，大企业竞争力500强第51位。

**【提升企业自主研发和科技创新能力】** 2008年，HELLO-C、啤尔茶爽等系列新饮品成功上市，获得消费者青睐；公司针对用PET瓶灌装中性乳饮料的国际性难题，在深入研究现有各国主流饮料热灌装工艺及设备、无菌冷灌装工艺及设备的基础上，首创超净热灌装技术，解决用PET瓶灌装中性乳饮料的国际性难题，该项超净热灌装技术成功应用于公司旗下的呦呦奶咖、奶茶等中性含乳饮料的生产，降低中性乳饮料生产装备的投入，为企业和国家节约了大量的外汇，该超净热灌装技术的研究及推广应用获中国食品科学技术学会科技创新奖技术进步奖三等奖；公司多腔防盗瓶盖注塑模具获得浙江省科技厅颁发的“2008年浙江省科技进步二等奖”；娃哈哈营养快线饮品获中国食品科学技术学会科技创新奖产品创新奖三等奖；呦呦奶咖牛奶咖啡饮料的研制及超净热罐装技术的应用研究获得“杭州市科学技术奖三等奖”。2008年娃哈哈所有分公司SAP-R/3系统全面上线成功，通过信息化促进企业更好、更快发展，集团公司获CECA国家信息化测评中心颁发的“中国企业信息化500强”。

**【举办21周年庆典】** 2008年10月11日，娃哈哈公司在杭州电子科技大学举行21周年庆典活动，5781名来自全国各地的分公司员工和617名各地政府职能部门领导参加活动，浙江省委常委、杭州市委书记王国平，浙江省科技厅厅长蒋泰维、浙江省外经贸厅厅长金永辉、杭州市副市长沈坚、杭州市工商联会长张必来、上城区区委书记徐祖蓐、中国饮料协会秘书长赵亚利等领导嘉宾亲临现场，向娃哈哈送上了生日的祝福。庆典活动的广播操表演、排舞表演、大合唱、狮龙同舞、威风锣鼓、运动会、企业文化接力等一系列活动，展现了娃哈哈员工良好的精神风貌。

**【提升品牌竞争力】** 2008年，公司参与中宣部等七部委“百家食品企业践行道德承诺网上行”活动，并宣誓“牢记责任，践行承诺，以践行道德承诺为契机，向广大消费者奉献健康”。在三聚氰胺等食品安全问题中，娃哈哈的AD钙奶、爽歪歪等一系列含乳产品经国家质量监督检验总局和美国FDA检验合格，成为真正让国内消费者放心的产品。在该事件后，产品成为首个摆在美国货柜上的中国含乳食品。

2008年，公司获首届“我心目中的杭州品牌奖”、“饮料行业冠军品牌”和“浙江最具代表性品牌”、“2008年度浙江省最佳雇主”等荣誉称号。在由世界品牌实验室发起的2008年世界品牌大会上，娃哈哈以49.71亿元的品牌价值获2008年度“中国500最具价值品牌”第144位。公司总经理宗庆后也先后获得“改革开放三十年30位杰出浙商”、“杭州市工业兴市功勋企业优秀经营者”、“浙江省光彩事业特殊贡献奖”和《亚洲新闻人物》评选的“2007中国十大商业领袖”等多项荣誉。

**【塑造企业良好社会形象】** 2008年，在雪灾、地震发生后，娃哈哈公司第一时间为灾区送去健康洁净的食物，先后捐款捐物总额超过1500万元；响应政府号召，在2008年杭州市春风行动中先后捐资共计530万元；先后捐资809万元支持教育事业，并捐助68.5万元用于扶贫等社会公益事业。公司也因此获得“2008年度中华慈善奖”和“2008中国民生行动先锋”等多项荣誉。

**详细地址：** 杭州市清泰街160号
**法定代表人：** 宗庆后
**邮政编码：** 310009
**联系电话：** 0571-87880583

# 农夫山泉股份有限公司

▲ 工厂

农夫山泉股份有限公司成立于1996年9月26日，原名浙江千岛湖养生堂饮用水有限公司，2001年6月改制为股份有限公司。现注册资金为36000万元，住所在浙江省杭州市西湖区龙坞镇葛衙庄村。公司是集科发、生产、营销为一体的综合性饮料生产企业，主要产品包括天然饮用水、果蔬汁、特殊用途饮料等系列产品。公司于2004年6月被评为农业产业化国家重点龙头企业，2005年被评为国家扶贫龙头企业，2005年9月被农业部评为国家农业产业化优秀龙头企业，2006年10月被评为中国十大农村贡献企业，2008年公司位居“中国饮料工业二十强企业”第5位（中国饮料工业协会评选）。

公司自成立以来，始终坚持“健康、天然”的品牌理念，坚持“水源地建厂、水源地灌装”，1996年以来，已相继在国家一级水资源保护区浙江省千岛湖、吉林省长白山靖宇矿泉水保护区、南水北调中线工程源头湖北丹江口、国家级森林公园广东万绿湖四大优质水源地周边建成七个国际领先的天然饮用水及果汁饮料生产基地。目前共拥有27条饮料生产线，设计月产能达29.6万吨。截止2008年底，公司总资产22.89亿元，所有者权益5.47亿元，职工近6000余人。

优质原材料品质的保证，严格的品质控制程序，世界上最先进的现代化生产设备与信息化管理体系（公司投资的供应链管理项目是国家发改委国家高技术产业发展项目），使公司的综合竞争力不断提高，品牌地位不断提升。2003年9月农夫山泉瓶装饮用天然水被评为中国名牌产品（2006年复评再一次获得）；2004年，公司首批获取国家食品质量安全市场准入认证和产品质量安全（QS）标识；2006年10月，“农夫山泉”被认定为中国驰名商标；2007年9月，农夫果园果汁饮料被评为中国名牌产品。2008年，“农夫山泉”被美国《读者文摘》评选为中国瓶装水中唯一的 “白金品牌”。

公司已建成遍布全国的营销网络，覆盖全国除港、澳、台外的所有省、自治区及直辖市。公司现拥有销售人员4000余人。通过5大区域、26个大区、166个办事处，对分布在全国的1500余个一级经销商实施有效管理。结合成熟的销售管理制度，公司销售网络不断深入、广度不断扩展。

公司已开发并组织实施了一套能够适应国内饮料行业运行情况和本公司业务现状与发展方向的供应链管理体系，构筑了强大的供应链管理能力。该体系实现了预测、规划、生产、物流、销售的网络协同和跨越行业上下游的纵向一体化的产业组织模式，为供应链上的各方构建了一个共同的、统一的资源整合信息平台。

▲ 农夫山泉淳安南山生产基地

▲ 农夫山泉丹江口生产基地

**详细地址：** 杭州市曙光路148号
**法定代表人：** 钟睒睒
**邮政编码：** 310007
**联系电话：** 0571-86669023